SCHMERZTHERAPIE

Was tun, wenn der Schmerz nicht nachlässt?

Dr. Thomas Bißwanger-Heim

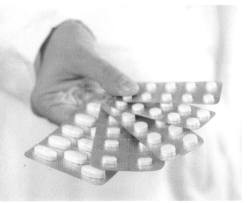

SCHMERZ,
WAS IST DAS?

Sie wissen, was Schmerz ist, jedes Kind weiß es. Stellen Sie sich nun aber einmal vor, Sie müssten es einem Außerirdischen erklären, der Schmerzen nicht kennt. Sie werden bei diesem Gedankenexperiment schnell einsehen, dass das in etwa so schwierig ist, wie jemandem, der noch nie in seinem Leben in einen Apfel gebissen hat, zu erklären, wie eine solche Frucht schmeckt.

URZEITLICHE WARNSIGNALE

Wer nun doch versucht, das Apfelaroma zu beschreiben, kann vielleicht Geschmacksqualitäten angeben wie süß oder säuerlich, aber die „Apfelhaftigkeit", das was den Apfel geschmacklich von allen anderen Früchten unterscheidet, kann man nicht in Worte fassen. Ähnlich wie Geschmack oder Geruch ist Schmerz eine Sinneswahrnehmung; Schmerz wird allerdings in der Regel als unangenehm erlebt. Aber was unterscheidet den Schmerz von anderen unangenehmen Körperempfindungen wie Frieren, üblen Gerüchen oder Lärm? Auch Beschreibungen wie bohrend, brennend, pochend, stechend oder dumpf helfen hier nicht recht weiter. Sie sind wie das Saure oder Süße am Apfel; das was den Schmerz zum Schmerz macht, bleibt weiterhin unerklärbar.

Schmerzen – wozu eigentlich?

Wozu gibt es Schmerzen? Die Antwort auf diese Frage fällt sehr viel leichter, als auf die, was Schmerzen eigentlich sind. Verfolgt man die Fährte von Brennen, Stechen & Co., dann ahnt man, dass Schmerz etwas mit einer schädigenden Einwirkung auf den Körper zu tun hat. Dinge, die man entweder konkret erlebt, wie eine Hautverletzung oder einen Knochenbruch, oder die einem drohen, beispielsweise wenn die Hand einer Flamme zu nahe kommt. In früheren Zeiten hat man die Schmerzen, die man nicht durch konkret fassbare schädigende Einwirkungen, wie etwa einen Hieb mit der Streitaxt oder die Berührung mit glühendem Eisen, erklären konnte, in fast allen Kulturen der Welt mit bösen Mächten oder mit Magie in Verbindung gebracht. Der Begriff Hexenschuss zeugt bis heute von solchem Aberglauben.

 Schmerzen gibt es, damit man schädigende Einwirkungen bemerkt und sinnvoll darauf reagieren kann, so wenn die Hand reflexartig von der Flamme zurückzuckt oder der gebrochene Arm geschont wird.

Ohne die Fähigkeit, Schmerzen zu empfinden, würden wir nicht merken, wenn unser Blinddarm durchbricht oder beim Umknicken des Sprunggelenks ein Band reißt; ja, wir könnten noch nicht einmal einschätzen, ob unsere Suppe zu heiß ist. Schmerz warnt, macht wach und aktiviert die Stressachse (S. 28).

Diese wiederum beschleunigt den Herzschlag, erhöht den Blutdruck und stellt kurzfristig Energiereserven in Form von Fettsäuren und Glukose zur Verfügung, schnell verwertbare Nahrung, um Herz, Gehirn und Skelettmuskeln höchstleistungsfähig zu machen. Dieser Mechanismus hat unsere urzeitlichen Vorfahren genauso wie Wildtiere befähigt, sich mit aller Kraft gegen Angreifer zu verteidigen oder zu fliehen.

INFO **Sie sind mit Ihren Schmerzen nicht alleine**

Mehr als 90 Prozent aller Deutschen erkranken innerhalb von einem Jahr mindestens einmal an einem schmerzhaften Zustand. Bei mehr als einem Drittel halten die Schmerzen über drei Monate lang an. Am häufigsten sind dabei Rückenschmerzen (S. 171). Andere sehr häufige Schmerzformen sind Kopfschmerzen (S. 177), Gelenkschmerzen (S. 186) und weit verbreitete Schmerzen (S. 197). Nervenschmerzen (S. 190) und Bauchschmerzen (S. 184) sind ebenfalls häufig und bedürfen einer besonders sorgfältigen Abklärung, weil sie auf sehr unterschiedliche Grunderkrankungen hindeuten können. Mindestens 30 Prozent aller Menschen, die an Krebs erkrankt sind, leiden in frühen Krankheitsstadien an Tumorschmerzen (S. 195), in fortgeschrittenen Stadien sind es je nach Krebserkrankung 40 bis 100 von 100 Betroffenen.

WAS PASSIERT BEI SCHMERZ IM KÖRPER?

Die körperlichen Vorgänge, die Schmerzen ermöglichen, sind bislang nur teilweise ergründet. Auf den folgenden drei Seiten können Sie sich einen ersten Einblick in die heute bekannten biologischen Prozesse verschaffen, die Schmerzen entstehen lassen und die in einem Fall deren Abklingen, im anderen deren Überdauern bewirken.

Keine Angst, das klingt komplizierter als es ist. Sie müssen nicht gleich jedes Detail verstehen und sich vor allem auch nicht alles merken; es geht eher um die grobe Einordnung einiger Vorgänge und Begriffe, die in diesem Buch an anderer Stelle wieder auftauchen. Vielleicht kommt Ihnen auch manches aus dem Biologieunterricht, aus Wissenschaftssendungen oder Zeitschriftenartikeln bekannt vor. Wem das trotzdem zu viel Theorie ist, der kann auch erst mal weiterblättern.

Drei Millionen Schmerzfühler

Wie jede Sinneswahrnehmung ist auch Schmerz an ein intaktes Nervensystem gebunden. Sinnesreize, die von außen oder aus dem Körperinneren kommen, werden von Sinnesrezeptoren empfangen, in Nervensignale umgewandelt und über Nervenstränge und Rückenmark ans Gehirn weitergeleitet.

Um eine Verletzung von Haut, Knochen, Muskeln, Blutgefäßen oder inneren Organen als schmerzhaft wahrzunehmen, bedarf es der Nozizeptoren; man könnte

das Wort als „Schädigungsempfänger" übersetzen. Es geht dabei um jene fein verästelten Nervenantennen, die auf heftigen Druck – zum Beispiel Hammer auf Daumen – ansprechen, auf Hitze und Kälte oder auch auf chemische Reize wie Säure – wer schon einmal mit verletzter Lippe oder Mundschleimhaut Saures gekostet hat, weiß, was gemeint ist. Der Begriff Schmerzrezeptoren ist weniger genau als Nozizeptoren, denn nicht jedes Nozizeptorsignal führt zu einer Schmerzempfindung (s .u.). Trotzdem verwende ich in diesem Buch in der Regel den verständlicheren Begriff Schmerzrezeptoren. Über drei Millionen solcher Schmerzfühler haben wir in unserem Körper; 90 von 100 davon befinden sich in der Haut, die anderen im Körperinneren, das heißt beispielsweise in Knochen, Muskeln, Blutgefäßen und inneren Organen.

Schmerzfasern und Schutzreflexe

Wird ein Nozizeptor gereizt, dann übersetzen die Schmerzfasern die Reizung in Nervensignale, das heißt in elektrische Ladungsschwankungen und senden diese ins Rückenmark. Dabei unterscheidet man zwischen schnell leitenden A-delta Fasern und langsam leitenden C-Fasern.

Schnell leitend heißt, die Nervenimpulse bewegen sich mit einer Geschwindigkeit von 5 – 30 Meter pro Sekunde (m/s) in Richtung Gehirn, in den C-Fasern nur mit 0,4 – 1,4 m/s. Die A-delta Fasern vermit-

teln einen örtlich scharf begrenzten So-
fortschmerz, der oft als stechend oder
schneidend beschrieben wird, C-Fasern
dagegen einen dumpfen Tiefenschmerz,
dessen Ausdehnung der Betroffene nur
grob einer Körperregion zuordnen kann.
Die C-Fasern werden Ihnen im Kapitel zur
topischen Therapie (S. 151) wiederbegeg-
nen. Dort erfahren Sie, warum Chilicreme
schmerzlindernd wirken kann.

Signale, die über Schmerzfasern ins
Rückenmark eintreten, aktivieren dort zum
einen Nervenzellen, die das Signal ans Gehirn weiterleiten, zum anderen Nervenzellen, die Schutzreflexe auslösen. Dazu gehören motorische Nervenfasern, das heißt
Nerven des Bewegungssystems, die bestimmte Muskeln aktivieren oder zum
Erschlaffen bringen. So ein motorischer
Schutzreflex sorgt beispielsweise dafür,
dass man, wenn man in einen hervorste-
henden Nagel tritt, reflexartig das Bein auf
der betroffenen Seite anzieht und das andere Bein durchstreckt, um die gefährdete
Fußsohle zu entlasten.

Bestimmte Zellen des autonomen
Nervensystems, wissenschaftlich ausgedrückt sympathische Nervenzellen,
werden ebenfalls über Rückenmarksre-
flexe aktiviert und bringen unter anderem
oberflächliche Blutgefäße zum Zusam-
menziehen, das schützt bei eventuellen
Verletzungen vor starken Blutungen und
erhöht über verschiedene Wirkungen auf
Herz und Gefäße die Durchblutung der
Muskeln; unseren urzeitlichen Vorfahren
war dies ein wichtiger Vorteil, denn so

konnten sie bei Gefahr stärker zuschlagen
oder schneller weglaufen.

Schmerzwahrnehmung geschieht immer im Kopf

Im zentralen Nervensystem treffen jede
Sekunde etwa eine Million Signale (für
Technikkenner: 1 Mbit/s) aus den Nozizeptoren ein. Zum Vergleich: In den Rezeptoren für den Tastsinn werden „nur"
100 000 Informationseinheiten pro Sekunde erzeugt, in den Temperaturfühlern nur
1 000. Doch das Gehirn schützt uns: Zwar
strömt diese Vielzahl von Sinnesreizen
ständig auf das Gehirn ein, aber nur ein
Bruchteil davon dringt ins Bewusstsein.
So werden nur zwei von hundert Nerven-
impulsen, die im Gehirn Schmerz signali-
sieren könnten, als Schmerz wahrgenom-
men; alle anderen werden vom körpereigenen Schmerzhemmsystem (s. u.) unter-
drückt; anders gesagt: Es wird ihnen keine
Bedeutung zugemessen.

Eine Voraussetzung für die Wahrnehmung von Nervensignalen aus dem nozizeptiven System, und seien sie noch so
stark, ist ein waches, für die Wahrnehmung von Schmerzen bereites Gehirn.
Eine „Voll"-Narkose ist also genau genommen nur eine Gehirnbetäubung,
die aber ausreicht, um Schmerzen während einer Operation vollständig zu verhindern. Selbst stärkste nozizeptive Reize
können auch unter bestimmten anderen
Bedingungen teilweise oder sogar vollständig „ins Leere" laufen, wie beispielsweise im Zustand der Hypnose (S. 97).

Das passiert, wenn die Aufmerksamkeit völlig von einem anderen Geschehen in Anspruch genommen ist, wie im Rahmen eines religiösen Rituals oder bei manchen Gebärenden in der selbstvergessenen Freude über das Kind, das gerade auf die Welt kommt.

Der eigentliche Schmerz findet eben immer im Kopf statt, auch wenn es beispielsweise „im Bein" wehtut. Andersherum kann „das Bein" sogar dann noch schmerzen, wenn es gar nicht mehr existiert, wie etwa nach einer Amputation – man spricht dann von Phantomschmerzen (S. 190). Sie zählen zu den Schmerzen, die durch eine direkte Schädigung von Nerven verursacht werden, den neuropathischen Schmerzen (S. 190), die unabhängig vom Input der Schmerzrezeptoren entstehen. Bei somatoformen Schmerzerkrankungen (S. 198) können bereits schwache Nervensignale aus dem Körper im Gehirn Schmerzempfindungen hervorrufen. Auch das bestätigt, dass sich die eigentliche Schmerzwahrnehmung immer nur im Kopf abspielt, obwohl man den Schmerz natürlich an der Stelle des Körpers fühlt, die wehtut.

Nozieptive, neuropathische und somatoforme Schmerzen treten bei manchen Erkrankungen kombiniert auf. So kann ein Bandscheibenvorfall durch die mechanische Belastung von Wirbelgelenken, Bändern und Muskeln nozizeptive Schmerzen verursachen, aber auch gleichzeitig neuropathische Schmerzen, etwa wenn dabei eine Nervenwurzel in Bedrängnis geraten ist. Oft sind Rückenschmerzen (S. 171) gemischt nozizeptiv und somatoform.

Raucht Ihnen schon der Kopf vor lauter Schmerzfasertypen und neurobiologischen Mechanismen? Noch ein kurzes Kapitel, dann haben Sie es geschafft und es wird wieder konkreter. Außerdem kommt jetzt erst mal die Feuerwehr.

 DREI ARTEN DER SCHMERZ-ENTSTEHUNG

- **nozieptiv:** Gewebeschmerzen, das heißt von Nozizeptoren ausgehende Schmerzen
  somatisch: Wörtlich heißt das „körperlich" – hier sind Empfindungen aus Nozizeptoren der Haut und des Bewegungssystems, also unter anderem Muskeln, Knochen und Gelenken (S. 186), gemeint.
  viszeral: Eingeweideschmerzen, das heißt Nozizeptorsignale aus inneren Organen
- **neuropathisch:** Nervenschmerzen, durch eine Schädigung von Nerven verursacht.
- **somatoform:** Schmerzen, die aufgrund gestörter Schmerz- und Stressverarbeitungsmuster im Gehirn entstehen und nicht oder nicht mehr auf eine Gewebe- oder Nervenschädigung zurückzuführen sind.

Körpereigene Schmerzfeuerwehr nutzen

Es gibt eine ganze Reihe körpereigener Mechanismen, die die Schmerzempfind-

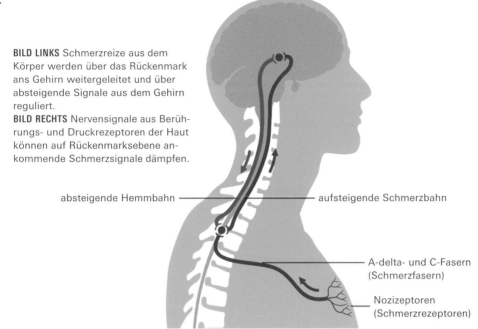

BILD LINKS Schmerzreize aus dem Körper werden über das Rückenmark ans Gehirn weitergeleitet und über absteigende Signale aus dem Gehirn reguliert.
BILD RECHTS Nervensignale aus Berührungs- und Druckrezeptoren der Haut können auf Rückenmarksebene ankommende Schmerzsignale dämpfen.

absteigende Hemmbahn

aufsteigende Schmerzbahn

A-delta- und C-Fasern (Schmerzfasern)

Nozizeptoren (Schmerzrezeptoren)

lichkeit je nach Situation erhöhen oder senken. So bewirkt beispielsweise die Ausschüttung von Entzündungsfaktoren im Bereich einer Gewebsverletzung eine erhöhte Schmerzempfindlichkeit. Eine solche Sensibilisierung hat zur Folge, dass man – um Schmerzen zu vermeiden – eine Wunde vor Berührungen schützt oder einen Knochenbruch ruhigstellt. Die Verletzung kann dann schneller heilen. Der Körper hält aber auch ein vielfältiges Arsenal der Schmerzhemmung bereit. Ein großer Teil aller Schmerztherapien macht sich übrigens die Löschmethoden dieser körpereigenen Schmerzfeuerwehr zunutze oder ahmt sie nach.

Bereits auf Rückenmarksebene sind die nozizeptiven Nervenzellen mit anderen Nervenbahnen komplex verschaltet. Sie regulieren sich gegenseitig in ihrer Bereitschaft, nozizeptive Signale in Richtung Gehirn weiterzuleiten, und empfangen über andere Nervenbahnen schmerzregulierende Impulse aus dem Gehirn.

Auf Rückenmarksebene können Druck- und Berührungssignale, die über A-beta Fasern eintreffen, über die Aktivierung zwischengeschalteter Nervenzellen (Interneurone) zu einer Unterdrückung nozizeptiver Signale führen. Wahrscheinlich reiben wir uns deswegen den Ellbogen, wenn wir ihn angestoßen haben, und vermutlich beruht die Wirkung der meisten physikalischen und manuellen Therapien auf der Aktivierung solcher körpereigenen Schmerzlöscher.

Alle Schmerzmedikamente imitieren die Wirkung körpereigener Schmerzmittel. So wirken beispielsweise Opioide ähnlich wie die von der Hirnanhangsdrüse (Hypophyse) und Nervenendigungen im Rückenmark ausgeschütteten Endorphine. NSAR (S. 106) oder Kortikosteroide (S. 117) ahmen unter anderem die entzündungshemmenden und dadurch überwiegend am Ort der Gewebeschädigung schmerzlindernden Effekte des Stresshormons Kortison (S. 117) nach.

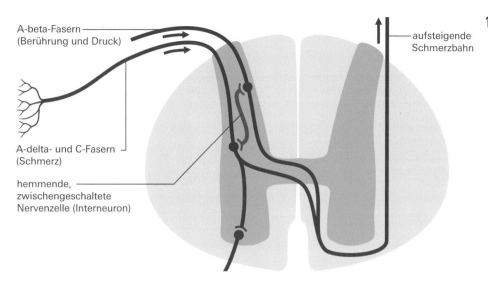

A-beta-Fasern
(Berührung und Druck)

A-delta- und C-Fasern
(Schmerz)

hemmende,
zwischengeschaltete
Nervenzelle (Interneuron)

aufsteigende
Schmerzbahn

Mit Entspannungs- und Stressreduktionstechniken (S. 28) sowie der Schmerzpsychotherapie (S. 81) schließlich kann man die Schmerzverarbeitung im Gehirn allmählich verändern und dadurch nozizeptive Signale „ins Leere" laufen lassen. Sport und Gymnastik (S. 22) wirken vermutlich auf mehreren Ebenen gleichzeitig.

Gratulation! Sie haben nun die wichtigsten biologischen Fakten zur Entstehung von Schmerzen gelernt. Sie wissen nun bereits mehr, als Ihnen Ihr Arzt nebenbei über diese Zusammenhänge erklären kann. Das alles wird Ihnen helfen, den Sinn vieler Untersuchungs- und Behandlungsmethoden tiefer zu verstehen.

CHRONISCHE SCHMERZEN

Akute nozizeptive Schmerzen klingen ab, sobald deren Ursache – eine Wunde, ein Knochenbruch, ein entzündetes Gelenk – ausgeheilt ist. Wenn die Schmerzen darüber hinaus aber noch monatelang anhalten, spricht man von chronischen Schmerzen. Üblicherweise als chronisch bezeichnet werden Schmerzen, die länger als sechs Monate anhalten. Da die Chronifizierung, das heißt der Übergang von akuten Schmerzen zu chronischen, aber ein fließender ist, der je nach Erkrankung und Rahmenbedingungen schneller oder langsamer fortschreiten kann, taugt diese Einteilung allenfalls als grobe Faustregel.

Auch Schmerzen, die über längere Zeiträume immer wiederkehren, werden als chronisch bezeichnet.

 CHRONISCHE SCHMERZEN SIND BESONDERS BELASTEND

Akut klingt nach einem besonders schweren Krankheitszustand, viel eher als chronisch; das sollte nicht darüber hinwegtäuschen, dass Menschen mit chronischen Schmerzen oft sehr viel mehr unter ihren Schmerzen leiden und sich stärker in ihrer Lebensfreude und Handlungsfähigkeit beeinträchtigt fühlen als Menschen mit akuten Schmerzen. Besonders wenn die Ursache für ihre ständigen

BILD Machen Sie sich kurze Notizen, so können Sie Schmerzauslöser besser erkennen und die Effekte der Therapie realistisch einschätzen.

Schmerzen unklar bleibt, wird das von vielen Betroffenen als sehr belastend erlebt (S. 197).

Die Schätzungen, wie viele Menschen mit chronischen Schmerzen es in Deutschland gibt, variieren zwischen 8 und 14 Millionen. Unter den chronifizierten Schmerzsyndromen finden sich häufig Rückenschmerzen, weit verbreitete Schmerzen, Kopfschmerzen, Gelenkschmerzen, Tumorschmerzen und Nervenschmerzen. Oft wechselt der Ort der Schmerzen oder neue Orte kommen dazu. Häufige Begleitsymptome sind

- Ohrensausen
- Kopfschmerzen
- Herzstiche
- Verdauungsbeschwerden (Reizmagen, Reizdarm S. 184)
- Müdigkeit, Benommenheit und Antriebslosigkeit
- „Einschlafen" der Füße oder Hände
- Schlafstörungen
- Muskelverspannungen
- Ängste und Sorgen.

Viele Menschen mit chronischen Schmerzen leiden zusätzlich an einer psychischen Erkrankung, wie einer Depression oder Angststörung. Eine psychische Krankheit oder ungünstige Stressverarbeitungsmuster erhöhen das Risiko, dass sich aus akuten Schmerzen chronische entwickeln. Andersherum belasten chronische Schmerzen die Psyche und können den Ausbruch einer psychischen Erkrankung begünstigen.

Wie kommt es zur Chronifizierung?

An verschiedenen Stationen des schmerzvermittelnden Nervensystems – vom Nozizeptor über die Schaltstellen von Rückenmark und Stammhirn bis zur Bildung des bewussten Schmerzeindrucks in der Hirnrinde – können Sensibilisierungsprozesse (s. o.) stattfinden, die an der Chronifizierung von Schmerzen beteiligt sind. Die wiederholte und starke Aktivierung dieser Schmerzbahnen kann dazu führen, dass die Bereitschaft des Nervensystems, Schmerzen wahrzunehmen, das heißt Schmerzreize ins Bewusstsein dringen zu lassen, steigt.

Formbares Nervensystem

Es gibt eine Eigenart des Nervensystems, sich ständig selbst umzubauen, und zwar so, dass es das, was es in dem Moment tut, in Zukunft noch besser tun kann. Man nennt diese Eigenart Neuroplastizität.

Wenn beispielsweise jemand regelmäßig Geige übt, dann baut sein Gehirn währenddessen neue Verknüpfungen in und zwischen Gehirnzentren, die es zum Geigespielen braucht. Dazu gehören etwa die Areale der Hirnrinde für Feingefühl und Geschicklichkeit in den Fingerspitzen der linken Hand und für präzises Hören von Tonhöhe und Klangfarbe.

Ohne Neuroplastizität könnten wir nichts lernen. Auf dieser Eigenschaft beruht unser Gedächtnis, Fähigkeiten wie Auto- oder Fahrradfahren, unsere sämtlichen Gewohnheiten beim Denken und Handeln, ja unsere Fähigkeit, überhaupt,

etwas wahrzunehmen und sinnvoll darauf zu reagieren.

In Bezug auf Schmerzen ergibt sich aus der Neuroplastizität eine schlechte, zum Glück aber auch eine gute Nachricht. Zuerst die schlechte: Neuroplastizität ist wahrscheinlich eine der wichtigsten Bedingungen für Chronifizierung. Unter bestimmten Bedingungen „lernt" das Nervensystem, für bestimmte Schmerzreize immer empfindlicher zu werden. Gehirnareale, die Schmerzen als unangenehm oder bedrohlich bewerten, werden dann auf Kosten anderer Fähigkeiten des Nervensystems ausgebaut, entsprechende Aktivierungsmuster verfestigt. Die Forscher bezeichnen das als Schmerzgedächtnis. Am Ende eines solchen Umbauprozesses werden unter Umständen sogar bisher schmerzlose Reize wie Berührung oder Wärme als schmerzhaft empfunden, Man spricht dann von Allodynie (S. 190).

Chronische Schmerzen verlernen

Nun die gute Nachricht: Die Neuroplastizität ermöglicht es, Chronifizierung zu vermeiden, und sogar, chronische Schmerzen wieder zu „verlernen".

Mit regelmäßiger sportlicher Bewegung (S. 22), mindestens einer halben Stunde täglich, und Elementen aus der Schmerzpsychotherapie (S. 81) können Sie sich nach und nach ein schmerzunempfindlicheres Nervenkostüm erarbeiten. Ihr Gehirn erinnert sich dann an die Auswege aus dem Schmerz, die Sie selbst entdeckt haben und die Sie immer wieder gegangen sind; aus dem beschwerlichen Trampelpfad durch den Dschungel ist allmählich eine bequem befahrbare Straße geworden.

Entscheidend sind dabei Ihre Eigeninitiative, Ihre Bereitschaft zum regelmäßigen Üben – es ist ja auch noch kein Meistergeiger vom Himmel gefallen – und realistische Erwartungen an den Therapieerfolg. Je nachdem, wie weit der Chronifizierungsprozess bereits fortgeschritten ist, kann es nämlich Monate dauern, bis die Schmerzen zurückgehen. Vollständige Schmerzfreiheit ist zwar nicht ausgeschlossen, kann aber auch nicht im Voraus garantiert werden, und zu hohe Erwartungen führen nur zu schneller Enttäuschung und Kapitulation.

Da die Wirksamkeit von Schmerzmitteln in der Regel über längere Behandlungszeiträume nachlässt, sind sie bei chronischen Schmerzen immer eine trügerische Zuflucht. Außerdem behindern sie die Fähigkeit des Nervensystems, aktive Schmerzbewältigungsstrategien zu erlernen. Schmerzmittel (S. 103 f.) machen nur dann Sinn, wenn die Linderung von – in der Regel akuten – Schmer-

zen dafür genutzt wird, möglichst schnell wieder aktiv zu werden, sportlich, beruflich und im Familien- und Freundeskreis. Ähnliches gilt für fast alle anderen passiven Therapiemethoden, das heißt Verfahren, bei denen Sie behandelt werden, ohne selbst dabei mitzuwirken.

URSACHEN ERKENNEN UND BEHANDELN

Schmerzen können auf Erkrankungen hinweisen; man nennt sie dann ein Symptom der Erkrankung. Alle medizinischen Fachgebiete von der Herz-Kreislauf-Medizin über die Orthopädie, Magen-Darm-Heilkunde, Frauenheilkunde und Geburtshilfe, Urologie und Krebsmedizin und viele mehr haben mit einer unüberschaubaren Zahl schmerzhafter Erkrankungen zu tun. Wollte man nur bei allen deren Namen nennen, würden sie bereits dieses Buch füllen. Auch psychische Erkrankungen wie Depressionen oder Angststörungen und seelischer Schmerz, wie die Trauer um einen verstorbenen Angehörigen, können sich als körperliche Schmerzen äußern.

Wenn eine seelische oder körperliche Erkrankung den Schmerzen zugrunde liegt, dann steht die Behandlung dieser Grunderkrankung immer an erster Stelle. Sonst handelt man wie jemand, der unentwegt Wasser schöpft, statt das Loch im Bootsboden zu stopfen.

Vor allem bei akuten Schmerzen ist oft ein gleichzeitiges „Schöpfen" und „Stopfen", also Schmerz lindern und die Grunderkrankung behandeln, sinnvoll und nötig.

Schmerz kann man nicht messen

Wenn Sie wegen Schmerzen zum Arzt gehen, dann wird er Sie vermutlich zuerst ausführlich befragen, wie sich die Schmerzen genau anfühlen. Da Schmerz eine Körperempfindung ist, die nur in Ihrem Kopf stattfindet, kann kein Außenstehender beurteilen, wie sie sich für Sie anfühlt; auch nicht mit den modernsten medizinischen Apparaturen oder Labortechniken kann jemand von außen beurteilen, wie der „Apfel" für Sie schmeckt. Nur Sie selbst können dem Schmerz nachspüren und dem Arzt sagen, er fühlt sich beispielsweise dumpf, drückend, stechend, brennend, pochend oder elektrisierend an – das ist die Schmerzqualität.

Ein weiteres wichtiges Merkmal – auch im Hinblick auf die notwendige Behandlung – ist die Schmerzstärke. Wenn Sie ihrem Arzt nicht sagen, wie stark Ihre Schmerzen sind, dann kann er es nur vage erahnen. Bei Menschen, die nicht sprechen können, wie Babys oder Menschen mit Sprachbehinderungen, kann man nur anhand indirekter Zeichen, wie einem verzerrten Gesichtsausdruck, einer schnellen, unregelmäßigen Atmung, Weinen oder Schreien vermuten, dass es starke Schmerzen sind, die sie plagen, ja dass es überhaupt Schmerzen sind und nicht eine andere unangenehme Körperempfindung.

Auch objektive medizinische Befunde, wie etwa Röntgenbilder oder die Tiefe einer Wunde, helfen hier nicht weiter. Schmerzschwelle, das heißt die geringste Reizstärke, bei der ein Nozizeptorreiz gerade noch als schmerzhaft empfunden wird und Schmerzsensibilität, das heißt die Schmerzstärke, die bei einer bestimmten nozizeptiven Reizstärke empfunden wird, sind nämlich bei jedem Menschen unterschiedlich und hängen auch von der Situation ab, wie etwa von der momentanen körperlichen und psychischen Verfassung

INFO   Führen Sie ein Schmerztagebuch

Wer unter chronischen Schmerzen leidet, sollte sich während der gesamten Behandlung aufschreiben, wann er Schmerzen in welcher Stärke hat. Auch alle therapeutischen Maßnahmen und besonders belastende Ereignisse werden in einem solchen Schmerztagebuch festgehalten (Vorlage S. 202). Für Migränepatienten kann es hilfreich sein, die verzehrten Nahrungs- und Genussmittel aufzuschreiben (Näheres dazu auf S. 36).

Zum einen gewinnt man auf diese Weise eine realistische Einschätzung darüber, wie sich die Schmerzerkrankung im Tagesverlauf und über längere Zeitspannen hinweg entwickelt. Zum anderen ist das Schmerztagebuch eine wertvolle Entscheidungshilfe für Ihren Arzt oder Schmerzpsychotherapeuten;

daran zeigt sich beispielsweise, ob es sinnvoll ist, die Behandlung fortzuführen oder aber durch eine andere zu ersetzen.

Führen Sie ihr Schmerztagbuch regelmäßig, ohne jedoch zu viel Zeit damit zu verbringen. Besonders, wenn Sie dazu neigen, sich viele Sorgen zu machen, sollten Sie sich nicht zu ausgedehnt mit den Aufzeichnungen beschäftigen.

Es empfiehlt sich, die Eintragungen immer zu einer bestimmten Tageszeit durchzuführen, etwa abends vor dem Schlafengehen. Eine Bewertung größerer zurückliegender Zeiträume und Schlussfolgerungen für die weitere Behandlung sollten Sie immer nur gemeinsam mit Ihrem Schmerztherapeuten vornehmen.

BILD Denken Sie bei einem Arztbesuch an Ihre Unterlagen – von bisherigen Befunden bis hin zum Schmerztagebuch; das hilft bei der Behandlung und Doppeluntersuchungen können vermieden werden.

oder von anderen Sinnesreizen, die den Schmerz entweder verstärken oder abschwächen können. Wie sagen Sie aber nun Ihrem Arzt oder dem Rettungssanitäter, der sich um Ihr gebrochenes Bein kümmert, wie stark Ihr Schmerz ist, wenn die ihn nicht messen können, wie Ihren Blutdruck oder Ihre Körpertemperatur? Die Schmerztherapeuten haben dazu ein einfaches Werkzeug entwickelt, die visuelle Analogskala. Es geht dabei darum, Ihrem momentanen Schmerz „Noten" zu geben, und zwar zwischen 0 für keinen Schmerz und 10 für den stärkste Schmerz, den Sie sich vorstellen können. Sie können dann Ihrem Arzt eine „Hausnummer" nennen oder sie auf der Schmerzskala in Ihrem Schmerztagebuch (S. 17) eintragen.

Überdiagnostik vermeiden

Schmerzdiagnostik heißt, die Ursache Ihrer Schmerzen herauszufinden oder zumindest einzugrenzen. Oft genügt dazu bereits Ihre genaue Beschreibung der Schmerzen, ihrer Qualität, Stärke und Dauer und der Begleitumstände, unter denen sie aufgetreten sind, zusammen mit den Befunden der körperlichen Untersuchung durch den Arzt. In manchen Fällen, etwa wenn eine entzündliche Erkrankung im Raum steht, sind Laboruntersuchungen von Blut und Urin wichtig. Gelegentlich sind bildgebende Verfahren wie Röntgen, Computertomografie (CT) oder Kernspintomografie (Magnetresonanztomografie, MRT; engl. Nuclear Magnetic Resonance, NMR) zielführend.

Da Röntgen und noch mehr die gängige CT oder Szintigrafien mit einer Strahlenbelastung einhergehen, die das Risiko für Krebserkrankungen – zwar geringfügig, aber immerhin messbar – erhöht, sollte Folgendes sorgfältig überdacht werden:
■ Ist die Untersuchung wirklich notwendig?
■ Welchen Informationsgewinn kann die Untersuchung bringen?
■ Ergeben sich durch das Wissen überhaupt Konsequenzen für die Therapie?

Seien Sie bei der Entscheidung für eine Diagnostik eher ein bisschen zurückhaltend und fragen Sie im Zweifelsfall noch einmal nach; es wird in Deutschland leider nach wie vor zu oft geröntgt, manchmal unnötig, doppelt und dreifach oder gar an der falschen Stelle, beispielsweise bei funktionellen Rückenschmerzen. Ähnliches gilt für manche invasive Untersuchungsverfahren, wie etwa die Spiegelung des Kniegelenks.

Oft vernachlässigt wird dagegen die psychische und soziale Dimension von Schmerzerkrankungen. Das trägt dazu bei, dass Menschen mit weit verbreiteten Schmerzstörungen (S. 197) oft über Jahre hinweg von einem Spezialisten zum anderen geschickt werden, immer mit dem frustrierenden und zudem falschen Ergebnis „Sie haben nichts". Dabei leiden gerade diese Patienten oft sehr unter ihren Schmerzen (Näheres auf S. 199). Von Anfang an einen Arzt oder ein Behandlungsteam aufzusuchen, die nicht nur körper-

medizinisch, sondern auch schmerzpsy-chotherapeutisch (S. 81) kompetent sind, macht für viele Betroffene Sinn, insbeson-dere wenn sie unter häufig wiederkehren-den oder chronischen Schmerzen leiden.

Manche Fragestellungen erfordern die Unterstützung durch bestimmte Spezialis-ten wie etwa Neurologen, das sind die Fachärzte für das Nerven- und Muskelsys-tem oder Orthopäden, die sich mit dem Bewegungssystem, also Knochen, Gelen-ken, Wirbelsäule etc. gut auskennen. Chronische Schmerzen bedürfen immer der Behandlung durch ein interdisziplinä-res Team; dabei sollte neben verschiede-nen körpermedizinischen Disziplinen – je nach Erkrankung Orthopädie, Neurologie oder Krebsmedizin – unbedingt auch die Schmerzpsychotherapie vertreten sein. In einem interdisziplinären Schmerzzentrum ist eine solche Behandlung gewährleistet. Wenn es in Ihrer Nähe weder eine Klinik mit Schmerzambulanz noch eine schmerz-therapeutische Praxis gibt, dann empfeh-len wir Ihnen, einen Arzt mit Zusatzbe-zeichnung Schmerztherapie aufzusuchen, der eng mit anderen Fachdisziplinen zu-sammenarbeitet und regelmäßig den Rat seiner Kolleginnen und Kollegen einholt.

 ALLE BISHERIGEN BEFUNDE BEREITSTELLEN

In einem interdisziplinären Schmerzzen-trum, einer Schmerzpraxis oder -ambulanz kann Ihnen schneller und leichter gehol-fen werden, wenn Sie dafür sorgen, dass zum ersten Termin dort alle bisherigen Be-funde, wie Röntgenbilder, CT-Aufnahmen, Arztbriefe, vorliegen. So können Sie selbst auch zur Vermeidung unnötiger Doppel-untersuchungen beitragen.

Multimodale Therapie braucht interdisziplinäre Verankerung

Multimodale Therapie heißt Kombination von körpermedizinischen, bewegungs- und psychotherapeutischen Bausteinen im Rahmen eines Behandlungsprogramms. Bei vielen Schmerzerkrankungen ist das viel wirksamer als die Behandlung mit nur einem Verfahren. Besonders wichtig, um dabei den passenden Therapiemix zu fin-den, sind die sorgfältige Untersuchung und Beratung des Patienten sowie die Pla-nung der Behandlung durch ein interdiszi-plinäres Team. Viele Schmerzzentren bie-ten multimodale Therapie an. Ein Klinikauf-enthalt ermöglicht eine intensive Variante, ist aber nicht immer notwendig.

SCHMERZ — LÖSEN, LINDERN, VERHINDERN

Das Zauberwort der Schmerztherapie im 21. Jahrhundert heißt multimodal. Das heißt, die Behandlung sollte sich wie ein Puzzle aus vielen Teilen zusammensetzen. So verbessert beispielsweise die Kombination von körpermedizinischen mit psychotherapeutischen Verfahren die Chancen auf eine nachhaltige Schmerzlinderung erheblich. Das wurde für verschiedene Schmerzsyndrome nachgewiesen, unter anderem für chronische Rückenschmerzen.

WAS SIE SELBST TUN KÖNNEN

Leider scheint das Wissen um die Stärke der multimodalen Therapie noch nicht weit genug verbreitet. Zu selten wird mit mehr als nur einem Verfahren behandelt. In diesem Kapitel erfahren Sie mehr über die vielen Einzelteile des multimodalen Puzzles, deren Nutzen und Risiken.

Aktiv werden

Viele Menschen, die eine Schmerzerkrankung haben, fühlen sich deren Launen ausgeliefert und haben das Gefühl, sie selbst könnten neben der gewissenhaften Einnahme ihrer Medikamente nichts zum Therapieerfolg beitragen. Das Gegenteil trifft zu: Sowohl für die Vorbeugung als auch in der Behandlung vieler Schmerzerkrankungen ist Eigeninitiative oft schon die halbe und manchmal sogar die ganze Miete. Wer die Erfahrung macht, dass er mit gesunder Ernährung, regelmäßiger Bewegung, Entspannung und Stressbewältigung einen entscheidenden Beitrag zu Wohlbefinden und Lebensfreude leistet, der kann auch mit Schmerzen leichter umgehen, die zunächst allen Bemühungen zu widerstehen scheinen. Selbstwirksamkeit nennen das die Psychologen und haben herausgefunden, dass dies ein ganz grundlegendes therapeutisches Prinzip ist. In diesem Kapitel erfahren Sie, wie Sie Ihren Alltag so gestalten können, dass Sie weniger anfällig gegenüber manchen Schmerzerkrankungen werden. Wenn Sie an einer Schmerzerkrankung leiden, können Sie nachlesen, ob und wie eine Anpassung der Lebensweise etwas zum Therapieerfolg beitragen kann.

BILD Integrieren Sie die Bewegung in den Alltag, denn Regelmäßigkeit ist wichtiger als Leistung.

KÖRPERÜBUNGEN VON AQUAJOGGING BIS YOGA

Stellen Sie sich vor, es gäbe ein Mittel, mit dem Sie nachweislich Ihr Risiko für Herz-Kreislauf-Erkrankungen, Diabetes, Bluthochdruck, Depressionen und bestimmte Krebsformen vermindern. Stellen Sie sich weiter vor, das dieses Mittel bei einem Teil der genannten Erkrankungen auch in einem gewissen Umfang heilsam ist, obendrein das körperliche Allgemeinbefinden verbessert, überschüssige Fettvorräte aufbraucht und die Symptome manch psychischer Erkrankungen mindestens so wirksam und nachhaltig reduziert wie gängige Psychopharmaka. Wenn es ein solches Mittel in Form eines Allround-Medikaments gäbe, dann würde dessen Hersteller astronomische Gewinne erzielen. Die gute Nachricht für Sie ist: Es gibt so ein Mittel und es kostet keinen Cent. Allerdings ist es kein Medikament.

Es ist, wie Sie angesichts der Kapitelüberschrift vielleicht schon geahnt haben, mit eigener Anstrengung und beharrlichem, schweißtreibendem Training verbunden und deshalb lange nicht so beliebt wie Medikamente: Alle Formen von Bewegung, mit denen die körperliche Ausdauer trainiert wird, reduzieren die Anfälligkeit gegenüber Stress, stärken das Immunsystem und wirken vorbeugend gegen Krankheit.

Am Ball bleiben

Damit sich die gesundheitsfördernde Wirkung von Bewegung optimal entfalten kann, ist es vor allem wichtig, dass man am Ball bleibt, sich also regelmäßig sportlich betätigt; die Art des sportlichen Ausgleichs scheint dafür eher zweitrangig zu sein. Suchen Sie sich also getrost den

TIPP **10 Goldene Regeln für gesundes Sporttreiben***

*Diese Empfehlungen gibt die Deutsche Gesellschaft für Sportmedizin und Prävention. Die vollständige Version finden Sie unter www.dgsp.de/_downloads/allgemein/10-Goldene-Regeln_2007.pdf

1. Vor dem Sport Gesundheitsprüfung
2. Sportbeginn mit Augenmaß
3. Überbelastung beim Sport vermeiden
4. Nach Belastung genug Erholung
5. Sportpause bei Erkältung und (akuter) Krankheit
6. Verletzungen vorbeugen und ausheilen
7. Sport an Klima und Umgebung anpassen
8. Auf richtige Ernährung und Flüssigkeitszufuhr achten
9. Sport an Alter und Medikamente anpassen
10. Sport soll Spaß machen

Sport oder die Übungen aus, die Ihnen am meisten Spaß machen und die Sie gut in ihren Alltag einbauen können. Sind die Ziele zu hochgesteckt, sind Resignation und Scheitern vorprogrammiert. Wer sich mit Freunden zum Sport trifft, schlägt zwei Fliegen mit einer Klappe, denn auch das Pflegen sozialer Netzwerke hat einen erheblichen gesundheitsfördernden Effekt. Bevor Sie mit einem systematischen Training beginnen, empfiehlt sich der Besuch bei einem sportmedizinisch kompetenten Arzt. Er kann Herz, Lunge und Bewegungsapparat auf ihre Leistungsfähigkeit und Belastbarkeit untersuchen und mit Ihnen ein maßgeschneidertes Trainingsprogramm erarbeiten, mit dem Sie sich weder über- noch unterfordern. Als Faustregel gegen Überlastung empfiehlt die Deutsche Gesellschaft für Sportmedizin, zu laufen oder auch anderen Sport zu treiben, ohne dabei stark zu schnaufen oder gar außer Atem zu geraten.

Bewegung erhöht Belastbarkeit und Schmerzresistenz

Regelmäßige Bewegung hilft, Krankheiten zu vermeiden und Beschwerden zu lindern. Das scheint auch auf viele Schmerzerkrankungen zuzutreffen, wie Migräne und andere Kopfschmerzformen, Fibromyalgie, Knie-Arthrose, rheumatoide Arthritis, chronische Rückenschmerzen und Osteoporose (Knochenschwund). Wer körperlich aktiv ist, macht damit genau die Teile des Körpers stabiler und zugleich elastischer, die er bei seinen Übungen beansprucht, also die entsprechenden Muskeln, Bänder, Sehnen, Gelenke und Knochen. Gleichzeitig verbessert sich deren Durchblutung und Sauerstoffversorgung.

Das spricht für ein vielseitiges und abwechslungsreiches Training, wie etwa der Kombination von Schwimmen, Radfahren und Yoga. Die dadurch gewonnene Stabilität, Beweglichkeit, Körperhaltung und Koordination schützen das Bewegungssystem, also etwa die Gelenke und Bandscheiben, in einem gewissen Rahmen vor Verletzungen und vor den Folgen von Fehl- und Dauerbelastungen, wie sie bei unserer heutigen Lebensweise fast unvermeidbar sind. Regelmäßige Bewegung kann über noch ungeklärte biologische Mechanismen die Schmerzschwelle (S. 18) erhöhen.

INFO Gymnastik & Co. – vier beliebte Methoden im Steckbrief

Rückenschule und Wirbelsäulengymnastik

- große Vielfalt an Übungsprogrammen, die der Stärkung der Rückenmuskulatur und dem Vermeiden von Fehlhaltungen und falschen Belastungen dienen sollen
- Erlernen eines rückenschonenden Alltagsverhaltens, z. B. in die Knie gehen beim Getränkekisten-Anheben, beim Autofahren die rote Ampel zum Recken und Strecken nutzen etc.
- geeignet zur Vorbeugung für Menschen, die sich wenig bewegen, und für Menschen, die bereits Rückenprobleme hatten, etwa im Anschluss oder zur Ergänzung der krankengymnastischen Übungen unter Anleitung des Physiotherapeuten. Viele Physiotherapeuten bieten selbst entsprechende Kurse an.

Pilates

- benannt nach Joseph Hubertus Pilates, der diese Methode in der Mitte des 20. Jahrhunderts entwickelte. Pilates selbst litt an rheumatoider Arthritis (S.

188). Er suchte daher nach Übungen, die sich besonders für Menschen mit Gelenkproblemen eignen.
- verbindet Elemente aus Fitness, Gymnastik, Kampfsport, Haltungstraining, Körperachtsamkeit und Tanz
- besonderes Augenmerk auf tiefer liegende Muskelgruppen, unter anderem auch den Beckenboden
- Übungen auf der Bodenmatte und Gerätetraining – mit Ringen, Zugbändern, Gymnastikbällen, Schaumrollen und anderem
- erste Hinweise auf Wirksamkeit bei Schmerzerkrankungen, beispielsweise bei Rückenschmerzen. Es gibt aber bislang noch kaum Studien.
- In den Jahren 2000 bis 2004 stieg die Zahl der Pilates-Praktizierenden in den USA von 1,7 Millionen auf 10,5 Millionen. Das Pilates-Fieber hat mittlerweile auch Deutschland erreicht.

Yoga

- wurde in der Antike in Indien als spiritueller Übungspfad entwickelt. Die heutigen Übungen stammen allerdings

BILD Gemeinsam und an der frischen Luft ist es für viele einfacher, bei der Stange zu bleiben.

überwiegend von indischen Meditationsmeistern aus dem 18. und 19. Jahrhundert und sind gymnastikähnlich körperbetont.

- hat sehr viele Unterformen. Heutzutage ist im Westen Hatha Yoga am meisten verbreitet. Der Schwerpunkt bei dieser Form des Yoga liegt auf den Asanas, das sind Körperübungen im Sitzen, Stehen oder liegend auf einer Matte. Bei anderen Yoga-Formen stehen die Aspekte der Meditation und der Geistesschulung stärker im Vordergrund.
- Mit regelmäßigem Praktizieren der Asanas stellen sich neben einer Kräftigung und Dehnung der Muskeln, Sehnen und Bänder auch allgemein entspannende und stressreduzierende Wirkungen ein.
- In wissenschaftlichen Studien gingen chronische Schmerzen (S. 13), Rückenschmerzen (S. 171), Migräne und Spannungskopfschmerzen (S. 177), Schmerzen bei Arthrose (S. 186), rheumatoider Arthritis (S. 188) und Karpaltunnelsyndrom (S. 190) unter Yoga zurück.

Qigong und Taichi

- Die Urformen des Qigong in China sind über 2200 Jahre alt. Verschiedene Weltanschauungen des alten China haben die Methode geprägt. Die Ursprünge liegen im Schamanismus und

Daoismus, später kamen Einflüsse aus Buddhismus und chinesischen Kampfkünsten dazu. Mittlerweile gibt es weltweit über 1000 verschiedene Qigong-Stile.

- Heute sind vor allem Formen des weichen Qigong verbreitet, bei denen die Kampfkunst-Aspekte kaum mehr eine Rolle spielen. Die Bewegungen sind dabei langsam fließend, wie in Zeitlupe, und umfassen Dehnungen sowie Drehungen des Kopfes und Rumpfes. Üblich sind heute Übungsfolgen im Stehen; es gibt aber auch Übungen, die im Sitzen, Gehen oder Liegen durchgeführt werden können. Atem- und Achtsamkeitsübungen spielen je nach Schule eine mehr oder weniger wichtige Rolle.
- Taichi (Taijiquan, kurz Taiji) ist eine kampfkunstnahe Qigong-Form. Auch beim Taichi werden heute vor allem die langsamen, weich fließenden Varianten praktiziert.
- Bei Arthrose, Rücken- und Nackenschmerzen scheint Qigong wie auch andere Bewegungsübungen wirksam zu sein. Zum Nutzen von Qigong bei anderen Schmerzerkrankungen gibt es nur wenige aussagekräftige Studien. Besonders ältere Menschen gewinnen durch Qigong an Beweglichkeit, Geschicklichkeit und Standfestigkeit und fühlen sich körperlich aktiver und selbstwirksamer.

BILD Häufig eine Alternative, denn der Sport im Wasser ist besonders gelenkschonend.

BEWEGUNG ALS WICHTIGER BAUSTEIN DER SCHMERZTHERAPIE

Für Menschen mit chronischen Schmerzen ist regelmäßige Bewegung ein wichtiger Therapiebaustein. Schmerztherapeuten empfehlen ein Training von zwei- bis dreimal wöchentlich einer halben bis ganzen Stunde. Beginnen Sie mit einer niedrigen Trainingsintensität und steigern Sie diese langsam. Besonders Menschen mit Herz-Kreislauf-Erkrankungen sollten ihre individuelle Trainingsherzfrequenz anhand eines Belastungs-EKG vom Arzt berechnen lassen. Eine Pulsuhr hilft bei der kontinuierlichen Messung der Herzfrequenz während des Trainings.

Die antidepressiven Effekte von Bewegung tragen außerdem dazu bei, dass Schmerzen als weniger quälend erlebt werden. Entscheidend ist dabei auch das Erleben von Selbstwirksamkeit (S. 21): Wer die konkrete Erfahrung macht, dass er selbst zum Therapieerfolg beitragen kann, fühlt sich seinen Stimmungen und seinen Schmerzen weniger ausgeliefert. Alleine dieser psychologische Effekt kann wie ein starkes Schmerzmittel wirken.

Individuelle Beratung und gute Anleitung sind unabdingbar

Nicht für alle Menschen mit Schmerzerkrankungen und nicht in jeder Situation ist Bewegung das Richtige. Bei akuten Gelenkentzündungen beispielsweise oder in den ersten Wochen nach einer Bauchoperation kann sie auch schaden oder zumindest die Beschwerden verstärken. Eine individuelle Beratung und Anleitung in Sachen Bewegungstraining ist daher bei allen Schmerzerkrankungen unabdingbar. Der Physiotherapeut kann dabei in Absprache mit dem behandelnden Arzt physikalische Maßnahmen wie Massagen oder Krankengymnastik (S. 39) mit einem gezielten Übungsprogramm kombinieren, das in der Regel Ausdauer-, Kraft-, Haltungs- und Koordinationsübungen umfasst, oft ergänzt durch kombinierte Übungen von Dehnung, Entspannung und Körperwahrnehmung.

WAS ÜBERNIMMT DIE KRANKENKASSE?

Viele Krankenkassen erstatten zumindest einen Teil der Kursgebühren unter anderem für Wirbelsäulengymnastik/Rückenschule, Aquafitness, Nordic Walking, Pilates, Yoga, Qigong oder Taichi. Fragen Sie bei Ihrer Versicherung, wofür es Zuschüsse gibt und ob sie vielleicht sogar eigene Kurse anbietet. Die sind dann in aller Regel für die eigenen Versicherten kostenlos.

Asiatischer Kampfsport kann zwar zum kombinierten Training von Steh- und Haltefunktionen, Kraft, Ausdauer, Koordination, Zielmotorik und Schmerzresistenz dienen. Die dabei durchgeführten schnellen, kraftvollen Bewegungsabläufe sind aber für Menschen mit Gelenkerkrankungen nur bedingt geeignet. Ähnliches trifft auf Mannschaftssportarten zu, also Fuß-

TIPP Aquafitness in Ihrer Nachbarschaft?

Wenn Sie Interesse an den besonders gelenkschonenden Gymnastikübungen im Wasser haben, lohnt sich ein Blick in das Kursprogramm der öffentlichen Bäder am Ort. Viele bieten für wenig Aufpreis auf den Bäder-Eintritt entsprechende Kurse an, deren Bezeichnung meist mit „Aqua" beginnt. Auch bei den Volkshochschulen werden Sie fündig, entweder unter „Aquafitness" oder auch noch ganz profan und altmodisch unter „Wassergymnastik". Es gibt nichts, was man nicht mittlerweile auch im Wasser ausüben kann; hier eine kleine Auswahl:

- Aquacycling = Radfahren (auf einer Art Hometrainer) im Wasser
- Aqua-Gerätetraining = ein komplettes Fitnessstudio im Wasser
- Aquajogging = wie der Name schon sagt, Joggen im Wasser, in der Regel ergänzt durch Gymnastikübungen
- Aquapilates = Pilates mit Wasserbremse
- Aqua-Thai-Bo = Dabei werden ausgewählte Bewegungen aus dem Kampfsport wassergebremst ausgeführt und sind dadurch sehr viel gelenkverträglicher als auf dem Trockenen.

ball & Co., bei denen das Verletzungsrisiko deutlich höher ist als beim Individualsport. Doch auch hier gilt: Lieber regelmäßig und locker mit den Kumpels kicken, als gar keinen Sport treiben.

Sportarten oder Übungen im Wasser, wie Schwimmen, Aquajogging oder Wassergymnastik, haben den Vorteil, dass sie eine besonders gelenkschonende Bewegung ermöglichen, denn die Gelenke müssen dabei nicht das gesamte Körpergewicht tragen. Das ist für Patienten mit Gelenkerkrankungen von Bedeutung und für Menschen mit Übergewicht. Auch Radfahren – an der frischen Luft oder auf dem Hometrainer, Nordic Walking oder Joggen auf weichem Boden sind relativ gelenkschonende Sportarten.

BILD Wer die Schmerzwahrnehmung verändern will, ist mit Entspannungsmethoden auf dem richtigen Weg.

ENTSPANNUNG, STRESSREDUKTION, MINDFULNESS

Vielleicht haben Sie schon einmal erlebt, wie wohltuend es ist, nach einer langen Wanderung oder nach dem Skifahren einfach die schmerzenden Beine hochzulegen, womöglich in einer heißen Badewanne oder am prasselnden Kaminfeuer. Entspannung kann Schmerzen lindern, besonders wenn eine Verspannung oder Dauerbelastung der Muskeln vorliegt. Das ist aber nur einer von mehreren Gründen, warum Entspannungsverfahren in der Vorbeugung und Behandlung von Schmerzerkrankungen hilfreich sein können. Längerfristig kann Entspannung helfen, Stress zu reduzieren und sich damit günstig auf die psychische und körperliche Gesamtverfassung auswirken. Das wiederum kann zu einer veränderten Schmerzwahrnehmung führen. Dadurch lassen in der Regel auch Schmerzen nach oder sie treten weniger häufig in Erscheinung.

Was genau ist eigentlich Stress?

Alle haben ihn, viele stöhnen darüber, doch wer kann genau erklären, was es eigentlich ist, Stress? Der englische Begriff „stress" bedeutet Anspannung, Druck, Belastung. In den 30er Jahren des 20. Jahrhunderts beschrieb der Mediziner Hans Selye ein komplexes Reaktionsmuster des Körpers auf Extrembelastungen und nannte es Stress. Wird im Gehirn Gefahr erkannt, etwa beim Anblick eines wilden Tiers, dann wird schlagartig der Sympathikus aktiviert, ein Teil des autonomen Nervensystems. Stresshormone wie Adrenalin, Noradrenalin und Kortison werden ausgeschüttet. Das wiederum führt zu einer ganzen Kaskade körperlicher Veränderungen. So schlägt beispielsweise das Herz schneller und pumpt das Blut mit höherem Druck durch die Adern, Energiereserven werden mobilisiert, die Muskeldurchblutung steigt und das Blut wird gerinnungsfähiger, um eventuelle Blutungen schnell zu stillen. So wird der Körper auf Maximalleistung vorbereitet. Was in freier Wildbahn Tieren und auch unseren urgeschichtlichen Vorfahren in brenzligen Situationen geholfen hat, ihre Haut zu retten, kann für heutige Menschen ein erhebliches Gesundheitsrisiko bedeuten. Nämlich dann, wenn die gelegentlich aktivierte Alarmreaktion zur Dauerbelastung wird oder die dabei mobilisierte Energie nicht durch körperliche Aktivität wieder abgebaut werden kann. Gleichzeitig mit der Aktivierung des Sympathikus wird im Körper des Gestressten dessen Gegenspieler, der Parasympathikus, gehemmt. In einer entspannten Situation ist es genau andersherum, der Parasympathikus dominiert, der Herzschlag und die Atmung werden dadurch langsamer und gleichmäßiger, die körpereigene Abwehr gegen Krankheitserreger wird mobilisiert, die Muskeln entspannen sich und der ganze Körper stellt sich auf Kräftetanken und Regene-

ration ein. Diesen Zustand kann man als Ausgleich zum Stresserleben nutzen. Zu Dauerstress können viele unterschiedliche Faktoren, sogenannte Stressoren, beitragen. Wenn Menschen unfreiwillig auf sehr engem Raum zusammenleben, kann das Stress bedeuten, aber auch, wenn sie sich dauernd alleine fühlen und kaum Zuwendung erfahren. Lärm kann als Stressor wirken, Katastrophen- oder Kriegsereignisse, Schmerzen, Schlaf- und Bewegungsmangel, Hunger und Durst, Über- oder Unterforderung bei der Arbeit, Streit mit Kollegen oder in der Beziehung und

vieles mehr. Dabei ist es individuell sehr unterschiedlich, was als Stressor wirkt und was nicht. Bereits in einer sehr frühen Phase der Gehirnentwicklung, vermutlich schon vor der Geburt, werden entscheidende Weichen dafür gestellt, wie empfindlich jemand auf mögliche Stressauslöser reagiert und wie ausgeprägt und anhaltend die Stressreaktion ausfällt. Kinder, die überschießend auf Stressreize reagieren, haben ein erhöhtes Risiko, zu einem späteren Zeitpunkt eine psychische oder psychosomatische Erkrankung, wie etwa eine somatoforme Schmerzerkrankung

TIPP **Finden Sie selbst heraus, was Ihnen guttut**

Versuchen Sie herauszufinden, was Ihnen guttut, was Ihnen persönlich hilft, sich zu entspannen. Das können sehr unterschiedliche Dinge sein, wie in die Sauna gehen, in einem Chor singen, ein Bild malen, im Garten arbeiten oder mit den Kindern eine Sandburg bauen. Machen Sie sich aber auf keinen Fall zusätzlichen Stress, indem Sie sich ein völlig unrealistisches „Entspannungspensum" auferlegen. Ein übervoller

Terminkalender ist für viele Stressor Nummer eins. Bauen Sie genügend Pausen ein, in denen Sie nichts vorhaben, und tun Sie das, was Sie tun, möglichst oft mit Muße und ohne Zeitdruck. Manchen gelingt es dann, sogar den Abwasch oder das Bodenscheuern oder den Gang zum Briefkasten als Entspannungsübung zu nutzen. Derart Geübte erleben ihren Alltag oft in einem entspannteren Zustand als zuvor.

BILD Zu einem gesunden Leben gehört auch ausreichend Entspannung.

(S. 198), gestörtes Essverhalten oder Suchterkrankungen zu entwickeln. Eine Folge dieser Erkrankungen ist, das der Körper nun noch mehr Stress ausgesetzt ist. Dauerstress bringt ein erhöhtes Risiko unter anderem für Herzerkrankungen, Bluthochdruck, Diabetes und für chronische Schmerzerkrankungen, wie etwa Rückenschmerzen, mit sich.

Inseln der Entspannung schaffen

Entspannungsübungen, regelmäßige Bewegung oder das Pflegen von Freundschaften können zu einem stressfreieren und damit gesünderen Leben beitragen. Entspannungsverfahren können auch dazu dienen, eine andere Haltung gegenüber dem Schmerz einzuüben, die Akzeptanz gegenüber dem Schmerz zu erhöhen. Was das bedeutet und warum das hilfreich sein kann, erfahren Sie im Kapitel zur kognitiven Verhaltenstherapie (S. 88). Für alle Entspannungsverfahren gilt, dass sie regelmäßiges Üben erfordern, anfangs unter Anleitung und später selbstständig. Nach einer gewissen Zeit können diese Übungen auch in Alltagssituationen angewandt werden, um anders mit Stress und mit Schmerzen umzugehen. Unter Entspannungsübungen können Schmerzen zurückgehen, gleich stark bleiben oder – in den ersten Übungseinheiten – sogar manchmal stärker werden. Es geht bei diesen Übungen nicht nur um unmittelbare Schmerzreduktion, sondern auch darum, langfristig einen Weg zu finden, anders mit Schmerzen umzugehen, den Körper wahrzunehmen und sich Phasen des Nichtstuns zu gönnen. Entspannung spielt auch bei einer Reihe von schmerztherapeutischen Methoden eine wichtige Rolle, die an anderer Stelle in diesem Buch beschrieben sind, wie Hypnose (S. 97), Biofeedback (S. 92), Bewegung und Gymnastik (S. 22), Wärmeanwendungen (S. 59) und Bäder (S. 55).

Die meisten Krankenkassen bieten eigene Kurse in gängigen Entspannungsverfahren an, meist gegen eine Eigenbeteiligung von 10 Prozent der Kursgebühr. Für Kurse bei Fremdanbietern, wie Volkshochschulen, Arztpraxen oder ambulante Schmerzzentren, gibt es in der Regel Unterstützung von der Krankenkasse.

INFO Entspannungsverfahren in Stichworten

Progressive Muskelentspannung

- das gängigste und wissenschaftlich am besten untersuchte Entspannungsverfahren im Rahmen der Therapie chronischer Schmerzen
- von dem amerikanischen Arzt Edmund Jacobson entwickelt und 1932 erstmals vorgestellt
- Das Verfahren ist sehr einfach zu erlernen.
- Durch gezieltes Anspannen und Entspannen bestimmter Muskelgruppen (z. B. Faust ballen und wieder loslassen) wird die Fähigkeit trainiert, diese Muskeln gezielt zu entspannen.
- Bei den verbreiteten Varianten wird das Gefühl der Entspannung mit einem Schlüsselwort gekoppelt und kann damit in Stresssituationen gezielt abgerufen werden.
- trainiert den „Muskelsinn", das heißt, man lernt zu spüren, wo man im Alltag zu viel Muskelspannung einsetzt.
- Am besten belegt ist die Wirksamkeit bei Migräne und Spannungskopfschmerzen. Unter den Entspannungsübungen nahmen Häufigkeit und Stärke der Schmerzattacken ab.
- günstige psychische Effekte: fördert Selbstwirksamkeitserfahrungen (S. 21), begleitende Depression und Angst gehen zurück.

Autogenes Training

- Der deutsche Nervenarzt Johannes Heinrich Schultz entwickelte das Verfahren Anfang der 1930er Jahre auf Basis der Hypnose. Auch Einflüsse aus dem Yoga sind wahrscheinlich.
- Schultz war an schweren Verbrechen des Hitler-Regimes beteiligt. Das war immer wieder Anlass für Diskussionen innerhalb und außerhalb von Fachkreisen und manche Menschen wollen aus diesem Grund nichts mit dem Autogenen Training zu tun haben.
- Unterstufe: Selbstsuggestion von Entspannungsmerkmalen wie Schwere der Glieder, Wärme, ruhige Atmung im Liegen oder Sitzen.
- Oberstufe: meditationsähnlich unter anderem mit Visualisierungstechniken

→

und Elementen aus der Psychoanalyse (S. 94).

- wirksam bei Kopfschmerzen und Fibromyalgie (S. 197), allerdings gegenüber anderen Entspannungsverfahren, Biofeedback (S. 92) und Hypnose (S. 97) unterlegen. Vorteile: Breite Verfügbarkeit und in der Regel Kostenübernahme durch die Krankenkasse.

Vorstellungsbilder (Imagination)

- Bereits in der Antike von Schamanen und Heilern genutzt. Auch in vielen asiatischen Meditationstechniken und in bestimmten Psychotherapieverfahren spielt Imagination eine wichtige Rolle.
- Was man sich vor seinem inneren Auge vorstellt, wirkt sich vielfältig auf Körper und Psyche aus. Einfaches Beispiel: Vielen Menschen läuft bereits bei der Vorstellung, in eine Zitrone zu beißen, das Wasser im Mund zusammen.
- In der Schmerztherapie wird Imagination meist in Kombination mit anderen übenden Verfahren genutzt, so kann beispielsweise beim Biofeedback (S. 92) die Vorstellung, dass die Sonne auf die Hand scheint, deren Erwärmung fördern.
- Bislang kaum Forschung zur Wirksamkeit bei Schmerzen. Wirksamkeitsbelege bei älteren Frauen mit Arthrose-Schmerzen (S. 186) und bei Fibromyalgie (S. 197).

Meditation und achtsamkeitsbasierte Verfahren

- Übungen fördern entspannte Wachheit und ein möglichst wertfreies Wahrnehmen von Sinneseindrücken. Dafür steht das englische Wort „mindfulness", das mit „Achtsamkeit" nur sehr unzureichend übersetzt ist.
- Großes Spektrum asiatischer Techniken von Yoga bis Zen, ursprünglich für die spirituelle Praxis vorgesehen.
- Der US-amerikanische Mediziner Jon Kabat-Zinn entwickelte Ende der 1970er Jahre die Mindfulness-Based Stress Reduktion (MBSR, achtsamkeitsbasierte Stressreduktion). Basis sind buddhistische Meditationstechniken und Yogaübungen; die Unabhängigkeit von Glaubensrichtung oder Weltanschauung wird jedoch betont.

Neuere Varianten der kognitiven Verhaltenstherapie (S. 88) mit Elementen aus achtsamkeitsbasierten Verfahren

- Akzeptanz- und Commitment-Therapie (ACT),
- Contextual Cognitive Behavioral Therapy (CCBT),
- Mindfulness-Based Cognitive Therapy (MBCT),
- Achtsamkeitsbasierte Schmerztherapie (ABST).

Bei chronischen Schmerzzuständen wie bei Arthritis, Rücken- und Nackenschmerzen sowie in der Vorbeugung von depressiven Zuständen erwiesen sich Mindfulness-basierte Verfahren als wirksam.

Die Feldenkrais-Methode

- entwickelt von dem israelischen Physiker Moshé Feldenkrais (1904–84).
- Durch die langsamen Bewegungsabläufe sollen das Körperbewusstsein geschult und Bewegungsmuster verändert werden. Das soll auch die Psyche, das Denken und Handeln positiv beeinflussen.
- Feldenkrais praktizierte mit großer Begeisterung die japanischen Kampfsportarten Judo und Jiu Jitsu. Angestoßen durch eine Knieverletzung, beschäftigte er sich intensiv mit den Funktionen des Bewegungsapparats und den Prozessen, die sich beim Lernen neuer Bewegungs- und Verhaltensmuster im Nervensystem abspielen.
- Feldenkrais ließ sich von anderen Begründern therapeutischer Techniken und pädagogischer Theorien inspirieren, mit denen er in persönlichem Austausch stand. Dazu zählten beispielsweise Frederick Matthias Alexander, der Begründer der Alexander-Technik (S. 42), Milton H. Erickson, ein Pionier der Hypnotherapie (S. 97), der Musiker und Begabungsforscher Heinrich Jacoby und der Augenarzt William H. Bates, der Begründer eines alternativmedizinischen Sehtrainings.

- Es wird überwiegend auf dem Rücken liegend praktiziert. Die Übungen bestehen zu einem großen Teil aus sehr langsam und ohne Anstrengung ausgeführten Bewegungen. Dabei geht es vor allem um das bewusste Spüren des Körpers und nicht um das Trainieren bestimmter Muskeln. Insofern ähnelt Feldenkrais körperbezogenen Techniken aus Meditation, Mindfulness- (S. 28) sowie nonverbalen Psychotherapieverfahren (S. 100) und hat mit klassischen Formen der Physiotherapie (S. 39) wenig gemein.
- Beim Gruppenunterricht „Bewusstheit durch Bewegung" gibt der Kursleiter mündliche Anweisungen, wie etwa „drehe dein Becken langsam nach rechts" oder „achte darauf, welche Teile der Wirbelsäule mit dem Boden Kontakt haben".
- Beim Einzelunterricht „Funktionale Integration" gibt der Feldenkraislehrer die Bewegungsimpulse – ohne Worte – nur durch sanfte Berührung mit seinen Händen.
- Auch wenn die Methode ursprünglich nicht zur Behandlung von Erkrankungen entwickelt wurde, können mit ihr gesundheitsfördernde und stressreduzierende Wirkungen erzielt werden. Auch in der Schmerztherapie hat sie sich als hilfreich erwiesen, unter anderem für Menschen mit Nacken-, Schulter- und Rückenschmerzen.

SPIELT DIE ERNÄHRUNG EINE ROLLE?

Eine ausgewogene Ernährung mit einem hohen Anteil an frischem Obst und Gemüse kann gegen eine ganze Reihe von Krankheiten vorbeugen. Doch hat Schmerz etwas mit Ernährung zu tun? Bedingt. Bei manchen Schmerzerkrankungen ist der Zusammenhang offensichtlich. Bei einigen anderen gibt es deutliche Hinweise auf einen Zusammenhang. Bei den meisten ist jedoch völlig unklar, wie groß der Einfluss der Ernährung ist.

Klarer Zusammenhang bei Stoffwechselstörungen

Ein plötzlich einschießender Schmerz in ein Gelenk, oft das Grundgelenk des großen Zehs, das kann auf einen Gichtanfall hindeuten. Das Gelenk ist dabei oft geschwollen und gerötet. Abhilfe im akuten Gichtanfall schaffen vom Arzt verordnete Medikamente wie nichtsteroidale Antirheumatika (S. 106), das wohldosierte Gift der Herbstzeitlose – Kolchizin – oder Glukokortikoide (S. 117). Gichtanfälle treten oft nach einer üppigen und von Alkohol begleiteten Mahlzeit auf. Der Grund ist, dass bei der Gicht vermehrt Harnsäure im Blut zirkuliert. Das führt zur Bildung von Harnsäurekristallen im Gelenk und letztlich zu dessen schmerzhafter Entzündung. Harnsäure ist ein Abbauprodukt von Purinen, das heißt von chemischen Bausteinen des Erbgutes (DNA). Es gibt Lebensmittel, die einen besonders hohen Puringehalt haben, wie Fleisch, Innereien aber auch grüne Erbsen und einige Fische, etwa Hering und Sardellen. Menschen mit Gicht sollten keine größeren Mengen solcher Nahrungsmittel verzehren, beim Alkohol zurückhaltend sein und Übergewicht vermeiden.

Ein weiteres Beispiel für Schmerzen, die – in diesem Fall indirekt und langfristig – mit einem ungünstigen Ernährungsverhalten in Zusammenhang stehen können, sind Schmerzen im Rahmen einer diabetischen Polyneuropathie (S. 190). Übergewicht, eine zu fettreiche Kost und dauerhaft zu große Mengen schnell verwertbarer Kohlenhydrate wie Zucker und Weißmehl fördern die Entstehung der häufigsten Form des Diabetes mellitus (Zuckerkrankheit). Wird die Erkrankung lange Zeit nicht richtig behandelt, dann können Organe Schaden leiden, wie die Nerven, was mit Empfindungsstörungen und mit starken neuropathischen Schmerzen verbunden sein kann.

Fettsäuren können Entzündung beeinflussen

Die Ernährung scheint außerdem die Bildung von Entzündungsstoffen direkt zu beeinflussen, die bei vielen schmerzhaften Erkrankungen – etwa aus dem rheumatischen Formenkreis – eine zentrale Rolle spielen. So können Menschen mit rheumatoider Arthritis (S. 188) durchaus von einer angepassten Diät profitieren. Dabei scheint der Zusammensetzung der verwendeten Nahrungsfette eine besondere Bedeutung zuzukommen. Arachidonsäure, wie sie vor allem in fettreichen tierischen Lebensmitteln wie rotem Fleisch oder Wurst vorkommt, fördert die Bildung von Entzündungsstoffen. Langkettige Omega-3-Fettsäuren, z. B. in fettreichem Fisch, Raps-, Lein-, Soja- oder Olivenöl, wirken dem entgegen. Mit einer Arachidonsäure-armen, Omega-3-Fettsäure-reichen Diät konnten im Rahmen von Studien bei Patienten mit rheumatoider Arthritis Schmerzen, Gelenkschwellungen und der Bedarf an Schmerzmitteln reduziert werden. Fasten hat ebenfalls einen positiven Effekt, der aber nur aufrechterhalten werden kann, wenn danach eine entsprechende Ernährungsumstellung folgt. Möglicherweise hat eine angepasste Ernährung auch einen vorbeugenden Effekt im Hinblick auf entzündliche Gelenkerkrankungen.

Den Körper entlasten

In Deutschland sind zwei von drei Männern und jede zweite Frau übergewichtig und im Kindes- und Jugendalter ist die Tendenz steigend. Die Ursachen sind meistens Bewegungsarmut gekoppelt mit Überernährung. Zu den vielfältigen gesundheitlichen Folgeerscheinungen der Fettleibigkeit zählt unter anderem ein frühzeitiger Verschleiß von Bandscheiben und Gelenken. Die gute Nachricht ist, dass

---

TIPP **Genussvolles Essen statt Stress – Diäten genau prüfen**

Nur bei wenigen Schmerzerkrankungen wurde ein klarer Zusammenhang zur Ernährung nachgewiesen. Das trifft zudem nicht auf alle Menschen, die eine solche Erkrankung haben, gleichermaßen zu. Eine Schmerzerkrankung aber ist für die Betroffenen unter Umständen mit erheblichen Einschränkungen verbunden. Manche können nur mit großer Mühe ihren Alltag bewältigen und den Kontakt zu Freunden und Verwandten pflegen. Deshalb sollte individuell sehr sorgfältig geprüft werden, ob eine Diät wirklich erfolgversprechend ist. Schmerzpatienten können nämlich alles andere gebrauchen als unnötigen zusätzlichen Stress (S. 198); der könnte im ungünstigsten Fall sogar schmerzverschlimmernd wirken. Besprechen Sie mit Ihrem Arzt, ob und welche Diätmaßnahmen bei Ihnen sinnvoll sind. In vielen Fällen ist dazu eine ausführliche Ernährungsberatung angezeigt. Wichtig ist, dass Ihnen das Essen nach wie vor schmeckt und Sie es ohne schlechtes Gewissen genießen können. Wenn Sie abnehmen, muss unter Umständen die Dosierung Ihrer Medikamente angepasst werden. Wer sich für eine fleischlose Kost entscheidet, sollte besonders auf eine genügende Zufuhr an Eisen und Vitamin B12 achten.

BILD 1 Trinken nicht vergessen – auch bei vielen Schmerz-
arten kann ausreichendes Trinken lindernd sein.
BILD 2 Und nach dem Essen kommt die Migräne? Der
Geschmacksverstärker Glutamat – oft in der chinesischen
Küche verwendet – wird von vielen nicht vertragen.

auch bei bereits eingetretenen Beschwerden eine Normalisierung des Gewichts
erhebliche Entlastung und Linderung bringen kann. Dieser Zusammenhang ist für
die Arthrose von Knie und Hüfte besonders gut belegt, aber auch für andere Erkrankungen, die mit Gelenk- und Rückenschmerzen einhergehen.

Übrigens: Wer Übergewicht vermeidet
und sich gesund ernährt, beugt gleichzeitig Herz- und Gefäßerkrankungen vor, die
– wie Verengungen der Herzkranzgefäße
oder Durchblutungsstörungen in den Beinen – sehr schmerzhaft sein können.

Eine Kalzium- und Vitamin-D-reiche
Ernährung hält in Verbindung mit regelmäßiger Bewegung die Knochen stabil
und beugt damit Osteoporose vor.

Migräneauslöser Nahrungsmittel

Manche Menschen mit Migräne (S. 179)
haben die Erfahrung gemacht, dass Rotwein oder Käse ihre Schmerzattacken auslösen können. Gelegentlich scheinen auch
andere Milchprodukte oder Früchte, wie
beispielsweise Bananen, im Spiel zu sein.
Andere Betroffene wiederum reagieren
auf bestimmte Konservierungsstoffe aus
Fertiggerichten, z. B. Nitrate, oder auf Geschmacksverstärker, etwa das in der chinesischen Küche großzügig verwendete,
aber auch in Tütensuppen und Brühwür-
feln verwendete Glutamat. Koffein wirkt
bei manchen migräneauslösend, bei anderen ist es gerade das Fehlen der gewohnten Tasse Kaffee oder das Auslassen einer
Mahlzeit.

Ob Schokolade ein Migräneauslöser sein
kann, ist mittlerweile umstritten. In letzter
Zeit mehren sich die Hinweise, dass die
Veränderungen im Hirnstoffwechsel vor
dem Eintritt der Migräne bei manchen
einen Heißhunger auf Schokolade bewirken. Das heißt, das Schokoladeessen
wäre dann eine Folge der Erkrankung
und kein Auslöser der Attacken.

Nicht alle Migränepatienten reagieren
auf die gleichen Auslöser. Das trifft auch
auf die Ernährung zu, und nicht bei allen
Betroffenen spielt sie überhaupt eine entscheidende Rolle. Es erfordert manchmal
geradezu kriminalistischen Spürsinn, um
die individuellen Auslösefaktoren dingfest
zu machen, zumal sie der eigentlichen
Attacke oft Stunden vorausgehen. Unter
anderem zu diesem Zweck ist das Führen
eines Kopfschmerztagebuchs zu empfehlen, in dem Essenszeiten, konsumierte
Nahrungsmittel und Migräneattacken
genau dokumentiert werden.

Wer seine Auslöser kennt, sollte
sie konsequent vermeiden?

Weit gefehlt, so die neueste Erkenntnis
der Kopfschmerzforscher. Das vollständige Vermeiden von Migräneauslösern führt
sogar zu eine Verschlimmerung der Erkrankung und bewirkt, dass immer mehr
Auslöser hinzukommen. Es ist daher ratsam, in kleinen Mengen immer wieder genau das zu sich zu nehmen, was Migräneattacken auslösen könnte, um den Körper
daran zu gewöhnen. Dabei kann durchaus
mit sehr kleinen Dosen gearbeitet werden,

BILD 1 **BILD 2**

etwa einem oder zwei Schlucken Rotwein oder einem kleinen Käsehappen.

Genügend Trinken

Ausreichende Flüssigkeitszufuhr ist für alle Organe eine wichtige Voraussetzung, um gut zu funktionieren. Wer zu wenig trinkt, hat dickflüssigeres Blut. Das kann auf Dauer Durchblutungsstörungen von Herz, Hirn und Muskulatur nach sich ziehen und im Extremfall einen Gefäßverschluss, wie etwa bei einem Infarkt, begünstigen. Genug trinken ist auch für viele Schmerzpatienten wichtig. So kann eine gute Durchblutung zu einem schnelleren Abtransport von Entzündungsstoffen beitragen und malträtierte Bandscheiben können sich wieder besser ausdehnen; sie werden belastbarer, wenn sie genug Wasser bekommen. Der individuelle Flüssigkeitsbedarf hängt neben Körpergröße und -gewicht von der körperlichen Aktivität und der Außentemperatur ab. Ein Bauarbeiter im Hochsommer braucht natürlich mehr als jemand, der eine sitzende Tätigkeit im voll klimatisierten Büro ausübt. Ein großer Teil des täglichen Wasserbedarfs wird über die Nahrung gedeckt. Ein Erwachsener braucht im Durchschnitt eine zusätzliche Trinkmenge von 1,5 Litern.

PHYSIKALISCHE UND ÜBENDE VERFAHREN

Schmerzlindernd wirken auch Behandlungsmethoden, bei denen entweder Energie im physikalischen Sinn eingesetzt wird, wie Wärme, Druck, Elektrizität, oder bei denen die Berührung durch den Therapeuten im Vordergrund steht, wie etwa bei der Massage. Gute Effekte zeigen zudem Verfahren, bei denen Ihr eigenes Tun und regelmäßiges Üben nach einer Anleitung entscheidend sind, wie etwa die Physio- und Ergotherapie.

PHYSIOTHERAPIE

Die Physiotherapie (Krankengymnastik) ist eines der wichtigsten und am häufigsten angewandten Verfahren in der Behandlung und Rehabilitation von Schmerzpatienten. In Anpassung an die internationale Namensgebung wurde der Begriff 1994 offiziell in Deutschland eingeführt und löste die bisherige Bezeichnung Krankengymnastik ab. Nur staatlich anerkannte Physiotherapeuten dürfen den Beruf ausüben. Zur Physiotherapie im weiteren Sinn zählen nicht nur aktive und passive Bewegungsübungen, sondern auch physikalische Verfahren wie Massagen (S. 47), Bäder (S. 55) und manuelle Therapien (S. 53).

Bei schmerzhaften Erkrankungen des Bewegungssystems, also der Gelenke, Knochen, Muskeln und Sehnen, zielt die Physiotherapie in erster Linie darauf ab,

Bewegungsfunktionen zu erhalten oder zu verbessern. So hilft sie z. B., schmerzbedingte Schonhaltungen und Gelenkfehlstellungen nach und nach aufzulösen. Ungünstige Bewegungs- und Verhaltensmuster werden gezielt durch gelenk- und wirbelsäulenfreundlichere Bewegungsabläufe ersetzt. Durch regelmäßiges Üben werden die betroffenen Körperteile kräftiger und elastischer. Das schützt Gelenke und Bandscheiben zusätzlich vor Überlastung. In diesem Sinn ist Physiotherapie immer auch Vorbeugung.

Physiotherapie wird nicht nur bei Schmerzerkrankungen des Bewegungssystems eingesetzt, sondern kann in bestimmten Fällen zur Therapie und Rehabilitation bei neuropathischen oder gefäßbedingten Schmerzen sinnvoll sein.

Physiotherapie ist bei fachgerechter Anleitung und Anwendung sehr risikoarm und gut verträglich. Schmerzen können sich während und unmittelbar nach den Übungen etwas verstärken oder auch erneut auftreten. In aller Regel tritt aber mit zunehmender Entspannung, Beweglichkeit und Muskelkräftigung auch eine allmähliche Linderung der Schmerzen ein.

 PHYSIOTHERAPIE UND SCHMERZMITTEL

Eine Physiotherapie sollte bei vielen Schmerzerkrankungen möglichst frühzeitig begonnen werden, um Schonhaltungen und Fehlstellungen aufzulösen und damit beispielsweise Muskel- und Sehnenverkürzungen vorzubeugen. Schmerzen des Bewegungssystems sind aber in aller Regel mit einer Bewegungseinschränkung verbunden und können ein schwer überwindbares Hindernis für aktive und passive Bewegungstherapien darstellen. Daher ist Bewegung mitunter der zweite Schritt und die Physiotherapie wird erst durch den Einsatz anderer therapeutischen Maßnahmen ermöglicht, wie etwa eine medikamentöse Schmerztherapie. So werden die Schmerzen auf ein Maß reduziert, das Bewegung wieder in einem gewissen Umfang erlaubt.
Bei Patienten, die starke Schmerzmittel in hoher Dosierung erhalten, muss der Physiotherapeut sehr schonend vorgehen, da die Warnfunktion des Schmerzes vor Überlastung teilweise oder vollständig lahmgelegt ist.

Wie läuft eine Physiotherapiestunde ab?

In der ersten Stunde befragt und untersucht Sie der Physiotherapeut. Damit macht er sich ein genaues Bild von Ihrer Erkrankung, findet heraus, welche Teile des Bewegungssystems betroffen sind, ob und welche Art von Schon- oder Fehlhaltungen vorliegen. Daraufhin entwickelt der Therapeut einen Behandlungsplan und bespricht diesen mit Ihnen.

Bei vielen passiven Behandlungen liegen oder sitzen Sie entspannt und der Physiotherapeut bewegt und dehnt gezielt die betroffenen Gelenke und Muskeln. Passive Bewegungen werden dann in der Regel schrittweise durch aktive Übungen in wechselnden Körperstellungen ersetzt, die Sie nach einer Weile auch alleine bei sich zu Hause wiederholen können.

Es gibt viele Übungen, die ohne Hilfsmittel auskommen.

Bei anderen verwendet der Physiotherapeut einfache Hilfsmittel wie Gymnastikbälle für das Rückentraining oder Igelbälle zur Stimulation der Körperwahrnehmung. Chinesische Qigongkugeln können zur Selbstmassage und zum gleichzeitigen Training von Muskelkraft und -koordination der Hand dienen.

Viele Physiotherapeuten setzen zusätzlich Übungen an Geräten ein. Manche ähneln den Trainingsgeräten in einem Fitnessstudio, andere sind speziell für physiotherapeutische Zwecke entwickelt worden, wie etwa der Schlingentisch oder spezielle Gerätschaften für die Extensionsbehandlung, das heißt für Gelenk- und Bandscheiben-entlastende Streckungen der Wirbelsäule oder der Extremitäten.

 ASPEKTE DER PHYSIOTHERAPIE BEI SCHMERZERKRANKUNGEN

passiv:
- Lagerungen
- passive Gelenkbewegungen und manuelle Therapie
- passive Dehnungen

aktiv:
- sensomotorische Fazilitation: das Zusammenspiel zwischen Nerven- und Muskelsystem wird durch gezieltes Üben erleichtert
- funktionelle Bewegungsschulung: Erhalt der Bewegungsfunktion (Rückenschule, McKenzie u. a.)
- Schulung der Körperwahrnehmung: Bewusstmachen des Körpers in seiner Ganzheit. Dazu gibt es sehr unterschiedliche Ansätze, wie Feldenkrais, progressive Muskelrelaxation, Tanztherapie oder Yoga
- Verspannungen auflösen, die im Zusammenspiel zwischen psychischen und körperlichen Faktoren entstanden sind. Gesunde Spannung aufbauen.

Modifiziert nach Schiltenwolf und Henningsen 2006

Aktiv üben ist das A und O

Die bei Gelenk- oder Wirbelsäulenschmerzen üblicherweise vom Arzt verordneten sechs bis zwölf Stunden Behandlungseinheiten sind zwar einerseits oft der wichtigste Therapiebaustein überhaupt, andererseits als alleinige Maßnahme in aller Regel nicht ausreichend, um bei einer Schmerzerkrankung des Bewegungssystems eine vollständige Funktionswiederherstellung und eine langfristige Vorbeugung zu gewährleisten. Der Erfolg der Behandlung steht und fällt mit dem eigenen Beitrag des Patienten.

Wenn Sie wegen einer Schmerzerkrankung einen Physiotherapeuten aufsuchen, dann wird er Ihnen sehr wahrscheinlich bereits in einer der ersten und in allen weiteren Behandlungsstunden zeigen, wie Sie zu Hause selbstständig üben können, parallel zu den Übungen unter Anleitung und zur eigenständigen Fortführung der Therapie in den darauffolgenden Wochen und Monaten. Der Physiotherapeut kann mit Ihnen ein Bewegungsprogramm erarbeiten, das individuell an Ihre Beschwerden, Ihre körperliche Fitness und an die typischen Belastungssituationen Ihres Alltags angepasst ist.

Vielleicht üben Sie lieber in der Gruppe als alleine? Auch hier kann Ihnen der Physiotherapeut helfen, aus den reichhaltigen Gymnastik- und Trainingsangeboten von Krankenkassen, Volkshochschulen und privaten Anbietern das herauszufinden, was für Sie geeignet ist und Ihren Neigungen entspricht. Viele Physiotherapeuten bieten selbst Gruppenkurse in ihrer Praxis an, etwa zur Wirbelsäulen- oder Beckenbodengymnastik, als vorbeugende Maßnahmen oder im Rahmen der Rehabilitation. Die Krankenkassen übernehmen die

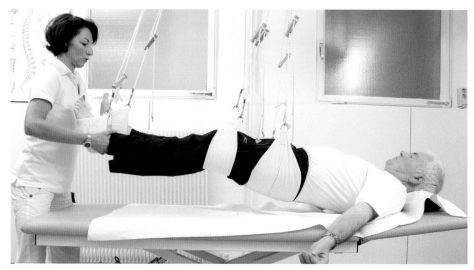

Kosten für solche Gruppenkurse in der Regel zumindest anteilmäßig.

Varianten und Ergänzungen

Es gibt eine ganze Reihe von Behandlungsverfahren, die auf ähnlichen aktiven und passiven Techniken beruhen wie die klassische Physiotherapie, diese aber erweitern oder anders gewichten. Viele Physiotherapeuten verwenden solche Verfahren als Ergänzung ihres therapeutischen Repertoires. Hier eine Auswahl gängiger Verfahren, die unter anderem auch in der Schmerztherapie eingesetzt werden:

■ Alexandertechnik Diese Methode wurde von dem Australier Frederick Matthias Alexander Ende des 19. Jahrhunderts entwickelt. Alexander ging davon aus, dass sich in der Körperhaltung nicht nur psychische Missempfindungen ausdrücken, sondern dass es auch andersherum möglich ist, durch bestimmte Körperhaltungen und -übungen das psychische Befinden zu verbessern. Diese Annahme wird durch neueste Erkenntnisse aus der Hirnforschung zumindest teilweise bestätigt. Die Alexandertechnik widmet sich in

besonderem Maße dem Umlernen ungünstiger Bewegungs- und Haltungsmuster. Der Stellung von Kopf, Nacken und Wirbelsäule zueinander wird dabei eine besondere Bedeutung zugemessen. In Studien mit Rückenschmerzpatienten wurde die schmerztherapeutische Wirksamkeit der Methode belegt.

■ Methode nach Brügger Der Schweizer Nervenarzt Dr. Alois Brügger entwickelte diese Methode in den 1950er Jahren. Er ging dabei von der Grundannahme aus, dass Schmerzreize aus dem Bewegungssystem zu komplexen Schonhaltungen führen, die über bestimmte Schaltstellen im Gehirn vermittelt werden. Solche Schonhaltungen können somit an anderen Stellen auftauchen als an der ursprünglich vom Schmerz betroffenen. Schonhaltungen und gewohnheitsmäßige Fehlhaltungen sind nach diesem Verständnis die Hauptursache für Beschwerden des Bewegungssystems. In einer eigenständigen Diagnostik werden die Funktionsdefizite erfasst. Die Therapie besteht unter anderem aus sehr langsam und bewusst durchgeführten Bewegungsabläufen und dem gezieltem Training von

BILD Der Schlingentisch ermöglicht gestützte und damit besonders gelenkschonende Bewegungen

Körperhaltung und Alltagshandlungen. Die Ergänzung durch andere physikalische Verfahren wie Massagen oder Wärmeanwendungen ist ebenfalls fester Bestandteil der Methode.

■ Stemmführung nach Brunkow Die Methode ist eine Sonderform der sensomotorischen Fazilitation (s. o.) und wurde in den 1960er und -70er Jahren von der Krankengymnastin Roswitha Brunkow entwickelt. Brunkow war infolge einer schweren Unfallverletzung zeitweise auf den Rollstuhl angewiesen. Dabei beobachtete sie, dass sich das Stemmen mit den Armen auf die Aufrichtung des Rumpfes auswirkt. Diese Beobachtungen inspirierten Brunkow schließlich, spezielle krankengymnastische Übungen zu entwickeln. Dabei wird mit den Händen oder mit den Füßen eine Stemm- oder Schubkraft aufgebaut, die sich unwillkürlich auf Muskelketten in den Extremitäten und am Rumpf auswirkt. Dadurch soll das System der Muskelaktivierung wieder ins Gleichgewicht gebracht und schmerzhafte Fehlhaltungen aufgelöst werden. Bei einer Variante wird die beschriebene Stemmaktion nur imaginiert (S. 32), das heißt der Übende stellt sie sich nur vor. Bei der Stemmführung nach Brunkow wird in unterschiedlichen Positionen gearbeitet, unter anderem in Bauchlage, im Vierfüßlerstand oder im Schneidersitz.

Psychotherapeutische Komponente als Wirkverstärker

Physiotherapeutische Verfahren sind vor allem im Hinblick auf längerfristige Wirkungen nur unzureichend in wissenschaftlichen Studien untersucht. Ein klarer Vorteil einer bestimmten Technik gegenüber anderen konnte nicht nachgewiesen werden. Eines steht aber fest: Ohne das eigene Mitwirken des Patienten und die Bereitschaft, regelmäßig zu üben, alleine oder besser noch in der Gruppe, ist Physiotherapie vergebliche Liebesmühe. Darüber hinaus gibt es immer mehr Studien, die zeigen, dass man die Erfolgschancen der Physiotherapie bei Schmerzerkrankungen wie Rückenschmerzen erheblich steigern kann, indem man psychotherapeutische Elemente in die Behandlung integriert. Das bedeutet, der Therapeut ermöglicht es dem Patienten, über seine Angst vor dem Schmerz zu sprechen, über seine ganz persönliche Art, seine Situation immer wieder zu katastrophisieren (S. 81), über erlebte Einschränkungen und den Teufelskreis aus depressiven Stimmungen und Passivität.

Auf Basis des Wahrnehmens und Aussprechens können dann im Rahmen solcher therapeutischen Gespräche günstige Denk- und Verhaltensmuster entwickelt und geübt werden. Das fördert auch die Motivation des Patienten, selbst etwas zu seiner Gesundung beizutragen, etwa durch regelmäßige Körperübungen.

BILD Der Spiegel unterstützt Sie
bei den Übungen der Imagination.

ERGOTHERAPIE

Denken Sie einmal darüber nach, wofür Sie an einem ganz gewöhnlichen Tag voll funktionsfähige Finger, Hände, Arme, Beine, Füße und einen gesunden Rücken brauchen. Überlegen Sie, was es bedeuten würde, wenn Sie auf die Funktionen eines dieser Körperteile teilweise oder vollständig, vorübergehend oder dauerhaft verzichten müssten. Wie würde sich das auf Ihre berufliche Einsatzfähigkeit auswirken, auf Ihre Beziehungen, Ihre Familie, Ihre Freizeit?

Schmerzerkrankungen sind oft mit erheblichen Einschränkungen der Beweglichkeit und Handlungsfähigkeit verbunden. So können starke Schmerzen im Arm oder in der Hand berufliche Bewegungsabläufe behindern oder unmöglich machen. Auch scheinbar selbstverständliche Handgriffe wie sich waschen und anziehen, Kaffee kochen oder Brote schmieren können damit zu einer großen Herausforderung werden. Schmerzlinderung durch eine angemessene Therapie kann deswegen nicht nur das unmittelbare Leiden des Betroffenen vermindern, sondern auch zu seiner beruflichen Rehabilitation und zur Zufriedenheit mit vielen Teilaspekten seines Lebens beitragen. Genau hier setzt Ergotherapie an. Sie fördert den Patienten da, wo er durch die Erkrankung in seiner Handlungsfähigkeit eingeschränkt ist. Ergotherapie geht in der Regel Hand in Hand mit der Physiotherapie. Die Physiotherapie zielt vor allem auf die zumindest teilweise Wiederherstellung der Beweglichkeit und Belastbarkeit ab, etwa das Beugen und Strecken des Kniegelenks. Das ist oft eine unabdingbare Voraussetzung, um in einem weiteren Schritt mithilfe ergotherapeutischer Übungen wichtige Bewegungsabläufe und Fertigkeiten wieder einzuüben. Das erfordert, dass der Patient bereit ist, über eine längere Zeit aktiv und konzentriert zu üben und sich auch dann nicht entmutigen zu lassen, wenn er nur langsam Fortschritte macht. Nicht bei allen Schmerzpatienten ist eine Ergotherapie sinnvoll. Häufig, aber nicht zwingend ist sie bei Phantomschmerzen und anderen Formen neuropathischer Schmerzen (S. 190), aber auch bei chronischen Rücken- und Gelenkschmerzen sowie schmerzhaften Erkrankungen oder Verletzungen der Hand angezeigt.

Breites Repertoire an Übungen und Hilfsmitteln

Ergotherapeuten setzen je nach Patient und Behandlungsziel sehr unterschiedliche Übungen und Hilfsmittel ein. Hier eine Auswahl der Methoden, die bei Schmerzpatienten zur Anwendung kommen können:

■ Mit Desensibilisierungstechniken werden Patienten behandelt, die etwa im Rahmen einer Polyneuropathie unter Hyperalgesie oder Allodynie leiden. Hyperalgesie heißt, der Patient empfindet bereits bei einem schwachen Schmerzreiz starke

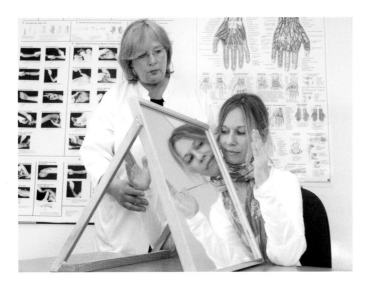

Schmerzen; bei der Allodynie lösen Reize, wie eine Berührung der Haut, die normalerweise nicht als schmerzhaft empfunden werden, Schmerzen aus. Bei der Desensibilisierungsbehandlung wird das betroffene Hautareal zunächst sehr schwach und dann zunehmend stärker stimuliert. Das geschieht beispielsweise durch die Berührung mit anfangs weichen und zunehmend härteren Pinseln. Dadurch kann die überschießende Schmerzantwort allmählich verlernt werden.

■ Weiter gibt es Übungen der Diskrimination, das heißt wörtlich des Unterscheidens. Im medizinischen Bereich sind damit bestimmte Funktionen der Sinneswahrnehmung gemeint. Als taktile Diskrimination bezeichnet man die Fähigkeit, Eigenschaften von Oberflächen tastend zu erkennen, etwa als glatt oder rau. Die taktile Diskrimination wird durch das Betasten von Oberflächen mit geschlossenen Augen geübt. Proprioceptive Diskrimination ist das Erkennen von Formen durch Betasten. Sie wird ebenfalls ohne Zuhilfenahme der Augen geübt, etwa mit Alltagsgegenständen wie Schlüssel, Kugelschreiber oder Kerze. Der Schwierigkeitsgrad wird dabei langsam gesteigert.

■ Imagination wird im Rahmen der Ergotherapie vor allem zur Wiederaktivierung von Funktionen des Nervensystems, etwa nach Verletzungen oder Amputationen, genutzt. Patienten, die unter Phantomschmerzen (S. 190) leiden, lernen im Rahmen von Imaginationsübungen, sich das amputierte Gliedmaß vorzustellen, es zu fühlen und imaginiert zu bewegen. Dadurch wird im Gehirn eine Umstrukturierung angestoßen, die Phantomschmerzen werden im günstigsten Fall seltener und schwächer.

■ Die Spiegeltherapie bedient sich ebenfalls der Imagination. Die Übungen werden durch einen Spiegel unterstützt, der so aufgestellt wird, dass in der Perspektive des Patienten das Spiegelbild des gesunden Glieds das Vorhandensein des amputierten, gelähmten oder tauben Glieds vortäuscht (s. Bild).

■ Bei bestimmten Schmerzerkrankungen ist die Fähigkeit zur Lateralisation eingeschränkt, das heißt die Fähigkeit, einen Arm oder ein Bein, etwa auf einer Abbildung, schnell als rechtes oder linkes Gliedmaß zu erkennen. Das kann gezielt geübt werden und erleichtert den Zugang zu bestimmten imaginativen Techniken.

■ Beim funktionellen Training werden komplexe Bewegungs- und Haltefunktionen geübt, wie das Greifen eines kleinen Steins mit der Hand. Die Bearbeitung von Therapiekitt – einer Art Knetmasse – dient zusätzlich der Kräftigung von Handmuskeln. Ob die Trainingsbelastung unterhalb der Schmerzgrenze gehalten wird oder etwas darüber hinausgehen darf, hängt von der vorliegenden Schmerzerkrankung ab.

■ Eine der wichtigsten Übungskategorien in der Ergotherapie ist das Training alltäglicher Aktivitäten. Dabei wird in der Regel mit den Fertigkeiten begonnen, die für ein selbstständiges Leben unerlässlich sind, also Körperpflege, Essen und Anziehen.

■ Der Ergotherapeut berät bei der Auswahl von Hilfsmitteln, z. B. Gehhilfen, Schienen oder Einhandbrettern, und fertigt diese teilweise selbst an.

■ Viele Ergotherapeuten haben weitere übende Verfahren in ihr Angebot integriert, wie Techniken der Entspannung und Mindfulness, kreative Therapien oder Hippotherapie.

Von den Kassen akzeptiert

Ergotherapeut ist in Deutschland eine geschützte Berufsbezeichnung. Schmerztherapeutisch kompetente Ergotherapeuten arbeiten sowohl ambulant als auch in Kliniken, wie in unfallchirurgischen Akutkliniken oder Rehakliniken. Bei einer ganzen Reihe von Schmerzerkrankungen ist Ergotherapie angezeigt und wird bei einer entsprechenden ärztlichen Verordnung von der Krankenkasse übernommen.

◣ SCHMERZTHERAPIE AUF DEM PFERDERÜCKEN?

Hippotherapie nennt sich die physiotherapeutische oder ergotherapeutische Behandlung auf dem Pferderücken. Dabei wird die Bewegung des Pferdes, das in der Regel im Schritt geht, sanft wiegend auf den Patienten übertragen. Damit sollen unter anderem Muskelentspannung, Bewegungskoordination, Balance und Körperwahrnehmung gefördert werden. Möglicherweise trägt die Wärme des Tieres, das ohne Sattel geritten wird, zusätzlich zur Entspannung bei. Die Hippotherapie kommt vor allem bei Menschen mit Lähmungen, Spastik (erhöhte Muskelspannung aufgrund einer Nervenschädigung) und bestimmten Muskelerkrankungen infrage und kann sich auch positiv auf Schmerzen auswirken. Da die Behandlung teuer ist und ein ausreichender Wirksamkeitsnachweis bislang fehlt, übernehmen die Krankenkassen die Kosten für Hippotherapie nur in Ausnahmefällen.

MASSAGE

Antike Darstellungen auf griechischen Tongefäßen, altägyptischen Steinreliefs und chinesischer Seide zeugen davon: Die Massage ist eine der ältesten medizinischen Behandlungen überhaupt und ihre Beliebtheit ist auch heute noch ungebrochen: Mehr als die Hälfte aller erwachsenen Deutschen haben bereits eine professionelle Massage in Anspruch genommen, wegen einer Erkrankung – am häufigsten Rückenschmerzen – oder einfach wegen der wohltuenden und entspannenden Wirkung. In der Schmerztherapie hat die Massage ihren festen Platz, Schmerzkliniken beschäftigen in der Regel einen ganzen Stab staatlich geprüfter Masseurinnen und Masseure und auch in der ambulanten Schmerztherapie ist die Massage eines der am häufigsten verordneten nichtmedikamentösen Verfahren. Teil- oder auch Ganzkörpermassagen werden dabei überwiegend bei Schmerzen des Bewegungssystems eingesetzt. Sie kommen aber auch bei anderen Schmerzzuständen und psychischen Begleitsymptomen, beispielsweise Depressionen, zur Anwendung sowie in der Behandlung von Ödemen, das sind Wasseransammlungen im Gewebe, aufgrund eines gestörten Blutrückflusses aus den Beinen.

Wodurch wirkt Massage schmerzlindernd?

Massage kann auf unterschiedlichen Wegen schmerztherapeutisch wirken:

Direkte physikalische Wirkungen
- Die Muskulatur entspannt sich.
- Schmerzhafte Schon- und Fehlhaltungen lösen sich.
- Durch die mechanische Bearbeitung des Gewebes wird die Durchblutung angeregt. Dadurch gelangen mehr Sauerstoff und mehr Nährstoffe in die Muskulatur.
- Die Lymphe kann besser aus dem Gewebe abfließen. Sie sorgt für den Abtransport von Stoffwechselendprodukten und Krankheitserregern.

Manche der genannten physikalischen Wirkungen werden durch die Anwendung von Wärme (S. 59), z. B. durch angewärmte Öle, durch Kälteanwendungen (S. 61) oder durch den Zusatz von Heilkräutern unterstützt.

Wirkungen über das Nervensystem
- Sinnesreize, etwa durch die Stimulation von Schmerz- und Dehnungsrezeptoren, können auf der Ebene der Reizverarbeitung im Rückenmark und im Gehirn schmerzlindernde und entspannende Wirkungen entfalten. Bewusst wahrgenommene Reize wirken dabei im Nervensystem über andere, zusätzliche Mechanismen als unbewusste Reize.
- Solche Nervenimpulse können sich unter Umständen auch günstig auf innere Organe auswirken, die Verdauung und den Blutkreislauf anregen.

BILD 1 + 2 Bei der Massage werden Sinneseindrücke vermittelt, wie Berührung, Druck, sanfter Schmerz, Veränderung der Körperhaltung.

Wohlbefinden und Stressreduktion
- Wenn sich körperliche Anspannung und Schmerzen lösen, dann fühlt sich der Betroffene insgesamt wohler.
- Die ganze Muskulatur entspannt sich.
- Der Blutdruck normalisiert sich.
- Der Atem beruhigt sich, wird tiefer und langsamer.
- Es werden weniger Stresshormone gebildet.
- Das Immunsystem wird angeregt.

Den Körper spüren
Bei der Massage werden Sinneseindrücke vermittelt, wie Berührung, Druck, Temperatur, sanfter Schmerz, Veränderung der Körperhaltung. Ähnlich wie Entspannung kann das helfen, sich dem eigenen Körper und auch den schmerzhaften Regionen liebevoll zuzuwenden. Das mildert innere Abwehr und Verspannung und lindert oft auch den Schmerz.

Berührung ist Begegnung
Es ist ein Unterschied, ob man sich von einem Massagegerät massieren lässt oder von einem Menschen, und dieser Unterschied ist kein rein physikalischer. Die wohlwollende und achtsame Zuwendung eines anderen Menschen, getragen von der Absicht, zu helfen und den Schmerz zu lindern, kann auch auf der seelischen Ebene Linderung, Trost und Unterstützung vermitteln. Manche Menschen müssen unter der Massage weinen, weil sie nicht nur auf der körperlichen Ebene berührt werden, weil es nicht nur der körper-

liche Schmerz ist, der sich löst. Eine Massage kann durchaus körperpsychotherapeutische Aspekte haben. Manche Massageformen integrieren bewusst Elemente aus unterschiedlichen Formen der Körperarbeit und Körperpsychotherapie (S. 100).

◣ KEINE AUFFORDERUNG ZUM NICHTSTUN
Der angenehme Effekt einer Massage ist bei akuten Schmerzen erwünscht und hilfreich, könnte auf Dauer aber zur Untätigkeit verleiten. Massagen sollten in der Regel nur als Ergänzung oder Vorbereitung zu aktiven Behandlungen wie Physio- oder Ergotherapie eingesetzt werden. Das gilt besonders für Schmerzen des Bewegungssystems, bei denen Physiotherapie und regelmäßige Bewegung meist die wichtigsten Behandlungselemente sind. Massagen können die Bewegungstherapie nie ersetzen und taugen meist nicht als Dauerbehandlung.

Vielfalt an Massageformen
In der hier üblichen klassischen Massage, die auch als schwedische Massage bezeichnet wird, unterscheidet man fünf verschiedene Griffarten.
- Streichen (Effleurage)
- Kneten (Petrissage)
- Reiben (Friktion)
- Klopfen (Tapotement)
- Erschüttern (Vibration)

Die französischen Bezeichnungen in Klammern zeugen davon, dass im 19. Jahrhundert neben der schwedischen

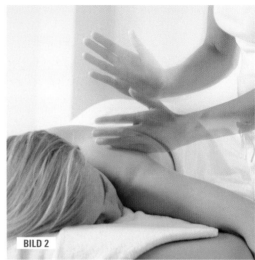

BILD 1   BILD 2

Heilgymnastik prägende Einflüsse von französischen Ärzten kamen. Diese waren von antiken griechischen Massagebeschreibungen und von einem naturphilosophischen Weltbild inspiriert. Deutsche Mediziner entwickelten die Massage, die bis in die 80er Jahre des 19. Jahrhunderts noch als Außenseitermethode galt, mithilfe ihres wachsenden Wissens über Körperbau und -funktion maßgeblich weiter. In Deutschland werden heute viele unterschiedliche Massagesysteme, teilweise als Ergänzung, teilweise als Alternative zur klassischen Massage, praktiziert. Da es kaum vergleichende Forschung zu den verschiedenen Formen gibt, lässt sich derzeit nicht pauschal beurteilen, ob die Varianten im Vergleich zur klassischen Massage schlechter, besser oder genauso gut für die Schmerztherapie geeignet sind.

Reflexzonen- und Segmentmassagen

Diese Massageformen machen sich die Nervenverschaltung zwischen inneren Organen und bestimmten Hautarealen – Reflexzonen – zunutze. Dabei sollen durch gezielte Stimulation der Reflexzonen in der Haut, dem Unterhautgewebe, den Muskelumhüllungen oder der Knochenhaut heilsame und schmerzlindernde Effekte erzielt werden. Zu dieser Kategorie zählen folgende Massagetechniken:

- Bei der Bindegewebsmassage werden gezielte und wohldosierte Zugreize auf das Unterhautbindegewebe und die Muskelumhüllungen ausgeübt. Der Behandelte erlebt dabei ein – nicht unangenehmes – Ziehen, Ritzen oder Schneiden.
- Die Muskelreflexzonenmassage wird überwiegend zur Behandlung von Schmerzzuständen verwendet. Dabei stimuliert der Massierende gezielt bestimmte Reflexzonen der Muskeln.
- Bei der Periost-(Knochenhaut)Massage behandelt man über knöcherne Stellen, die direkt durch die Haut erreichbar sind, bestimmte Punkte am Hinterkopf, Ellbogen, Schien- oder Kreuzbein. Ähnlich wie bei der Akupressur (S. 50) werden die Punkte entweder ein paar Minuten lang gedrückt oder massiert. Diese Methode kann leicht erlernt und auch als Selbstbehandlung ausgeführt werden.
- Lymphdrainage wird vor allem bei Ödemen, das heißt Stauungen von Gewebsflüssigkeit, eingesetzt und kann schmerzlindernde Effekte erzielen. Mit geringem Druck und kreisenden Massa-

gebewegungen wird die Ödemflüssigkeit in den Kreislauf zurückgepumpt.

Asiatische Formen

■ Die **Akupressur** ist eine Behandlungsform aus der chinesischen Medizin. Dabei werden Akupunkturpunkte und Leitbahnen (Näheres S. 64) – gedrückt und massiert. Akupressur wird als Fremd- oder als Selbstmassage praktiziert. Eine westliche Weiterentwicklung ist die **Akupunktmassage nach Penzel.** Die Wirksamkeit dieser Verfahren in der Schmerztherapie ist am besten bei Rückenschmerzen belegt.

■ **Tuina** oder **Anmo** heißt die traditionelle chinesische Massage mit vielen verschiedenen Grifftechniken, die teilweise denen unserer klassischen Massage ähneln.

■ **Shiatsu** ist eine japanische Behandlungsform, die in den 1920er Jahren entwickelt wurde und auf Techniken aus der traditionellen chinesischen Heilkunde aufbaut. Zu den Grundtechniken zählen Druck mit der ganzen Hand oder den Fingern, Dehnungen, passive schwingende oder rotierende Bewegungen.

■ **Ayurvedische Massagen** dienen vorrangig dem sorgfältigen Einmassieren kostbarer angewärmter Arzneiöle und Essenzen in die Haut. Streichmassagen überwiegen, ausgefeilte Grifftechniken sind eher untypisch.

■ Bei der **Thaimassage** gibt es sehr unterschiedliche Behandlungsformen, die Elemente aus der chinesischen und ayurvedischen Massage sowie aus den Medizintraditionen Zentralasiens beinhalten.

 LASSEN SIE SICH NICHT MIT FÜSSEN TRETEN

Bei manchen asiatischen Massagen geht es ziemlich rabiat zur Sache und gelegentlich steigt der Massierende sogar auf den Patienten und bearbeitet ihn mit den Füßen. Je weiter er dabei die Wirbelsäule hochklettert, desto risikoreicher ist eine solche Behandlung. Unentdeckte Defekte an Bandscheiben, Wirbelkörpern oder Blutgefäßen können in solch einer Situation zum Verhängnis werden. Schwere Schädigungen von Nerven, Rückenmark oder Gehirn sind die zwar seltenen, aber verheerenden und manchmal gar tödlichen Folgen. Fragen Sie Ihren Masseur also lieber vor Beginn der Behandlung, was er genau mit Ihnen vorhat, und weisen Sie ihn ausdrücklich darauf hin, dass Sie mit solchen Massagetechniken nicht einverstanden sind. Ähnliches gilt für bestimmte chiropraktische Behandlungen (Näheres auf S. 53).

Westliche Massagetechniken in Kombination

■ **Rolfing** kombiniert eine tiefe Bindegewebemassage mit einer Art Haltungstherapie. In der zugrunde liegenden Theorie werden wissenschaftliche Erkenntnisse zu Bau und Funktion des Bewegungssystems und des Bindegewebes auf sehr eigenwillige Art umgedeutet.

■ Die **Esalen®-Massage** integriert unter anderem Elemente aus Gestalttherapie, Feldenkraismethode, Kraniosakraltherapie, Akupressur und Rolfing in eine Ganzkörpermassage.

Weitere Formen

■ Die Fußreflexzonenmassage ist keine Reflexzonenmassage im engeren Sinn. Sie beruht nicht auf der Einteilung in Nervenversorgungsgebiete nach anatomischen Gesichtspunkten. William Fitzgerald lernte die Methode zu Beginn des 20. Jahrhunderts von Ureinwohnern Mittel- und Nordamerikas und entwickelte sie weiter. Die Vorstellung, krankhafte Veränderungen innerer Organe würden sich an bestimmten Stellen der Fußsohle niederschlagen und wären dort zu ertasten, konnte mit den diagnostischen Methoden der heutigen Medizin nicht bestätigt werden. Inwiefern die Massage bestimmter Areale der Fußsohlen zu einer lokalisierten Schmerzlinderung in anderen Körperregionen beitragen kann, lässt sich aufgrund des Mangels an aussagekräftigen Studien nicht abschließend beurteilen.

■ Die rhythmische Massage nach Ita Wegmann basiert auf der anthroposophischen Medizin. Dabei werden die Griffe der klassischen Massage ergänzt, unter anderem durch kreis- oder schleifenförmige, rhythmische Streichungen.

■ In ähnlicher Weise wie Shiatsu legen auch einige westliche Massagevarianten besonderes Augenmerk auf die Atmung des Patienten. So wird beispielsweise bei der Atemmassage nach Dr. Ludwig Schmitt, weiterentwickelt von Christine Hörschelmann, synchron mit dem Atemrhythmus massiert.

■ Massage mit Hilfsmitteln. Damit kann die physikalische Wirkung der Massage auf den Körper variiert werden. Sind sie mit einem ausreichend langen Stiel versehen, erleichtert das die Selbstanwendung an schwer zugänglichen Körperpartien, wie die Bürstenmassage am Rücken. Die Vielfalt der Werkzeuge erscheint schier unerschöpflich. Hier eine kleine Auswahl:

■ Bürsten
■ Handschuhe, aus Sisal oder Flachs
■ Schwämme
■ Rollen
■ Bälle mit verschiedenen Härtegraden und Oberflächen, mit oder ohne Noppen
■ Stifte / Stäbe aus verschiedensten Materialien von Holz bis Edelstein
■ Heiße und kalte Steine: Überwiegend im Wellnessbereich wird die Hotstone-Massage eingesetzt. Dabei wird die Haut im Wechsel mit angewärmten und eisgekühlten Steinen stimuliert und massiert.
■ Klangschalenmassage: Die aus Asien stammenden, ursprünglich als Meditationsgong eingesetzten Metallschalen werden auf den Körper gelegt und angeschlagen. Die Vibration der klingenden Schale wird auf den Körper übertragen und soll zur Entspannung beitragen.

Gerätegestützte Massagen

Echte Handarbeit können sie nicht ersetzen, nicht zuletzt weil ein Masseur Verspannungen und Verhärtungen ertastet und seine Behandlung danach ausrichtet. Trotzdem erleben manche Menschen gerätegestützte Massagen als hilfreich. Manche mögen es einfach nicht, von fremden Menschen angefasst zu werden. Andere

freuen sich , mit dem Massagesessel oder -kissen öfter an wohltuende Vibrationen zwischendurch zu kommen.

■ Für maschinelle Vibrationsmassagen gibt es eine Vielzahl unterschiedlicher Gerätschaften, vom Massage-Sessel über den entsprechend ausgestatteten Schreibtischstuhl bis zum Massagekissen. Je nach Ausstattung variiert der Preis für einen Massagesessel von 70 bis über 4 000 Euro. Bevor Sie viel Geld ausgeben, sollten Sie das Gerät in aller Ruhe testen. Bei den Hightech-Luxusvarianten sind nicht nur Vibrationsmassagen möglich, sondern auch andere „Griff"-Techniken, wie Schieben, Drücken oder Pulsieren. Es gibt sogar Sessel, die eine Shiatsu-Behandlung nachahmen.

Solche Massagemaschinen scheinen, ebenso wie die echte Massage, ein relativ risikoarmer Weg zur Entspannung zu sein. In Einzelfällen lockerten sich unter der Behandlung Nierensteine oder rissen Kopf- oder Halsschlagadern ein. Ob diese seltenen Ereignisse überhaupt mit der Behandlung in Zusammenhang standen, ist jedoch ungeklärt.

■ Bei der Unterwassermassage liegt oder sitzt man in einem Becken oder einer Wanne, die mit Wasser- oder Druckluftdüsen ausgestattet ist. In vielen Kur- und Wellnessbädern kann man sich damit selbst eine Druckstrahlmassage verpassen. Der Masseur verwendet dafür bewegliche Düsen oder Schläuche. Wenn Sie an einer Erkrankung des Herz-Kreislauf-Systems, der inneren Organe oder des Bewegungsapparats leiden, fragen Sie Ihren Arzt, ob diese Art der Behandlung für Sie geeignet ist.

Zahlt die Kasse?

Medizinische Massagen dürfen nur auf ärztliche Verordnung erfolgen. Bei Erkrankungen des Bewegungsapparats werden die Kosten dafür in der Regel von den Krankenversicherungen übernommen. Üblich ist dabei eine Serie von zehn Behandlungen.

Masseur/Masseurin und medizinischer Bademeister/medizinische Bademeisterin sind in Deutschland geschützte Berufsbezeichnungen. Nur staatlich geprüfte Masseure oder Physiotherapeuten dürfen ärztlich verordnete Massagen durchführen. Die Kosten für Wellness-Massagen, also für Anwendungen, die nicht der Krankheitsbehandlung und Rehabilitation, sondern dem allgemeinen Wohlbefinden und der Entspannung dienen, werden in der Regel nicht von den gesetzlichen Krankenkassen übernommen. Bei den privaten Versicherungen gibt es dazu sehr unterschiedliche Gepflogenheiten, am besten Sie erkundigen sich im Voraus bei Ihrer Versicherung.

BILDER Die Vielfalt der für Massagen verwendeten Werkzeuge ist groß.

CHIROTHERAPIE

Ein Griff, ein Ruck, ein Knacks und der Schmerz ist wie weggeblasen. Manuelle Therapie, auch Chiropraktik genannt, kann beeindrucken, auch wenn es keine Erfolgsgarantie gibt, diese Art der Behandlung nur bei bestimmten Erkrankungen des Bewegungssystems überhaupt infrage kommt und die Dauer des Behandlungserfolgs sehr davon abhängt, wie konsequent danach aktiv geübt wird, z. B. im Rahmen der Physiotherapie (S. 39).

Die beschriebenen ruckartigen Manipulationen heißen im Fachjargon der manuellen Therapeuten Mobilisation mit Impuls und sie werden vor allem bei schmerzhaften Zuständen von Wirbelsäule, Armen und Beinen eingesetzt, die funktionell bedingt sind, also aufgrund einer Störung im Zusammenspiel des Nerven-Muskel-Gelenk-Systems. Keine funktionellen, sondern strukturelle Ursachen liegen beispielsweise bei abnutzungs- oder entzündungsbedingten Schädigungen des Gelenkknorpels vor, wie bei der Arthrose oder einer fortgeschrittenen rheumatoiden Arthritis. Bei solchen Erkrankungen ist die Mobilisation mit Impuls in der Regel ungeeignet.

„KNACKEN" IST KEIN EINRENKEN
Bei Mobilisationen mit Impuls wird nicht etwa ein ausgerenktes Gelenk wieder eingerenkt, sondern nur durch eine schnelle Dehnung des Muskel- und Bandapparats das komplexe Zusammenspiel von Nerven, Muskeln und Gelenkkapseln in ein neues Gleichgewicht gebracht. Was dann genau knackt, ist unklar.

Manuelle Therapie + Manuelle Diagnostik = Manuelle Medizin

Manuelle Therapeuten „knacken" nicht nur Gelenke, sondern arbeiten auch mit – je nach Verfahren – unterschiedlichen Dehnungs- und Bewegungsübungen. Bei bestimmten Übungen werden die Atmung und die Blickrichtung des Patienten einbezogen, um Fehlhaltungen aufzulösen und muskuläre Verspannungen zu lockern.

Die manuelle Therapie wird häufig von Physiotherapeuten und Masseuren praktiziert. Zusammen mit der manuellen Diagnostik, also dem Erkunden von Krankheitszuständen mit den Händen, spricht man von manueller Medizin, einer ärztlichen Spezialdisziplin.

Die schmerztherapeutische Wirksamkeit der manuellen Therapie ist bei Rücken- und Nacken-, Knie- und Hüftschmerzen am besten belegt. Die Kosten für manuelle Therapie werden von den gesetzlichen Krankenkassen nur übernommen, wenn die Behandlung von einem Arzt mit Zusatzbezeichnung „Manuelle Medizin/Chirotherapie" durchgeführt wird.

Varianten

Ein Vorläufer der heutigen manuellen Medizin ist die Osteopathie, die in den 70er Jahren des 19. Jahrhunderts von dem US-Amerikaner Andrew Taylor Still (1828- 1917) entwickelt wurde. Ein Grundkonzept in der Osteopathie ist, dass die verschiedenen Strukturen und Funktionen des Körpers in einem komplexen Zusammenspiel stehen, das bei einer Erkrankung gestört ist.

Eine besonders hohe Bedeutung wird dabei den Faszien beigemessen, das heißt den Bindegewebs-Hüllen, die Organe und unter anderem auch alle Muskeln umgeben. Durch spezielle Grifftechniken, teilweise mit Impuls, Fingerdrucktechniken und Massagen soll das Zusammenspiel wieder ins Lot gebracht und dadurch die Heilung von Erkrankungen begünstigt werden. Nur ein Teil der osteopathischen Theorie lässt sich ohne Weiteres mit den heutigen Erkenntnissen der Physiologie in Einklang bringen.

Wissenschaftliche Studien zur Wirksamkeit der Methode liefern widersprüchliche Ergebnisse. In manchen Studien wurde die Osteopathie mit Scheinbehandlungen verglichen, das heißt mit Berührungen und Grifftechniken, die der echten Behandlung ähnelten, ohne die entscheidenden osteopathischen Impulse auszuüben. In diesen Studien erwies sich die Schein-Osteopathie in der Schmerztherapie von Erkrankungen des Bewegungssystems als genauso wirksam wie die echte Osteopathie und beide waren wirksamer als keine Behandlung. Ähnliches

---

INFO **Impuls-Mobilisation der Halswirbelsäule ist umstritten**

Das Komplikationsrisiko manueller Therapieverfahren ist insgesamt niedrig – niedriger als das von gängigen Schmerzmedikamenten.

Das gilt grundsätzlich auch für **Impuls-Mobilisationen** der Wirbelsäule, wenn eine Reihe von Vorsichtsmaßnahmen beachtet wird. So sollte die Indikation von einem Arzt gestellt werden, der vorher eine Reihe von Gegenanzeigen durch entsprechende Untersuchungen ausgeschlossen hat (z. B. Instabilitäten von Knochen oder Bandscheiben). Wie hoch das Risiko für schwerwiegende Komplikationen bei Mobilisationen der Halswirbelsäule ist, kann derzeit nicht genau beziffert werden und ist in der Fachwelt umstritten. Bei vorgeschädigten Gefäßen kam es unter der Behandlung bereits zu Schlaganfällen mit Behinderungs- oder Todesfolge.

Manche Experten raten aus diesem Grund von Impuls-Mobilisationen der Halswirbelsäule generell ab, andere empfehlen, diese nur bei jungen Erwachsenen vorzunehmen, die keinerlei Anhalt für knöcherne Instabilitäten oder für eine Schädigung der Kopf- und Halsgefäße aufweisen. Letztere kann man allerdings ohne aufwendige apparative Diagnostik nie vollständig ausschließen.

wurde in der Akupunktur-Forschung gefunden und ist ein Hinweis darauf, dass möglicherweise die entscheidenden Wirkaspekte dieser Behandlung psychophysiologischer Natur (S. 64) sind.

Die Kraniosakraltherapie wurde vom US-amerikanischen Osteopathen William Garner Sutherland in den 30er Jahren des 20. Jahrhunderts entwickelt. Die Methode basiert auf Vorstellungen vom menschlichen Körper, die dem heutigen medizinischen Wissen widersprechen. So gehen Kraniosakraltherapeuten beispielsweise davon aus, dass der Liquor, das ist das Nervenwasser, das die Hohlräume im Schädel und Wirbelkanal ausfüllt, wie Ebbe und Flut pulsiert, und zwar zwischen 6- und 14-mal pro Minute. Eine Blockade oder Asymmetrie des pulsierenden Liquorflusses sei, so die Vorstellung, krankheitsverursachend und der Therapeut

könne das Problem durch sanfte Bewegungen mit seinen Händen ausgleichen und damit eine Heilung begünstigen.

Die Behandlung findet in einer ruhigen Atmosphäre statt und dauert etwa eine Stunde. Der Patient liegt dazu auf dem Bauch oder auf dem Rücken. Möglicherweise sind es eher Aspekte von Entspannung, Körperachtsamkeit und Beziehungsaspekte, die bei der Methode schmerzlindernd wirken können, als die mechanischen Wirkungen der Hände auf den Körper. Wissenschaftliche Studien, die zuverlässige Aussagen zur Wirksamkeit der Methode erlauben würden, fehlen bislang.

Osteopathie und Kraniosakraltherapie können nicht über die gesetzliche Krankenkasse abgerechnet werden. Bei privaten Krankenversicherungen sind die Regelungen sehr unterschiedlich.

BÄDER

Bereits seit der Antike empfehlen die Ärzte Bäder zum Zweck der Gesundheitspflege. So wendete schon Hippokrates kalte Wasseranwendungen gegen Rheuma und Gicht an.

Schmerztherapeutisch werden Bäder heute vor allem bei Gelenk- und Wirbelsäulenleiden eingesetzt. Die entspannende und stressreduzierende Wirkung kann unter anderem Menschen mit anderen Schmerzformen, wie Kopfschmerzen,

zugutekommen und sich günstig auf psychische Begleitkrankheiten einer Schmerzerkrankung auswirken.

Fachleute unterscheiden folgende drei Begriffe:

- **Hydrotherapie** heißt Wassertherapie und ist ein Überbegriff über alle Techniken des therapeutischen Einsatzes von Wasser, einschließlich Bäder, Bewegungstherapie im Wasser (S. 27), Druckstrahlmassagen (S. 52) etc.

■ Balneotherapie heißt Bädertherapie und meint medizinische Bäder in Thermal- oder Mineralquellen.

■ Thalassotherapie heißt Meerestherapie und schließt die therapeutische Anwendung von Meerwasser und Meeresprodukten wie Tang oder Schlick ein.

Wie wirken Bäder?

Vermutlich spielen folgende schmerztherapeutische Wirkfaktoren eine Rolle:

Physikalische Eigenschaften des Wassers

■ Temperatur

■ Druck

Die Stimulation von Druckrezeptoren in der Haut verändert möglicherweise die Reizweiterleitung und Schmerzverarbeitung im Nervensystem. Ungeklärt ist, ob dafür bereits der hydrostatische Druck genügt, das heißt der Druck, der durch das Eigengewicht des Wassers bedingt ist und mit zunehmender Wassertiefe ansteigt. Eine stärkere Stimulation ist beispielsweise bei der Druckstrahlmassage möglich.

Druck wirkt durch das gleichmäßige Zusammenpressen von Venen und Lymphgefäßen in Beinen und Armen, wodurch sich der Abtransport von schmerzrelevanten Botenstoffen verbessert.

Bei einem Vollbad wird mehr als ein Liter Blut, überwiegend aus den Beinen, in Richtung Herz verschoben. Dadurch verbessert sich die Pumpleistung des Herzens und die Blutversorgung der Muskulatur, was zu deren Entspannung und Funktionsverbesserung beitragen kann.

■ Turbulenzen Bei jeder Bewegung im Wasser kommt es zu einer sanften mechanischen Stimulation der Haut. Ob diese zu einer schmerztherapeutisch relevanten Stimulation von Druckrezeptoren ausreicht, ist unklar. Der Effekt kann unterstützt werden, etwa mit Massagedüsen oder durch kohlensäurehaltiges Badewasser.

■ Auftrieb Das ist die Kraft, die ein Boot, ein Schiff und auch einen Schwimmer über Wasser hält. Sie wirkt dem Körpergewicht entgegen und ermöglicht es dadurch, schmerzgeplagte Gelenke, die sich an Land kaum noch bewegen lassen, zu entlasten und zu mobilisieren – im günstigsten Fall sogar ohne nennenswerte Schmerzen. Und damit …

… erholt sich das bei vielen Betroffenen ramponierte Selbstwirksamkeits-Gefühl und sie erleben psychischen „Auftrieb".

■ Widerstand Damit sind die Kräfte gemeint, die alle Bewegungen im Wasser abbremsen und beispielsweise das Gehen im Wasser erschweren. Je schneller die Bewegung, desto größer der Widerstand. Bei der Wassergymnastik beispielsweise können damit die eingesetzten Kräfte fein dosiert und die Belastung betroffener Körperteile begrenzt werden. Dadurch, dass das Wasser alle Bewegungen abpuffert, ist die Verletzungsgefahr bei Bewegungstherapien im Wasser viel niedriger als an Land.

Chemische Zusammensetzung des Wassers

- Mineralquellen enthalten verschiedene Mineralien wie Kalzium-, Kalium- und Natriumsalze und Spurenelemente wie Schwefel, Eisen, Jod. Ob die biochemischen Effekte dieser Substanzen schmerztherapeutisch relevant sind, ist ungeklärt. In den wenigen bislang durchgeführten Vergleichsstudien zwischen Mineral- und Leitungswasser konnten solche Effekte nicht nachgewiesen werden (zu den Effekten radonhaltiger Quellen, S. 74).

- Auftrieb und Widerstand steigen mit dem Salzgehalt des Wassers. Ab welcher Salzkonzentration das für die genannten therapeutischen Effekte von Bedeutung ist, ist unklar.

INFO Die Wasserkur von Pfarrer Kneipp

Es begann mit einer geglückten Selbstbehandlung: Als Sebastian Kneipp (1821–1897) während seines Studiums an einer Lungentuberkulose erkrankte, fiel ihm ein Buch des schlesischen Arztes Johann Sigmund Hahn (1696–1773) in die Hand, das sich mit der Heilkraft des Wassers beschäftigte. Kneipp probierte es daraufhin mit eiskalten Tauchbädern in der Donau und Wassergüssen aus der Gießkanne. Seine Erkrankung heilte unter dieser Behandlung vollständig aus. Kneipp verfeinerte seine Methode und veröffentlichte 1866 das Buch „Meine Wasserkur". Hahn und dessen Vater – im Volksmund „die beiden Wasserhähne" – sowie Kneipp werden mittlerweile als die wichtigsten Wegbereiter der Hydrotherapie in Deutschland angesehen. Das Behandlungskonzept Kneipps, das bis heute in vielen Kurbädern praktiziert wird, ist nicht nur auf die Behandlung von Krankheiten, sondern vor allem auch auf Gesundheitspflege und Vorbeugung ausgerichtet. Es basiert auf den fünf Säulen Wasseranwendungen, Heilpflanzen, Bewegung, Ernährung und der sogenannten Ordnungstherapie. Das Konzept Ordnungstherapie veränderte sich mit der Zeit. Dass Kneipp dabei durchaus schon psychotherapeutische Elemente im Sinn hatte, illustriert folgendes Zitat des berühmten Wasserdoktors: „Oft konnte ich den kranken Menschen erst helfen, als ich Ordnung in ihre Seele brachte." Als Ordnungstherapie im Rahmen der Kneipp-Methode werden heute überwiegend Entspannungs- und Mindfulness-Verfahren wie progressive Muskelrelaxation, MBSR und Yoga angeboten. Hinweise auf schmerzlindernde Eigenschaften der Kneipp-Methode gibt es aus klinischen Studien zur Behandlung von Erkrankungen des Bewegungssystems. Sie bedürfen der weiteren wissenschaftlichen Überprüfung.

BILD 1 BILD 2

Psychische Wirkungen

Wie bei vielen anderen physikalischen Behandlungsverfahren sind auch bei den Bädern eine Vielzahl von Wechselwirkungen zwischen Psyche und Körper im Spiel.

Hier nur ein paar Beispiele:

- Wer sich körperlich entspannt, macht sich in der Regel auch weniger Sorgen. Es ist wissenschaftlich erwiesen, dass Bäder beruhigend und angstlösend wirken können.
- Die Berührung mit dem Wasser fördert eine bewusste Körperwahrnehmung und begünstigt damit eine positive Einstellung zum eigenen Körper. Das hilft manchen Menschen, mit Schmerzen anders umzugehen und nicht selten bewirkt es sogar eine Schmerzlinderung.
- Heilbäder und Kureinrichtungen nutzen die positive Wirkung einer ruhigen, hellen, ästhetischen Umgebung auf die Stimmung und psychische Verfassung. Mancherorts werden solche Effekte durch verschiedenfarbiges Licht oder leise, meditative Musik unterstützt. Auch der angenehme Duft eines Badezusatzes kann dazu beitragen.

Was zahlt die Krankenkasse?

Verschiedene Wasseranwendungen spielen im Rahmen einer Kur oft die zentrale Rolle. Die Regelungen zur Kostenübernahme sind sehr unterschiedlich und hängen unter anderem von der Form der Kur ab. Auch in der ambulanten Schmerztherapie werden Bäder eingesetzt. Wenn eine ärztliche Verordnung vorliegt, übernehmen die Krankenkassen in der Regel 90 Prozent der Kosten.

NICHT IMMER IST BADEN RATSAM

Bäder sind eine insgesamt sehr nebenwirkungsarme Behandlungsform und können grundsätzlich auch zur allgemeinen Entspannung und Vorbeugung dienen. Ältere, Menschen mit Herz-Kreislauf-Erkrankungen oder Anfallsleiden und Schwangere sollten aber unbedingt vorher ihren Arzt zurate ziehen. Bei manchen allergischen Erkrankungen sollten Badezusätze vermieden werden.

BILD 1 Bewegung im Wasser ist oftmals eine positive Erfahrung.
BILD 2 Bäder haben vielfältige Effekte auf den Körper, auch Temperatur und Salzgehalt spielen dabei eine Rolle.

WÄRME UND KÄLTE

Unser Körper verfügt über ein komplexes System zur Temperaturregulation, neben dem jede Hightech-Klimaanlage wie eine primitive Klapperkiste erscheint. Durch Kälte- oder Wärmeeinwirkungen wird das Zusammenspiel von Temperaturfühlern, Nerven, biochemischen Botenstoffen, Blutgefäßen, Hautporen und Schweißdrüsen in einen anderen Betriebszustand gebracht und das wirkt sich erheblich auf Entzündung, Schmerzreize in der Peripherie und deren Wahrnehmung im Gehirn aus. Einige physikalische und manuelle Verfahren beinhalten die Anwendung von Wärme oder Kälte als Teilkomponenten, z. B. die Bädertherapie oder die Massage mit warmem Öl.

 WÄRME ODER KÄLTE, DAS IST DIE FRAGE

Ob eher Wärme oder Kälte schmerzlindernd wirkt, hängt nicht nur von der zugrunde liegenden Erkrankung ab, sondern ist auch individuell sehr unterschiedlich. So berichten zwar viele Rheuma-Patienten über eine Schmerzlinderung durch Kälte, manchen tut jedoch eher Wärme gut. Als grobe Faustregel gilt: Je akuter ein Schmerz, desto eher wirkt Kälte. Auch entzündlich bedingte Schmerzen scheinen eher auf Kälte anzusprechen, als auf Wärme. Bei Muskelschmerzen und funktionell bedingten, chronischen Schmerzzuständen des Bewegungssystems ist in der Regel eher Wärme angezeigt.

Wärmeanwendungen

Woran denken Sie, wenn Sie das Wort Wärme hören? Die meisten Menschen bringen damit Behaglichkeit und menschliche Nähe in Verbindung; sie denken beispielsweise an eine Tasse Tee am offenen Kaminfeuer oder an eine warmherzige Person.

Bei der schmerztherapeutischen Anwendung von Wärme, auch als Thermotherapie bezeichnet, könnten psychische Faktoren eine bedeutsame Rolle spielen. Manche Menschen brauchen sich ein heißes Bad nur vorzustellen und schon tritt eine gewisse Entspannung ein. Letztlich weiß man nicht, wie hoch der Anteil solcher psychischen Effekte an der Schmerzlinderung ist. Vermutlich liegt wie bei allen anderen physikalischen und manuellen Verfahren eine Mischung aus psychischen und körperlichen Wirkkomponenten vor.

Zu den direkten Wärme-Effekten auf den Körper, die vermutlich von schmerztherapeutischer Bedeutung sind, zählen

- Blutgefäßerweiterung
- Verbesserung der Dehnbarkeit von Bindegewebsstrukturen, wie Sehnen und Muskelhüllen
- Muskelentspannung
- Stimulation von Wärme- und bei höheren Temperaturen auch von Schmerzrezeptoren bewirkt reflektorische Effekte im Nervensystem. Die Schmerzempfindung verändert sich.

BILD 1

BILD 2

Auswahl der gängigsten Wärmeanwendungen
- Heiße Teil- oder Vollbäder
- Sauna
- Dampfbad
- Hausmittel, z. B. Wärmflaschen, Heizkissen
- Wärmepflaster und -cremes, wärmeerzeugende Pflaster, Pflaster und Cremes mit hautreizenden und durchblutungsfördernden Wirkstoffen (S. 154)
- Wärmepackungen Schlamm-, Torf- oder Fangopackungen; heiße Wickel, Kompressen, „heiße Rolle"; Heublumensack. Dazu werden Heublumen in ein Leinensäckchen gefüllt, mit heißem Wasser übergossen, ausgedrückt und – sobald eine verträgliche Temperatur erreicht ist – auf die schmerzende Stelle aufgelegt. Ob die Inhaltsstoffe der Heublumen zusätzlich zur Wärme einen schmerzlindernden Effekt haben, ist unklar.
- Wachsbäder Dabei wird der zu behandelnde Körperteil in warmes, flüssiges Paraffin gehalten.
- Infrarottherapie
- Hochfrequenztherapie, auch Diathermie; Bestrahlung mit Kurzwellen, Dezimeterwellen, Mikrowellen
- Ultraschall Behandlung mit speziellen

Geräten zur Ultraschall-Behandlung, nicht zu verwechseln mit der diagnostischen Ultraschall-Bildgebung.

Heiße Bäder, Sauna und Dampfbad, auch bewährte Hausmittel wie Wärmflaschen oder Heizkissen können der allgemeinen Entspannung und dem Wohlbefinden dienen. Sie können allerdings auch gezielt schmerztherapeutisch eingesetzt werden.

Wärmepackungen bringen die Hitze von außen auf die Haut. Torf oder Schlamm wirken isolierend und halten die Wärme länger im Körper als Wärmflaschen oder heiße Wickel. Eine stärkere Erwärmung in der Tiefe, etwa in der Muskulatur, kann durch Infrarot- oder Hochfrequenzbestrahlungen erreicht werden oder mit speziellen Ultraschallgeräten.

Für wen kommen Wärmeanwendungen infrage?
Von schmerztherapeutischen Wärmeanwendungen können vor allem Menschen mit Gelenk- und Rückenbeschwerden profitieren. Auch bei Erkrankungszuständen der Sehnen und der Sehnen-Knochen-Übergänge können sich Wärmebehandlungen günstig auswirken.

BILD 1 + 2 Bewährte Hausmittel wie Wärmflaschen oder ein Saunabesuch können der allgemeinen Entspannung und dem Wohlbefinden dienen oder gezielt schmerztherapeutisch eingesetzt werden.

Kälteanwendungen

Vielleicht haben Sie schon einmal in der Sommerhitze eine Tageswanderung gemacht und abends Ihre schmerzenden Füße in einen eiskalten Gebirgsbach gehalten? Oder Sie erinnern sich noch an die Mandeloperation in ihrer Kindheit und wie wohltuend das Eisschlecken danach war? Die schmerzlindernden Eigenschaften von Kälte, das heißt – physikalisch korrekt – von Wärmeentzug, können sowohl bei akuten als auch bei chronischen Schmerzen zum Zug kommen. Bei akuten Verletzungen, wie einer Prellung oder der Stauchung eines Gelenks, lindert die sofortige Kühlung nicht nur Schmerzen, sondern kann Schwellungen und Blutergüssen vorbeugen. Schmerzen, die mit Entzün-

---

TIPP **Wärmeanwendungen mit Bedacht – So schützen Sie sich vor Risiken**

Was in Maßen angenehm und hilfreich ist, kann im Übermaß oder bei falscher Anwendung schaden. Hier ein paar Vorsichtsmaßnahmen:

■ Füllen Sie Wärmflaschen mit heißem, aber nie mit kochendem Wasser und verschließen Sie diese immer sehr sorgfältig.

■ Bei Menschen, die – etwa aufgrund eines Schlaganfalls oder einer Rückenmarksverletzung – Störungen der Temperatur- oder Schmerzempfindung aufweisen, können durch Wärmeanwendungen Hautverbrennungen auftreten, ohne dass die Betroffenen das gleich bemerken. Deswegen Wärme, auch Wärmflaschen und Heizkissen, nie in gefühlsgestörten Arealen anwenden.

■ Bei Ganzkörper-Wärmeanwendungen wie Sauna, Dampfbad oder heißen Vollbädern werden Herz und Kreislauf in besonderem Maß gefordert. Deswegen gilt hier wie beim Bewegungstraining: Sanft beginnen und die Belastung in kleinen Schritten steigern. Insbesondere Ältere und Menschen mit Herz-Kreislauf-Erkrankungen sollten vorher ihren Arzt konsultieren. Wer zu schnell aus einem heißen Bad steigt, riskiert ein plötzliches Absacken des Blutdrucks, Ohnmacht und gefährliche Stürze. Steigen Sie immer langsam und schrittweise aus; suchen Sie dabei festen Tritt und Halt.

■ Hochfrequenzgeräte können die Funktion von Herzschrittmachern erheblich stören. Hochfrequenztherapie ist bei Schrittmacher-Trägern tabu.

■ Schwangere, Kinder und Menschen mit schweren Herz-Kreislauf-Erkrankungen sollten keine Ultraschall- oder Hochfrequenztherapie erhalten.

■ Wegen der Gefahr einer Linsentrübung des Auges muss bei Infrarotbehandlungen im Gesicht und bei bestimmten Formen der Hochfrequenztherapie eine Schutzbrille getragen werden.

 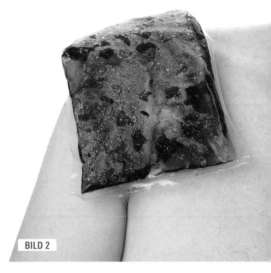

BILD 1 **BILD 2**

dungsprozessen einhergehen, etwa bei der rheumatoiden Arthritis, sprechen auf Kälte oft besser an als auf Wärme. Bei Kälteanwendungen, medizinisch als Kryotherapie bezeichnet, sind verschiedene potenziell schmerzlindernde Wirkmechanismen im Spiel:

- Die Blutgefäße verengen sich zunächst, danach erweitern sie sich reflektorisch, was letztlich zu einer Mehrdurchblutung von Haut und Muskulatur führt. Wer einmal bei Minusgraden ohne Handschuhe aus dem Haus gegangen ist, kennt diesen Effekt.
- Nervenfasern und viele Hautrezeptoren verhalten sich ein bisschen wie wechselwarme Tiere: Bei frostigen Temperaturen fahren sie ihren Stoffwechsel herunter. Das Senden von Schmerzsignalen verlangsamt sich, die Muskelspannung nimmt ab.
- Die Ausschüttung bestimmter Entzündungsfaktoren wird gedrosselt.
- Kälterezeptoren werden aktiviert.

Auswahl der gängigsten Kühlverfahren

- Kaltes Wasser

Kneippgüsse – Man lässt dazu Wasser über Arme oder Beine laufen.

Wassertreten – eine Variante davon ist Barfußgehen durch den Schnee.
Teil- oder Vollbäder
Druckstrahlmassagen

- Kältepackungen

Eisbeutel – Dazu können Sie sich einen wasserdicht verschließbaren Beutel besorgen, den Sie mit Eis aus dem Tiefkühlfach oder mit Eiswasser füllen.
Gelpackung: Solche Kompressen sind wiederverwendbar. Einfach im Gefrierfach aufbewahren und bei Bedarf auf die schmerzende Stelle legen.

- Wickel: Dieses Hausmittel hilft nicht nur bei Fieber, sondern beispielsweise auch bei Rückenschmerzen. Der Kühleffekt eines mit Eiswasser getränkten Frotteehandtuchs hält etwa eine Minute lang an, dann wird gewechselt. Bei einer länger und stärker kühlenden Variante werden Handtücher mit Salzwasser getränkt und tiefgefroren.
- Eis am Stiel: Sie können dazu eine handelsübliche Kunststoff-Eisform statt mit Fruchtsaft mit Wasser füllen. Die schmerzende Körperregion wird mit dem Eis berührt oder auch massiert. Das geht auch mit Eiswürfeln, allerdings flutschen die einem leicht aus der Hand und die

BILD 1 Fingerfreundlich – wer die schmerzende Stelle mit Eis massieren möchte, sollte statt auf Eiswürfel auf Eisformen zurückgreifen.
BILD 2 Im Gefrierschrank gelagert stehen Kühlkompressen zuverlässig zur Schmerzlinderung zur Verfügung.

Person, die sie hält, bekommt mit der Zeit kalte Finger.

■ Kältespray: Das kennen Sie aus der Sportschau. Bei ganz frischen, unblutigen Verletzungen wirkt ein wenige Sekunden dauernder Sprühstoß schmerzlindernd. Um örtliche Erfrierungen zu vermeiden, darf ein Sprühabstand von 30–40 cm nicht unterschritten werden. Als Kältemittel enthalten solche Sprays in der Regel Chlorethylen. Weil bisher nicht sicher ausgeschlossen werden kann, dass dieses Gas krebserregend ist, sollte das Einatmen der Sprühwolke sorgfältig vermieden werden.

■ Kältekammer (s. Kasten „Den Schmerz einfrieren")

Für wen kommen Kälteanwendungen infrage?
Lokale Kälteanwendungen können bei akuten Schmerzen wie unmittelbar nach einer Verletzung oder Operation schmerz-

---

INFO **Den Schmerz einfrieren – „Besuch" in der Kältekammer**

Man entkleide sich bis auf Unterwäsche und Schuhe, ziehe einen Mundschutz an und begebe sich für einige Minuten in eine Kammer, in der eine Temperatur von minus 110° C herrscht. Das hört sich nach einer Rosskur an; da die Luft in diesem Raum sehr trocken ist, wird die Kälte aber nicht unbedingt als unangenehm empfunden. „Es fühlt sich ähnlich an, wie wenn man in einer kalten, klaren Winternacht kurz ohne Mantel nach draußen geht", berichten Kältekammer-Erfahrene. Die Methode wird seit den 1980er Jahren überwiegend bei Menschen mit rheumatischen Erkrankungen und Schmerzen des Bewegungssystems eingesetzt. Eine Kältekammertherapie geht über mehrere Wochen; anfangs wird täglich behandelt, später in größeren Zeitabständen. Gängige Praxis ist es, die Schmerzlinderung oder Schmerzfreiheit im Anschluss an den Besuch in der Eismaschine zu nutzen, um Bewegungstherapie zu praktizieren.
Nur eine begrenzte Auswahl von Kliniken – in der Regel rheumatologische Fachkliniken – verfügen über eine Kältekammer. Die Zahl der ambulanten Anbieter wächst jedoch, seitdem eine Minivariante verfügbar ist: mit flüssigem Stickstoff betriebene Kältekammern im Duschkabinenformat. Zur schmerztherapeutischen Wirksamkeit der Behandlung gibt es erste Hinweise aus wissenschaftlichen Studien, die aber einer Überprüfung bedürfen. Bei Patienten mit entzündlichen Gelenkerkrankungen und im Rahmen einer stationären Behandlung werden die Kosten in der Regel von der gesetzlichen Krankenversicherung übernommen, im ambulanten Bereich sind die Regelungen unterschiedlich.

lindernd und abschwellend wirken. Chronische Schmerzen scheinen besonders gut auf Kälte anzusprechen, wenn eine entzündliche Ursache oder zumindest eine entzündliche Komponente vorliegt. Auch bei Nervenkompressionssyndromen wurden Erfolge von Kälteanwendungen berichtet, das heißt bei Erkrankungen, die auf einer Verengung von Nervendurchtrittsstellen beruhen, z. B. beim Karpaltunnelsyndrom (S. 190) im Bereich des Handgelenks.

Menschen mit arteriellen Durchblutungsstörungen sollten keine Kälteanwendungen erhalten. Ebenfalls eine

Gegenanzeige ist das Raynaud-Syndrom. Dabei wird bereits durch geringfügige Kältereize eine reflektorische, starke Verengung der Hand-Gefäße ausgelöst. Die Finger verfärben sich dabei plötzlich blass und etwas später violett bis blau. Ausgeprägte Raynaud-Attacken können auch schmerzhaft sein. Rheumatische Erkrankungen sind häufig von einem Raynaud-Syndrom begleitet.

Ganzkörperkälteanwendungen, wie die Kältekammertherapie, sollten nie ohne eine vorherige ärztliche Untersuchung erfolgen. Gegenanzeigen sind unter anderem bestimmte Herz-Kreislauf-Erkrankungen.

AKUPUNKTUR UND MOXA

Rund 30 000 Ärzte in Deutschland praktizieren Akupunktur, und zwar überwiegend zur Behandlung von Schmerzen. Gut drei Viertel aller Schmerzkliniken, fast die Hälfte aller niedergelassenen Orthopäden, rund ein Drittel der Allgemeinmediziner und eine unbestimmte Zahl von Heilpraktikern und Hebammen bedienen sich dieser chinesischen Methode, deren Ursprünge über 2 000 Jahre zurückliegen.

Behandlungsablauf und -technik

Bei der klassisch chinesischen Methode sticht der Akupunkteur spezielle Nadeln in bestimmte Punkte der Haut. Die Nadeln sind viel dünner als die gängigen Kanülen, die Sie von Blutentnahmen oder Betäu-

bungsspritzen beim Zahnarzt kennen. Der Gestochene empfindet die Behandlung deswegen kaum als unangenehm und oft gelingt der Einstich sogar schmerzlos. Je nach Akupunkturschule kommen während einer Behandlung nur eine, maximal 5, 10, 20 oder im Ausnahmefall bis zu 40 Nadeln zur Anwendung. Darauf folgt eine 20- bis 30-minütige Ruhephase. Der Patient liegt dabei in der Regel auf dem Rücken oder auf dem Bauch. Die Nadeln verbleiben währenddessen an Ort und Stelle.

Die meisten Patienten empfinden diese Ruhephase als angenehm entspannend. Die Zahl der Behandlungen variiert, je nach Akupunkturschule und Krankheitsbild.

Glühende Zigarren und Kegel

Die alten chinesischen Medizinkompendien erwähnen die Akupunktur immer in einem Atemzug mit der **Moxibustion**, auch **Moxa**. Dabei erwärmt man bestimmte Akupunkturpunkte durch das Abbrennen von Beifußkraut. Dazu dienen entweder brennende Moxazigarren, die man in die Nähe der Haut hält, oder Kräuterkegel, die auf einer untergelegten Ingwerscheibe abgebrannt werden. Moxa wird oft als Alternative zum Nadeln eingesetzt. Es kann aber auch mit der Akupunktur kombiniert werden, indem man eine kleine Menge Beifußkraut am Metallgriff der Nadel befestigt und dort abbrennt.

Worüber wirkt Akupunktur schmerzlindernd?

Die Lage der Akupunkturpunkte wurde in der traditionellen chinesischen Heilkunde bestimmt. Im westlichen medizinischen Wissen findet sich dafür keine Entsprechung. Der Wirkmechanismus der Akupunktur ist ungeklärt, und wie bei vielen anderen Therapieverfahren gibt es dafür eine ganze Reihe von Kandidaten:

- Die Stimulation von Schmerzrezeptoren im Bereich der Einstichstelle **verändert die Aktivität verschiedener Teile des Nervensystems**. Das könnte über ähnliche Mechanismen zu einer Schmerzlinderung führen wie bei anderen Formen der Reiz-

---

INFO Varianten der Akupunktur

Mikrosysteme

Außer der Verwendung von Nadeln haben diese modernen Behandlungstechniken nichts mit der klassisch chinesischen Methode gemein. Dazu zählen

- Ohrakupunktur
- Schädelakupunktur
- Mundakupunktur
- Handakupunktur

Varianten der Stimulation

Neben den beiden klassischen Techniken – Nadeln und Moxa (s. u.) können Reizpunkte auch auf anderem Weg stimuliert werden, wie etwa durch

- Akupressur
- Schröpfen

- Massage, wie beim Shiatsu
- bei der Elektroakupunktur mit Nadeln, durch die ein schwacher elektrischer Strom fließt
- bei der Laserakupunktur Softlaserlicht
- Stoßwellen
- Infrarotlicht

Informationen zu der aktuellen wissenschaftlichen Beweislage bei Akupressur, Schröpfen und Massage finden Sie in den jeweiligen Kapiteln. Zu allen anderen genannten Varianten gibt es mangels aussagekräftiger Studien bislang keine zuverlässigen Wirksamkeitsnachweise.

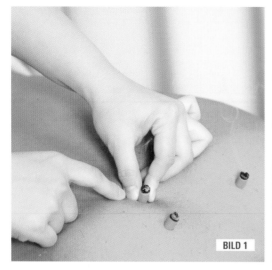

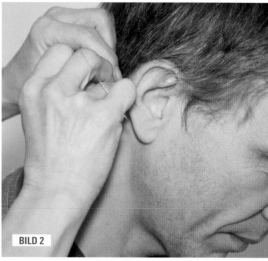

BILD 1

BILD 2

behandlung (Reflexzonenmassage, S. 49, Wärmeanwendungen, S. 59, hautreizende Mittel, S. 151). Im Rückenmark werden reflexartige schmerzhemmende Mechanismen aktiviert und im Gehirn werden körpereigene Schmerzmittel, Endorphine (S. 121), freigesetzt.

■ Im Bereich der Einstichstelle werden vermehrt durchblutungsfördernde und schmerzdämpfende Botenstoffe ausgeschüttet.

■ Bei der Moxibustion könnten zudem ähnliche Effekte im Spiel sein, wie bei den Wärmeanwendungen diskutiert (S. 59).

■ Psychophysiologische Wirkungen, das heißt Mechanismen, bei denen psychische und körperliche Faktoren auf komplexe Art zusammenwirken. Der Anteil solcher Effekte an der Gesamtwirkung der Akupunktur scheint beträchtlich zu sein.

Bei welcher Art Schmerzen ist die Wirksamkeit nachgewiesen?

Die Zusammenschau der bisher verfügbaren wissenschaftlichen Studien zeigt, dass Akupunktur bei folgenden Schmerzformen und -erkrankungen wirksam ist:

■ Migräne – als Behandlung und zur Verhinderung häufiger Migräneattacken

■ Spannungskopfschmerzen
■ andere chronische Kopfschmerzformen
■ Rückenschmerzen
■ Schmerzen nach Operationen
■ arthrosebedingte Schmerzen (S. 186)
■ Nackenschmerzen
■ Schmerzen im Kiefergelenk

Hinweise auf eine Wirksamkeit, die aber einer weiteren wissenschaftlichen Überprüfung bedürfen, wurden bei folgenden Erkrankungen gefunden:

■ Narbenschmerzen
■ Fibromyalgie (S. 197)
■ Zoster-Neuralgie, das sind neuropathische Schmerzen (S. 190) aufgrund einer chronischen Virusinfektion
■ Schmerzen während eines gynäkologischen Eingriffs
■ Zur Laserakupunktur gibt es vorläufige Hinweise auf Wirksamkeit bei Spannungskopfschmerzen, Schulterschmerzen und Epikondylopathie, das sind schmerzhafte Erkrankungen der Sehnenansätze (Tennis/Golf-Ellbogen).

Sichere und nebenwirkungsarme Verfahren

Akupunktur und Moxa sind generell sehr nebenwirkungsarme und sichere Behand-

BILD 1 Bei der Moxibustion erwärmt man bestimmte Akupunkturpunkte durch das Abbrennen von Beifußkraut.
BILD 2 Ohrakupunktur – außer der Verwendung von Nadeln hat
diese nichts mit der klassisch chinesischen Akupunktur gemein.

lungsverfahren. Die häufigsten Nebenwirkungen der Akupunktur sind Schmerzen beim Setzen der Nadeln, geringfügige Blutergüsse und Blutungen.

Schwerwiegende Komplikationen wie Infektionen, Organverletzungen und Todesfälle wurden zwar bereits berichtet, sind aber extrem selten und beruhen in der Regel auf unsachgemäßer Handhabung der Nadeln. Vorsicht ist geboten bei Menschen mit Blutgerinnungsstörungen und bei der Einnahme blutgerinnungshemmender Arzneimittel.

Für die Elektroakupunktur gelten ähnliche Einschränkungen wie bei anderen Formen der Elektrotherapie (S. 77).

Zahlt die Kasse?

Unter bestimmten Voraussetzungen übernehmen die gesetzlichen Krankenversicherungen die Kosten für eine Akupunkturserie bei chronischen Schmerzen der Lendenwirbelsäule und bei Schmerzen infolge einer Kniegelenksarthrose.

INFO **Ist Akupunktur ein Hyperplacebo?**

Um den Anteil psychophysiologischer Effekte an der Wirkung der Akupunktur einzuschätzen, dienen unter anderem Studien, in denen eine Scheinakupunktur eingesetzt wird. Dabei verwendet man speziell präparierte Nadeln, die nicht die Haut durchdringen und die in einem Röhrchen versteckt sind, sodass der Patient die Behandlung in der Regel nicht von einer echten Akupunktur unterscheiden kann. Erstaunliches Ergebnis solcher Studien war: Die Scheinakupunktur wirkt genauso gut gegen Schmerzen wie die echte Akupunktur und – jetzt kommt das eigentlich Verblüffende: Sowohl die echte als auch die Scheinakupunktur wirken besser gegen Schmerzen als die herkömmliche Behandlung mit Medikamenten. Diese wiederum sind bekanntlich wirksamer als identisch aussehende Scheinmedikamente, Placebos. Manche Forscher halten die Akupunktur aufgrund solcher Ergebnisse für ein „Hyperplacebo", das heißt für eine besonders potente Scheinbehandlung. Andere nehmen die Ergebnisse zum Anlass, infrage zu stellen, ob placebokontrollierte Studien überhaupt ein geeignetes Instrument sind, um die Wirksamkeit der Akupunktur und anderer nichtmedikamentöser Verfahren zu untersuchen. Begründung: Der Gesamtkontext der Behandlung spiele bei solchen Verfahren die entscheidende Rolle und nicht nur ein einzelner Wirkfaktor, wie ein bestimmter Arzneimittel-Wirkstoff. Beide Sichtweisen sprechen dafür, dass bei der Akupunktur nicht unmittelbar körperliche, sondern komplexe psychisch-körperliche Effekte die Hauptrolle spielen.

Eine dieser Voraussetzungen ist, dass der akupunktierende Arzt drei bestimmte Zusatzbezeichnungen führt, nämlich Akupunktur, spezielle Schmerztherapie und Psychosomatische Grundversorgung. Bei privaten Krankenversicherungen sind die Regelungen sehr unterschiedlich.

SCHRÖPFEN, ADERLASS UND BLUTEGEL

Seit der Antike gibt es in praktisch allen Kulturen der Welt Behandlungsverfahren, die auf der Annahme beruhen, man müsse bei Krankheit ein schädliches Agens, verdorbenes Blut, üble Säfte, Dämpfe oder – noch früher in der Medizingeschichte – böse Geister und Dämonen aus dem Körper entfernen. Vorstellungen von einem Ungleichgewicht der vier Körpersäfte, das heißt Blut, gelbe Galle, schwarze Galle und Schleim, das es durch ausleitende Verfahren zu beheben gelte, lassen sich zum Urvater der abendländischen Medizin, Hippokrates von Kos (460–377 v. Chr.) zurückverfolgen. Erst im 19. Jahrhundert mit den Fortschritten von Physiologie und mikroskopischer Anatomie wurde die Säftelehre von der Zellularpathologie abgelöst. Seitdem geht die Medizin davon aus, dass Schädigungen und Fehlfunktionen der Körperzellen und nicht etwa ein verschobenes Säftegleichgewicht den körperlichen Krankheiten zugrunde liegen.

Kann man aus dieser Entwicklung schließen, alle „ausleitenden" Verfahren seien wirkungslos, weil sie auf einem längst überholten Krankheitsverständnis basieren? Das wäre eine vorschnelle und wissenschaftlich nicht korrekte Schlussfolgerung. Behandlungsverfahren wie Schröpfen und Aderlass sind älter als die Humoralpathologie; daher kann man nicht ohne Einschränkung behaupten, sie würden darauf basieren. Es gibt viele Hinweise, dass diese Verfahren eher auf ärztlichem Erfahrungswissen begründet sind, als auf komplexen Theoriegebäuden – die kamen erst später dazu. Andererseits beweist das natürlich auch nicht die Wirksamkeit dieser Verfahren; die ist weitgehend ungeklärt, wenn man die heute für medizinische Forschung geltenden Qualitätsstandards ansetzt.

Welche Wirkfaktoren sind im Spiel?

Man weiß, dass blutige Behandlungsverfahren eine starke psychophysiologische Wirkung haben, und zwar unabhängig davon, ob sie einen direkten heilenden Effekt auf körperlicher Ebene erzielen oder nicht. Das trifft auf Operationen zu sowie auf die Akupunktur und vermutlich auch auf blutiges Schröpfen, Aderlass und Blutegeltherapie.

Die unmittelbar körperlichen Effekte, die bei den genannten Verfahren zu einer Schmerzlinderung beitragen könnten, ähneln denen, die bei Reizbehandlungen diskutiert werden, bei der Reflexzonenmassage oder auch der Akupunktur. Beim Schröpfen könnte auch – ähnlich wie bei den eigentlichen Wärmeanwendungen – die Erwärmung der Haut eine Rolle spielen. Der Sog fördert zusätzlich die Hautdurchblutung. Blutegel geben zudem, wenn sie sich einmal an der Haut festgebissen haben, biologisch aktive Substanzen ins Gewebe und ins Blut ab, denen unter anderem entkrampfende und entzündungshemmende Eigenschaften zugeschrieben werden.

Ob das eigentliche Absaugen von Körperflüssigkeiten durch Schröpfköpfe oder Blutegel eine nennenswerte Rolle bei der Schmerzlinderung spielt, ist bisher ungeklärt.

Schröpfen

Schröpfbehandlungen werden heute überwiegend von Heilpraktikern durchgeführt. Sie verwenden dazu in der Regel bauchige Glasgefäße. Das Schröpfglas wird zunächst von innen erhitzt, etwa indem man es über eine Flamme hält oder einen alkoholgetränkten Wattebausch darin anzündet. Der warme Schröpfkopf wird dann auf die befeuchtete Haut aufgesetzt. Durch das Abkühlen der heißen Luft im Glas entsteht ein Unterdruck. Dadurch wird die Haut kräftig angesaugt. Die Behandlung dauert 10 bis 15 Minuten.

Schröpfköpfe können auch für eine Saugmassage verwendet werden. Das heißt, man schiebt das angesaugte Schröpfglas auf der eingeölten Haut hin und her. Beim **blutigen Schröpfen** wird die Haut vor dem Aufsetzen des Schröpfkopfs angeritzt. Durch den Sog fließen etwa 50 Milliliter Blut in das Schröpfgefäß.

Schmerztherapeutisch wird das Schröpfen überwiegend in der Behandlung von Schmerzen des Bewegungssystems eingesetzt. Studien zeigten, dass das blutige Schröpfen im Schulterbereich die Symptome eines Karpaltunnelsyndroms lindern kann. In einer weiteren Studie gingen Rückenschmerzen unter der Behandlung zurück. Diese und andere Hinweise auf die Wirksamkeit der Methode bei Schmerzerkrankungen bedürfen der weiteren wissenschaftlichen Überprüfung.

Risiken und Warnhinweise

Schröpfen kann schmerzhaft sein und unschöne, aber in aller Regel vorübergehende Blutergüsse hinterlassen. Bei falscher Handhabung kann es Verbrennungen der Haut nach sich ziehen. Für das blutige Schröpfen gelten ähnliche Vorsichtmaßnahmen und Warnhinweise wie für den Aderlass.

Aderlass

Aus organmedizinischer Sicht gibt es nur wenige Erkrankungen, bei denen ein Aderlass angezeigt ist. Das Blut wird dann über eine Kanüle aus der Armvene entnommen und in der Regel über einen

Plastikschlauch in ein Gefäß geleitet. Um den Flüssigkeitsverlust auszugleichen, erhält der Patient gleichzeitig eine Infusion. Beim alternativmedizinischen Aderlass wird in aller Regel weit weniger als ein halber Liter Blut entnommen, was aus Sicht der Organmedizin unbedenklich ist. Wirksamkeitsnachweise in der Behandlung von Schmerzen fehlen bislang. Es liegt nahe, den Aderlass durch reguläres Blutspenden zu ersetzen, das wird aber nicht von allen Alternativmedizinern als vollwertiger Ersatz angesehen.

Risiken und Warnhinweise
Das Einführen einer Kanüle durch die Haut in ein Blutgefäß ist immer mit einem gewissen Infektionsrisiko verbunden. Zu den möglichen Komplikationen zählen Gefäßentzündungen und in sehr seltenen Fällen eine lebensbedrohliche Blutvergiftung (Sepsis). Einem Aderlass sollte unbedingt eine ärztliche Untersuchung einschließlich Bluttests und Blutdruckmessung vorausgehen. Tunlichst abzuraten ist unter anderem Menschen mit zu niedrigem Blutdruck, Kollapsneigung, gestörter Blutgerinnung oder Immunfunktion.

Blutegel
Die Blutegeltherapie zählt zu den althergebrachten Behandlungsverfahren, die auch in der konventionellen Medizin anerkannt sind, beispielsweise zur Förderung der Durchblutung nach Hauttransplantationen. Schmerztherapeutisch werden sie überwiegend bei Gelenkerkrankungen eingesetzt. Studien ergaben Hinweise auf schmerzlindernde Effekte der Blutegelbehandlung bei Arthrose.

Die Blutegel werden auf das schmerzende Areal aufgesetzt und beißen sich in der Haut fest. Das klingt fies, wird aber von erfahrenen „Wirten" als wenig schmerzhaft beschrieben, vergleichbar mit einem Mückenstich. Die glitschigen Würmer saugen sich etwa 20 bis 40 Minuten lang mit Blut voll und fallen dann von selbst ab. Aufgrund der gerinnungshemmenden Substanzen, die das Tier ins Gewebe abgibt, kommt es zu der erwünschten Nachblutung von etwa 10 bis 12, selten bis zu 24 Stunden Dauer.

Risiken und Warnhinweise
Bei korrekter Indikationsstellung und Handhabung ist die Behandlung mit Blutegeln relativ nebenwirkungs- und risiko-

BILD Schröpfen wird überwiegend in der Behandlung von Schmerzen des Bewegungssystems eingesetzt.

arm. Das setzt allerdings die Beachtung einer ganzen Reihe von Warnhinweisen und Gegenanzeigen voraus. Von einer Selbstbehandlung ist abzuraten. Als mögliche Komplikationen der Blutegelbehandlung sind unter anderem Wundinfektionen, lang anhaltende Nachblutungen und allergische Reaktionen bekannt. Um die Übertragung von Erregern zu verhindern, rnüssen Blutegel, die für medizinische Zwecke vorgesehen sind, unter kontrollier-

ten Bedingungen gezüchtet werden und dürfen nur einmal verwendet werden. Nicht geeignet ist die Blutegeltherapie unter anderem für Menschen mit Blutgerinnungsstörungen, Magengeschwüren, Immunschwäche und bekannten Allergien. Auch bei Kindern unter 14 Jahren und Schwangeren wird davon abgeraten. Wer sich stark vor den Würmern ekelt, sollte sich nicht zu einer solchen Behandlung überreden lassen.

STOSSWELLEN

Stoßwellen sind mechanisch oder elektrisch erzeugte Druckwellen. Wenn sie eine ausreichend hohe Energie aufweisen, kann man mit ihnen von außen – im Fachjargon „extrakorporal" – beispielsweise Nierensteine zertrümmern. Das Hervorrufen der Stoßwelle in einem Generator beruht auf ähnlichen physikalischen Prinzipien wie der Knall, den ein Ultraschall-Flugzeug beim Durchbrechen der Schallmauer hervorruft.

Schmerztherapeutisch werden niedrigenergetische Stoßwellen eingesetzt, und zwar überwiegend in der Behandlung von Schmerzen an Sehnenansätzen, wie beispielsweise beim Fersensporn oder Epikondylopathie.

Die Behandlung erfolgt im Liegen. Das Behandlungsareal wird lokal betäubt und auf speziellen Kissen gelagert. Das Stoßwellengerät wird auf die Haut aufgesetzt.

In dem Moment, in dem es aktiviert wird, ertönt ein lauter Knall.

Wirksamkeit

Es gibt Hinweise darauf, dass Stoßwellen im Behandlungsgebiet die Durchblutung verbessern und die Ausschüttung bestimmter Entzündungsfaktoren hemmen. Die Gesamtschau der bisherigen klinischen Studien zur schmerztherapeutischen Wirksamkeit der Behandlung ist aber eher ernüchternd, ein eindeutiger Wirksamkeitsnachweis konnte für keine der genannten Erkrankungen geführt werden. Ähnliches gilt für die Stoßwellenbehandlung von Triggerpunkten (S. 166). Wegen des fehlenden Wirksamkeitsnachweises werden die Kosten für eine Stoßwellentherapie bei Erkrankungen des Bewegungssystems derzeit nicht von den gesetzlichen Krankenversicherungen erstattet.

BILD Bei Patientinnen mit Brustkrebs wird die Strahlentherapie auch zur Behandlung schmerzhafter Knochenmetastasen eingesetzt.

Risiken und Warnhinweise

Das Verfahren ist sehr risikoarm. Es kann mit vorübergehenden Hautreizungen oder Blutergüssen einhergehen. Sehr selten und bei falscher Handhabung traten Verletzungen des Lungengewebes auf. Menschen mit Herzschrittmacher oder mit Infektionen im Behandlungsgebiet, Schwangere, Kinder und Jugendliche sollten nicht mit Stoßwellen behandelt werden.

STRAHLENTHERAPIE

Unter dem Begriff Strahlentherapie versteht man in der Medizin die Behandlung mit ionisierender Strahlung. Das ist elektromagnetische Strahlung oder Teilchenstrahlung, die aufgrund ihrer energetischen Eigenschaften dazu in der Lage ist, Elektronen aus Atomen herauszukatapultieren und diese damit elektrisch aufzuladen. Der häufig dafür verwendete Begriff „radioaktive Strahlung" ist nicht korrekt. „Röntgenstrahlung" bezeichnet ebenfalls nicht genau dasselbe wie „ionisierende Strahlung", wenngleich die Röntgenstrahlung einen großen Teil des Spektrums elektromagnetischer ionisierender Strahlung ausmacht.

Gerätegestützte Bestrahlung

Therapien mit apparativ erzeugten ionisierenden Strahlen werden überwiegend bei Tumorerkrankungen eingesetzt. Unter einer solchen Behandlung verkleinern sich im günstigsten Fall nicht nur der Tumor und dessen Tochtergeschwulste (Metastasen), sondern der Patient erlebt auch eine Schmerzlinderung. Auf Grundlage solcher Erfahrungen setzen manche Krebsspezialisten Strahlentherapie in bestimmten Situationen auch überwiegend oder sogar ausschließlich zur Schmerzlinderung ein, etwa bei Knochenmetastasen, die so weit fortgeschritten sind, dass sie in ihrer Größe und Ausbreitung durch die Behandlung nicht mehr nennenswert beeinflusst werden können. Weitere schmerztherapeutische Anwendungsgebiete, bei denen die Strahlenbehandlung von manchen Ärzten angeboten und durchgeführt wird, sind Tennis- und Golfellenbogen (Epikondylopathie), Schulterschmerzen, Fersensporn und Arthrose.

Wirken Strahlen schmerzlindernd?

Manche Strahlenmediziner vermuten, dass direkte Effekte der ionisierenden Strahlung auf den Körper zu einer Schmerzlinderung führen. Zu den mutmaßlichen Mechanismen gehört verbesserte Durchblutung, eine Zerstörung von Entzündungszellen, die Stimulation des Immunsystems, die Beeinflussung von Schmerzfasern des vegetativen Nervensystems und Veränderungen im Säure-Base-Gleichgewicht. Allerdings wurden

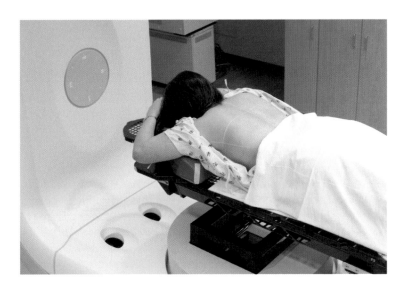

bis heute nie klinische Studien durchgeführt, die beweisen, dass die direkte Beeinflussung körperlicher Faktoren durch ionisierende Strahlen eine entscheidende Rolle bei der Schmerzlinderung spielt. Um das zuverlässig nachzuweisen, wären nämlich placebokontrollierte Doppelblindstudien notwendig. Anders als bei vielen anderen nichtmedikamentösen Verfahren wären solche grundsätzlich durchführbar; ein – gegebenenfalls präpariertes – Bestrahlungsgerät kann man ausgeschaltet lassen, ohne dass der Patient etwas davon mitbekommt, und die Auswertung könnte von Ärzten erfolgen, die nicht wissen, ob sie es mit einem Patienten zu tun haben, der eine Scheinbehandlung erhalten hat oder eine echte Bestrahlung. Eine derart aufwendige und sorgfältige Methodik wäre in diesem Fall besonders wichtig, nicht nur weil man bei der Bestrahlung mit potenziell schädigenden Effekten zu tun hat (Näheres s. unten), sondern auch weil man weiß, dass bei Behandlungen, bei denen Hightech-Apparate im Spiel sind, der Placeboeffekt (S. 67) besonders hoch ist – in der Regel höher als bei einer Placebotablette. In Arzneimittelstudien mit Schmerzpatienten werden aber bereits

Placeboansprechraten bis zu 90 Prozent erreicht; das heißt, 90 von 100 aller Patienten, die ein Medikament erhalten, von dem sie nicht wissen, dass es ein Scheinmedikament ist, also nur Zucker oder Ähnliches enthält, erleben eine Schmerzlinderung.

Sollte es sich bestätigen, dass direkte körperliche Effekte der Bestrahlung für die Schmerzlinderung verantwortlich sind, dann müsste im nächsten Schritt geprüft werden, ob der therapeutische Nutzen dem anderer, eventuell risikoärmerer Behandlungsverfahren überlegen ist. Indirekte Rückschlüsse von der – gut belegten – Wirksamkeit der Radonbehandlung auf die apparative Strahlentherapie bleiben spekulativ, unter anderem weil dabei unterschiedliche Formen der ionisierenden Strahlung eine Rolle spielen und weil auch der Wirkmechanismus der Radontherapie keinesfalls geklärt ist (S. 74).

Wie hoch ist das Strahlenrisiko?
Im Rahmen der Schmerztherapie von Nicht-Tumor-Erkrankungen werden relativ niedrige Strahlendosen eingesetzt. Dass das Langzeitrisiko für Krebserkrankungen dadurch nennenswert beeinflusst wird, ist

unwahrscheinlich, wenn auch nicht völlig ausgeschlossen. Die Strahlenbelastung an den Keimdrüsen – Hoden und Eierstöcken – entspricht bei einer Bestrahlungsbehandlung der oberen Extremitäten etwa der bei einer konventionellen Röntgenuntersuchung; bei Bestrahlungen von Hüfte oder Knie ist sie um ein mehrfaches höher. Wegen des geringfügig erhöhten Risikos von Keimzellschädigungen schließen Strahlentherapeuten Patienten unter 30 Jahren und Patienten mit Kinderwunsch von der schmerztherapeutischen Bestrahlung aus. Die Schädigung anderer Organe durch niedrig dosierte Bestrahlungen ist sehr unwahrscheinlich.

Radonanwendungen

Schon mehrere hundert Jahre vor der Entdeckung des Edelgases Radon, einem radioaktiven Zerfallsprodukt von Radium, wurden radonhaltige Thermalwässer zu medizinischen Zwecken genutzt. Für eine Radon-Inhalationskur in Bad Gastein, Österreich, beispielsweise begeben sich die Patienten in einen Heilstollen, der eine hohe Luftfeuchtigkeit und in manchen Bereichen Temperaturen bis zu 41° C aufweist. Das heißt, die therapeutischen Prinzipien von Wärme und Bädern werden dort mit der Wirkung von Radon kombiniert. Das radioaktive Edelgas gelangt dabei gleichzeitig über die Atemwege und über die Haut in den Körper. Die schmerztherapeutische Wirksamkeit von Radonanwendungen ist bei Gelenkerkrankungen wie Arthrose, rheumatoider Arthritis, Psoriasis-Arthritis und Morbus Bechterew gut belegt, teilweise auch im doppelblinden Vergleich radonhaltiger Wässer mit Leitungswasser. Der schmerztherapeutische Effekt der Radonkur scheint dabei einige Monate länger anzuhalten als die Wirkung einer herkömmlichen Bäderkur.

Die Einnahme von Schmerzmedikamenten konnte durch die Radonkur reduziert werden.

Auch bei anderen schmerzhaften Erkrankungen des Bewegungsapparats gibt es Hinweise auf eine Wirksamkeit von Radonanwendungen, die aber einer weiteren Überprüfung bedürfen. Der Wirkmechanismus der Behandlung ist noch weitgehend ungeklärt. Die bereits oben diskutierten Effekte ionisierender Strahlung könnten eine Rolle spielen und mittlerweile spricht vieles dafür, dass Radon entzündungshemmend wirkt, indem es die Bildung körpereigener Entzündungsregulatoren stimuliert, z. B. von TGF-beta. Dass der Haupteffekt der Radonanwendungen auf der ionisierenden Strahlung und nicht vielmehr auf chemischen Eigenschaften des Edelgases beruht, ist sehr wahrscheinlich, wenn auch nicht abschließend geklärt.

Die Kosten der Radonanwendungen im Rahmen einer Kur werden bei entsprechender Indikation von den gesetzlichen Krankenkassen übernommen. In Deutschland gibt es zehn Kurorte mit radonhaltigen Heilquellen, weitere europäische Radon-Kurorte sind unter anderem in Österreich, Tschechien und Polen.

Wie hoch ist das Strahlenrisiko?

Wie bei der gerätegestützten Bestrahlung zu schmerztherapeutischen Zwecken liegt die Strahlenbelastung auch bei der Radontherapie im Niedrigdosisbereich. Die maximal im Rahmen einer Heilstollenkur erreichte Strahlendosis liegt unter der durchschnittlichen natürlichen Strahlenexposition. Ob solche niedrigen Strahlendosen mit einem bedeutsamen gesundheitlichen Risiko verknüpft sind, ist unklar. Radon wird als Zerfallsprodukt von Radium in einem geringen Maß aus praktisch allen Gesteinen und Böden freigesetzt und trägt zu einem maßgeblichen Teil zur natürlichen Strahlenexposition bei. In manchen Gegenden, wie beispielsweise im Erzgebirge, der Oberpfalz, dem Bayerischen Wald, der Eifel und dem Schwarzwald ist die Radonfreisetzung aus dem Untergrund etwas höher als in anderen Regionen. Radon kann in diesen Gegenden verstärkt aus der Erde in die Häuser gelangen, und Menschen, die über Jahrzehnte in einem solchen Haus leben, haben nachweislich ein um etwa zehn Prozent höheres Risiko, an Lungenkrebs zu erkranken, als Bewohner weniger belasteter Gebiete. Die Radonexposition im Rahmen einer Radonkur dauert aber nur über einige Wochen an und geht daher mit einer sehr viel niedrigeren Strahlendosis einher. Es ist eine ungeklärte Frage, ob im Niedrigdosisbereich die Dosis und das Risiko ganz direkt zusammenhängen. Vielleicht ist es vielmehr so, dass es eine Dosis-Schwelle gibt, unterhalb derer nicht mehr mit einem erhöhten Risiko zu rechnen ist. Vom ungünstigeren Fall ausgehend, würde man sein Risiko für Lungenkrebs durch eine vierwöchige Radon-Inhalationskur um etwa 0,1 Prozent erhöhen, das heißt um nur einen Bruchteil des allgemeinen Lungenkrebsrisikos, das bei etwa 4 Prozent liegt. Bei den radonhaltigen Bädern ist die Strahlenbelastung noch viel geringer als bei den Inhalationsbehandlungen. Wenn durch eine Radonanwendung die Dauereinnahme von Schmerzmedikamenten wie NSAR (S. 106) reduziert werden kann, steigt vermutlich insgesamt die Behandlungssicherheit. Das liegt daran, dass man das Risiko für schwerwiegende Medikamenten-Nebenwirkungen berücksichtigen muss.

Bei Menschen mit Schilddrüsenüberfunktion, einer akuten Infektion oder Krebserkrankungen sowie bei Schwangeren, Kindern und Jugendlichen sollte von der Radonbehandlung abgesehen werden.

BILD Die transkutane elektrische Nervenstimulation (TENS) gehört zu den seriösen und wissenschaftlich plausiblen Elektrostimulationsverfahren.

ELEKTRO- UND MAGNETTHERAPIEN

Die medizinische Anwendung von Magneten reicht weit in die griechische, ägyptische und chinesische Antike zurück, und schon die Römer sollen die elektrischen Schläge des Zitterrochens gegen Kopfschmerz und Gicht genutzt haben.

Lange Zeit war die Deutung elektrischer und magnetischer Kräfte überwiegend von magischen Vorstellungen geprägt. Die Begeisterung, die in der Neuzeit schließlich mit der Entdeckung von elektrischen Gleich- und Wechselströmen, elektromagnetischen und elektrischen Feldern einherging, inspirierte die damaligen Mediziner zur Entwicklung einer ganzen Reihe neuer Therapieansätze.

Bei einem großen Teil davon zeigte sich bald darauf, dass es vor allem psychische Effekte waren, wie der Glaube an die geheimnisvollen Kräfte des Magnetismus, die zu den teilweise verblüffenden Therapieerfolgen, etwa des Magnetheilers Franz Anton Mesmer (1734–1815), beitrugen. Parallel mit den Fortschritten der Physik, dem immer feineren Verständnis des Zusammenwirkens elektrischer und magnetischer Kräfte und der Entwicklung von Apparaturen zur Erzeugung von Strom und Magnetfeldern fand eine ebenso rasante Entwicklung in der physiologischen Erforschung des Nervensystems statt.

Bis zum heutigen Tage wurden immer wieder neue elektromagnetische Therapieverfahren entwickelt, die sich auf dieses genauere Verständnis der elektrischen Phänomene in der Funktion von Nervenzellen und -zellverbänden berufen.

Was wirkt, bleibt unklar

Noch immer ist unklar, was eigentlich wirkt. Es werden verschiedene physiologische Wirkmechanismen von elektro- und magnettherapeutischen Schmerzbehandlungen diskutiert. Möglicherweise sind dabei ähnliche Mechanismen im Spiel wie bei anderen Formen der Reizbehandlung, etwa mit Capsaicin (S. 151) oder Temperaturreizen (S. 59). Viele der gängigen Erklärungsmodelle beruhen – vereinfacht gesagt – auf der Annahme, dass durch die elektrische Reizung bestimmter Nervenfasern das Zusammenspiel hemmender und aktivierender Nervenzellen auf Rückenmarksebene in einen anderen Zustand versetzt und dadurch die Weiterleitung von Schmerzreizen ans Gehirn gedämpft wird.

Allerdings ist für keines der hier besprochenen Verfahren zweifelsfrei bewiesen, dass es über solche direkten Effekte von Elektrizität oder Magnetfeldern auf das Nervensystem schmerzlindernd wirkt und nicht an erster Stelle über psychophysiologische. Letztere nämlich können in der Schmerztherapie hoch wirksam sein. So trägt es beispielsweise sehr zum Erfolg einer Therapie bei, wenn der Patient ihr eine hohe Wirksamkeit zutraut. Wenn – wie bei den meisten Elektro- und Magnetthe-

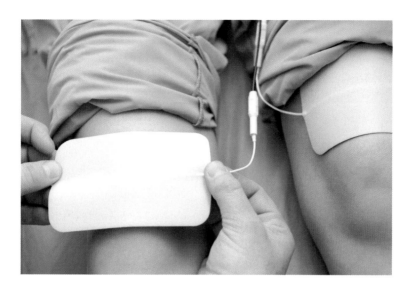

rapien – technische Apparaturen im Spiel sind, ist diese Wirksamkeitserwartung besonders hoch. Das ist wohl auch der Grund dafür, dass neben wissenschaftlich plausiblen Ansätzen wie etwa TENS (S. 78) nach wie vor auch unseriöse, pseudowissenschaftlich verbrämte Techniken, wie die Bioresonanztherapie (nicht zu verwechseln mit der wissenschaftlich fundierten Methode des Biofeedback, S. 92) weit verbreitet sind.

Im Folgenden finden Sie eine Auswahl von Verfahren, die auf einem physiologisch plausiblen Konzept beruhen und für die in Studien zumindest Hinweise auf schmerztherapeutische Wirksamkeit gefunden wurden. Diathermie- und Hochfrequenzbehandlungen beruhen zwar auf elektromagnetischen Wechselfeldern, wirken aber vor allem über Wärmebildung. Sie sind deshalb nicht hier, sondern im Kapitel Wärmebehandlungen aufgeführt (S. 59).

Elektrotherapie

Elektrotherapie, auch als Reizstrombehandlung bezeichnet, wird überwiegend bei Schmerzen des Bewegungssystems, neuropathischen und gefäßbedingten Schmerzen eingesetzt. Elektrotherapeutische Verfahren, die dabei von Bedeutung sind:

Gleichstrom-Verfahren

- Galvanisation

Trockengalvanisation – Beschichtete Gummielektroden werden so angebracht, dass der Strom durch die schmerzende Körperregion fließen kann.
Hydrogalvanische Verfahren – Bäder, bei denen der Strom durch das Badewasser geleitet wird. Dessen elektrische Leitfähigkeit verstärkt die Wirkung des Stroms auf den Körper (Hydrogalvanisches Vollbad = Stangerbad, Hydrogalvanisches Teilbad = Zellenbad)

- Iontophorese

Der Strom wird dazu verwendet, Medikamente, z. B. Lokalanästhetika oder NSAR, tiefer in die Haut zu transportieren als bei der herkömmlichen äußerlichen Anwendung. Das Anwendungsspektrum deckt sich weitgehend mit dem äußerlich aufgetragener Schmerzmittel.

Niederfrequenzstrom-Verfahren

Niederfrequenzstrom-Verfahren beruhen auf einer Aktivierung von Nervenfasern durch gepulste Ströme. Der Niederfrequenzbereich liegt zwischen zwei und 150 Hz, das heißt pro Minute werden 2–150 schwache Stromstöße über Hautelektroden verabreicht.

■ Diadynamische Ströme
Gleichgerichtete Wechselspannung erzeugt Niederfrequenzströme mit zusätzlichen Komponenten der Galvanisierung.

■ Transkutane elektrische Nervenstimulation (TENS)
Wechselströme, die bidirektional schwingen, das heißt Plus und Minus der Elektroden kehren sich in schnellem Wechsel um. Hierfür werden tragbare, batteriebetriebene Geräte angeboten.

■ Invasive Elektrostimulationsverfahren
Dabei werden die Elektroden durch die Haut direkt an einen Nerv oder in die Nähe des Rückenmarks geführt (S. 167).

◤ VORSICHT BEI BILLIGANGEBOTEN!

Elektrotherapiegeräte zur Eigenbehandlung, beispielsweise mit TENS, werden teilweise zu Spottpreisen im Internet gehandelt. Hier ist Vorsicht geboten, weil man nicht alle Geräte als sicher einstufen kann. Hitzeschäden etwa können nur zuverlässig vermieden werden, wenn diese Geräte bestimmten physikalischen Anforderungen entsprechen und sie korrekt angewandt werden. Lassen Sie sich also lieber von Ihrem Arzt oder Physiotherapeuten ein Gerät empfehlen und dessen Handhabung in Ruhe erklären. Viele Schmerzpraxen und -kliniken bieten auch Leihgeräte an.

Magnettherapie

Man kann magnettherapeutische Verfahren grob einteilen in statische und dynamische Verfahren.

Statische Verfahren: Dabei werden Dauermagnete in die Nähe des Körpers gebracht. Zu diesen Verfahren zählen unter anderem Magnetarmbänder und Matratzen mit eingearbeiteten Magneten. In Doppelblindstudien zeigten solchen Verfahren keinen Vorteil gegenüber einer Scheinbehandlung.

Dynamische Verfahren: Diese Verfahren beruhen auf bewegten oder pulsierenden Magnetfeldern, entweder aus bewegten Dauermagneten oder aus Elektromagneten. Dazu zählen

■ fest in einer Praxis oder Klinik installierte Großgeräte, mit denen verschiedene Körperregionen behandelt werden können.

■ magnetische Fußmatte zur Behandlung der Füße.

■ pulsierende Magnetfelder zwischen den Ohrstöpseln eines Kopfhörers.

■ pulsierende Magnetfelder in einem BH, der zur Schmerzbehandlung nach Brustoperationen verwendet wird.

■ Geräte in Bettform zur Behandlung des Rückens.

Doppelblindstudien zeigten die Überlegenheit dynamischer Magnettherapieverfahren gegenüber einer Scheinbehandlung unter anderem bei Rückenschmerzen, Arthrose und Schmerzen nach Brustoperationen. Insgesamt ist die Studienlage widersprüchlich. Weitere Forschung ist notwendig, um verlässliche Aussagen über die Wirksamkeit bei diesen und anderen Anwendungsgebieten zu machen.

Risiken und Warnhinweise
Bei korrekter Indikationsstellung und Anwendung sind die hier aufgeführten Verfahren als nebenwirkungs- und risikoarm einzuschätzen. Schmerzen treten bei richtiger Anwendung nicht auf. Bei den meisten Elektrotherapieverfahren ist allenfalls ein leichtes Kribbeln oder Elektrisieren zu spüren.

Um Hautverätzungen zu vermeiden, werden bei Gleichstrombehandlungen dicke Viskoseschwämme zwischen Elektrode und Haut platziert. Bei fast allen Stromformen kann es bei falscher Anwendung, etwa bei unzureichender Auflagefläche der Elektrode, zu einer zu hohen Stromdichte kommen. Das ist schmerzhaft und kann im Extremfall, wenn die Behandlung nicht gleich abgebrochen wird, zu Hitzeschäden führen. Bei Empfindungsstörungen im behandelten Bereich, bei Menschen mit Demenz und bei Kindern sollte keine Elektrotherapie angewandt werden. Bei metallischen Prothesen, etwa des Hüftgelenks, ist von bestimmten Formen der Magnet- oder Elektrotherapie abzuraten. Für Herzschrittmacherträger sind viele dieser Verfahren mit einem erheblichen Risiko verbunden und sollten daher unterlassen werden.

Zahlt die Krankenkasse?

Die Kosten für ärztlich verordnete elektrotherapeutische Verfahren im Rahmen der ambulanten oder stationären Schmerztherapie werden in der Regel von den gesetzlichen Krankenkassen übernommen. Für die Eigenbehandlung mit TENS gibt es meist einen Pauschalbetrag, der zumindest einen Teil der Behandlungskosten abdeckt. Bei Magnettherapien sind die Regelungen je nach Kasse, Indikation und Verfahren sehr unterschiedlich.

GEHIRN UNTER STROM

Einige neurologische und psychiatrische Forscher beschäftigen sich in jüngster Zeit verstärkt mit Methoden, die es ermöglichen, bestimmte Gehirnareale ohne Operation, transkraniell (von außen durch die Schädeldecke hindurch), elektromagnetisch zu stimulieren.
- Bei der repetitiven Magnetstimulation (rTMS) wird eine elektrische Spule an eine bestimmte Stelle der Schädeloberfläche angelegt und erzeugt ein starkes, pulsierendes Magnetfeld.
- Bei der transkraniellen Gleichstromstimulation (tDCS) werden Elektroden auf der Kopfhaut angebracht. Über diese fließt ein schwacher elektrischer Strom durch begrenzte Teile der Großhirnrinde.

Diese Verfahren befinden sich noch im Forschungsstadium. Ihr potenzieller Nutzen in der Behandlung von Schmerzerkrankungen und ihre Risiken, insbesondere über längere Zeiträume, lassen sich daher noch nicht abschätzen.

PSYCHOTHERAPIE – HILFE BEI SCHMERZ

Denken Sie bitte einmal an eine Situation zurück, in der Sie so starken Muskelkater hatten, dass Sie sich nicht mehr normal bewegen konnten. Vielleicht kamen Sie nicht mehr ohne Schmerzen die Treppe hinunter oder hatten Schwierigkeiten, etwas vom Boden aufzuheben. Wie haben Sie den Schmerz erlebt, im Vergleich zu etwa gleich starken Schmerzen bei einer Verletzung oder ohne klare Ursache? Haben Sie ein Schmerzmittel gebraucht?

WOZU PSYCHOTHERAPIE, WENN MAN SCHMERZEN HAT?

Das Wissen „Aha, das ist Muskelkater, der geht bald wieder weg", hat Ihnen in der oben beschriebenen Situation vermutlich geholfen, mit dem Schmerz umzugehen, ihn nicht zu ernst zu nehmen. Das Lachen über Ihre eigene, vorübergehend eingeschränkte Körperhaltung und die damit verbundenen Verrenkungen beim Hoseanziehen oder beim Rennen zum wartenden Bus hat möglicherweise zusätzlich zu einer gelösteren Haltung gegenüber dem Schmerz beigetragen.

Wie sehr jemand unter einem körperlichen Schmerz leidet, hat nicht nur mit der Schmerzintensität zu tun, sondern vor allem damit, wie er den Schmerz einordnet und bewertet. Wer seine Schmerzen als bedrohlich, übermächtig oder gar schicksalhaft und unabänderlich erlebt,

die möglichen negativen Folgen seiner Situation auf ewig aufrechnet, „katastrophisiert", der leidet sehr viel mehr darunter als jemand, der denkt „Aha, das ist wieder dieses und jenes Zipperlein, das kenne ich schon, bisher hat es immer nach ein paar Stunden nachgelassen". Natürlich fällt eine solche Einstellung viel leichter, wenn man den Schmerz wirklich schon kennt, wenn man weiß, woher er kommt, dass er keine ernsthaften körperlichen Schäden anzeigt und wenn man ihn wirklich schon als vorübergehend erfahren hat.

Trotzdem ist es nicht unmöglich, auch unter schwierigeren Bedingungen nach und nach eine gelassenere Einstellung gegenüber Schmerzen und Krankheit einzuüben und damit zu erreichen, dass diese sehr viel erträglicher werden. Es mag ein bisschen widersprüchlich erscheinen: Je eher ich mich meinem Schmerz zuwenden kann, ihn bewusst wahrnehme, ohne ihn zu bewerten, ihn als eine Körperempfindung annehme, die einfach da ist, desto eher erlebe ich den Schmerz als etwas Erträgliches. Es geht dabei darum, den Schmerz weder zu katastrophisieren, noch ihn zu bagatellisieren. Es geht weder darum, zu sich selbst oder gar zu anderen zu sagen „Jetzt stell dich mal nicht so an, reiß dich zusammen", noch angesichts der Schmerzen zu resignieren und in Untätigkeit zu verfallen. Hilfreich ist dagegen die Einstellung, „Ich tue, was in meinen Kräften steht und mache das Beste aus meiner Situation, auch wenn ich es nicht in der Hand habe, wie es letztlich wird".

Es gibt eine ganze Reihe von Methoden, mit denen Sie eine andere Einstellung zu ihren Schmerzen einüben können und die ihnen helfen, besser mit den Schmerzen umzugehen. Oft führt das sogar dazu, dass die Schmerzen nachlassen,

INFO   **Geteiltes Leid ist halbes Leid**

Schmerzpatienten empfinden es in der Regel als entlastend, wenn sie sich ihre Sorgen und ihren Schmerz im Kreis von Leidensgenossen von der Seele reden können, etwa im Rahmen einer Therapie- oder Selbsthilfegruppe. Gegenseitiges Zuhören und Trostspenden ist eine wichtige Funktion solcher Gruppen. Wichtige Informationen über das Entstehen und die Behandlung von Schmerzen können ausgetauscht und kompetente Anlaufstellen für Therapie und Rehabilitation weiterempfohlen werden. Einsichten und Lernerfolge, die im Laufe der Psychotherapie erarbeitet wurden, können in der Gruppe über längere Zeiträume, auch noch nach Abschluss der Therapie, stabilisiert werden. Die Qualität von Selbsthilfegruppen steht und fällt mit der Kompetenz der Leitung. Leider können nicht alle Gruppen ohne Vorbehalte empfohlen werden. Abzuraten ist insbesondere von Gruppen, die die seelisch-zwischenmenschlichen (psychosozialen) Aspekte von Schmerzen oder einer bestimmten Erkrankung gänzlich abstreiten. Solche Gruppen tragen im ungünstigsten Fall dazu bei, dass Patienten, etwa mit weit verbreiteten Schmerzen (S. 197), eine Vielzahl einseitig körpermedizinisch ausgerichteter sowie schmerztherapeutisch nicht ausreichend kompetenter Ärzte aufsuchen und dort über viele Jahre erfolglos mit immer höheren Medikamentendosen und immer aggressiveren Eingriffen „behandelt" werden. Am besten, Sie fragen Ihren ärztlichen oder psychologischen Schmerztherapeuten oder auch Ihre Krankenkasse, ob es in Ihrer Nähe eine geeignete Gruppe gibt.

manchmal innerhalb kurzer Zeit, manchmal nach längerem Üben. Mit Entspannungsverfahren, Mindfulness-Training (S. 28) und Bewegungstherapie (S. 22) können Sie selbst zu so einer positiven Entwicklung beitragen. Viele Menschen mit chronischen Schmerzen erleben dabei die Anleitung und Begleitung durch einen in der Schmerztherapie erfahrenen Psychotherapeuten als hilfreich.

Der Psychotherapeut kann gemeinsam mit Ihnen anhand der individuellen Situation entscheiden, welche Behandlung angezeigt ist, ob eher eine Gruppen- oder Einzeltherapie infrage kommt, eher eine ambulante oder stationäre Behandlung. Und er spricht mit Ihnen darüber, welchen Beitrag Sie durch eigene Einstellungs- und Verhaltensänderungen leisten und wie sie diese in Ihren Alltag einbauen können. Schmerzen haben immer sowohl eine körperliche als auch eine psychische und soziale Dimension. Daher kann sich Schmerztherapie nie auf körperliche Behandlungsverfahren allein stützen, wie Medikamente oder Operationen. In vielen Fällen ist eine Kombination aus körpermedizinischen und psychotherapeutischen Elementen am wirksamsten. Dass die Wirksamkeit multimodaler Behandlungen höher ist, wenn sie eine psychotherapeutische Komponente enthalten, ist bei Menschen mit chronischen Schmerzen – unter anderem Rückenschmerzen, Spannungskopfschmerzen und Migräne – gut belegt.

In welcher Zahl und Frequenz Psychotherapiesitzungen notwendig sind, variiert sehr. Dabei spielt unter anderem die psychische Gesamtsituation des Betroffenen eine wichtige Rolle, die Grunderkrankung und eventuelle Begleiterkrankungen. In manchen Fällen sind wenige Stunden ausreichend, ergänzt und fortgeführt durch selbstständiges Üben. Nur bei wenigen Schmerzpatienten erfordern die Erkrankung und deren Umstände eine jahrelange psychotherapeutische Behandlung mit mehreren Sitzungen pro Woche.

Was wirkt, hat Nebenwirkungen

Dass Psychotherapie auch unerwünschte Effekte haben kann, ist in der Fachwelt unbestritten. Allerdings gibt es dazu bislang wenig Forschung und daher können keine verlässlichen Aussagen zur Häufigkeit von Nebenwirkungen gemacht werden. In vielen Fällen, in denen unerwünschte Ereignisse auftreten, etwa eine Verstärkung von psychischen Symptomen, ist es sehr fraglich, ob diese ursächlich mit der Psychotherapie in Zusammenhang stehen und nicht vielmehr mit der psychischen Erkrankung selbst.

Wahrscheinlich ist das Nebenwirkungsrisiko der Psychotherapie sehr viel niedriger als das Komplikationsrisiko bei einer unbehandelten psychischen Erkrankung. Da Schmerzpsychotherapie nicht vorrangig darauf abzielt, verdrängte Konflikte aufzudecken, sondern die Ressourcen des Patienten zu unterstützen und pragmatische Lösungen zu finden, ist von einem noch niedrigeren Risiko auszugehen als bei der Psychotherapie insgesamt.

BILD Schmerzpsychotherapie kann auch in Form einer Gruppentherapie sinnvoll sein. Der Austausch mit Leidensgenossen tröstet, macht Mut und fördert neue Ideen.

Keine Nebenwirkung der Psychotherapie im engeren Sinn, aber eine reale Möglichkeit der Schädigung durch den Therapeuten – Ärzte und andere Heilberufe eingeschlossen – ist es, wenn dieser die vertrauensvolle Beziehung auf Kosten der Patientin (überwiegend Frauen sind betroffen) missbraucht – sexuell, finanziell oder narzisstisch, also um seine Geltungssucht zu befriedigen und sich an Größenphantasien zu berauschen.

Unter bdp-verband.org/bdp/archiv/sexmissb.pdf gibt der Berufsverband Deutscher Psychologinnen und Psychologen e. V. konkrete Ratschläge, wie Sie unlautere Absichten des Therapeuten frühzeitig erkennen können, wo Sie im Fall eines Missbrauchs vertrauenswürdige und kompetente Hilfe finden und wer Maßnahmen einleiten kann, um gegebenenfalls das verantwortungslose Handeln des Therapeuten zu unterbinden und berufs- oder strafrechtliche Schritte gegen ihn einzuleiten.

Schmerzpsychotherapie – Wer bietet das an?

Für ärztliche und psychologische Psychotherapeuten gibt es unterschiedliche schmerztherapeutische Ausbildungswege. Ärzte können eine Weiterbildung in spezieller Schmerztherapie absolvieren. Zu den ärztlichen Psychotherapeuten zählen
■ Fachärzte für Psychosomatische Medizin und Psychotherapie (kurz: Psychosomatiker, ältere Bezeichnung: Fachärzte für Psychotherapeutische Medizin)

■ Fachärzte für Psychiatrie und Psychotherapie (kurz: Psychiater. Früher konnte Neurologie und Psychiatrie als gemeinsame Facharztbezeichnung, auch Nervenarzt, erworben werden.)
■ Ärzte mit anderen Schwerpunkten, wie Frauenärzte, Orthopäden oder Allgemeinmediziner, und der Zusatzbezeichnung fachgebundene Psychotherapie (frühere Zusatzbezeichnung Psychotherapie)

Psychologische Psychotherapeuten können sich ebenfalls auf Schmerztherapie spezialisieren und eine Praxis mit schmerztherapeutischem Schwerpunkt betreiben. Manche Psychologen verfügen über eine Zusatzausbildung in psychologischer Schmerztherapie.

Kinder und Jugendliche können von schmerztherapeutisch kompetenten Kinder- und Jugendlichenpsychotherapeuten oder Fachärzten für Kinder- und Jugendpsychiatrie und -psychotherapie schmerzpsychotherapeutisch behandelt werden.

In interdisziplinären Schmerzzentren und in Schmerzkliniken steht meist ein Team aus verschiedenen körpermedizinischen und psychotherapeutischen Spezialisten zur Verfügung.

Zahlt die Kasse?

Ob die Kosten für ambulante Psychotherapie in der Behandlung von Schmerzen von den gesetzlichen Krankenkassen übernommen werden, hängt von der vorliegenden Erkrankung und der geplanten Stundenzahl ab. Grundsätzlich kann eine

Psychotherapie bei psychischen Erkrankungen einschließlich somatoformen Störungen (S. 198) und Suchterkrankungen bewilligt werden. Auch psychische Beeinträchtigungen aufgrund chronischer körperlicher Erkrankungen – z. B. Krebserkrankungen oder chronisch entzündlicher Erkrankungen – werden meist als Behandlungsgrund akzeptiert. Nur verhaltenstherapeutische und psychodynamische Verfahren sind erstattungsfähig. Nach den ersten sondierenden Gesprächen und vor Beginn der eigentlichen Psychotherapie muss der Therapeut bei der zuständigen Krankenversicherung die Kostenübernahme beantragen; privat Versicherte stellen diesen Antrag selbst. Der Therapeut wird dann aufgefordert, die Therapienotwendigkeit zu begründen. Psychotherapeutische Maßnahmen im Rahmen einer multimodalen (S. 21) Krankenhausbehandlung werden in der Regel von den zuständigen Kostenträgern – nach Bewilligung der stationären Maßnahme – erstattet.

Bei den privaten Krankenversicherungen sind die Regelungen sehr unterschiedlich. Bei manchen geht der Bewilligungsrahmen weit über den der gesetzlichen Kassen hinaus. Andere schließen in bestimmten Tarifen die Erstattung von Psychotherapiekosten gänzlich aus oder begrenzen sie auf eine bestimmte Stundenzahl. Hier ist es sehr ratsam, vor Abschluss der Versicherung auf das Kleingedruckte zu achten und sich vor Beginn einer Therapie mit der Krankenversicherung abzusprechen.

Checkliste: Brauche ich psychotherapeutische Unterstützung?

Wenn eine oder mehrere der folgenden Aussagen zutreffen, sollte ein Psychotherapeut in die Behandlung Ihrer Schmerzen einbezogen werden:

■ Die Schmerzen beeinträchtigen Sie erheblich in ihrer Lebensfreude. Sie haben Ihre Lebensgewohnheiten wegen Ihrer Schmerzen drastisch geändert und erleben das als Einschränkung.

■ Sie vermeiden bestimmte private oder berufliche Aktivitäten aus Angst vor Schmerzen.

■ Sie haben immer weniger Kontakt mit Freunden und Verwandten, Sie ziehen sich zurück.

■ Ihre Gedanken kreisen ständig um den Schmerz.

■ Sie fühlen sich Krankheit und Schmerz gegenüber machtlos, ausgeliefert.

■ Sie empfinden extrem starke Schmerzen und können sich keine stärkeren Schmerzen vorstellen als die von Ihnen erlebten.

■ Sie haben sich wegen Ihrer Schmerzen schon einmal gewünscht, zu sterben oder sogar daran gedacht, sich das Leben zu nehmen.

■ Sie benötigen in kurzen Abständen immer mehr, immer stärkere oder immer höher dosierte Schmerzmittel.

■ Sie sind wegen der Schmerzen seit längerer Zeit arbeitslos und haben keinen Mut mehr, eine neue Beschäftigung anzustreben.

■ Sie sind seit Langem unzufrieden mit ihrer Lebenssituation, haben bereits viele Versuche unternommen, ihr Leben zu ändern, den Beruf häufig gewechselt, immer wieder Rückschläge und Enttäuschungen erfahren und fühlen sich mittlerweile deprimiert und mutlos.

■ Sie fühlen sich häufig und manchmal aus nichtigen Anlässen niedergeschlagen, mut- und freudlos, müde, ohne Antrieb.

■ Sie sind oft gereizt, leicht aus der Fassung zu bringen.

■ Sie erleben Ihre nächsten Angehörigen als sehr um Sie besorgt, überfürsorglich. Sie fühlen sich in die Unselbstständigkeit gedrängt, man traut Ihnen zu wenig zu.

■ Sie zweifeln häufig an ihren Fähigkeiten, fühlen sich wertlos.

■ Sie fühlen sich oft alleine gelassen mit Ihrem Schmerz.

■ Neben der Schmerzerkrankung wurde bei Ihnen eine psychische Erkrankung festgestellt, wie Depression, Angststörung oder Persönlichkeitsstörung.

■ Sie wurden in der Vergangenheit psychisch oder körperlich misshandelt, waren Zeuge schrecklicher Ereignisse wie Krieg, Katastrophen oder Folter oder haben andere für Sie besonders belastende Lebensereignisse noch nicht bewältigt, wie eine Trennung oder Mobbing.

Vielleicht sind Sie davon überzeugt, dass Ihre Schmerzen rein körperlich bedingt sind und dass allein die richtige Diagnose und körperliche Therapie Ihnen helfen kann. Sie waren deswegen bereits bei vielen Ärzten, haben teilweise widersprüchliche Diagnosen und erfolglose Therapien erhalten, haben immer wieder große Hoffnung auf medizinische Hilfe gehegt und sind darin wieder und wieder enttäuscht worden. Sie haben sich schon öfters über Ärzte und deren Verhalten geärgert, fühlen sich auf die „Psycho-Schiene" geschoben, in Ihrem Leiden nicht ernst genommen. Es klingt vielleicht widersprüchlich, aber gerade dann kann ein schmerztherapeutisch kompetenter Psychotherapeut Ihnen wahrscheinlich wertvolle Unterstützung geben, beispielsweise, indem er Ihnen hilft, einen Weg zu finden, mit Ihren Schmerzen und auch mit unbedachten Bemerkungen Ihrer Mitmenschen einschließlich mancher Ärzte anders umzugehen. Das schließt körpermedizinische Behandlungsansätze nicht aus, ist aber in jedem Fall eine gute Ergänzung.

INFO **Drei weit verbreitete Psychotherapie-Mythen**

Mythos 1: „Psychotherapie ist nur etwas für eingebildete Kranke und Neurotiker."

Klarstellung: Im Rahmen der Therapie chronischer Schmerzen können psychotherapeutische Elemente helfen, einen anderen Umgang mit den Schmerzen zu lernen und letztlich weniger unter der Erkrankung zu leiden. Das trifft nicht nur auf überwiegend psychisch bedingte Schmerzen zu, sondern auch auf körperliche, beispielsweise bei einer Tumorerkrankung oder nach einer schweren Verletzung.

Mythos 2: „Durch die Behandlung sollte ich innerhalb kurzer Zeit absolut schmerzfrei werden."

Klarstellung: Das ist zwar ein wünschenswertes, aber oft unrealistisches Ziel. Wer weniger hohe Ansprüche an die Therapie stellt, ist eher dazu in der Lage, auch längerfristig am Ball zu bleiben und sich durch Rückschläge nicht gleich entmutigen zu lassen. Ein realistisches Ziel wäre etwa, „Ich möchte lernen, mich trotz Schmerzen zu entspannen und mich wieder mehr am Leben zu freuen".

Mythos 3: „Der Therapeut macht mich wieder gesund. Ich selbst muss dabei nichts tun."

Klarstellung: Der Psychotherapeut ist kein Mechaniker, der die Seele repariert. Bei der Psychotherapie geht es vielmehr darum, sich aktiv eine andere Haltung zu sich selbst, zu seiner Krankheit und zu seinen Mitmenschen zu erarbeiten. Dabei wirkt der Psychotherapeut über weite Strecken vor allem unterstützend. Die Hauptarbeit leisten Sie selbst, indem Sie sich einlassen, in sich hineinspüren, neue Denk- und Verhaltensmuster ausprobieren und Fähigkeiten, die Sie als hilfreich erkennen, durch beharrliches Üben stabilisieren und ausbauen. Das ist immer wieder mit einer gewissen Anstrengung verbunden, bedeutet aber auch einen spannenden Prozess der Begegnung mit sich selbst, kann mit Weinen, aber auch mit Lachen einhergehen und sogar Spaß machen.

VERHALTENSTHERAPIE

Ein großer Teil der in der Schmerzpsycho-therapie eingesetzten Methoden stammt aus der Verhaltenstherapie. Im Folgenden werden einige der wichtigsten verhaltens-therapeutischen Prinzipien skizziert. Die verschiedenen Therapieelemente werden nie einzeln, sondern immer in Kombinati-on mit anderen eingesetzt. Vor Beginn der Behandlung stellt der Therapeut daraus einen individuellen Behandlungsplan zu-sammen.

Werden Sie ihr eigener Schmerzforscher

Erinnern Sie sich noch an Ängste aus der Kindheit? Vielleicht fürchteten Sie sich vor der Dunkelheit im Keller oder vor Hunden? Wie schnell waren die Ängste verflogen, wenn jemand das Licht anknipste, der gutmütige Langhaardackel der Nachbarin Ihnen die Hand leckte. Was man sich ver-traut macht, verliert seinen Schrecken.

Ein wichtiger Teil der Therapie chronischer Schmerzen ist es, mithilfe des Therapeu-ten ein umfassendes Verständnis der Schmerzerkrankung, ihrer körperlichen, seelischen und sozialen Aspekte zu erar-beiten. Viele Menschen mit chronischen Schmerzen scheuen es, sich aktiv mit Ihrer Erkrankung zu beschäftigen, aus Angst, die Schmerzen könnten sich da-durch verschlimmern. Oft sind es aber gerade die krampfhaften und meist erfolg-losen Versuche, den Schmerz zu ignorie-ren, die Stress erzeugen und auch den Schmerz vergrößern. Es klingt ein biss-chen paradox, aber in dem Moment, in dem man bereit ist, sich dem Schmerz ak-tiv und mit Interesse zuzuwenden, verliert er an Gewalt. Viele Betroffene entdecken dabei erstmals Bereiche ihrer Erkrankung, denen sie nicht hilflos ausgeliefert sind.

Manchmal sind es körperliche Ge-wohnheiten oder Gedankenschleifen, die

---

TIPP   **Anleitung zum Schmerzenverlernen**

Die psychologische Schmerztherapeu-tin und Physiotherapeutin Dr. Jutta Richter hat 2011 ein Buch veröffent-licht, das chronischen Schmerzpatien-ten Wege zu einem anderen Umgang mit ihrer Erkrankung aufzeigt. Gut ver-ständliche Übungsanleitungen mit Ele-menten aus verschiedenen Entspan-nungsverfahren, kognitiver Verhaltens-

therapie, Imagination und Mindfulness-Training regen zum Nachdenken, Nachspüren und Selberüben an. Wenn es auch – wie alle anderen Bücher – eine Psychotherapie nicht ersetzt, ist es gut geeignet, sie durch eigenes Tun zu ergänzen und zu vertiefen:
Richter, J.: Schmerzen verlernen, Ber-lin, Springer, 2011

das Gefühl der Ohnmacht oder des mangelnden Selbstwerts immer wieder neu anheizen und damit den Schmerz schwerer ertragen lassen und oft sogar verstärken. Zu erkennen, wie viel auch bei scheinbar rein körperlich bedingten Schmerzen von den eigenen Gedanken, der eigenen Haltung und Einstellung abhängt, kann ein Aha-Erlebnis sein, erhellend und erleichternd wie das Anknipsen der Kellerleuchte oder der Blick hinter die Kulissen der Geisterbahn. Damit ist eine der wichtigsten Grundvoraussetzungen geschaffen, die eigenen Handlungs- und Denkgewohnheiten durch beharrliches Üben und mit Unterstützung des Therapeuten langsam zu verändern. Was dabei hilft, ist die Fähigkeit unseres Gehirns, sich ständig umzubauen. So kann es die Aufgaben optimal erledigen, mit denen es wiederholt konfrontiert wird (Neuroplastizität).

Mit jedem Gedanken, den wir denken, werden im Millisekundentakt neue Verknüpfungen zwischen Nervenzellen erzeugt. Ein neuer Gedanke schafft schließlich einen Trampelpfad im Gehirn. Wird dieser Gedanke weiterverfolgt und immer wieder neu gedacht, dann entsteht im Laufe der Zeit eine Autobahn aus vielen Nervenfasern, die diesem Gedanken Raum geben. Das trifft nicht nur auf unsere Gedanken zu, sondern auch auf die Funktionsfähigkeit unserer fünf Sinne, auf unsere körperliche Geschicklichkeit und Feinfühligkeit, auf unser emotionales Erleben und auf unser Reden und Tun.

Das A und O der kognitiven Verhaltenstherapie, dem häufigsten in der Schmerztherapie angewandten Psychotherapieverfahren, ist das Erkennen und gezielte Verlernen ungünstiger Verhaltens- und Denkmuster. Auf die Schmerztherapie bezogen heißt das, Gefühlen, Gedankenschleifen und Gewohnheiten auf der Verhaltensebene, die dazu beitragen, dass Schmerzen ausgelöst oder verschlimmert werden, soll der Nährboden entzogen werden. Angeregt werden stattdessen

INFO **Reise ins Unbekannte**

Entdecken Sie das Land Ihrer Schmerzerkrankung. Niemand kann so viel darüber herausfinden wie Sie selbst, denn niemand erlebt Schmerz genau so, wie Sie ihn erleben. Beraten Sie sich mit Ihrem Expeditionsleiter – dem Schmerzpsychotherapeuten –, ob für Sie eher eine Individual- oder Gruppenreise infrage kommt und welche Ausrüstungsgegenstände zum Gelingen der Expedition beitragen können:

- Reiseführer: Patientenliteratur
- Kartenmaterial: Grafiken, Tabellen
- Logbuch: Schmerztagebuch
- Reiseberichte: Lehrfilme, Vorträge
- evtl. Navigationssystem: Biofeedbackgerät (S. 92)

Gedanken, Einstellungen und Handlungen, die dabei helfen, sich wieder wohler zu fühlen, Entspannung und Lebensfreude wiederzuerlangen – trotz Schmerz.

Auslöser erkennen und stoppen

Gedanken, mit denen jemand sich selbst unter Druck setzt, die Schmerzen und Ängste verschlimmern können, beginnen oft mit „Ich muss unbedingt …", „Ich sollte …", „Das darf nicht so sein …", „Es soll anders sein …". Sie enthalten auch häufig die Wörter „nie" oder „immer". Solche Gedanken können das Leben sehr anstrengend machen, unter anderem weil sie mit überhöhten Ansprüchen an sich selbst und die anderen einhergehen. Enttäuschungen, Gefühle der Abwehr und der Ohnmacht sind dann vorprogrammiert. Deswegen nutzen solche Gedanken nichts, ja sie sind in ihren Auswirkungen oft sogar destruktiv. Durch aufmerksame Selbstbeobachtung (s. o.) und Situationsanalyse mithilfe eines Psychotherapeuten können Sie Ihre persönlichen Schmerzauslöser – Gedankenschleifen, Grübeln, Selbstabwertungen – erkennen. Im nächsten Schritt können Sie sich fragen, „was

---

TIPP   **Bei destruktiven Gedanken Notbremse ziehen!**

Wenn Sie erkannt haben, dass Sie sich in einer destruktiven Gedankenschleife verloren haben, können Sie die **Gedankenstopptechnik** anwenden. Dazu sind markante Sinneseindrücke geeignet:

- **Hören:** laut Stopp rufen, in die Hände klatschen
- **Sehen:** sich plötzlich etwas vor die Augen halten, etwa die eigene Handfläche oder ein Stoppschild
- **Schmecken:** in eine Zitrone beißen, an einer scharfen Paprikaschote knabbern
- **Riechen:** an Kaffeepulver, Orange oder Gewürzen schnuppern
- **Fühlen:** mit festem Griff das eigene Handgelenk packen, an einem Eiswürfel lutschen, die Arme in kaltes Wasser tauchen.

Manche dieser Vorschläge mögen etwas albern klingen und nicht alle sind uneingeschränkt gesellschaftsfähig. Entwickeln Sie eigene Ideen, probieren Sie aus, was Ihnen hilft und was im Alltag praktikabel ist. Vielleicht legen Sie sich dann zu Hause oder im Büro ihr persönliches Hilfsmittel für den Gedankenstopp zurecht.

Um sich nicht den fragwürdigen Ruf eines Mr. Bean einzuhandeln, werden Sie beim Geschäftsmeeting eher unauffällige Varianten bevorzugen. Sie können beispielsweise die Sitzposition wechseln, sich dabei unterm Tisch die Wade gegen das Schienbein schlagen und dazu in Gedanken „Stopp!" rufen. Übrigens gilt auch für diese Technik: Übung macht den Meister.

hilft mir, solche destruktiven Gedanken zu stoppen oder mich davon zu lösen?". Vielleicht haben Sie dafür schon etwas in petto, was bereits funktioniert hat. Dann können Sie die Neuroplastizität nutzen und diese Fähigkeit wie einen Muskel stärken, einfach indem Sie sie immer wieder bewusst anwenden. In der Verhaltenstherapie werden dazu gezielte Techniken geübt, beispielsweise die Gedankenstopptechnik (s. Kasten).

Mut zur Bewegung, Mut zur Muße

Viele Schmerzpatienten glauben, sich etwas Gutes zu tun, indem sie Bewegung vermeiden. Bei stärkeren Schmerzen scheint Bewegung kaum möglich. Ein Teufelskreis aus Inaktivität, Schmerz und Funktionseinschränkung kann daraus folgen. Manche ziehen sich dann immer mehr zurück; die körperliche Inaktivität geht Hand in Hand mit der sozialen. Die Verhaltenstherapie zielt dann darauf ab, Bewegungsängste und Schonverhalten schrittweise zugunsten aktivierender Verhaltensweisen abzubauen. Die Art der Aktivitäten orientiert sich dabei an erster Stelle an dem, was Ihnen Spaß macht und wozu Sie aufgrund Ihres Trainingszustands und Ihrer Geschicklichkeit in der Lage sind (Bewegungstherapie S. 22).

Andere Betroffene wiederum überfordern sich ständig und gönnen sich keine Verschnaufpause – eine in unserer Gesellschaft sehr geförderte Variante fehlgeleiteter Krankheits-„Bewältigung". Auch sie versuchen den Schmerz zu vermeiden – indem sie sich ununterbrochen zusammenreißen, verbissen und pausenlos aktiv sind – und verstärken damit nur Anspannung, Stress (S. 28) und letztlich auch den Schmerz. Der meldet sich aber oft erst mit voller Wucht wieder, wenn das Stadium der Erschöpfung erreicht ist – etwa beim

---

TIPP **Kleine Verschnaufpausen für Gehetzte**

Sie neigen dazu, immer unter Hochspannung zu stehen und sich keine Pause zu gönnen?
Dann versuchen Sie doch einmal, sich tagsüber immer wieder wenigstens ein paar Atemzüge lang zu entspannen. Achten Sie einfach auf nichts anderes als auf ihren Atem, wie er ganz von alleine kommt und geht. Manchen hilft es, dabei bewusst in den Bauch hinein zu atmen, das Heben und Senken der Bauchdecke zu spüren. Für diese kleinen „Atempausen" können sie kleine Erinnerungshilfen verwenden, etwa das Klingeln des Telefons, ein Zettelchen im Geldbeutel oder einen Hinweis im Bildschirmschoner Ihres PCs. Schon wenn Sie immer wieder ein paar Sekunden lang einfach nur auf Ihren Atem achten oder bewusst Ihren Körper spüren, kann das erheblich zur Stressreduktion beitragen.

Zubettgehen, aus dem Schlaf heraus oder im Urlaub.

So weit sollten Sie es nicht kommen lassen: Gönnen Sie sich rechtzeitige und ausreichend erholsame Pausen und sorgen Sie für eine gute Balance zwischen Bewegung, sozialen Aktivitäten und Ruhe. Entspannungs- und Stressbewältigungstechniken (S. 30) können dabei helfen, aber halten Sie sich auch dabei zurück mit Ihrem Ehrgeiz „Ich muss jetzt perfekt entspannen". „Herausfinden, was hilft, herunterzukommen" ist jetzt die Devise. Und erfreuen Sie sich auch an kleinen Fortschritten.

Biofeedback – den Erfolg selber sehen und hören

Biofeedback beginnt üblicherweise mit einer – teils aufwendigen – Verkabelung des Körpers, ein bisschen wie beim Intensivstation-Patienten aus der letzten Arztserie. Am anderen Ende der Leitungen hängen elektronische Apparaturen, die die Signale aus den Organen verarbeiten, etwa die elektrische Aktivität bestimmter Muskeln und Nerven, die Durchblutung oder elektrische Leitfähigkeit der Haut, die Herz- oder Atemfrequenz oder sogar die Gehirn-

aktivität. Die Geräte senden ein Feedback, eine Rückmeldung, an die verkabelte Person. Die gemessenen Signale, beispielsweise kleinste Veränderungen der Muskelspannung, sieht der Patient, etwa als größeren oder kleineren Balken einer Computergrafik oder hört sie, z. B. als höheren oder tieferen Ton. Mithilfe dieser Methode kann man das Zusammenspiel der eigenen Gedanken, Einstellungen und psychischen Haltung mit dem, was dabei im Körper passiert, beobachten. Erfolge werden unmittelbar sichtbar oder hörbar gemacht. Diese Erfahrung allein kann schon dazu beitragen, dass sich der Betroffene dem Schmerz nicht mehr so hilflos ausgeliefert fühlt. Durch regelmäßige Biofeedbackübungen lernt der Patient dann, aktiv aus dem Teufelskreis aus körperlicher Anspannung, Schmerz, psychischer Abwehr und noch stärkerer Anspannung auszusteigen. Fortgeschrittene können die erwünschten körperlichen Wirkungen, etwa Durchblutungsförderung, ohne die Hilfe von Gerätschaften, sozusagen unplugged, hervorrufen. Eine Biofeedback-Sitzung besteht aus wiederholten, drei- bis fünfminütigen Übungseinheiten. In der Schmerztherapie sind Übungsserien mit vier bis

BILD Musik hören kann viele Effekte haben. Auch die kognitive Verhaltenstherapie nutzt die Musik, um die Aufmerksamkeit bewusst zu verlagern.

zwölf Sitzungen üblich, selten auch mehr.
Biofeedbackverfahren gehören zu den
wirksamsten psychologisch-schmerz-
therapeutischen Behandlungsmethoden.
Am besten belegt ist deren Wirkung bei

- Spannungskopfschmerzen,
- Migräne,
- chronischen Rückenschmerzen,
- Gesichtsschmerzen,
- Schmerzen im Kiefergelenk.

Bei somatoformen Störungen und bei
genitalen Schmerzen der Frau scheint die
Methode ebenfalls wirksam zu sein. Zur
Wirksamkeit bei anderen Schmerzerkrankungen gibt es bislang nicht genug aussagekräftige Studien.

INFO **Behandlungstechniken**

Techniken der kognitiven Verhaltenstherapie in der Behandlung von Patienten mit chronischen Schmerzen:

- Selbstbeobachtung als Grundvor-
  aussetzung
- Entspannung (S. 30)
- Imagination (S. 32)
- Mindfulness (S. 28)
- Biofeedback (S. 92)
- Rollenspiele
- Gedankenstopp (S. 90)
- Balance zwischen Aktivität und Ruhe
- Die Aufmerksamkeit verlagern.

nach innen:
- durch Imagination (S. 32) einer ange-
  nehmen Situation
- durch Hypnose (S. 97)
- durch Selbstsuggestion, etwa beim
  Autogenen Training (S. 31)

nach außen:
Tun Sie, was Ihnen Freude macht oder
früher schon einmal Freude gemacht
hat. Tun Sie es regelmäßig und unabhängig davon, wie stark die Schmerzen
gerade sind. Üben Sie Genießen.

– Musik hören
– aktiv musizieren
– tanzen
– Freunde treffen
– schöne Stunden mit Ihrer / Ihrem
  Liebsten verbringen (…)
– mit Kindern spielen
– mal albern sein
– …

- Medikamenteneinnahmeverhalten
  prüfen: Fehlgebrauch und Abhängigkeit erkennen (S. 127) und im interdisziplinären ärztlich-psychotherapeuti-
  schen Team behandeln
- Soziales Zusammenwirken berücksichtigen: Soziale Faktoren können
  erheblich sowohl zur Aufrechterhaltung
  oder Verschlimmerung als auch zur
  Besserung einer chronischen Schmerzerkrankung beitragen. Dazu zählen unter anderem die berufliche Situation
  und Perspektive des Betroffenen, Fragen der Krankschreibung oder Beren-
  tung und das Verhalten der nächsten
  Angehörigen.

PSYCHODYNAMISCHE THERAPIE

Mit dem Begriff „psychodynamisch" werden Psychotherapieverfahren zusammengefasst, die aus der Psychoanalyse hervorgegangen sind. Psychodynamisch orientierte Schmerzpsychotherapie basiert in aller Regel auf Elementen aus der tiefenpsychologisch fundierten Psychotherapie, die an die besonderen Erfordernisse chronischer Schmerzpatienten angepasst sind. Die klassische Psychoanalyse, heute analytische Psychotherapie, dauert meist mehr als hundert Therapiestunden. Sie spielt in der Schmerztherapie nur selten eine Rolle. Sie ist aber von enormem historischen und kulturellen Belang; von ihr nahm die Psychotherapie des 20. Jahrhunderts ihren Ausgangspunkt. Viele Prinzipien anderer Psychotherapieverfahren gingen aus psychoanalytischen Denkansätzen hervor und psychoanalytische Begriffe wie „Verdrängung" oder „Unbewusstes" sind längst in die moderne Alltagssprache übergegangen.

◤ SPIELT DIE COUCH EINE ROLLE?

Das klassische Setting, das heißt der formale Rahmen der vom Wiener Nervenarzt Sigmund Freud zu Beginn des 20. Jahrhunderts begründeten Psychoanalyse, beinhaltet unter anderem, dass der Patient auf einer Couch liegend über seine spontan auftretenden Gedanken, Empfindungen und Gefühle mit dem Psychoanalytiker spricht. Letzterer sitzt außerhalb des Gesichtsfelds des Patienten am Kopfende der Couch. Dieses Setting taucht in vielen Witzen, Filmen und Romanen als Klischee der Psycho-Behandlung auf und wird fälschlicherweise oft mit der Behandlung beim Psychiater gleichgesetzt. Psychotherapeut und Patient sitzen sich heute aber in aller Regel auf bequemen Stühlen gegenüber, das gilt auch für die meisten psychodynamischen Verfahren.

Parallelen und Unterschiede zu anderen Verfahren

Das, was in der Einführung zur Zielsetzung und auch zur konkreten Herangehensweise von Schmerzpsychotherapie im Allgemeinen gesagt wurde (S. 81), ist weitgehend unabhängig vom jeweiligen Psychotherapieverfahren und gilt prinzipiell auch für die psychodynamische Therapie. Es gibt aber einige Besonderheiten.

Besonderheiten

Für psychodynamische Verfahren sind folgenden Faktoren besonders bedeutsam:
■ therapeutische Beziehung zwischen Patient und Psychotherapeut
■ markante Erfahrungen aus der Lebensgeschichte des Patienten
■ unbewusste Konflikte, die sich möglicherweise hinter psychischen und körperlichen Symptomen verbergen.

Typisch psychodynamische Aspekte können im Laufe der Therapie hervortreten, müssen es aber nicht. Manche

Patienten entdecken beispielsweise, dass ihre Schmerzen sich durch bestimmte Emotionen verschlimmern. Vielleicht können sie dann bestimmte schmerzhafte Emotionen wie Trauer, Wut oder Einsamkeit mit früheren Erfahrungen von Schmerz, Trennung oder dem Tod eines nahen Angehörigen in Verbindung brin-

---

INFO **Weit verbreitete Mythen zur tiefenpsychologisch fundierten Therapie**

Mythos 1: „Der Patient spricht und der Therapeut schweigt eisig oder stellt bohrende Fragen."

Klarstellung: Bei der psychodynamischen Schmerztherapie geht es – wie bei allen Formen der Therapie – von der ersten Stunde an auch um den Aufbau einer tragfähigen therapeutischen Beziehung. Der Therapeut kann sich durchaus mit seinen Erfahrungen einbringen und ermuntert dazu, Neues auszuprobieren. Das alles geschieht im lebendigen Dialog – Zuhören und Reden. Der Therapeut bringt dabei immer wieder aktiv eine wohlwollende und unterstützende Haltung zum Ausdruck. Nur, wenn Sie die Gegenwart Ihres Therapeuten als wohltuend erleben, können Sie sich entspannen und ihm Ihr Herz ausschütten.

Mythos 2: „Eine verkopfte Therapieform, die den Körper völlig ausblendet."

Klarstellung: Im Mittelpunkt der therapeutischen Arbeit steht Ihr Schmerz, Ihre persönliche Art, diesen Schmerz zu erleben. Schmerz bezieht sich aber immer auf den Körper, anders gesagt, ohne Körper könnten Sie keine Schmerzen empfinden. Psychodynamische Schmerztherapie kann heißen, dass Sie lernen, in Ihren Körper hineinzuspüren, ihn zu erfahren. Es kann auch heißen, dass Sie merken, wie Sie über Ihren Körper denken und wie Sie mit ihm umgehen.

Mythos 3: „Es wird vor allem nach Erkrankungsursachen in der Kindheit gefahndet."

Klarstellung: Alles, was Sie im Laufe des therapeutischen Prozesses als bedeutsam im Zusammenhang mit Ihrem Schmerz erfahren, wird beachtet. Das können schmerzliche Erfahrungen aus der Kindheit sein, aber auch völlig anderes, wie Ihre berufliche Situation, eine Verlusterfahrung im Erwachsenenalter oder eine Person, mit der Sie gerade im Streit liegen. Es wird nach nichts „gefahndet", sondern allem Raum gegeben, was Sie beschäftigt und Ihnen wichtig erscheint. Es geht dabei nicht darum, „die Erkrankungsursache" zu finden, sondern das komplexe Zusammenspiel zwischen der äußeren und Ihrer inneren Realität besser zu verstehen.

gen. Etliche – wenn auch nicht alle – Patienten mit somatoformen Störungen (S. 198) gelangen im Laufe einer psychodynamischen Therapie an tief verschüttete Konflikte oder Erinnerungen von körperlicher Misshandlung, Vernachlässigung oder sexuellem Missbrauch. Solche Erinnerungen werden im Rahmen der psychodynamischen Schmerztherapie nicht aktiv hervorgerufen oder heraufbeschwört. Wenn sie aber im Laufe der Behandlung spontan aufkommen, können auch die dunklen Begleiter, die bitteren Erfahrungen aus der Vergangenheit, denen man eigentlich lieber aus dem Weg gehen würde, dazu genutzt werden, einen Heilungsprozess in Gang zu bringen. Dafür ist die besondere Vertrauensbeziehung zwischen Patient und Psychotherapeut sehr wichtig.

Sie schafft nämlich einen geschützten Rahmen, in dem Sie sich zeigen können, so wie Sie sind, mit Ihrem ganzen seelischen und körperlichen Schmerz. Diese Vertrauensbeziehung macht das Erinnern an schmerzhafte Erfahrungen erst möglich, ohne dass man dadurch neue Verletzungen riskiert.

Gelingt es Ihnen dann, Ihr Augenmerk nicht mehr nur auf Ihre körperlichen Schmerzen zu richten, sondern den Blick immer mehr auf Ihre psychische Situation auszuweiten, auf Ihre innere Landschaft, in der Sie nun langsam neue Wege und Brücken in die Zukunft erkennen, dann tritt oft Hand in Hand damit eine deutliche Linderung der Schmerzen ein. Das gilt wiederum für alle Formen der Schmerzpsychotherapie.

BILD Die Couch taucht zwar immer noch in vielen Witzen auf. Psychotherapeut und Patient sitzen sich heute aber in aller Regel auf bequemen Stühlen gegenüber.

HYPNOTHERAPIE

Woran denken Sie beim Stichwort Hypnose? An eine unheimliche Filmszene? An eine Bühnenvorstellung, bei der ein Freiwilliger aus dem Publikum Schuhe und Strümpfe auszieht und frohgemut auf Glasscherben wandelt? An jemanden, der genüsslich eine Zitrone mitsamt der Schale verspeist und nicht einen Moment daran zweifelt, dass es ein Pfirsich ist? Solche Hypnoseshows sind nicht ungefährlich; Hypnotherapie hat damit aber praktisch nichts zu tun.

Was ist Hypnose?

Als Hypnose bezeichnet man sowohl einen außergewöhnlichen Bewusstseinszustand, die Trance, als auch suggestive Techniken, mit denen dieser erreicht werden kann. Jemand, der sich in Trance befindet, hat eine hohe Aufmerksamkeit für seine innere Welt. Gedanken, Gefühle und Erinnerungen, die ihm im normalen Wachzustand unbewusst sind, können dabei zutage treten. Der kritische Verstand tritt dabei in den Hintergrund, ohne aber gänzlich die Kontrolle zu verlieren. Im Zustand der Trance ist man empfänglich für suggestive Techniken, die nach Auffassung mancher Hypnotherapeuten direkt auf das Unbewusste wirken können.

Durch Suggestionen kann ein Hypnotiseur den Hypnotisierten dazu bringen, bestimmte Handlungen auszuführen, unbewusst – wie von Geisterhand – gesteuert. Auch was dabei erlebt wird, ob die Zitrone zum Pfirsich oder zum Apfel wird, kann der Hypnotiseur lenken, indem er den Hypnotisierten im Gespräch zu entsprechenden Gedanken anregt. In ähnlicher Weise kann er die Schmerzwahrnehmung des Hypnotisierten beeinflussen. Ein begrenztes Körperareal oder der ganze Körper wird unter einer solchen Behandlung schmerzlos. Auch für die Zeit nach der Hypnosesitzung kann eine Schmerzlinderung erreicht werden.

Nicht alle Menschen lassen sich gleich gut hypnotisieren. Es erfordert eine ausreichende Suggestibilität, das heißt eine gewisse Zugänglichkeit für die inneren Bilder, die der Hypnotiseur oder man selbst inszeniert. Dabei scheint der entscheidende Punkt zu sein, dass nur derjenige hypnotisiert werden kann, der damit einverstanden ist und bereit, aktiv dabei mitzuwirken.

Wie kann Hypnose Schmerzen lindern?

Techniken zum Hervorrufen von Trancezuständen werden in vielen Kulturen und seit der Antike bei verschiedensten Erkrankungen therapeutisch eingesetzt. In der modernen hypnotherapeutischen Schmerzbehandlung werden unterschiedliche Formen der Hypnose verwendet. Bei manchen steht die Suggestion durch den Hypnotiseur im Vordergrund, bei anderen eher das Erlernen von Techniken zur Selbsthypnose. Je nach Ausrichtung des

Therapeuten integriert die Hypnotherapie Elemente aus Verhaltenstherapie (S. 88), psychodynamischen (S. 94) nonverbalen (S. 100) oder anderen Psychotherapieverfahren.

Hypnotherapie in der Schmerzbehandlung kann beispielsweise heißen, dass Sie lernen, Ihren Schmerz gedanklich vom schmerzfreien Teil Ihres Körpers zu trennen oder den Teil Ihres Bewusstseins auszublenden, mit dem Sie Ihren Schmerz und das damit verbundene Unbehagen wahrnehmen. Eine verbreitete Technik zur lokalen Betäubung mittels Hypnose heißt **Handschuhanästhesie.** Dabei geleitet die Suggestion eine Hand des Patienten nach und nach in einen Zustand der Empfindungs- und Schmerzlosigkeit. Im nächsten Schritt wandert die betäubte Hand im Zustand der Trance wie von selbst zu der schmerzenden Körperregion. In der Wahrnehmung des Patienten scheinen dann die Empfindungen von Schmerzlosigkeit und Taubheit aus der Hand an den gewünschten Ort zu fließen, beispielsweise in den Kiefer, an dem daraufhin ein zahnärztlicher Eingriff erfolgen kann – ohne Spritze.

Bei anderen Hypnoseformen wendet sich der Patient aufmerksam und interessiert seinem Schmerz zu. Er spürt ihm mit allen Sinnen nach, versucht herauszufinden, welche Farbe und Form er in seiner Phantasie hat, welchen Klang und welche Oberflächenbeschaffenheit. Dadurch wird der Schmerz konkret greifbar und kann im Rahmen der Hypnose besser bearbeitet werden. Über diesen Umweg wandelt sich schließlich auch die eigentliche Schmerzwahrnehmung. Der Gestalt, die der Schmerz nun angenommen hat, kann man in einem weiteren Schritt noch mehr Leben einhauchen. Es geht dann darum, wahrzunehmen, welche Bedeutung, welchen Sinn der Schmerz im eigenen Erleben haben könnte. Man kann sich den Schmerz etwa als Person vorstellen, ihre Mimik und ihr Verhalten beschreiben.

INFO **Vorhang auf, die Trance beginnt**

Man könnte die Hypnose mit einer Theateraufführung auf einer Bühne vergleichen, die sich in der Erinnerungs- und Vorstellungswelt des Hypnotisierten befindet. Sein Bewusstsein ist das Publikum; die Zuschauer haben sich aus eigenem Antrieb eine Karte gekauft und auf den ihnen zugewiesenen Plätzen bequem und entspannt Platz genommen. Was sich auf der Bühne abspielt, ist das innere Erleben des Hypnotisierten im Zustand der Trance. Der Hypnotiseur ist – je nach hypnotischer Technik – Dramaturg, Regisseur, Souffleur oder alles zugleich. Die Hauptdarsteller kommen aber von hinter den Kulissen – aus dem Unbewussten des Patienten.

Anknüpfungen an reale Personen oder erlebte Situationen können dann hilfreiche Schlüssel für ein tieferes Verstehen der Schmerzerkrankung und mögliche Veränderungen sein.

Ein noch tiefer gehender Zugang wird von manchen Hypnotherapeuten dann gewählt, wenn nach ihrer Einschätzung ein ungelöster psychischer Konflikt oder ein Trauma die Schmerzerkrankung nährt. Der Patient kann dann beispielsweise im Zustand der Trance und im Schutz der therapeutischen Beziehung eine traumatische Situation aus einer früheren Lebensphase noch einmal erleben und erhält damit die Chance, diese Situation zu verarbeiten und neu zu bewerten. Oft geht damit eine deutliche Schmerzlinderung einher oder es führt sogar zur Schmerzfreiheit.

Breites Anwendungsspektrum

In der Behandlung von akuten und chronischen Schmerzen ist die Wirksamkeit hypnotherapeutischer Techniken gut belegt. Die Wirkung auf akute Schmerzen machen sich beispielsweise in Hypnose ausgebildete Zahnärzte zunutze. Das ist vor allem für Menschen von Bedeutung, bei denen die örtliche Betäubungsspritze nicht infrage kommt, etwa wegen einer Allergie oder einer ausgeprägten Angst vor Spritzen. Auch bei Migräne und anderen Kopfschmerzformen (S. 117), Schmer-

zen aufgrund eines Reizdarmsyndroms (S. 185), bei Fibromyalgie (S. 197), rheumatoider Arthritis (S. 188) und anderen chronischen Schmerzerkrankungen zeigte Hypnotherapie bereits Erfolge im Rahmen von Studien. Die Methode findet daher immer breitere Anerkennung, auch in der psychotherapeutischen Fachwelt.

In den Händen eines ausgebildeten Hypnotherapeuten ist die Hypnose ein sehr sicheres und nebenwirkungsarmes Verfahren. Menschen mit schweren psychischen Erkrankungen wie Psychosen oder bestimmten Persönlichkeitsstörungen sollten allerdings davon Abstand nehmen.

Die Kosten für Hypnotherapie – im Sinne eines eigenständigen Psychotherapieverfahrens – werden von den gesetzlichen Krankenkassen nicht übernommen. Hypnotherapeutische Techniken können aber in eine verhaltenstherapeutisch oder psychodynamisch ausgerichtete Psychotherapie integriert werden. Nur unter dieser Voraussetzung, das heißt im Rahmen einer bewilligten Psychotherapie, werden die Behandlungskosten von den gesetzlichen Krankenkassen erstattet.
Privat Versicherte sollten sich vor Antragstellung bei ihrer Krankenversicherung erkundigen, unter welchen Voraussetzungen und in welchem Umfang diese die Kosten übernimmt.

JENSEITS DER WORTE

Die in den vorherigen Kapiteln beschriebenen Psychotherapie-Techniken stützen sich überwiegend auf die Ebene des Gesprächs. Psychotherapie kann aber auch – zumindest teilweise – ohne Worte auskommen und selbst in vorwiegend gesprächsgestützten Therapien achtet der Therapeut nicht nur auf das, was der Patient sagt, sondern auch darauf, wie er spricht, wie seine Stimme klingt und mit welcher Gestik und Mimik er seine Worte begleitet. Nonverbale – nichtsprachliche – Psychotherapietechniken werden in der Regel nicht als eigenständige Verfahren angewandt, sondern als Ergänzung einer gesprächsgestützten Psychotherapie, wie einer Verhaltenstherapie oder einer tiefenpsychologisch fundierten Psychotherapie. Manchen Patienten mit chronischen Schmerzerkrankungen fällt es zumindest zu Beginn der Behandlung leichter, sich auf eine nonverbale psychotherapeutische Arbeit einzulassen als auf eine rein gesprächsgestützte.

Die Wirksamkeit einzelner nonverbaler Techniken in der Psychotherapie von Schmerzpatienten wurde noch nicht ausreichend in geeigneten Studien untersucht. Die Kosten für eine ambulante Behandlung werden nur dann übernommen, wenn diese Techniken im Rahmen einer Verhaltenstherapie oder einer psychodynamischen Psychotherapie angewandt werden. Viele Kliniken bieten im Rahmen der Schmerztherapie, der stationären Psychotherapie oder der psychosomatischen Behandlung und Rehabilitation nonverbale Verfahren als eines von mehreren Therapieelementen an und in diesem Rahmen werden die Kosten in der Regel vom Kostenträger übernommen.

Körperpsychotherapie

Die enge Wechselwirkung zwischen körperlichen Bewegungsmustern und psychischer Verfassung machen sich verschiedene Formen der Körperpsychotherapie, kurz Körpertherapie, zunutze. Insbesondere bei chronischen Schmerzen des Bewegungsapparats, bei denen die Erkrankung oft mit Bewegungseinschränkungen und Fehlhaltungen einhergeht, kann die Berücksichtigung dieses Wechselspiels hilfreich sein. Der Betroffene kann dabei nachspüren, welche Emotionen, Gedankenmuster oder Erinnerungen er etwa mit seinem schmerzgekrümmten Rücken oder seinem schmerzvermeidenden Gangbild in Verbindung bringt. Dabei geht es wie in der gesprächsgestützten Schmerzpsychotherapie weniger um eine Deutung durch den Psychotherapeuten, sondern vielmehr um das individuelle Erleben des Patienten. An der Schnittstelle zur Bewegungstherapie können neue Bewegungsmuster und Körperhaltungen ausprobiert und eingeübt werden. Auch zwischen Körpertherapie und Entspannungsverfahren gibt es breite Überschneidungsbereiche. Manche körpertherapeutische

Techniken sind psychodynamisch ausgerichtet, das heißt sie beziehen sich auf die von Sigmund Freud begründete Psychoanalyse oder auf die analytische Psychologie von C.G. Jung. Andere beruhen auf eigenständigen Theorien, darunter auch in der Fachwelt umstrittene Theoriesysteme, wie etwa das von Wilhelm Reich oder von dessen Schüler, Alexander Lowen, dem Begründer der bioenergetischen Analyse.

Körperpsychotherapie-Verfahren

auf die Psychoanalyse bezogen:

- analytische Körperpsychotherapie
- funktionelle Entspannung
- konzentrative Bewegungstherapie

andere Psychotherapierichtungen oder eigenständige Theorie:

- Bioenergetische Analyse
- Biosynthese
- Eutonie
- Feldenkrais (S. 33)
- Focusing
- Integrative Bewegungstherapie
- Integrative Körperpsychotherapie
- Personale Leibtherapie nach Graf Dürckheim
- Psychomotorische Therapie nach Pesso
- Psychodrama
- Somatoemotionale Entspannung
- Strukturelle Körpertherapie.

Künstlerische Therapien

Ein grundlegender Aspekt von Schmerzpsychotherapie ist es, die Schmerzerkrankung mit allen Sinnen zu erkunden. Wo Worte an ihre Grenzen stoßen, können Musizieren, Malen und andere kreative Ausdrucksformen helfen, den Schmerz und die damit zusammenhängenden Gefühle von Angst, Verzweiflung, Hilflosigkeit auszudrücken. Dabei kann z. B. etwas ins Bild gebracht werden, was im Rahmen der Imagination oder Hypnose vor dem inneren Auge Gestalt angenommen hat. Elemente aus anderen Verfahren können integriert werden, aus Entspannungs- und Mindfulnesstechniken, Bewegungstherapie oder gesprächsbasierten Psychotherapieverfahren.

Bei der Tanztherapie spielen körpertherapeutische Aspekte und Elemente der Bewegungstherapie eine zentrale Rolle.

Man unterscheidet zwischen rezeptiver und aktiver Musiktherapie. Rezeptiv heißt, der Patient hört Musik, meist zur Entspannung und Stressreduktion. Auch die physikalischen Eigenschaften des Schalls können schmerztherapeutisch genutzt werden, etwa in Form einer Klangmassage. Bei der aktiven Musiktherapie musiziert der Patient selbst. Gut belegt ist die Wirksamkeit sowohl aktiver als auch rezeptiver Musiktherapie u. a. in der Behandlung von Angst und Schmerzen bei Patienten mit Krebserkrankungen.

In der Kunsttherapie oder Gestaltungstherapie wird gemalt, gezeichnet und plastiziert. In der psychodynamisch ausgerichteten Kunsttherapie wird dabei besonders auf die inneren Bilder und Symbole geachtet, die sich im Werk des Patienten, in seinem Gemälde oder seiner Skulptur, manifestieren.

MEDIKAMENTE IM PORTRÄT

Vor allem bei akuten und kurz dauernden Schmerzzuständen können Medikamente eine wirksame Ergänzung nichtmedikamentöser Maßnahmen sein. Eine Dauerbehandlung sollte möglichst vermieden werden; meist ist sie weder notwendig noch hilfreich. An erster Stelle steht immer die Behandlung der Grunderkrankung. Wenn das gelingt, kann auf Schmerzmittel teilweise oder sogar ganz verzichtet werden.

ZUM UMGANG MIT MEDIKAMENTEN

Ihr Arzt hat Ihnen ein Schmerzmittel verschrieben oder Sie haben sich selbst ein rezeptfreies Präparat aus der Apotheke besorgt. Vielleicht haben Sie nun den Beipackzettel gelesen und sind angesichts der langen Liste möglicher Nebenwirkungen erschrocken. Das sollte aber kein Grund sein, ein vom Arzt verordnetes Präparat nicht einzunehmen. Bedenken Sie, dass ein Großteil der angegebenen Nebenwirkungen nur sehr selten auftritt und in den meisten Fällen nur vorübergehend, nämlich vor allem zu Beginn der Behandlung oder bei einer Dosissteigerung. Aus Sicherheitsgründen sind in der Packungsbeilage auch Beschwerden aufgeführt, die Patienten unter der Einnahme des Präparats berichtet haben, bei denen es aber nicht ganz sicher ist, ob sie durch

das Medikament verursacht wurden oder beispielsweise durch die Erkrankung selbst oder durch Begleitmedikamente. Allerdings sollten Sie auch nicht leichtsinnig mit Medikamenten umgehen. Halten Sie sich unbedingt an die Dosierungsanweisung Ihres Arztes oder – bei rezeptfreien Medikamenten, die Sie ohne ärztliche Anordnung einnehmen, beachten Sie dazu die Anweisungen der Packungsbeilage.

Auf den folgenden Seiten haben wir nur die häufigsten Nebenwirkungen, Gegenanzeigen und Wechselwirkungen der beschriebenen Schmerzmittel aufgeführt. Ausführlichere Informationen zu den einzelnen Medikamenten finden Sie im Internet auf www.test.de/medikamente. Dort steht unter anderem, bei welchen Nebenwirkungen Sie getrost deren weiteren Verlauf abwarten können, bei welchen ein Arzttermin in den nächsten Tagen genügt und bei welchen Sie am besten gleich die Notrufnummer 112 wählen.

WAS KÖNNEN SIE BEI BEDARF EINNEHMEN?

Fragen Sie Ihren Arzt, welche rezeptfreien Medikamente Sie in Ihrer Hausapotheke bereithalten und bei Bedarf einnehmen können. Bei bestimmten Erkrankungen und für die Kombination mit den Medikamenten, die Ihnen Ihr Arzt verordnet hat, scheiden nämlich eine ganze Reihe von Medikamenten aus, die Sie vielleicht für „harmlos" gehalten haben.

Immer zur selben Uhrzeit

Schmerzmittel, die vom Arzt zur regelmäßigen Einnahme verordnet wurden, sollten Sie immer zu denselben Uhrzeiten einnehmen. Warten Sie auf keinen Fall mit der Einnahme ab, bis die Schmerzen stärker werden, denn das kann nach einiger Zeit dazu führen, dass Ihre Schmerzempfindlichkeit zunimmt und Sie dann letztlich höhere Dosierungen benötigen als vorher. Bei manchen Schmerzmitteln ist eine sehr regelmäßige Einnahme auch deswegen wichtig, weil Sie damit unangenehme und manchmal sogar gefährliche Entzugserscheinungen und Medikamentenabhängigkeit (S. 127) vermeiden. Sprechen Sie unverzüglich mit Ihrem Arzt, wenn Nebenwirkungen oder Schmerzen unter der Behandlung neu auftreten oder sich verstär-

ken. Ohne Rücksprache mit Ihrem Arzt sollten Sie die Einnahmeabstände weder verkürzen noch verlängern. Fragen Sie Ihren Arzt zu Beginn der Behandlung, was Sie tun können, wenn Sie die Medikamenteneinnahme einmal vergessen.

Vorsicht Fälschung

Beziehen Sie Arzneimittel nur aus einer Apotheke. Dazu zählen grundsätzlich auch behördlich zugelassene Versandapotheken, die die Bestellung übers Internet und den Versand über den Postweg abwickeln, denn sie unterliegen denselben hohen Sicherheits- und Qualitätsanforderungen. Eine Liste aller Versandapotheken aus Deutschland und anderen europäischen Ländern, die eine behördliche Zulassung für den deutschen Markt haben, kann beim Deutschen Institut für Medizinische Dokumentation und Information eingesehen werden (www.dimdi.de/static/de/amg/var/apotheken/index.htm). Meiden Sie unseriöse Anbieter im Internet. Vieles, was dort zum verlockenden Spottpreis und teilweise sogar unter Umgehung der Rezeptpflicht angeboten wird, sind Fälschungen, die dem Original zwar täuschend ähnlich sehen, aber giftige Ersatzsubstanzen enthalten können.

ARZNEIMITTEL KONSEQUENT WEGSCHLIESSEN

Halten Sie Medikamente jeder Art konsequent von Kindern fern. Das weit verbreitete Schmerzmittel Parazetamol (S. 114) ist das Medikament, von dem am häufigsten die Gefahr einer versehentlichen Vergiftung droht. Bitte beachten Sie, dass auch viele pflanzliche Präparate im Übermaß eingenommen gefährlich werden können (S. 159). Das betrifft auch Medikamente zur äußerlichen Anwendung, die – wenn sie von Kindern verschluckt werden – giftig wirken können.

Manchmal ist Geduld gefragt

Wenn bei länger anhaltenden Schmerzen nicht gleich zu Beginn der Behandlung eine Schmerzlinderung eintritt, dann ist das kein Grund, das Medikament nicht mehr einzunehmen. Bei vielen Schmerzmitteln ist eine Beurteilung der Wirkung frühestens nach einer Woche regelmäßiger Einnahme möglich, bei manchen Ko-Analgetika, wie Antidepressiva, sogar noch bedeutend später.

Dokumentieren Sie neben der aktuellen Schmerzintensität auch unbedingt jede Medikamenteneinnahme und jedes Auftreten einer Nebenwirkung in Ihrem Schmerztagebuch (S. 17). Nur so kann Ihr Arzt zuverlässig beurteilen, wie gut das Mittel in einer bestimmten Dosierung bei Ihnen wirkt und verträglich ist. Bei 20 bis 40 von 100 aller Patienten wirken Schmerzmittel unzureichend oder werden nicht vertragen. In vielen Fällen ist dann statt einer Dosissteigerung eine Umstellung auf eine nichtmedikamentöse Behandlungsmethode oder auf ein anderes Präparat angezeigt. Auch verschiedene Medikamente aus ein und derselben Wirkstoffgruppe können bei einem bestimmten Patienten unterschiedlich wirksam sein.

Manchmal ist ein gewisses Herumprobieren notwendig. Durch die Kombination mehrerer Schmerzmittel kann die Dosis und damit eventuell Stärke oder Häufigkeit der Nebenwirkungen begrenzt werden. Ob und welche Kombination bei Ihnen sinnvoll ist, sollte Sie gemeinsam mit Ihrem Arzt entscheiden.

TIPP **Testen Sie Ihren Arzt**

Schmerztherapie mit Medikamenten sollte immer im Rahmen eines multimodalen Behandlungsplans (S. 21) erfolgen, dass heißt in Kombination mit anderen, nichtmedikamentösen Therapiemaßnahmen. Verwenden Sie diesen Grundsatz ruhig als Gradmesser für die schmerztherapeutische Kompetenz Ihres Arztes. Sprechen Sie Ihn darauf an.

Er schaut nur hilflos drein, zuckt gelangweilt mit den Schultern oder greift gar schon wieder reflexartig zum Rezeptblock? Dann spätestens ist es Zeit, einen kompetenteren Ansprechpartner zu suchen. Auch hier heißt die dringende Empfehlung – vor allem bei chronischen Schmerzen – interdisziplinäres Schmerzzentrum (S. 19).

SO NIEDRIG WIE MÖGLICH, SO HOCH WIE NÖTIG DOSIEREN

Beginnen Sie bei selbst gekauften Medikamenten immer mit der niedrigsten in der Packungsbeilage angegebenen Dosis. Sollte darauf keine ausreichende Schmerzlinderung eintreten, können Sie die Dosis in kleinen Schritten steigern. Überschreiten Sie aber dabei nie die in der Packungsbeilage angegebene Höchstdosis.

Besonderheiten bei Schwangeren und stillenden Müttern

Manche Medikamente, aber auch unbehandelte Schmerzen, können bei Schwangeren ein Risiko für das ungeborene Kind darstellen. Wenn Sie schwanger sind und mit nichtmedikamentösen Verfahren keine ausreichende Schmerzstillung erreichen, dann sollten Sie unbedingt Ihren Hausarzt oder Ihren Frauenarzt zurate ziehen, bevor Sie Medikamente einnehmen. Das gilt auch für Frauen, die eine Schwangerschaft planen oder die eventuell unwissentlich bereits schwanger sind. Grundsätzlich in Schwangerschaft und Stillzeit geeignet sind Parazetamol (S. 114) in einer Tagesdosis unter 2000 mg und trizyklische Antidepressiva (S. 132). Azetylsalizylsäure (z. B. Aspirin®) ist wegen des erhöhten Blutungsrisikos vor allem in den letzten Schwangerschaftsmonaten ungeeignet. Auch NSAR einschließlich COX-2-Hemmer (S. 112) sollten in der Schwangerschaft und Stillzeit nicht eingenommen werden. Einzige Ausnahme ist Ibuprofen, dessen Einnahme während der Stillzeit vertretbar ist. Eine längere Gabe von Opioiden während der Schwangerschaft und in der Stillzeit kommt nicht infrage, weil sie beim Neugeborenen zu Opiatabhängigkeit und Atemstörungen führen kann.

SCHMERZMITTEL MIT ENTZÜNDUNGSHEMMENDEN UND FIEBERSENKENDEN EIGENSCHAFTEN

In diesem Abschnitt geht es um Schmerzmittel, die dem aus Opium stammenden Morphin chemisch nicht ähneln und die man daher als Nicht-Opioide bezeichnet. Eine weitere Gemeinsamkeit dieser Medikamente ist, dass sie neben ihren schmerzlindernden auch entzündungshemmende und/oder fiebersenkende Eigenschaften haben. Das spielt in der Schmerztherapie nicht immer eine entscheidende Rolle, kann aber mitunter – etwa bei Schmerzen im Rahmen chronisch entzündlicher Erkrankungen – zur gleichzeitigen Behandlung der Grunderkrankung dienen.

NSAR

Nichtsteroidale Antirheumatika (NSAR) sind die mit Abstand am häufigsten eingenommen Schmerzmittel. Der Begriff nichtsteroidal beruht ebenfalls auf chemischen Eigenschaften und grenzt diese Medikamentengruppe von den Steroiden ab, genauer gesagt von den Kortikosteroiden (S. 117). Manche NSAR sind rezeptfrei erhältlich und breit angelegte Werbekampagnen tragen mit dazu bei, dass diese Medikamente in deutschen Hausapotheken quasi allgegenwärtig sind.

Das sollte nicht darüber hinwegtäuschen, dass NSAR mit Nebenwirkungen und Risiken behaftet und für die meisten schwerwiegenden Arzneimittelkomplikationen in Deutschland verantwortlich sind. Arzneimittelexperten kritisieren, dass NSAR von vielen Ärzten sehr großzügig verordnet werden, ohne nebenwirkungs-

ärmere – medikamentöse und nichtmedikamentöse – Alternativen voll ausgeschöpft zu haben.

Klassische NSAR

Wie wirken sie? NSAR hemmen zwei körpereigene Enzyme, die Cyclooxygenase (COX) 1 und 2. Dadurch wird die Produktion bestimmter Prostaglandine gedrosselt. Prostaglandine sind Gewebehormone, die im Körper unterschiedliche Aufgaben erfüllen. Über die Hemmung der Prostaglandinbildung werden die erwünschten entzündungshemmenden, fiebersenkenden und schmerzlindernden Effekte der NSAR vermittelt, aber auch deren mögliche Nebenwirkungen.

INFO **NSAR – verschiedene Wirkstoffe, unterschiedliche Wirkdauer:**

- **kurzwirksam (etwa 4 Stunden):**
Ibuprofen
Diclofenac
Aceclofenac
Dexibuprofen
Etofenamat
Oxaceprol
Tiaprofensäure
- **mittellangwirksam (bis zu 12 Stunden):**
Naproxen
Acemetacin
Indometacin
Ketoprofen
Meloxicam
Nabumeton

- **langwirksam (über 24 Stunden):**
Piroxicam
Phenylbutazon

Die Angaben zur Wirkdauer geben nur eine grobe Einschätzung. Durch die Verwendung retardierter Zubereitungen (Retardpräparate) kann sie verlängert und damit das Einnahmeschema vereinfacht werden. Für die Schmerztherapie kommen in der Regel kurz wirksame NSAR wie Ibuprofen oder Diclofenac infrage. Die länger wirksamen kommen vor allem bei chronisch entzündlichen Erkrankungen, wie Arthritis, zum Einsatz.

INFO **Welche Darreichungsformen sind geeignet?**

Manche Schmerzmittel sind nicht nur als Tabletten erhältlich, sondern auch in anderen Darreichungsformen.

- **Trinkbare Formen:** Für Menschen, die sich mit dem Schlucken von Tabletten schwertun, sind Tropfen oder Saft eine gute Alternative ebenso wie wasserlösliche Formen (Brausetabletten, -pulver), denn Schmerzmittel sollten Sie ohnehin mit reichlich Flüssigkeit einnehmen. Dadurch verteilt sich der Wirkstoff gleichmäßiger im Magen und Darm, die Wirkung setzt schneller ein und das Medikament ist besser bekömmlich. So wirkt eine azetylsalizylsäurehaltige Trinkbrause schneller und ist besser verträglich als eine Tablette.

- **Kautabletten** wirken meist schneller als herkömmliche Tabletten, sind aber den trinkbaren Formen unterlegen.

- Als **Zäpfchen** oder mit einer Art Miniklistier (Rektiole) kann das Mittel über den Enddarm eingebracht werden. Für Menschen mit Schluckbeschwerden oder Kinder kann das die Behandlung erleichtern. Allerdings wird der Wirkstoff durch die Darmwand weniger zuverlässig aufgenommen als bei den herkömmlichen Darreichungsformen. Dadurch kann es zu Wirkungsverlusten und zu Verzögerungen des Wirkeintritts um mehrere Stunden kommen.

- **Spritzen (Injektionen):** Injektionen von Schmerzmitteln **in den Muskel** (intramuskulär) haben eine höhere Komplikationsrate und wirken nicht besser als herkömmlich eingenommene. Deswegen raten Experten davon ab. Injektionen **in die Blutbahn** (intravenös) führen zu einem schnelleren Wirkeintritt und erlauben eine feinere Steuerung der Dosierung. Das Risiko für Nebenwirkungen im Bereich des Magen-Darm-Trakts, wie Blutungen oder Magengeschwüre, ist bei dieser Anwendungsform niedriger als bei Tabletten oder trinkbaren Formen. Intravenöse Injektionen können bei bestimmten Indikationen sinnvoll sein, z. B. zum frühzeitigen Abwenden einer Migräneattacke, und dürfen nur unter ärztlicher Überwachung durchgeführt werden.

- **NSAR** können auch **äußerlich** angewandt – als Salbe oder Gel – schmerzlindernd wirken. Nebenwirkungen treten dabei nur sehr selten auf und sind meist auf zeitweilige örtliche Hautreaktionen beschränkt. Allerdings ist die Eindringtiefe der Wirkstoffe nicht sehr hoch, auch wenn sie mithilfe der Iontophorese etwas verbessert werden kann. Daher kommt diese Behandlungsform nur bei relativ oberflächlichen Gewebeschmerzen infrage, etwa bei Schmerzen von Sehnenansätzen, Arthrose der Finger oder Prellungen. Gele haben dabei eine zusätzliche kühlende Komponente.

Für wen besonders geeignet? NSAR kommen vor allem für die Behandlung kurz anhaltender leichter bis mittelschwerer Schmerzen infrage. Bei Erkrankungen oder Verletzungen des Bewegungssystems können abschwellende Eigenschaften der NSAR einen zusätzlichen Vorteil gegenüber anderen Medikamenten bieten. Auch bei Tumorerkrankungen und zur Behandlung operationsbedingter Schmerzen sind NSAR dann besonders geeignet, wenn Knochen oder andere Teile des Bewegungssystems betroffen sind. Weitere Beispiele für Schmerzzustände, bei denen der Einsatz von NSAR sinnvoll sein kann, sind Migräne, menstruationsbegleitende Schmerzen und Eingeweideschmerzen.

Für wen nicht oder nur bedingt geeignet? Bei neuropathischen Schmerzen (S. 190) sind NSAR in der Regel ungeeignet. Bei Menschen mit Herz-Kreislauf-Erkrankungen, eingeschränkter Blutgerinnungsfähigkeit, Nieren- und Leberfunktionsstörungen oder Magen-Darm-Erkrankungen sollte auf eine Behandlung mit klassischen NSAR entweder ganz verzichtet werden oder diese nur kurzfristig und niedrig dosiert erfolgen.

Nebenwirkungen: NSAR sind wahrscheinlich die häufigste Ursache für Medikamenten-Folgeerkrankungen. Im Magen-Darm-Trakt kann es durch die Einnahme von NSAR zur Bildung von Schleimhautgeschwüren und teilweise lebensbedrohlichen Blutungen oder Durchbrüchen der Magen- oder Darmwand (Perforationen) kommen. Blutungen – aus Geschwüren oder anderen krankhaften Veränderungen

TIPP **Individuelle Auswahl nach Nebenwirkungsprofil**

Die einzelnen NSAR unterscheiden sich kaum in ihrer schmerztherapeutischen Wirkpotenz, sehr wohl aber hinsichtlich Art und Häufigkeit der Nebenwirkungen. Bei manchen steht das Risiko für Magen-Darm-Komplikationen an erster Stelle, andere haben ein niedrigeres Magen-Darm-Risiko, aber dafür ein höheres Risiko für Komplikationen der Blutgefäße, Nieren oder Leber.
Im Vergleich zu anderen NSAR hat Ibuprofen ein niedrigeres Risiko für Blutungen und Magen-Darm-Komplikatio-nen und ist in vielen Fällen das am besten geeignete kurzwirksame klassische NSAR. In der Gesamtabwägung von Nutzen und Risiken schneidet es auch etwas besser ab als Azetylsalizylsäure oder Parazetamol. Das heißt aber nicht, dass es völlig ohne Risiko ist.
Besprechen Sie mit Ihrem Arzt, welches Mittel sich für Sie persönlich am besten eignet. Das ist besonders wichtig für ältere Menschen und bei Begleiterkrankungen, die das Nebenwirkungsrisiko erhöhen.

BILD 1   BILD 2

der Magen- oder Darmwand oder der darin verlaufenden Blutgefäße – bilden die häufigste schwerwiegende Komplikation bei der Einnahme von NSAR. Der Entstehung von Magen- und Zwölffingerdarmgeschwüren kann bei Patienten mit erhöhtem Risiko durch die zusätzliche Einnahme eines Schleimhautschutzmittels, in der Regel eines Protonenpumpenhemmers, vorgebeugt werden. Im Hinblick auf das erhöhte Blutungsrisiko unter NSAR gilt: Durch deren Kombination mit Protonenpumpenhemmern kann das Risiko für Magen-, aber nicht für Darmblutungen gesenkt werden.

NSAR und Azetylsalizylsäure hemmen die Blutgerinnung. Das erhöht das Risiko für lebensbedrohliche Blutungen, nicht nur im Magen-Darm-Bereich, sondern auch in anderen Organen, z. B. im Gehirn. Besondere Vorsicht ist geboten bei Menschen mit Blutgerinnungsstörungen und in Kombination mit Gerinnungshemmern. Bei operativen Eingriffen muss mit einer verstärkten Blutungsneigung gerechnet werden. Weil das auch auf Zahnarztbehandlungen zutrifft, sind NSAR und vor allem Azetylsalizylsäure für die Behandlung von Zahnschmerzen ungeeignet.

Die meisten NSAR erhöhen bei längerfristiger Einnahme das Risiko für schwerwiegende Gefäßereignisse, wie Herzinfarkte und Schlaganfälle, sowie für Herzrhythmusstörungen, Nierenschäden und seltener auch Leberschäden.

NSAR können bei Menschen mit entsprechender Neigung allergische Reaktionen auslösen, mit Hautausschlägen oder Asthmaanfällen bis hin zu lebensbedrohlichen Schockzuständen.

Der regelmäßige und langfristige Gebrauch von NSAR gegen Kopfschmerzen kann – wie alle anderen Schmerzmittel – zu medikamentös bedingten, chronischen Kopfschmerzen führen.

Wechselwirkungen: Die Liste der Medikamente, die in Kombination mit einem NSAR zu ungünstigen Effekten führen können oder diese verstärken, ist lang und je nach NSAR-Typ etwas unterschiedlich.

Unter anderem bei folgenden Medikamentengruppen können teilweise schwerwiegende Wechselwirkungen auftreten:

- andere NSAR einschließlich Coxibe
- Antibabypille
- Antibiotika
- Medikamente gegen Pilzerkrankungen

BILD 1 Achten Sie darauf, Ihre Medikamente richtig zu lagern: trocken, kühl, ohne Temperaturschwankungen und außerhalb der Reichweite von Kindern.
BILD 2 Zur regelmäßigen Medikamenteneinnahme gehört auch die Uhr – viele Mittel müssen zuverlässig alle 8 Stunden (3-mal am Tag) eingenommen werden.

TIPP Vorsichtsmaßnahmen

Um schwere oder gar lebensbedrohliche Nebenwirkungen von NSAR (Ähnliches gilt für die Azetylsalizylsäure) zu vermeiden, sollten Sie Folgendes beachten:

Nehmen Sie NSAR möglichst nicht ohne vorherige **Rücksprache mit Ihrem Arzt** ein. Das gilt vor allem dann, wenn Sie unter Beschwerden im Magen-Darm-Bereich oder Atembeschwerden leiden und wenn der letzte Arztbesuch mit Herz-Kreislauf- und Laboruntersuchung einschließlich Nieren- und Leberwerten schon etliche Monate zurückliegt.

Je länger und je höher dosiert NSAR eingenommen werden, desto höher ist das Risiko für schwerwiegende Nebenwirkungen. Überschreiten Sie also weder die **Dosierungsanordnung** Ihres Arztes noch die in der Packungsbeilage genannte **Höchstdosis**. Die dort empfohlene Zeit zwischen den Medikamenteneinnahmen sollten Sie keinesfalls unterschreiten. Tritt unter der Höchstdosis keine ausreichende Schmerzlinderung ein, ist eine Ergänzung durch andere medikamentöse oder nichtmedikamentöse Maßnahmen angezeigt und gegebenenfalls auch eine komplette Umstellung der Therapie.

Die Behandlung akuter Schmerzen sollte mit **kurzwirksamen NSAR** erfolgen. Als Langzeitbehandlung chronischer Schmerzen, etwa Rückenschmerzen, sind NSAR wegen dem damit verbundenen Komplikationsrisiko in der Regel ungeeignet. Eine Dauerbehandlung und der Einsatz von mittellang und lang wirksamen NSAR-Formen sind vor allem der Behandlung chronisch entzündlicher Erkrankungen vorbehalten, etwa der rheumatoiden Arthritis.

Wenn Sie bereits vom Arzt verordnete Medikamente einnehmen, wegen der Schmerzen oder wegen einer anderen Erkrankung, dann sollten Sie **auf keinen Fall** auf eigene Faust **zusätzlich** ein frei verkäufliches Schmerzmittel einnehmen. Klären Sie im Vorfeld mit Ihrem Arzt, ob Sie bei Bedarf – z. B. bei Kopf- oder Zahnschmerzen – ein NSAR einnehmen können und welches für Sie geeignet ist.

Blutige oder pechschwarze Stühle (Teerstuhl), blutiges oder kaffeesatzartiges Erbrechen sind **Warnsignale** für eine akute Darm- oder Magenblutung. In einem solchen Fall sollten Sie sofort ärztliche Hilfe aufsuchen. Wenn innerhalb kurzer Zeit Kreislaufsymptome wie schneller Puls, niedriger Blutdruck, Schwindel, Kurzatmigkeit, Kaltschweißigkeit, Hautblässe oder bläuliche Hautverfärbung hinzukommen, rufen Sie sofort den Notarzt (Telefon 112)!

- Immunsuppressiva
- Blutgerinnungshemmer wie Phenprocoumon (Marcumar®), Warfarin (Coumadin®), Dabigatran (Pradaxa®)
- kortisonartige Arzneien (Glukokortikosteroide)
- Herz-Kreislaufmedikamente (z. B. ACE-Hemmer)
- Blutdruck- und Nierenmedikamente (z. B. Diuretika).

Für die Kombination mit morphinartigen Schmerzmitteln (S. 121) sind NSAR in der Regel gut geeignet und können bei starken Schmerzen deren Wirkung unterstützen.

Coxibe

Coxibe sind eine neuere NSAR-Form und basieren auf einem ähnlichen Wirkprinzip wie klassische NSAR. Die Unterschiede betreffen vor allem das Nebenwirkungsspektrum und Sicherheitsprofil der Wirkstoffe. Die zum Zeitpunkt der Entwicklung dieser Medikamente gehegte Hoffnung, sie seien grundsätzlich Magen-Darmfreundlicher als klassische NSAR, hat sich nicht in vollem Umfang bewahrheitet. Auch das Gesamtrisiko für schwerwiegende Nebenwirkungen ist bei Coxiben nicht niedriger als bei klassischen NSAR.

Wirkstoffe

- Celecoxib
- Etoricoxib
- Parecoxib

Wie wirken sie? Die Drosselung der Prostaglandinbildung wird bei Coxiben überwiegend über eine Hemmung der Cyclooxygenase 2 (COX-2) vermittelt. Daher nennt man die Coxibe auch COX-2-Hemmer. Coxibe wirken vergleichbar stark schmerzstillend wie klassische NSAR. Zusätzlich wirken sie der Bildung von Schleimhautwucherungen im Darm (Polypen) entgegen; ob es ähnliche Effekte bei konventionellen NSAR gibt, ist unklar.

Für wen besonders geeignet? Prinzipiell sind Coxibe zur Behandlung der gleichen Schmerzzustände geeignet wie klassische NSAR.

Für wen nicht oder nur bedingt geeignet? Auch das Risiko- und Nebenwirkungsprofil der Coxibe und die sich daraus ergebenden Anwendungsbeschränkungen sind mit denen bei klassischen NSAR vergleichbar. Dabei zählen Coxibe eher zu den magen- und darmverträglicheren NSAR. Bei einem hohen Risiko für Magen-Darm-Blutungen, etwa bei einer Magenblutung in der Vorgeschichte, sollte man aber möglichst auf ein Nicht-NSAR ausweichen. Nur wenn das nicht möglich ist, und nur in Kombination mit einem Protonenpumpenhemmer, ist dann die Gabe eines vergleichsweise Magen-Darm-freundlichen klassischen NSAR wie Ibuprofen oder eines Coxibs vertretbar.

Nebenwirkungen: Bezüglich Herz-, Kreislauf- und Nierennebenwirkungen sind Coxibe mit konventionellen NSAR vergleichbar. Besonders zu Beginn der Behandlung kann sich der Blutdruck erhöhen und es können Wasseransammlungen (Ödeme) in den Beinen auftreten. Dann muss der Arzt kurzfristig entscheiden, ob das Medikament abgesetzt werden sollte. Blutdruckmessungen alle drei Tage sind ratsam. Wie bei allen NSAR steigt das Nebenwirkungsrisiko mit der Dosierung und der Dauer der Behandlung. Von einer Dauerbehandlung ist abzuraten.

Wechselwirkungen: Bei Coxiben sind ähnliche Wechselwirkungen mit anderen Medikamenten möglich wie bei klassischen NSAR. Werden Coxibe beispielsweise mit – auch niedrig dosierter – Azetylsalizylsäure kombiniert, dann geht das mit einem erhöhten Risiko für Magen-Darm-Komplikationen einher.

Azetylsalizylsäure (z. B. Aspirin®)

Wie wirkt sie? Die Urgroßmutter der NSAR heißt Azetylsalizylsäure, geläufiger unter Aspirin® von Bayer. Seit 1899 ist die Substanz im Handel. Ihre schmerzlindernde, entzündungshemmende und fiebersenkende Wirkung beruht wie die der NSAR auf einer Hemmung der COX 1 und 2. Bereits in niedrigeren, schmerztherapeutisch unwirksamen Dosierungen hemmt Azetylsalizylsäure die Blutgerinnung. Daher wird sie auch zur Vorbeugung von Gefäßverschlüssen wie Herzinfarkt oder Schlaganfall verwendet.

Für wen besonders geeignet? Zur kurzfristigen Behandlung akuter Schmerzen bei Erwachsenen ist Azetylsalizylsäure prinzipiell geeignet. In der medikamentösen Behandlung leichter bis mittelschwerer Kopfschmerzen beispielsweise zählt es zu den Mitteln der ersten Wahl (S. 177). Eine schmerzlindernde Wirkung wird durch die Einnahme von 500 – 1000 mg Azetylsalizylsäure erreicht.

Für wen nicht oder nur bedingt geeignet? Wenn eine ausgeprägte oder länger anhaltende Entzündungshemmung gewünscht wird, wie bei einer Arthritis, wären höhere Dosierungen oder eine häufigere Einnahme von Azetylsalizylsäure erforderlich; beides geht aber mit einem deutlich gesteigerten Nebenwirkungsrisiko einher. NSAR sind dann in der Regel der Azetylsalizylsäure vorzuziehen. Bereits niedriger dosierte Azetylsalizylsäure kann Nebenwirkungen verursachen, die denen der NSAR sehr ähnlich sind. Menschen mit Asthma sollten keine Azetylsalizylsäure einnehmen, weil es bei ihnen Asthmaanfälle auslösen kann.

Die vorstehend für NSAR beschriebenen Nebenwirkungen, Risiken, Vorsichtsmaßnahmen und Wechselwirkungen gelten prinzipiell auch für Azetylsalizylsäure. Medikamente, die nicht zusammen mit NSAR eingenommen werden sollten, um eine Verstärkung solcher Nebenwirkungen zu vermeiden, sind in der Regel auch nicht mit Azetylsalizylsäure zu kombinieren. Die Kombination von Azetylsalizylsäure mit bestimmten Antidepressiva (SSRI;

S. 132) oder mit alkoholischen Getränken ist wegen der möglichen Verstärkung von Magen-Darm- und Blutungsnebenwirkungen ebenfalls zu vermeiden. Zudem kann Azetylsalizylsäure die Wirkung und Nebenwirkungen mancher Mittel gegen Anfallsleiden (Epilepsie) und bestimmter Medikamente gegen Diabetes (Zuckerkrankheit) verstärken.

▰ FÜR KINDER UNGEEIGNET

Wegen des Risikos für ein **Reye-Syndrom**, eine seltene, aber schwerwiegende Komplikation mit Leber- und Gehirnschäden, sollten Kinder unter zwölf Jahren grundsätzlich keine Azetylsalizylsäure-haltigen Medikamente gegen Schmerzen oder Fieber einnehmen.

Parazetamol

Wie wirkt es? Obwohl der Wirkstoff bereits 1893 entdeckt wurde und seit 1955 zur Behandlung von Schmerzen und Fieber eingesetzt wird, ist sein biochemischer Wirkmechanismus immer noch weitgehend ungeklärt. Es wirkt weniger stark entzündungshemmend als NSAR.

Für wen besonders geeignet? Parazetamol ist vor allem für die Behandlung leichter, kurz andauernder Schmerzen im Erwachsenen- und Kindesalter geeignet. Liegt ein erhöhtes Risiko für Magen-, Darm- oder Blutungsnebenwirkungen vor, dann kann Parazetamol als verträglichere Alternative zu klassischen NSAR oder Azetylsalizylsäure eingesetzt werden.

Für wen nicht oder nur bedingt geeignet? Bei starken Schmerzen, chronischen Schmerzen und bei Schmerzzuständen mit einer ausgeprägten entzündlichen Komponente, wie bei rheumatischen Erkrankungen, ist Parazetamol in der Regel nicht geeignet. Bei mittelschweren Schmerzen erwies sich Parazetamol in mehreren Studien gegenüber NSAR und gegenüber Metamizol als unterlegen und scheint dafür nur bedingt geeignet. Menschen mit Leber- und Nierenfunktionsstörungen, Mangelernährung und mangelnder Flüssigkeitsversorgung des Körpers (Dehydratation) sollten Parazetamol nicht einnehmen.

Menschen mit erhöhtem Alkoholkonsum sollten grundsätzlich kein Parazetamol einnehmen, weil ihre Leber möglicherweise schon in ihrer Funktion eingeschränkt ist und damit anfälliger für mögliche Schädigungen durch Parazetamol. Als grobe Richtschnur für „erhöhten Alkoholkonsum" gilt das regelmäßige Trinken von drei Gläsern alkoholischer Getränke am Tag. Eine eingeschränkte Leberfunktion bleibt in der Regel jahrelang für die Betroffenen unbemerkt. Fragen Sie im Zweifelsfall immer zuerst Ihren Arzt.

▰ SCHMERZMITTEL KÖNNEN IMPFUNGEN BEEINTRÄCHTIGEN

Forscher konnten kürzlich nachweisen, dass die Einnahme von Parazetamol bei Kindern die Immunantwort auf Impfungen beeinträchtigen kann. Vermutlich gilt das auch für andere Schmerzmittel, die über eine Hemmung der Prostaglandinsynthese wirken, also Azetylsalizylsäure und NSAR einschließlich Coxibe. Während einer Impfung und in den Tagen danach sollten diese Medikamente also vorsichtshalber nicht eingenommen werden.

Nebenwirkungen: Im therapeutischen Dosisbereich sind schwerwiegende Nebenwirkungen selten. Allerdings ist der Abstand zwischen therapeutisch wirksamer Dosis und schädlicher Überdosis geringer als bei vielen anderen Arzneimitteln. Parazetamol ist die häufigste Ursache für Arzneimittelvergiftungen – versehentliche oder aus Selbsttötungsabsicht. Parazetamol kann – insbesondere in hohen Dosierungen – die Leber und seltener auch die Niere nachhaltig schädigen. Das Risiko für schwere Nierenschäden ist unter parazetamolhaltigen Kombinationspräparaten höher als unter der Einzelsubstanz.

Neuere Studien haben gezeigt, dass Säuglinge und Kleinkinder, die Parazetamol erhalten, ein erhöhtes Risiko haben, später an Asthma, „Heuschnupfen" (allergische Rhinitis) oder allergischen Hautausschlägen zu erkranken.

VORSICHTSMASSNAHMEN

Beachten Sie bei der Behandlung von Kindern besonders sorgfältig die Tageshöchstdosis in der Packungsbeilage.
- Bei Kindern und Jugendlichen gelten wie bei den meisten Medikamenten niedrigere Höchstdosen

- Vorsicht Verwechslung! Immer wieder wurden Kinder versehentlich mit einer Überdosis Parazetamolsaft behandelt, in einem Fall mit Todesfolge. Der Grund war die Verwechslung von mg (Milligramm) mit der für die Bemessung der Saftmenge entscheidenden Maßeinheit ml (Milliliter).
- Entziehen Sie Arzneimittel gewissenhaft dem Zugriff von Kindern und von Menschen mit Gehirnleistungsstörungen, wie etwa Demenz.

Wechselwirkungen: Folgende Medikamente können die Leber für schädigende Wirkungen von Parazetamol empfindlicher machen:
- Phenobarbital (Narkosemittel)
- Phenytoin und Carbamazepin (Medikamente gegen Epilepsie)

Auch mit NSAR, Azetylsalizylsäure oder Glukokortikoiden sollte Parazetamol nicht kombiniert werden, weil es das Risiko für die Nebenwirkungen des jeweiligen Medikaments erhöhen kann.

Riskante Kombinationspräparate

Arzneimittel, die mehrere Wirkstoffe enthalten, wie etwa Azetylsalizylsäure und Parazetamol sowie koffeinhaltige Kombinationen, zählen zu den meistverkauften rezeptfreien Schmerzmitteln. Sie sind jedoch nur wenig geeignet. Was die Wirksamkeit betrifft, sind sie im Vergleich mit den Einzelwirkstoffen in der entsprechenden Dosierung nämlich kaum oder gar nicht überlegen; das Risiko für Neben-

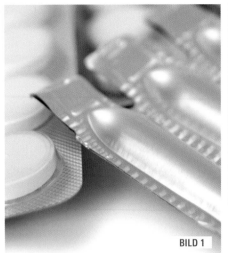

BILD 1 **BILD 2**

wirkungen ist jedoch unter den Kombiprä-
paraten höher, weil jeder Kombinations-
partner andere Nebenwirkungen auslösen
kann. Der Zusatz von Koffein mit seiner
psychisch anregenden Wirkung begünstigt auch, dass man sich an die Einnahme
von Schmerzmitteln schnell gewöhnt (S.
127) und dann mehr davon einnimmt als
notwendig und sinnvoll. Vertretbar – wenn
auch unnötig – ist der Zusatz von Vitami-
nen (Näheres zu Vitaminpräparaten und
anderen Nahrungsergänzungsmitteln auf
S. 161). Dann kann die Darreichungsform
das entscheidende Kriterium sein: Ob mit
oder ohne Vitaminzusatz: Meist ist eine
„Trinkbrause" besser als eine Tablette.

Metamizol

Wie wirkt es? Metamizol wirkt stark
schmerzlindernd und fiebersenkend, jedoch kaum entzündungshemmend. Eine
Besonderheit des Medikaments ist, dass
es bei kolikartigen Schmerzen schnell und
zuverlässig wirkt. Wegen möglicher Nebenwirkungen wurde die Zulassung dieses rezeptpflichtigen Medikaments eingeschränkt. Es soll nur bei Schmerzen oder
hohem Fieber eingesetzt werden, die auf
andere Maßnahmen nicht ansprechen.

Für wen besonders geeignet? Bei kolikartigen Schmerzen, wie Gallen- oder
Nierenkoliken, und bei Blasenschmerzen
ist Metamizol in der Regel wirksam. Auch
operationsbedingte Schmerzen, vor allem
bei Operationen an den Bauchorganen,
am harn- ableitenden System und im Ge-
nitalbereich, sprechen meistens gut auf
das Medikament an. Weil jedoch unter
der Behandlung schwere und teilweise
sogar lebensbedrohliche Blutbildveränderungen und Schockzustände auftreten
können, ist Metamizol nur eingeschränkt
zu empfehlen. Ausschließlich im Rahmen
eines multimodalen Behandlungskonzepts
und nur in der Hand eines schmerztherapeutisch kompetenten Arztes macht es
Sinn.

Für wen nicht oder nur bedingt geeignet? Für Patienten mit Knochen- und
Gelenkschmerzen kommt Metamizol
nur dann infrage, wenn sie NSAR nicht
vertragen oder diese aufgrund vonBe-
gleiterkrankungen zu risikoreich wären.
Liegt eine Allergie gegen Metamizol vor,
dann sollte es selbstverständlich nicht
angewandt werden, aber auch bei Allergien gegen andere Medikamente ist

BILD 1 + 2 Welche Darreichungsform die richtige ist, hängt von vielerlei ab. Zäpfchen gelten nicht mehr als zuverlässige Arzneiform. Brausetabletten dagegen haben einen großen Vorteil, sie liefern ausreichend Flüssigkeit gleich mit.

Vorsicht geboten. Bei eingeschränkter Leber- oder Nierenfunktion muss die Dosis vom Arzt angepasst werden. Die langfristige Wirksamkeit kann auf Grundlage der bisherigen Studien nicht beurteilt werden.

Nebenwirkungen: Unter der Behandlung können Übelkeit oder Magenbeschwerden auftreten. Seltener sind Müdigkeit und Konzentrationsstörungen. Der fiebersenkende Effekt kann mit starkem Schwitzen einhergehen.

Selten kann es auch zu schwerwiegenden Nebenwirkungen kommen. Dazu zählen schwere allergische Reaktionen mit Atemnot oder lebensbedrohlichen Schockzuständen und schwerwiegende Hauterkrankungen. Auch lebensbedrohliche Blutbildveränderungen (Agranulozytose) können auftreten. Sie erfordern das sofortige Absetzen des Medikaments. Fieber, Halsschmerzen und Schüttelfrost können Frühzeichen einer Blutbildveränderung sein. Oft bleibt sie aber für den Patienten völlig unbemerkt und dann kann es gefährlich werden. Wichtig sind daher regelmäßige Blutbildkontrollen, besonders in den ersten Wochen der Behandlung.

 HINWEIS ZUR VERKEHRS- UND ARBEITSSICHERHEIT

Wenn Sie Metamizol in höherer Dosierung einnehmen, sollten Sie kein Fahrzeug lenken, keine Maschinen bedienen und keine Arbeiten ohne sicheren Halt verrichten.

Wechselwirkungen: Metamizol kann die Wirkung von Ciclosporin beeinträchtigen, das ist ein Immunsuppressivum, das nach Organverpflanzungen eingenommen wird, um eine Organabstoßung zu verhindern.

Phenazon und Propyphenazon

Diese rezeptfrei in der Apotheke erhältlichen Schmerzmittel gehören derselben Wirkstoffgruppe an wie das Metamizol, nämlich den Pyrazolonen. Sie wirken schmerzlindernd und fiebersenkend, sind aber hinsichtlich Wirkungen und Risiken nur unzureichend erforscht. So ist beispielsweise unklar, ob in ähnlicher Weise wie beim Metamizol ein bedeutsames Risiko für Blutbildveränderungen besteht. Deswegen sind andere hier genannte Schmerzmittel vorzuziehen.

Kortikosteroide

Mediziner bezeichnen sie auch als Glukokortikosteroide oder Glukokortikoide, der Volksmund nennt sie pauschal Kortison, aber das ist nicht ganz korrekt. Richtig ist, dass diese Medikamente chemisch mit dem Nebennierenrindenhormon Kortison verwandt sind, sich aber auch erheblich davon unterscheiden. Vor allem sind Kortikosteroide sehr viel besser verträglich als eine vergleichbar wirksame Dosis Kortison. Kortikosteroide werden in vielen Bereichen der Medizin eingesetzt, überwiegend wegen ihrer entzündungshemmenden, aber auch wegen ihren schmerzlindernden Eigenschaften – obwohl sie keine Schmerzmittel im engeren Sinn sind.

Wirkstoffe
- Betamethason
- Cloprednol
- Dexamethason
- Hydrocortison
- Methylprednisolon
- Prednisolon
- Prednison
- Triamcinolon

Wie wirken sie? Kortison und Kortikosteroide haben eine Vielzahl biologischer Wirkungen. Schmerztherapeutisch von Bedeutung ist, dass sie die Ausschüttung von entzündungsfördernden und schmerzverstärkenden Botenstoffen hemmen. Wasseransammlungen im Gewebe können sich unter der Behandlung mit Kortikosteroiden zurückbilden. Das entlastet schmerzempfindliches Gewebe, verbessert Durchblutung und Lymphabfluss und lindert auch dadurch Schmerzen. Zudem können sich Kortikosteroide bei Schmerzpatienten positiv auf die Stimmung auswirken und den Appetit anregen.

Darreichungsformen: Kortikosteroide stehen in unterschiedlichen Darreichungsformen zur Verfügung. Für die Schmerztherapie sind vor allem die systemischen Darreichungsformen von Bedeutung, wie Tabletten, Zäpfchen und Spritzen in die Blutbahn (intravenös). Bei Gelenkerkrankungen können Kortikosteroide auch direkt in das betroffene Gelenk (intraartikulär) gespritzt werden. Auch Hyaluronsäure eignet sich dazu. Deren schmerz-

lindernde Wirkung scheint laut Studien zwar etwas später einzusetzen, aber dafür mehrere Wochen länger anzuhalten als bei Kortikosteroiden. Um zuverlässig zu klären, ob intraartikulär verabreichte Hyaluronsäure wirklich länger wirkt als die von Kortikosteroiden, sind aber noch weitere Studien notwendig. Beide Varianten sind vergleichbar gut verträglich.

Für wen besonders geeignet? Systemisch angewendete Kortikosteroide gehören zu den Standardmedikamenten in der Behandlung chronisch entzündlicher Erkrankungen, wie einer Arthritis, und wirken dabei auch stark schmerzlindernd. Für die Schmerztherapie bei Patienten mit fortgeschrittenen Tumorerkrankungen, besonders bei Ausbreitung der Krankheit in die Knochen, sind Kortikosteroide ebenfalls geeignet.

Für wen nicht oder nur bedingt geeignet? Weil es zur Behandlung leichter Schmerzen nebenwirkungsärmere – medikamentöse und nichtmedikamentöse – Alternativen gibt, sind Kortikosteroide dafür nicht geeignet. Bei chronischen Schmerzen des Bewegungssystems und degenerativen Gelenkerkrankungen, die nicht in erster Linie entzündlich bedingt sind (z. B. chronischen Rückenschmerzen, Arthrose), ist der erwartete Nutzen der Behandlung sehr sorgfältig mit den möglichen Langzeitnebenwirkungen abzuwägen. Bei folgenden Erkrankungen sollten Kortikosteroide nicht angewandt werden:

- während eines Infekts (Kortikosteroide dämpfen die Immunabwehr) wie z. B. Erkältungen, fieberhaften Infekten, Husten unklarer Ursache, Hautinfektionen, Lippenbläschen (Herpes)
- Augenerkrankungen wie grüner oder grauer Star (Glaukom oder Katarakt)
- Magen- oder Darmgeschwüre
- unbehandelter Bluthochdruck
- Psychosen
- Zuckerkrankheit (Diabetes mellitus) mit schwer kontrollierbaren Blutzuckerwerten
- ausgeprägter Knochenschwund (Osteoporose)
- Blutgerinnsel (Thrombosen) in den Adern oder die Neigung dazu.

Kurzfristige Nebenwirkungen (innerhalb von Stunden bis Tagen):
- Erhöhung des Blutzuckers
- Schlafstörungen
- Verstärkung einer Neigung zu Krampfanfällen (Epilepsie)
- Verwirrtheitszustände
- erhöhte Anfälligkeit für Infektionskrankheiten
- Gewichtszunahme
- Neigung zur Bildung von Blutgerinnseln (Thrombosen)
- Störungen des Elektrolythaushalts, evtl. mit Wasseransammlungen im Gewebe (Ödeme).
-

Mittelfristige Nebenwirkungen (innerhalb von Wochen bis Monaten):
- Knochenschwund (Osteoporose)

- Absterben von Knochengewebe (Knochennekrose)
- Muskelschwund (Myopathie)
- Magen-Darm-Geschwüre
- Hyperkortisolimus (Cushing-Syndrom), äußert sich u. a. in einem aufgeschwemmtem Gesicht, Rückbildung der Keimdrüsen (Hoden, Eierstöcke), Muskelschwäche, verstärkter Körperbehaarung (Hirsutismus).

Wechselwirkungen:
- Kortikosteroide sollten nicht mit NSAR, Azetylsalizylsäure oder Parazetamol kombiniert werden, denn das Risiko für Magen-Darm-Komplikationen steigt dadurch erheblich.
- Die Antibabypille kann Wirkung und Nebenwirkungen von Kortikosteroiden verstärken.
- Viele Epilepsiemedikamente und das Tuberkulosemittel Rifampizin können die Wirkung von Kortikosteroiden abschwächen.
- Glukokortikoide können die Wirkung folgender Medikamente beeinträchtigen:
Blutgerinnungshemmer
Insulin
blutzuckersenkende Medikamente
- Manche Kortikosteroide verstärken die Elektrolytverluste, die durch bestimmte Blutdruck- und Nierenmedikamente – Diuretika – verursacht werden.

MORPHIN UND MORPHINÄHNLICHE SCHMERZMITTEL

Bereits auf Schrifttafeln der Sumerer aus dem 4. Jahrtausend v. Chr. wird die Verwendung des Schlafmohns – lat. papaver somniferum – beschrieben und auch in anderen Kulturen gehört er zu den Schmerzmitteln jahrtausendealter Tradition. Ebenfalls seit Jahrtausenden wird Opium, der eingedickte Saft der Schlafmohnkapseln, als Rauschmittel verwendet.

Vor gut 200 Jahren identifizierte ein 21-jähriger Paderborner Apothekengehilfe namens Friedrich Sertürner den wichtigsten arzneilich wirksamen Inhaltsstoff aus dem milchigen Schlafmohnsaft – das Morphin. Morphin und andere schmerzlindernde Bestandteile des Schlafmohns, wie Codein, bezeichnet man als Opiate. Diese und eine ganze Reihe chemisch ähnlicher Substanzen werden wiederum unter dem Begriff Opioide zusammengefasst. Opioide stellen auch heute noch eine der zentralen Säulen der medikamentösen Schmerztherapie dar.

Wirkstoffe

- schwach wirksam
  Codein
  Dihydrocodein
  Tilidin
  Tramadol
- stark wirksam
  Buprenorphin
  Fentanyl
  Hydromorphon
  Levomethadon
  Morphin
  Oxycodon
  Pethidin
  Piritramid
  Tapentadol

Wie wirken sie? Vom Ort der Schmerzentstehung über Nerven und Rückenmark bis in bestimmte Gehirnzentren – an praktisch allen wichtigen Schmerz-Schaltstellen des Nervensystems befinden sich viele Milliarden von Opiatrezeptoren. Das sind Andockstellen für Endorphine, eine Art körpereigener Morphine, die als biologische Antwort auf Schmerzen ausgeschüttet werden, Schmerzen lindern und ihnen vorbeugen. Auch bei extremer körperlicher Belastung – wie bei einem Marathonlauf – und bei psychisch belastenden Ereignissen schüttet der Körper Endorphine aus. Im Gehirn bewirken diese neben der Schmerzlinderung auch eine Anhebung der Stimmungslage, Beruhigung, Entspannung und fördern den Schlaf; Morpheus, nach dem das Morphin benannt ist, hieß in der griechischen Antike der Gott der Träume.

Tapentadol und Tramadol wirken nicht nur über Opiatrezeptoren, sondern zusätzlich – ähnlich wie die meisten Antidepressiva – als Wiederaufnahmehemmer von Noradrenalin (Seite 132), Tramadol auch von Serotonin. Bestimmte Antidepressiva sind wirksam in der Behandlung neuropathischer Schmerzen, gegebenenfalls auch in Kombination mit Opioiden. Ob Tramadol oder Tapentadol aufgrund ihres besonderen Wirkmechanismus für die Behandlung neuropathischer Schmerzen besser geeignet sind als Opioide, die nur über Opiatrezeptoren wirken, ist noch unklar (Stand: Juni 2012).

Starke und schwache Opioide

Die Einteilung in stark und schwach wirksame Opioide ist vor allem für deren Dosierung von Bedeutung: Die Wirkung hängt überwiegend davon ab, wie viele Opiatrezeptoren aktiviert werden und wie stark diese Aktivierung ist. Auf die eigentliche schmerzstillende Wirkung und auf die Intensität von Nebenwirkungen im konkreten Einzelfall lassen sich daraus keine Rückschlüsse ziehen. Jeder Patient und jede Patientin brauchen ihre individuelle Dosierung. Eine niedrige Dosis eines starken Opioids ist dabei oft besser verträglich als eine hohe Dosis eines „schwachen" Opioids – bei vergleichbarer Wirksamkeit. Übrigens haben auch schwache Opioide ein Suchtpotenzial (S. 125), wenn auch ein geringeres als starke Opioide. Auch die Einteilung von Opioiden in „starke" und Nicht-Opioiden in „schwache" Schmerzmittel wird aufgrund neuerer

---

INFO **Transdermale therapeutische Systeme – keine harmlosen Pflästerchen**

Transdermale therapeutische Systeme (TTS) sind Pflaster, die auf die Haut aufgeklebt werden und das Opioid nach und nach in die Haut freisetzen. Pflaster klingt harmlos, sollte aber nicht darüber hinwegtäuschen, dass es sich bei den beiden in Pflasterform verfügbaren Wirkstoffen – Fentanyl und Buprenorphin – um hochpotente Opioide handelt und dass diese durch die Haut in den Blutkreislauf abgegeben werden. Für Patienten mit Schluckstörungen mag das eine große Erleichterung bedeuten, hat aber auch Nachteile. So kann die Zufuhr des Opioids – etwa bei einer versehentlichen Überdosierung – nicht schnell abgebrochen werden, weil es sich in der Haut ansammelt und auch nach Entfernen des Pflasters noch bis zu 12 Stunden lang weiter ins Blut abgegeben wird. Für stark schwankende Schmerzen sind Pflaster ungeeignet, Schmerzspitzen werden nur unzureichend abgefangen. Viele Patienten, die heute mit Opioid-Pflastern behandelt werden, benötigen eine zusätzliche Bedarfsmedikation. Das ist im Hinblick auf die Entstehung von Abhängigkeiten ungünstig. Pflaster eignen sich nicht für den Beginn einer Opioidtherapie. Erst wenn mit einer anderen Darreichungsform die notwendige Dosierung ermittelt worden ist und diese über eine Pflaster erreicht werden kann, kommt die Umstellung auf ein Pflaster in Frage.

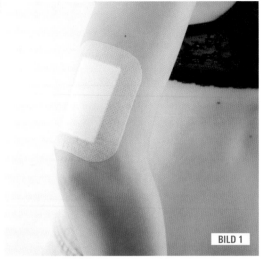

BILD 1

BILD 2

Erkenntnisse immer mehr infrage gestellt. In manchen Situationen wirken Mittel mit Nicht-Opioiden genauso gut oder besser als Opioide, in anderen Situationen ist es umgekehrt. Es gibt zudem Patienten, die auf Opioide grundsätzlich nicht oder nur völlig unzureichend ansprechen.

Darreichungsformen: Das Spektrum der verfügbaren Darreichungsformen variiert je nach Opioid. Grundsätzlich gibt es folgende Varianten:

- Tabletten und Kapseln
- Trinkbare Formen: Tropfen und wasserlösliche Zubereitungen
- Zäpfchen
- Arzneipflaster (s. Seite 121)
- Lösungen für Spritzen und Infusionen („Tropf")
- Nasenspray.

Für wen besonders geeignet? Opioide sind in erster Linie zur Behandlung akuter starker Schmerzen geeignet. Dazu zählen verletzungs- und operationsbedingte Schmerzen, starke Schmerzen aufgrund von Tumorerkrankungen, Erkrankungen der inneren Organe, etwa bei einem Herzinfarkt, einer Bauchspeicheldrüsenentzündung, Koliken oder akute Schmerzen aufgrund einer Mangeldurchblutung, etwa durch einen akuten Gefäßverschluss.

Bei chronischen Schmerzen ist die Wirksamkeit von Opioiden für eine Behandlungsdauer bis zu drei Monaten gut belegt. Das trifft unter anderem auf chronische Schmerzen des Bewegungssystems zu. Eine gute und über längere Zeit stabile Wirkung ist bei den Patienten mit chronischen Schmerzen zu erwarten, die bereits zu Beginn der Opioidtherapie eine deutliche Schmerzlinderung und wenig Nebenwirkungen erleben. Etwa ein Drittel aller Patienten mit Rückenschmerzen brechen die Opioidtherapie aber wieder ab, meistens wegen Nebenwirkungen.

Für wen nicht oder nur bedingt geeignet? Entgegen früheren Meinungen können Opioide grundsätzlich auch bei neuropathischen Schmerzen (S. 190), wie bei einer diabetischen Polyneuropathie oder bei einer Zoster-Neuralgie schmerzlindernd wirken; allerdings sind sie bei diesen Erkrankungen nicht die Medikamentengruppe der ersten Wahl. Nicht angezeigt sind Opioide bei Schmerzen, die ausschließlich attackenartig auftreten, beispielsweise bei der Trigeminusneuralgie

BILD 1 Per Pflaster – für manche die beste Methode, um ihr Medikament „einzunehmen".
BILD 2 Schlafmohnkapseln liefern den Menschen schon seit Jahrtausenden ihren wirksamen Saft.

(S. 190), oder ausschließlich unter Belastung, wie bei der peripheren arteriellen Verschlusskrankheit oder bestimmten Knochenbrüchen.

Oft unwirksam und immer riskant ist die Verordnung von Opioiden bei Menschen, deren Schmerzzustände nicht auf eine körperliche Ursache zurückgeführt werden können, und bei Menschen mit Schmerzen, bei deren Entstehung oder Aufrechterhaltung psychische oder psychosomatische Faktoren eine zentrale Rolle spielen. Diese Patienten haben ein sehr hohes Risiko, eine Medikamentenabhängigkeit zu entwickeln. Vor jeder Opioidverordnung sollte daher immer eine einge-

INFO Ihre aktive Mitarbeit ist entscheidend

Nicht alle Patienten sprechen gleich gut auf Opioide an und auch die schmerztherapeutisch notwendige und vertragene Dosierung ist individuell sehr unterschiedlich. Das gilt auch für Patienten mit derselben Erkrankung und auch dann, wenn eine Opioidtherapie grundsätzlich angezeigt ist. Ist gar kein oder kaum ein schmerzlindernder Effekt zu erreichen, dann sollte die Dosis nur dann vorsichtig gesteigert werden, wenn die Nebenwirkungen für den Patienten erträglich sind. Gegebenenfalls können Nebenwirkungen durch eine Zusatzmedikation gelindert werden. Eine weitere Alternative ist die ergänzende Einnahme eines Nicht-Opioids oder der Wechsel zu einem anderen Opioid. Auch die Möglichkeit nichtmedikamentöser Maßnahmen muss, vor allem im Hinblick auf die längerfristige Behandlung, immer im Auge behalten werden.

Weil die Behandlung mit Opioiden immer eine maßgeschneiderte sein muss und der regelmäßigen Feinregulation bedarf, ist es besonders wichtig, dass Sie Ihre Medikamente sehr gewissenhaft entsprechend der ärztlichen Verordnung einnehmen und die Einnahme zusammen mit ihrer Befindlichkeit, der Schmerzstärke, Nebenwirkungen etc. in einem Schmerztagebuch dokumentieren.

Ein zusätzliches Instrument zur Überwachung der Opioidzufuhr sind regelmäßige Urinuntersuchungen auf Schmerzmittel und deren Abbauprodukte. Um Fehler bei der Einnahme zu vermeiden, die schnell in ein erhöhtes Abhängigkeitsrisiko (S. 125) münden können, verlangen viele Schmerztherapeuten von ihren Patienten, dass sie sich vor Beginn der Behandlung mit solchen Urinscreenings einverstanden erklären. Auch wenn Sie sich für eine sehr gewissenhafte Person halten, empfehlen wir Ihnen, dieser Maßnahme zuzustimmen; sie dient ausschließlich Ihrer eigenen Sicherheit.

hende Diagnostik erfolgen, die neben einer körpermedizinisch versierten immer auch eine psychotherapeutisch oder psychosomatisch kompetente Person einschließen sollte.

Zur Behandlung von Kopfschmerzen einschließlich Migräne sind Opioide meist ungeeignet. Auch bei Schmerzen im Rahmen von chronischen Darmerkrankungen sind Opioide nur sehr selten angezeigt.

Schmerzen, die teilweise oder überwiegend entzündlich bedingt sind, sprechen oft besser auf NSAR (S. 107) an als auf Opioide. Das gilt für viele schmerzhafte Gelenk- und Knochenerkrankungen. Die Kombination mit Opioiden kann dann dazu dienen, die NSAR-Dosierung niedrig zu halten, was bei diesen Medikamenten erheblich dazu beiträgt, das Nebenwirkungs- und Komplikationsrisiko zu senken.

Verträglichkeit und Sicherheit: Bei sorgfältiger Indikationsstellung und Beachtung einiger Vorsichtsmaßnahmen sind Opioide sehr gut verträgliche Medikamente. Die Verträglichkeit der verschiedenen Arzneimittel kann etwas variieren. Oft ist es dann aber nicht das Opioid selbst, das den Unterschied macht, sondern Zusatzstoffe, die von verschiedenen Menschen unterschiedlich gut vertragen werden. Bei starken Nebenwirkungen lohnt sich also manchmal der Versuch, auf ein anderes opioidhaltiges Arzneimittel zu wechseln.

Häufige Nebenwirkungen sind
- Darmträgheit, Verstopfung

- Übelkeit und Erbrechen, vor allem in den ersten ein bis zwei Wochen der Behandlung
- Schwierigkeiten beim Wasserlassen
- Müdigkeit, Benommenheit
- Verlangsamung von Denken/Handeln
- Schlafstörungen (obwohl Opioide bei den meisten Schmerzpatienten eher schlaffördernd wirken) und Albträume
- Beeinträchtigung der Stimmungslage, Niedergeschlagenheit.

Folgende Nebenwirkungen sind seltener oder ihre Häufigkeit ist ungeklärt:
- Juckreiz
- Hormonelle Störungen
Ausbleiben der Menstruation
Milchfluss bei nicht stillenden Frauen
Störungen sexueller Funktionen, wie Impotenz, Verlust des sexuellen Verlangens (Libido)
- Asthma (anfallsartige Atemnot)
- Schmerzüberempfindlichkeit.

In Einzelfällen traten auf:
- lebensbedrohliche Atemlähmungen, vor allem unter Behandlungen mit Opioidpflastern, bei denen nicht vorher die richtige Dosierung mit einer anderen Darreichungsform ermittelt wurde (S. 121/Transdermale therapeutische Systeme).
- Ödeme (Wasseransammlungen im Gewebe)
- Symptome einer Psychose, wie Stimmenhören, Wahngedanken
- Muskelzuckungen
- Gelenkschmerzen.

HINWEIS ZUR VERKEHRS- UND ARBEITSSICHERHEIT

Die Einnahme von Opioiden kann die Wachheit, Konzentrations- und Reaktionsfähigkeit einschränken. Das Lenken von Fahrzeugen und das Durchführen anderer Tätigkeiten, die aus Sicherheitsgründen die uneingeschränkte Aufmerksamkeit erfordern, wie das Steuern von Maschinen oder Arbeiten mit einem erhöhten Sturzrisiko, beispielsweise auf einem Baugerüst, darf nur unter Vorbehalt und nur nach ärztlicher Einschätzung erfolgen.

Wechselwirkungen: Die Kombination mehrerer Opioide ist in der Regel unsinnig und kann sogar die Gesamtwirkung abschwächen. Die Kombination mit Nicht-Opioid-Analgetika kann dagegen unter bestimmten Voraussetzungen sinnvoll sein. Bei neuropathischen Schmerzen kann durch die Kombination eines Opioids mit einem Antikonvulsivum (S. 139) oder einem Antidepressivum (S. 132) die schmerztherapeutische Wirkung gesteigert werden.

Wirkung oder Nebenwirkungen von Opioiden – einschließlich der atemlähmenden Wirkung – können unter anderem durch folgende Arzneimittelgruppen verstärkt oder verlängert werden:

- Beruhigungsmittel
- Schlafmittel
- manche Medikamente gegen psychische Erkrankungen
- manche Medikamente gegen Schüttellähmung (Morbus Parkinson)
- manche Mittel gegen Allergien
- manche Mittel gegen Sodbrennen
- Ritonavir (bei HIV-Infektion)
- Mittel gegen Pilzinfektionen
- manche Mittel gegen Bluthochdruck.

Alkoholika können die atemlähmende Wirkung von Opioiden verstärken und zu einer zu raschen Freisetzung des Wirkstoffs bei retardierten Präparaten führen.

Abhängigkeit und Sucht

Vor allem wenn sie falsch angewandt werden, bergen Opioide ein hohes Risiko, eine Suchterkrankung auszulösen. Das trifft auch auf andere Schmerzmittel zu, beispielsweise auf NMDA-Antagonisten wie Ketamin (S. 141). Werden Opioide für längere Zeit angewandt, dann tritt immer eine körperliche Abhängigkeit ein. Das ist aber nicht mit Sucht gleichzusetzen, sondern bedeutet nur, dass der Körper sich auf eine regelmäßige Opioidzufuhr eingestellt hat und beim Absetzen des Opioids Entzugssymptome auftreten können, wie

- Augentränen
- Pupillenerweiterung, verschwommenes Sehen
- Nasenfluss
- Hitzewallungen
- Schwitzen
- Zittern, Schüttelfrost, Gänsehaut
- Gähnen
- kolikartige Magen-Darm-Schmerzen
- Erbrechen
- Durchfall
- Herzrasen

BILD 1

BILD 2

- Muskel- und Knochenschmerzen
- innere Unruhe
- Schlafstörungen.

Um Entzugssymptome zu vermeiden, darf man die längerfristige Behandlung mit Opioiden nie abrupt beenden, sondern muss sie immer vorsichtig „ausschleichen". Entzugsymptome und wiederkehrende Schmerzen während einer Behandlung mit Opioiden können darauf hinweisen, dass die Behandlungsabstände zu groß sind. Fentanyl-Pflaster beispielsweise wirken bei einem Drittel aller Patienten nicht länger als 48 Stunden und müssen dann in diesem Rhythmus erneuert werden. Das wiederholte Auftreten von Entzugssymptomen unter der Therapie ist sehr unangenehm für den Patienten und erhöht zudem das Risiko einer Suchtentwicklung immens. Wirklich problematisch ist, wenn der Patient vom Medikament psychisch abhängig wird. Sucht kann als eine dauerhafte psychische Abhängigkeit begriffen werden. Unbehandelt mündet sie regelmäßig in den Verlust der Fähigkeit, für sich und andere zu sorgen, in Arbeitslosigkeit, Armut, nicht selten in die Kriminalität und letztlich in ein seelisches und zwischenmenschliches Desaster.

BIN ICH BEREITS SÜCHTIG?

- Fühlen Sie immer wieder einen inneren Zwang, Medikamente einzunehmen?
- Überleben Sie diesen Zwang als übermächtig gegenüber Ihren Versuchen, ihm zu widerstehen?
- Gibt es Situationen, in denen Sie ein großes Verlangen nach einem Medikament verspüren?
- Haben Sie einen schädlichen Medikamentengebrauch fortgesetzt, obwohl Sie wissen, dass er Ihnen schadet, oder trotz starker Nebenwirkungen?
- Haben Sie das Gefühl, zeitweise die Kontrolle über Ihr Einnahmeverhalten zu verlieren?

Wenn eine oder mehrere dieser Aussagen auf Sie zutreffen, dann sollten bei Ihnen die roten Warnleuchten blinken. Suchen Sie dann umgehend eine suchtmedizinische Anlaufstelle auf. Unter www.dhs.de/einrichtungssuche/online-suche.html sind Hilfsangebote im gesamten Bundesgebiet aufgeführt. Je früher Sie die „Kurve kriegen", desto leichter ist der Schritt und desto niedriger ist Ihr Risiko für eine chronische Suchterkrankung. Den ersten Schritt zu machen und sich kompetente

BILD 1 Je nach Krankheit kann es notwendig sein, das Schmerzmittel per Spritze oder über den Tropf zu geben.
BILD 2 Extrem schnell wirksame Opioidpräparate wie Nasensprays oder schnell lösliche Tabletten, die in wenigen Minuten über die Mundschleimhaut ins Blut gelangen, haben ein hohes Abhängigkeitspotential.

Hilfe zu suchen, wird von vielen Betroffenen als einer der schwierigsten erlebt. Sagen Sie sich: „Viele vor mir sind diesen Schritt schon gegangen und sind im Nachhinein heilfroh, dass sie es geschafft haben."

Unter anderem aus Angst, den Patienten damit in eine Suchterkrankung zu treiben, verordneten Ärzte hochpotente Opioide lange Zeit nur sehr zurückhaltend. Damit wurde aber vielen Patienten ein wichtiger Baustein der Schmerztherapie vorenthalten – Patienten, bei denen die Gefahr der psychischen Abhängigkeit und Sucht entweder nicht hoch ist, wie in der Behandlung akuter und kurz anhaltender körperlich bedingter Schmerzen, oder nicht von Bedeutung, z. B. im fortgeschrittenen Stadium einer Tumorerkrankung. In den letzten 15 Jahren wurde dann das Kind mit dem Bad ausgeschüttet: Es kursierte der Mythos, bei Schmerzpatienten könnten Medikamente grundsätzlich keine psychische Abhängigkeit hervorrufen; das Suchtpotenzial von Opioiden wurde bagatellisiert, Risikofaktoren für eine Suchtentwicklung nicht gekannt oder nicht ausreichend beachtet. In den letzten zehn Jahren hat sich die Zahl der Opioidverordnungen mehr als verdoppelt. Experten sehen diese Entwicklung sehr (selbst)kritisch, unter anderem, weil dieser Verordnungszuwachs nur zu einem geringen Teil den Patienten zugutekommt, bei denen eine Opioidtherapie sinnvoll wäre. Opioide wurden stattdessen immer häufiger an

Patienten mit chronischen, nichttumorbedingten Schmerzen, wie Rückenschmerzen, verordnet. Bei diesen ist aber eine Opioidtherapie nur unter eng begrenzten, mittlerweile klar definierten Voraussetzungen angezeigt. Die hohen Verordnungszahlen sind damit nicht zu rechtfertigen.

Risikofaktoren für eine Medikamentenabhängigkeit (mod. nach Jage et al. 2005)
Psychosoziale Faktoren
- einschneidende Lebensereignisse
- schwere seelische Verletzung (Trauma)
- körperlicher/sexueller Missbrauch
- folgenschwere Erkrankung
- Unfall
- große Operation
- Kriegserfahrungen
- soziale Probleme
- psychische Erkrankung
- Depression
- Angststörung
- Persönlichkeitsstörung
- Posttraumatische Belastungsstörung
- Suchterkrankung in der Vorgeschichte
- ungeeignete Strategien der Krankheitsverarbeitung
- Verleugnen der schmerzbedingten Beeinträchtigung
- unrealistischer Anspruch an die Therapie, z. B. sofortige Schmerzfreiheit
- hilflos-depressive Reaktion
- katastrophisieren, das Schlimmste befürchten
Medikament und dessen Einnahme
- Verstärkung der medikamentös hervorgerufenen Hochstimmung (Euphorisie-

rung) durch die missbräuchliche Kombination mit ungeeigneten Medikamenten, Alkohol oder illegalen Drogen.

■ Fortführung der Opioidtherapie trotz ausbleibendem Behandlungserfolg

■ Fehlen einer interdisziplinären Diagnostik und Behandlungsplanung unter Einbeziehen eines Psychotherapeuten.

■ Eine überwiegend bedarfsweise Einnahme nichtretardierter Opioide wirkt suchtfördernd. Die Wirkung dieser Medikamente setzt schnell ein und hält nicht lang an. Besonders kritisch sind dabei die seit Kurzem verfügbaren Nasensprays zu bewerten, deren Wirkung extrem schnell – innerhalb weniger Minuten – einsetzt. Nur in ganz wenigen Fällen, bei Tumorpatienten mit plötzlich einschießenden, stärksten Schmerzen (Durchbruchschmerzen), ist die Anwendung solcher Sprays vertretbar. Das gilt auch für andere schnell resorbierbare Formen, wie für Tabletten, deren Wirkstoff über die Mundschleimhaut aufgenommen wird (Buccaltabletten).

Zu empfehlen ist grundsätzlich die Einnahme retardierter Präparate, das heißt von Medikamenten, deren Wirkung ohne nennenswerte Schwankungen über eine längere Zeit zuverlässig anhält. Die Einnahme sollte dabei sehr zuverlässig und immer zur selben Tageszeit erfolgen, das ist ein weiterer Schutz vor Sucht begünstigenden Wirkungsschwankungen.

INFO Zwei Opioid-Mythen

Mythos 1: Durch starke Opioide, notfalls in hohen Dosen, kann immer vollständige und dauerhafte Schmerzfreiheit erreicht werden

Klarstellung: Das ist nicht richtig. Es gibt Patienten und Schmerzsituationen, bei denen andere – medikamentöse oder nichtmedikamentöse – Maßnahmen viel besser wirken als Opioide. Die Wirksamkeit der Opioide lässt oft auf lange Sicht nach. Belegt ist sie bei chronischen Schmerzen nur für Behandlungszeiträume bis zu drei Monaten.

Mythos 2: Eine Opioidtherapie ersetzt alle eigenen Bemühungen des Patienten

Klarstellung: Genau das Gegenteil ist der Fall: Eine Opioidtherapie hat bei vielen Schmerzerkrankungen, etwa chronischen Rückenschmerzen, nur dann einen dauerhaften Effekt, wenn der Patient die medikamentös unterstützte Schmerzlinderung und damit Beweglichkeit von Anfang an für aktives Üben nutzt, wie Bewegungstherapie, Krankengymnastik und andere übende Verfahren. Tritt daraufhin eine weitere Besserung ein, dann können – bei Weiterführung der aktiven Übungen – die Schmerzmittel oft reduziert und schließlich ganz abgesetzt werden.

MUSKELRELAXANZIEN

Hatten Sie schon einmal einen Muskelkrampf, etwa einen Wadenkrampf? Dann wissen Sie, wie schmerzhaft die unwillkürliche, übermäßige Anspannung der Muskulatur – man spricht von einem erhöhten Tonus – sein kann. Bei einigen Schmerzsyndromen ist erhöhter Muskeltonus im Spiel und dann können muskelentspannende Medikamente, Muskelrelaxanzien, zur Schmerztherapie beitragen.

Wirkstoffgruppen und Wirkstoffe:

- tonussenkend
  Benzodiazepine (S. 137)
  Nichtbenzodiazepine (Tolperison,
  Flupirtin, Tizanidin)
- spasmolytisch
  Baclofen
  Tetrahydrocannabinol/Cannabidiol
- neurotoxisch
  Botulinumtoxin

Wie wirken sie und für wen sind sie besonders geeignet? Vor allem, wenn Muskelverspannungen im Vordergrund stehen, können **tonussenkende** Medikamente bei akuten Rücken- und Nackenschmerzen vorübergehend Linderung verschaffen. Sie sollten aber nie länger als 14 Tage angewendet werden. Eine tonussenkende Wirkung ist am besten für Benzodiazepine und Tizanidin belegt. Flupirtin ist für diesen Zweck mit Einschränkung und Tolperison wenig geeignet. Baclofen wirkt **spasmolytisch**, das heißt wörtlich

„Spasmen lösend". Spasmen sind plötzlich einschießende Muskelkrämpfe, die aufgrund einer Erkrankung motorischer Nerven, etwa nach einem Schlaganfall, bei Menschen mit Querschnittslähmung oder multipler Sklerose auftreten, und dann ist die Anwendung von Baclofen sinnvoll. Tonussenkende und spasmolytische Muskelrelaxanzien wirken nicht nur über die Muskelentspannung schmerzlindernd, sondern auch über direkte Effekte auf schmerzverarbeitende Anteile des Nervensystems. Bei Patienten, die andere Schmerzmittel nicht vertragen, können sie unter Umständen als Alternative dienen.

Eine eigene Gruppe von Spasmolytika bilden die Cannabinoide, das sind Wirkstoffe aus Hanfblättern oder chemische Varianten davon. Im Juli 2011 wurde in Deutschland das erste cannabinoidhaltige Fertigarzneimittel unter dem Warenzeichen Sativex® zugelassen. Es wird als Mundspray angewendet und enthält die beiden Cannabinoide Tetrahydrocannabinol (THC) und Cannabidiol (CBD). Die Zulassung ist auf die Behandlung von Spasmen bei Menschen mit multipler Sklerose begrenzt. Es spricht vieles dafür, dass bestimmte Cannabinoide auch gegen Schmerzen und Übelkeit wirken, das ist aber noch nicht ausreichend in klinischen Studien belegt. Vielversprechend sind erste Hinweise auf eine Wirksamkeit bei neuropathischen Schmerzen. Wissenschaftler suchen derzeit nach Cannabinoid-Varianten, die ausreichend hoch dosiert werden können, um eine schmerzlindernde Wirkung zu entfalten, ohne damit gleichzeitig berauschende Zustände hervorzurufen, wie sie unter dem Konsum von Cannabis in Form von Marihuana oder Haschisch auftreten.

Apotheken können Kapseln oder Tropfen mit Dronabinol, einem teilsynthetischen THC, zubereiten. Es ist in Deutschland nicht als Arzneimittel zugelassen, Ärzte können es aber in eng begrenzten Ausnahmefällen verordnen, etwa bei therapieresistenten Tumorschmerzen. Wichtig ist dabei die sorgfältige Beachtung der gesetzlichen Rahmenbedingungen sowie eine ausführliche schriftliche Begründung und Dokumentation der Behandlung durch den verschreibenden Arzt.

Zur Auflösung von Spasmen, die auf andere Behandlungsmöglichkeiten nicht ansprechen, kann es auch angezeigt sein, Botulinumtoxin in einzelne Muskeln zu spritzen. Dadurch wird eine gezielte Muskellähmung hervorgerufen, die etwa zehn Wochen lang anhält. Botulinumtoxin legt den Muskel lahm, indem es an den Nervenenden der motorischen Fasern die Freisetzung von Azetylcholin blockiert. Das ist der Botenstoff, der die aktivierenden Nervenimpulse auf den Muskel überträgt. Da Botulinumtoxin ein Neurotoxin, ein Nervengift ist, wird diese Art der Muskelrelaxierung auch als neurotoxisch bezeichnet. Botulinumtoxin kommt unter anderem in verdorbenen Fleisch- und Wurstkonserven vor und kann schwere Lebensmittelvergiftungen verursachen. Die Anwendung in der Hand eines Arztes gilt als relativ risikoarm, da nur geringe Mengen der Substanz eingesetzt werden und diese bei sachgerechter Handhabung nicht in die Blutbahn gelangen. Hinweise, dass die Methode auch bei Rücken-, Schulter- oder Kopfschmerzen sowie bei neuropathischen Schmerzen wirkt, bedürfen der weiteren wissenschaftlichen Überprüfung.

Für wen nicht oder nur bedingt geeignet? Muskelrelaxanzien können andere Verfahren der Muskelentspannung, wie bestimmte physiotherapeutisch-physikalische Maßnahmen oder Entspannungsverfahren, nicht ersetzen, sondern allenfalls ergänzen. Von einer Daueranwendung ist in den meisten Fällen abzuraten. Bei Schmerzpatienten mit einem erhöhten Risiko für eine Medikamentenabhängigkeit (S. 127) ist der Einsatz von Muskelrelaxanzien nur im Ausnahmefall und für kurze Zeit ratsam. Das trifft unter anderem auf Menschen zu, die unter einem Fibromyalgiesyndrom oder einer psychischen Erkrankung leiden.

Wenn Sie eine Herz- oder Kreislauferkrankung haben, ein Anfallsleiden (Epilepsie), eine Leber- oder Nierenfunktionsstörung, dann sollten Nutzen und Risiken der in Frage kommenden Muskelrelaxanzien sorgfältig abgewogen werden.

Nebenwirkungen: Alle Muskelrelaxanzien können Übelkeit verursachen. Auch eine verminderte Muskelkraft, unter Umständen mit einer erhöhten Sturzneigung, Müdigkeit und Benommenheit, Gedächtnis- und Konzentrationsstörungen sind unter Benzodiazepinen und Cannabinoiden besonders häufig, können aber auch unter allen anderen Muskelrelaxanzien auftreten. Die Verkehrs- und Arbeitssicherheit kann daher eingeschränkt sein. Unter Cannabinoiden wurden gehäuft psychische Nebenwirkungen wie Depressivität, Verwirrtheits- und Unruhezustände und Realitätsverlust bis hin zu psychotischen Zuständen beobachtet.

Unter Flupirtin und seltener auch unter anderen Muskelrelaxanzien kann es zu Leberfunktionsstörungen kommen; regelmäßige Blutuntersuchungen sind daher ratsam.

Tizanidin sollte nicht abrupt abgesetzt, sondern die Dosis vor dem Beenden der Therapie langsam reduziert werden, um lebensbedrohliche Effekte wie Blutdruckkrisen oder Herzrhythmusstörungen zu vermeiden. Lebensbedrohliche allergische Reaktionen mit Atemnot wurden unter Tolperison berichtet. Die Anwendung von Benzodiazepinen ist mit einem erheblichen Abhängigkeitsrisiko behaftet. Auch die längere Einnahme von Flupirtin kann eine Medikamentenabhängigkeit nach sich ziehen.

Unter Muskelrelaxanzien kann es zu Wechselwirkungen mit anderen Medikamenten kommen. Das Wechselwirkungsprofil der einzelnen Medikamente ist unterschiedlich. Teilweise können sich erwünschte und unerwünschte Wirkungen verstärken. Das kann unter Umständen durch eine Verringerung der Dosis ausgeglichen werden. Folgende Medikamente sollten nicht oder können nur bedingt mit Muskelrelaxanzien kombiniert werden:

- andere Muskelrelaxanzien
- andere Schmerzmittel
- Psychopharmaka, etwa Mittel gegen Depressionen oder Angststörungen
- Schlaf- und Beruhigungsmittel
- Blutdrucksenker
- Mittel gegen Herzrhythmusstörungen
- Mittel gegen Diabetes
- Medikamente gegen Epilepsie
- Antibiotika
- Medikamente zur Behandlung von AIDS/HIV-Infektion
- Blutgerinnungshemmer
- Magensäureblocker
- orale Verhütungsmittel (die „Pille").

Ebenfalls um Wechselwirkungen zu vermeiden, sollten Sie während der Behandlung mit Muskelrelaxanzien keinen Alkohol trinken (zu Neben- und Wechselwirkungen von Benzodiazepinen S. 138).

PSYCHOPHARMAKA

Wenn Sie wegen Schmerzen einen Arzt aufsuchen und der Ihnen dann ein Antidepressivum, ein Neuroleptikum oder ein Beruhigungsmittel verordnet, dann bedeutet das nicht gleich, dass er bei Ihnen eine Depression, eine Angststörung oder gar eine Psychose festgestellt hat. Manche Psychopharmaka wirken bei bestimmten Schmerzerkrankungen und das gilt auch für den Teil der Patienten, der nicht unter einer psychischen Erkrankung leidet. Deswegen sollten Sie sich auch nicht davon irritieren lassen, wenn Sie Schmerzen nicht unter den Anwendungsgebieten im Beipackzettel finden; nicht bei allen Psychopharmaka, die für die Schmerztherapie infrage kommen, ist diese Möglichkeit angegeben. Die Verwendung eines Medikaments außerhalb der Anwendungsgebiete nennt man off-lable-use. Hierbei übernimmt der Arzt die Verantwortung für die Anwendung.

Antidepressiva

Antidepressiva werden überwiegend zur Stimmungsaufhellung bei Depressionen und anderen psychischen Erkrankungen verwendet. Sie können aber auch schmerzlindernde Wirkungen entfalten. Dazu ist nur ein Zehntel bis die Hälfte der in der Depressionsbehandlung üblichen Dosis erforderlich.

Wie wirken sie? Sowohl die antidepressiven als auch die schmerzlindernden Effekte der meisten Antidepressiva beruhen darauf, dass diese Medikamente die Aktivität bestimmter Nervenbotenstoffe, Neurotransmitter wie Noradrenalin oder Serotonin, im synaptischen Spalt steigern. Der synaptische Spalt ist die Stelle, an der diese Transmitter die aktivierenden oder hemmenden Nervensignale von einer Nervenzelle zur anderen weiterleiten. Bei vielen Antidepressiva kommt dieser Effekt dadurch zustande, dass sie die Wiederaufnahme der einmal ausgeschütteten Neurotransmitter hemmen. Dadurch bleiben die Transmitter länger aktiv und ihre Gesamtwirkung auf das Nervensystem wird verstärkt. Für die Schmerztherapie kommen nur bestimmte Antidepressiva infrage. Dazu zählen die klassischen trizyklischen Antidepressiva (TZA), Medikamente, von denen einige bereits seit den 1960er Jahren zur Behandlung von Depressionen verwendet werden. Die neueren Substanzen werden nach ihrer Aktivität am synaptischen Spalt in Wirkstoffgruppen eingeteilt. Die Gruppe der selektiven Serotoninwiederaufnahmehemmer (selective serotonine reuptake inhibitors, SSRI) ist für die Schmerztherapie ungeeignet. In der Behandlung neuropathischer Schmerzen (S. 190) sind die Serotonin-/Noradrenalinwiederaufnahmehemmer (SNRI) wirksam, allerdings scheint deren Wirkung bei vergleichbarer Nebenwirkungsrate schwächer zu sein als bei klassischen trizyklischen Antidepressiva.

Wirkstoffgruppen und Wirkstoffe

- Trizyklische Antidepressiva
  Amitriptylin
  Clomipramin
  Doxepin
  Imipramin
- Serotonin-/Noradrenalinwiederauf-
  nahmehemmer
  Venlafaxin
  Duloxetin
- Sonstige
  Desipramin
  Mirtazapin

Für wen besonders geeignet? Bei Spannungskopfschmerzen und bei chronischen Schmerzen infolge einer Kopfverletzung sind Antidepressiva wirksam und können in vielen Fällen sogar als alleinige medikamentöse Therapie dienen. Menschen mit Spannungskopfschmerzen profitieren häufig von einer Kombination aus Antidepressiva und Psychotherapie.

Eine weitere Domäne der Antidepressiva, gegebenenfalls in Kombination mit anderen Schmerzmitteln, sind neuropathische Schmerzen.

Für wen nicht oder nur bedingt geeignet? Bei der Behandlung von Kopfschmerzen nach Hirnverletzungen muss beachtet werden, dass eine Neigung zu Krampfanfällen, die bei diesen Patienten gehäuft auftritt, durch Antidepressiva in seltenen Fällen verstärkt werden kann, ebenso die Neigung zu Bewusstseinstrübungen. Zur Behandlung anderer als der genannten Schmerzerkrankungen sind Antidepressiva nur geeignet, wenn sie zumindest eine neuropathische Komponente aufweisen. Das ist beispielsweise bei Druck auf eine Nervenwurzel gegeben, wie er gelegentlich bei Bandscheibenvorfällen auftreten kann. Auch Tumorschmerzen können eine neuropathische Komponente haben. Im Zweifelsfall sollte eine sorgfältige neurologische Untersuchung erfolgen.

Bei folgenden Erkrankungszuständen sollten Antidepressiva nicht oder nur unter Vorbehalt eingesetzt werden:

- Funktionsstörungen von Herz, Leber oder Nieren
- unkontrollierte Blutdruckspitzen
- Selbsttötungsgedanken oder -impulse
- unklare psychische Erkrankung.

Welches Antidepressivum für Sie geeignet ist, hängt unter anderem davon ab, ob bei Ihnen eher eine beruhigende Substanz sinnvoll ist oder eine aktivierende. Erstere können abends beim Einschlafen helfen, Letztere den Antrieb tagsüber verbessern. Auch die Verträglichkeit ist individuell sehr unterschiedlich und bei nachhaltigen Nebenwirkungen kann der Wechsel auf eine andere Substanz sinnvoll sein.

HABEN SIE ETWAS GEDULD

Bis die schmerzlindernde Wirkung eines Antidepressivums voll entfaltet ist, dauert es ab Behandlungsbeginn in der Regel ein paar Tage bis zwei Wochen. Anfängliche Nebenwirkungen klingen in dieser Zeit häufig ab.

Alle Antidepressiva haben Nebenwirkungen, die allerdings häufig im Laufe der Therapie zurückgehen. Jede Wirkstoffgruppe und jeder Wirkstoff hat ein etwas anderes Nebenwirkungsspektrum. Hier nur eine Auswahl:

- Trockenheit der Schleimhäute in Mund, Nase und Vagina
- erschwertes Wasserlassen
- verschwommenes Sehen
- Verstopfung
- Übelkeit
- Herzrhythmusstörungen
- Schwindel
- Blutbildveränderungen
- Appetitsteigerung und Gewichtszunahme
- Müdigkeit
- Zittern
- Blutdruckkrisen
- Verstärkung eines Glaukoms (grüner Star)
- Beeinträchtigung der sexuellen Lust oder Potenz.

Wegen möglicher Wechselwirkungen können Antidepressiva mit vielen anderen Medikamenten nicht oder nur unter sorgfältiger Abwägung der Risiken kombiniert werden. Dazu zählen Beruhigungsmittel, unter anderem Benzodiazepine (S. 137).

Ein lebensbedrohliches Serotoninsyndrom mit Unruhe- und Angstzuständen sowie Herzrasen, Blutdruckkrise und Atemnot kann auftreten, wenn Antidepressiva mit einem der folgenden Medikamente kombiniert werden:

- manche Opioide wie Tramadol oder Pethidin
- Migränemedikamente (Triptane)
- andere Antidepressiva einschließlich pflanzlicher (Johanniskraut), Lithium und der Aminosäure Tryptophan
- andere Psychopharmaka, z. B. Buspiron
- Dextromethorphan
- manche AIDS-Medikamente
- manche Antibiotika.

Sogar Grapefruitsaft kann in Kombination mit manchen Antidepressiva zu einem Serotoninsyndrom führen und ist daher während der Behandlung zu meiden.

Neuroleptika

Weil sie überwiegend der Behandlung von Psychosen dienen, nennt man diese Mittel auch Antipsychotika. In der medikamentösen Schmerztherapie erfüllen sie allenfalls eine untergeordnete, ergänzende Rolle. Wegen des relativ hohen Risikos schwerwiegender Langzeitnebenwirkungen sollten sie bei Schmerzerkrankungen nicht länger als sechs Monate eingesetzt werden und nur, wenn es keine wirksamen, risikoärmeren Alternativen gibt.

Wirkstoffe
- Levomepromazin
- Haloperidol

Wie wirken Sie? In der Schmerztherapie spielen vor allem die beruhigenden, angstlösenden und schlaffördernden Eigenschaften bestimmter Neuroleptika eine Rolle. Ein erwünschter Nebeneffekt ist, dass Neuroleptika Übelkeit und Brechreiz – etwa unter der Behandlung mit Opioiden oder unter einer Tumortherapie – lindern.

Für wen geeignet? Bei chronischen neuropathischen Schmerzen oder Tumorschmerzen können Neuroleptika die medikamentöse Therapie ergänzen. Auch in der Behandlung schmerzbedingter Schlafstörungen, von Angst-, Unruhe- und Verwirrtheitszuständen unter der Opioidtherapie haben sie sich als wirksam erwiesen.

Für wen nicht oder nur bedingt geeignet? Bei Verwirrtheitszuständen im Rahmen einer Demenz (s. Kasten) sollte die Gabe von Neuroleptika nach Einschätzung von Experten auf folgende Situationen begrenzt werden und auch dann nur in Erwägung gezogen werden, wenn unter fachgerechter Behandlung der Grunder-

INFO Hinter Verwirrtheit können sich auch Schmerzen verbergen

Ältere Menschen mit Demenz – das heißt mit einer Erkrankung, die durch nachlassende Denk- und Gedächtnisleistungen gekennzeichnet ist – leiden in einem bestimmten Stadium der Erkrankung häufig unter Verwirrtheitszuständen, sind gegenüber ihren Mitmenschen, einschließlich Lebenspartnern oder pflegender Angehörigen, oft misstrauisch, gereizt oder gar feindselig. Bei dieser Form von Verhaltensstörungen sind Neuroleptika die am häufigsten verordneten Medikamente. Das wird von Experten sehr kritisch gesehen; sie warnen vor einem zu sorglosen Umgang mit Neuroleptika als vermeintliches Allheilmittel gegen unerwünschtes Verhalten alter und pflegebedürftiger Menschen. Verwirrte alte Menschen würden oft mithilfe von relativ kostengünstigen Neuroleptika ruhiggestellt, ausgeprägte, teilweise sogar lebensbedrohliche Nebenwirkungen und eine Verschlechterung der Demenz in Kauf genommen, klagen Fach- und Angehörigenverbände. Eine bessere finanzielle und personelle Ausstattung einschlägiger Versorgungseinrichtungen für Demenzkranke sei dringend nötig, um diesen Missstand zu beheben. Nicht immer sind Verwirrtheitszustände im Alter unmittelbare Demenzfolgen, sondern können beispielsweise auch durch Begleitkrankheiten oder Medikamente bedingt sein und nicht zuletzt auch auf Schmerzzustände hinweisen, auf Schmerzen, die der Betroffene in seinem verwirrten Zustand vielleicht gar nicht mehr klar äußern kann. Warnsignale also, wertvolle Hinweise auf ein behandlungsbedürftiges und -empfängliches Geschehen, die man tunlichst nicht übersehen oder vorschnell durch Neuroleptika unterdrücken sollte.

krankung und unter nichtmedikamentösen Maßnahmen, beispielsweise beruhigenden Gesprächen, physikalischer Therapie und Entspannungsverfahren, keine ausreichende Besserung eintritt:

- ausgeprägte körperliche Unruhe wie dauerndes Schlagen, Treten, Nesteln in Verbindung mit Schlafstörungen
- Aggressivität
- schwere psychische Störung mit Wahnhaftigkeit, die es dem Betroffenen unmöglich macht, im Alltag zurechtzukommen, Depressivität oder Angst.

Auch bei Anfallsleiden (Epilepsie), Erkrankungen der Prostata oder des motorischen Nervensystems, z. B. Schüttellähmung (Parkinsonkrankheit), können sich Neuroleptika ungünstig auswirken und sollten nur nach sorgfältiger Nutzen-Risiko-Abwägung angewandt werden. Bei folgenden Begleiterkrankungen ist vor Neuroleptika grundsätzlich zu warnen:

- Störungen der Leber- und Nierenfunktion
- Herzinsuffizienz
- Grüner Star (Glaukom)
- übermäßiger Alkoholkonsum
- Suchterkrankung in der Vergangenheit.

Zur Behandlung von Opioidnebenwirkungen sollten Neuroleptika nur dann in Erwägung gezogen werden, wenn mit einer niedrigeren Opioid-Dosierung und/oder der Kombination mit einem anderen Schmerzmittel oder der Umstellung auf ein anderes, besser vertragenes Opioid keine ausreichende Schmerzlinderung zu erzielen ist.

Nebenwirkungen: Neuroleptika können zu unwillkürlichen Muskelzuckungen, Augenverdrehen, Zungen- und Schlundkrämpfen führen. Für die Betroffenen sind solche oft bizarr anmutenden motorischen Nebenwirkungen oft sehr peinlich und stigmatisierend. Sie sprechen zwar in der Regel auf eine Behandlung mit bestimmten Begleitmedikamenten an; ähnliche Symptome, sogenannte Spätdyskinesien, die erst nach einer jahrelangen Neuroleptikabehandlung auftreten, sind einer Behandlung aber meistens nicht mehr zugänglich. Auch Parkinson-Symptome (Schüttellähmung) können aus einer Neuroleptikatherapie erfolgen.

Weitere Beispiele für Nebenwirkungen und Risiken in Verbindung mit einer Neuroleptikatherapie:

- Verstopfung
- erschwertes Wasserlassen
- Verschwommensehen
- Mundtrockenheit
- Herzrhythmusstörungen
- Gewichtszunahme
- Ausfall der Menstruation
- Milchfluss aus der Brust
- erhöhtes Schlaganfallrisiko
- Müdigkeit
- Benommenheit
- Sturzneigung bei älteren Menschen.

Wechselwirkungen: Neuroleptika können mit einer ganzen Reihe von Medikamenten zu unerwünschten und teilweise gefährlichen Wechselwirkungen führen:

- Antidepressiva einschließlich Lithium

- Beruhigungs- und Schlafmittel
- blutdrucksenkende Medikamente
- Mittel gegen Anfallsleiden (Antikonvulsiva)
- Parkinsonmedikamente
- Metoclopramid (gegen Übelkeit)
- Epinephrin (Adrenalin; Notfallmedikament gegen allergische Reaktionen)
- Wurmmittel.

Auch vom Alkoholgenuss während der Behandlung ist abzuraten.

Benzodiazepine

Diese Medikamente sind keine Schmerzmittel im engeren Sinne. Bei Schmerzpatienten werden sie als Muskelrelaxanzien (S. 129), Schlaf- und Beruhigungsmittel eingesetzt. Die längerfristige Einnahme von Benzodiazepinen ist mit einem hohen Risiko für eine Medikamentenabhängigkeit verbunden (S. 138). Sie sollten daher nur unter eng begrenzten Bedingungen und nur maximal zwei bis vier Wochen lang eingesetzt werden.

Wirkstoffbeispiele

- Diazepam
- Tetrazepam

Für wen geeignet? Bei akuten Schmerzen, die mit Unruhezuständen oder Schlafstörungen einhergehen und auf nichtmedikamentöse oder andere, risikoärmere medikamentöse Behandlungsansätze nicht ansprechen, ist die kurzfristige Gabe eines Benzodiazepins, bevorzugt abends vor dem Schlafengehen, vertret-

bar. Angst und Unruhe können auch auf eine begleitende psychische Erkrankung hinweisen und bedürfen dann zunächst einer fachgerechten Diagnostik.

BARBITURATE HABEN AUSGEDIENT Die früher häufig als Schlaf-, Beruhigungs- und Schmerzmittel eingesetzten Barbiturate sind – aufgrund ihres noch größeren Sucht- und Nebenwirkungspotenzials – keine Alternative.

Für wen nicht oder nur bedingt geeignet? Da die Behandlung chronischer Schmerzen längere Zeiträume umfasst, sind Benzodiazepine mit ihrem hohen Abhängigkeitspotenzial dafür nicht geeignet. Bei Schmerzerkrankungen mit ungeklärter Ursache und bei Erkrankungen, die mit einem erhöhten Risiko für eine Suchtentwicklung einhergehen, etwa beim Fibromyalgiesyndrom, ist die Verordnung von Benzodiazepinen riskant und daher generell ungeeignet.

Bei folgenden Begleiterkrankungen und -umständen kann die Einnahme von Benzodiazepinen schaden und sollte daher unterlassen werden:
- Erkrankungen, die mit einer Verengung der Atemwege einhergehen (z. B. Asthma oder Schlafapnoe)
- Abhängigkeitserkrankungen (Alkohol, Medikamente, Drogen) auch bei Angehörigen
- schwere Leberfunktionsstörungen
- Myasthenia gravis, eine seltene Muskelerkrankung

- Bewegungs- und Koordinationsstörungen (Ataxie) aufgrund einer Erkrankung des Rückenmarks oder des Kleinhirns.

Besonders bei älteren Menschen kann die Leber- oder Nierenfunktion eingeschränkt sein. Das kann den Abbau und die Ausscheidung des Medikaments verzögern. Um zu vermeiden, dass sich Wirkung und Nebenwirkungen dadurch unkontrolliert verstärken, benötigen diese Patienten oft eine niedrigere Dosierung.

ÜBER EINE MILLION BENZODIAZEPINABHÄNGIGER

Drei Viertel aller Medikamentenabhängigen in Deutschland sind benzodiazepinabhängig. Insgesamt gibt es mehr als eine Million Benzodiazepinabhängiger. Bei Schmerzpatienten mit Medikamentenabhängigkeit stehen die Benzodiazepine an zweiter Stelle hinter den Opioiden. Ein großer Teil der Abhängigkeitserkrankungen ist auf den zwar ärztlich verordneten, jedoch medizinisch nie zu rechtfertigenden Langzeitgebrauch von Benzodiazepinen zurückzuführen.

Nebenwirkungen: Unter der Einnahme von Benzodiazepinen fühlen sich viele Menschen müde, abgeschlagen und unkonzentriert. Die Verkehrs- und Arbeitssicherheit kann eingeschränkt sein. Weitere Nebenwirkungen, die unter Benzodiazepinen auftreten können:

- Gelenkschmerzen
- Muskelschwäche
- gesteigerter Appetit
- verminderte sexuelle Lust
- Menstruationsstörungen
- Reboundeffekt – die Beschwerden, die mit Benzodiazepinen behandelt werden, wie Schlaflosigkeit, Angst, Unruhe, verstärken sich nach Absetzen des Medikaments
- Schwindel, Gleichgewichtsstörungen, Sturzneigung.

Wechselwirkungen: Folgende Medikamente können nicht oder nur unter Vorbehalt mit Benzodiazepinen kombiniert werden:
- andere Schlaf- und Beruhigungsmittel
- manche innerlich eingenommenen Mittel gegen Pilzinfektionen
- Neuroleptika
- Antidepressiva
- innerlich eingenommene Antihistaminika (gegen Allergien)

Während der Einnahme von Benzodiazepinen sollten Sie keinen Alkohol trinken. Wirkung und Nebenwirkungen des Medikaments könnten sich sonst verstärken.

ANTIKONVULSIVA

Diese Medikamentengruppe dient vornehmlich zur Vorbeugung und Behandlung von Krampfanfällen (Epilepsie). Da Antikonvulsiva die Erregbarkeit bestimmter Nervenzellen dämpfen, können sie auch in der Behandlung neuropathischer Schmerzen gute Dienste leisten.

Wirkstoffe
- Carbamazepin
- Gabapentin
- Pregabalin

Für wen besonders geeignet? Bei neuropathischen Schmerzen, die attackenartig einschießen oder durch bestimmte Reize auslösbar sind, wie Berührung oder Kälte, ist ein Behandlungsversuch mit Antikonvulsiva ratsam. Das können typische Neuralgien (Nervenschmerzen) sein, z. B. eine Trigeminusneuralgie oder auch Schmerzen durch Druck auf eine Nervenwurzel (radikuläre Schmerzen), etwa durch einen Bandscheibenvorfall.

Für wen nicht oder nur bedingt geeignet? Bei Schmerzen, die nicht zumindest eine neuropathische Komponente aufweisen, sind Antikonvulsiva in der Regel unwirksam. Risikoreich und deswegen in der Regel nicht zu empfehlen ist deren Einsatz bei Menschen mit Störungen der Herz-, Leber- oder Nierenfunktion und bei

Schwangeren. Bei einer Entzündung der Bauchspeicheldrüse (Pankreatitis) sollte kein Gabapentin gegeben werden, da der Wirkstoff die Erkrankung verschlimmern kann. Menschen mit einem zu niedrigen Natriumgehalt des Bluts (Hyponatriämie) sollten kein Carbamazepin einnehmen.

 NIEDRIG STARTEN UND NUR LANGSAM STEIGERN

Antikonvulsiva dürfen nur langsam eingeschlichen werden; ein zu schnelles Auf-dosieren birgt ein erhöhtes Risiko für Nebenwirkungen. Bei älteren Menschen ist ein besonders langsames Vorgehen ratsam.

Das Spektrum der Nebenwirkungen ist je nach Antikonvulsivum unterschiedlich. Hier eine Auswahl:
- Müdigkeit
- Stimmungsschwankungen
- Schwindel, Gang- und Bewegungsunsicherheit
- Leberfunktionsstörungen
- Herzrhythmusstörungen
- Wasseransammlungen im Gewebe (Ödeme).

Wechselwirkungen sind unter anderem mit Schlaf- und Beruhigungsmitteln und Alkohol beschrieben. Diese Kombinationen sollten daher unterlassen werden.

NMDA-ANTAGONISTEN

Der stärkste verfügbare NMDA-Antagonist ist Ketamin. Es wird überwiegend als Narkosemittel eingesetzt und für die Schmerztherapie nach großen Operationen. Dextromethorphan ist derzeit nur als Hustenmittel zugelassen, Memantin nur für die Demenzbehandlung. Ob sie sich für die Schmerzbehandlung eignen, ist noch Gegenstand der Forschung.

Wirkstoffe
- Ketamin
- Dextromethorphan
- Memantin

Wie wirken sie? An vielen wichtigen Schaltstellen des Nervensystems befinden sich N-Methyl-D-Aspartat (NMDA)-Rezeptoren, eine Untergruppe der Glutamatrezeptoren, das sind Andockstellen für Nerven-aktivierende Botenstoffe (erregende Neurotransmitter). Man vermutet, dass diese Rezeptoren im Spiel sind, wenn sich ein starker Schmerzreiz, etwa aufgrund einer Verletzung oder Nervenschädigung, ins Schmerzgedächtnis (S. 15) einprägt. NMDA-Antagonisten hemmen die Wirkung von Glutamat an diesen Rezeptoren. Sie wirken dadurch schmerzlindernd und können unter bestimmten Bedingungen auch einem chronischen Schmerzverlauf vorbeugen.

Für wen besonders geeignet? Der Einsatz von Ketamin in der Schmerztherapie ist aufgrund seines hohen Nebenwirkungs- und Abhängigkeitsrisikos nur in wenigen Situationen zu empfehlen. Dazu gehört die Schmerzstillung und -vorbeugung durch den Notarzt und die Behandlung einer durch Opiode verursachten Schmerzüberempfindlichkeit (Hyperalgesie). Als Zusatzmedikament bei Amputationen kann bereits niedrig dosiertes Ketamin helfen, die Entstehung von Phantomschmerzen (S. 190) zu verhindern. Auch die einmonatige Gabe von Memantin, das allerdings dafür nicht zugelassen ist, konnte in Studien Phantomschmerzen vorbeugen.

Für wen nicht oder nur bedingt geeignet? Bei neuropathischen Schmerzen ist in die Blutbahn (intravenös) gespritztes Ketamin zwar wirksam, Studien zeigten aber, dass die längerfristige orale Einnahme von Ketamin, beispielsweise als Tabletten oder Tropfen, bei den meisten Patienten keinen nennenswerten Effekt hat oder nicht gut vertragen wird. Dextromethorphan wirkt in der Behandlung der diabetischen Polyneuropathie nur schwach. Weder beim chronischen Phantomschmerz noch bei Zosterneuralgien erwiesen sich Dextromethorphan oder Memantin als wirksam.

Es gibt Hinweise, dass sie die Wirksamkeit von Opioiden bei neuropathischen Schmerzen steigern könnten. Das ist aber noch nicht ausreichend belegt.

Wegen des ausgeprägten Risikos für schwere psychische Nebenwirkungen sollten NMDA-Antagonisten, auch in geringer Dosierung, nicht an Menschen mit psychischen Erkrankungen verabreicht werden. Das betrifft besonders Patienten mit posttraumatischer Belastungsstörung (PTBS) und Angsterkrankungen. Auch Menschen mit schlecht eingestelltem Hypertonus, unbehandelter Schilddrüsenüberfunktion, grauem Star (Glaukom) oder einer Verengung der Herzkranzgefäße sollten keine NMDA-Antagonisten einnehmen.

Nebenwirkungen: Bei hohen Dosierungen können NMDA-Antagonisten zu schweren Erregungszuständen führen. Die Betroffenen können Halluzinationen erleben, das heißt sie nehmen Dinge wahr, die nicht der Realität entsprechen. Unter Ketaminnarkosen können Albträume auftreten, deren Schreckensbilder sich manchmal so plastisch ins Gedächtnis einprägen wie die Erinnerung an ein reales Geschehen, Kriegserlebnisse oder eine Vergewaltigung.

Ketamin und Dextromethorphan haben ein hohes Abhängigkeitspotenzial. Ketamin wird zunehmend als illegale Droge auf dem Schwarzmarkt gehandelt, aber auch die Zahl der Patienten, die durch eine ärztlich verordneten Ketamineinnahme abhängig geworden sind, nimmt zu.

Weitere Nebenwirkungen von NMDA-Antagonisten:
- Schlafstörungen
- Blutdrucksteigerung
- Herzrasen
- bei hohen Dosen Atemlähmung
- Schwindel
- vorübergehende Sehstörungen
- Übelkeit und Erbrechen
- Überempfindlichkeit gegenüber Sinnesreizen wie Geräuschen
- Angstzustände.

Wechselwirkungen: Durch Kombination mit Benzodiazepinen oder Neuroleptika können die Nebenwirkungen von NMDA-Antagonisten abgemildert werden. Dieser Effekt kann gezielt eingesetzt werden.

Zu einer Veränderung oder Verstärkung der Wirkungen und Nebenwirkungen von NMDA-Antagonisten kann es bei Kombination mit folgenden Medikamenten kommen:
- andere NMDA-Antagonisten
- Schilddrüsenhormone
- Adrenalin (Epinephrin; Notfallmedikament bei Allergien)
- Narkosemittel
- bestimmte Antidepressiva (MAO-Hemmer)
- Parkinsonmittel
- Sympathikomimetika (etwa in bestimmten Sprays gegen Schnupfen oder Atemwegserkrankungen).

MIGRÄNEMITTEL

Entzündungshemmende und fiebersenkende Schmerzmittel

Für die medikamentöse Behandlung leichter bis mittelschwerer Migräneattacken ist eines der folgenden Mittel zu empfehlen:

- NSAR
  Ibuprofen (S. 107)
  Diclofenac (S. 107)
  Naproxen (S. 107)
- Azetylsalizylsäure (S. 113)
- Parazetamol (S. 114)
  Wahrscheinlich ebenfalls wirksam

bei leichten bis mittelschweren Migräneattacken sind Metamizol und Phenazon. Metamizol kommt wegen des Risikos für seltene, aber schwere Nebenwirkungen allenfalls in Ausnahmefällen infrage. Wegen seines unklaren Risikoprofils ist auch Phenazon wenig geeignet.

Triptane

Diese Medikamente werden entsprechend ihrem Wirkmechnismus auch als Serotoninagonisten, genauer als $5HT_{1B1D}$-Agonisten bezeichnet. Alle Triptane stehen in einer oralen Darreichungsform, in der Regel als Tabletten, zur Verfügung. Sumatriptan kann zudem subkutan gespritzt oder als Zäpfchen gegeben werden; Sumatriptan und Zolmitriptan gibt es auch als Nasenspray (Stand: Juli 2012). Migräneattacken können mit wiederholtem Erbrechen einhergehen. Eine eingenommene Tablette kann dadurch verloren gehen, noch bevor sie angefangen hat zu wirken. Das ist mit einer nichtoralen Darreichungsform vermeidbar.

Wirkstoffe

- Sumatriptan
- Zolmitriptan
- Naratriptan
- Rizatriptan
- Eletriptan
- Almotriptan
- Frovatriptan

Für wen besonders geeignet? Der Einsatz eines Triptans ist bei schweren Migräneattacken sinnvoll. Triptane wirken dabei nicht nur schmerzlindernd, sondern auch auf die Begleitsymptome wie Übelkeit und Lichtscheu. Das Triptan wirkt am besten, wenn es zu Beginn der Migräneattacke eingenommen wird. Es sollte aber nicht vor Abklingen der Aura-Symptome (S. 179) angewendet werden.

Die Wirksamkeit ist für alle genannten Präparate gut belegt. Bei Naratriptan und Frovatriptan tritt die Wirkung später ein als bei anderen. Naratriptan, Frovatriptan und Almotriptan sind besser verträglich als Sumatriptan. Generell scheinen Triptane mit etwas früherem Wirkeintritt und stärkerer Wirkung mit einer etwas höheren Nebenwirkungs- und Rückfallrate behaftet zu sein. Auch Clusterkopfschmerzattacken (S. 183) können auf eine Behandlung mit Sumatriptan subkutan oder auf ein Triptan-Nasenspray ansprechen.

NICHT OHNE MEINEN ARZT

Einzelne triptanhaltige Arzneimittel sind mittlerweile auch ohne Rezept in der Apotheke erhältlich. Solche stark wirksamen Mittel sollten Sie trotzdem nie einnehmen, bevor Ihr Arzt Ihren Gesundheitszustand sorgfältig geprüft hat. Manche Menschen haben nämlich eine Herz- oder Kreislauferkrankung, ohne es selbst zu wissen. Bei einigen dieser Erkrankungen ist aber vor einer Triptanbehandlung dringend zu warnen; das Risiko für schwerwiegende Gefäßkomplikationen einschließlich Herzinfarkt und Schlaganfall wäre dann zu hoch.

Für wen nicht oder nur bedingt geeignet? Für die Vorbeugung von Migräneattacken sind Triptane ungeeignet. Wegen der gefäßverengenden Eigenschaften sollten sie auf keinen Fall von Menschen mit Verengung der Herzkranzgefäße (koronare Herzkrankheit), nach Schlaganfall oder Herzinfarkt eingenommen werden, auch wenn diese schon länger zurückliegen. Bei Menschen mit erhöhtem Schlaganfall- oder Infarktrisiko muss der Einsatz von Triptanen sehr sorgfältig abgewogen werden und im Zweifelsfall sollte man immer auf risikoärmere Alternativen ausweichen. Das gilt beispielsweise für Menschen, die rauchen, erhöhte Blutdruck- oder Blutfettwerte haben, für Frauen, die die „Pille" nehmen, und für Diabetiker.

Von einer Triptanbehandlung in der Regel ausgeschlossen werden sollten zudem Patienten mit

- Bluthochdruck
- Morbus Raynaud (Durchblutungsstörungen der Finger, die meist durch Kältereize ausgelöst werden können)
- peripherer arterielle Verschlusskrankheit
- schwerer Leber- oder Niereninsuffizienz.

Auch Schwangere, stillende Mütter und Kinder unter zwölf Jahren dürfen nicht mit Triptanen behandelt werden.

Besonders bei Menschen mit lang andauernden Migräneattacken kann die Wirkung eines Triptans im Laufe der Attacke nachlassen und die Kopfschmerzen erneut eintreten. Von einem solchen Wiederkehrkopfschmerz sind zwischen 15 und 40 Prozent aller Patienten betroffen. Eine zweite Gabe des Triptans – unter Beachtung der Tageshöchstmengen – ist dann in der Regel wirksam. Die Kombination des Triptans mit einem retardierten NSAR verstärkt die Wirkung und senkt das Wiederkehrkopfschmerzrisiko.

Die häufigsten Nebenwirkungen unter Triptanen sind Engegefühl in Brust oder Hals und vorübergehende Gefühlsstörungen wie Kribbeln, Brennen, Wärme oder Kälte in Armen oder Beinen.

Folgende Mittel sollten wegen des Risikos bedenklicher Wechselwirkungen nicht mit Triptanen kombiniert werden:

- Mutterkornalkaloide (s. u.) einschließlich chemisch verwandter Wirkstoffe zur Behandlung von Bluthochdruck oder Parkinson

BILD Die Natur stellt ein starkes Mittel gegen Migräne bereit – Ergotamin stammt aus dem Mutterkorn.

- Manche Medikamente gegen Depressionen oder Parkinson (SSRI und MAO-Hemmer) dürfen mit bestimmten Triptanen wegen der Gefahr eines lebensbedrohlichen Serotoninsyndroms nicht kombiniert werden.
- Eletriptan darf nicht mit bestimmten Mitteln gegen Bakterien, Pilze oder Viren kombiniert werden.
- Gleichzeitig eingenommene Johanniskrautpräparate (pflanzliche Antidepressiva) können die Nebenwirkungen von Triptanen verstärken.

⬛ ENGE IN DER BRUST – IMMER EIN FALL FÜR DEN NOTARZT?

Wenn Sie nach der Einnahme eines Triptans ein vorübergehendes Engegefühl in der Brust spüren, dann muss Sie das nicht weiter beunruhigen; Sie haben es dann sehr wahrscheinlich mit einer harmlosen Nebenwirkung des Medikaments zu tun. Bei plötzlich auftretenden Schmerzen, die in einen Arm, in den Rücken oder Bauch ausstrahlen, mit Atemnot, hohem Blutdruck, Herzrasen oder -stolpern einhergehen, sollten Sie allerdings sofort den Notarzt rufen (Telefon 112), denn sie könnten Warnzeichen für einen Herzinfarkt oder eine andere lebensbedrohliche Situation sein.

Ergotamin

An Getreideähren, die vom Mutterkornpilz befallen sind, wachsen dunkle, körnerförmige Gebilde, die man als Mutterkorn bezeichnet. Sie enthalten verschiedene giftige Substanzen (Alkaloide), eine davon ist das Ergotamin. Für die Migränebehandlung ist Ergotamin nur in oraler Darreichungsform zugelassen und auf Rezept unter dem Warenzeichen Ergo-Kranit® Migräne Tabletten erhältlich (Stand: Juli 2012). Die Wirksamkeit in der Behandlung der Migräne ist für Ergotamin weniger gut belegt als für Triptane.

Für wen besonders geeignet? Gegen Migräneattacken wirkt Ergotamin weniger stark als Triptane, scheint aber dafür länger anzuhalten. Es kommt daher besonders bei lang anhaltenden, mittelschweren Migräneattacken in Frage. Wiederkehrkopfschmerzen sind unter der Behandlung mit Ergotamin seltener als unter Triptanen. Anders als die Triptane wirkt Ergotamin allerdings nur, wenn es zu Beginn der Migräneattacke eingenommen wird.

Für wen nur bedingt oder nicht geeignet? Vorsicht ist geboten, wenn die Migräneattacken auf Ergotamin nicht ausreichend ansprechen oder eine Dosissteigerung notwendig ist. Eine zu häufige Einnahme von Ergotamin kann nämlich wie alle anderen Migränemittel zu medikamenteninduziertem Kopfschmerzen führen (S. 182).

Nebenwirkungen: Übelkeit und Erbrechen können sich unter Mutterkornalkaloiden verstärken, was nicht zu einer Dosissteigerung oder erneuten Tabletteneinnahme verleiten sollte. In vielen Fällen ist die

Kombination mit einem Mittel gegen Übelkeit sinnvoll. Die häufigste Nebenwirkung von Ergotamin ist Durchfall, gelegentlich kann es zu Benommenheit, Verwirrtheitszuständen, Krämpfen oder Muskelschmerzen kommen.

Wegen möglicher **Wechselwirkungen** sollte Ergotamin nicht mit Triptanen, Nikotin oder Medikamenten gegen AIDS/HIV-Infektion kombiniert werden.

Antiemetika

Wirkstoffe
- Metoclopramid
- Domperidon

Die Kombination eines Migränemedikaments mit einem Mittel gegen Übelkeit (Antiemetikum) ist in vielen Fällen sinnvoll. Da Triptane auch stark gegen Übelkeit wirken, ist ein zusätzliches Antiemeti-

kum bei dieser Wirkstoffgruppe nicht nötig. Bei allen anderen Migränemitteln kann durch ein Antiemetikum die Resorption, das heißt die Aufnahme des Medikaments aus dem Verdauungstrakt in die Blutbahn, verbessert werden. Dadurch ist die Wirkung stärker und tritt schneller ein. Zudem haben die genannten Antiemetika selbst einen gewissen schmerzlindernden Effekt.

Die Wirkung gegen Übelkeit und Erbrechen ist für Metoclopramid besser belegt als für Domperidon.

Seltene **Nebenwirkungen** von Antiemetika sind Unruhezustände und Bewegungsstörungen, die im Gehirn hervorgerufen werden. Unter Domperidon sind sie weniger häufig als unter Metoclopramid. Das Risiko ist im Kindesalter erhöht, deswegen sollte Metoclopramid Kindern unter 14 Jahren nicht verabreicht werden, bei Domperidon liegt die Altersgrenze bei 10 Jahren.

CLONIDIN

Clonidin ist eigentlich ein Medikament gegen Bluthochdruck, hat aber auch schmerzlindernde Eigenschaften. Es steht in Deutschland in Form von Kapseln zum Einnehmen und als Injektionslösung sowohl für die intravenöse Gabe als auch für Spritzen in den Rückenmarkskanal (epidural) zur Verfügung.

Für wen geeignet? Clonidin verstärkt die Wirkung von Opioiden und verlängert die Wirkdauer von Lokalanästhetika. Das kann zur Schmerzfreiheit bei Operationen beitragen. Patienten, die mit Opioiden oder anderen Schmerzmitteln keine ausreichende Schmerzstillung erfahren, kann die zusätzliche Gabe von Clonidin helfen. Auch zur Linderung von Symptomen des Opioid-Entzugs ist Clonidin geeignet. Clonidinpflaster (transdermale Applikation) sind wirksam bei neuropathischen Schmerzen. Die Pflaster sind in Deutschland nicht zugelassen, können aber in Ausnahmefällen bei entsprechender ärzt-licher Begründung über internationale Apotheken bezogen werden.

Gegenanzeigen: Patienten mit Herz- oder Kreislauferkrankungen sollten nicht mit Clonidin behandelt werden.

Nebenwirkungen: Zu Beginn der Behandlung, vor allem bei intravenöser und unter Umständen auch bei epiduraler Gabe von Clonidin kann der Blutdruck ansteigen. Bei längerer Anwendung kann es zu folgenden Nebenwirkungen kommen:

- starker Blutdruckabfall
- Verstopfung – besonders in Kombination mit Opioiden
- Müdigkeit, Benommenheit
- Mundtrockenheit.

Wechselwirkungen: Antidepressiva und Neuroleptika können die Wirkung von Clonidin abschwächen, Opioide können sie verstärken.

Nicht nur die Wirkung, sondern auch die Nebenwirkungen von Opioiden, Schlafmitteln oder Beruhigungsmitteln können durch Clonidin verstärkt werden.

CALCITONIN

Calcitonin ist ein Schilddrüsenhormon, das den Knochenstoffwechsel reguliert, aber auch ausgeprägte Effekte im Zentralnervensystem hat. Es steht als Injektionslösung für Spritzen unter die Haut (sub-

kutan) oder in die Blutbahn (intravenös) zur Verfügung sowie als Nasenspray.

Für wen besonders geeignet? Calcitonin ist wirksam in der Behandlung bestimmter neuropathischer Schmerzen (S. 190), beispielsweise nach einer Nervendurchtrennung, bei Phantomschmerzen oder einem komplexen regionalen Schmerzsyndrom. Da nicht alle, die an solchen Schmerzen leiden, auf Calcitonin ansprechen, ist es ratsam, das Hormon zunächst mehrere Male probeweise intravenös zu geben. Wird damit keine Schmerzlinderung erreicht, sollte auf eine andere Behandlung umgestellt werden.

Auch Patienten, die Calcitonin wegen dessen hormonellen Effekten auf den Kalziumstoffwechsel und die Knochenstabilität erhalten, können von den schmerzlindernden Eigenschaften des Medikaments profitieren. Das trifft auf Menschen zu, die infolge einer Tumorerkrankung einen hohen Kalziumspiegel im Blut haben (Hyperkalziämie) oder eine Erkrankung mit ausgeprägtem Knochenschwund, etwa bestimmten Formen der Osteoporose. Die bei diesen Erkrankungen ebenfalls eingesetzten Bisphosphonate scheinen einen stärkeren Effekt auf die Knochenstabilität zu haben als Calcitonin. Ein eigenständiger schmerzlindernder Effekt – unabhängig von der Knochenstabilität – wurde bei den Bisphosphonaten aber bisher nicht nachgewiesen. In manchen Fällen ist die Kombination von Bisphosphonaten und Calcitonin angezeigt.

Für wen nicht oder nur bedingt geeignet? Bei allen oben nicht genannten Schmerz-

zuständen ist Calcitonin unwirksam. Bei Kindern und bei Menschen mit niedrigem Kalziumspiegel im Blut (Hypokalziämie) sollte Calcitonin nicht angewandt werden. Wenn der Verdacht auf eine Überempfindlichkeit gegenüber Calcitonin besteht, sollte die Verträglichkeit zunächst im Hauttest geprüft werden.

Nebenwirkungen: Unter der Behandlung mit Calcitonin können folgende Nebenwirkungen auftreten:
- Übelkeit
- Erbrechen
- plötzliche Rötung von Gesicht und Oberkörper (Flush)
- Durchfall
- lokale Entzündungsreaktionen der Haut an der Einstichstelle der Spritze
- Hautausschläge
- Schwindel
- verstärkter Harndrang.

Schwere Nebenwirkungen sind unter Calcitonin selten.

Bei Kombination von Calcitonin mit manchen Medikamenten kann es zu unerwünschten oder risikobehafteten Wechselwirkungen kommen, die unter Umständen durch eine Dosisanpassung ausgeglichen werden können. Dazu zählen Herzmedikamente wie Digitalispräparate oder Kalziumkanalblocker sowie Bisphosphonate.

BILD Oft schwören Kopfschmerzpatienten auf die Wirkung von Bewegung an der frischen Luft.

SAUERSTOFF UND OZON

Wer den ganzen Tag in muffigen Büro- oder Geschäftsräumen verbringt, weiß wahrscheinlich, wie wohltuend es ist, mal eine halbe Stunde durch den Park zu gehen oder durch den Wald zu joggen. Auch manche Kopfschmerzpatienten schwören auf die Wirkung von „stink-normaler" – oder besser gesagt frischer – Luft. Sicher spielen dabei auch Faktoren wie Bewegung, Sonnenlicht oder – wie beim gemeinsamen Fußballspiel – soziale Kontakte eine Rolle. Und wie wichtig der Sauerstoffgehalt der Luft letztlich ist, kann nur spekuliert werden.

Medizinisch wird Sauerstoff aus Druckflaschen oder – wie in den meisten Krankenhäusern – aus fest installierten Leitungen eingesetzt. Er kann entweder über eine Beatmungsmaske oder über einen dünnen Schlauch durch die Nase inhaliert werden. Um eine Austrocknung der Schleimhäute zu vermeiden, wird der Sauerstoff vorher durch ein Gefäß mit Wasser geleitet.

In der Komplementärmedizin (auch Alternativmedizin, engl. Complementary and Alternative Medicine, Abk. CAM) gibt es zudem Sonderformen der Sauerstofftherapie. Teilweise wird dabei Ozon beigemischt, eine chemische Variante von Sauerstoff, die in der Atemluft nur in Spuren vorkommt und bereits in geringen Mengen die Atemwege reizt.

Die drei gängigsten Sauerstoffbehandlungen der CAM:

■ Bei der Ozon-Sauerstoff-Therapie wird ein Gemisch der beiden Gase beispielsweise unter die Haut oder in die Adern gespritzt. Eine weitere Variante ist die Ozon-Sauerstoff-Eigenblutbehandlung, das heißt, entnommenes Blut wird mit dem Gasgemisch versetzt und über eine Venenkanüle wieder in den Blutkreislauf eingebracht (infundiert).

■ Die hämatogene Oxidationstherapie ist eine Eigenblutbehandlung, bei der Blut des Patienten zuerst mit Sauerstoff aufgeschäumt, dann mit UV-Licht bestrahlt und schließlich wieder infundiert wird.

■ Zur Sauerstoff-Mehrschritt-Therapie gehören neben Sauerstoffinhalationen auch Vitamin- und Mineralstoffpräparate und ein Programm mit Bewegungs- und Entspannungsphasen.

Für wen besonders geeignet? Möglicherweise kann die gezielte Zufuhr von hoch konzentriertem Sauerstoff manche Schmerzzustände lindern. Allerdings ist das bisher nur für die Inhalation von Sauerstoff bei einer bestimmten Kopfschmerzform nachgewiesen, nämlich dem Clusterkopfschmerz (S. 183).

Für wen nicht oder nur bedingt geeignet? Mangels aussagekräftiger Studien bleibt der Nutzen einer Therapie mit Sauerstoff oder Ozon bei anderen Schmerzerkrankungen ungeklärt. In Zusammenschau mit den potenziellen Nebenwirkungen (s. u.)

ist daher in der Regel von solchen Behandlungen abzuraten. Bei Menschen mit Schilddrüsenerkrankungen kann das Einbringen von Sauerstoff in den Blutkreislauf zu einer Verschlimmerung führen. Ebenfalls vor Sauerstoff-Eigenblutbehandlungen ausdrücklich gewarnt werden muss bei

- akuten Infekten
- Fieber mit unklarer Ursache
- Blutungsneigung
- erhöhter Neigung zu Blutgerinnseln (Thrombosen)
- kürzlich zurückliegendem Herzinfarkt oder Schlaganfall.

 ### NATÜRLICHES SAUERSTOFF-ANGEBOT NUTZEN

Die natürlichste, sanfteste und praktisch nebenwirkungsfreie Methode, dem Körper Sauerstoff zuzuführen, bleibt die regelmäßige Bewegung an der frischen Luft. Finden Sie selbst heraus, welche Freiluftaktivitäten Ihnen Freude machen und wie sie sich auf Ihre Schmerzen auswirken – als Vorbeugung und zur Linderung.

Risiken und Nebenwirkungen: Wie bei allen anderen Behandlungen, bei denen Medikamente in den Körper über eine Injektionsnadel oder eine Gefäßkanüle eingebracht werden, besteht ein gewisses Risiko für Entzündungsreaktionen von Haut oder Gefäßen, die in seltenen Fällen zu einer Aussaat von Erregern in den Blutkreislauf (Sepsis) mit hohem Fieber und Organversagen führen kann.

Therapien, bei denen Ozon oder Sauerstoff in die Adern geschleust wird, entweder direkt oder über Eigenblut, können bei unsachgemäßer Durchführung zu größeren Mengen Gas in den Blutgefäßen und dort zur Bildung von Blutgerinnseln führen, mit lebensbedrohlichen Folgen, etwa durch eine Lungenembolie.

Ob eine Ozonbehandlung des Bluts ungünstige Langzeitfolgen nach sich zieht, etwa eine Schädigung der Innenauskleidung (Endothel) der Blutgefäße und damit zu einem erhöhten Risiko für Herzinfarkt, Schlaganfall und anderen Gefäßereignissen, ist unklar.

MEDIKAMENTE ZUR ÄUSSERLICHEN ANWENDUNG

Lidocainpflaster

Lidocain ist ein Medikament, das überwiegend zur örtlichen Betäubung, Lokalanästhesie, eingesetzt wird. Es wirkt direkt auf die Nervenzellen und hemmt deren Bereitschaft, Erregungsimpulse (Aktionspotenziale) weiterzuleiten. Sehr wahrscheinlich haben Sie bereits Spritzen mit Lidocain oder einem anderen Lokalanästhetikum erhalten. Sie erinnern sich nicht? Dann haben Sie wahrscheinlich die Spritze beim Zahnarzt nicht mitbedacht.

Bei akuten Schmerzen oder zu deren Vermeidung – etwa bei kleineren operativen Eingriffen – ist Lidocain wirksam. Es kann über verschiedene Wege zugeführt werden, beispielsweise als Spritze unter die Haut oder in ein Gelenk. Wird ein Lokalanästhetikum in die Nähe eines bestimmten Nervs oder Nervenastes gespritzt und dessen Versorgungsgebiet damit schmerzfrei gemacht, dann spricht man von einer Leitungsanästhesie. Dazu zählen die üblichen Spritzen beim Zahnarzt und verschiedene invasive schmerztherapeutische Verfahren (S. 165).

Eine erst seit wenigen Jahren unter dem Präparatenamen Versatis® verfügbare Darreichungsform von Lidocain ist ein Pflaster, das auf die Haut aufgeklebt wird. Der Wirkstoff wird in das darunterliegende Gewebe abgegeben und wirkt dort schmerzlindernd. Es gelangen dabei, anders als bei den transdermalen Systemen (S. 121), keine relevanten Mengen des Wirkstoffs in den Blutkreislauf. Der Patient trägt das Pflaster zwölf Stunden lang auf der Haut, bleibt dann für weitere zwölf Stunden ohne Pflaster und erneuert es dann wieder. Die Wirkung setzt oft erst nach Tagen bis Wochen ein.

Für wen besonders geeignet? Lidocainpflaster sind in Deutschland ausschließlich zur Behandlung der Zosterneuralgie (S. 190) zugelassen. Bei dieser ist die Wirksamkeit des Präparats nachgewiesen.

Für wen nicht oder nur bedingt geeignet? Wahrscheinlich wirken Lidocainpflaster auch bei anderen örtlich begrenzten neuropathischen Schmerzen: Besonders ermutigend sind Behandlungsverläufe nach Nervenverletzungen und bei Allodynie (S. 190). Diese Anwendungsgebiete müssen aber in weiteren Studien überprüft werden. Wenn andere Behandlungsformen nicht infrage kommen, ist bei den erwähnten Schmerzzuständen ein Therapieversuch mit dieser relativ risikoarmen Methode gerechtfertigt.

Nebenwirkungen: Wie bei allen Pflasteranwendungen sind lokale Hautreaktionen und allergische Reaktionen möglich.

Da Lidocain bei der Anwendung als Pflaster nicht in nennenswerten Mengen ins Blut gelangt, spielen die potenziellen Effekte des Wirkstoffs auf die Herzaktivität hier keine Rolle.

Hautreizende und wärmende Mittel

Diese äußerlich angewandten Mittel wirken in der Regel durchblutungsfördernd und erwärmend. Sie können, ähnlich wie andere Reizbehandlungen, über reflektorische Mechanismen im Nervensystem eine Schmerzlinderung bewirken. Ob damit allerdings ein nennenswerter Nutzen in der Behandlung von Schmerzzuständen erreicht werden kann, ist bei vielen dieser Verfahren ungewiss.

■ Nur bei gesunder, unempfindlicher Haut Bei Menschen mit besonders empfindlicher Haut, Hauterkrankungen wie Kontaktallergien, Schuppenflechte, offenen Hautverletzungen oder nach einer Strahlentherapie der behandelten Körperregion scheiden hautreizende Verfahren aus.

■ Kein Augen- oder Schleimhautkontakt Jeglicher Kontakt von hautreizenden Medikamenten – einschließlich Pflastern – mit den Schleimhäuten und den Augen ist tunlichst zu vermeiden. Der Behandelnde sollte beim Auftragen von hautreizenden Salben oder Cremes flüssigkeitsdichte Handschuhe tragen. Suchen Sie nach versehentlichem Augenkontakt sofort einen Augenarzt auf.

■ Keine zusätzliche Wärmebehandlung Wärmebehandlungen etwa in Form von Bestrahlungen, Heizkissen oder Wärmflaschen sollten nicht mit hautreizenden Cremes oder Pflastern zusammen angewandt werden, da sie deren Wirkung und Nebenwirkungen unkontrolliert verstärken und zu einer unerwünschten Aufnahme der Wirkstoffe ins Blut führen können.

■ Nicht bei aktiver Entzündung Bei entzündlichen Zuständen, etwa geschwollenen, geröteten und überwärmten Gelenken infolge einer entzündlichen Gelenkerkrankung, können hautreizende, wärmende Mittel zu einer Verschlimmerung führen und kommen daher in aller Regel nicht infrage.

Capsaicin

Capsaicin ist ein Stoff, der in Paprika- und Chilischoten vorkommt und der beim Verzehr das typisch scharfe Geschmacks- bis Schmerzerlebnis hervorruft.

Kommt die Haut mit größeren Mengen von Capsaicin in Berührung, dann macht das bestimmte Nervenenden empfindlicher, genauer gesagt die Enden der C-Fasern, die für den Empfang und die Weiterleitung von Schmerz- und Hitzereizen zuständig sind. Dementsprechend treten in den behandelten Hautarealen zunächst heftige, brennende Schmerzen und eine Schmerzüberempfindlichkeit (Hyperalgesie) auf. Nach einer vier bis sechs Wochen dauernden, drei- bis viermal täglichen Anwendung einer niedrigprozentigen capsaicinhaltigen Creme oder der einmaligen Anwendung eines Capsaicinpflasters fangen die C-Fasern an zu schwächeln und versagen daraufhin vorübergehend ihren Dienst: Die Schmerzempfindlichkeit in einem bestimmten Nervenversorgungsgebiet lässt nach und damit auch die Schmerzen.

BILD 1 Mit „Chilipflastern" kann man die Schmerzempfindlichkeit in bestimmten Bereichen nach und nach senken.
BILD 2 Schon Sebastian Kneipp empfahl bei hartnäckigem Rheuma, die schmerzenden Stellen mit frischen Brennnesseln zu schlagen.

Um ein allzu starkes Brennen unter der Pflasterbehandlung zu vermeiden, wird das entsprechende Hautareal mit einem Lokalanästhetikum (S. 150) vorbehandelt. Bei Salben mit einem sehr niedrigen Capsaicingehalt überwiegt der wärmende gegenüber dem reizenden Effekt (S. 154).

Für wen besonders geeignet? Die Wirksamkeit von Capsaicinpflastern ist in der Behandlung von Zosterneuralgien (S. 190), bestimmten Schmerzzuständen nach Operationen und bei diabetischer Polyneuropathie (S. 190) nachgewiesen.

Nebenwirkungen: Wie bei allen äußerlich angewandten Arzneimitteln sind lokale Hautreaktionen und allergische Effekte möglich. Der Kontakt mit Augen und Schleimhäuten mit der stark reizenden Substanz sollte tunlichst vermieden werden.

Cantharidenpflaster

Als Cantharide wurde früher die „Spanische Fliege", zoologisch korrekt Spanischer Käfer, Lytta vesicatoria, bezeichnet. Als Arzneimittel setzte ihn bereits Hippokrates ein und auch die Verwendung als sexuelle Stimulanz war über viele Jahrhunderte hinweg beliebt, wenngleich sehr riskant wegen giftiger Nebeneffekte. Die äußerliche Anwendung der Cantharidien als Arzneipflaster wird in mittelalterlichen Schriften erwähnt, als Variante zu anderen „ausleitenden" Verfahren wie Aderlass

oder Schröpfen. Das Cantharidenpflaster ist mit einer Paste aus zermahlenen Spanischen Käfern bestrichen. Auf die Haut aufgeklebt, bewirkt das Pflaster eine oberflächliche Entzündung der Haut. Nach einigen Stunden wölbt sich die oberste Hautschicht, was wie eine Brandblase aussieht. Die Blasenhaut wird mit einer sterilen Nadel durchstochen, damit die Gewebeflüssigkeit abfließen kann. Eine schmerzreduzierende Wirkung ist denkbar, etwa über durchblutungsteigernde Effekte oder auch im Sinne einer Reizbehandlung.

Das Pflaster wird von gesetzlichen Krankenkassen nicht erstattet (Stand Juli 2012). Die Anwendung des Cantharidenpflasters bedarf eines speziell ausgebildeten Arztes oder Heilpraktikers. Vor einer Selbstbehandlung ist dringend zu warnen.

Für wen bedingt geeignet? Manche CAM-Praktizierende verwenden das Cantharidenpflaster zur Behandlung von Rücken- und Gelenkschmerzen. Einen wissenschaftlich fundierten Wirksamkeitsnachweis gibt es jedoch nicht.

Für wen nicht geeignet? Das Cantharidenpflaster sollte nicht bei offenen Hauterkrankungen, ausgeprägter peripherer arterieller Verschlusskrankheit, in der Schwangerschaft und bei Menschen mit eingeschränkter Nierenfunktion angewendet werden.

BILD 1   BILD 2

Nebenwirkungen: Unter der Pflasterbehandlung kann es zu Hautbrennen und Brennen beim Wasserlassen kommen. Nach Abheilung der Hautblase kann ein bräunlich verfärbter Fleck zurückbleiben, der bis zu einem Jahr lang bestehen bleibt. Hautinfektionen sind möglich, aber bei sachgerechter Handhabung sehr selten. Bei falscher Handhabung oder Überdosierung können sich die Wirkstoffe schädlich auf die Niere auswirken.

Baunscheidtöl

Ebenfalls ein Verfahren, dem CAM-Praktizierende „ausleitende" Wirkungen zuschreiben, ist das Baunscheidtieren, benannt nach dessen Erfinder Carl Baunscheidt (1809–1874). Dabei wird zunächst mit dem „Lebenswecker", einem Instrument mit 33 Nadeln, oberflächlich in die Haut gestochen. Das Baunscheidtöl wird in das derart vorbehandelte Areal eingerieben und bewirkt dort eine Hautreizung, einen Ausschlag, der meistens juckt und mit einem Wärmegefühl einhergeht. Das Öl ist ein Gemisch aus verschiedenen hautreizenden Substanzen wie Histamin, Cantharidin aus dem spanischen Käfer (s. o.), Wacholderöl, Senföl oder dem Saft von Wolfsmilchgewächsen.

Wie andere Reizbehandlungen bewirkt die Baunscheidt-Therapie eine Durchblutungsförderung und Erwärmung der Haut. Schmerzdämpfende Effekte über reflektorische Mechanismen im Nervensystem sind denkbar. Allerdings fehlt auch bei dieser CAM-Methode ein tragfähiger Wirksamkeitsnachweis in kontrollierten Studien.

Für wen bedingt geeignet? Vorläufige Hinweise auf eine mögliche Wirksamkeit des Verfahrens gibt es bei Patienten mit Rückenschmerzen, Schmerzen aufgrund von Osteoporose, Sehnenschmerzen und in der Schmerztherapie von Patienten mit weit verteilten Krebs-Tochtergeschwulsten (Metastasen) der Wirbelsäule.

Für wen nicht geeignet? Das Baunscheidtieren verbietet sich bei offenen Hauterkrankungen, ausgeprägter peripherer arterieller Verschlusskrankheit, in der Schwangerschaft sowie bei Menschen mit eingeschränkter Immunfunktion oder Tuberkulose.

Brennnesselschlagen und Ameisenbisse

„Wer an Rheumatismus leidet, und kein Mittel mehr findet, denselben auszutreiben, bestreiche oder schlage die schmerzenden Stellen täglich ein paar Minuten lang mit frischen Brennesseln. Die Furcht vor der ungewohnten Rute wird bald der Freude über deren vorzügliche Heilwirksamkeit weichen", so schrieb Sebastian Kneipp im Jahr 1888.

Bei diesem Verfahren gelangen Spuren reizender und durchblutungsfördernder Stoffe der Brennessel, wie Histamin und Ameisensäure, in die Haut. Ähnliche Effekte wie bei anderen Verfahren in diesem Kapitel sind also zumindest denkbar. Klinische Studien, die die Wirksamkeit bei Schmerzen, etwa im Rahmen rheumatischer Erkrankungen, beweisen oder widerlegen könnten, gibt es nicht und ob Sie es selbst ausprobieren wollen, bleibt Ihnen überlassen.

Ähnliches gilt für die aus Großmutters Zeiten überlieferte Gepflogenheit mancher Rheumakranker, sich nackt auf einen Ameisenhaufen zu legen.

Rezeptfreie Wärmepflaster

Man kann rezeptfrei erhältliche Wärmepflaster in zwei Kategorien einteilen: Zum einen gibt es Pflaster, die durch einen chemischen Prozess Wärme produzieren und an die Haut abgeben. Das ist also eine von vielen verschiedenen Techniken der Wärmebehandlung. Zum anderen gibt es Arzneipflaster, Salben und Cremes, die in der Haut eine – je nach Dosis – leichte oder stärkere Hautreizung mit Durchblutungssteigerung und damit letztlich auch Erwärmung bewirken. Diese Heilmittel enthalten als Wirkstoff entweder Capsaicin, in der Regel in niedrigerer Dosierung als beim rezeptpflichtigen Capsaicinpflaster, den ebenfalls capsaicinhaltigen Cayennepfeffer oder das synthetische, capsaicinähnliche Novinamid. Die durchblutungsfördernden und wärmend-entspannenden Effekte stehen bei den meisten Präparaten gegenüber den hautreizenden, schmerzfaserstimulierenden Effekten im Vordergrund. Ob sie Schmerzen genauso wirksam lindern wie „echte" Wärmeanwendungen, beispielsweise heiße Kompressen oder Bestrahlungen, ist unklar. Ein Vorteil der Pflaster ist sicher deren einfache Handhabung, was für geschwächte oder bettlägerige Kranke von Vorteil sein kann.

Für wen geeignet? Als unterstützende Behandlung bei Muskelverspannungen, Rücken- und nicht primär entzündlich bedingten Gelenk- und Sehnenschmerzen sind Wärmepflaster geeignet. Behandlungszeiträume von mehr als sechs Wochen wurden bislang nicht in Studien geprüft. Daher können keine Aussagen über die Langzeitwirksamkeit und -verträglichkeit gemacht werden.

Weitere pflanzliche Wirkstoffe und Kombinationen

Für die äußerliche Anwendung steht eine große Zahl pflanzlicher Präparate zur Verfügung, die frei verkäuflich sind und denen schmerzlindernde Wirkungen zugeschrieben werden. Diese Wirkungen sollen über entspannende, durchblutungsfördernde und – je nach Zusammensetzung – wärmende oder kühlende Effekte vermittelt werden. Darreichungsformen sind Salben, Cremes, Gele, Öle, alkoholische Zubereitungen zum Einreiben und Badezusätze. Für keines dieser Präparate ist die Wirksamkeit mit hoher wissenschaftlicher Beweiskraft belegt. Sie sind aber bei sorgfältiger Handhabung in aller Regel gut verträglich und der Verwendung als unterstützendes Hausmittel steht dann kaum etwas entgegen.

Hier nur wenige Beispiele für äußerlich anzuwendende Pflanzenarzneien, die teilweise auf eine lange Tradition in der Volksheilkunde zurückblicken und bei denen mit den heute etablierten Forschungsmethoden vorläufige Hinweise auf schmerztherapeutische Wirkungen gefunden wurden:

- Die äußerliche Anwendung von Beinwell (Symphytum officinale) kann möglicherweise zur unterstützenden Behandlung akuter, verletzungsbedingter Schmerzen oder Muskelschmerzen beitragen, so das vorläufige Ergebnis aus klinischen Studien.
- Die bisherigen Studienergebnisse zu äußerlichen Anwendungen von Arnika-Präparaten bei verletzungsbedingten Schmerzen des Bewegungsapparats sind widersprüchlich und bedürfen der weiteren Überprüfung.

- Die kühlenden und durchblutungsfördernden Effekte mancher ätherischer Öle, etwa Pfefferminzöl oder Eukalyptusöl, können bei bestimmten Schmerzzuständen als lindernd empfunden werden. Möglicherweise trägt auch der Geruch dieser Öle zu einer wohltuenden und entspannenden Gesamtwirkung bei. Bei Kleinkindern und Säuglingen sollten aber weder solche ätherischen Öle noch deren Inhaltsstoffe wie Menthol, Kampfer oder Cineol verwendet werden, da beim Einatmen die Gefahr eines über die Reizung der Nasenschleimhaut ausgelösten Atemstillstands (Kratschmerreflex) besteht.
- Einer beginnenden Kopfschmerzattacke kann man durch das Einmassieren weniger Tropfen Pfefferminzöl in die Schläfen- oder Stirnhaut in manchen Fällen Paroli bieten. Achten Sie dabei darauf, dass nichts von den schleimhautreizenden ätherischen Ölen in die Augen oder in die Nase gelangt. Diese Methode wird auch bei Kindern über sechs Jahren als gute Alternative zur Kopfschmerztablette empfohlen.
- Menthol ist auch in manchen Franzbranntwein-Präparaten enthalten und verstärkt dessen kühlende Wirkung. Manche Patienten mit Schmerzen des Bewegungssystems erfahren durch solche alkoholischen Einreibungen eine Schmerzlinderung. Für Menschen mit sehr trockener oder spröder Haut sind sie nicht zu empfehlen.
- Tigerbalsam ist eine Salbe mit ätherischen Ölen, unter anderem Kampfer und

Menthol. Die Rezeptur stammt aus Burma und ist weltweit als Fertigpräparat frei verkäuflich. Der weißen Variante werden eher kühlende, der roten eher wärmende Effekte zugeschrieben. Mögliche, wenn auch nicht wissenschaftlich gesicherte Anwendungsgebiete sind Kopfschmerzen (s. Pfefferminzöl) und Schmerzen des Bewegungsapparats.

VOR KINDERHÄNDEN SICHERN!

Bewahren Sie alle Arzneimittel so auf, dass Ihre Kinder auf keinen Fall darauf zugreifen können. Haben Sie Kinder unter fünf Jahren, dann sollten Sie es sich zur unumstößlichen Gewohnheit machen, nie ein Medikament auf dem Tisch oder in zugänglichen Schubladen liegen zu lassen, sondern alles sofort nach Gebrauch wegzuschließen. Das gilt auch für frei verkäufliche, äußerlich anzuwendende Heilmittel, denn diese können Substanzen enthalten, die, wenn sie verschluckt werden, giftig wirken. So enthält Tigerbalsam den giftigen Kampfer und Franzbranntwein ist allein wegen des hohen Alkoholgehalts gefährlich. Und wenn Sie schon dabei sind: Bringen Sie auch Reinigungs- und Spülmittel sowie Kosmetika sicher unter!

Salizylathaltige Kombinationen

Die Salizylsäure ist ein Inhaltsstoff der Weidenrinde (S. 159). Das bekannteste chemisch mit der Salizylsäure verwandte Schmerzmittel ist Azetylsalizylsäure (z. B. Aspirin®; ASS). Andere chemische Varianten und Salizylsäure selbst kommen in Salben vor, die zur Behandlung überwiegend verletzungsbedingter Schmerzen und Schwellungen eingesetzt werden. Allerdings ist die Wirksamkeit fraglich; vermutlich wirken die über die Haut aufgenommen Salizylatmengen nicht ausreichend entzündungs- und schmerzhemmend.

Ein Gel, das eine Kombination von Wirkstoffen aus der Rosskastanie mit dem synthetischen leicht entzündungshemmenden Diethylaminsalizylat enthält (Reparil®-Gel N), kann möglicherweise in der unterstützenden Behandlung akuter Schmerzen etwa nach Sportverletzungen und bei Arthrose nützlich sein.

Ein anderes häufig gekauftes Produkt ist Mobilat® – als Salbe oder Gel. Darin ist die Salizylsäure mit Chondroitinpolysulfat kombiniert, einer gerinnungshemmenden Substanz. Ein zuverlässiger Wirksamkeitsnachweis zum gängigen Anwendungsgebiet – verletzungsbedingte Schmerzen des Bewegungsapparats – existiert bislang nicht.

Nebenwirkungen: Bei großflächiger Behandlung über längere Zeiträume sind bei salizylsäurehaltigen Präparaten Vergiftungserscheinungen und im Extremfall eine Schädigung der Niere möglich.

Nichtsteroidale Antirheumatika

Auch nichtsteroidale Antirheumatika (NSAR) stehen in Darreichungsformen zur äußerlichen Anwendung zur Verfügung. Näheres dazu auf Seite 108.

MEDIKAMENTE DER KOMPLEMENTÄRMEDIZIN

Die älteste Form der medikamentösen Behandlung ist die Einnahme von Substanzen, die die Menschen in der Natur vorgefunden haben. Arzneien wurden von der Antike bis ins beginnende 20. Jahrhundert vorwiegend aus Pflanzen angefertigt, seltener auch aus Mineralien oder tierischen Bestandteilen. In der heutigen Pharmazie überwiegen immer noch Medikamente, die zumindest einen pflanzlichen Urahnen haben oder aus Pflanzen stammen. Das trifft auch auf viele Schmerzmittel zu, denken Sie nur an das Morphin und dessen Abkömmlinge oder die Azetylsalizylsäure, Prototyp der NSAR, deren Urahninnen, Salizin und Salizylsäure, aus der Weidenrinde stammen.

◥ „DIE ANDERE MEDIZIN"

Die Komplementärmedizin, von vielen auch als Alternativmedizin bezeichnet, (engl. Abk. CAM) umfasst medizinische Verfahren, die etablierte Methoden der überwiegend naturwissenschaftlich ausgerichteten Organmedizin ergänzen oder ersetzen sollen. Dazu zählen z. B. traditionelle Kräuterheilkunde, Homöopathie und anthroposophische Medizin sowie traditionelle Heilmethoden aus anderen Kulturen.

Eine andere Umschreibung für Komplementärmedizin ist Erfahrungsheilkunde, da sie sich zu einem Großteil auf Erfahrung von Menschen beruft, die in der Heilkunde tätig sind oder waren und die ihr Wissen weitergegeben haben. Allerdings sind all diese Begriffe umstritten, unter anderem, weil es in vielen Bereichen keine klaren und allgemeingültigen Unterscheidungsmerkmale zur etablierten Medizin gibt.

Mit dem Siegeszug der Naturwissenschaften, insbesondere der Chemie, Biologie und Physiologie, im 19. und 20. Jahrhundert widmete sich die pharmazeutische Forschung zunehmend der Suche nach geeigneten, chemisch definierten Einzelwirkstoffen, auf denen die heute überwiegend synthetisch hergestellten Arzneimittel basieren.

Die Behandlung mit Einzelwirkstoffen hat Vorteile gegenüber der althergebrachten Pflanzenmedizin. So ist etwa bei einem synthetischen Schmerzmittel – anders als bei einem pflanzlichen Präparat – der genaue Wirkstoffgehalt pro Tablette bekannt; die Dosierung kann dementsprechend exakt gesteuert werden. In den für die Arzneimittelzulassung notwendigen klinischen Studien können Wirkungen und Nebenwirkungen des Medikaments klar einem bestimmten Wirkstoff zugeordnet werden, was bei Pflanzenpräparaten praktisch nicht möglich ist. Das ist vor allem bei Arzneien von Bedeutung, bei denen die Spanne zwischen unwirksamer Unterdosierung und risiko- oder nebenwirkungsreicher Überdosierung schmal ist.

BILD 1   BILD 2

GEGEN SCHMERZEN IST NICHT NUR EIN KRAUT GEWACHSEN

Die Liste der Pflanzen, die in der Volksmedizin gegen Schmerzen eingesetzt werden, ist lang. Zur Mehrzahl dieser Pflanzen gibt es noch keine Wirksamkeitsbeweise aus klinischen Studien, aber Hinweise aus Labor- und Tierversuchen auf schmerzlindernde und entzündungshemmende Eigenschaften. Hier nur wenige Beispiele:

- Birke
- Eisenkraut
- Esche
- Goldrutenkraut
- Hagebutte
- Ingwer
- Kamille
- Katzenkrallenwurzel
- Kiefernrinde
- Königskerzen
- Lavendel
- Löwenzahn
- Maishaare
- Ringelblumen
- Stiefmütterchen
- Wacholder
- Weidenrinde
- Weihrauch
- Zitterpappel

Es ist allerdings auch denkbar, dass Pflanzenpräparate Vorteile gegenüber manchen Einzelwirkstoffen haben. In ähnlicher Weise, wie es zum regelmäßigen Konsum von Obst und Gemüse keine ebenso gesundheitsfördernde Alternative aus den Labors der Nahrungsergänzungsmittelhersteller gibt, könnten die Vorteile von Pflanzenarzneien im komplexen Zusammenspiel der vielen hundert chemischen Bestandteile liegen, die in einer Pflanze vorzufinden sind. Wir wissen es nicht, und es wäre sehr aufwendig, das auch nur für eine bestimmte Arzneipflanze herauszufinden.

Sie werden nun vielleicht denken, „Das macht ja nichts, bei einem Medikament ist ja die entscheidende Frage, ob es wirkt und dabei gut verträglich ist". Vor allem die Frage nach der Wirksamkeit ist aber leider für die meisten Pflanzenarzneien und auch für andere Medikamente der Komplementärmedizin nicht befriedigend zu beantworten, weder mit Ja, noch mit Nein. In den meisten Fällen fehlt es bislang an wissenschaftlich fundierten Beweisen aus kontrollierten klinischen Studien. Das trifft auch auf Präparate zu, die überwiegend im Rahmen eines CAM-basierten Gesamtkonzepts eingesetzt wer-

BILD 1 Für Fertigpräparate aus Weidenrinde ist die Wirksamkeit nachgewiesen, für Weidenrindentee steht dieser Nachweis noch aus.
BILD 2 Wacholder ist einer von vielen Kandidaten auf der Liste der pflanzlichen Schmerzmittel, die noch auf ein „Gütesiegel" warten.

den. Das heißt in Kombination mit anderen Methoden wie einer bestimmten Diät, physikalischen Anwendungen oder Entspannungsverfahren. Auf die sehr unterschiedlichen medizinischen Sichtweisen, etwa der Homöopathie, der anthroposophischen Medizin oder traditionell fernöstlicher Heilkunden kann hier nicht näher eingegangen werden.

Dieser Abschnitt beschränkt sich auf drei Pflanzenarzneien (Phytopharmaka), bei denen die bisherige klinische Forschung einen Nutzen in der Schmerztherapie zumindest nahelegt – die Weidenrinde, die Teufelskrallenwurzel und ein Extrakt aus drei Heilpflanzen. Das heißt nicht, dass die vielen anderen Pflanzen oder Kombinationen derselben, die in der traditionellen Kräuterheilkunde gegen Schmerzen eingesetzt werden, unwirksam sind. Was Sie an einheimischen Kräutern auf dem legalen Weg beziehen, um sich daraus einen Tee zu bereiten, ist in aller Regel so risiko- und nebenwirkungsarm, dass Sie getrost selbst probieren können, ob es Ihnen hilft.

 PFLANZLICH HEISST NICHT OHNE RISIKO

Vielleicht denken Sie, alle Pflanzen sind grundsätzlich harmlos und man kann sie bedenkenlos ausprobieren? Das trifft auf viele Pflanzenarzneien zwar zu, aber doch nicht auf alle. Dass man giftige Arzneipflanzen wie den Fingerhut oder die Tollkirsche nicht einfach von der Wiese pflückt und zu einem Tee zubereitet,

leuchtet ein – nicht nur aus Gründen des Arten-, sondern auch des Selbstschutzes. Viele wissen aber nicht, dass es auch anthroposophische, homöopathische und asiatische Arzneien gibt, in denen giftige Substanzen, wie Quecksilber oder andere Schwermetalle, in Konzentrationen vorkommen, die von Experten zumindest nicht einhellig als unbedenklich eingeschätzt werden. Hüten Sie sich unbedingt davor, Arzneien wahllos im Internet zu bestellen. In vielen Fällen sind diese stark mit Umweltgiften belastet oder gar mit synthetischen Wirkstoffen vermengt, ohne dass das aus der Zutatenliste ersichtlich wäre. Den höchsten Sicherheitsstandards entsprechen Pflanzenpräparate, die Sie aus einer deutschen Apotheke beziehen, das trifft auf Internetapotheken ebenso zu wie auf die Apotheke um die Ecke.

Weidenrinde (Salix alba)

Die Weidenrinde wurde bereits von Hippokrates gegen Gelenkschmerzen verwendet, das heißt, sie ist seit mindestens 2 500 Jahren in schmerztherapeutischem Gebrauch. Sie wirkt schmerzlindernd, entzündungshemmend und fiebersenkend. Eine ganze Reihe von Inhaltsstoffen scheinen an diesen Wirkungen beteiligt zu sein; teilweise sind sie mit der Azetylsalizylsäure chemisch verwandt, wie etwa das Salizin. Der Wirksamkeitsnachweis aus klinischen Studien erstreckt sich bislang nur auf Weidenrinden-Fertigpräparate mit einem definierten Salizin-Gehalt und nicht auf weidenrindenhaltige Tees.

Für wen besonders geeignet? Menschen mit Rückenschmerzen und arthrosebedingten Gelenkschmerzen können von der Behandlung profitieren.

Für wen nicht oder nur bedingt geeignet? Weidenrindepräparate sollten nicht von Menschen eingenommen werden, die eine Allergie gegen Salizylate, also beispielsweise gegen Aspirin®, haben. Auch wer unter einer bestimmten Atemwegserkrankung, wie Asthma oder spastischer Bronchitis, leidet, sollte Weidenrindepräparate meiden. Wenn Sie in der Vergangenheit ein Magen- oder Darmgeschwür hatten oder die Funktion Ihrer Niere eingeschränkt ist, sollten Sie vorher Rücksprache mit Ihrem Arzt halten.

Nebenwirkungen: Gelegentlich können Magen-Darm-Beschwerden wie Übelkeit oder Magenschmerzen auftreten. Dann sollten Sie das Mittel nicht mehr einnehmen. Auch bei Hautreaktionen, wie Juckreiz oder Ausschlägen, sollten Sie das Medikament absetzen.

Wechselwirkungen: Weidenrinde kann die Wirkung von blutgerinnungshemmenden und blutzuckersenkenden Mitteln verstärken. Die Wirkung von harntreibenden Mitteln (Diuretika, u. a. bei Bluthochdruck), kann abgeschwächt werden. Bei Kombination der Weidenrinde mit Kortikosteroide (S. 117) oder alkoholischen Getränken steigt das Risiko für Geschwüre und Blutungen im Magen-Darm-Trakt.

Teufelskrallenwurzel

Die Teufelskralle, Harpagophytum procumbens, ist in den Savannen der Kalahari, also im zentralen und südlichen Afrika, heimisch. Die Pflanzenwurzel wird in der dortigen Volksmedizin verwendet – unter anderem als Schmerzmittel und gegen Rheuma. Wissenschaftler bestätigen, dass sie entzündungshemmende und schmerzstillende Wirkstoffe enthält. In deutschen Apotheken wird Teufelskrallenwurzel sowohl in roher, getrockneter Form zur Teezubereitung als auch in Tabletten- oder Kapselform angeboten.

Für wen besonders geeignet? Menschen mit Rückenschmerzen können von einer Behandlung mit einem Harpagophytum-Präparat profitieren. Es gibt Hinweise, dass ein Harpagophytum-Präparat auch bei degenerativen Gelenkerkrankungen schmerzlindernd wirkt.

Für wen nicht oder nur bedingt geeignet? Wenn Sie unter einem Magen- oder Zwölffingerdarmgeschwür leiden, sollten Sie kein Harpagophytum-Präparat einnehmen. Menschen mit Gallensteinen sollten vorher den Rat ihres Arztes einholen.

Nebenwirkungen: Selten können unter der Einnahme Übelkeit, Erbrechen, Durchfall, Kopfschmerzen und Schwindel auftreten. Auch schwere allergische Reaktionen sind in seltenen Fällen möglich. Wechselwirkungen mit anderen Medikamenten sind nicht bekannt.

Phytodolor®

Dieses Mittel enthält alkoholische Frischpflanzenauszüge aus Eschenrinde, Zitterpappelrinde und -blättern sowie Echtem Goldrutenkraut. Wie die Weidenrinde (s. o.) enthält auch die Zitterpappelrinde Salizin, das im Körper zur schmerzlindernden und entzündungshemmenden Salizylsäure umgewandelt wird. Echtes Goldrutenkraut und Eschenrinde enthalten weitere Substanzen, die über verschiedene Wirkmechanismen Schmerzen und Entzündungsprozesse hemmen sollen.

Für wen besonders geeignet? Bei degenerativen Gelenkerkrankungen weisen einige Studien auf eine mit NSAR vergleichbare Wirksamkeit von Phytodolor®-Tropfen hin. Demzufolge lindern sie Schmerzen, Schwellung und Steifigkeit der Gelenke und verbessern die Beweglichkeit. Der Bedarf an anderen Schmerzmitteln konnte dadurch gesenkt werden. Eine abschließende Bewertung von Wirksamkeit und Verträglichkeit der Pflanzenmixtur, insbesondere im Vergleich zu deren Einzelbestandteilen, ist aber bislang nicht möglich.

Für wen nicht oder nur bedingt geeignet? Es gibt keine Studien zur Wirksamkeit von Phytodolor®, die den wissenschaftlichen Ansprüchen zum Beleg der Wirksamkeit genügen. Menschen mit Atemwegerkrankungen, Anfallsleiden, Magen-Darmgeschwüren, Leber- oder Nierenfunktionsstörungen sollten Phytodolor® nicht ohne vorherige Rücksprache mit ihrem Arzt einnehmen.
Wegen des Alkoholgehalts der Tropfen sind diese nicht für Kinder, Schwangere und Menschen mit Suchterkrankungen geeignet.

Nebenwirkungen: Unter der Einnahme von Phytodolor® kann es zu Übelkeit, Durchfall und allergischen Reaktionen kommen.

Wechselwirkungen: Der in dem Medikament enthaltene Alkohol kann die Wirkung von vielen Medikamenten verstärken, etwa von Schlaf- und Beruhigungsmitteln, Psychopharmaka, anderen Schmerzmitteln und einigen Medikamenten gegen Bluthochdruck.

NAHRUNGSERGÄNZUNGSMITTEL

Welche Bedeutung die Ernährung in der Schmerztherapie hat, erfahren Sie auf Seite 34. Unter bestimmten Umständen kann – zusätzlich zu einer individuell angepassten Diät – die Einnahme von Fisch- oder bestimmten Pflanzenölen zur Schmerzlinderung beitragen. Für alle anderen Nahrungsergänzungsmittel, wie Vitamine, Mineralstoffe oder Spurenelemente, ist eine schmerztherapeutische Wirkung nicht

BILD 1 Hering hat einen hohen Anteil von Omega-3-Fettsäuren. Das schützt Herz, Gefäße und Gelenke.
BILD 2 Mit Fischölkapseln kann man sich täglich eine reichliche Ration an Omega-3-Fettsäuren sichern. Eine Alternative für Fischmuffel.

nachgewiesen. Solange keine ausgeprägten Mangelzustände vorliegen, etwa ein durch jahrelange Fehlernährung entstandener Vitaminmangel, sind Vitaminpräparate und Nahrungsergänzungsmittel nicht erforderlich und eine ausgewogene Ernährung, die alles enthält, was der Körper braucht, ist und bleibt unschlagbar.

Fischöl

Fischöl hat einen hohen Anteil an Omega-3-Fettsäuren. Diese wirken auf verschiedenen Ebenen entzündungshemmend und deshalb ist der regelmäßige Verzehr von fettreichem Seefisch bei entzündlichen Gelenkerkrankungen besonders zu empfehlen. Omega-3-Fettsäuren haben zudem einen regulierenden Einfluss auf die Blutfettwerte und senken dadurch das Risiko für Herz- und Kreislauferkrankungen. Wer einem ausgiebigen Verzehr von Fisch nicht zugeneigt ist oder diesen nicht verträgt, kann stattdessen Fischölkapseln einnehmen. Diese sind in guter Qualität in Apotheken, Drogerien und sogar in manchen Supermärkten erhältlich. Lassen Sie sich nicht davon irritieren, wenn als Anwendungsgebiet nur die Senkung erhöhter Blutfettwerte angegeben ist. Allerdings sollten Sie darauf achten, dass das von Ihnen gewählte Präparat zusätzlich Vitamin E enthält, denn es erhöht die Haltbarkeit der wertvollen Fettsäuren. Vitamin E trägt möglicherweise auch zum entzündungshemmenden Gesamteffekt des Fischöls bei, bewiesen ist das aber nicht.

⬛ MANCHE FISCHÖLKAPSELN ENTHALTEN SCHADSTOFFE

Fischöl kann unter Umständen Umweltgifte wie Methylquecksilber oder polychlorierte Biphenyle (PCB) enthalten. Die Stiftung Warentest hat die gängigsten Präparate untersucht und nur bei wenigen davon erhöhte Schadstoffwerte gefunden. Näheres im Internet unter www.test.de/Fischoelkapseln-Meer-Schutz-fuers-Herz-1276864–1277493.

Für wen besonders geeignet? Bei Menschen mit rheumatoider Arthritis kann die regelmäßige Einnahme von Fischöl Schmerzen, Steifigkeit und Schwellungen der Gelenke vermindern. Auch die erkrankungsbedingte Müdigkeit und Abgeschlagenheit (Fatigue) sowie der Bedarf an anderen Schmerzmitteln kann unter der Fischölbehandlung zurückgehen. Hinweise darauf, dass Fischöl möglicherweise auch die Stimmung verbessern und Depressivität vermindern kann, bedürfen noch der weiteren Erforschung.

Für wen nicht oder nur bedingt geeignet? Ob Fischöl auch bei nicht primär entzündlichen Gelenkerkrankungen und anderen Schmerzzuständen wirkt, ist unklar. Da es aber nebenwirkungsarm und kostengünstig ist und obendrein die Blutfettwerte in Schach hält, steht einem Selbstversuch in der Regel nichts im Wege. Es sei denn, Sie leiden an einer Erkrankung der Leber, Galle oder Bauchspeicheldrüse, einer Atemwegserkrankung, Herzrhyth-

BILD 1

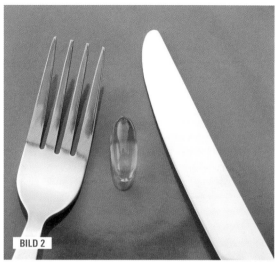

BILD 2

mus- oder Blutgerinnungsstörungen oder an einer eingeschränkten Fettverdauung; in diesen Fällen sollten Sie vorher den Rat Ihres Arztes einholen.

Nebenwirkungen: In seltenen Fällen kann Fischöl Übelkeit, Erbrechen, Durchfall oder Blähungen verursachen. Fischöl kann die Gerinnungsfähigkeit des Bluts vermindern. Wenn Verletzungen ungewöhnlich lange bluten oder Ihre Haut vermehrt blaue Flecken zeigt, sollten Sie Ihre Blutgerinnungswerte untersuchen lassen.

Wechselwirkungen: Wenn Sie blutgerinnungshemmende Medikamente wie Aspirin® oder Marcumar® einnehmen, sollten Sie auf Fischöl verzichten, denn es kann deren Wirkung verstärken.

Gamma-Linolensäure

Die Omega-6 Fettsäure Gamma-Linolensäure (engl. gamma linolenic acid, GLA) wirkt ebenfalls über eine Veränderung des Fettstoffwechsels entzündungshemmend. Der Anteil dieser Fettsäure ist besonders hoch im Öl von Schwarze-Johannisbeer-Samen, Nachtkerzenöl und Borretschöl. Diese Öle sind in Apotheken, Drogerien und Reformhäusern erhältlich, entweder in Flaschen abgefüllt oder in Kapselform.

Für wen besonders geeignet? GLA-reiche Öle können bei Menschen mit rheumatoider Arthritis Schmerzen lindern und die Beweglichkeit der betroffenen Gelenke verbessern. Dabei scheinen hohe Dosierungen, das heißt über 1 400mg GLA pro Tag, besser zu wirken als niedrigere.

Für wen nicht oder nur bedingt geeignet? Was die Anwendungsbereiche betrifft, gilt dasselbe wie für Fischöl.

Nebenwirkungen, Gegenanzeigen und Wechselwirkungen mit anderen Schmerzmitteln sind bei GLA-reichen Ölen noch wenig erforscht. Sie scheinen aber sehr gut verträglich zu sein. Übelkeit, Verdauungsbeschwerden, Kopfschmerzen und Hautausschläge können in seltenen Fällen auftreten. Da Nachtkerzenöl epileptische Anfälle begünstigt, sollte es nicht von Menschen mit Anfallsleiden (Epilepsie) und nicht in Kombination mit bestimmten Medikamenten gegen Psychosen (Phenotiazine) eingenommen werden.

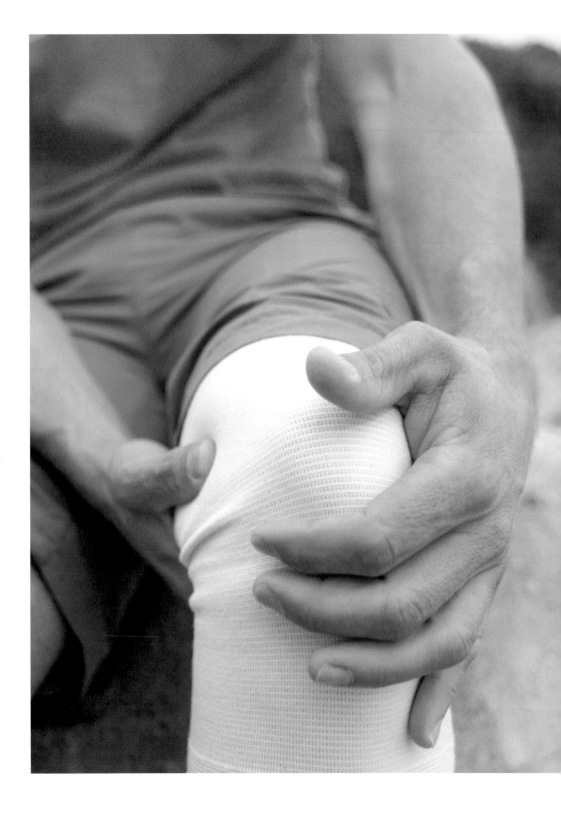

INVASIVE VERFAHREN

Eine ganze Reihe schmerztherapeutischer Verfahren beruht darauf, dass man bestimmte Nervenversorgungsgebiete der Haut, Nervenstränge, -knoten oder Rückenmarksareale betäubt oder sogar ganze Nerven operativ durchtrennt. Die Entscheidung, ob eine solche Behandlung infrage kommt, das Bestimmen und Auffinden der korrekten Stelle im Nervensystem und die Behandlung selbst erfordern ein hohes Maß an Fachkenntnis.

SPRITZE, KATHETER UND SKALPELL

Wenn Sie wegen Ihrer Schmerzen eine invasive Behandlung in Erwägung ziehen, informieren Sie sich umfassend und achten Sie darauf, dass der behandelnde Arzt über die Zusatzbezeichnung Schmerztherapie verfügt oder wenigstens eng mit solchen Ärzten zusammenarbeitet! Auf Grundlage des derzeitigen medizinischen Wissens können die meisten dieser Verfahren nämlich nur in eng begrenzten Anwendungsgebieten empfohlen werden. Im günstigsten Fall kann die Dauer der Schmerzerkrankung verkürzt werden und in der Regel sind invasive Verfahren nur angezeigt, wenn andere Behandlungsansätze keine ausreichende Wirkung zeigen. Ungeachtet dessen sind einige dieser Verfahren sehr verbreitet und werden leider oft auch falsch gehandhabt.

Nebenwirkungen und Risiken sind je nach Verfahren unterschiedlich, Infektionen können auftreten, bis hin zur lebensbedrohlichen Sepsis (Blutvergiftung). Daher dürfen diese Verfahren nur unter sterilen Bedingungen durchgeführt werden, das heißt sterile Handschuhe, Desinfektion, sterile Abdeckung und Mundschutz sind Pflicht. Die Injektion oder Instillation von Lokalanästhetika oder anderen Medikamenten ist mit dem Risiko von Arzneimittelnebenwirkungen, wie allergischen Reaktionen bis hin zu lebensbedrohlichen Kreislaufkomplikationen, verbunden. Das ist einer von vielen Gründen, warum solche Eingriffe nur von notfallmedizinisch erfahrenen Ärzten durchgeführt werden sollten. Bei falscher Anwendung kann es auch zu Nervenausfällen wie Lähmungen oder Empfindungsstörungen kommen. Wegen möglicher Blutungskomplikationen sollten insbesondere die rückenmarksnahen Verfahren nicht bei Menschen mit Blutgerinnungsstörungen oder bei Einnahme von Gerinnungshemmern durchgeführt werden. Die elektrische Stimulation bestimmter Nerven kann neben Empfindungsstörungen auch unwillkürliche Körperbewegungen hervorrufen; beides kann unangenehm sein und die Sicherheit im Führen eines Fahrzeugs und bei der Arbeit an Maschinen beeinträchtigen. Die Implantation von Neurostimulationselektroden sollte an einem implantationsmedizinisch erfahrenen Zentrum erfolgen. Zu weiteren Risiken und notwendigen Sicherheitsmaßnahmen bei elektrischen Stimulationsverfahren lesen Sie bitte weiter auf S. 76.

INFO   **Die gängigsten invasiven Verfahren**

Injektionen (Spritzen) und Instillationen (Katheterverfahren)

Weichteilinjektionen

- **Triggerpunktbehandlung** Dabei werden Lokalanästhetika (S. 150) in bestimmte Punkte der Muskulatur gespritzt, um eine reflektorische Schmerzlinderung zu bewirken.
- **Neuraltherapie nach Huneke** Durch die Injektion von Lokalanästhetika in bestimmte Stellen der Haut oder anderer Weichteile sollen Störfelder ausgeglichen werden, etwa Narben oder nervtote Zähne. Solche Störfelder können nach dem Verständnis der Neuraltherapeuten Beschwerden an einer anderen Stelle des Körpers verursachen. Dieses Konzept ist unter Schmerztherapeuten umstritten.
- **Intramuskuläre Injektionen** Das heißt Spritzen eines Medikaments, beispielsweise eines NSAR (S. 106) oder von Botulinumtoxin (S. 130) in einen Muskel.

Gelenkinjektionen

Zur Behandlung von Gelenkschmerzen werden dabei in der Regel Lokalanästhetika gespritzt, oft in Kombination mit Kortikosteroiden (S. 117), Morphin (S. 120) oder Hyaluronsäure, einem biochemischen Hauptbestandteil der Gelenkflüssigkeit.

Nervenblockaden

Das Lokalanästhetikum wird in die unmittelbare Nähe eines Nervs, einer Nervenwurzel oder eines Nervenknotens (Ganglion) gebracht. Das Prinzip entspricht dem der Leitungsanästhesie (S. 150).

Behandlung in Rückenmarksnähe

Das Lokalanästhetikum kann in Form von Einzelinjektionen oder auch kontinuierlich über einen dünnen Schlauch (Katheter) verabreicht werden. Dies geschieht entweder epidural, das heißt in den Zwischenraum zwischen innerer und äußerer Rückenmarksumhüllung (Dura mater) oder im Ausnahmefall auch intrathekal (spinal), das heißt in den mit Nervenwasser gefüllten Raum, in dem sich das Rückenmark und das Gehirn befinden. Neben Lokalanästhetika werden dafür Clonidin (S. 146), Opioide (S. 120) oder Kortikosteroide (S. 117) verwendet.

Neurolyse

Damit ist in der Schmerztherapie das längerfristige oder unumkehrbare Ausschalten von Nervenstrukturen gemeint. Dazu kann hochprozentiger Alkohol unmittelbar an einen Nerv gespritzt werden; andere dazu verwendete Mittel sind punktuell eingebrachte Kälte, Hitze oder auch die chirurgische Durchtrennung (Neurotomie) des Nervs. Voraussetzung für eine Neurolyse ist, dass in der vorausgehenden probeweisen Nervenblockade (s. o.) eine vorübergehende Schmerzlinderung erreicht wurde. In der Chirurgie wird der Begriff Neurolyse übrigens anders verwendet: Er bezeichnet die operative Freilegung eines eingeengten Nervs, z. B. beim Karpaltunnelsyndrom (S. 190). Die wohl eingreifendste Form der Schmerztherapie ist die Durchtrennung bestimmter Nervenfasern im Gehirn. Sie kommt – wenn überhaupt – nur in sehr seltenen Fällen infrage.

Neurostimulation

Bei der **Rückenmarkstimulation** (engl. **spinal cord stimulation** = SCS) werden weiche Elektroden eingepflanzt, die im Epiduralraum (s. o.) enden und dort elektrische Impulse an einen bestimmten Rückenmarksabschnitt abgeben.

Bei der **peripheren Nervenstimulation** enden die Elektroden unter der Hülle eines Nervs (Epineurium). Über eine Operation werden die Elektroden an Ort und Stelle gebracht. Dabei wird auch ein kleiner Impulsgeber in der Regel unter die Bauchdecke verpflanzt. Der Impulsgeber enthält eine Stromquelle und eine Steuerungseinheit und ähnelt in manchen Fällen einem Herzschrittmacher. Wenn die Elektrode richtig platziert ist, dann empfindet der Patient in der Körperregion, die mit dem stimulierten Nerven oder Rückenmarksabschnitt in Verbindung steht, Fehlempfindungen (Parästhesien) wie Kribbeln oder Elektrisieren. Warum das zur Linderung bestimmter Schmerzzustände beitragen kann, ist weitgehend ungeklärt. Möglicherweise sind dabei ähnliche Wirkmechanismen im Spiel wie bei nichtinvasiven Formen der Elektrotherapie (S. 77).

BILD Bei Arthrose im Kniegelenk wird zu häufig eine Operation empfohlen – fragen Sie nach einer Zweitmeinung!

SCHMERZEN WEGOPERIEREN? MEISTENS FEHLANZEIGE

Im Jahr 2010 wurden in Deutschland über 170 000 Bandscheibenoperationen durchgeführt; das sind mehr als doppelt so viele wie vor sechs Jahren. Die Zahl der Spondylodesen, das heißt von Operationen, bei denen ein Abschnitt der Wirbelsäule durch das Einbringen von Metallteilen stabilisiert werden soll, hat sich im selben Zeitraum sogar mehr als verdreifacht.

Der Nutzen solcher und anderer Operationen am Bewegungssystem im Sinne von weniger Schmerzen und verbesserter Beweglichkeit ist oft fraglich. Höchstens 40 von 100 aller Bandscheibenoperationen haben aus schmerztherapeutischer Sicht Aussicht auf Erfolg und oft lässt sich auch dann noch eine Operation durch die konsequente Durchführung nichtoperativer Maßnahmen umgehen.

Untersucht man Menschen, die keine Rückenschmerzen haben und auch nie welche hatten, in der Kernspintomografie, dann findet man bei 40 von 100 der unter 30-Jährigen und bei mehr als 90 von 100 der über 50-Jährigen degenerative Veränderungen – Abnutzungserscheinungen – an den Bandscheiben und bei manchen sogar einen oder mehrere Bandscheibenvorfälle. Wenn Sie mit Rückenschmerzen zum Arzt gehen und dieser daraufhin bei Ihnen solche degenerativen Veränderungen entdeckt, dann sind diese also mit hoher Wahrscheinlichkeit ohne Bedeutung und haben nichts mit Ihren Beschwerden zu tun.

Das wird aber von vielen Ärzten übersehen und manche sehen sogar dort einen Zusammenhang, wo er bereits bei genaueren anatomischen Kenntnissen ausgeschlossen werden könnte. Die Folge ist das beschriebene Zuviel an Operationen mit zwar seltenen, aber doch nicht völlig auszuschließenden Komplikationen wie Blutungen, Infektionen, Nervenverletzungen mit Lähmungen oder Empfindungsstörungen. Eine Verschlimmerung der Rückenschmerzen kann ebenfalls eine Operationsfolge sein, die dann von manchen Ärzten mit weiteren fragwürdigen Operationen beantwortet wird. Auch die immer beliebtere „Schlüssellochchirurgie", minimalinvasive Operationstechniken, bei denen über stabförmige Instrumente operiert wird und die mit nur kleinen Hautschnitten auskommen, ist nicht ohne jegliches Risiko.

Die intradiskale Elektrothermale Therapie (IDET), ein neues Verfahren, bei der die betroffene Bandscheibe über einen Katheter hitzebehandelt und so verhärtet wird, ist bei chronischen, bandscheibenbedingten Rückenschmerzen nicht wirksamer als eine Scheinbehandlung. Als Behandlungsmethode ist sie daher in diesem Anwendungsgebiet ungeeignet.

Ein weiteres bedenkliches Kapitel der operativen Schmerztherapie in Deutschland betrifft arthroskopische, das heißt minimalinvasive Kniegelenksoperationen. Dass diese bei den meisten Patienten

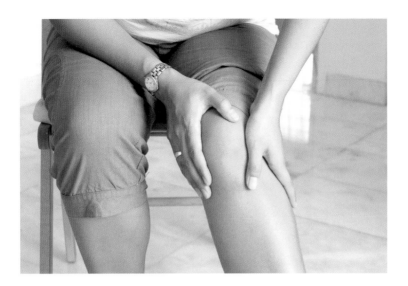

mit Kniegelenksarthrose nicht besser wirken als die gängigen physikalischen (S. 39) und medikamentösen (S. 103) Verfahren, ist seit Jahren hinreichend belegt. Ungeachtet dessen wurden solche Operationen in 2010 mehr als 280 000 Mal durchgeführt und sind damit die zweithäufigsten Operationen überhaupt.

Fazit: Sollte Ihr Arzt eine Operation an Bandscheiben, Wirbelkörpern oder Kniegelenksknorpeln anstreben, dann raten wir Ihnen dringend dazu, sich eine Zweitmeinung von einem schmerztherapeutisch kompetenten Arzt oder am besten von dem Ärzteteam eines interdisziplinären Schmerzzentrums einzuholen. Auch bei anderen Operationen im Bereich des Bewegungssystems ist diese Vorgehensweise sehr zu empfehlen. In den meisten Fällen haben Sie dafür genügend Zeit. Es gibt nur wenige Ausnahmen, bei denen eine unverzügliche Operation notwendig

ist, um Schäden, etwa an Nervenwurzeln oder Rückenmark, abzuwenden. Näheres dazu auf S. 172.

BANDSCHEIBENTRANSPLAN-TATION ALS ALTERNATIVE?

Eine neue Methode zur Verbesserung der Tragfähigkeit und Elastizität lädierter Bandscheiben ist die Transplantation körpereigener Bandscheibenzellen (engl. autologous disc derived cell transplantation = ADCT). Die Ärzte entnehmen dazu zunächst mit einer Hohlnadel Zellen aus einer Bandscheibe des Patienten. Im Labor werden die Zellen vermehrt und das dadurch gebildete frische Bandscheibengewebe wird in eine geschädigte Bandscheibe eingespritzt. Ob die Methode von Nutzen ist, auch im Vergleich zu anderen invasiven und nichtinvasiven Methoden, muss noch in geeigneten Studien geprüft werden.

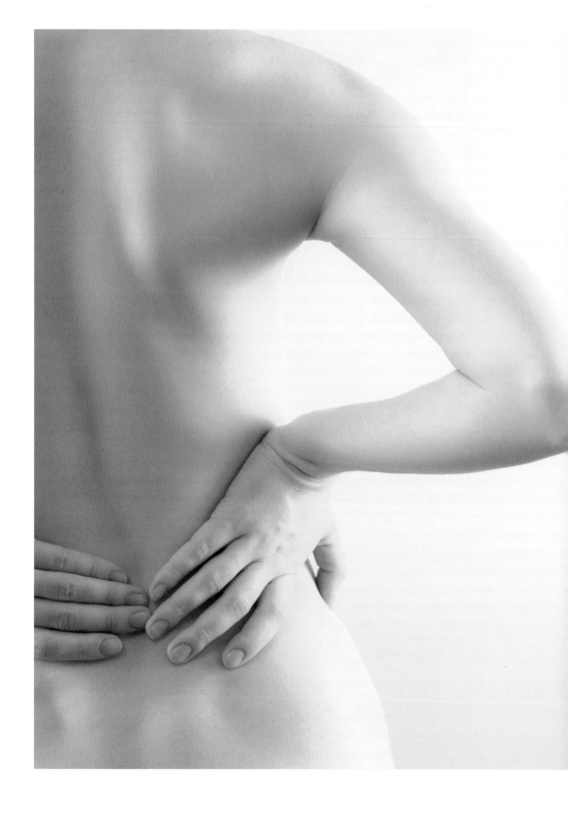

HÄUFIGE SCHMERZSYNDROME

In diesem Kapitel sind die häufigsten Schmerzsyndrome aufgeführt. Es ist vor allem für Menschen gedacht, die an einer der erwähnten Schmerzerkrankungen leiden. Es gibt Hilfestellungen zu einem besseren Verständnis der Erkrankung, Hinweise zum Umgang mit den Schmerzen und Tipps, wie Sie selbst zur Schmerzlinderung beitragen können. Die Behandlungsverfahren, die bei der jeweiligen Erkrankung erfolgversprechend sind, werden aufgezählt.

SCHMERZEN DER WIRBELSÄULE

Mit hoher Wahrscheinlichkeit wissen Sie, wie sich das anfühlt; mehr als 80 von 100 aller Deutschen sind mindestens einmal in ihrem Leben davon betroffen: Ein dumpfer, ziehender Schmerz, der sich bei bestimmten Bewegungen oder Dehnungen der Rückenmuskulatur oder beim Anheben des gestreckten Beins jäh verstärken kann. Der Schmerz kann ins Becken, in die Hüfte oder ins Bein ausstrahlen und von Kribbeln oder anderen Fehlempfindungen (Parästhesien) begleitet sein. In etwa zwei Dritteln der Fälle liegt das Problem in Höhe der Lendenwirbelsäule. In 90 von 100 der Fälle liegen keine körperlichen Schädigungen vor, die die Schmerzen ausreichend erklären. Man spricht dann von unspezifischen Rückenschmerzen. Dabei sind fast immer Verspannungen einer unzureichend trainierten Rückenmuskulatur und ungünstige Stressverarbeitungsmuster (S. 28) im Spiel.

Eine Fitnessstudiokette wirbt mit dem Slogan „Ein starker Rücken kennt keinen Schmerz" und liegt damit in den meisten Fällen richtig. Auch psychische Erkrankungen wie somatoforme Störungen (S. 198) können sich als Rückenschmerzen äußern. Vermutlich ist das häufiger der Fall als bisher angenommen. Die oft verdächtigten Bandscheibenschäden dagegen finden sich bei praktisch allen Menschen in höherem Alter und sind selten die unmittelbare Ursache für Rückenschmerzen. Auch die viel beschworene Beinlängendifferenz findet sich bei fast allen Menschen und ist selten für Rückenbeschwerden verantwortlich.

Diagnostik

Die Aufgabe Ihres Arztes ist es zu Beginn, herauszufinden, ob Ihre Schmerzen wirklich, wie in den meisten Fällen, unspezifisch sind oder aber auf eine bestimmte Erkrankung hinweisen, wie beispielsweise eine entzündliche Gelenk- oder Knochenerkrankung. Auch Hinweise auf einen möglichen Knochenbruch, eine Geschwulst oder Infektion im Bereich der Wirbelsäule müssen beachtet werden. Um solche dringend behandlungsbedürftigen Grunderkrankungen auszuschließen, genügt in der Regel Ihre genaue Beschreibung des Schmerzgeschehens zusammen mit einer sorgfältigen körperlichen Untersuchung einschließlich neurologischen Tests zur Muskelkraft, zu Muskelreflexen sowie zur Berührungs- und Schmerzempfindlichkeit der Haut. Meist kann auf eine weitergehende Diagnostik etwa mittels Kernspintomografie oder anderen bildgebenden Verfahren, die teilweise mit einer erheblichen Strahlenbelastung einhergehen, verzichtet werden.

In aller Regel kann der Arzt im Gespräch mit Ihnen und indem er Sie mit seinen Händen untersucht, auch klären, ob eine Nervenwurzel zusammengedrückt wird – etwa durch einen Bandscheibenvorfall. Das ist nur bei einem von hundert Rückenschmerzpatienten der Fall. Meistens liegt der Ursprung der Schmerzen in verspannter Muskulatur und einseitig belasteten Wirbelgelenk und nur selten in einer malträtierten Nervenwurzel, die dann neuropathische Schmerzen (S. 190)

verursacht. Ähnliches gilt für den plötzlich einschießenden Kreuzschmerz; der unselige Begriff Hexenschuss stammt übrigens wirklich aus der Zeit, in der man unschuldige Frauen und Männer als Hexen bezichtigte und zu Tode folterte. Nach damaliger Vorstellung beruhten solche Schmerzattacken auf dem Schuss einer Hexe.

Noch viel seltener als auf die Nervenwurzeln drückt etwas auf den untersten Teil des Rückenmarks (Conus medullaris) oder auf die von dort aus innerhalb der Wirbelsäule und des Kreuzbeins absteigenden Nervenstränge (Cauda equina). Dann ist ein operatives Eingreifen innerhalb der nächsten 48 Stunden notwendig, um bleibende Nervenschäden zu vermeiden. Bei folgenden Warnzeichen sollten Sie daher unverzüglich eine neurochirurgische Klink aufsuchen:

- unkontrollierter Abgang von Harn oder Stuhl
- Berührungsunempfindlichkeit im Genital- oder Analbereich. Wenn sich das taube Areal zudem auf die Innenseiten der Oberschenkel erstreckt, spricht der Arzt, weil es an den Lederbesatz einer Reithose erinnert, von einer Reithosenanästhesie.

Therapie

Bewegung ist die Devise bei unspezifischen Rückenschmerzen, und zwar von Anfang an. Das gilt auch für die meisten Rückenschmerzformen, bei denen Muskelverspannungen und Fehlbelastungen der Wirbelsäule bereits zu Verschleißerscheinungen oder örtlich begrenzten Entzündungen geführt haben. Versuchen Sie, Ihre gewohnten Aktivitäten möglichst früh wieder aufzunehmen. Bereits nach einigen Tagen werden Sie feststellen, dass sich Ihre Schmerzschwelle dadurch verändert und sich ihre Beweglichkeit wieder verbessert. Tagelange Bettruhe ist nicht nur unwirksam, sondern schädlich, weil sie der Gefahr einer Chronifizierung Vorschub leistet.

Suchen Sie sich etwas aus dem Kapitel Sport und Körperübungen (S. 22) aus, was Ihnen Spaß macht. Betreiben Sie es regelmäßig weiter, auch wenn Sie keine Rückenschmerzen mehr haben, denn es ist die beste Vorbeugung. Wenn Sie Übergewicht haben, ist die Gewichtsreduktion, die Sie mit regelmäßiger Bewegung und gesunder Ernährung (S. 34) erreichen, die beste Medizin für Ihre schmerzgeplagte Wirbelsäule. Vielleicht hilft Ihnen dabei die Einsicht, dass Sie für dieses Mal mit einem Schuss vor den Bug davongekommen sind und Ihrer Gesundheit nun doch lieber etwas mehr Aufmerksamkeit widmen als zuvor.

Alle anderen Behandlungsansätze dienen nur der Ergänzung und die damit erreichte Schmerzlinderung sollten Sie dazu nutzen, ihren gewohnten Tätigkeiten nachzugehen und sich regelmäßig sportlich zu betätigen. Sinnvoll sein können:

- Entspannungsverfahren (S. 31)
- physikalische, manuelle und übende Verfahren (S. 39). Für die Physiotherapie akuter Rückenschmerzen gilt: Intensive isometrische Übungen, das heißt das kräf-

tige Anspannen der Muskulatur gegen Widerstand und ohne dadurch eine Bewegung in der Wirbelsäule auszuführen, helfen mehr als passive oder vorsichtige aktive Bewegungen.

- Akupunktur (S. 64)
- Kurzfristige Behandlung mit Medikamenten, das heißt nicht länger als 14 Tage. Dafür kommen einige Präparate aus folgenden Wirkstoffgruppen infrage: Schmerzmittel mit entzündungshemmenden und fiebersenkenden Eigenschaften (S. 106), Muskelrelaxanzien (S. 129), Medikamente der Komplementärmedizin (S. 157)
- Medikamente zur äußerlichen Anwendung (S. 150).

Chronifizierung verhindern

Wenn Sie eine akute Rückenschmerzattacke so behandeln wie oben beschrieben, haben Sie sehr gute Chancen, dass Ihre Schmerzen innerhalb von wenigen Wochen deutlich zurückgehen. Erwarten Sie nicht, dass Sie durch die Behandlung sofort schmerzfrei werden.

Wenn aber innerhalb von vier Wochen keine deutliche Besserung erfolgt, dann sollten Sie sich in einem interdisziplinären Schmerzzentrum vorstellen. Das dortige Team aus körpermedizinischen und schmerzpsychotherapeutischen Spezialisten entscheidet gemeinsam mit Ihnen anhand Ihrer persönlichen Krankheitsgeschichte und den bisher erhobenen Befunden, welche weiteren Untersuchungen und Behandlungen nun notwendig und sinnvoll sind, um gegebenenfalls die Diagnose zu korrigieren, eine nachhaltige Schmerzlinderung zu erreichen und diese durch vorbeugende Maßnahmen zu erhalten. Elementen der Schmerzpsychotherapie (S. 81), wie dem Einüben von Stressbewältigungsstrategien, kommt ein hoher Stellenwert bei der Vorbeugung und Behandlung chronischer oder häufig wiederkehrender Rückenschmerzen zu.

Nackenschmerzen

Die Untersuchungen und Behandlungsstrategien bei Nackenschmerzen sind denen bei Rückenschmerzen (s. o.) sehr ähnlich. Auch hinter Kopfschmerzen und Schwindel können sich Verspannungen im Nacken verbergen und werden dann wie Nackenschmerzen behandelt.

Weitere Schmerzerkrankungen im Nackenbereich, wie der Schiefhals mit schmerzhafter Bewegungseinschränkung des Kopfes oder der schmerzhafte Muskelhartspann, bilden sich meist spontan innerhalb weniger Tage zurück. Ein Muskelhartspann wird häufig durch ruckartige Bewegungen, etwa im Rahmen eines Auffahrunfalls (siehe nebenstehender Kasten) oder beim Sport, verursacht.

Nur wenn Nackenschmerzen länger andauern und nicht auf die allgemeinen therapeutischen Maßnahmen wie Physiotherapie, physikalische und medikamentöse Schmerztherapie (s. o.) ansprechen, ist eine weitere diagnostische Abklärung einschließlich bildgebender Diagnostik notwendig.

Ähnlich wie bei den Rückenschmerzen ist es auch bei Nackenschmerzen entscheidend, die gewohnten körperlichen Aktivitäten weiterzuführen, gegebenenfalls mit der Unterstützung nichtmedikamentöser oder medikamentöser schmerzlindernder Maßnahmen. Physiotherapeutische Übungen orientieren sich an Ihrer konkreten Schmerz- und Verspannungssituation. Nach Anleitung sollten Sie unbedingt zu Hause selbst weiterüben. Welche Maßnahmen der manuellen Therapie an der Halswirbelsäule hilfreich und sicher sind, wird kontrovers diskutiert (S. 53).

Ruhigstellung durch Bettruhe oder die bei Nackenschmerzen früher übliche gepolsterte Halskrause (Schanz'sche Krawatte) ist in den meisten Fällen nicht nur wirkungslos, sondern sogar schädlich, weil sie verhindert, frühzeitig wieder in Bewegung zu kommen. Durch Ruhigstellen wird letztlich eine Chronifizierung, das heißt ein Dauerhaftwerden, der Schmerzen begünstigt. Außerdem: Wenn Sie sich mit dieser klobigen mobilen Kopfstütze Ihren Arbeitskollegen zeigen, wird Sie die gesamte Belegschaft mit mitleidigen Blicken und nervigen Kommentaren in ihrem Gefühl bestärken, doch sehr krank zu sein. Ich vermute, dass Sie auf diesen Effekt gerne verzichten.

Auch Schmerzpsychotherapeuten warnen vor der Halskrause, denn sie stigmatisiert den Betroffenen unnötig und hindert ihn daran, bald wieder so aktiv, beweglich und am Leben beteiligt zu sein wie gewohnt.

INFO Schleudertrauma – ein Phantom?

Mit einer etwas kantigen Bremsung kommen Sie gerade noch bei Rot zum Stehen. Im nächsten Moment, Sie wollen erst mal tief durchatmen, kracht es im Heck und Sie erhalten einen kräftigen Schubs von hinten, der Ihren Kopf zuerst gegen die Kopfstütze und dann mit dem Kinn auf die Brust wirft. Eine Schrecksekunde später stellen Sie fest, was passiert ist: Ein Auffahrunfall. Sie stellen es einerseits erleichtert fest – keine blutenden Schwerverletzten, keine brennenden Autos; andererseits sind Sie verärgert über den unsanften Einbruch eines Fremden in Ihren fahrbaren Hausfrieden. Sorgenvolle Gedankenschleifen beginnen Sie zu quälen: „Bin ich vielleicht selbst schuld und muss den Schaden tragen? Kommt nun eine nervenaufreibende und kostspielige Serie von Gerichtsverhandlungen auf mich zu? Der Schaden am Auto wäre ja noch zu verkraften; aber was ist, wenn ich durch den Unfall körperlich beeinträchtigt bin?" Alle Geschichten, die Sie jemals von und über Menschen mit chronischen Nackenbeschwerden gehört haben, fallen Ihnen wieder ein. Das Wort „Schleudertrauma" kommt Ihnen in den Sinn und prompt bemerken Sie ein unangenehmes Ziehen im Nacken, dem Sie in den nächsten Stunden und Tagen stetig wachsende Aufmerksamkeit widmen.

Immer wieder drehen Sie probeweise den Kopf hin und her und stellen fest, dass die Anspannung im Nacken und die Schmerzen zunehmen.

In einem solchen Moment sollten Sie sich folgende **Fakten** in Erinnerung rufen, um eine Chronifizierung Ihrer Schmerzen zu vermeiden:

■ Bei den insgesamt 200 000 Heckauffahrunfällen, die sich jährlich ereignen, übersteigt die Geschwindigkeitsdifferenz nur selten 15 km/h. Vermutlich wurde Ihre Halswirbelsäule mit einer sehr viel niedrigeren Wucht durchgeschüttelt als bei einer gewöhnlichen Autoscooterfahrt oder beim Basketballspielen. Viele Experten bezweifeln daher, dass es ein „Schleudertrauma" als eigenständige Erkrankung überhaupt gibt. Auch die Bezeichnungen Halswirbelsäulendistorsion und Peitschenschlagverletzung sind in der Fachwelt umstritten. Letztere beruht auf einer mittlerweile widerlegten Theorie aus den 1920er Jahren.

■ Wenn nach einer schwungvollen Belastung der Halswirbelsäule Symptome auftreten wie Muskelhartspann und Schmerzen im Nacken, die in den Schultergürtel oder Hinterkopf ausstrahlen, Schwindel oder Übelkeit, dann ist das völlig normal. In der Regel klingen die Symptome innerhalb weniger Tage ab. Trotzdem sollten Sie sich

sicherheitshalber ärztlich untersuchen lassen, um andere Ursachen Ihrer Beschwerden auszuschließen.

■ Wissenschaftler haben gesunde Versuchspersonen einem simulierten Auffahrunfall ausgesetzt. Dabei wurde nur das simuliert, was bei einem echten Auffahrunfall vom Fahrer gesehen und gehört wird, nicht aber die Erschütterung des Wagens. Trotzdem entwickelte jede fünfte Versuchsperson nach einem solchen „Placebounfall" die typischen Symptome eines „Schleudertraumas". Bei Personen mit psychischen oder psychosomatischen Symptomen löst ein Scheinunfall mit höherer Wahrscheinlichkeit Halswirbelsäulenbeschwerden aus als bei psychisch Gesunden.

Fazit: Die Vorgehensweise bei Halswirbelsäulenbeschwerden, die infolge eines Auffahrunfalls aufgetreten sind, ist sehr ähnlich wie bei akuten Rückenschmerzen. Wenn die ärztliche Untersuchung keinen Hinweis auf Nervenfunktionsausfälle zeigt, dürfen Sie
a) beruhigt sein und sollten Sie
b) ihren Kopf wieder so weit wie möglich in Bewegung halten –
das sind die beiden wichtigsten Empfehlungen, um eine Chronifizierung zu vermeiden.

Das ist manchmal leichter gesagt als getan, besonders wenn Sie ohnehin viel um die Ohren haben. Dann können ein paar Beratungs- und Übungsstunden beim Schmerzpsychotherapeuten Gold wert sein.

BILD Weder kleidsam noch hilfreich – eine Halskrause wird heutzutage nicht mehr empfohlen.

KOPFSCHMERZEN

Etwa zwei Drittel aller Deutschen leidet zumindest gelegentlich unter Kopfschmerzen, davon etwa 80 von 100 unter Spannungskopfschmerzen und 20 von 100 unter Migräne. Man spricht dabei von primären Kopfschmerzformen, das heißt, sie werden als eigenständiges Beschwerdebild betrachtet. Sekundäre Kopfschmerzen dagegen sind solche, die infolge einer anderen Erkrankung oder einer Kopfverletzung auftreten. Primäre Kopfschmerzen können in aller Regel anhand der typischen Beschwerden diagnostiziert werden. Wenn kein Verdacht auf eine sekundäre Kopfschmerzform besteht, sind apparative Untersuchungen im Allgemeinen nicht notwendig. Sie können sogar von Nachteil sein, weil sie immer wieder Auffälligkeiten zeigen, die sich erst nach längerem Bangen als bedeutungslos erweisen, und letztlich stellen sie dann eine unnötige psychische Belastung dar.

Spannungskopfschmerzen

„Wie ein zu enger Hut" oder „Wie ein Band, das den Kopf ringsherum einschnürt", so beschreiben viele Betroffenen ihre Spannungskopfschmerzen. Bei anderen ist der dumpfe Schmerz auf den Hinterkopf beschränkt. Die Schmerzstärke wird in der Regel als moderat eingeschätzt, viele fühlen sich dabei noch bedingt arbeitsfähig. Begleitsymptome wie Übelkeit oder Schwindel treten nicht oder nur schwach auf. Eine Kopfschmerzattacke kann Minuten bis Tage anhalten. Menschen mit chronischen Spannungskopfschmerzen erleben über Monate hinweg mehr Tage mit Kopfschmerzen als schmerzfreie Tage.

Vorbeugung und Therapie

Wie Spannungskopfschmerz genau entsteht, ist unklar. Wenn man eine Neigung zu solchen Kopfschmerzattacken hat, dann lassen ungünstige Stressverarbeitungsmuster und psychische Anspannung sie noch häufiger auftreten. Menschen mit Spannungskopfschmerzen leiden oft auch unter einer psychischen Erkrankung wie einer Depression, Angststörung oder somatoformen Störung.

Der Name Spannungskopfschmerz wurde gewählt, weil man früher der Meinung war, dass sie von einer erhöhten Anspannung der Muskeln unter der Kopfhaut herrühren. Man weiß inzwischen aber, dass nicht alle Menschen mit Spannungskopfschmerzen eine solche erhöhte Muskelspannung aufweisen; deren Bedeutung für den eigentlichen Schmerz ist daher umstritten. Biofeedbackverfahren (S. 92), mit deren Hilfe man die eigene Kopfmuskulatur willentlich entspannen kann, wirken gut gegen Spannungskopfschmerzen; vielleicht ist aber dabei die allgemeine, körperlich und psychisch entspannende, stressreduzierende Wirkung entscheidend und nicht nur die Wirkung auf einzelne Muskeln. Was ebenfalls für diese Vermutung spricht, ist die Wirksamkeit anderer Entspannungsverfahren (S. 30) wie etwa der Muskelrelaxation nach Jacobson.

Wenn Sie eine Spannungskopfschmerzattacke haben, können Sie als Erstes versuchen, ob Ihnen ein auf den Kopf gelegter Eisbeutel oder ein andere Methode der Kühlung (S. 61) hilft. Sie können auch einen Tropfen Pfefferminzöl auf die Schläfen tupfen; möglicherweise ist dabei ebenfalls der kühlende Effekt das Entscheidende. Besonders bei Kindern sollte man solche Maßnahmen der Einnahme von Medikamenten vorziehen. Pfefferminzöl sollte allerdings nicht bei Kindern unter sechs Jahren angewendet werden (S. 155). Meistens helfen Sport oder Körperübungen (S. 22) wie Yoga, häufigere Attacken zu vermeiden und oft auch als Attackenunterbrecher. Akupunktur (S. 64) kann bei manchen eine Schmerzattacke beenden oder zu-

---

INFO   **Wegen Kopfschmerzen zum Arzt?**

Viele Menschen kennen ihre Migräne oder ihre Spannungskopfschmerzen schon lange; sie wissen, wie sie gelegentliche Schmerzattacken behandeln können und was ihnen hilft, diese zu vermeiden. Einer solchen Selbstbehandlung steht prinzipiell nichts entgegen. Die Deutsche Migräne- und Kopfschmerzgesellschaft (DMKG) empfiehlt allerdings dringend, einen Arzt aufzusuchen, wenn die Kopfschmerzen …

■ … an mehr als zehn Tagen pro Monat auftreten.

■ … mit Lähmungen, Gefühls-, Seh-, Gleichgewichtsstörungen, Augentränen oder starkem Schwindel einhergehen. Solche Symptome können zwar auch im Rahmen einer Migräne auftreten und sind dann in der Regel harmlos. Trotzdem sollten andere mögliche Ursachen durch den Arzt ausgeschlossen werden.

■ … mit Beeinträchtigungen des Gedächtnisses, von Denkfunktionen oder der Orientierungsfähigkeit einhergehen.

■ … erstmals im Alter von über 40 Jahren auftreten.

■ … bezüglich Stärke, Dauer oder Häufigkeit zunehmen.

■ … ihren Ort oder ihre Ausbreitung am Kopf verändern.

■ … erstmals während oder nach körperlicher Anstrengung auftreten und/ oder sehr stark sind und in den Nacken ausstrahlen.

■ … von hohem Fieber begleitet sind.

■ … nach einer Kopfverletzung auftreten, etwa nach einem Sturz.

■ … mit einem Krampfanfall (epileptischer Anfall) oder Bewusstlosigkeit einhergehen.

■ … nicht mehr auf die bisher wirksamen Medikamente ansprechen.

mindest lindern. Wenn Sie eine Entspannungsmethode (s. o.) gelernt haben, dann können Sie diese Übungen bei einer akuten Schmerzattacke anwenden. Wenn Ihnen die Entspannungsübungen helfen, dann stärkt das Ihr Vertrauen, selbst etwas zu Ihrem Wohlbefinden beitragen zu können. Dieses Vertrauen steigert wiederum die Wirksamkeit der Selbstbehandlung und macht es leichter, mit dem Üben am Ball zu bleiben. Insbesondere bei chronischen Spannungskopfschmerzen ist es sehr ratsam, einen Schmerzpsychotherapeuten in die Behandlung einzubeziehen.

Medikamente sollten nur eingesetzt werden, wenn unter den genannten nichtmedikamentösen Verfahren keine ausreichende Schmerzlinderung eintritt. Zur kurzfristigen Behandlung von Spannungskopfschmerzattacken sind NSAR (S. 106), Parazetamol (S. 114) und Azetylsalizylsäure (S. 113) geeignet. Bei chronischen Spannungskopfschmerzen haben sich trizyklische Antidepressiva (S. 132) als wirksam erwiesen. Antidepressiva sind allerdings für dieses Anwendungsgebiet nicht zugelassen und erfordern daher eine besondere ärztliche Begründung.

Migräne

Bei der Migräne sind die Kopfschmerzen oft pochend und in der Regel stärker als beim Spannungskopfschmerz. Typisch sind zudem halbseitige Schmerzen; die betroffene Seite kann innerhalb einer Migräneattacke wechseln. Dazu kommen oft Übelkeit und Erbrechen, ein starkes Krankheitsgefühl und eine ausgeprägte Licht-, Geräusch- und Geruchsempfindlichkeit; schließlich will man sich während eines Anfalls nur noch ins Bett verkriechen, am liebsten mit der Decke über dem Kopf in einem stillen, dunklen Schlafzimmer.

Bei manchen Migränepatienten geht dem Anfall eine Aura voraus, das heißt eine schmerzlose Phase mit vorübergehend gestörten Nervenfunktionen. Das kann sich als Sehstörungen äußern, als flimmernde Gebilde (Flimmerskotome) vor den Augen, halbseitiger Verlust des Berührungsempfindens oder der Muskelkraft, Schwindel sowie als Wortfindungs- oder Sprechstörungen. Der Spuk ist nach höchstens einer Stunde vorbei, dann aber folgen die Kopfschmerzen mit den beschriebenen Begleitsymptomen. Ein Migräneanfall dauert zwischen vier Stunden und drei Tagen.

Gestörtes Zusammenspiel im Nervensystem

Wie Migräne entsteht, ist noch weitgehend ungeklärt. Man vermutet, dass ein gestörtes Zusammenspiel besteht zwischen bestimmten Nervenzentren im Hirnstamm und Nerven, die überwiegend für die Weiterleitung von Schmerzreizen aus Hirngefäßen und -häuten verantwortlich sind. Welche Bedeutung psychische Faktoren haben und ob sie eher Folge oder eher Ursache der Migräne sind, ist strittig. Eine typische Migränepersönlichkeit, wie sie früher angenommen wurde, existiert jedenfalls nicht. Migränepatienten leiden allerdings häufiger unter Depressio-

BILD 1 + 2 Als Flimmerskotome bezeichnet man die kreisförmigen, gezackten Gebilde, die im Rahmen einer Migräneaura im Gesichtsfeld auftreten. Hier zwei künstlerische Darstellungen von Flimmerskotomen.

nen und Angststörungen als Menschen ohne Migräne. Zudem sind sie oft sehr gewissenhaft und leistungsorientiert. Manche Psychologen vermuten dabei eine Reizverarbeitungsstörung des Gehirns, die dazu führt, dass der Betroffene in übertriebener Weise versucht, Sinneseindrücke und Informationen, die auf ihn einströmen, lückenlos mitzubekommen und „richtig" darauf zu reagieren. Die Migräneattacken könnten dann entweder eine Gegenreaktion auf diese dauernde innere Anspannung sein oder eine direkte Folge der eventuell angeborenen oder in der frühen Kindheit erlernten Reizverarbeitungsstörung. Dass die Betroffenen Stress als den häufigsten Auslöser für Migräneattacken sehen und dass die Häufigkeit der Anfälle unter einer schmerzpsychotherapeutischen Behandlung abnimmt, sind weitere Indizien dafür, dass es ein gestörtes Zusammenspiel zwischen Psyche und Nervensystem ist, was die Migräne aufrechterhält. Weitere Faktoren, die von manchen Migränepatienten als Auslöser erlebt werden, sind Menstruation, eine plötzliche Änderung des Schlaf-Wach-Rhythmus, bestimmte Nahrungs- oder Genussmittel und Wetterwechsel.

Was tun bei einer Migräneattacke?

Geben Sie Ihrem Bedürfnis, sich in eine reizarme Umgebung zurückzuziehen, ruhig nach. Vielleicht gelingt es Ihnen sogar, Ihre Migräne zu „verschlafen". Ähnlich wie beim Spannungskopfschmerz können auch bei der Migräne Akupunktur (S. 66)

oder kühlende Maßnahmen (S. 61), wie Eisbeutel oder äußerlich angewandtes Pfefferminzöl, schmerzlindernd wirken. Näheres zur medikamentösen Behandlung lesen Sie auf S. 142.

MEDIKAMENTE NICHT ÖFTER ALS ACHT TAGE PRO MONAT

Alle Medikamente für die Behandlung akuter Spannungskopfschmerz- oder Migräneattacken können, wenn sie zu häufig eingenommen werden, einen medikamenteninduzierten Kopfschmerz (S. 182) hervorrufen. Besonders tückisch ist, dass dieser einer Migräneattacke aufs Haar ähnelt und dann zu einer noch häufigeren Medikamenteneinnahme verleiten kann. Kopfschmerzmedikamente sollten nicht häufiger als an acht Tagen pro Monat und nicht länger als drei Tage hintereinander eingenommen werden. Bei häufigen Attacken, deren Zahl nicht durch nichtmedikamentöse Maßnahmen gesenkt werden kann, ist eine vorbeugende Behandlung mit dafür geeigneten Medikamenten angezeigt.

Nichtmedikamentöse Vorbeugung

Sie können selbst entscheidend dazu beitragen, zukünftige Migräneattacken zu vermeiden oder zumindest deren Häufigkeit zu vermindern:

■ Treiben Sie regelmäßig Sport. Ausdauersportarten wie Joggen, Radfahren oder Schwimmen, aber auch Körperübungen, die Aktivität und Entspannung miteinander verbinden, beispielsweise Yoga, sind geeignet.

BILD 1

BILD 2

- Achten Sie auf einen regelmäßigen Tagesablauf. Essen, Schlafengehen und Aufstehen zu regelmäßigen Zeiten, auch am Wochenende, sind viel wichtiger für die Vermeidung von Migräneattacken als was Sie essen (Näheres dazu auf S. 36) und wie viel Sie schlafen; natürlich sollte es nicht zu wenig sein.
- Gönnen Sie sich genug Entspannung. Wie das konkret aussehen kann, erfahren Sie auf S. 30. Für progressive Muskelentspannung (S. 31) und Biofeedback (S. 92) ist die Wirksamkeit in der Migränevorbeugung am besten belegt.
- Achten Sie auf Ihren Kräftehaushalt. Sorgen Sie für ein Gleichgewicht zwischen Aktivität und Ruhe. Nehmen Sie Ihre eigenen Bedürfnisse wahr. Finden Sie heraus, was Ihnen guttut, und tun Sie es regelmäßig. Im Rahmen einer Schmerzpsychotherapie (S. 81) können Sie das gezielt trainieren.
- Führen Sie ein Kopfschmerztagebuch, (S. 17). Das hilft Ihnen und Ihrem Arzt, herauszufinden, wie sich Ihre Lebensweise, Ernährung, innere Einstellungen und die Behandlung auf die Häufigkeit und Dauer der Attacken auswirken.

- Auch mithilfe der Akupunktur (S. 64) kann die Häufigkeit von Migräneattacken reduziert werden.

Medikamentöse Vorbeugung

Wenn Sie mehr als vier Migräneattacken im Monat haben und sich diese durch die genannten Maßnahmen nicht ausreichend beeinflussen lassen, dann können Sie mit Ihrem Arzt besprechen, ob bei Ihnen eine medikamentöse Vorbeugung (Prophylaxe) infrage kommt. Damit kann die Häufigkeit, Stärke und Dauer der Attacken im günstigsten Fall um die Hälfte reduziert werden.

Am besten belegt ist dabei die Wirksamkeit folgender Medikamente:
- Betablocker
  Metoprolol
  Propanolol
  Bisoprolol
- Kalziumantagonist
  Flunarizin
- Antikonvulsiva
  Topiramat
  Valproinsäure (nur durch Kopfschmerzspezialisten, nicht für die Migränevorbeugung zugelassen)

Speziell zur Prophylaxe kombinierter Spannungskopfschmerz- und Migräneattacken ist das Antidepressivum Amitriptylin (S. 133) in retardierter Form geeignet.

Zumindest Hinweise auf eine Wirksamkeit gibt es zudem bei folgenden Medikamenten:

- Gabapentin (Antikonvulsivum; S. 139)
- Naproxen (mittellang wirksames NSAR; S. 107)
- Azetylsalizylsäure (S. 113) in niedriger Dosierung
- Magnesium mit oder ohne Vitamin B2. Pestwurzpräparate haben sich zwar auch als wirksam erwiesen, können aber wegen des Risikos schwerer Leberschädigungen nicht empfohlen werden.

Da eine Migräneprophylaxe immer auf längere Behandlungszeiträume angelegt ist, hat das Nebenwirkungsrisiko der dafür verwendeten Medikamente ein besonderes Gewicht. Deswegen sollten Sie diese Medikamente – auch die rezeptfreien – auf keinen Fall auf eigene Faust vorbeugend einsetzen. Einzige Ausnahme sind Magnesium- und Vitaminpräparate, sofern Sie nicht unter einer Nierenerkrankung leiden, sich an die empfohlenen Tageshöchstmengen halten und das Präparat gut vertragen.

Durch Medikamente verursachter Kopfschmerz

Bestimmte Medikamente können, wenn sie wiederholt eingenommen werden, Kopfschmerzen verursachen. Das trifft auf alle Medikamente zu, die zur Behandlung von Spannungskopfschmerz- oder Migräneattacken eingesetzt werden (S. 142), aber auch auf eine ganze Reihe anderer Medikamente wie manche Opioide, beispielweise Tramadol und Tilidin (S. 120), sowie Benzodiazepine (S. 137).

Medikamenteninduzierte, das heißt durch Medikamente hervorgerufene, Kopfschmerzen sind meist dumpf, drückend, manchmal auch pulsierend. Bei Migränepatienten können durch Medikamente auch Migräneattacken ausgelöst werden. Bei Menschen, die unter einer primären Kopfschmerzform leiden, kann die wiederholte Einnahme eines der genannten Medikamente zu einem Dauerkopfschmerz führen, der sich beim Absetzen des Medikaments noch verstärkt.

Die beste Vorbeugung gegen medikamenteninduzierte Kopfschmerzen ist es natürlich, wenn man alle nichtmedikamentösen Maßnahmen ausschöpft und dadurch auf Medikamente teilweise oder sogar ganz verzichten kann. Wenn das nicht möglich ist, sollte man bevorzugt Monopräparate verwenden, das heißt Arzneimittel, die nur einen Wirkstoff enthalten.

Ein medikamenteninduzierter Kopfschmerz erfordert einen Entzug, das heißt das Absetzen des Medikaments. Das sollte nie auf eigene Faust erfolgen, sondern immer ärztlich und psychotherapeutisch begleitet werden. In manchen Fällen, wie etwa bei ausgeprägten und bereits lang andauernden medikamenteninduzierten Kopfschmerzen, ist eine stationäre Entzugsbehandlung sinnvoll.

Clusterkopfschmerz

Eine sehr viel seltenere Form primärer Kopfschmerzen als Spannungskopfschmerz und Migräne ist der Clusterkopfschmerz. Das englische Wort Cluster bedeutet Bündel, Ballung, Anhäufung, das heißt, es geht um eine Serie von Kopfschmerzattacken innerhalb weniger Wochen, manchmal in ein- und derselben Nacht. Bei 90 von 100 der Betroffenen kommt es zu einer solchen Häufung von Attacken, vor allem im Frühjahr und im Herbst; 10 von 100 leiden unter chronischen Kopfschmerzen. Die in aller Regel heftigen Schmerzattacken treten meist in der Nacht auf und dauern zwischen einer Viertelstunde und drei Stunden lang an. Es ist immer nur eine Seite des Kopfes, die schmerzt, meistens ums Auge herum und in der Schläfenregion. Das Auge tränt auf dieser Seite, das Lid ist geschwollen, die Bindehaut gerötet und die Nase läuft. Mögliche Attackenauslöser sind Alkohol und Nitrospray, ein Medikament gegen Herz-Kreislauf-Krankheiten.

Therapie und Prophylaxe

Durch die Inhalation von 100%-igem Sauerstoff (S. 148) kann eine Schmerzattacke oft beendet werden. Weiterhin wirksam in der Behandlung der akuten Schmerzattacke sind Triptane (S. 142). Die Wirkung von unter die Haut (s.c.) gespritzten Sumatriptans setzt nach etwa 15 Minuten ein. Triptane in Form von Nasensprays sind ebenfalls geeignet. Manchen Patienten hilft das Einträufeln von Lidocain (S. 150) in die Nase bei etwas nach hinten und zur betroffenen Seite geneigtem Kopf.

Wenn die Schmerzen während einer Attacke mit diesen Maßnahmen nicht ausreichend gelindert werden können und die Serie der Schmerzattacken länger als zwei Wochen anhält, ist eine medikamentöse Prophylaxe angezeigt. Mittel der ersten Wahl ist dabei Prednison (S. 118).

Weitere Medikamente, die in der Clusterkopfschmerzprophylaxe eine Rolle spielen, sind
- Verapamil
- Methysergid (in Deutschland nicht zugelassen)
- Lithiumcarbonat
- Topiramat.

Keines dieser Medikamente ist für die Clusterkopfschmerzprophylaxe zugelassen. Sie dürfen nur im Rahmen des off-label-use, das heißt auf Verantwortung und unter besonderer Aufsicht des verschreibenden Arztes verwendet werden. Das teilweise erhebliche Nebenwirkungsrisiko der genannten Substanzen erfordert eine sorgfältige Abwägung gegenüber dem zu erwartenden Nutzen. Diese sollte durch ein Team erfahrener Kopfschmerztherapeuten erfolgen. Ein neuer Ansatz zur Behandlung von Clusterkopfschmerzen ist die elektrische Stimulation des Ganglion pterygopalatinum, eines erbsengroßen Nervenknotens im Schädelinnern, der über eine Nasensonde erreicht werden kann. Die Ergebnisse aus ersten Studien sind viel versprechend, bedürfen aber der weiteren Überprüfung (Stand: Juli 2012).

BILD Plötzliche starke Bauchschmerzen
sollten Sie zum Arzt führen.

BAUCHSCHMERZEN

Bei starken Bauchschmerzen, die plötzlich
auftreten oder sich innerhalb von Minuten
bis Stunden deutlich verschlimmern, sollte man sich schleunigst in ärztliche Obhut
begeben. Weitere Warnzeichen, bei denen
Sie nicht zögern sollten, den Notarzt zu
rufen, sind eine bretthartе Bauchdecke
und Zeichen eines Kreislaufschocks, das
heißt der Betroffene hat einen flachen,
schnellen Puls und seine Haut verfärbt
sich graublau. In der Klinik wird es dann
zunächst darum gehen, die Ursache der
Bauchschmerzen zu klären und gegebenenfalls sofort zu behandeln. Das ist
beispielsweise bei einer akuten „Blinddarm"-Entzündung (Appendizitis) oder
Nierenkolik der Fall. Essen und Getränke
sollte man in einer solchen Notfallsituation
erst nach Rücksprache mit dem Arzt zu
sich nehmen. Das gilt auch für Schmerzmittel, denn manche bergen zusätzliche
Risiken, wie eine erhöhte Gefahr für innere Blutungen oder Darmlähmungen.

Grunderkrankung zuerst behandeln

Die medikamentöse Behandlung von
Bauchschmerzen, die im Rahmen einer
chronischen Erkrankung, etwa einer entzündlichen Darmerkrankung oder einer
Magenschleimhautentzündung auftreten,
sollte man unbedingt mit seinem Arzt ab-
sprechen. Die Behandlung der Grunderkrankung, die die Schmerzen verursacht,
steht an erster Stelle. Das Spektrum der
Erkrankungen, die sich unter anderem

durch Bauchschmerzen äußern können,
ist groß. So zählen nicht nur viele Erkrankungen des Verdauungssystems einschließlich Bauchspeicheldrüse und Gal-
lenblase dazu, sondern auch eine Reihe
von Erkrankungen der harnableitenden
Organe, der Geschlechtsorgane und
manche Herzerkrankungen.

Die medikamentöse Schmerzbehandlung (S. 103) orientiert sich grundsätzlich
am Wirkungs- und Nebenwirkungsspektrum der Schmerzmittel. Spezielle krampflösende Medikamente können unterstützend eingesetzt werden. Bei niedriger bis
moderater Schmerzstärke kann man auf
Hausmittel wie Wärmflasche (S. 59) und
Kräutertee zurückgreifen. Auch sanfte
Bauchmassagen mit warmem Öl, immer
im Uhrzeigersinn in großen Kreisen um
den Bauchnabel herum, können guttun.
Orientieren Sie sich daran, was in der aktuellen Situation zu Ihrem Wohlbefinden
beiträgt, und wenden Sie sich im Zweifelsfall zuerst an Ihren Arzt.

Funktionelle Magen-Darm-Erkrankungen

Es gibt eine Reihe von Erkrankungen, bei
denen keine Schädigung eines Organs
vorliegt, die aber mit Schmerzen und anderen körperlichen Beschwerden einhergehen. Man spricht dabei von funktionellen Erkrankungen, das heißt der Organis-
mus funktioniert nicht so richtig, ohne
dass er einen medizinisch fassbaren Defekt aufweist. Die Beschwerden können

dabei in Brust oder Magen auftreten oder – beim Reizdarmsyndrom – im Dickdarm.

Beispiel Reizdarm

Funktionelle Magen- und Darmerkrankungen sind sehr verbreitet; etwa 10–20 Prozent aller Deutschen haben ein Reizdarmsyndrom (Colon irritabile), das damit die häufigste Erkrankung im Magen-Darmbereich darstellt. Neben häufigen Bauchschmerzen erleben die Betroffenen Blähungen mit Durchfall, Verstopfung oder einen ständigen Wechsel zwischen beiden. Da bei anderen Darmerkrankungen, unter anderem bei Nahrungsmittelunverträglichkeiten, ähnliche Symptome auftreten können, ist eine sorgfältige diagnostische Abklärung wichtig. Bei aller Sorgfalt sollten Sie allerdings darauf achten, dass Sie nicht mehrfach und zu aufwendig (Über-/Mehrfachdiagnostik) untersucht werden. Das trägt oftmals nicht zu einem besseren Wissen bei, sondern verunsichert Sie nur jedes Mal aufs Neue.

Es ist daher sehr zu empfehlen, frühzeitig einen sowohl gastroenterologisch (Magen und Darm betreffend) als auch psychosomatisch kompetenten Arzt aufzusuchen. Im Idealfall finden Sie diese Doppelkompetenz bei Ihrem Hausarzt. Bei vielen Patienten mit funktionellen Erkrankungen fällt auf, dass sie eine niedrigere Schmerzschwelle in den betroffenen Körperregionen aufweisen als der Bevölkerungsdurchschnitt. Was bei diesen Erkrankungen im Körper passiert, ist noch wenig verstanden. Viele Forscher gehen davon aus, dass eine gestörte Verarbeitung von Schmerzsignalen aus den inneren Organen dabei eine zentrale Rolle spielt. Welche Rolle psychischen Faktoren dabei zukommt, wird in der Fachwelt lebhaft diskutiert. In etwa zwei Drittel der Fälle liegt zusätzlich eine Depression oder Angststörung vor. 85 von 100 aller Reizdarmsyndrompatienten haben die Erfahrung gemacht, dass belastende Lebensereignisse, wie Konflikte bei der Arbeit oder familiäre Probleme, die Reizdarmsymptome verstärken.

Bei funktionellen Magen-Darm-Erkrankungen sind wie bei vielen Schmerzsyndromen Entspannungsverfahren hilfreich. Mithilfe der Psychotherapie (S. 81) können Stressfaktoren erkannt und der Umgang mit Stress verändert werden. Zur Behandlung von unregelmäßigem Stuhlgang kann eine ausgewogene, ballaststoffreiche Ernährung beitragen. Eine Ernährungsberatung ist sinnvoll. Eine weitere wirksame Maßnahme ist das Toilettentraining. Dabei gewöhnt man sich schrittweise an nur einmal täglichen Stuhlgang – etwa zur selben Tageszeit.

Unterstützend können Medikamente gegen Blähungen, krampflösende Mittel und bei Verstopfung Abführmittel eingenommen werden. Auch Pfefferminzöl und Flohsamenextrakte wirken bei manchen Reizdarmpatienten symptomlindernd.

GELENKSCHMERZEN

Die häufigsten degenerativen Gelenkerkrankungen sind Arthrose und verschiedene Formen der Arthritis. Diese Erkrankungen werden auch unter dem ungenauen Begriff Gelenkrheuma zusammengefasst. Rheumatische Erkrankungen im engeren Sinn sind chronisch entzündliche Erkrankungen, zu denen die rheumatoide Arthritis zählt. In der Regel gehen Gelenkerkrankungen mit ziehenden, dumpfen Schmerzen einher, die sich oft über Stunden bis Tage wellenartig verstärken und wieder abklingen. Nicht nur die Gelenke selbst schmerzen, sondern auch die umgebenden Strukturen des Muskel-Skelett-Systems. Eine erfolgreiche Behandlung von Gelenkerkrankungen geht immer Hand in Hand mit Schmerzlinderung sowie einer Verbesserung der Beweglichkeit und körperlichen Belastbarkeit.

Arthrose
Eigentlich ist Gelenkknorpel extrem haltbar. Das wird klar, wenn man bedenkt, dass er ein Leben lang Tag für Tag im Einsatz ist und bei manchen Menschen sogar

bis ins hohe Alter weitgehend intakt bleibt. Zum Vergleich: Gelenkprothesen halten trotz modernster Materialtechnik durchschnittlich 10–15 Jahre. Früher, das heißt vor dem 19. Jahrhundert, wurde das „Verfallsdatum" des natürlichen Gelenkknorpels nur in Ausnahmefällen erreicht. Die in den Industrienationen mittlerweile sehr hohe Lebenserwartung ist erfreulich, aber die Dauerbeanspruchung des Körpers macht sich nun im letzten Lebensdrittel deutlich bemerkbar. 70 Prozent aller über 60-Jährigen leiden unter Arthrose, der allmählichen Abnutzung der knorpeligen Gelenkflächen und der übrigen Teile des Gelenks. Prinzipiell können alle Gelenke davon betroffen sein, auch die der Wirbelsäule. Die am meisten belasteten Gelenke, normalerweise die Knie- und Sprunggelenke, sind auch am stärksten in Mitleidenschaft gezogen.

Arthrose verläuft oft in Schüben, das heißt über mehrere Wochen sind die Beschwerden stärker, zwischen den Schüben schwächer; manche Betroffene sind in der Zeit zwischen den Schüben be schwerdefrei. Ein Krankheitsschub kann eine nachhaltige Verschlechterung der Gelenkfunktion nach sich ziehen. Im Frühstadium der Erkrankung treten die Gelenkschmerzen überwiegend zu Beginn einer Gelenkbewegung oder -belastung auf, also beim Aufstehen oder Losgehen. Man spricht dabei von Anlaufschmerzen. Bei Dauerbelastung eines Gelenks treten mit der Zeit Ermüdungsschmerzen auf, bei fortgeschrittener Arthrose Dauerschmerzen in den betroffenen Gelenken und der umgebenden Muskulatur. Die Schmerzen können, im Falle einer aktiven Entzündungsreaktion, mit Schwellung und Erwärmung des Gelenks einhergehen. Der über die Jahre fortschreitende Verlust der Gelenkfunktionen ist teilweise abnutzungs-, teilweise entzündungsbedingt.

Diagnostisch steht neben der körperlichen Untersuchung das Röntgen im Vordergrund. Bei speziellen Fragestellungen, vor allem in der Frühphase der Erkrankung, wird auch die Kernspintomografie genutzt. Wie bei vielen anderen Schmerzerkrankungen lässt die apparative Diagnostik allerdings keine Rückschlüsse auf das Ausmaß der Beschwerden zu.

Therapie

Im Vordergrund der Arthrosebehandlung steht die Vermeidung einer weiteren Gelenkabnutzung; Entlastung ist dazu ein wichtiger Beitrag. Für Übergewichtige heißt das Abnehmen durch Diät (S. 35) und regelmäßige Bewegung (S. 22); Letztere ist für alle Betroffenen wichtig. Oft ist

zumindest zu Beginn der Behandlung eine schmerzpsychotherapeutische Begleitung sinnvoll. Das trifft auf Menschen zu, die sich mit einer Umstellung ihrer Lebensgewohnheiten schwertun, und kann helfen, mit den bei Arthrose sehr häufigen psychischen Begleitsymptomen wie Depressivität oder Angst umzugehen.

Ebenfalls zur Gelenkentlastung beitragen können Gehstützen und Schuhe mit weichen Sohlen. Auch verschiedene Maßnahmen der Physiotherapie (S. 39), physikalischen Therapie (S. 47), wie Wärmeanwendungen, Massagen, Elektrotherapie und Blutegelanwendungen (S. 70) kommen infrage – allerdings immer nur in Ergänzung zur aktiven Bewegungstherapie. In Krankheitsphasen mit nur leichten oder ohne Beschwerden ist Bewegung in warmem Wasser sinnvoll, im Schub kommen eher Kälteanwendungen (S. 61) und entlastende Lagerungen in Frage. Ihr Physiotherapeut zeigt Ihnen, wie das geht. Ergotherapie (S. 44) kann unterstützen, Beweglichkeit und Geschicklichkeit im Alltag wiederzugewinnen und zu erhalten.

Akupunktur (S. 64) kann schmerzlindernd wirken, am besten ist das für die Kniegelenkarthrose belegt. Bei chronischen Gelenkerkrankungen können Radonanwendungen (S. 74) sinnvoll sein.

Die ergänzende medikamentöse Therapie dient überwiegend der Linderung von Schmerzen und lokalen Entzündungsreaktionen. Schmerzmittel sollten nur in schmerzhaften Krankheitsphasen eingesetzt werden. Bei aktiver Entzün-

BILD Grundsätzlich kann die Arthritis alle Gelenke befallen; Schmerzen, Schwellung und Steifigkeit sind die Folge.

dung stehen NSAR (S. 107) an erster Stelle. Auch das Einspritzen von Hyaluronsäure oder Kortikosteroiden (S. 117) ins Gelenk kann akute Reizzustände lindern. Das ist für das Kniegelenk gut belegt; bei anderen Gelenken sind die Studien weniger eindeutig. Die Einnahme der Knorpelbestandteile Glukosaminsulfat oder Chondroitinsulfat hat möglicherweise eine knorpelschützende Wirkung. Allerdings sind die bisherigen Forschungsergebnisse dazu widersprüchlich.

Pflanzenpräparate, die bei Gelenkschmerzen nachweislich schmerzlindernd wirken, sind Weidenrindenmittel (S. 159), Phytodolor® (S. 161) und möglicherweise Teufelskrallenwurzelextrakte (S. 160).

Gelenkerhaltende, gelenkersetzende oder gelenkversteifende Operationen (S. 168) sind nur vertretbar, wenn die Beschwerden eindeutig auf eine Gelenkschädigung zurückzuführen sind. Arthroskopische Operationen sollten nur durchgeführt werden, wenn dadurch ein mechanisches Hindernis im Gelenk behoben werden kann. Immer häufiger werden heute Hüft- und zunehmend auch Kniegelenke operativ durch Prothesen aus Metall oder Keramik und Kunststoff ersetzt. In vielen Fällen kann dadurch die Gelenkfunktion für eine Dauer von etwa 15 Jahren wiederhergestellt werden.

Arthritis

Arthritis heißt Gelenkentzündung. Beim Befall nur eines Gelenks spricht man von Monoarthritis, bei mehreren von Polyarthritis. Unterschiedliche Ursachen können eine Gelenkentzündung hervorrufen, darunter bakterielle Infektionen, chronische Erkrankungen des Immunsystems und Stoffwechselstörungen, z. B. Gicht.

Rheumatoide Arthritis

Die rheumatoide Arthritis, eine Form der Polyarthritis, ist die häufigste rheumatische Erkrankung. Bei den meisten Betroffenen treten die ersten Symptome zwischen dem 35. und 45. Lebensjahr auf. Durch eine Fehlsteuerung des Immunsystems kommt es zu einer Entzündung und langsam fortschreitenden Schädigung der Gelenke und anderer Teile des Bewegungssystems. Wahrscheinlich tritt die Erkrankung nur bei Menschen auf, die dazu eine gewisse genetische Veranlagung haben. Vermutlich erhöhen Rauchen, Stress und bestimmte Ernährungsfaktoren zusätzlich das Risiko für einen Ausbruch der Krankheit. Grundsätzlich kann die Erkrankung alle Gelenke befallen; Schmerzen, Schwellung und Steifigkeit sind die Folge. Typischerweise betroffen sind die Finger- und Zehengelenke, später kommen Schulter-, Ellbogen-, Knie- und Sprunggelenke hinzu. Die Erkrankung kann schubförmig verlaufen oder chronisch fortschreitend.

Diagnostisch ist neben einer sorgfältigen körperlichen Untersuchung auch die Suche nach Entzündungszeichen im Blut und mittels bildgebender Verfahren von Bedeutung.

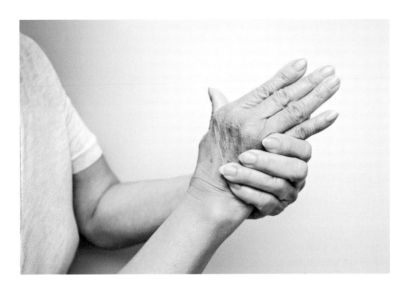

Ziel der Therapie ist es, den chronischen Entzündungsprozess aufzuhalten. Für diese Basistherapie, die immer eine Langzeittherapie ist, kommen verschiedene Medikamente infrage, die auf das Immunsystem wirken, etwa Methotrexat oder neuere, sogenannte biologische Basistherapeutika.

Die medikamentöse Schmerztherapie bei Arthritis unterscheidet sich kaum von der bei Arthrose. NSAR sollten nur dann längerfristig eingesetzt werden, wenn die chronische Entzündung nicht anders behandelbar ist. Das Risiko für Herzinfarkte, Schlaganfälle und andere schwerwiegende Gefäßereignisse ist bei Menschen mit rheumatoider Arthritis höher als in der Normalbevölkerung. Eine längerfristige Einnahme von NSAR kann dieses Risiko noch weiter erhöhen, daher ist eine sorgfältige Abwägung von Risiken und erwartetem Nutzen notwendig.

Mithilfe spezieller chirurgischer und strahlenmedizinischer Verfahren kann die erkrankte Gelenkinnenhaut einzelner Gelenke entfernt werden. Das kommt nur bei Gelenken infrage, die besonders stark betroffen sind und auf die medika-mentöse Therapie nicht ansprechen. Eine strahlenmedizinische Behandlung kann die Keimzellen schädigen. Das heißt, es wird davon abgeraten, danach noch schwanger zu werden oder ein Kind zu zeugen. Auch die Steigerung des Krebsrisikos durch eine erhöhte Strahlenbelastung ist sorgfältig gegen den zu erwartenden therapeutischen Nutzen abzuwägen.

Von den allgemeinen therapeutischen Maßnahmen, die bei der Arthrose den fortschreitenden Gelenkverfall aufhalten und Schmerzen lindern sollen, können prinzipiell auch Menschen mit Arthritis profitieren. Eine Omega-3-Fettsäure-reiche Ernährung und nahrungsergänzendes Fischöl beugen der rheumatoiden Arthritis vor und tragen zur Entzündungshemmung bei. In der Regel sprechen Arthritisschmerzen, anders als Arthroseschmerzen, eher auf Kälte (S. 61) an als auf Wärme. Schmerzpsychotherapie-Gespräche können unter anderem helfen, die Diagnose einer chronischen Erkrankung zu „verdauen" und mit Ängsten im Hinblick auf den ungewissen Krankheitsverlauf umzugehen.

NERVENSCHMERZEN – NEUROPATHISCHE SCHMERZEN

Wenn der Schmerz blitzartig einsetzt, mit Missempfindungen wie Brennen oder Elektrisieren einhergeht, mit Taubheit oder auch mit einer schmerzhaften Überempfindlichkeit, dann kann das auf eine Neuropathie, das heißt eine Erkrankung oder Verletzung eines (Mononeuropathie) oder mehrerer (Polyneuropathie) Nerven hinweisen. Weitere typische Kennzeichen von neuropathischen Schmerzen sind Allodynie und Hyperalgesie.

- Allodynie: Schmerzhafte Überempfindlichkeit gegenüber Hautreizen wie Berührung, Hitze oder Druck
- Hyperalgesie: durch schwache Schmerzreize, z. B. leichte Berührung mit einer Nadel, werden heftige Schmerzen ausgelöst.

Bei manchen Neuropathien stehen Schmerzattacken im Vordergrund, bei vielen aber brennende oder ziehende Dauerschmerzen oder beide Schmerzvarianten. Als Neuralgie bezeichnet man neuropathische Schmerzen im Versorgungsareal eines bestimmten Nervs. Bei der Trigeminusneuralgie z. B. ist der Trigeminusnerv betroffen; entsprechend dessen Versorgungsgebiets äußert sich die Erkrankung in neuropathischen Gesichtsschmerzen.

Diagnostik

Die Abgrenzung neuropathischer Schmerzen von Schmerzen anderen Ursprungs ist nicht immer einfach. Manchmal liegen Mischformen aus nozizeptiven (S. 11) und neuropathischen Schmerzen vor.

MÖGLICHE URSACHEN FÜR NEUROPATHIEN SIND

- **Virusinfektionen**, wie die Gürtelrose (Herpes Zoster), die zu einer Zosterneuralgie führen kann
- **Stoffwechselerkrankungen**, wie Diabetes oder Schilddrüsenunterfunktion
- Schädigung durch **Gifte**, z. B. durch Medikamente oder Alkoholmissbrauch
- **entzündliche Erkrankungen** des Nervensystems wie multiple Sklerose
- **Nervenverletzungen**, z. B. durch Unfälle
- **Nervendurchtrennung**, etwa bei Amputation eines Glieds. Die neuropathischen Schmerzen, die nach dem Verlust eines Glieds auftreten können, nennt man **Phantomschmerzen**. Für den Betroffenen fühlt sich das so an, als ob etwa das fehlende Bein unsichtbar existieren würde, denn dort nimmt er den Schmerz ja wahr.
- **Druckbelastung**, wie durch die Verengung von Nervenkanälen, z. B. dem Durchtritt des mittleren Unterarmnervs durch einen Bindegewebskanal am Handgelenk, **Karpaltunnelsyndrom**, oder durch einen Bandscheibenvorfall, der auf eine Nervenwurzel drückt
- **Tumorerkrankungen**, Neuropathien können durch Druckeinwirkung der Geschwulst auf einen Nerv auftreten oder als Folge der Grunderkrankung
- Schädigungen des Nervensystems durch **unterbrochene Blutzufuhr**, etwa bei einem Schlaganfall

- seltene, erblich bedingte Nervenkrankheiten
- ausgeprägter und langfristiger Vitamin-B-Mangel.

Eine sorgfältige neurologische Untersuchung ist ohnehin in den meisten Fällen notwendig, auch um möglichst genau zu bestimmen, welche Strukturen des Nervensystems betroffen sind.

Ein erfahrener Neurologe kann das Entscheidende oft schon mit einfachen und schmerzlosen Sensibilitäts- und Reflexprüfungen herausfinden. Manchmal sind ergänzende elektrophysiologische Untersuchungen notwendig, z. B. die Messung der Nervenleitgeschwindigkeit. Dabei werden dann über eine aufgeklebte Hautelektrode oder über eine Nadel kurze Stromimpulse in die Haut oder bestimmte Muskeln abgegeben. Über weitere Elektroden wird die Ausbreitung der elektrischen Aktivität entlang des Nervs gemes-

INFO **Invasive Sympathikusdiagnostik nur in Ausnahmefällen**

In manchen Fällen werden neuropathische Schmerzen durch eine Überaktivierung von Sympathikusnerven „befeuert". Diese Nerven sind die aktivierenden Nerven des autonomen Nervensystems (vegetatives Nervensystem), eines komplexen Nervennetzes außerhalb von Gehirn und Rückenmark, das den Körper je nach Bedarf in Alarmbereitschaft versetzt oder in einen erholsamen Ruhezustand. Die Regulierung erfolgt unter anderem über die Ausschüttung der Stresshormone Adrenalin, Noradrenalin und Kortison oder von deren Gegenspieler, Azetylcholin.
Ob neuropathische Schmerzen durch einzelne Sympathikusnerven unterhalten werden, kann nur durch probeweise Nervenblockaden (S. 166) verlässlich beurteilt werden. Eine solche invasive Diagnostik kommt in der Regel aber nur dann infrage, wenn die in diesem Kapitel empfohlenen nichtinvasiven Therapieverfahren auf längere Sicht erfolglos bleiben.
Bei einzelnen Schmerzsyndromen sollte die Sympathikusdiagnostik allerdings frühzeitig erfolgen, nämlich dann, wenn man von der therapeutischen Nervenblockade im Bereich des Sympathikus einen vorbeugenden Effekt erwarten kann. Das trifft beispielsweise auf die Zosterneuralgie zu. Ein weiteres Beispiel ist das **komplexe regionale Schmerz-Syndrom** (engl. complex regional pain syndrome, **CRPS**, früher **Morbus Sudeck** oder **Kausalgie**), das in seltenen Fällen nach Verletzungen, wie Knochenbrüchen, auftreten kann und mit neuropathischen Schmerzen, Wasseransammlungen im Gewebe (Ödemen) und Störungen der Durchblutungs- und Wärmeregulation im betroffenen Körperareal einhergeht.

BILD Schnell und aktiv – Geschwindigkeit, Stärke und Frequenz der Nervensignale können einem Neurologen wichtige Hinweise für die richtige Diagnose geben.

sen. Der Stromimpuls geht mit einem elektrisierenden Gefühl, Kribbeln oder auch mit einem kurzen, in der Regel leichten Schmerz einher.

Ein weiterer wichtiger diagnostischer Aspekt ist die Suche nach der Neuropathieursache. Je nach vermuteter Grunderkrankung sind bestimmte Laboruntersuchungen des Bluts und eventuell des aus dem unteren Rücken entnommenen Nervenwassers (Liquor) sinnvoll. Eine bildgebende Diagnostik sollte erst dann erfolgen, wenn mittels neurologischer Funktionsdiagnostik der Ort der Nervenschädigung möglichst genau eingegrenzt wurde. Das wird leider oft nicht beachtet. Nicht selten wird dadurch beispielsweise ein zu großer oder der falsche Teil der Wirbelsäule geröntgt. Unnötig hohe Strahlenbelastung der Patienten, Fehlbehandlungen und Mehrkosten sind die Folgen.

Therapie

Die Therapie neuropathischer Schmerzen steht auf drei Säulen:

- Behandlung der Grunderkrankung
- Schmerzlinderung
- Schmerzpsychotherapie.

Behandlung der Grunderkrankung

Wie bei allen Schmerzsyndromen steht die Behandlung der Grunderkrankung, in diesem Fall der Neuropathieursache, an erster Stelle. Das heißt beispielsweise, bei der diabetischen Polyneuropathie den Blutzucker gut einzustellen, eine Borrelieninfektion mit Antibiotika zu behandeln

und eine Schilddrüsenunterfunktion mit Hormonpräparaten. Ist die Nervenschädigung noch nicht allzu weit fortgeschritten, kann sie sich nach erfolgreicher Behandlung der Grunderkrankung teilweise oder sogar ganz zurückbilden.

Bei Engpasssyndromen, wie dem Karpaltunnelsyndrom, ist eine operative Entlastung des Nervs dann angezeigt, wenn andere Maßnahmen wie Ruhigstellung, Physiotherapie und schmerzlindernde Ansätze mindestens zwei Monate lang keine Besserung von Schmerzen und Nervenfunktionen gebracht haben.

Schmerzlinderung – Medikamente

Als Basismedikamente, die auch für eine längerfristige Einnahme geeignet sind, kommen bei neuropathischen Schmerzen Antidepressiva (S. 132) oder Antikonvulsiva (S. 139) infrage. Zur Behandlung von Dauerschmerzen ist eher ein Antidepressivum geeignet, bei attackenartigen Schmerzen oder wenn sich die Behandlung mit Antidepressiva über zwei bis vier Wochen als wirkungslos erweist, ein Antikonvulsivum.

Die gängigen entzündungshemmenden Schmerzmittel (S. 106) sind nur wirksam, wenn neben dem neuropathischen auch ein nozizeptiver (S. 11) Schmerzanteil besteht. NSAR (S. 106) sollte man wegen möglicher Langzeitkomplikationen nicht länger als 14 Tage lang einnehmen. Auch auf Opioide sprechen neuropathische Schmerzen nicht immer an. Bei ausschließlich attackenartigen Schmerzen ist

davon abzuraten. Die Kombination mit anderen Schmerzmitteln ist auch bei Opioiden sinnvoll (zum Für und Wider der Opioidbehandlung S. 120).

Beim komplexen regionalen Schmerz-Syndrom (CRPS) und bei Nervendurchtrennungsschmerzen einschließlich Phantomschmerzen (S. 190) kann ein Behandlungsversuch mit Calcitonin sinnvoll sein (S. 146). Für die örtliche Behandlung neuropathischer Schmerzen kommen vor allem Lidocainpflaster (S. 150) infrage. Auch Capsaicin (S. 151) kann helfen. Allerdings brechen viele die Behandlung wegen der anfänglich schmerzhaften Effekte ab. Mitunter kann Capsaicin sogar neuropathische Schmerzen auslösen oder vorübergehend verstärken.

Nichtmedikamentöse Maßnahmen Im Rahmen der Ergotherapie (S. 44) kann unter anderem die Allodynie mit stufenweise gesteigerten Berührungsübungen gezielt „verlernt" werden.

Die gezielte Entlastung bestimmter Bereiche des Bewegungssystems, etwa durch Schienen oder durch unterstützende Vorrichtungen am Arbeitsplatz kommt bei Engpasssyndromen und beim CRPS infrage. Die Spiegeltherapie (S. 45)

kommt überwiegend bei Phantomschmerzen und beim CRPS zum Einsatz.

Physiotherapie (S. 39) ist beispielsweise dann sinnvoll, wenn sich durch die neuropathischen Schmerzen Verspannungen der Wirbelsäule verschlimmern, bei der Zosterneuralgie ist das häufig der Fall. Beim CRPS darf sie erst nach Rückbildung der Ödeme angewandt werden, weil sonst eine Verschlimmerung eintreten kann. Bei Neuropathien mit begleitenden Lähmungen kann sie zur Wiederherstellung von Muskelkraft und Beweglichkeit beitragen.

Physikalische und manuelle Therapieverfahren kommen bei ausgewählten neuropathischen Schmerzsyndromen infrage. So können Kälteanwendungen (S. 61) und Lymphdrainage (S. 49) beim CRPS und bei anderen neuropathischen Schmerzsyndromen neben der unmittelbaren Schmerzlinderung auch zum Abfluss von Ödemen beitragen. Manchen Menschen mit Nervendurchtrennungsschmerzen tun Wärme- und Ultraschallanwendungen gut oder auch Bewegungsbäder). Möglicherweise wirken auch Akupunktur (S. 64) und andere stimulierende Verfahren bei manchen neuropathischen Schmerzen. Erste Hinweise darauf gibt es bei der Zosterneuralgie; allerdings müssen diese noch in geeigneten Studien überprüft werden. Ähnliches gilt für die Bedeutung des **blutigen Schröpfens** (S. 69) der Schulter beim Karpaltunnelsyndrom.

Bei komplettem Ausfall der Sensibilität, etwa bei einem durchtrennten Nerv, sind stimulierende Verfahren unsinnig. Das trifft auf die Anwendung von Capsaicin (S. 151) und auf **Elektrostimulationsverfahren** wie TENS (S. 78) zu. Grundsätzlich kann die Elektrostimulation bei neuropathischen Schmerzen von Nutzen sein. Die Stimulationselektrode sollte jedoch nie in einem Hautareal platziert werden, in dem Allodynien auslösbar sind. Bei Neuralgien sind eher **hochfrequente Stimulationsverfahren** (S. 60) angezeigt.

Wenn mit keiner anderen Maßnahme einschließlich hoher Opioiddosen eine ausreichende Schmerzlinderung und damit Bewegungsfähigkeit erreicht werden kann, dann ist der frühzeitige Einsatz invasiver Elektrostimulationsverfahren wie der **peripheren Nervenstimulation** (S. 167) zu überlegen. Vor allem bei neuropathischen Schmerzen von Schultern, Armen und Händen gibt es erste, vielversprechende Hinweise aus klinischen Studien zu diesem Verfahren. Die dabei verwendeten Stimulationssonden sind bislang noch nicht für dieses Anwendungsgebiet zugelassen und erfordern daher eine spezielle ärztliche Begründung. Epidurale Stimulation kann bei Neuralgien und möglicherweise auch bei Nervendurchtrennungs

schmerzen wirken, allerdings nur selten dauerhaft. Eine höhere Chance, darauf anzusprechen, haben Patienten mit sympathisch unterhaltenen Schmerzen.

Nervenblockaden (S. 166) haben bei Nervendurchtrennungsschmerzen am meisten Aussicht auf Erfolg. Auch bei Polyneuropathien gibt es Hinweise auf eine Wirksamkeit. Bei Neuralgien wirken sie weniger nachhaltig als nichtinvasive Elektrostimulationsverfahren und sind daher nicht zu empfehlen. Problematisch ist, dass wiederholte Nervenblockaden die Fähigkeit des Nervensystems zum „Verlernen" von Schmerzen und Allodynie im Rahmen der Desensibilisierung (S. 44) erschweren. Die Gefahr dabei ist, dass die Schmerzen chronifizieren und man von solchen invasiven Behandlungen immer stärker abhängig wird.

Sympathikusblockaden (S. 191) können bei manchen Patienten Neuralgien lindern. Wenn sich aber unter den ersten drei Sympathikusblockaden keine deutliche Besserung gezeigt hat, ist von der Fortführung abzuraten. Bei der Zosterneuralgie ist ein Behandlungsversuch im Falle eines Versagens der medikamentösen Behandlung angezeigt. Eine risikoärmere Alternative ist die Injektion von Opioiden in die Nähe sympathischer Nervenknoten.

Bei Patienten mit Engpasssyndromen kann die **nervennahe Injektion von Kortikosteroiden** (S. 117) von Nutzen sein, birgt aber das Risiko von Nervenverletzungen und sollte höchstens drei Mal angewandt werden.

Schmerzpsychotherapie

Aktives Üben, etwa mit Desensibilisierungstechniken, ist bei vielen neuropathischen Schmerzsyndromen der entscheidende Schlüssel zur dauerhaften Schmerzlinderung. Das gelingt nur, wenn man nicht zu viel erwartet, akzeptieren kann, dass es keine Erfolgsgarantie gibt und trotzdem am Ball bleibt, auch über längere Zeiten des scheinbaren Stillstands hinweg. Das ist für alle Betroffenen eine große Herausforderung.

Der Schmerzpsychotherapeut hat die Aufgabe, in Phasen der Frustration zu ermutigen, mit Ihnen gemeinsam immer wieder neu die Ziele der Behandlung zu überdenken und einen realistischen Übungsplan zu erarbeiten, mit dem Sie sich weder über- noch unterfordern (Grundprinzipien der Schmerzpsychotherapie S. 81). Schmerzpsychotherapie vermindert die psychische Belastung durch neuropathische Schmerzen, begleitende Schlafstörungen oder Unruhezustände. Auch Entspannungsverfahren (S. 30), Biofeedback (S. 92) und Hypnotherapie (S. 97) können dazu beitragen. Neuropathische Schmerzattacken können bei manchen Betroffenen auch durch Stress ausgelöst werden; gezielte Stressreduktion (S. 28) senkt dann die Zahl und Schwere der Attacken.

SCHMERZEN BEI KREBS UND ANDEREN TUMORERKRANKUNGEN

Die größte Angst der meisten Krebspatienten ist die Angst vor unbeherrschbaren Schmerzzuständen. Gut zu wissen, dass bei tumorbedingten Schmerzen in fast allen Fällen eine weitgehende Schmerzlinderung um 85–90 Prozent erreicht werden kann.

Ähnlich wie bei Nichttumorschmerzen

Bei der Mehrzahl aller Menschen mit Tumorerkrankungen treten zumindest zeitweise starke Schmerzen auf. Wie bei allen Schmerzsyndromen kann eine geeignete Behandlung der Grunderkrankung erheblich zur Schmerzvorbeugung und -linderung beitragen. Meistens sind jedoch zusätzliche schmerzlindernde Maßnahmen notwendig.

Die genaue Schmerzursache ist – je nachdem, welcher Tumor vorliegt und wie weit er fortgeschritten ist – sehr unterschiedlich. Die diagnostische und therapeutische Vorgehensweise orientiert sich dabei an der Art der Schmerzen und ist ganz ähnlich zu der bei nichttumorbedingten Schmerzen. Neuropathische Schmerzen können auftreten, beispielsweise wenn die Geschwulst auf einen Nerv drückt oder als Polyneuropathie, entweder infolge der Tumorerkrankung oder der

Behandlung, z. B. einer Chemotherapie. Ein Tumor im Bauchraum kann Eingeweideschmerzen verursachen, viele Tumoren auch andere Formen von nozizeptiven Schmerzen, wie etwa durch Tochtergeschwulste (Metastasen) in Knochen oder Weichteilen.

Je nach Herkunft und Ausprägung der Schmerzen können bei tumorbedingten Schmerzen dieselben nichtmedikamentösen und medikamentösen Therapien zum Erfolg führen wie bei nichttumorbedingten Schmerzen. Ob starke Opioide notwendig sind, hängt vor allem von der Schmerzstärke ab. Auch in frühen Stadien einer Tumorerkrankung gilt: Bei starken Schmerzen sollte die Behandlung mit Opioiden nicht hinausgezögert werden. Durch eine fachgerechte Durchführung der Opioidbehandlung können Nebenwirkungen – wie eine bedeutsame Medikamentenabhängigkeit, Funktionsstörungen des Nervensystems oder erhebliche psychische Beeinträchtigungen – bei den meisten Tumorpatienten vermieden werden. Eine deutliche Verbesserung der Lebensqualität unter einer solchen Behandlung ist die Regel.

Körperlicher und seelischer Schmerz

Nicht nur körperliche, sondern auch seelische Faktoren können Tumorschmerzen hervorrufen oder verstärken, und eine Tumorerkrankung verursacht nicht nur körperlichen, sondern auch seelischen Schmerz. Die Diagnose Krebs wirft Fragen auf wie „Wie lange habe ich noch zu leben?", „Was geschieht mit mir, wenn ich sterbe?", „Sind meine Kinder dann gut versorgt?". Dass dabei Gefühle von Sorge, Angst, Trauer oder auch von Wut, Scham und Hilflosigkeit aufkommen, ist ganz normal. In einer solchen Situation braucht man Menschen, die zu einem halten, die trösten, Mut machen, manchmal einfach nur da sind.

Kompetente Ärzte und Psychotherapeuten können liebevolle Angehörige und

INFO   **Palliativmedizin stellt die Lebensqualität in den Vordergrund**

Palliation bedeutet Linderung. Palliativmediziner kümmern sich um Menschen mit fortgeschrittenen Erkrankungen, bei denen die Zielsetzung der Therapie nicht mehr eine Heilung der Krankheit sein kann, sondern die Linderung von Krankheitssymptomen und die seelische Begleitung des Patienten ganz im Vordergrund stehen. Die Schmerztherapie hat dabei natürlich einen sehr hohen Stellenwert.

Erfreulich ist, dass es in immer mehr Krankenhäusern eigene Fachabteilungen für Palliativmedizin gibt. Darüber hinaus sollten aber alle Ärzte, die Patienten mit Krebserkrankungen behandeln, über palliativmedizinische Kenntnisse verfügen.

gute Freunde nicht ersetzen. Trotzdem sind sie wertvolle seelische Stützen, wenn alles zusammenzubrechen droht, und sie haben Erfahrung damit, wie man jemanden über den schwierigen Prozess der Krankheitsbewältigung begleiten kann. Das kann im Einzelgespräch mit dem Schmerzpsychotherapeuten sein oder auch in psychotherapeutischen Gruppensitzungen zusammen mit anderen Krebspatienten. So wie es dem körperlichen Schmerz oft schon den schlimmsten Stachel nimmt, wenn man den Mut aufbringt, sich ihm aufmerksam zuzuwenden, so kann das bewusste Wahrnehmen und Aussprechen von seelischem Schmerz, von Verzweiflung und Trauer Linderung oder sogar Heilung begünstigen – sowohl seelisch als auch körperlich.

Wenn dabei die Worte versagen, können imaginative Verfahren (S. 32), Hypnotherapie (S. 97) oder nonverbale Verfahren wie Musik- oder Kunsttherapie (S. 101)

eine wertvolle Ergänzung sein (Grundprinzipien der Schmerzpsychotherapie, S. 81).

◣ GEBEN SIE NIEMALS AUF

Vielleicht haben Sie den Eindruck, dass mit der Schmerztherapie, die Sie erhalten, schon alle Möglichkeiten ausgereizt sind. Resignieren Sie deswegen nicht; gehen Sie immer zum Arzt, wenn sich Ihre Schmerzen verstärken. Es besteht dann immer eine Chance, dass man die zugrundeliegende Ursache klärt und die Behandlung entsprechend anpasst. Das Arsenal der Schmerztherapeuten umfasst eine Vielzahl sehr wirksamer Behandlungsmethoden. In manchen Fällen hilft die Umstellung auf ein anderes Medikament oder eine höhere Dosierung und manchmal ist eine invasive Therapiemethode angezeigt, wie die rückenmarksnahe Behandlung über einen Morphinkatheter (S. 166).

WEIT VERBREITETE SCHMERZEN

Jeder achte Erwachsene leidet unter einer Erkrankung, bei der Schmerzen in verschiedenen Körperregionen auftreten, also beispielsweise in Rücken, Bauch und Gesicht. Frauen sind davon etwa siebenmal häufiger betroffen als Männer. Trotz intensiver diagnostischer Bemühungen findet sich dabei keine körperliche Ursache, die die Ausbreitung und Stärke dieser

Schmerzen erklären würden. Ist man bei einem Orthopäden in Behandlung, dann wird dieser mit hoher Wahrscheinlichkeit die Druckschmerzhaftigkeit bestimmter Körperpunkte prüfen, und wenn diese überwiegend erhöht ist, die Diagnose Fibromyalgiesyndrom stellen. Eine ältere Bezeichnung dafür ist Weichteilrheumatismus. Andere mögliche Diagnosen sind weit verbreitete Schmerzen und – ein Begriff aus der psychosomatischen Medizin – somatoforme Schmerzstörung. Ob es sich dabei um ein- und dieselbe oder um verschiedene Erkrankungen handelt, ist nur von wissenschaftlichem Interesse, denn es sind die gleichen Behandlungsprinzipien, die sich als wirksam erwiesen haben. Der Einfachheit halber verwende ich im Folgenden die Bezeichnung **weit verbreitete Schmerzen** als Überbegriff für alle drei Syndrome. Auch die **Multiple Chemical Sensitivity** (multiple chemische Empfindlichkeit) ist wahrscheinlich nichts grundlegend anderes – der vermutete Zusammenhang zu Umwelt- oder Nahrungsgiften konnte nie nachgewiesen werden; daher ist der Begriff irreführend.

BEGLEITSYMPTOME

Weit verbreitete Schmerzen gehen häufig, wenn auch nicht immer, mit einem oder mehreren folgender Begleitsymptome einher:

- Müdigkeit und Erschöpfung (wenn diese im Vordergrund stehen, spricht man auch vom chronischen Müdigkeits- oder Erschöpfungssyndrom – Chronic Fatigue Syndrome)
- Schlafstörungen
- Konzentrationsstörungen
- Unruhe/Erregungszustände
- Depressivität; Niedergeschlagenheit, Traurigkeit, Antriebslosigkeit
- Reizdarmsyndrom
- Reizblase (häufiger Harndrang bei organmedizinisch intakter Blase)

- Symptome des autonomen Nervensystems wie verstärkte Schweißneigung – oft der Hände, trockener Mund, Herzrasen.

Gestörte Stress- und Schmerzverarbeitung

Wie die Erkrankung verursacht wird, ist seit mehreren Jahrzehnten Gegenstand einer auffällig emotional geführten Diskussion. Als eindeutige Ursachen konnten bis heute trotz aufwendiger Forschungsarbeiten weder organmedizinische Veränderungen – wie Störungen des Immunsystems, Entzündungen oder Allergien – noch äußere Einflussfaktoren – wie Chemikalien, elektromagnetische Energie, Viren oder Nahrungsmittel – dingfest gemacht werden.

Dem steht eine wachsende Zahl wissenschaftlicher Untersuchungen gegenüber, die die Vermutung unterstützen, dass ungünstige Stressverarbeitungsmuster eine zentrale Rolle bei der Entstehung der Erkrankung spielen könnten. Dafür spricht beispielsweise, dass Menschen, die in ihrer Kindheit misshandelt oder sexuell missbraucht wurden, ein deutlich erhöhtes Risiko für weit verbreitete Schmerzen haben und dass ein großer Teil aller Menschen mit weit verbreiteten Schmerzen unter den Nachwirkungen belastender Lebensereignisse oder unter ungelösten Konflikten leiden. Auch Kinder, deren Eltern unter erheblichen gesundheitlichen Problemen leiden, haben ein erhöhtes Risiko, im Erwachsenenalter zu erkranken.

Menschen mit weit verbreiteten Schmerzen haben häufig psychische Begleiterkrankungen wie Depressionen oder Angststörungen. Der sympathische Anteil ihres autonomen Nervensystems ist überaktiviert, ihr Körper ist ständig in Alarmbereitschaft, ihre Muskelspannung ist erhöht. Sie haben zudem eine niedrige Schmerzschwelle. Das ist überwiegend auf veränderte Schmerzverarbeitungsmuster im Gehirn zurückzuführen und lässt sich ohne Weiteres mit der Vermutung in Einklang bringen, dass es den Betroffenen vor allem an funktionierenden Bewältigungsstrategien mangelt und sie dadurch empfindlicher auf körperliche und psychische Belastungen reagieren. Der Ausdruck somatoform heißt, es äußert sich etwas in körperlicher Form, ohne dass es durch einen körperlichen Defekt hinreichend erklärbar ist. Schmerzen werden ja immer als etwas Körperliches er-

lebt. Auch andere Schmerzsyndrome (unspezifische Rücken- S. 171, Nacken- S. 174 oder Bauchschmerzen S. 184) können somatoform sein oder zumindest einen somatoformen Anteil haben. Dann gelten ähnliche Empfehlungen wie bei weit verbreiteten Schmerzen.

Diagnostik von Anfang an zweigleisig

Die Diagnostik weit verbreiteter Schmerzen sollte sich von Anfang an sowohl auf eine körpermedizinische als auch auf eine psychologisch-psychosomatische Herangehensweise stützen. In vielen Fällen werden weit verbreitete Schmerzen durch das Zusammenspiel körperlicher und seelischer Faktoren aufrechterhalten. Bei einer ausschließlich körpermedizinischen Diagnostik ist die Gefahr groß, dass man von Pontius zu Pilatus geschickt wird, Doppel- und Dreifachuntersuchungen oder gar un-

---

INFO **Menschen mit weit verbreiteten Schmerzen sind keine Simulanten**

„Sie haben nichts Organisches." Diese „Diagnose" hören viele Menschen mit weit verbreiteten Schmerzen von ihrem Arzt. Wenn organmedizinisch alles in Ordnung ist, heißt das aber noch lange nicht, dass jemand nicht unter seinen Schmerzen leidet. Im Gegenteil, für viele Menschen ist es sehr belastend, wenn sie Schmerzen haben, deren Ursache nicht geklärt werden kann. Der ausgesprochene oder stille Vorwurf,

sich die Schmerzen nur einzubilden oder gar zu simulieren, ist nicht nur sachlich falsch, sondern auch kränkend. Er fördert zudem, dass sich die Betroffenen an jede „echte" Diagnose klammern – auch wenn diese noch so fadenscheinig sein mag – und bereit sind, sich immer wieder neu unsinnigen, aufwendigen und teilweise auch riskanten Untersuchungen oder Behandlungen zu unterziehen.

BILD Das therapeutische Gespräch ist ein zentraler
Baustein in der Behandlung weit verbreiteter Schmerzen.

gerechtfertigte Operationen durchgeführt
werden. Meistens dauert es Jahre, bis
die richtige Diagnose gestellt wird. Das
erhöht wiederum das Risiko für Schmerz-
chronifizierung und Medikamentenabhängigkeit.

Körpermedizinisch müssen andere
Erkrankungen, die sich ähnlich äußern
können, wie Gelenk- oder Muskelerkrankungen, ausgeschlossen werden. Meistens genügt dazu neben der genauen
Beschreibung der Beschwerden und der
Krankengeschichte eine einfache Blut-
und Urinuntersuchung. Manchmal sind
auch ergänzend Röntgen oder andere
Verfahren der Bildgebung notwendig. Die
Psychodiagnostik wird durch einen psychotherapeutisch kompetenten Arzt oder
Psychologen (eine Übersicht zu den psychotherapeutischen Berufen finden Sie
auf S. 84) durchgeführt.

In den ersten Gesprächen mit dem
Schmerzpsychotherapeuten wird es darum gehen, die persönlichen Stressfaktoren zu erkennen und herauszufinden,
wie Stress und Schmerz sich gegenseitig
beeinflussen. Regelmäßig Schmerztagebuch führen ist dabei unverzichtbar; wie
bei allen schmerzpsychotherapeutischen
Verfahren ist von Anfang an Ihr eigener
Beitrag das Wichtigste.

Eigenverantwortung ist das A und O

Wenn sich, besonders vor und in den ersten Stunden der Schmerzpsychotherapie
(S. 81), ein starker Zweifel am Sinn solcher Bemühungen in Ihnen regt, ist das
völlig normal. Werfen Sie aber deshalb
nicht gleich die Flinte ins Korn, sondern
erinnern Sie sich daran, dass es jetzt eben
nicht mehr darum geht, ob Ihre Schmerzen organmedizinisch bedingt sind oder
nicht, sondern schlicht um das Einüben
hilfreicher Strategien, mit den Schmerzen
umzugehen. Schmerzpsychotherapie hilft
übrigens auch Schmerzpatienten, mit
„eindeutig" körperlicher Schmerzursache,
z. B. Krebspatienten. In der Behandlung
von Menschen mit weit verbreiteten
Schmerzen ist sie das wirksamste und
daher wichtigste Werkzeug. Ebenfalls ein
wesentliches Element ist – wie bei vielen
anderen Schmerzerkrankungen – Sport
oder Gymnastik (S. 22). Physiotherapie
(S. 39), Entspannungsverfahren (S. 30),
physikalische (S. 39) und manuelle (S. 47)
Therapieverfahren können zusätzlich eingesetzt werden. Auch dabei gilt die Devise „selbst ist der Mann/die Frau", denn
wiederholte Erfahrungen von Selbstwirksamkeit (S. 21) sind das A und O der Therapie weit verbreiteter Schmerzen.

Die medikamentöse Therapie hat
demgegenüber einen untergeordneten
Stellenwert. Die Antidepressiva (S. 132)
Amitriptylin, Imipramin und Mirtazapin
wirken schmerzlindernd. Wenn keine begleitende Depression vorliegt, genügen
dafür niedrige Dosierungen. Opioide
(S. 120) gelten bei weit verbreiteten
Schmerzen als unwirksam. Mit NSAR
(S. 106) kann nur bei einem Teil der Betroffenen und nur kurzfristig eine gewisse

Schmerzlinderung erreicht werden. Wegen der fraglichen Langzeitwirksamkeit und des Nebenwirkungsrisikos sollten sie nicht länger als zwei Wochen eingenommen werden. Von Opioiden, Benzodiazepinen (S. 137) und anderen Medikamenten mit hohem Abhängigkeitspotenzial (S. 125) sowie von Neuroleptika (S. 134) ist generell abzuraten, denn zum einen haben Menschen mit weit verbreiteten Schmerzen ein hohes Risiko, eine Medikamentenabhängigkeit zu entwickeln, zum anderen ist die schmerztherapeutische Wirksamkeit dieser Substanzgruppen bei Menschen mit weit verbreiteten Schmerzen entweder sehr begrenzt oder nicht vorhanden.

Am Ball bleiben

Erwarten Sie keine Wunder. Es kann einige Wochen des beharrlichen Übens und eine ganze Reihe von Schmerzpsycho-therapiesitzungen – im Zwiegespräch mit Ihrem Therapeuten oder in der Gruppe – benötigen, bis sich eine Veränderung einstellt. Manche Patienten bemerken erst nach einigen Monaten rückblickend, dass sie anders mit ihrer Erkrankung umgehen oder sich den Schmerzen nicht mehr so hilflos ausgeliefert fühlen. Das macht nicht nur selbstsicherer, sondern reduziert auch die Schmerzwahrnehmung.

Sollte sich nach sechs Monaten noch keine Besserung einstellen, dann ist eine stationäre Behandlung, beispielsweise in einer psychotherapeutischen Fachklinik oder in einer entsprechenden Tagesklinik, anzuraten. Auch bei einer krankheitsbedingten Arbeitsunfähigkeit über vier Wochen, bei einer Medikamentenabhängigkeit (S. 125), schwerwiegenden körperlichen oder psychischen Begleiterkrankungen ist die Behandlung in einer geeigneten Klinik ratsam.

SKALEN ZUR EINSCHÄTZUNG DER SCHMERZZUSTÄNDE

Schmerzen	0	1	2	3	4	5	6	7	8	9	10
	keine	gering			mittelstarke				starke		
	keine	schmerzt ein wenig		schmerzt ein wenig mehr		schmerzt noch mehr		schmerzt sehr stark			extrem stark

TAGESPROTOKOLL

Tragen Sie täglich die Schmerzstärke anhand der Schmerzskala und die Schmerzqualität – z. B. brennend, stechend, dumpf, pochend – ein, geben Sie den Zeitpunkt und die Dauer der Schmerzen an und notieren Sie, wie Sie Ihre Schmerzen behandelt haben.

Datum: _____

Skala	0	1	2	3	4	5	6	7	8	9	10
Uhrzeit morgens: _____											
vormittags: _____											
mittags: _____											
nachmittags: _____											
abends: _____											
nachts: _____											

Schmerzbehandlung (Medikamente, Massagen, Ablenkung, was tun Sie gerade?)

morgens:

vormittags:

mittags:

**nachmit-
tags:**

abends:

nachts:

TAGESABLAUF

Wie war heute Ihr allgemeines Wohlbefinden?	☐ sehr gut ☐ ganz gut ☐ weniger gut ☐ schlecht ☐ schlechter ☐ sehr schlecht
Wie war Ihre nächtliche Schlafdauer?	☐ ausreichend ☐ nicht ausreichend
Hatten Sie Dauerschmerzen?	☐ nein ☐ ja
Wurden Sie heute durch Ihre Schmerzen in Ihren Tätigkeiten und Bedürfnissen eingeschränkt?	☐ nein ☐ ein wenig ☐ deutlich ☐ stark ☐ fast völlig
Hatten die Schmerzen Ihre Stimmung heute beeinträchtigt?	☐ nein ☐ ein wenig ☐ deutlich ☐ stark ☐ sehr stark
Hatten Sie heute das Gefühl, die Schmerzen lindernd beeinflussen zu können?	☐ nein ☐ ein wenig ☐ deutlich ☐ stark ☐ sehr stark
Sonstige Beschwerden?	☐ keine ☐ Müdigkeit ☐ Niedergeschlagenheit ☐ Übelkeit ☐ Appetitlosigkeit ☐ Lustlosigkeit ☐ Magenbeschwerden ☐ Schlafstörungen ☐ andere
Besondere schmerzbezogene Ereignisse und andere Beschwerden?	

REGISTER

IMPRESSUM

© 2012 Stiftung Warentest, Berlin

Stiftung Warentest
Lützowplatz 11–13
10785 Berlin
Telefon 0 30/26 31–0
Fax 0 30/26 31–25 25
www.test.de

Vorstand: Hubertus Primus
Weiteres Mitglied der Geschäftsleitung:
Dr. Holger Brackemann
(Bereichsleiter Untersuchungen)

Programmleitung: Niclas Dewitz
Autor: Dr. Thomas Bißwanger-Heim
Projektleitung/Lektorat: Christiane Hefendehl
Mitarbeit: Veronika Schuster
Korrektorat: Hartmut Schönfuß, Berlin
Fachliche Unterstützung: Prof. Dr. Gerd Glaeske, Bremen; Prof. Dr. med. Stefan Grond, Detmold; Dr. Jutta Richter, Bochum

Titelentwurf: Susann Unger, Berlin
Layout: Pauline Schimmelpenninck Büro für Gestaltung, Berlin; Sylvia Heisler
Illustrationen: Michael Römer, Berlin (S. 12 und 13, Quelle: Kretz und Schäffer, Anästhesie, Intensivmedizin, Notgallmedizin, Schmerztherapie, 5. Auflage, Heidelberg, Springer, 2008), S. 202.
Bildredaktion: Sylvia Heisler
Bildnachweis: istock (Titel); avenue-images/Jochen Tack (S. 42); Caro Fotoagentur GmbH/Oberhaueser (S. 45); istock (S. 85, 189); Beat Ernst, Basel (S. 145); thinkstock (S. 4, 5, 6, 15, 19, 23, 24, 31, 20, 27, 29, 37, 38, 49, 52, 58, 60, 62, 66, 70, 73, 77, 80, 92, 96, 102, 116, 122, 126, 110, 116, 149, 153, 158, 163, 164, 169, 170, 176, 185, 193, 201); Delia Malchert (S. 181);

Produktion: Sylvia Heisler, Vera Göring
Verlagsherstellung: Rita Brosius (Ltg.), Susanne Beeh
Litho: tiff.any, Berlin
Druck: AZ Druck und Datentechnik GmbH, Berlin/Kempten

Einzelbestellung:
Stiftung Warentest
Tel. 0 180 5/00 24 67
Fax 0 180 5/00 24 68
(je 14 Cent pro Minute aus dem Festnetz, maximal 42 Cent pro Minute aus dem Mobilfunknetz)
www.test.de

ISBN: 978-3-86851-131-4

EDITION
12

Lippincott Review for
NCLEX-PN®

Barbara Kuhn Timby, RN, BC, BSN, MA
Professor Emeritus
Glen Oaks Community College
Centreville, Michigan

Diana L. Rupert, PhD, RN, CNE
Administrator
Indiana County Technology Center
School of Practical Nursing

Assistant Professor
Nursing and Allied Health Professions
Indiana University of Pennsylvania
Indiana, Pennsylvania

. Wolters Kluwer

Philadelphia • Baltimore • New York • London
Buenos Aires • Hong Kong • Sydney • Tokyo

Director of NCLEX: Christina C. Burns
Content Strategist: Dawn Lagrosa
Editorial Coordinator: Emily Buccieri
Marketing Manager: Sarah Schuessler
Production Project Manager: Kim Cox
Design Coordinator: Joseph Clark
Art Director, Illustration: Jennifer Clements
Manufacturing Coordinator: Kathleen Brown
Prepress Vendor: SPi Global

Twelfth Edition

9 8 7 6 5 4 3 2 1

Printed in China

Library of Congress Cataloging-in-Publication Data
Names: Timby, Barbara Kuhn, author. | Rupert, Diana L., author.
Title: Lippincott review for NCLEX-PN / Barbara Kuhn Timby, Diana L. Rupert.
Description: Edition 12. | Philadelphia : Wolters Kluwer, 2021. | Includes index. | Summary: "Lippincott Review for NCLEX-PN, 12E is designed to help pre-licensure nursing students in practical and vocational nursing programs prepare to take the licensing examination. More than 2,000 questions span all areas of nursing practice. Sixteen specialty tests contain questions across all the Client Need categories of the NCLEX-PN. A two-part Comprehensive Examination contains 261 items– more than the maximum of 205 questions asked on the NCLEX-PN-to provide an outlet for comprehensive review and test practice. Every test section concludes with a review of Correct Answers, Rationales, and Test"–Provided by publisher.
Identifiers: LCCN 2019043678 | ISBN 9781975141509 softbound
Subjects: MESH: Nursing, Practical | Nursing Care | Examination Question
Classification: LCC RT62 | NLM WY 18.2 | DDC 610.7306/93076–dc23
LC record available at https://lccn.loc.gov/2019043678

shop.lww.com

Reviewers

Darla K. Shar, MSN, RN
Associate Director
Hannah E. Mullins School of Practical Nursing
Salem, Ohio

Laura Steadman, EdD, CRNP, MSN, RN
Assistant Professor/Family Nurse Practitioner
University of Alabama at Birmingham
Birmingham, Alabama

Mary Tennies-Moseley, EdD, MN, BSN
Professor of Nursing
Northern Virginia Community College
Springfield, Virginia

Donna R. Wallis, MBA, MSN, RN
*Director, Bachelor of Science Healthcare Management
    and Department of Vocational Nursing*
Baptist School of Health Professions
San Antonio, Texas

Diane E. White, PhD, RN
Dean, School of Health Sciences
Georgia Gwinnett College
Lawrenceville, Georgia

Lauren Winters, BSN, RN
Assistant Professor, Practical Nursing
Nunez Community College
Chalmette, Louisiana

Preface

You have made a great decision and investment into the last part of your journey in becoming a licensed practical/vocational nurse. You have purchased a comprehensive NCLEX-PN review book.

Lippincott Review for NCLEX-PN®, 12th edition, has been written to help the candidate prepare for the National Council Licensure Examination for Practical/Vocational Nurses (NCLEX-PN®). Several features make this review book especially helpful.

First and foremost, the most recent NCLEX-PN® Test Plan approved by the National Council of State Boards of Nursing (effective April 2020) was used as a guide for preparing this book. Consequently, the review questions presented here reflect the components in the Test Plan as well as current nursing practice. In addition, the substance of the questions is based entirely on information contained in textbooks that are widely used in practical nursing programs throughout the United States and Canada.

An effort has also been made to divide the book content into comprehensive yet manageable sections. To accomplish this goal, the topics for review are organized into four major units according to specialty areas of nursing practice:

- Unit 1: The Nursing Care of Adults with Medical-Surgical Disorders
- Unit 2: The Nursing Care of the Childbearing Family
- Unit 3: The Nursing Care of Children
- Unit 4: The Nursing Care of Clients with Mental Health Needs

The decision to arrange the content according to specific subject areas was made for several reasons. First, it helps correlate the review with courses commonly taught in most practical/vocational nursing programs. Second, it allows energy to be focused on reviewing a limited amount of information at any one time. If you have done well (higher than 80% accuracy rate) on the questions, you can assume that you have sound knowledge in that content area. If not, you can take this opportunity to return to your textbook or content review books to review that content area.

The four major units are further subdivided into a total of 17 separate review tests. The first unit, which pertains to the nursing care of clients with medical-surgical disorders, contains 11 review tests. The remaining three units each contain two review tests. This distribution is appropriate because medical-surgical nursing is the most common clinical area where new practical/vocational nurses are employed. In addition, the Test Plan is based on a job survey of newly employed practical/vocational nurses 6 months after their graduation; therefore, it is logical to assume that most of the licensing examination questions will reflect items of a medical-surgical nature.

All of the questions in the review tests are integrated in the same manner as in the licensing examination. This means that each test question—whether it concerns a medical-surgical, obstetric, pediatric, or mental health situation—reflects a specific category and subcategory of client need. Both of these test components are discussed further in *Frequently Asked Questions*, page viii.

Another helpful feature of this review book is the fifth unit, which consists of a two-part Comprehensive Examination that follows the 17 review tests. The examination, beginning on page 549, is as much like the national licensing examination as possible. Like the NCLEX-PN®, the questions in the Comprehensive Examination are a mix of all nursing content areas and the Test Plan components.

The two Comprehensive Examinations contain a total of 263 items. The number of questions in each test is slightly higher than the average number of items answered by candidates on the NCLEX-PN®—112 items in an average of 2 hours, 14 minutes in 2015 (National Council of State Boards of Nursing, 2016). Taken in total, the Comprehensive Examination provides practice with more than the maximum of 205 questions asked on the NCLEX-PN®, and it offers a rough estimate of how long it might take to answer all the potential NCLEX-PN® items, should that possibility occur.

> In addition to the review tests and two-part Comprehensive Examination in the text, the accompanying Web site (http://thepoint.lww.com/TimbyNCLEX12e) provides a way to realistically simulate the computerized method for taking the NCLEX-PN®. You can use the questions on the Web site to test yourself in two ways: by general content area or by number of questions. This functionality allows you to tailor your studying to the specific areas in which you need practice or to the number of questions you wish to study, while simulating the NCLEX-PN® as closely as possible.

Other advantages to using this book include the sections containing the *Test Taking Strategies* and *Correct Answers and Rationales*, which follow each review test and comprehensive examination. These sections provide a test-taking strategy to guide the selection of the answer to the question; the best answer to each test question; the rationale for the correct answer, and reasons why the other answer choices are incorrect; the Cognitive Level of the question; and the Test Plan Category and Subcategory. These are discussed later in the *Frequently Asked Questions* section. Reading the rationales and information included in the test-taking strategies is an excellent technique for reviewing the domain of practical/vocational nursing.

In summary, there are almost 1,800 items in the 17 review tests and 263 items in the two-part comprehensive examination, for a total of more than 2,000 items. The items that compose the 17 review tests and comprehensive exams are found on the Web site (http://thepoint.lww.com/TimbyNCLEX12e), along with additional alternative-format items with audio clips. Although it is unreasonable to believe that any item in this book will be identical to one in the national examination, it is reasonable to expect that the NCLEX-PN® will test similar content, knowledge, and skills. Although no review book or licensing examination can cover all aspects of nursing, this book serves as a resource for a comprehensive review and realistic simulation of the NCLEX-PN® process.

As a candidate for the NCLEX-PN®, you will benefit by reading the section titled *Frequently Asked Questions*, which begins on page viii. This section provides information about the NCLEX-PN® testing process, how the test is designed, and suggestions on how to prepare for the examination. The National Council of State Boards of Nursing Web site (www.ncsbn.org) provides the most up-to-date information on the Test Plan and the testing process. The *How the Book Is Organized* section, which begins on page xvi, introduces you to the testing format used in this review book.

Although this book's primary purpose is to help practical/vocational nurses prepare for the national licensing examination, it can serve other purposes as well. For example, it can be used to study for various types of achievement tests in nursing. Inactive practical/vocational nurses who wish to return to nursing will also find the book useful for review and self-appraisal, as will others who seek course credit by taking challenge examinations for advanced placement. And, finally, faculty may find the book helpful for developing expertise in test construction. However, regardless of the many purposes for which this book may be used, its ultimate goal is to help candidates prepare for the national licensing examination (NCLEX-PN®), demonstrating their ability to provide safe, effective nursing care.

Acknowledgments

Much effort goes into a publication of this breadth and we appreciate all efforts to ensure the quality and accuracy.

We would like to express sincere thanks for the contributions of Ann Carmack, RN, MSN, coauthor of the ninth edition; Bennita Vaughans, RN, MSN, contributor to the sixth edition; and Jeanne C. Scherer, RN, BSN, MS, coauthor of the fourth edition, whose previous work made this revision easier.

Finally, recognition is due for the conscientious assistance from the editors and staffs who have helped develop this book through its various stages of production. Among the legion, the authors wish to thank Dawn Lagrosa, Content Strategist; Emily Buccieri, Senior Editorial Coordinator and Kim Cox, Production Project Manager.

Barbara Kuhn Timby, RN, BC, BSN, MA
and Diana L. Rupert, PhD, RN, CNE

Frequently Asked Questions

The following are frequently asked questions concerning the NCLEX-PN® and the most current information that is available about the testing process.

What Is the NCLEX-PN®?

The abbreviation *NCLEX-PN®* stands for the National Council Licensure Examination for Practical/Vocational Nurses. In short, the NCLEX-PN® is a computerized test developed by the National Council of State Boards of Nursing. The test is used to regulate the licensing of practical and vocational nurses in each of its member states.

Members of the National Council of State Boards of Nursing

Members include representatives from:

- All 50 United States
- District of Columbia
- Guam
- American Samoa
- Virgin Islands
- Northern Mariana Islands

What Is the Purpose of the NCLEX-PN®?

All National Council member states and territories currently use the NCLEX-PN® as the standard for licensing practical and vocational nurses. *Practical nurse* and *vocational nurse* are regional terms; they differ in name only. Whether referred to as practical or vocational, each nurse completes similar educational programs, and graduates from both take the NCLEX-PN®. The terms *practical nurse* and *practical nursing* are used in this book to refer to both.

Licensing serves to assure the public that a graduate practical/vocational nurse is a competent practitioner. Passing the NCLEX-PN® demonstrates that a graduate of a practical/vocational nursing program can perform entry-level nursing skills that meet the needs of clients who have common health problems with predictable outcomes and demonstrate at least a minimum level of competency.

Can Foreign-Educated Nurses Take the NCLEX-PN®?

Foreign-educated nurses can take the NCLEX-PN®. However, before taking the test, they must first meet eligibility requirements in the state where they wish to practice. In most states, foreign-educated nurses are asked to present credentials describing their course of study in the country where they were schooled.

How Is the NCLEX-PN® Developed?

Before the examination is administered, it goes through several stages of development.

Steps in the NCLEX-PN® Test Development

- Survey newly licensed practical/vocational nurses every 3 years.
- Analyze practical/vocational nurse job responsibilities.
- Formulate a test plan based on the data.
- Select and approve item writers.
- Submit questions to item reviewers.
- Implement trial testing of items.
- Give state boards of nursing an opportunity to review items.
- Obtain approval of NCLEX-PN® test items.
- Maintain two alternating NCLEX-PN® test pools.

What Is the NCLEX-PN® Test Plan?

The Test Plan, which changes from time to time, serves as the framework for the content that is included in the NCLEX-PN®. The current Test Plan, implemented in April 2020, is based on the results of a study called the *2018 LPN/VN Practice Analysis: Linking the NCLEX-PN® Examination to Practice (NCSBN, 2019)*. This study sampled data from newly licensed practical/vocational nurses who provided information on how often they performed each of the studied nursing activities, the impact of the nursing activities on their clients' well-being, and the settings in which the activities were performed.

The tabulated results of the job analysis study influence the subject matter tested and the percentage of questions asked in particular NCLEX-PN® test categories. The test categories on the current NCLEX-PN® Test Plan follow the framework of Client Needs Categories and Client Needs Subcategories. (See Structure of the Test Plan below.)

The distribution of 2020 NCLEX-PN® test items in the Client Needs Categories and Subcategories is as follows:

- Physiological integrity
  - Basic care and comfort, 7% to 13%
  - Pharmacological therapies, 10% to 16%

Distribution of Content for the 2020 NCLEX-PN® Test Plan

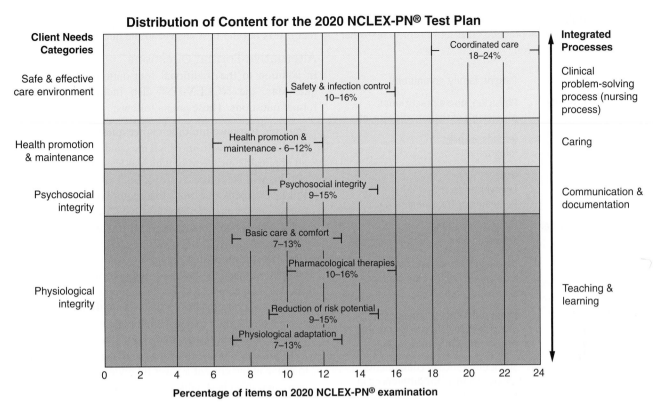

(From National Council of State Boards of Nursing, Inc. [NCSBN]. NCLEX-PN® Examination: Test Plan for the National Council Licensure Examination for Licensed Practical/Vocational Nurses. Chicago, IL: National Council of State Boards of Nursing, Inc. [NCSBN]. Copyright by the National Council of State Boards of Nursing, Inc. All rights reserved.)

- Reduction of risk potential, 9% to 15%
- Physiological adaptation, 7% to 13%
- Safe and effective care environment
  - Coordinated care, 18% to 24%
  - Safety and infection control, 10% to 16%
- Health promotion and maintenance, 6% to 12%
- Psychosocial integrity, 9% to 15%

Client Needs Categories and Subcategories

Of the four Client Needs Categories, the emphasis is on physiological integrity. Safe and effective care environment is the next most important; health promotion and maintenance and psychosocial integrity are equally rated.

Physiological Integrity

This category tests the candidates' knowledge in the following areas:

- Basic care and comfort—providing comfort and assistance in performance of activities of daily living
- Pharmacological therapies—providing care related to administration of medications and monitoring clients receiving parenteral therapies
- Reduction of risk potential—reducing the possibility of developing complications or additional health problems related to treatments, procedures, or existing conditions
- Physiological adaptation—providing care during acute and chronic phases of health disorders, including emergency situations

Safe, Effective Care Environment

This category covers questions concerning:

- Coordinated care—providing care and collaborating with health team members to coordinate client care, including legal and ethical issues
- Safety and infection control—protecting clients and health care personnel from injury

Health Promotion and Maintenance

This category tests the candidate's ability to answer questions about the expected stages of growth and development and the prevention or early detection of health problems.

Psychosocial Integrity

This category covers questions concerning the promotion and support of the emotional, mental, and social well-being of clients.

Integrated Processes

Clinical problem-solving process (nursing process) is integrated throughout the Client Needs Categories and Subcategories. This review book codes all questions according to the Client Needs Categories and Subcategories. Other integrated processes—caring, communication and documentation, teaching and learning, culture and spirituality—are represented as well.

There are some NCLEX differences that occur across the Unites States in terminology, which are brought to your attention in this table. One important difference is that licensed practical nurse and licensed vocational nurse are the same scope of practice. The table represents other things to consider as well.

Client	Patient, family, community
Health care provider	Physician, nurse practitioner, physician's assistant, midwife, etc.
Weight	Pounds, ounces Kilograms
Prescription	Orders Interventions Remedies or treatments
Nursing career ladder	▪ Registered nurse ▪ Licensed practical/vocational nurse Nursing assistant, certified nurse aide, home health aide, patient care technician (PCT)
Medications	Slight differences in medications prescribed for disease processes Documented in generic names
Laboratory tests	Slight difference in components of lab tests and slight differences in normal ranges Documented in metric units as well as in SI units

What Is the Style of Questions Asked on the NCLEX-PN®?

The NCLEX-PN® is composed primarily of multiple-choice questions. A multiple-choice question, also called an *item*, has two main parts: the *stem* and the *options*.

The Stem

The *stem* presents the problem or situation that requires a solution. The stem of an NCLEX-PN® multiple-choice item is stated as a question in a complete sentence. If all the essential information for answering the question is contained in the stem, it is called a *stand-alone item*. Sometimes, in this book, the stem is preceded by a *case scenario*, which gives background information that is pertinent to the item or to a group of items that follow the case scenario. The book is designed to place the nurse in a clinical setting and ask a clinical application question related to the scenario. This design provides the candidate with a real-life experience in clinical decision-making, which is important in determining a competent entry-level practitioner.

The Options

The *options* are the choices from which an answer is selected. There are four options in multiple-choice questions. The options on the NCLEX-PN® are labeled *1, 2, 3*, and *4*. In this type of question, there is one correct answer among the choices given. The three incorrect options, called *distractors*, are intended to appear as good answers;

they may even be partially correct. But an option is incorrect if it is not the best answer to the question.

Alternative-Format Questions

In addition to the traditional four-option multiple-choice questions, the NCLEX-PN® also includes alternative-format questions. These are as follows:

- Multiple-response multiple-choice questions that provide five to six options from which the candidate must select all applicable answers, of which at least one and up to all options will be correct
- Fill-in-the-blank questions that require the candidate to use an on-screen calculator to solve dosage problems or make conversions; instructions for rounding are provided in the stem
- Hot-spot questions that require the candidate to use the computer mouse to click onto an appropriate area on a graphic image appearing on the computer screen
- Ordered-response questions that require the candidate to arrange all the options sequentially or chronologically by clicking and dragging the items using the computer mouse
- Multimedia-response questions that require the candidate to arrive at the correct answer by reviewing information presented in a chart, table, graph, sound, or video clip.

Most of the questions on the NCLEX-PN®, however, are of the traditional variety—multiple-choice questions with four options—and these standard questions make up the bulk of this review book.

Standard Multiple-Choice Stem and Options

Which nursing assessment finding best justifies withholding the continued I.M. administration of penicillin until consulting with the prescribing health care provider?
[ ] 1. The client states that the injection sites are painful.
[ ] 2. The client shows the nurse a red, itchy rash.*
[ ] 3. The client's oral body temperature is 100°F (37.8°C).
[ ] 4. The client has been having two stools a day.

*Correct answer.

How Is the NCLEX-PN® Administered?

The NCLEX-PN® is a computerized adaptive test. The term *adaptive* means that the computer creates a unique test for each candidate. (See "How Does the Computer Select Test Questions?" for more information.)

The computerized method of testing offers several advantages over the earlier pencil and paper method of taking the NCLEX-PN® that was offered only twice a year. For example, it:

- Facilitates year-round testing
- Offers convenient scheduling choices
- Personalizes the test for each candidate
- Shortens the length of the examination
- Expedites notification of test results

A candidate may request any testing site regardless of the state in which he or she wishes to be licensed. Because the test is adapted to each candidate, it can be completed in 5 hours or less; the average time is just over 2 hours (National Council of State Boards of Nursing, 2016). Also, because scoring is computerized, examination results are available more rapidly than in the past.

What Is the Testing Site Like?

Each of more than 4,400 Pearson VUE testing sites, the world's largest network of test centers in 175 countries around the world, is able to accommodate multiple candidates at the same time. Each candidate is assigned to a separate testing cubicle that contains a computer with an on-screen calculator and other functional keys, note board, and marker. Personal articles can be placed in secured storage or lockers outside the test room.

Persons with special physical needs, or those requesting modifications in the testing process or environment, must make that information known to the board of nursing at the time of application. A letter from a professional (usually the director of the nursing program) confirming the candidate's disability is also required. If the board of nursing approves the applicant's request, special accommodations are made if they do not jeopardize the security of the test or give the candidate an unfair advantage.

Precautions are taken to ensure that the candidate who is registered for the NCLEX-PN® and the person about to take the test are one and the same.

Once the examination commences, test security is maintained in two ways. All candidates are observed directly and continuously by a proctor who can view the testing cubicles without entering the room. In addition, candidates are monitored by video and audio equipment that has taping capability.

Test Site Security Policies

Before the test, each person must:

- Possess an Authorization to Test (ATT) affidavit.*
- Present two forms of signature identification.
  - One must contain a recent photograph.
  - The name on the photograph identification must match exactly the name on the ATT.
- Be photographed, fingerprinted, and provide a signature at the test site. A fingerprint is required each time a candidate exits and reenters the testing area.
- No hats, scarves, coats, papers, books, food, drinks, lip balm, medical aids or devices, pens, wallets, watches, cameras, beepers, cell phones, or other electronic devices like pagers, handheld computers or weapons are allowed in the testing room. Personal items must be stored in a

locker; certain items such as medical aids or devices, food, and beverages may be accessed during a break.

*See "How do I register for the NCLEX-PN®?" on page xiii.

Will I Be Given a Chance to Practice Using the Computer?

Regardless of the candidates' computer skills, each is given an opportunity to practice before the actual test begins. If necessary, computer assistance is also available during the examination. Thus far, candidates with computer experience have not demonstrated any advantage in test performance.

How Does the Computer Select Test Questions?

The NCLEX-PN® questions vary in their level of difficulty. When the test begins, the first questions are generally at a moderately difficult level. If the candidate answers such a question incorrectly, the computer selects an easier question next. Conversely, if the candidate answers a moderately difficult item correctly, the next question is more difficult. Passing the examination depends on both the number of correctly answered questions and their level of difficulty.

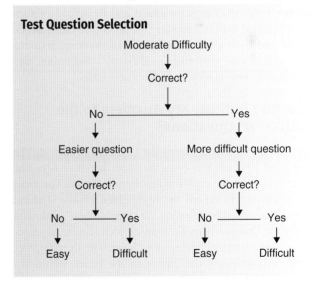

Test Question Selection

The difficulty of each item is based on *Bloom's Taxonomy* (1956), a classification of six cognitive learning levels that range from basic to advanced. The taxonomy was more recently revised in 2011 by a former student of Bloom's, replacing nouns that were originally used with verbs. The six cognitive levels include (in order of increasing difficulty) remembering, understanding, applying, analyzing, evaluating, and creating.

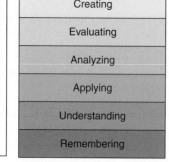

Higher Order Thinking Skills

- Creating
- Evaluating
- Analyzing
- Applying
- Understanding
- Remembering

Lower Order Thinking Skills

Remembering, the lowest level of cognition, requires recalling information from prior memorization. *Understanding*, the next level, requires explaining ideas or concepts, with skills such as locating, selecting, reporting, and paraphrasing information. *Applying*, the cognitive level (or higher) at which the majority of NCLEX-PN® items are written, requires using principles to solve or interpret information related to a client's health and its deviations. *Analyzing*, a cognitive level of further increasing difficulty, requires using abstract and logical thought processes that form the basis for a nursing action. This level of thinking necessitates, for example, that a person compare or contrast information, distinguish cause and effect, identify fine differences, and question actions. *Evaluating*, the next to highest cognitive level, involves, for example, an ability to appraise a situation or information and to defend or support a selected action. *Creating*, the level that ranks as the highest and most challenging degree of thinking, requires such activities as inventing, modifying, substituting, and reorganizing information to fashion new ideas.

How Do I Indicate My Answers to the NCLEX-PN® Questions?

Answers are selected by using the keyboard or mouse. The most used keys are the *space bar* and the *enter key*. The space bar moves the cursor to highlight a choice. The enter key is pressed to record the highlighted choice. Exhibit items are accessed by selecting the "exhibit item" button on the screen. Ordered-response items, which require sequencing, are answered by clicking on a choice with the computer mouse and dragging the choice to the order within the sequence. Hot-spot items are answered by clicking an area that you want to represent as the answer. A description of the functional keys, along with a written explanation on how to use them, is included at each computer terminal. A mouse interface and on-screen calculator can be accessed by clicking on the "calculator" button. The item indicates how many decimal places should be in the answer. The unit of measure will be provided. Noteboards and markers are provided by the test center but may not be removed.

How Long Do the Questions Remain on the Screen?

Each question remains on the screen until an answer is recorded. Candidates are *not* able to:

- Skip a question
- Review previous questions
- Change answers after moving on to the next item

The underlying reason is that the difficulty of each test question is based on the candidate's answer to preceding test questions.

How Many Questions Are Asked on the NCLEX-PN®?

Each candidate's test is unique. The test is made up of a comparatively small number of items from among the vast quantity stored in the memory of the computerized test pool. However, each candidate must answer a minimum of 85 questions. Of these questions, 60 are scored questions and 25 are tryout items that may be used in subsequent test pools. The maximum number of questions given to any candidate is 205—180 of which are scored, the remainder being tryout items.

There is no way for a candidate to determine which questions are tryout items. The tryout items are *not* calculated in the final NCLEX-PN® score, regardless of whether the candidate answers the questions correctly.

In 2016, approximately 57.2% of NCLEX-PN® candidates answered the minimum number of test items (National Council of State Boards of Nursing, 2016). Approximately 13.5% of NCLEX-PN® candidates answered the maximum number of questions (National Council of State Boards of Nursing, 2016). The latter group usually consists of those whose test performances are on the borderline between passing and failing. The remaining test candidates answered between 86 and 112 items.

NCLEX-PN® Testing Parameters

Minimum number of questions	85
Maximum number of questions	205
Minimum testing time	None
Maximum testing time	5 hours
Scheduled breaks	
Personal break, anytime by raising hand	After 2 hours
All breaks count against testing time	After 3½ hours

How Long Does the NCLEX-PN® Take?

Because each test is tailor-made for the candidate, there is no minimum amount of time for the test. The maximum length of time allowed for the NCLEX-PN® is 5 hours; however, most candidates finish in less than half that time. The examination time varies, depending on how speedily the candidate reads and answers each test item and how well or poorly the questions are answered.

The test is terminated when the computer has sufficient data to determine with 95% confidence whether the candidate has demonstrated sufficient knowledge to pass the examination. The test ends automatically when the candidate:

- Answers at least a minimum number of 85 questions correctly
- Answers 85 to 205 questions at or below the passing standard
- Answers 205 questions without enough certainty to determine a passing or failing score
- Is still testing when the 5-hour time limit expires

Who Decides the Pass/Fail Score for the NCLEX-PN®?

The National Council's Board of Directors ultimately establishes the official minimum passing standard for the NCLEX-PN®. The Board of Directors' decision is made after receiving recommendations from a panel of nine judges. The panel, which represents diverse geographic regions and areas of clinical practice, determines what portion of minimally competent practical/vocational nurses would correctly answer each test question in a sample test.

The passing standard for the NCLEX-PN® is reevaluated whenever the Test Plan changes or at 3-year intervals, whichever comes first. Each state has the authority to set the minimum passing score in its own jurisdiction. However, most states use the same minimum passing score proposed by the National Council of State Boards of Nursing.

How Do I Register for the NCLEX-PN®?

There are several basic steps that all candidates must complete before taking the NCLEX-PN®.

NCLEX-PN® applications may be obtained on request from the state board of nursing, or they may be available from the candidate's school of nursing. After receiving an application, the state board of nursing determines if the applicant meets licensure eligibility requirements.

Once the candidate's eligibility is confirmed, NCLEX-PN® registration with Pearson VUE, an electronic testing service, can go forward. Pearson VUE offers three different methods of registration: through its Web site (www.pearsonvue.com), by contacting a Pearson VUE agent, or by contacting the test center directly. Forms and information on registering for the NCLEX-PN® can be obtained by requesting the *NCLEX Candidate Bulletin* from the National Council of State Boards of Nursing (available at www.ncsbn.org). Fee payment of $200 is required at the time of registration.

Anyone who schedules a test outside the United States must pay an additional $150 fee and a Value Added Tax

(VAT) where applicable. There is a $50 fee to change the location where licensure is requested.

After registration with Pearson VUE has been processed, the candidate is sent a publication titled *Scheduling and Taking Your NCLEX*, along with a printed form called an *Authorization to Test* (ATT). There are three pieces of important information on the ATT: a candidate examination number, an authorization number, and an expiration date.

Steps for NCLEX-PN® Registration

1. Apply to the board of nursing in the state from which licensure is sought.
2. Request that the nursing program provide the board with proof of eligibility to take the NCLEX-PN®.
3. Register with Pearson VUE.
4. Pay a fee of $200 if testing in the United States.

When and How Do I Arrange to Take the NCLEX-PN®?

After receiving an ATT, candidates can schedule a test date by phone with the test site of their choice or online at Pearson VUE's Web site before the expiration date that appears on the ATT. The locations and phone numbers of all available test sites are provided in the scheduling brochure and can also be found online by using the Test Center Locator function of the Pearson VUE Web site.

After contacting the test site, first-time candidates are offered a test date within 30 days; repeating candidates may be scheduled within a 45-day period. Either type of candidate can request a date beyond the 30 or 45 days as long as the date occurs before the expiration date on the ATT.

If the candidate wishes to cancel or reschedule a testing date, it must be done within 3 business days of the original appointment; otherwise, all fees are forfeited and the ATT is revoked. The same policy applies if a candidate is more than 30 minutes late on the date of the test.

How Will I Be Informed of My NCLEX-PN® Results?

Test results, either Pass or Fail, are reported by mail from the state board of nursing where the candidate desires licensure. Although each candidate's score is electronically transmitted from the testing service to the respective board of nursing within 48 hours after an examination, the interim for informing the candidate varies from state to state. Generally, most candidates receive their test results 1 month after taking the examination.

A candidate who fails the NCLEX-PN® is provided with a testing analysis in the form of a printed diagnostic profile. The profile gives data on how close the candidate came to the minimum passing score, how many items were answered, and performance achieved in each of the Test Plan categories. The statistical data are offered to assist failing candidates to improve their potential for success when retaking the NCLEX-PN®. Weak areas suggest where an unsuccessful candidate might concentrate his or her review.

What If I Feel My Test Result Is Incorrect?

Some (but not all) states provide a process for reviewing and challenging NCLEX-PN® results. If a failed candidate feels that his or her test performance measurement is invalid, or wants the opportunity to dispute the answer to missed items, arrangements can be made to examine the questions that were answered in error. The review and challenge involve a fee and is limited to no more than 2½ hours.

When Can I Retake the NCLEX-PN® If I Fail?

Presently, a repeating candidate can retake the examination eight times a year but no more than once in any 45-day period. This allows for a variation in items within the existing test pool. When, and if, the test pool of items increases, the frequency for retesting may be amended by the board of nursing in the jurisdiction where licensure is desired.

What Are Some Strategies for NCLEX-PN® Success?

There are certain strategies that promote success on the NCLEX-PN®. Some are more appropriate for long-term planning; others are more pertinent as the test date nears.

Strategic Plan for NCLEX-PN® Preparation

- Develop a time schedule for a comprehensive review.
- Divide the review topics into manageable amounts.
- Refresh your knowledge of topics in nursing courses.
- Reread sections in nursing textbooks, classroom notes, and written assignments.
- Reexamine tests from previous nursing courses.
- Use this review book to assess your areas of competence.
- Identify weak areas, and restudy or clarify information.

Long-Term Strategies

Long-term strategies are best implemented as early as possible after completion of a nursing program. In fact, some nursing programs include standardized comprehensive examinations for graduating nurses to help predict how well the potential graduate will perform on the NCLEX-PN®. But most new graduates are left to their own initiative when it comes to preparing for the licensing examination. Whatever approaches are used, it is best to begin preparing for the NCLEX-PN® well in advance.

A systematic and comprehensive review is more effective than last-minute cramming. Cramming contributes to disorganized thinking; facts and concepts are likely to be confused. Also, with cramming, there is always an underlying fear of being unprepared, which only heightens test anxiety.

One method of continued learning and retention of learned material is to focus on the review of subjects recently covered in the classroom. For example, after a focused review of the nursing care of clients with disorders of the cardiovascular system, it is advantageous to take the corresponding review test in this book. This is considered a practical approach because, although the NCLEX-PN® basically tests the four categories in the Test Plan, the test questions are asked from a medical, surgical, obstetric, pediatric, or mental health perspective.

Above all, it is best to include review strategies that have been successful in the past.

Long-Term Review Strategies

- Give priority attention to your weaker subjects first.
- Review key concepts in nursing textbooks.
- Summarize information identified in chapter objectives.
- Process critical-thinking questions in nursing books.
- Concentrate on how each Client Needs Category and Subcategory applies to the specific review topic.
- Organize or join a study group preparing for the NCLEX-PN®.
- Select an environment that is conducive to concentration.
- Choose to review when you are the most energetic and focused.
- Keep review periods short, regular, and on task.
- Take an NCLEX-PN® review course if your motivation weakens.
- Invest in NCLEX-PN® computerized testing programs.

Short-Term Strategies

Some strategies are more appropriate as the testing date draws near.

Short-Term Strategies for Ensuring Success

- Correct vision or hearing problems before the test date.
- Make a trial run to the test site location.
- Obtain hotel or motel reservations if the test site is distant.
- Plan some leisure activity the day before the test.
- Get an adequate amount of sleep the night before the test.
- Awaken early.
- Eat sensibly.
- Avoid taking any mind- or mood-altering drugs.
- Take required admission papers and identification.
- Bring a snack or beverage for scheduled breaks.
- Distance yourself from anyone who looks frantic; anxiety is contagious.
- Locate the restroom, and use it shortly before the test.
- Use relaxation techniques.
- Make positive statements to yourself about your ability.

If you use several of the suggested long- and short-term strategies, you can approach the NCLEX-PN® with a feeling of confidence and a positive mental attitude. You will be off to a good start by continuing to work your way through this review book.

How to Use This Book

Lippincott Review for NCLEX-PN®, 12th edition, contains a series of tests covering a wide variety of health-related problems that can be used as a helpful adjunct for preparing for the NCLEX-PN®. Although one of its objectives is to simulate the NCLEX-PN® as much as possible, this book's primary purpose is to provide graduate nurses with an effective resource for reviewing nursing content. By answering most questions correctly, you will have a solid foundation for taking the national licensure examination, as well as a keen understanding of how to manage client situations in real-life clinical settings.

Reading the book's *Preface* and the section on *Frequently Asked Questions* will provide you with a thorough overview of the latest NCLEX Test Plan and address your concerns about the number and types of questions you may be asked on the actual examination. A copy of the detailed NCLEX-PN® Test Plan for 2020 can be obtained at https://www.ncsbn.org/2020_NCLEXPN_ TESTPLAN.pdf. You will also learn valuable information about how to register for testing, what to expect at the test site facility, and helpful review strategies to ensure a successful test-taking experience.

In the sections that follow, you will learn how this book is organized, practical tips for choosing correct responses to test questions, and important information about the book's answers and rationales, classification of test items, and comprehensive examinations.

How the Book Is Organized

This review book is divided into five units. The first four units are devoted to specific specialty areas of clinical practice—including adult medical-surgical disorders, care of the childbearing family, care of children, and care of clients with mental health needs. These units are further subdivided into two or more review tests that concentrate on particular types of clients, health problems, and nursing care.

The last unit—a two-part printed Comprehensive Examination—and the Web site containing all the questions in the book serve as the final resources for your NCLEX-PN® review.

Divisions for Review

- Unit 1: The Nursing Care of Adults with Medical-Surgical Disorders
- Unit 2: The Nursing Care of the Childbearing Family
- Unit 3: The Nursing Care of Children
- Unit 4: The Nursing Care of Clients with Mental Health Needs
- Unit 5: Postreview Tests

Editorial Policies

Throughout the book, the word *client* is used when referring to the person receiving nursing services. Although the word *patient* is more familiar to some, *client* is the term that is used throughout the NCLEX-PN®.

Clients are identified generically by age, medical information, and gender when it is germane to the question. The same principle is followed on the NCLEX-PN®.

An effort has also been made to avoid using feminine or masculine pronouns when referring to the nurse and health care providers. In most cases, they are identified as the nurse or the health care provider. You can assume that the nurse to which the question refers is a practical/vocational nurse; if not, that information is identified.

Testing Format

Just like the latest NCLEX-PN® examination, this review book primarily includes traditional multiple-choice questions consisting of a stem and four answer choices (options). However, a small percentage of alternative-format questions—such as multiple-response multiple-choice (typically, six-option questions), fill-in-the-blank (a calculation), hot-spot (graphically illustrated), and ordered response (including options which

the test-taker must place in chronologic order)—are also included in each test, reflecting the most recent changes to the NCLEX Test Plan. These alternative-format questions are highlighted in color in the book. Audio items are also included on the Web site that accompanies this book.

In some cases, test questions are preceded by a case scenario that contains descriptive information about a client's condition or circumstances that are pertinent to answering the question. Such descriptions are italicized and appear above the stem, as shown below. At times, subsequent questions refer back to the italicized scenario. Questions that share a scenario are contained within a bracket.

Sample Case Scenario
The nurse is caring for a 49-year-old client who is short of breath, has a heart rate of 110 beats/minute, and has moist breath sounds.

1. Which position is best for promoting ventilation in this client?   <stem
    [ ] 1. Supine   <distractor
    [ ] 2. Fowler's   <correct answer
    [ ] 3. Prone   <distractor
    [ ] 4. Sims'   <distractor

Choosing Answers
There are several necessary steps in choosing an answer. They include analyzing the information, looking for key words or terms, using a process of elimination or other test-taking strategy, selecting an option, and making your choice.

Critical Thinking to Identify the Best Answer
Additional methods that are helpful in selecting an option for an answer include:

- Using the steps in the nursing process when a question asks what to do next; in other words, gathering data before intervening, and so on
- Using Maslow's hierarchy to determine which health-related problem needs to be addressed first, following the sequence of managing *physiological needs*, such as breathing, followed by *needs for safety and security*, *needs for love and belonging*, *needs for esteem and self-esteem*, and a *need for self-actualization*, in that order
- Considering safety issues when a client requires care but is physiologically stable

- Responding to communication questions by selecting an option that supports principles of therapeutic communication, especially those that promote verbalization by the client (Some examples include asking open-ended questions, reflecting, offering general leads, clarifying, and sharing perceptions. Nontherapeutic communication techniques that should be avoided include giving false reassurance, giving advice, changing the subject, demanding an explanation, using clichés, and showing disapproval.)
- Applying knowledge of common laboratory test results, such as normal blood counts, blood chemistry values, and blood gases
- Recognizing and identifying basic electrocardiogram (ECG) waveforms
- Applying knowledge of normal nutrition and therapeutic diets

Analyzing the Information

It is always best to read each case scenario and stem carefully. Focus on the subject or content in the information that makes the situation unique. Arriving at a correct answer involves integrating the pertinent facts within the context of the question. For example, if you are informed that a client is 3 years old, the answer to the question might be different than if the client is 65 years old, based on variations in the life cycle.

Looking for Key Terms

Key terms are words and their modifiers that help call attention to the critical information in the question. Identifying key terms can help you select the answer that fits the intent of the question.

Examples of Key Words and Modifiers

Key Words

Best	Least
Most	Except
Next	Earliest
At this time	Essential
Immediately	Initially

Key Words and Modifiers

Best response	Most important
Best evidence	Most appropriate
Best measure	Most accurate
Best answer	Most indicative
Best explanation	Most suggestive

Selecting an Option

When selecting an option, make sure you have read each one carefully because there may only be subtle differences between them. It is always helpful to narrow your options by using the process of elimination, being aware of distractor choices. Remember, the process of selecting an option may be different when answering alternative-format questions. For example, with multiple-response multiple-choice questions, more than one option may be correct.

Making Your Choice

Once you have decided which option is best, you can record your answer in the printed book by blackening the box in front of that option in the review test. If you are answering alternative-format questions: blacken the boxes in front of all of the options you think are correct for multiple-response multiple-choice questions; write your answer on the blank line provided for fill-in-the-blank questions; draw an X over the appropriate place on the illustration for hot-spot questions; and place the options in the correct order by writing the desired sequence for the ordered-response questions.

A word of warning: As in the actual NCLEX-PN®, the correct answers are *randomized*; that is, they do not follow any particular pattern. It is therefore foolhardy to choose an answer by trying to predict some planned sequence in the numbered choices.

Test-Taking Strategies and Correct Answers and Rationales

See the sections in each test titled *Test-Taking Strategies* and *Correct Answers and Rationales* after completing each test and the Comprehensive Examinations. Compare your answers with those identified as the correct answers. Remember to place a check mark next to any items you answered incorrectly.

Study the discussion of the test-taking strategy and the rationale for each item regardless of whether you answered it correctly or incorrectly. The rationales often contain additional information that will enhance your NCLEX-PN® review.

Next, analyze the reason you chose an incorrect answer. If you answered incorrectly because you did not read the item carefully or because you blackened the wrong box, plan to concentrate more on reading and marking the answers more accurately. If you made an error because you lacked the knowledge required to answer the question correctly, make a point of restudying that specific health-related problem.

Determine your accuracy rate (percentage) by dividing the number of questions taken by the number of questions answered correctly. For example, 125 questions taken with 89 questions answered correctly equals 89/125. Seventy-one percent is the accuracy rate. Strive for an accuracy rate above 80%.

Comprehensive Examinations

Once you have taken all the individual tests and completed your review, you will be ready to take the two-part Comprehensive Examination in the book or the examination on the Web site, or both. Whatever your decision, take these examinations as seriously as if you were taking the actual licensing examination.

Both of these practice examinations are intended to simulate the NCLEX-PN®. The printed version contains more items than the maximum number asked on the NCLEX-PN®. Because of its length, it provides the greatest opportunity for practice in answering a mix of questions from all of the review test material.

The Web site can generate mixes of questions that relate to topics in each of the four review test units. You can use the Web site to practice by number of ques-

tions and compare your results with those of previous NCLEX-PN® candidates identified in this book. In addition, the computerized version simulates the same testing process candidates are required to use when taking the NCLEX-PN®.

When all the components of this book and Web site are utilized, along with recommended areas for further review, most candidates can acquire the self-confidence that will make passing the NCLEX-PN® that much easier.

Contents

The Nursing Care of Adults with Medical-Surgical Disorders

The Nursing Care of Clients with Musculoskeletal Disorders

- Nursing Care of Clients with Musculoskeletal Injuries
- Nursing Care of Clients with Fractures
- Nursing Care of Clients with Casts
- Nursing Care of Clients with Traction
- Nursing Care of Clients with Inflammatory Joint Disorders
- Nursing Care of Clients with Degenerative Bone Disorders
- Nursing Care of Clients with Amputations
- Nursing Care of Clients with Herniated Intervertebral Disks
- Test Taking Strategies
- Correct Answers and Rationale

Directions: *With a pencil, blacken the space in front of the option you have chosen for your correct answer.*

Nursing Care of Clients with Musculoskeletal Injuries

A client who golfs at least three times a week has been experiencing wrist pain aggravated by movement. The condition is diagnosed as tenosynovitis; avoiding repetitive wrist motion is recommended.

1. What statement to the nurse provides the **best evidence** that the client understands the therapeutic plan?
[ ] **1.** "I should keep my hand as still as possible."
[ ] **2.** "I should stop playing golf for the time being."
[ ] **3.** "I can substitute playing miniature golf."
[ ] **4.** "I can wear a tight leather glove when golfing."

The nurse examines a client who has ankle swelling and pain on movement after a fall while climbing stairs.

2. What nursing measure is **most helpful** for relieving the soft tissue swelling?
[ ] **1.** Place a heating pad on the ankle.
[ ] **2.** Apply ice to the ankle.
[ ] **3.** Exercise the client's foot.
[ ] **4.** Immobilize the client's foot.

The bones are not fractured, but the ankle is severely sprained.

3. The nurse is teaching the client how to use an elastic bandage. Where should the nurse demonstrate applying an elastic bandage to the client's lower extremity?
[ ] **1.** Below the knee
[ ] **2.** Above the ankle
[ ] **3.** Across the phalanges
[ ] **4.** At the metatarsals

4. What is the **best** technique for the nurse to use when applying the elastic bandage to the client's lower extremity?
[ ] **1.** Making figure-eight turns with the bandage
[ ] **2.** Making spiral reverse turns with the bandage
[ ] **3.** Making recurrent turns with the bandage
[ ] **4.** Making spica turns with the bandage

5. When should the nurse advise the client to rewrap the elastic bandage following discharge?
[ ] **1.** When the toes appear pink
[ ] **2.** When the ankle feels painful
[ ] **3.** When the toes look swollen
[ ] **4.** When the joint feels stiff

A client sustained a shoulder injury after falling from a stepladder.

6. What nursing assessment finding is the **best indication** that the shoulder has been dislocated?
[ ] **1.** The client is experiencing intense pain.
[ ] **2.** There is obvious swelling around the joint.
[ ] **3.** The client is hesitant to move the arm.
[ ] **4.** The client's arms are different lengths.

The shoulder dislocation will be treated by a closed reduction.

7. Which physical change is anticipated when the closed reduction is successfully completed?
[ ] **1.** An incision to realign the bones
[ ] **2.** An insertion of a pin or wire into the joint
[ ] **3.** The reposition of bone ends using pressure
[ ] **4.** The debriding of scar tissue in the joint

The client needs a sling to support the injured shoulder, but a commercially made sling is not available.

8. When the nurse teaches a family member how to apply a triangular sling made from muslin, which statement indicates the need for further teaching?
[ ] **1.** "The hand should be elevated higher than the elbow."
[ ] **2.** "The knot should be tied at the back of the neck."
[ ] **3.** "The elbow should be flexed within the sling."
[ ] **4.** "The sling is used to elevate and support the arm."

A client arrives at the emergency room with a right shoulder injury, which occurred during aggressive training at the gym.

9. When preparing the client for a medical assessment, which characteristic indicates a torn rotator cuff?
[ ] **1.** The client's right arm is longer than the left arm.
[ ] **2.** The client verbalizes pain from the shoulder to the fingers.
[ ] **3.** The client cannot lift the right arm to put on a gown.
[ ] **4.** The client has capillary refill of 4 seconds in the right hand.

Nursing Care of Clients with Fractures

While backpacking with a youth group, a 17-year-old falls and sustains an injury to the lower leg. A nurse who is accompanying the group suspects a fracture of the tibia.

10. How should the nurse apply a splint to immobilize the suspected fracture?
[ ] **1.** Below the knee to above the hip
[ ] **2.** Above the knee to below the hip
[ ] **3.** Above the ankle to below the knee
[ ] **4.** Below the ankle to above the knee

An x-ray of the injured teenager's leg reveals a comminuted fracture of the distal tibia.

11. What nursing explanation can **best** help this client understand the injury that has occurred?
[ ] **1.** "Comminuted is when one bone's end is driven into another."
[ ] **2.** "In this type of fracture, the bone is splintered into pieces."
[ ] **3.** "We use this term because the small fractures penetrate the periosteum."
[ ] **4.** "Comminuted is when a portion of the bone is split away."

The teenager will require surgery to realign the bones in the fractured tibia.

12. From whom is it **most appropriate** to obtain consent to perform the surgical procedure?
[ ] **1.** The injured client
[ ] **2.** The client's health care provider
[ ] **3.** The client's youth leader
[ ] **4.** The client's parent

The client has returned from surgery with a leg cast.

13. What nursing assessment should be the **priority** at this time?
[ ] **1.** Neurovascular function
[ ] **2.** Rating of pain
[ ] **3.** Vital signs
[ ] **4.** Evidence of cast drainage

14. What nursing assessment findings suggest that the client is developing fat embolism syndrome? Select all that apply.
[ ] **1.** Bradycardia
[ ] **2.** Petechiae
[ ] **3.** Dyspnea
[ ] **4.** Mental status changes
[ ] **5.** Hypertension
[ ] **6.** Hematuria

A nurse stops to assist an individual who was involved in a motor vehicle accident and thrown from the car.

15. Under Good Samaritan laws, what action is generally required when a nurse assists at the scene of an accident?
[ ] **1.** The nurse must identify oneself as a licensed nurse.
[ ] **2.** The nurse must remain until emergency personnel arrive.
[ ] **3.** The nurse must show a current nursing license.
[ ] **4.** The nurse must instruct bystanders on how to provide care.

16. When the nurse assists at the scene of an accident, what emergency measure should the nurse perform **first**?
[ ] **1.** Check the victim's breathing.
[ ] **2.** Cover the victim with a blanket.
[ ] **3.** Move the victim to the curb.
[ ] **4.** Assess the victim for injuries.

The nurse suspects that the victim has rib fractures.

17. What nursing assessment finding is the **best indication** that the client has a secondary complication from the fractured ribs?
[ ] **1.** Irregular pulse rate
[ ] **2.** Asymmetrical chest expansion
[ ] **3.** Expiratory wheezing on auscultation
[ ] **4.** Coughing up pink, frothy sputum

The nurse sees a bone fragment protruding from the client's thigh as well as profuse bleeding from the wound.

18. What technique is **most appropriate** for the nurse to control the bleeding?
[ ] **1.** Place a tourniquet around the leg.
[ ] **2.** Apply direct pressure on the wound.
[ ] **3.** Compress the femoral artery.
[ ] **4.** Elevate the injured extremity.

An 80-year-old client who sustained a fall at a long-term care facility is suspected of having a fractured right hip.

19. What nursing assessments support that the client has a fractured hip? Select all that apply.
[ ] **1.** The client has pain near the distal femur.
[ ] **2.** The client cannot bear weight on the affected leg.
[ ] **3.** The client's affected leg is shorter.
[ ] **4.** The client's affected leg is adducted.
[ ] **5.** The client's affected leg is externally rotated.
[ ] **6.** The client prefers to sit rather than lie flat.

20. When the nurse reviews the client's medical record, what risk factor was likely the **most significant** for predisposing the client to the fracture?
[ ] **1.** The client is postmenopausal.
[ ] **2.** The client weighs 200 lb (91 kg).
[ ] **3.** The client has type 2 diabetes.
[ ] **4.** The client is lactose intolerant.

21. The nurse uses a diagram of the hip to explain where an intertrochanteric fracture of the femur has occurred. Identify with an *X* the anatomic location of the injury.

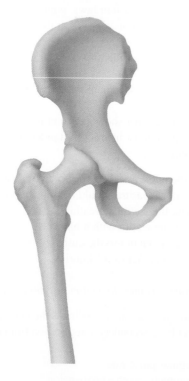

The client's fractured hip is stabilized with an open reduction and internal fixation (ORIF) using a Smith-Peterson nail.

22. Postoperatively, the nurse teaches the client how to perform isometric quadriceps setting exercises. What instruction is accurate?
[ ] **1.** "Move your toes toward and away from your head."
[ ] **2.** "Contract and relax your thigh muscles."
[ ] **3.** "Lift your lower leg up and down from the bed."
[ ] **4.** "Bend your knee and pull your lower leg upward."

The postoperative client will have antiembolism stockings.

23. Which action of antiembolism stockings is **most** beneficial?
[ ] **1.** Prevent blood from pooling in the legs.
[ ] **2.** Reduce blood flow to the extremities.
[ ] **3.** Keep the blood pressure lower in the legs.
[ ] **4.** Maintain blood vessel constriction.

24. The nurse delegates the application of the client's antiembolism stockings to the unlicensed assistive personnel. What is the correct time for applying these stockings?
[ ] **1.** Apply the stockings before getting the client out of bed.
[ ] **2.** Apply the stockings just before helping the client do leg exercises.
[ ] **3.** Apply the stockings after noting that the client's legs are cool.
[ ] **4.** Apply the stockings at night before the client's bedtime.

The nurse makes out assignments for nursing staff.

25. What is the **major consideration** for determining the person assigned to care for clients?
[ ] **1.** The staff members' preferences
[ ] **2.** The workload per staff member
[ ] **3.** The location of clients on the unit
[ ] **4.** The current acuity level of clients

26. What nursing instruction should the nurse provide the unlicensed assistive personnel about turning the client with a surgical repair of a fractured hip onto the nonoperative side postoperatively?
[ ] **1.** Place pillows between the client's legs.
[ ] **2.** Have the client point the toes downward.
[ ] **3.** Flex the client's knee on the affected side.
[ ] **4.** Elevate the head of the client's bed.

27. How should the nurse position the chair to help transfer the client with a surgical repair of a fractured hip from the bed to a chair?
[ ] **1.** Place the chair at the end of the bed.
[ ] **2.** Place the chair perpendicular to the bed.
[ ] **3.** Place the chair parallel to the bed.
[ ] **4.** Place the chair against a side wall.

The client is allowed to ambulate with a walker using a three-point partial weight-bearing gait.

28. The nurse evaluates correct technique when the client advances the walker and operative leg, then puts most of the weight on which area?
[ ] 1. The walker's handgrips.
[ ] 2. The back legs of the walker.
[ ] 3. The toes of the operative leg.
[ ] 4. The heel of the nonoperative leg.

29. When the client has difficulty ambulating, who should the nurse consult regarding a referral to an extended care facility?
[ ] 1. The physical therapist
[ ] 2. The client's spouse
[ ] 3. The medical social worker
[ ] 4. A home health agency

A client who has degenerative arthritis is admitted for a total hip replacement.

30. When the client identifies an allergy to latex during admission, what is the **best** method for alerting all health care workers?
[ ] 1. Document the information in the client's admission note.
[ ] 2. Notify the hospital's safety officer about the client's allergy.
[ ] 3. Post a sign on the room door that states "No Latex."
[ ] 4. Suggest that the client wear a medical alert bracelet.

31. After the client's total hip replacement surgery, what nursing actions are essential? Select all that apply.
[ ] 1. Keeping the client's knees apart at all times
[ ] 2. Avoiding more than 90 degrees of hip flexion
[ ] 3. Having the client use a raised toilet seat
[ ] 4. Raising the head of the client's bed 90 degrees
[ ] 5. Placing two pillows beneath the client's knees
[ ] 6. Keeping the client's legs internally rotated

32. When the nurse reviews new medical prescriptions, one prescription says, "Furosemide 20 mg q.o.d. by mouth." What is the best action the nurse should take?
[ ] 1. Record the prescription on the medication administration record.
[ ] 2. Consult the pharmacist about the medical prescription.
[ ] 3. Give the first dose today without delay.
[ ] 4. Clarify the medical prescription with the prescriber.

33. The nurse prepares to conduct scheduled performance evaluations on assistive health care workers. What is the **best evidence** for determining if the care of assigned clients is meeting the clients' needs?
[ ] 1. Review evaluations from previously discharged clients.
[ ] 2. Request that employees complete a self-evaluation.
[ ] 3. Interview currently assigned clients about their care.
[ ] 4. Discuss each employee's goals for future performance.

Nursing Care of Clients with Casts

A client with a compound fracture of the left radius will have a plaster arm cast applied.

34. What statement by the nurse is **most accurate** when preparing the client for the cast application?
[ ] 1. "The cast will feel tight as it is applied."
[ ] 2. "Your arm will feel warm as the wet plaster sets."
[ ] 3. "You can expect a foul odor until the cast is dry."
[ ] 4. "You may feel itchy while the cast is wet."

35. How can the nurse **best** support the wet cast as the arm is wrapped with rolls of plaster?
[ ] 1. Rest the arm on a soft mattress.
[ ] 2. Position the arm on a firm surface.
[ ] 3. Elevate the arm using the tips of the fingers.
[ ] 4. Hold the arm using the palms of the hands.

36. What is the **best item** for the nurse to place under a wet plaster cast immediately after application?
[ ] 1. Synthetic sheepskin
[ ] 2. A vinyl sheet
[ ] 3. An absorbent pad
[ ] 4. Several pillows

37. What is the **best method** a nurse can use for drying the wet plaster arm cast?
[ ] 1. Leave the casted arm uncovered.
[ ] 2. Apply a heating blanket to the cast.
[ ] 3. Use a hair dryer to blow hot air onto the cast.
[ ] 4. Place a heat lamp directly above the cast.

38. What is the **best method** to assess circulation in the casted extremity?
[ ] 1. Compare the client's ability to wiggle the thumb and fingers bilaterally.
[ ] 2. Feel the surface of the cast to determine if it is unusually hot or cold.
[ ] 3. Depress the client's nail beds to note the time for color to return.
[ ] 4. See if there is enough room to insert a finger between the cast and the extremity.

39. What statement by the nurse about fiberglass casts is **most accurate** when the client asks the nurse about the differences between plaster casts and those made of synthetic materials such as fiberglass?
[ ] **1.** Fiberglass casts are less expensive.
[ ] **2.** Fiberglass casts are lighter weight.
[ ] **3.** Fiberglass casts are easier to apply.
[ ] **4.** Fiberglass casts are less restrictive.

40. Notes

Documented At:

| 4/20 | 0900 | ❓ |

Additional Notes

The client is resting in bed with a fiberglass cast elevated on a pillow. Temperature: 98.2/36.8; Pulse: 88; Respiratory Rate: 24; Blood Pressure: 142/86. The client verbalizes pain of 9 on 10-point pain scale.

When completing the nurse's note, in addition to pain, what documented finding suggests compartment syndrome?
[ ] **1.** The client has a pale skin tone in the extremity.
[ ] **2.** The client's hand becomes reddened upon movement.
[ ] **3.** The client verbalizes that the fingers develop muscle spasms.
[ ] **4.** The radial pulse feels bounding on assessment.

Before discharging the client, the nurse provides plaster cast care instructions and information about signs and symptoms of complications.

41. When the client returns to the clinic several hours later with bloody drainage seeping through the cast, what action should the nurse take **next**?
[ ] **1.** Document the finding in the medical record.
[ ] **2.** Call the health care provider and report the finding.
[ ] **3.** Circle the area, and then record the time.
[ ] **4.** Apply an ice bag over the drainage area.

A hip spica cast is applied to a 16-year-old adolescent who sustained a fractured femur in a motorcycle accident.

42. The client tells the nurse, "My parents are furious with me. They do not want me to ride a motorcycle." What response by the nurse is **best**?
[ ] **1.** "Your parents may seem furious, but they are actually relieved."
[ ] **2.** "All parents want their children to be safe."
[ ] **3.** "It can be frustrating when you disagree with your parents."
[ ] **4.** "I think you should comply, but the decision is yours."

43. What developmental task should the nurse keep in mind while planning the client's care?
[ ] **1.** The client is searching for sexual identity.
[ ] **2.** The client is testing physical abilities.
[ ] **3.** The client is acquiring independence.
[ ] **4.** The client is learning to control emotions.

44. What equipment should the nurse anticipate needing to facilitate the client's bowel elimination?
[ ] **1.** Bedside commode
[ ] **2.** Fracture bedpan
[ ] **3.** Mechanical lift
[ ] **4.** Raised toilet seat

45. What statement by the nurse about the cast's bar is **most accurate** when the client asks the purpose of the bar running between the thighs on the hip spica cast?
[ ] **1.** The bar facilitates lifting and turning clients.
[ ] **2.** The bar enhances physical exercise.
[ ] **3.** The bar strengthens the cast.
[ ] **4.** The bar maintains the proper position.

After several days, the client tells the nurse that the skin itches terribly beneath the cast.

46. What nursing action is **most appropriate** at this time?
[ ] **1.** Request an antipruritic medication.
[ ] **2.** Sprinkle powder within the cast.
[ ] **3.** Blow cool air down the cast.
[ ] **4.** Apply an ice bag to the cast.

The nurse detects a foul odor coming from the cast and assesses for complications.

47. What is the **most likely** cause for the cast's unpleasant odor?
[ ] **1.** The plaster has dried improperly.
[ ] **2.** There is bleeding under the cast.
[ ] **3.** The cast is disintegrating.
[ ] **4.** There is an infected wound.

A small window in the plaster of the hip spica cast is cut to inspect the underlying tissue.

48. What nursing action is **most appropriate** with the piece of plaster that has been removed?
[ ] **1.** Dispose of the piece of plaster in a plastic biohazard bag.
[ ] **2.** Replace the piece of plaster in the cast hole and secure with tape.
[ ] **3.** Store the piece of plaster in the client's bedside drawer.
[ ] **4.** Send the piece of plaster to the laboratory for bacterial culturing.

49. What nursing action is **best** when the rough edges on the client's hip spica cast begin to threaten the integrity of the skin?
[ ] **1.** Line the cast edge with adhesive petals of moleskin.
[ ] **2.** Apply a fresh strip of plaster to the cast edge.
[ ] **3.** Trim the rough cast edge with a cast cutter.
[ ] **4.** Cover the cast edge with a gauze dressing.

50. What assessment findings suggest that the client in the hip spica cast may be developing a response to room confinement known as *cast syndrome*?
[ ] **1.** Nausea and vomiting
[ ] **2.** Disorientation and confusion
[ ] **3.** Fever and hypotension
[ ] **4.** Dyspnea and hyperventilation

51. A nurse suspects a colleague is diverting opioids for personal use. What is the **first** action the nurse should take?
[ ] **1.** Notify the federal Drug Enforcement Agency or Royal Canadian Mounted Police.
[ ] **2.** Question other nurses about the observations.
[ ] **3.** Report suspicions to the nursing supervisor.
[ ] **4.** Keep a log of dubious narcotic administrations.

Nursing Care of Clients with Traction

Before undergoing surgery for a fractured hip, an older adult client is placed in Buck's traction.

52. What nursing technique is **best** when planning to change the client's bed linens?
[ ] **1.** Roll the client from one side of the bed to the other.
[ ] **2.** Apply the linens from the foot to the top of the bed.
[ ] **3.** Leave the bottom sheets in place until after surgery.
[ ] **4.** Raise the client from the bed with a mechanical lift.

53. Which nursing assessment finding warrants immediate action when inspecting the traction?
[ ] **1.** The traction weights are hanging above the floor.
[ ] **2.** The leg is in line with the pull of the traction.
[ ] **3.** The client's foot is touching the end of the bed.
[ ] **4.** The rope is in the groove of the traction pulley.

54. What nursing assessment technique is **best** for assessing circulation in the leg in Buck's traction?
[ ] **1.** Feel the temperature of the exposed toes.
[ ] **2.** Palpate for pulsation of the dorsalis pedis artery.
[ ] **3.** Take a blood pressure reading from the leg with a thigh cuff.
[ ] **4.** Determine whether the client can feel sharp and dull sensations.

An older adult client is placed in Russell's traction while awaiting surgery.

55. When the nurse assesses the traction apparatus, what observation requires correction?
[ ] **1.** The rope is strung tautly from pulley to pulley.
[ ] **2.** The trapeze is hanging above the client's chest.
[ ] **3.** The rope is knotted at the location of a pulley.
[ ] **4.** The weight is about 24 in (61 cm) from the floor.

The client in Russell's traction is transported to the operating room in the bed.

56. What nursing action is appropriate while the client is being transported?
[ ] **1.** Maintaining the traction as applied.
[ ] **2.** Removing the weights during the transport.
[ ] **3.** Resting the weights on the end of the bed.
[ ] **4.** Taking the client's leg out of the traction.

A cervical halter type of skin traction is applied to a client who has experienced a whiplash injury in a motor vehicle accident.

57. When the nurse makes rounds at the beginning of the shift, what observation requires the nurse's immediate attention?
[ ] **1.** The halter rests under the client's chin and occiput.
[ ] **2.** The client's ears are clear of the traction ropes.
[ ] **3.** The weight hangs between the headboard and wall.
[ ] **4.** There is a soft pillow beneath the client's head.

A client with a fractured femur is in skeletal traction with a pin through the distal femur. The affected leg is supported by balanced suspension.

58. What material is **best** for the nurse to use to cover the tips of the pin to prevent injuries?
[ ] **1.** Gauze squares
[ ] **2.** Cotton balls
[ ] **3.** Cork blocks
[ ] **4.** Rubber tubes

59. When the nurse assesses the pin sites for signs of infection, what finding is **most important** to report?
[ ] **1.** Serous drainage
[ ] **2.** Bloody drainage
[ ] **3.** Mucoid drainage
[ ] **4.** Purulent drainage

An antibiotic is prescribed to treat the infection at the pin site.

60. If the client is allergic to penicillin, the nurse must question a medical prescription for which type of antibiotic?
[ ] **1.** An aminoglycoside such as gentamicin sulfate
[ ] **2.** A cephalosporin such as cefaclor
[ ] **3.** A tetracycline such as doxycycline
[ ] **4.** A sulfonamide such as trimethoprim/sulfamethoxazole

A client with a fractured cervical vertebra is placed in halo-cervical traction with pins inserted into the skull and incorporated into a vest of plaster.

61. What nursing explanation **most** accurately identifies the purpose of halo-cervical traction?
[ ] **1.** "It restricts neck movement but enables physical activity."
[ ] **2.** "It allows head movement while immobilizing the spine."
[ ] **3.** "It accelerates healing by facilitating physical therapy."
[ ] **4.** "It promotes faster bone repair within a shorter time span."

62. What nursing observation provides the **best** indication that the halo-cervical traction device is applied appropriately?
[ ] **1.** The client has full range of motion in the neck.
[ ] **2.** The client's neck pain is within a tolerable level.
[ ] **3.** The client can speak and hear at preinjury levels.
[ ] **4.** The client reports the ability to see straight ahead.

63. What assessment finding is the **best** indication that the client in halo-cervical traction is developing a serious complication?
[ ] **1.** The client experiences orthostatic hypotension.
[ ] **2.** The client needs assistance with shaving.
[ ] **3.** The client cannot open the mouth widely.
[ ] **4.** The client has axillary irritation.

Nursing Care of Clients with Inflammatory Joint Disorders

A continuous passive motion machine has been delivered to the nursing unit to care for clients with postoperative knee replacements.

64. What is the **best method** for ensuring competence among nursing staff in its use?
[ ] **1.** Schedule an in-service program for each shift's staff.
[ ] **2.** Require mandatory attendance for the in-service program.
[ ] **3.** Supervise a follow-up demonstration by each employee.
[ ] **4.** Check the compliance records for names of attendees.

An adult has been experiencing persistent joint pain and stiffness.

65. What laboratory test, if elevated, is the **best** diagnostic indicator of rheumatoid arthritis?
[ ] **1.** Erythrocyte sedimentation rate (ESR)
[ ] **2.** Partial thromboplastin time (PTT)
[ ] **3.** Fasting blood sugar (FBS)
[ ] **4.** Blood urea nitrogen (BUN)

66. When the nurse obtains the client's health history, when is the **most** likely time the client began developing symptoms of rheumatoid arthritis?
[ ] **1.** In very early childhood
[ ] **2.** At the onset of puberty
[ ] **3.** During middle adulthood
[ ] **4.** Within older adulthood

67. What finger joints would the nurse expect to be **most** affected by the client's rheumatoid arthritis?
[ ] **1.** Proximal finger joints
[ ] **2.** Medial finger joints
[ ] **3.** Distal finger joints
[ ] **4.** Lateral finger joints

68. While planning care for a client with rheumatoid arthritis, when would the nurse expect a need for more time and assistance with activities of daily living?
[ ] **1.** In the early morning
[ ] **2.** At noon
[ ] **3.** In the late afternoon
[ ] **4.** Before bed

Methotrexate is prescribed for a client with severe rheumatoid arthritis.

69. What client teaching is **essential** when beginning methotrexate therapy?
[ ] **1.** Use a reliable form of birth control.
[ ] **2.** Begin weight-bearing exercises.
[ ] **3.** Obtain scheduled bloodwork promptly.
[ ] **4.** Limit contact with crowds.

70. The nurse anticipates that the health care provider will suspend methotrexate therapy if what action occurs?
[ ] **1.** The client experiences anorexia.
[ ] **2.** The client has a low blood count.
[ ] **3.** The client states feeling fatigued.
[ ] **4.** The client reports no changes within 1 week.

Prednisone, a corticosteroid, is added to the short-term medication regimen.

71. What statement made by the client indicates to the nurse that further instruction regarding corticosteroid therapy is necessary?
[ ] **1.** "I'm susceptible to getting infections."
[ ] **2.** "I should never abruptly stop taking my medication."
[ ] **3.** "I may become very depressed and perhaps suicidal."
[ ] **4.** "I may develop low blood sugar and need glucose."

Applying heat to the client's hands to relieve discomfort is recommended.

72. What form of heat application is **best** for the nurse to suggest?
[ ] 1. Melted wax treatment
[ ] 2. Warm moist compresses
[ ] 3. Electric heating pad
[ ] 4. Infrared heat lamp

73. What nursing recommendation has the **greatest potential** for helping a client with rheumatoid arthritis maintain the ability to perform self-care?
[ ] 1. Move to a warm climate like Arizona.
[ ] 2. Buy clothes that are easy to pull up or slip on.
[ ] 3. Enroll in an aerobics exercise class.
[ ] 4. Sleep on a warm water bed or heating pad.

During an acute episode of rheumatoid arthritis, there is a prescription to apply a splint to each of the client's hands.

74. What nursing explanation **most accurately** explains the primary purpose of the splints?
[ ] 1. To rest affected joints
[ ] 2. To slow joint deterioration
[ ] 3. To improve hand strength
[ ] 4. To increase range of motion

75. When there is a concern about potential breaches of client confidentiality, what observations require immediate remediation? Select all that apply.
[ ] 1. Staff delay documenting information until late in the shift.
[ ] 2. Staff do not immediately log off on portable computers.
[ ] 3. Staff confirm the name of a client to a visitor to the unit.
[ ] 4. Staff assignments are displayed by client name and room number.
[ ] 5. Staff refer a query from a health insurer to the client's health care provider.

76. When a nurse cares for a 75-year-old client with osteoarthritis in the left hip, what nursing instruction is **most beneficial** to minimize stress on the client's painful joints?
[ ] 1. Maintain a normal weight.
[ ] 2. Apply a topical analgesic cream.
[ ] 3. Take a calcium supplement.
[ ] 4. Become more physically active.

77. When the nurse observes the client walking with a cane, what assessment finding indicates the need for more instruction?
[ ] 1. The tip of the cane is covered with a rubber cap.
[ ] 2. The client wears athletic shoes with rubber soles.
[ ] 3. The client uses the cane on the painful side.
[ ] 4. The client looks straight ahead when walking.

The client reports taking 400 mg of ibuprofen four times a day at home.

78. What question is **best** for the nurse to determine whether the client is experiencing an adverse effect from taking nonsteroidal anti-inflammatory drugs (NSAIDs) such as ibuprofen?
[ ] 1. "Have you noticed any hand tremors?"
[ ] 2. "Are you urinating more frequently?"
[ ] 3. "Has your interest in food changed?"
[ ] 4. "What color are your stools?"

A total hip replacement (hip arthroplasty) is planned for a 70-year-old client with osteoarthritis. The client is told to stop taking enteric-coated aspirin 1 week before surgery.

79. What statement by the nurse is the **best explanation** for discontinuing the medication?
[ ] 1. "Aspirin can increase your risk of wound infection."
[ ] 2. "Aspirin impairs your ability to control bleeding."
[ ] 3. "Aspirin can make it difficult to assess your pain."
[ ] 4. "Aspirin interferes with your ability to heal."

80. When the nurse teaches the client how to use an incentive spirometer, what statement indicates that the client understands how to use the device correctly?
[ ] 1. "I should position the mouthpiece and inhale deeply."
[ ] 2. "I should position the mouthpiece and exhale forcefully."
[ ] 3. "I should position the mouthpiece and cough effectively."
[ ] 4. "I should position the mouthpiece and breathe naturally."

A client has just returned to the nursing unit following a total hip replacement.

81. The nurse is instructing the unlicensed assistive personnel on proper postoperative positioning of the client. When demonstrating correct positioning technique, why does the nurse place a pillow between the client's legs?
[ ] 1. To adduct the hip
[ ] 2. To abduct the hip
[ ] 3. To flex the hip
[ ] 4. To extend the hip

82. What preparation is most appropriate for the client's postoperative care?
[ ] 1. Create a bed cradle.
[ ] 2. Insert a bed board.
[ ] 3. Align an overhead trapeze.
[ ] 4. Lower the side rails.

83. What equipment is **best** for preventing external rotation of the operative leg when caring for a client with a total hip replacement?
[ ] 1. A footboard
[ ] 2. A trochanter roll
[ ] 3. A turning sheet
[ ] 4. A foam mattress

The nurse provides discharge planning following a total hip replacement.

84. What statement indicates to the nurse that the client understands the instructions regarding positions to be temporarily avoided?
[ ] **1.** "I should not cross my legs."
[ ] **2.** "I should avoid pointing my toes."
[ ] **3.** "I should not lie flat in bed."
[ ] **4.** "I should not stand upright."

85. When coordinating discharge care with a home health nurse, what piece of equipment is essential for home care?
[ ] **1.** A wheelchair
[ ] **2.** A hospital bed
[ ] **3.** A raised toilet seat
[ ] **4.** A mechanical lift

86. What area of health teaching is **essential** to include in the discharge instructions?
[ ] **1.** Modifying ways of donning clothing
[ ] **2.** Using special equipment for bathing
[ ] **3.** Taking vigorous daily walks
[ ] **4.** Receiving a daily stool softener

87. When a nurse observes a member of the housekeeping staff checking the medical records of clients on the computer for possible discharges, what is the **best** action the nurse should take?
[ ] **1.** Inform the housekeeper that it would be better to check later in the day after most health care providers have made rounds.
[ ] **2.** Close the record and remind the housekeeper that information in medical records is confidential except to those involved in clients' care.
[ ] **3.** Suggest that the housekeeper ask each client about the potential for discharge before doing cleaning each day.
[ ] **4.** Tell the housekeeper to follow the chain of command by checking with the head of housekeeping about potential discharges.

A 36-year-old client undergoes an arthroscopy of the right knee for diagnosing and treating chronic joint pain.

88. When the nurse prepares the client for discharge, what information is considered a **priority**?
[ ] **1.** Signs and symptoms of arthritis
[ ] **2.** Technique for using crutches
[ ] **3.** Adverse effects of drug therapy
[ ] **4.** The need to balance rest and exercise

A 60-year-old client with osteoarthritis is scheduled to undergo knee arthroplasty in which an artificial joint will replace the natural knee joint. A continuous passive motion (CPM) machine will be used postoperatively.

89. For the nurse to obtain client compliance, what information regarding use of a continuous passive motion (CPM) machine is **essential**?
[ ] **1.** A CPM machine strengthens the leg muscles.
[ ] **2.** A CPM machine relieves foot swelling.
[ ] **3.** A CPM machine reduces surgical pain.
[ ] **4.** A CPM machine restores joint function.

90. What is the **best evidence** that the client who had a knee arthroplasty is recovering and no longer needs the continuous passive motion (CPM) machine?
[ ] **1.** Minimal pain when ambulating
[ ] **2.** Can flex the operative knee 90 degrees
[ ] **3.** Can perform straight-leg raising
[ ] **4.** Approximation of surgical wound

A 54-year-old client is being treated for gout.

91. When the nurse examines the client, what body part is usually affected by gout?
[ ] **1.** Great toe
[ ] **2.** Index finger
[ ] **3.** Sacrococcygeal vertebrae
[ ] **4.** Temporomandibular joint

92. When the nurse is providing shift report for the client diagnosed with gout, what laboratory result is essential to communicate with the next shift?
[ ] **1.** Creatinine clearance
[ ] **2.** Blood urea nitrogen
[ ] **3.** Serum uric acid
[ ] **4.** Serum calcium

A low-purine diet is prescribed for the client.

93. The nurse would be correct to request a consultation with a dietitian if the client chooses a meal that includes which food?
[ ] **1.** Beets
[ ] **2.** Milk
[ ] **3.** Eggs
[ ] **4.** Liver

Colchicine is prescribed to be given every hour until the client's pain is relieved during an acute attack of gout.

94. What client symptom indicates that the nurse should withhold the medication until checking with the prescriber even if the client's pain is unrelieved?
[ ] **1.** Vomiting
[ ] **2.** Dizziness
[ ] **3.** Drowsiness
[ ] **4.** Headache

The client with gout is at risk for forming kidney stones and has been instructed by the nurse to drink 3,000 mL of fluid daily.

95. When implementing the plan of care, when should the nurse encourage the major intake of fluids for the day?
[ ] **1.** Before bedtime
[ ] **2.** Early evening
[ ] **3.** In the morning
[ ] **4.** Midafternoon

96. When the client describes usual fluids in the diet, what would the nurse instruct the client to avoid following discharge?
[ ] **1.** Coffee
[ ] **2.** Alcohol
[ ] **3.** Cranberry juice
[ ] **4.** Carbonated drinks

Nursing Care of Clients with Degenerative Bone Disorders

97. The nurse plans to perform passive range-of-motion (ROM) exercises for an older adult client on bed rest. What statement regarding the exercises is correct?
[ ] **1.** ROM exercises should be completed independently with verbal cues from the nurse.
[ ] **2.** Force may be needed during ROM exercises to achieve maximum benefit.
[ ] **3.** Support should be maintained to the proximal and distal areas of the joint.
[ ] **4.** ROM exercises should be performed at least once every day.

A middle-aged client asks the nurse about methods for preventing or delaying the onset of osteoporosis.

98. What nursing assessment finding **most likely** indicates that a client has osteoporosis?
[ ] **1.** Swollen joints
[ ] **2.** Discomfort when sitting
[ ] **3.** Spinal deformity
[ ] **4.** Diminished energy level

99. Which substances should the nurse advise a client with osteoporosis to avoid to reduce disease progression?
[ ] **1.** Aspirin and fiber-containing laxatives
[ ] **2.** Tobacco products and carbonated beverages
[ ] **3.** Orange juice and caffeinated drinks
[ ] **4.** Calcium-enriched dairy products

100. In this lateral view of the spine, identify with an *X* the area where an abnormality associated with osteoporosis will **most likely** be observed.

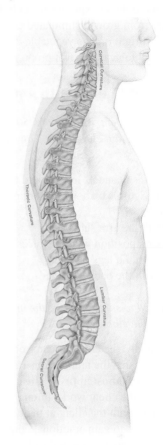

A 55-year-old client has developed bone necrosis as a result of chronic osteomyelitis in the tibia of the left leg.

101. What nursing intervention is **best** for preventing a pathological fracture?
[ ] **1.** Encouraging a high fluid intake
[ ] **2.** Providing a nutritional diet
[ ] **3.** Supporting the limb during movement
[ ] **4.** Relieving pressure on bony prominences

A client who is employed in construction, frequently working while the client's weight is on the knees, reports pain and swelling in the left knee. The client verbalizes being able to walk but states pain when bending the knee for work or climbing stairs. Noninfectious infrapatellar bursitis is diagnosed with conservative treatment to begin.

102. Considering the client's diagnosis and occupation, what is anticipated in the treatment plan? Select all that apply.
[ ] **1.** Medical "off work" slip
[ ] **2.** Rest and application of ice
[ ] **3.** Application of a soft knee brace
[ ] **4.** Corticosteroid injection into the bursa
[ ] **5.** Arthroscopy of the knee
[ ] **6.** Systemic antibiotic administration

103. When the nurse cares for a client with osteomalacia, aside from recommending the consumption of foods fortified with vitamin D, what suggestion is **most appropriate**?
[ ] **1.** Obtain more direct exposure to sunlight.
[ ] **2.** Eat meat from growth-stimulated cattle.
[ ] **3.** Consume bright orange vegetables.
[ ] **4.** Purchase organically grown produce.

Nursing Care of Clients with Amputations

During a farming accident, the arm of a 50-year-old person was caught in a grain elevator. The lower left arm and hand were crushed.

104. If the client is in shock, how should the nurse position the accident victim's body while continuing to assess and provide care?
[ ] **1.** Prone with the arm supported
[ ] **2.** In Fowler's position with the knees flexed
[ ] **3.** Supine with the legs elevated
[ ] **4.** Lateral with the back extended

The client is rushed to surgery where the injured arm is amputated above the elbow.

105. Postoperatively, the client screams obscenities at the nurse after realizing that the injured forearm is missing. What nursing action is **most appropriate** at this time?
[ ] **1.** Leave until the client works through the anger.
[ ] **2.** Stay quietly with the client at the bedside.
[ ] **3.** Tell the client to gain emotional control.
[ ] **4.** Request a sedative to quiet the client.

Later the client says, "I know my arm is not there, but I feel it throbbing."

106. What is the **best** nursing response?
[ ] **1.** "You may be experiencing referred pain from an adjacent muscle."
[ ] **2.** "You may be experiencing phantom pain from the amputated site."
[ ] **3.** "You may be experiencing psychogenic pain from emotional distress."
[ ] **4.** "You may be experiencing intractable pain that can be treated with opioids."

An older adult client with diabetes is admitted with vascular problems. The nurse notes that some toes on the left foot are black. The client is scheduled for a below-the-knee amputation (BKA).

107. The nursing team is positioning the client after morning care. Which of these positions would require further instruction to unlicensed assistive personnel from the nurse?
[ ] **1.** Lying prone
[ ] **2.** Lying supine
[ ] **3.** Sitting in a chair
[ ] **4.** Standing to shower

A client undergoes a below-the-knee amputation.

108. The nursing team meets to develop a plan for strengthening the client's muscles to prepare for ambulating with crutches. What nursing activity is **best** to begin implementing immediately after the client's surgery?
[ ] **1.** Standing at the side of the bed
[ ] **2.** Balancing between parallel bars
[ ] **3.** Lifting oneself with the trapeze
[ ] **4.** Transferring from the bed to a chair

109. What nursing explanation is correct when the client asks why the stump is rewrapped with elastic bandages several times a day?
[ ] **1.** It lengthens and tones the muscles.
[ ] **2.** It shrinks and shapes the stump.
[ ] **3.** It maintains joint flexibility.
[ ] **4.** It absorbs blood and drainage.

110. What nursing actions are appropriate for promoting the client's potential use of a prosthesis? Select all that apply.
[ ] **1.** Encourage the client to dangle at the bedside during personal care and for meals.
[ ] **2.** Instruct the client to place a pillow under the thigh of the amputated limb while in bed.
[ ] **3.** Teach the client to wrap the stump distally to proximally with an elastic bandage.
[ ] **4.** Have the client tighten the thigh muscles and press the knee into the bed several times a day.
[ ] **5.** Have the client remove the stump bandage for several hours each day.

An 18-year-old client is diagnosed with a cancerous bone tumor (osteogenic sarcoma) in the femur. An above-the-knee amputation (AKA) is performed.

111. What equipment should the nurse keep at the client's bedside during the immediate postoperative period?
[ ] **1.** Gauze dressings
[ ] **2.** Rubber tourniquet
[ ] **3.** Oropharyngeal airway
[ ] **4.** Oxygen equipment

A rigid plaster shell surrounds the stump of a client who underwent an above-the-knee amputation. A pylon, or temporary prosthesis, allows the client to ambulate with crutches soon after surgery.

112. What nursing assessment is the **best evidence** that the client's crutches need further adjustment?
[ ] **1.** The client stands straight without bending forward.
[ ] **2.** The client's elbows are slightly flexed when standing in place.
[ ] **3.** The top bars of the crutches fit snugly into the axillae.
[ ] **4.** The client's wrists are hyperextended when grasping the handgrips.

113. What task is **most appropriate** for the nurse to delegate to a skilled unlicensed assistive personnel assigned to care for the client with the above-the-knee amputation?
[ ] **1.** Adjusting the client's prosthesis for ambulation
[ ] **2.** Instructing the client on the use of a shower chair
[ ] **3.** Discussing requested laboratory test results
[ ] **4.** Completing assessment of stump drainage

Nursing Care of Clients with Herniated Intervertebral Disks

114. When the nurse assesses the characteristics of pain in a client with a herniated disk, what activity would the nurse **most likely** expect to intensify the pain?
[ ] **1.** Eating
[ ] **2.** Sneezing
[ ] **3.** Sleeping
[ ] **4.** Urinating

115. The nurse would expect the client to report which additional symptom if the client is typical of others with a herniated disk?
[ ] **1.** Pain radiating into the buttocks and leg
[ ] **2.** Tenderness over one or both iliac crests
[ ] **3.** Diminished sensation in one or both knees
[ ] **4.** Brief periods when the toes feel quite cold

Cyclobenzaprine hydrochloride 30 mg orally b.i.d. is prescribed.

116. While assessing the client's progress, which identifies that the medication is attaining its therapeutic outcome?
[ ] **1.** The client verbalizes a decrease in emotional depression.
[ ] **2.** The client states relaxation in the skeletal muscles.
[ ] **3.** The client slept throughout the night.
[ ] **4.** The client reports noticing a reduction in inflammation.

Transcutaneous electric nerve stimulation (TENS) unit is prescribed for the client with lower back pain.

117. The most widely recognized theory for the use of transcutaneous electric nerve stimulation (TENS) is that the sensation created by the TENS unit:
[ ] **1.** blocks the brain's perception of pain impulses.
[ ] **2.** travels to the nerve root of the injury.
[ ] **3.** destroys the brain's pain center.
[ ] **4.** weakens nociceptor sensory nerves.

A myelogram with a water-soluble contrast dye is prescribed to confirm the diagnosis of a herniated intervertebral disk.

118. What nursing intervention is **most important** after the client returns from the myelogram?
[ ] **1.** Reducing glare from bright lights
[ ] **2.** Withholding food and fluids for 12 hours
[ ] **3.** Administering sedatives every 6 hours
[ ] **4.** Encouraging a high fluid intake

Conservative treatment does not relieve the client's symptoms and physical disability from a herniated intervertebral disk. A laminectomy and spinal fusion in the lumbar area of the spine is scheduled.

119. Before turning the client postoperatively, what nursing instruction is especially important to prevent postoperative complications?
[ ] **1.** "Hold your breath as you are turning."
[ ] **2.** "Move your lower body first, then your chest."
[ ] **3.** "As you hold onto the trapeze, lift your hips off the bed."
[ ] **4.** "Let me roll you as if you were a log."

120. What is the **most accurate** nursing instruction when teaching the client how to pick up items?
[ ] **1.** Flex both knees.
[ ] **2.** Keep both feet together.
[ ] **3.** Lift with the arms extended.
[ ] **4.** Bend from the waist.

Test Taking Strategies

Nursing Care of Clients with Musculoskeletal Injuries

1. Note the key words "best evidence." Use the process of elimination to select the option that represents the client's understanding of the therapeutic measure better than others. Recall that this condition is aggravated by repeated movement.

2. Note the key words "most helpful." Recall that the acronym RICE—Rest, Ice, Compression, Elevation—is used to manage early symptoms caused by soft tissue injuries.

3. Recall that to correctly apply an elastic bandage to an ankle, wrapping begins at the foot to anchor the bandage and moves upward above the ankle.

4. Use the process of elimination and knowledge of various methods for applying an elastic bandage. Recall when applying a roller bandage to a sprained ankle, the bandage is anchored at the foot then wrapped upward and downward like a figure eight across the ankle covering some of the previous turn.

5. Recall that impaired circulation is characterized by cold, pale, blue, or swollen toes, which can be relieved by removing and rewrapping the elastic bandage less tightly.

6. Note the key words "best indication." Recall that a dislocation involves a separation between two adjacent bones causing their original appearance to lengthen and create arms of different lengths.

7. Consider the definition of manipulation, which is to manage or influence skillfully. Recall that manipulation is a procedure in which an area of an orthopedic injury is repositioned by manual pressure without creating a surgical incision.

8. Recall that there is a bony cervical vertebral prominence at the back of the neck that may cause discomfort if the knot is located in that area.

9. Recall that the rotator cuff stabilizes the shoulder and allows range of motion. Considering the limitation, the client would be unable to lift the arm to put on a gown.

Nursing Care of Clients with Fractures

10. Recall that a fracture causes instability in a bone that ordinarily is continuous between its proximal and distal attachments. To limit further injury, joints above and below the injured bone must be stabilized.

11. Note the key word "best" indicating that one option is better than others. Recall that when a bone is broken into more than two pieces, the term "comminuted" is used.

12. Note the key words "most appropriate" indicating that one option is better than others. Recall that unless a minor is emancipated (i.e., living independently from his or her parents), consent for treatment must be obtained from a parent or legal guardian.

13. Note the key word "priority." Although options 2, 3, and 4 are valid postoperative assessments, option 1, assessing neurovascular function, is critically important in relation to this client's surgical procedure.

14. Use the process of elimination to select options that correlate with respiratory and neurological manifestations of a fat embolism that is also accompanied by petechial hemorrhages.

15. Use the process of elimination to exclude options that describe actions that are not requirements under most Good Samaritan laws. Recall that the nurse should not abandon an injured client until the client's care is transitioned to emergency personnel.

16. Note the key word "first," which indicates a priority. Recall Maslow's hierarchy of needs indicates life-sustaining physical needs (option 1) such as a patent airway and breathing demand attention and care before subsequent emergency actions.

17. Note the key words "best indication" signifying that one option is better than others. Recall that one or more fractured ribs may puncture the lung. Although options 1, 3, and 4 are abnormal findings, option 2 correlates most with a complication known as flail chest, which is when a segment of the ribs is broken in two or more places, resulting in paradoxical chest movement due to the loss of rib continuity.

18. Note the key words "most appropriate," in relation to a method to control bleeding from an open fracture. Recall that ordinarily pressure is used to control bleeding, but in the case of an open fracture, direct pressure may contribute to further injury. Therefore, pressure on the artery above the injury (option 3) is most appropriate.

19. Use the process of elimination to select options that correlate with the classic manifestations of a fractured hip. Recall that these include pain and external rotation, as well as shortening of the leg that occurs because the muscles surrounding the hip depend on the continuity of the femur.

20. Note the key words "most significant" indicating that one option is a risk factor that correlates more for an 80-year-old female than any others. Recall that an aging female is beyond childbearing years with a reduced level of estrogen (option 1) and the potential for bone demineralization.

21. Recall the locations of bone markings on the femur, known as the greater and lesser trochanters. Apply the definition of the prefix, "inter," which means between. Apply your knowledge of anatomy to identify the location of the fracture.

22. Use the process of elimination to select the option that is the best description for correctly performing quadriceps setting exercises. Recall that the quadriceps are a group of muscles on the anterior thigh and that isometric exercises are done "in place"; in other words, without moving about, which corresponds to the description in option 2.

23. Consider the action or rationale for use of antiembolism stockings. Recall that valves within the veins promote the forward motion of venous blood to the heart. Keeping the valves supported with elastic antiembolism stockings prevents stagnation of venous blood (option 1), which predisposes to forming blood clots.

24. Note that timing of the application of the antiembolism stockings is the focus of the question. Recall that gravity causes venous blood to pool in the lower legs. To minimize pooling, antiembolism stockings are applied before the client gets out of bed and pooling can occur.

25. Note the key words "major consideration" indicating that one option has a higher priority than any of the others. Recall principles of delegation that include ensuring that the skills of the assigned health care worker match the complexity of the client's care.

26. Recall that abduction of the hip (option 1) using pillows between the client's legs helps to maintain the hip within the hip joint.

27. Recall that the primary concern is to prevent the client from falling and reinjuring the repaired hip as well as reducing the work of the nurse. If the chair is placed parallel with the client's stronger side and near the head of the bed (option 3), the client can support weight on the unaffected left leg during the transfer.

28. Recall that when performing a three-point partial weight-bearing gait, the body weight is supported with both hands on the handgrips while placing some weight on the affected leg to move forward (i.e., 2 hands + 1 leg = 3 points), which is option 1.

29. Recall roles of various professionals, like a medical social worker, that may be involved in meeting the needs of clients prior to their release from a health care agency like a hospital.

30. Note the key word "best" indicating one option is better than any others. Recall that posting a "No Latex" sign on the door indicates precautions must be followed when entering the client's environment. Recall additional methods for managing the care of clients with a latex allergy that are not identified in the answer options for the question.

31. Use the process of elimination to select options that describe the proper positioning of a client who has undergone total hip replacement. Recall that adduction of the hip and acute hip flexion must be avoided.

32. Use the process of elimination to select the option that is better than any others. Recall that when a prescription for a medication violates standards for avoiding errors, the prescription must be clarified with the prescriber.

33. Note the key words "best evidence." Analyze the choices to select the option that reflects a critique from an individual's currently assigned clients. Recall that discharge clients may be evaluating the care of any number of health care workers. The workers' performance evaluation most likely contain generalized information.

Nursing Care of Clients with Casts

34. Note the key words "most accurate" indicating that one option is better than any others. Recall that heat (option 2) is a by-product of the chemical reaction that occurs when plaster is mixed with water.

35. Note the key word "best" indicating one option is better than any of the others. Option 4 is the best answer regarding how to support a wet cast because the palms of the hands will not cause changes in the external or internal surfaces of the cast before it dries.

36. Note the key words "best item" indicating one option is better than any others. Options 2 and 3 can be eliminated immediately because they cause the cast to retain water. Option 1 looks like an attractive answer because of the word "absorbent"; however, this type of pad is thin and will increase the risk for flattening the contour of the cast. Option 4 remains the best answer because it conforms to the round shape of the cast.

37. Note the key words "best method" indicating one option is better than any others. Recall that an entire plaster cast takes time to dry thoroughly. Options 2, 3, and 4 can be eliminated because the inside of the cast may remain wet.

38. Note the key words "best method" in reference to assessing circulation in an extremity covered with a cast. Recall that a standard of care for assessing circulatory status in a casted extremity is the blanching test.

39. Look at the key words "most accurate," which require analyzing the options to identify one that correlates with a characteristic of fiberglass casts. Recall that a fiberglass cast is made of cotton-polyester knit that is impregnated with fiberglass, making it much lighter (option 2) than plaster of Paris.

40. Note the pain description in the nurse's note and consider what documentation would complete the note indicating compartment syndrome. Recall that compartment syndrome results from pressure within a limited space that results in ischemia and severe pain that is unrelieved by measures other than bivalving the cast. Failure to do so in a timely manner can result in death of tissue.

41. The key word "next" indicates a priority before proceeding with additional actions. Recall that assessment is the first step in the nursing process. Circling the drainage (option 3), is a first step in the assessment, from which the nurse can proceed to determine if the bleeding is significant.

42. Note the key word "best." Apply the key word to identify the option that is an example of a therapeutic response. Recall that by sharing perceptions (option 3), the nurse shows empathy for the client's feelings.

43. Recall that according to Erikson's stages of psychosocial development, adolescence is a time during which teenagers are learning and testing behaviors that promote independence.

44. Recall that the rigidity of the cast will not allow flexion of the hip, making a fracture bedpan (option 2) the best answer.

45. Note the key words "most accurate" and apply them to select the option that best explains the purpose of the bar within a hip spica cast. Recall that the hips and legs are generally abducted when this type of cast is used, making the cast subject to damage during position changes. The bar helps to provide more stability (option 3) to avoid cracking or breaking.

46. Note the key words "most appropriate" and select the best method for relieving itching beneath a cast. Recall that the primary goal is to prevent the client from scratching and impairing the skin. Cool air may provide pressure to move internal debris that is causing an itching sensation.

47. Note the key words "most likely" when selecting an option that explains a cause for a foul odor coming from the cast. Recall that infected exudate (option 4) can create an odor, especially when it is confined beneath a cast for an extended time.

48. Note the key words "most appropriate" and select the option that correlates with the best action when a window has been created in a cast. Recall that a "window" facilitates assessing and treating impaired skin or the site of an infection beneath the cast. The tissue, however, will bulge through the open space unless the piece of plaster is replaced and secured with tape (option 2).

49. Use the process of elimination to select the best nursing action when rough cast edges threaten the integrity of the skin. Recall that rather than remove and replace the cast, the rough edges can be smoothed by applying petals made from tape or moleskin (option 1).

50. Recall that a hip spica cast encircles the trunk of the body; its rigidity can cause an obstruction of the duodenum leading to a high intestinal obstruction accompanied by nausea and vomiting.

51. Note the key word "first," indicating an initial step. Recall that a nursing supervisor (such as a head nurse) oversees the care of clients on a specific unit, schedules staffing patterns, and is responsible for the legal and ethical practices of hired nurses.

Nursing Care of Clients with Traction

52. Use the process of elimination to help select the option that identifies the best nursing technique when changing the linen on the bed of a client in Buck's traction. Options 1 and 4 can be eliminated immediately because the extremity or extremities must be kept in alignment with the pull of traction. Option 3 can be eliminated because it is not appropriate to delay changing the linen. This leaves option 2 as the correct answer because the linens can be pulled beneath the client's posterior without disturbing the pull of traction.

53. Recall that finding the client's foot at the end of the bed (option 3) is a cause for immediate action because it interferes with the effectiveness of the traction.

54. Use the process of elimination to select the option that describes the best technique for assessing the quality of circulation in an extremity in Buck's traction. Options 1 and 4 can be eliminated immediately because they describe neurologic assessment techniques. Option 3 can be eliminated because assessing a blood pressure in the thigh does not provide information about distal blood flow. Option 2 remains as the best answer because arterial blood flow is best assessed by palpating distal pulses and comparing them on both feet.

55. Recall that the ropes in any type of traction must move freely through the series of pulleys, making option 3 the correct answer.

56. Use the process of elimination to select the appropriate action when transporting a client in traction to the operating room. Recall that traction must be maintained at all times, even during transport to surgery, making option 1 the correct answer.

57. Use the process of elimination to select the option describing immediate attention upon being observed by the nurse. Recall that the cervical vertebrae must be aligned with the pull of the traction; because a pillow alters the alignment, option 4 is the correct answer.

58. Use the process of elimination to identify the option that describes the best material for covering the pin used in skeletal traction. Recall that the choice of material must be sturdy enough to cover the tips of the pins, but safe enough that it will not injure the nurse or other caregivers. Option 3 meets those qualifications better than any others.

59. Note the key words "most important" indicating a priority. Recall that the term "purulent" (option 4) refers to pus, which corresponds to an infectious exudate—a major threat to the client's recovery.

60. Recall that some clients who are allergic to penicillin may have a cross-sensitivity to cephalosporin antibiotics as well. To ensure the client's safety, the prescribed antibiotic should be questioned.

61. Use the process of elimination and select the option that is better than any others. Recall that halo-cervical traction immobilizes the cervical vertebra yet allows the client to be mobile rather than confined to bed. Option 2 can be eliminated because halo-cervical traction does restrict head movement. Options 3 and 4 can be eliminated because halo-cervical traction does not speed the rate of healing, and physical therapy cannot be instituted until the vertebral fracture is stabilized.

62. Use the process of elimination to select the option that correlates with the best indication that halo-cervical traction is appropriately applied. Recall that the purpose of this type of traction is immobilization of the vertebrae; therefore, keep the head in a straight anatomical position (option 4).

63. Use the process of elimination to select the option that identifies the best indication of a developing complication in halo-cervical traction. Neurologic complications may be suspected if the client has impaired jaw movements, such as an inability to open the mouth (option 3), bite down, extend the tongue, or weakness swallowing.

Nursing Care of Clients with Inflammatory Joint Disorders

64. Note the key words "best method" for ensuring competence in the use of new equipment. Selecting one option among the choices is better than any others. Although there are multiple methods for evaluating learning outcomes, direct observation is an objective evaluation method. During a return demonstration, weaknesses can be identified by an experienced observer, and use of the equipment can be repeated until competence is validated.

65. Recall that an erythrocyte sedimentation rate (ESR) is used to detect the presence of an inflammatory process. Rheumatoid arthritis (RA) causes not only inflammation of joints but also systemic inflammation. The severity of RA is indicated by the degree of ESR elevation (option 1); the client's response to treatment also can be determined by a decrease in the ESR.

66. Recall that unlike osteoarthritis, which affects older adults, clients with rheumatoid arthritis (RA) typically present with signs and symptoms in middle adulthood.

67. Recall that the joints at the bases of the fingers are affected by rheumatoid arthritis and ultimately destroyed by the inflammatory process.

68. Recall that clients with rheumatoid arthritis (RA) experience greater stiffness and impaired movement after being inactive during the night.

69. Recall that methotrexate is the standard in therapy for rheumatoid arthritis; however, methotrexate has severe restrictions on use during pregnancy. The medication may cause teratogenic effects in a fetus. Birth control is essential.

70. Use the process of elimination to identify a reason for suspending medication therapy. Consider the positives (pros) of medication therapy versus the consequences (cons) should each option occur.

71. Use the process of elimination to select the option that correlates with an incorrect statement that requires further teaching or clarification. Read the options carefully because you are looking for a statement that is wrong. Option 4 requires correction because a common side effect of steroid therapy is an elevation of blood glucose, not a decrease. This becomes particularly problematic for clients with diabetes who require steroids for an anti-inflammatory response.

72. Note the key word "best" indicating one answer is better than any others. Use the process of elimination to select the answer. Options 3 and 4 can be eliminated immediately because they are examples of devices that utilize dry heat. Melted wax (option 1) has some merit, but it has a potential for burning the skin and is used primarily by physical therapists. Option 2 is the best answer because it describes using "warm, moist" heat.

73. Look at the key words "greatest potential." Use the process of elimination to select the option that helps the client gain or maintain independence. Exercise, if it is low impact rather than aerobic, would be beneficial. But option 2, selecting garments that can be easily donned or removed, is the best answer of the options.

74. Analyze the options to select the primary purpose for applying splints during an episode of acute symptoms. Recall that movement increases pain intensity, which leads to selecting option 1 as the best answer.

75. Choose all options that have the potential to violate client confidentiality. Recall that all personal identifiable information must be safeguarded from anyone who is not directly involved in a client's care or authorized to care for the client.

76. Note the key words "most beneficial." Read the options, looking for one that correlates with client teaching that will reduce stress on painful weight-bearing joints. Recall that stress on joints is increased by excessive body weight. Therefore, achieving an appropriate weight (option 1) in relation to height will reduce the weight-bearing load on diseased joints.

77. Analyze the options to select an answer that indicates the client is using a cane incorrectly (option 3). Recall that a cane is held on the "good side" to provide support. The cane and the weaker limb are moved forward together.

78. Use the process of elimination to select the option that provides evidence of a side effect of NSAID therapy. Options 1 and 2 can be eliminated because NSAIDs are not known to cause increased urination or hand tremors. Loss of appetite (option 3) may occur, depending on the amount of gastrointestinal upset, but option 4 remains as the best answer because a change of stool color from brown to black suggests the client is experiencing bleeding in the upper gastrointestinal tract, a potential side effect from NSAID therapy.

79. Note the key words "best explanation." Use the process of elimination to select the option that provides the best rationale for discontinuing the self-administration of enteric-coated aspirin preoperatively. Recall that the anti-platelet properties of aspirin may contribute to or prolong bleeding (option 2) during and immediately after surgery.

80. Analyze the options to select a correct description on how to use an incentive spirometer. Recall that inhaling deeply (option 1) increases the volume of inspired air and inflates alveoli, which helps improve external and internal respiration.

81. Analyze the options to select the position that must be maintained after a total hip replacement. Recall that to maintain the prosthetic device within its appropriate joint location, the leg must be abducted (option 2). Adduction may lead to displacement of the prosthetic device.

82. Note the key words "most appropriate." Select the option that would assist most in the client's postoperative care. Recall that the client has unrestricted upper body function despite compromised movement of the operative leg. A trapeze (option 3) reduces the work-related effort required of the nurse and strengthens the client's arm muscles needed to eventually ambulate with a walker.

83. Use the process of elimination to select the option that identifies the best item for preventing external rotation of the postoperative client's leg. Options 1, 3, and 4 can be eliminated because they describe devices that serve other functions; the footboard (option 1) prevents plantar flexion, the foam mattress (option 4) relieves pressure on bony prominences, and the turning sheet (option 3) is used for repositioning. Option 2 remains as the best answer because if the trochanter roll is positioned correctly, it reduces the potential for external rotation.

84. Analyze the options and select an accurate statement about a position that must be avoided to prevent displacing the hip prosthesis. Recall that hip adduction and flexion, which would occur if the legs are crossed (option 1), must be avoided.

85. Analyze the options to determine the home care item that is essential after being discharged from the hospital. Recall that bending (flexing) the hips severely is contraindicated because it may displace the hip prosthesis. Using a raised toilet seat facilitates elimination and reduces the degree of hip flexion.

86. Note the key word "essential" indicating a priority. Recall that dressing and removing clothing often involves flexing the hip, which must be avoided temporarily. Therefore, the nurse must include information about dressing techniques that can be substituted to avoid these positions.

87. Use the process of elimination to select the option describing a nursing action when a housekeeper checks medical records on the computer. Recall that the medical record contains a variety of information that should not be available in its entirety to every hospital employee. Therefore, option 1 can be eliminated. Options 3 and 4 can be eliminated because they inaccurately identify how discharge information is communicated. Option 2 is the best answer because it demonstrates how the client's personal information is protected.

88. Note the key word "priority" indicating that one option identifies teaching that takes precedence over any other option. Recall that the client's mobility will be temporarily impaired, which leads to option 2 being the best answer.

89. Note the key word "essential" indicating a priority. Recall that exercise is important for maintaining joint mobility (option 4). To compensate for a client's reluctance to exercise actively to maintain restored function, the machine exercises the operative joint mechanically.

90. Note the key words "best evidence." Use the process of elimination to select the option that identifies when a CPM machine is no longer needed. Options 1 and 4 can be immediately eliminated because they are unrelated to achieving the desired range of motion. Option 3 looks appealing, but performing straight-leg raising is an indication of muscle strength, not a criterion for discontinuing a CPM machine. Option 2 remains as the best answer because it correlates with the joint mobility necessary for gait and function of the operative knee.

91. Analyze the options to select the option describing the joint that is characteristically affected by gout. Recall that the majority of individuals with gout have pain and swelling of the joint in one or both great toes.

92. Analyze the options to determine the test result that supports a diagnosis of gout. Remember that gout is associated with an excess of uric acid (option 3).

93. Analyze the options to determine a food or beverage that increases uric acid levels. Recall that the client must avoid food and beverages that increase uric acid levels such as liver and other organ meats that are high in purines.

94. Analyze the options to determine a symptom of an adverse reaction to colchicines. Recall that vomiting is evidence that the accumulating colchicine dosage is having a negative effect on the client.

95. Analyze the options to determine when most oral fluid intake should occur. Recall that to avoid disturbing the client's sleep for the purpose of urination, the majority of fluid should be consumed in the morning (option 3).

96. Analyze the options to determine which beverage should be avoided by a client with gout. Recall that drinking alcohol (option 2), straight or in mixed drinks, increases the risk for exacerbating the symptoms of gout.

Nursing Care of Clients with Degenerative Bone Disorders

97. Use the process of elimination to exclude options that describe incorrect actions when performing passive range-of-motion exercises. Option 1 can be eliminated because it applies to active range-of-motion exercises. Options 2 and 4 can be eliminated because force is never used, and the exercises are performed frequently each day. Recall that when moving the joint through its range of motion, the area above and below the joint should be supported (option 3).

98. Note the key words "most likely" in reference to evidence that suggests a client has osteoporosis. Recall that as the bones in the spine become less dense, the client's height decreases and there is a distortion in the normal curvature of the spine (option 3).

99. Analyze the options to determine substances that should be avoided to slow the progression of bone demineralization. Recall that tobacco products and carbonated beverages have adverse effects on bone growth and mineralization and, thus, should be avoided.

100. Note the key words "most likely." Recall that kyphosis is common among individuals with advanced osteoporosis. Kyphosis describes an abnormality in the thoracic vertebrae.

101. Note the key word, "best." Look for an option that is better than any others for preventing a pathological fracture. Recall that to prevent a fracture of a bone weakened by disease, it must be supported (option 3) and handled with care during movement.

102. The key is considering the physical work of the client and that the injury is noninfectious. Compare each option with how the treatment impacts the symptoms of bursitis.

103. Note the key words "most appropriate." Review the options to select the answer that identifies a nursing suggestion that will improve the client's condition with a source for vitamin D. Recall that vitamin D is synthesized when the skin is exposed to ultraviolet rays from natural sunlight (option 1).

Nursing Care of Clients with Amputations

104. Analyze the options to select an answer that describes a standard position when managing the care of a client in shock. Recall that raising the feet and legs about 12 in/30 cm (option 3) helps promote circulation to vital organs.

105. Look at the key words "most appropriate" to select the one option that is best for responding to a client who is distraught and screaming obscenities. Recall that it is not therapeutic to abandon, sedate, or be critical with a client who is overcome with emotion. The most therapeutic action is option 2. The nurse's very presence, despite being a verbal target, is a form of support.

106. Note the key word "best" indicating one nursing response is better than any others. Recall that phantom limb pain (option 2) is a form of neuropathic pain and very real to the client. The nurse can clarify the painful experience to the client, who is unfamiliar with its manifestation.

107. Note the key words "further instruction." Select the option that would be detrimental to the client with poor circulation and then when the client has undergone a below-the-knee amputation (BKA). Recall that the best rehabilitation outcome after an amputation requires functional use of the remaining joints. A sitting position (option 3) jeopardizes the use of a prosthesis if a knee flexion contracture develops.

108. Use the process of elimination to select the option that identifies the best activity for the client immediately after surgery to prepare for using crutches. Option 2 can be eliminated because using parallel bars would occur later in the client's rehabilitation. Options 1 and 4 involve leg muscles, but they can be eliminated because leg strength is secondary to conditioning the arm muscles (option 3) for support and ambulation with crutches.

109. Analyze the options to determine the information that describes the purpose for wrapping the stump with elastic bandages. Recall that the stump cannot be fitted with a permanent prosthesis until it has achieved a final size and shape (option 2).

110. Analyze the options and select the nursing actions that aid rehabilitation after a below-the-knee amputation (BKA). While selecting options, consider those that improve physical strength and prepare the client for using a prosthesis.

111. Analyze the options to select an item that is essential to the care of a client with an above-the-knee amputation (AKA) in the immediate postoperative period. Recall that hemorrhage is always a potential postoperative complication, especially in this case when arteries and veins have been severed. This leads to selecting a tourniquet to control hemorrhage as a lifesaving measure.

112. Note the key words "best evidence." Use the process of elimination to select the option that indicates crutches require adjustment. Options 1, 2, and 4 can be eliminated because they describe well-fitting crutches. Option 3 remains as the best answer because pressure on nerves and blood vessels in the axillae from crutches that are too long can cause neurovascular damage.

113. Note the key terms "most appropriate." Analyze the options to determine what is appropriate for unlicensed assistive personnel. Recall that unlicensed assistive personnel help clients with basic tasks such as personal hygiene, which may involve the use of a shower chair and assistance with toileting, eating, and ambulating safely.

Nursing Care of Clients with Herniated Intervertebral Disks

114. Analyze the options to select an answer that correlates with an activity that increases the intensity of pain when a client has a herniated intervertebral disk. Recall that when intraspinal pressure is increased, such as when sneezing (option 2), coughing, or bearing down during bowel elimination, pain is increased.

115. Analyze the options to select an answer that describes a typical symptom experienced by a client with a herniated intervertebral disk. Recall that when a portion of the disk protrudes and presses on a spinal nerve, the client experiences pain along its length. Disks in the lumbar spine are most affected, causing sciatic nerve pain that radiates into the buttocks and leg.

116. Note the key words "therapeutic outcome" regarding the purpose for prescribing cyclobenzaprine hydrochloride. Recall that this drug is categorized as a skeletal muscle relaxant (option 2), which can contribute to pain relief.

117. Use the process of elimination to select the option that describes the most widely held theory about the method by which a TENS unit achieves its pain-relieving effect. Recall that pain is transmitted over nociceptors in the peripheral nervous system to the brain. Because the brain responds to only one sensation at a time, providing a stimulus other than pain will reduce pain perception.

118. Note the key words "most important" indicating a priority. Recall that during a myelogram, cerebrospinal fluid is withdrawn and contrast media is instilled. Increasing a client's oral fluid intake (option 4) replaces the volume of withdrawn fluid and dilutes the dye, which promotes its excretion.

119. Recall that the site where the surgery was performed has not permanently fused at this time. To prevent displacing the unstable area in the spine as a result of flexing or rotating the vertebrae, a client is logrolled (option 4).

120. Note the key words "most accurate." Analyze the options to determine what information describes how to pick up objects using good body mechanics. Recall that principles of body mechanics stress bending the knees (option 1) while keeping the back straight to reduce strain on the lower back.

Correct Answers and Rationales

Nursing Care of Clients with Musculoskeletal Injuries

1. 2. Tenosynovitis is an inflammation of the sheath that surrounds the tendons. Tendons connect muscle to the bone. Typically, tenosynovitis is found in the wrist and ankle and is caused by similar repeated movements (pinching, grasping, rotating). Temporarily eliminating the activity that has injured the tendons, in this case playing golf, is the best action to take at this time. Keeping the hand and wrist immobile is unnecessary. Playing miniature golf would continue to injure the tendon. Golfers wear gloves for a variety of reasons, such as preventing blisters. Although wearing a tight glove may give the wrist support, it does not protect the joint from injury.

Cognitive Level—Analyzing
Client Needs Category—Health promotion and maintenance
Client Needs Subcategory—None

2. 2. Applying ice and elevating a swollen extremity relieves swelling. Heat is not used immediately after injury because it increases circulation to the injured part, causing more swelling. Exercise causes pain and further swelling in the early stage of an injury. Immobilization can help relieve pain and promote healing.

Cognitive Level—Applying
Client Needs Category—Physiological integrity
Client Needs Subcategory—Basic care and comfort

3. 4. When wrapping the lower extremity with an elastic bandage, bandaging starts at the metatarsal bones, which form the ball of the foot and instep. The toes, or phalanges, are left uncovered to assess circulation. To relieve swelling, the injured area is wrapped distally (from the metatarsals) to proximally (the calf). Wrapping from below the knee toward the foot would not relieve swelling.

Cognitive Level—Applying
Client Needs Category—Physiological integrity
Client Needs Subcategory—Basic care and comfort

4. 1. The figure-eight turn is made by overlapping the elastic bandage in an alternately ascending and descending oblique pattern around a joint. Each turn crosses the one preceding it so that it resembles the number eight. This method is used frequently for sprained ankles. A spiral reverse turn is used to bandage a cone-shaped body part, such as the thigh or leg. The recurrent turn is used to cover the tip of a body part, such as the stump of an amputated limb. A spica turn is an adaptation of the figure-eight wrap; it is used when the wrap goes around an adjacent body part such as the thumb and hand or the thigh and hip.

Cognitive Level—Applying
Client Needs Category—Physiological integrity
Client Needs Subcategory—Basic care and comfort

5. 3. The purpose of wrapping the injured area with an elastic bandage is to reduce pain and decrease swelling without interfering with circulation. If the bandage is applied too tightly, venous blood and lymph may become trapped in the toes, producing a swollen appearance. Some swelling of the toes may be the result of the initial injury. The toes may also feel numb or look blue. It is good practice to conduct a baseline assessment of color and swelling in the toes before applying the elastic bandage. Rewrapping the extremity may restore or improve circulation. The injured area will not be pain-free until the swelling subsides and injured tissue heals. Typically, there is some stiffness when maintaining a joint in a position.

Cognitive Level—Applying
Client Needs Category—Health promotion and maintenance
Client Needs Subcategory—None

6. 4. According to the American Academy of Orthopaedic Surgeons, the body's most flexible joint is the shoulder, making it the most prone to dislocations. A dislocation is caused by the tearing of the ligaments that connect and hold two bone ends within a joint, resulting in temporary displacement of the bone from its normal position. When the nurse assesses the client's injury, the affected arm will look longer than the other arm. Most traumatic musculo-skeletal injuries, including sprains, strains, and fractures, are accompanied by pain, swelling, and compromised mobility. Consequently, these symptoms do not provide the best evidence of a dislocation.

Cognitive Level—Analyzing
Client Needs Category—Physiological integrity
Client Needs Subcategory—Physiological adaptation

7. 3. Restoring function for a dislocation involves reposi-tioning two adjacent bones so that they are again in contact with one another. Manipulation is performed manually, with or without anesthesia. It is helpful to understand that once the procedure is completed, the pain from the mis-aligned joints is relieved. There is no surgical incision, pin or wire that is necessary in a closed reduction.

Cognitive Level—Applying
Client Needs Category—Physiological integrity
Client Needs Subcategory—Physiological adaptation

8. 2. When a triangular sling is used, the knot is tied at the side of the neck to avoid pressure on the cervical vertebrae. All the other statements made by the family member indi-cate correct information concerning the application and use of a triangular sling.

Cognitive Level—Analyzing
Client Needs Category—Health promotion and maintenance
Client Needs Subcategory—None

9. 3. A characteristic of a torn rotator cuff is that the client cannot raise the arm. This indicates the inability of the rotator cuff, which holds the arm and shoulder structures in place, to complete the appropriate action. There is no change in arm length as in other musculoskeletal injuries, pain that extends the length of the arm to the fingers, or a delayed capillary refill.

> *Cognitive Level*—*Applying*
> *Client Needs Category*—*Physiological integrity*
> *Client Needs Subcategory*—*Physiological adaptation*

Nursing Care of Clients with Fractures

10. 4. To immobilize a broken bone, a splint is applied to prevent movement of the joints above and below the injury. The tibia is located between the knee and the ankle. Therefore, it is correct to apply the splint from below the ankle to above the knee. All other areas mentioned would not stabilize the injury correctly.

> *Cognitive Level*—*Applying*
> *Client Needs Category*—*Physiological integrity*
> *Client Needs Subcategory*—*Basic care and comfort*

11. 2. A comminuted fracture means that there are pieces, fragments, or splinters of bone in the area where the bone is broken. An impacted fracture is one in which the bone ends are driven together. A simple or closed fracture is one in which there is no break in the skin. A greenstick fracture involves a longitudinal split that extends partially through one side of the bone.

> *Cognitive Level*—*Remembering*
> *Client Needs Category*—*Physiological integrity*
> *Client Needs Subcategory*—*Physiological adaptation*

12. 4. The first source for obtaining permission for treating a minor is the parent or guardian. Minors cannot give permission under most circumstances. If permission is obtained over the telephone, at least two people must hear the verbal consent and cosign as witnesses to what they heard. The health care provider's role is to explain the procedure and the risk factors associated with the surgery. The nurse's responsibility is to witness the signing of the consent. The youth leader is not an appropriate person to give consent unless previous arrangements were made in case of emergency.

> *Cognitive Level*—*Applying*
> *Client Needs Category*—*Safe and effective care environment*
> *Client Needs Subcategory*—*Coordinated care*

13. 1. In documenting the client's postoperative circulation status to the affected extremity, a detailed neurovascular assessment, including a circulation check ensuring adequate capillary refill and warm and pink toes, a

sensation check requiring the client to identify touch, and a motion check requiring the client to move the toes, is a priority. Pain on movement is to be expected. An assessment of vital signs and inspection of the cast for drainage are important for documentation but are not of the highest priority regarding the circulatory status.

> *Cognitive Level*—*Analyzing*
> *Client Needs Category*—*Physiological integrity*
> *Client Needs Subcategory*—*Reduction of risk potential*

14. 2, 3, 4. During the first 72 hours after a traumatic injury, especially to long bones, the nurse should suspect fat embolism syndrome if the client manifests the following cluster of signs and symptoms: chest pain, dyspnea, tachycardia, tachypnea, fever, disorientation, restlessness, and petechiae over the chest, axillary folds, conjunctiva, buccal membrane, and hard palate. Bradycardia, hypertension, and hematuria are not associated with a fat embolism.

> *Cognitive Level*—*Applying*
> *Client Needs Category*—*Physiological integrity*
> *Client Needs Subcategory*—*Reduction of risk potential*

15. 2. Generally, every state has a Good Samaritan statute, but the actors eligible for coverage and qualifying circumstance vary. Good Samaritan laws protect health care providers from claims of malpractice unless the care that was rendered was a gross departure from the accepted standard of care. Once emergency care is initiated, there is a legal duty to remain with the victim until he or she is stable or another provider with equivalent or higher training provides further care and treatment. A health care provider is not required to inform or show evidence of professional qualifications. The nurse or other health care provider may ask or instruct bystanders to help, but that is not essential.

> *Cognitive Level*—*Analyzing*
> *Client Needs Category*—*Safe and effective care environment*
> *Client Needs Subcategory*—*Coordinated care*

16. 1. The first step a rescuer should take is to see that the victim is breathing, because maintaining ventilation is essential for sustaining life—assessing airway and breathing are a nurse's highest priority. The nurse should be careful about moving the client until spinal cord injuries are confirmed or ruled out. Observing for injuries and covering the client with a blanket are important, but only after breathing has been assessed.

> *Cognitive Level*—*Analyzing*
> *Client Needs Category*—*Physiological integrity*
> *Client Needs Subcategory*—*Physiological adaptation*

17. 2. The ribs enclose the lungs. This makes injuries to the pulmonary system the primary complication associated with fractured ribs. Broken ribs may puncture the pleura and collapse a lung. One classic sign of a flail chest injury is asymmetrical or paradoxical chest expansion, which results in dyspnea. Although the heart is also in the thorax, it is somewhat better protected in the center of the chest. Tachycardia and a weak, thready pulse (rather than an irregular pulse rate) are more likely to indicate damage to major blood vessels. Expiratory wheezing is generally associated with asthma; pink, frothy sputum is commonly found with heart failure.

> *Cognitive Level*—*Applying*
> *Client Needs Category*—*Physiological integrity*
> *Client Needs Subcategory*—*Reduction of risk potential*

18. 3. The best method to control bleeding in the case of a compound fracture is to compress the major artery above the injury site. Direct pressure on the wound may cause additional injuries to the soft tissue surrounding the fracture. A tourniquet is only used if all other efforts to control bleeding are unsuccessful. When used, a tourniquet is periodically released to allow oxygenated blood to the distal tissue. Elevating the extremity is helpful after applying pressure on the artery, but this should be done with caution to prevent further damage to the bone and soft tissue.

> *Cognitive Level*—*Applying*
> *Client Needs Category*—*Physiological integrity*
> *Client Needs Subcategory*—*Physiological adaptation*

19. 2, 3, 5. A client with a fractured hip develops pain in the injured area—the joint between the proximal end of the femur and acetabulum of the pelvis—not the distal end of the femur. Weight bearing on the affected leg is impossible or difficult. The fracture results in shortening and external rotation of the affected leg because of discontinuity of the femur. Also, the client typically has muscle spasms involving the iliopsoas muscle attached to the lesser trochanter of the femur and the abductor and rotator muscles that are inserted on the greater trochanter of the femur. Therefore, the client's affected leg is not drawn toward the midline in an adducted position. The client would probably be too uncomfortable in an adducted position or when sitting or lying.

> *Cognitive Level*—*Applying*
> *Client Needs Category*—*Physiological integrity*
> *Client Needs Subcategory*—*Physiological adaptation*

20. 1. Estrogen deficiency, which occurs postmenopausally, is linked to loss of calcium from the bones. Decreased bone mass weakens the skeletal system, increasing a person's susceptibility to fractures. Being overweight exerts more stress on the skeletal system; however, as long as bone integrity remains intact, the risk of fractures is the same as that for the general population. Individuals with type 2 diabetes have the same risk for fractures as the general population. Lactose intolerance is not necessarily a risk factor as long as the client gets calcium from other sources such as vegetables or a calcium supplement.

> *Cognitive Level*—*Analyzing*
> *Client Needs Category*—*Physiological integrity*
> *Client Needs Subcategory*—*Reduction of risk potential*

21.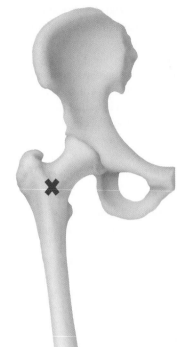

An intertrochanteric fracture refers to a break in the continuity of the femur between the greater and lesser trochanters, the bony prominences that lie outside the joint capsule. An intertrochanteric fracture is also referred to as an extracapsular fracture. The head and neck of the proximal femur are within the acetabulum. A fracture below the head of the femur (subcapital) or across the neck of the femur (transcervical) is referred to as an intracapsular fracture.

> *Cognitive Level*—*Understanding*
> *Client Needs Category*—*Physiological integrity*
> *Client Needs Subcategory*—*Physiological adaptation*

22. 2. Isometric exercises are used to strengthen muscles and provide stamina. To perform isometric exercises, a client tenses and releases certain groups of muscles. These exercises do not involve any appreciable movement of a joint. The quadriceps muscles are on the anterior aspect of the thigh. All other options describe isotonic exercises, which involve joint movement.

> *Cognitive Level*—*Applying*
> *Client Needs Category*—*Health promotion and maintenance*
> *Client Needs Subcategory*—*None*

23. 1. Muscle contraction helps to move venous blood toward the heart. Clients who are inactive or immobile have reduced muscle activity in the lower extremities, predisposing to pooling of venous blood. The stagnation of blood places the client at risk for clot (thrombus) formation. Elastic stockings, known as *antiembolism stockings* or *thromboembolic disease hose*, support the valves within veins. The supported valves keep the blood flowing forward toward the heart. When blood moves rather than pools in the lower extremities, it is less likely to form a clot (thrombus). Properly fitted antiembolism stockings should neither restrict arterial blood from flowing into the lower extremities nor affect blood pressure. Even though they are tight fitting, antiembolism stockings do not constrict the blood vessels. Sequential compression devices (SCDs) are another commonly used method designed to limit the development of deep vein thrombosis (DVT) and peripheral edema in immobile clients or those recovering from vascular or orthopedic surgery.

> **Cognitive Level**—*Applying*
> **Client Needs Category**—*Physiological adaptation*
> **Client Needs Subcategory**—*Reduction of risk potential*

24. 1. To prevent trapping venous blood in the lower extremities, antiembolism stockings are applied while the legs are in a nondependent position. The best time to apply these stockings is in the morning, before the client gets out of bed, or after elevating the legs a short time. Antiembolism stockings are worn almost continuously. They are removed once per shift or once per day to assess the skin.

> **Cognitive Level**—*Understanding*
> **Client Needs Category**—*Safe and effective care environment*
> **Client Needs Subcategory**—*Coordinated care*

25. 4. A primary consideration when making staff assignments for the care of clients is the acuity level of clients. Whenever care is delegated, it must be within the individual health care worker's scope of practice and personal expertise. The complexity of the client's care must be matched with the qualifications of staff who can provide care. It may create a pleasant workplace if the person making the assignments allows staff to pick and choose their own assigned clients, but making assignments is not conducive to *laissez-faire* leadership in which staff may do as they choose. Obviously, assignments should consider the locations of clients in a similar area to avoid burdening the caregiver, but that is not the major consideration. Each staff person's workload may not be similar because the care of complex clients may require fewer assigned clients.

> **Cognitive Level**—*Analyzing*
> **Client Needs Category**—*Safe and effective care environment*
> **Client Needs Subcategory**—*Coordinated care*

26. 1. A client who has had a repair of a fractured hip is turned using sufficient pillows so that the operative leg remains slightly abducted. Hip abduction prevents displacement of the fixation device. Pointing the toes, flexing the knee, or elevating the head will not promote hip abduction.

> **Cognitive Level**—*Applying*
> **Client Needs Category**—*Physiological integrity*
> **Client Needs Subcategory**—*Reduction of risk potential*

27. 3. When helping the client transfer from the bed to a chair, it is best to place the chair parallel to and near the head of the bed on the client's stronger side. The distance between the bed and chair should be as short as possible because the client is weak and at risk for losing balance. Transferring to a chair at the end of the bed or against a side wall requires much more physical effort and poses safety hazards. Placing the chair perpendicularly interferes with assisting the client.

> **Cognitive Level**—*Applying*
> **Client Needs Category**—*Safe and effective care environment*
> **Client Needs Subcategory**—*Safety and infection control*

28. 1. In a three-point partial weight-bearing gait, the weaker leg and walker are advanced together. The hands support most of the weight while the stronger leg is lifted and advanced. This distributes the client's weight correctly. Weight is not placed on the back legs of the walker, on the toes of the operative leg, or on the heel of the nonoperative leg.

> **Cognitive Level**—*Analyzing*
> **Client Needs Category**—*Health promotion and maintenance*
> **Client Needs Subcategory**—*None*

29. 3. A medical social worker is responsible for ensuring that clients are released to wherever they will recuperate best following their release from a hospital. The medical social worker works with clients and their families in a timely manner to determine where a client may be transitioned for care. The role requires knowledge of the client's projected health-related problems, and community agencies that may provide additional care. The spouse is included in the discharge planning process, but according to The Joint Commission, it is the organization's responsibility to facilitate planning for discharge. The physical therapist and home health agency may be consulted and even participate in a variety of ways, but the process begins with the discharge planner.

> **Cognitive Level**—*Applying*
> **Client Needs Category**—*Safe and Effective Care Environment*
> **Client Needs Subcategory**—*Coordinated Care*

30. 3. An allergy to latex can be life threatening. Several actions are taken to prevent an allergic reaction among clients with a sensitivity to latex. They include placing the client in a latex-free room and posting a "No Latex" sign on the client's door to alert everyone to avoid contact between a product containing latex and the client. In addition, an allergy arm band is placed on the client, and a latex allergy sticker may be applied to the front of the client's medical record. Documenting the information within the medical record on an admission note may not be sufficient to alert all health care workers who may not read the information. The hospital safety officer will most likely not become involved unless an allergic reaction occurs. Recommending a medical alert bracelet is beneficial as the client goes about life's daily activities, but it does not take the place of clinical guidelines for managing the care of a client with a known or suspected allergy to latex in the hospital.

> *Cognitive Level*—*Applying*
> *Client Needs Category*—*Safe and effective care environment*
> *Client Needs Subcategory*—*Safety and infection control*

31. 1, 2, 3. Until healing occurs, the client's legs must be spread outward (abducted) from the body. Adduction of the hip or flexion greater than 90 degrees may dislocate the prosthesis from the joint. Postoperative nursing care also requires using a foam wedge splint between the legs while the client is in bed, using a raised toilet seat for elimination, keeping the knees lower than the hips when sitting, and reminding the client to avoid bending forward when dressing. Raising the head of the bed 90 degrees creates excessive hip flexion and can dislocate the hip. The leg should be in neutral position after hip replacement surgery.

> *Cognitive Level*—*Applying*
> *Client Needs Category*—*Physiological integrity*
> *Client Needs Subcategory*—*Reduction of risk potential*

32. 4. The abbreviation q.o.d. is on the Institute for Safe Medication Practices for error-prone abbreviations, symbols, and dose designations that should never be used. It is recommended that the prescriber write "every other day." Once the prescription is clarified, the nurse can record the prescription on the medication administration record. The source for clarification is the prescriber, not the pharmacist. The nurse should check when the client received the last dose of furosemide and give the medication accordingly.

> *Cognitive Level*—*Applying*
> *Client Needs Category*—*Safe and effective care environment*
> *Client Needs Subcategory*—*Coordinated care*

33. 3. Interviewing assigned clients is a first-line method for acquiring information about the quality of care provided by a health care worker. Evaluations from previously discharged clients are helpful, but they do not allow an opportunity to ask questions directly or obtain elaborations on their comments. A self-evaluation is a component of a performance evaluation, but it may be biased. Goals for future performance are often an outcome at the end of a performance evaluation, but it is not a method of evaluation.

> *Cognitive Level*—*Analyzing*
> *Client Needs Category*—*Safe and effective care environment*
> *Client Needs Subcategory*—*Coordinated care*

Nursing Care of Clients with Casts

34. 2. Casts are used to immobilize a body part until a bone can heal. When plaster combines with water, a chemical reaction takes place. Energy is given off in the form of heat. Therefore, it is appropriate to warn the client

that the arm may feel quite warm temporarily. Steam or heat waves may even be seen rising from the surface of the wet cast. The cast supports the broken bone, but it should not constrict the underlying tissue or feel tight. Wet plaster does not produce a disagreeable odor. The client should not feel itchy when the cast is applied.

> *Cognitive Level*—*Applying*
> *Client Needs Category*—*Physiological integrity*
> *Client Needs Subcategory*—*Reduction of risk potential*

35. 4. A wet cast is held and supported with the palms of the hands. Using the fingers is likely to cause indentations in the cast, which may create pressure areas on the underlying tissue. After the cast is applied, it is dried while supported on a soft surface, such as pillows. A wet cast on a hard surface can become flattened.

> *Cognitive Level*—*Applying*
> *Client Needs Category*—*Physiological integrity*
> *Client Needs Subcategory*—*Reduction of risk potential*

36. 4. A wet cast is supported along its entire length with soft pillows as it dries. This soft support distributes the weight of the cast over a greater surface and prevents flattening of the underlying portion. Using pillows also elevates the extremity, which relieves temporary swelling. A synthetic sheepskin or vinyl sheet would interfere with water evaporation from the wet plaster. An absorbent pad would not sufficiently cushion the weight of the cast.

> *Cognitive Level*—*Applying*
> *Client Needs Category*—*Physiological integrity*
> *Client Needs Subcategory*—*Basic care and comfort*

37. 1. Natural evaporation is the best way to dry a plaster cast. This process takes 24 to 48 hours. It involves leaving the casted area uncovered and turning the client at frequent intervals so that the entire cast circumference is exposed to the air. Intense heat, such as with a heating blanket, hair dryer, or heat lamp, may burn the client or just dry the superficial surface of the cast.

> *Cognitive Level*—*Applying*
> *Client Needs Category*—*Physiological integrity*
> *Client Needs Subcategory*—*Basic care and comfort*

38. 3. There is a difference between a circulatory assessment and a neurovascular assessment. Circulation is assessed by compressing nail beds to observe capillary refill. After pressure on a nail bed is released, the color returns to normal within 2 to 3 seconds. This assessment is also performed on the opposite extremity. If the capillary refill time is normal and similar in the nail beds of both extremities, circulation can be considered adequate. Determining that there is space between the cast and the skin is not totally reliable. If circulation is impaired due to compartment syndrome, there may still be room to insert a finger at the cast margins. Moving the fingers reflects nerve function.

> *Cognitive Level*—*Applying*
> *Client Needs Category*—*Physiological integrity*
> *Client Needs Subcategory*—*Reduction of risk potential*

39. **2.** Casts made of fiberglass, a molded plastic material, have several advantages, one of which is that they are lighter than plaster casts. A synthetic cast dries more quickly, is more durable, and is unlikely to soften if it becomes wet; that is not to say that the padding beneath the fiberglass cast will be water resistant. Fiberglass casts are more difficult to mold around an extremity when being applied. Because of their rigidity, they are more likely to impair skin where rough edges may develop.

Cognitive Level—*Understanding*
Client Needs Category—*Physiological integrity*
Client Needs Subcategory—*Physiological adaptation*

40. **1.** Compartment syndrome occurs when the muscle swells but the muscle tissue, blood vessels, and nerves are constricted by surrounding nonexpansive fascia or a rigid cast. Unrelenting sharp pain that is not relieved using standard measures is the first symptom of compartment syndrome. Ischemia, causing a pale skin tone, combined with the impairment of arterial blood flow that is caused by swelling of the surrounding muscle within the inelastic fascia, causes pain. Paralysis and sensory loss follow as nerves become damaged by compression and lack of blood supply. Muscle spasms do not typically occur. The hand may appear pale or white, not reddened, and may feel cold because of inadequate arterial blood. If the radial artery is assessed, the nurse typically finds that the pulse is weak or absent.

Cognitive Level—*Applying*
Client Needs Category—*Physiological integrity*
Client Needs Subcategory—*Reduction of risk potential*

41. **3.** Marking the outer margin of the drainage on the cast helps the nurse evaluate the status of the bleeding. The nurse should reassess the client's cast for drainage every few minutes thereafter. By comparing the subsequent size of the bloody spot, the nurse evaluates the seriousness of the bleeding. It is important to monitor vital signs each time the drainage is assessed. All information is documented. If the bleeding is not controlled and vital signs indicate that the client's condition is changing, the health care provider must be notified immediately. An ice bag is generally used to control swelling postoperatively; it may also help decrease bleeding.

Cognitive Level—*Applying*
Client Needs Category—*Physiological integrity*
Client Needs Subcategory—*Physiological adaptation*

42. **3.** When a client expresses a concern, it is best for the nurse to verbalize the feeling or message that the sender conveyed. This response shows understanding and a willingness to listen. Using clichés, agreeing with the client, stereotyping the family, and offering opinions are all nontherapeutic. They are of little help to a client who is struggling with a personal problem.

Cognitive Level—*Applying*
Client Needs Category—*Psychosocial integrity*
Client Needs Subcategory—*None*

43. **3.** Most adolescents seek to become independent of their parents and develop relationships with nonrelatives.

Developmental tasks concerned with self-identity, sexuality, testing the body's abilities, and learning to control emotional behavior occur more commonly just before young adulthood.

Cognitive Level—*Applying*
Client Needs Category—*Health promotion and maintenance*
Client Needs Subcategory—*None*

44. **2.** A hip spica cast is used to immobilize and promote healing of a hip joint or fractured femur. This type of cast covers the trunk of the body and includes one or both legs to the knee or ankle, depending on the injury. The cast interferes with hip flexion and assuming a sitting position. A fracture bedpan elevates the buttocks just slightly enough for bowel elimination.

Cognitive Level—*Applying*
Client Needs Category—*Physiological integrity*
Client Needs Subcategory—*Basic care and comfort*

45. **3.** One of the weakest areas of a hip spica cast is at the groin. This area tends to crack because it is stressed when the client is turned and repositioned. The bar helps to strengthen the cast. The bar is never used for lifting, turning, or performing physical exercise. The bar will maintain proper alignment, but this is not its primary purpose.

Cognitive Level—*Understanding*
Client Needs Category—*Health promotion and maintenance*
Client Needs Subcategory—*None*

46. **3.** Cool air, such as that is used for moving debris from various types of equipment like sewing machines and computer keyboards, may relieve itching and should be tried first. Obtaining a medical prescription for administering an antihistamine/antipruritic drug such as cyproheptadine can chemically relieve the client's itching, but there are always potential side effects that may be undesirable. Sprinkling powder within the cast may help, but it can cake under the cast and remain because there is no method for removing it. Ice bags to the outside of the cast are ineffective in preventing itching.

Cognitive Level—*Applying*
Client Needs Category—*Physiological integrity*
Client Needs Subcategory—*Basic care and comfort*

47. **4.** The most common cause of an odor from a cast is an infected wound. Infected wounds produce purulent drainage, causing unpleasant odors as the pus accumulates. To confirm the suspicion that an infection exists, the nurse should monitor the client for a cluster of additional signs and symptoms, including elevated temperature, tachycardia, anorexia, and malaise. Inadequate drying of the cast, bleeding under the cast, and disintegration of the cast are not likely to cause a foul odor like that which accompanies drainage from an infected wound.

Cognitive Level—*Applying*
Client Needs Category—*Physiological integrity*
Client Needs Subcategory—*Physiological adaptation*

48. 2. The piece of plaster that is removed to make a window should be replaced in the opening and secured with tape or an elastic bandage. Allowing the window to remain unplugged may cause the tissue to bulge into the opening. This uneven pressure on the skin can cause it to break down. There is no need to store the plaster piece, dispose of it, or send it to the laboratory.

Cognitive Level—Applying
Client Needs Category—Physiological integrity
Client Needs Subcategory—Basic care and comfort

49. 1. Rough or crumbling edges of a plaster cast are smoothed or repaired by applying petals made from moleskin or adhesive tape. Petals, formed in rectangular or oval pieces, are inserted on the inside of the cast edge and then folded over the outside edge of the cast. The strips are made to overlap, resembling the appearance of flower petals. If adhesive petals prove unsuccessful, fresh plaster strips may be needed. Trimming a cast does not usually stop it from crumbling. Fragments of plaster are likely to continue breaking off if the nurse uses gauze to cover the cast edge.

Cognitive Level—Applying
Client Needs Category—Physiological integrity
Client Needs Subcategory—Basic care and comfort

50. 1. Cast syndrome, also known as *superior mesenteric syndrome*, causes gastrointestinal symptoms, such as abdominal distention, bloating, nausea, vomiting, and abdominal pain. The symptoms are caused by a partial or total intestinal obstruction. Symptoms related to anxiety may also be present. The other options, if they develop, are more likely to be caused by complications other than cast syndrome.

Cognitive Level—Applying
Client Needs Category—Physiological integrity
Client Needs Subcategory—Physiological adaptation

51. 3. The first action when suspecting a coworker is diverting opioids is to follow the chain of command and inform one's supervisor. It then becomes the supervisor's responsibility to gather more data. Drug diversion may result in criminal prosecution and actions against the nurse's license. It is not the responsibility of the suspecting nurse to notify the Drug Enforcement Agency or Royal Canadian Mounted Police nor to discuss suspicions with other colleagues. Many health care agencies provide employee assistance programs to avoid destroying an impaired nurse's career.

Cognitive Level—Analyzing
Client Needs Category—Safe and effective care environment
Client Needs Subcategory—Coordinated care

Nursing Care of Clients with Traction

52. 2. Buck's traction is a type of skin traction used to immobilize, position, and align one or more lower extremities. The leg of the client in Buck's traction must remain in alignment with the pull of the traction. This means, rather than making the bed as usual from side to side, the nurse removes and applies the linens at the top or bottom of the bed and pulls them underneath the client. A person in Buck's traction is not turned from side to side or raised with a mechanical lift. A client in traction, as any other hospitalized client, has bed linens changed whenever they are soiled, wet, or need replacement.

Cognitive Level—Applying
Client Needs Category—Physiological integrity
Client Needs Subcategory—Basic care and comfort

53. 3. To maintain countertraction, the client's foot must never press against the foot of the bed. If this occurs, the nurse should help pull the client toward the head of the bed. The weights must always hang free, rather than rest on the floor or the bed. The body must be in alignment with the pull of the traction. The traction rope must move freely within the groove of the pulley.

Cognitive Level—Applying
Client Needs Category—Physiological integrity
Client Needs Subcategory—Basic care and comfort

54. 2. The best technique for assessing circulation among the options provided is to palpate the distal peripheral pulse, such as the dorsalis pedis artery, which is on the top of the foot. Other pertinent circulatory assessments include checking the client's skin color, temperature, capillary refill time, and subjective reports of pain. Checking movement and sensation are neurologic assessment techniques. Taking the blood pressure on the thigh rather than the arm is unnecessary.

Cognitive Level—Applying
Client Needs Category—Physiological integrity
Client Needs Subcategory—Reduction of risk potential

55. 3. Two pieces of rope are sometimes spliced together with a knot to provide sufficient length for traction. However, if the knot prevents free movement over and within a pulley, it interferes with the traction's effectiveness. Traction ropes need to be taut. Locating the trapeze above the client's chest facilitates its use. Traction weights must hang freely above the floor for effective use.

Cognitive Level—Applying
Client Needs Category—Physiological integrity
Client Needs Subcategory—Basic care and comfort

56. 1. Preoperatively, the traction remains applied to the client at all times, even during transport to the operating room. Its purpose is to relieve muscle spasms and immobilize the fractured bone. If the nurse removes the traction or releases the weights, muscle spasms can recur. Any realignment that may have been achieved with the use of traction is jeopardized.

Cognitive Level—Applying
Client Needs Category—Physiological integrity
Client Needs Subcategory—Reduction of risk potential

57. 4. A pillow is usually contraindicated when a client is in cervical skin traction because it alters the direction of pull. If any kind of head support is necessary, it is usually provided with a cervical or neck pillow that fits under the nape of the neck. The other options are correct and do not require the nurse's attention.

Cognitive Level—Applying
Client Needs Category—Physiological integrity
Client Needs Subcategory—Reduction of risk potential

58. 3. The tips of the pin used for skeletal traction are skewered into a block of cork or a rubber ball similar to a bouncy ball. Gauze and cotton are inadequate for preventing punctures and abrasions. The pin may also pierce rubber tubes, thereby exposing the sharp tip.

Cognitive Level—Applying
Client Needs Category—Safe and effective care environment
Client Needs Subcategory—Safety and infection control

59. 4. Purulent drainage, sometimes referred to as *pus*, indicates an infection. Purulent drainage is a collection of fluid containing white blood cells and pathogens. The presence of white blood cells indicates that the body is attempting to destroy and remove infecting organisms. Serous drainage, which is clear, is made up of plasma or serum. Bloody drainage indicates trauma. Mucoid drainage, which is released from mucous membranes, is sticky and transparent.

Cognitive Level—Analyzing
Client Needs Category—Physiological integrity
Client Needs Subcategory—Physiological adaptation

60. 2. There is a high probability that individuals who are allergic to penicillin will also exhibit a cross-sensitivity to cephalosporins. Both types of drugs are similar in their structure. All clients with known drug sensitivity are closely observed when a new medication, especially an antibiotic, is administered. Individuals with a penicillin allergy seem to react more frequently to cephalosporins than to the other types of antibiotics mentioned.

Cognitive Level—Applying
Client Needs Category—Physiological integrity
Client Needs Subcategory—Pharmacological therapies

61. 1. Halo-cervical traction immobilizes the vertebrae in the neck while allowing clients to resume physical activity, such as standing, sitting, and walking. Halo-cervical traction restricts head movement. Vertebral fractures proceed to heal at a standard rate regardless of whether halo traction or some other medical or surgical management is instituted. Physical therapy is not prescribed until the vertebral fracture is stabilized and the halo traction is removed.

Cognitive Level—Applying
Client Needs Category—Physiological integrity
Client Needs Subcategory—Physiological adaptation

62. 4. A client's ability to see straight ahead is the best sign that halo-cervical traction is keeping the neck immobilized in a neutral position. Clients should not be able to move the neck at will while in halo-cervical traction. Clients may experience mild neck discomfort even though the traction is applied appropriately. The ability to speak and to hear is unrelated to the use of traction.

Cognitive Level—Applying
Client Needs Category—Physiological integrity
Client Needs Subcategory—Physiological adaptation

63. 3. Signs of a developing complication related to halo-cervical traction include an inability to fully open the mouth and difficulty swallowing. Orthostatic hypotension, if it occurs, is not because of the malfunction of the halo traction. Men in halo traction typically need help with shaving because they cannot change their head position to see where to shave. Women in halo traction typically need help with shaving their axillae or legs; the nurse should anticipate offering assistance. Irritation in the axillae is usually related to the plaster vest and does not indicate a need for readjustment. Nursing intervention, however, is needed to prevent further skin breakdown.

Cognitive Level—Analyzing
Client Needs Category—Physiological integrity
Client Needs Subcategory—Reduction of risk potential

Nursing Care of Clients with Inflammatory Joint Disorders

64. 3. Competence at using new equipment is best validated by having each staff member demonstrate the use of the equipment before it is required for client care. Scheduling an in-service, taking attendance, and checking names of attendees do not provide evidence of learning.

Cognitive Level—Analyzing
Client Needs Category—Safe and effective care environment
Client Needs Subcategory—Coordinated care

65. 1. Rheumatoid arthritis (RA) is a chronic, autoimmune, systemic inflammatory disorder affecting the joints. The erythrocyte sedimentation rate (ESR) test is a nonspecific test that indicates the presence and progress of an inflammatory disease. It is elevated in a number of inflammatory conditions, including RA. A partial thromboplastin time (PTT) helps determine a person's ability to clot blood; it is commonly prescribed for clients receiving heparin therapy. A fasting blood sugar (FBS) test is performed to diagnose and evaluate the treatment of diabetes mellitus. Blood urea nitrogen (BUN) levels are commonly checked to assess renal function.

Cognitive Level—Applying
Client Needs Category—Physiological integrity
Client Needs Subcategory—Reduction of risk potential

66. 3. Although some people acquire juvenile rheumatoid arthritis, most experience the onset of rheumatoid arthritis (RA) in middle adult life rather than very early childhood, at the onset of puberty, or during older adulthood. The disease profoundly affects the ability to maintain employment during the productive years of life.

> *Cognitive Level—Applying*
> *Client Needs Category—Health promotion and maintenance*
> *Client Needs Subcategory—None*

67. 1. The proximal finger joints are most commonly affected in clients with rheumatoid arthritis. In some cases, the joints are so affected that the fingers actually turn laterally. In osteoarthritis, the distal finger joints are more commonly deformed. Traumatic arthritis, which is associated with a specific injury, can affect any joint.

> *Cognitive Level—Applying*
> *Client Needs Category—Physiological integrity*
> *Client Needs Subcategory—Physiological adaptation*

68. 1. People with rheumatoid arthritis (RA) are stiffer and more uncomfortable in the early morning hours after being inactive during the hours of sleep. Therefore, it is best to allow extra time and to distribute self-care activities over later hours of the day.

> *Cognitive Level—Applying*
> *Client Needs Category—Physiological integrity*
> *Client Needs Subcategory—Basic care and comfort*

69. 1. Methotrexate has long been a standard in rheumatoid arthritis. Methotrexate interrupts the metabolic processes that cause inflammation that damages the joints and organs over time. Prior to therapy, a discussion of birth control is essential as the medication is teratogenic. All the other options are appropriate for client teaching but the most essential is understanding birth control if the client is of reproductive age.

> *Cognitive Level—Analyzing*
> *Client Needs Category—Physiological integrity*
> *Client Needs Subcategory—Pharmacological therapies*

70. 2. Common side effects of methotrexate therapy include nausea, vomiting, lethargy, and dizziness; however, a complete blood count is needed to assess for a low blood count. Should the count become too low, the health care provider may suspend therapy. Anorexia and fatigue can occur with therapy but would not necessarily suspend medication administration. A change in symptoms may not occur within 7 days of administration.

> *Cognitive Level—Applying*
> *Client Needs Category—Physiological integrity*
> *Client Needs Subcategory—Pharmacological therapies*

71. 4. Individuals receiving corticosteroids tend to have elevated blood glucose levels. Clients with diabetes may need to increase their dosage of insulin or oral hypoglycemic agents. Clients who do not have diabetes should also be monitored for hyperglycemia and glycosuria. Because steroids depress the inflammatory response, they place the client at high risk for acquiring infections. To prevent acute adrenal insufficiency, steroids are tapered and withdrawn gradually if therapy is discontinued. Depression is common among individuals receiving corticosteroids.

> *Cognitive Level—Analyzing*
> *Client Needs Category—Physiological integrity*
> *Client Needs Subcategory—Pharmacological therapies*

72. 2. Moist heat is more effective than forms of dry heat. This phenomenon is attributed to the fact that water is a better conductor of heat than air. An electric heating pad and an infrared heat lamp are examples of dry heat. Melted wax requires a high temperature to keep the wax fluid, increasing the possibility the client may be burned. Whenever any form of heat is used, the nurse must use measures to ensure that the client is not accidentally burned.

> *Cognitive Level—Applying*
> *Client Needs Category—Physiological integrity*
> *Client Needs Subcategory—Basic care and comfort*

73. 2. Hand deformities and muscle atrophy make it difficult for the client with rheumatoid arthritis to perform fine motor movement with the fingers. Purchasing clothes that can be easily pulled or slipped on enables the client to maintain a degree of independence. Although exercise is important to help maintain the client's joint mobility, aerobic exercise is unrealistic because it is likely to be too strenuous and tiring (clients with rheumatoid arthritis are often anemic and tire easily). Sleeping on a water bed or moving to a warm climate will have little, if any, effect on the disease process.

> *Cognitive Level—Analyzing*
> *Client Needs Category—Physiological integrity*
> *Client Needs Subcategory—Basic care and comfort*

74. 1. During an acute attack, splints are used primarily to keep the inflamed joints somewhat inactive. Resting the affected joint in a splint limits the movement and alleviates additional stress on the diseased joints. The acute inflammation subsides with a combination of drug therapy and the body's natural healing processes. By limiting the damage during the acute attack, a certain amount of strength and joint flexibility is preserved, but this is not the primary purpose of splints. Splinting the affected fingers will not slow joint deterioration.

> *Cognitive Level—Applying*
> *Client Needs Category—Physiological integrity*
> *Client Needs Subcategory—Reduction of risk potential*

75. 2, 3, 4. Protecting confidentiality requires ensuring that health information such as a client's name and personal data are hidden from the public. Late documentation, although not a good practice, and referring an insurer's queries to the health care provider does not violate confidentiality. Failing to log off on a portable computer, revealing the name of other clients, and placing staff assignments with client names and room numbers within view of others interferes with confidentiality.

> *Cognitive Level—Applying*
> *Client Needs Category—Safe and effective care environment*
> *Client Needs Subcategory—Coordinated care*

76. 1. Because obesity puts additional stress on weight-bearing joints and contributes to the discomfort of osteoarthritis, maintaining a desired weight will help to minimize stress and decrease pain. Applying a topical analgesic cream may improve joint mobility and help with sore muscles, but it does not directly relieve the joint stress related to arthritis. Taking a calcium supplement may help to maintain bone density, but it will not reduce stress on arthritic joints. Physical activity is likely to cause more discomfort to a person whose hips are affected by osteoarthritis.
> *Cognitive Level—Analyzing*
> *Client Needs Category—Health promotion and maintenance*
> *Client Needs Subcategory—None*

77. 3. A cane should always be held on the unaffected side. This allows the client to transfer or redistribute body weight from the painful joint to the hand with the cane when taking a step. Covering the tip with a rubber cap, wearing supportive shoes, and maintaining good posture are all appropriate techniques for using a cane.
> *Cognitive Level—Applying*
> *Client Needs Category—Physiological integrity*
> *Client Needs Subcategory—Basic care and comfort*

78. 4. Gastrointestinal (GI) adverse effects and the potential for bleeding are common among clients who take nonsteroidal anti-inflammatory drugs (NSAIDs). By asking the client to identify the color of the stools, the nurse is assessing if the drug is causing GI bleeding. NSAIDs are not known to cause increased urination or hand tremors. NSAIDs may or may not affect appetite, depending on the amount of GI upset.
> *Cognitive Level—Applying*
> *Client Needs Category—Physiological integrity*
> *Client Needs Subcategory—Pharmacological therapies*

79. 2. Aspirin increases the possibility of postoperative bleeding. It interferes with the ability of platelets to clump together, one of the first mechanisms in clot formation. Aspirin does not increase the risk of wound infection or affect the body's ability to heal. Aspirin is not discontinued to facilitate assessing the client's pain. However, if the client takes aspirin for arthritis and is asked to discontinue it for 1 week, signs of joint stiffness, tenderness, swelling, and immobility may occur.
> *Cognitive Level—Applying*
> *Client Needs Category—Physiological integrity*
> *Client Needs Subcategory—Pharmacological therapies*

80. 1. An incentive spirometer helps a client measure the effectiveness of deep inhalation. Postoperatively, it is important for the client to breathe deeply to open the airways and alveoli. This helps improve the oxygenation of blood, eliminate carbon dioxide, and prevent atelectasis and pneumonia. None of the other options indicates the correct use of an incentive spirometer.
> *Cognitive Level—Applying*
> *Client Needs Category—Health promotion and maintenance*
> *Client Needs Subcategory—None*

81. 2. It is very important to have correct positioning of the extremity following hip replacement surgery. The unlicensed assistive personnel is commonly with the client for repositioning so instruction is essential. The hip of a client who has undergone a total hip replacement (arthroplasty) is maintained in a position of abduction, or away from the midline. Adduction is positioned toward the midline, and flexion is a bent position. Extension is keeping the body part straight. If the client flexes the hip more than 90 degrees or adducts the hip, the prosthetic femoral head may become dislocated. A triangular foam wedge or pillow is generally kept between the client's legs while the client is in bed.
> *Cognitive Level—Applying*
> *Client Needs Category—Physiological integrity*
> *Client Needs Subcategory—Physiological adaptation*

82. 3. A trapeze helps the client move and lift his or her body. Encouraging the client to participate actively helps maintain muscular strength and reduces the nurse's effort when moving and positioning a client. A bed cradle is used to keep bed linens off lower extremities. A bed board is used to support the client's spine. Lower side rails are appropriate when maintaining the safety of a confused client or one with a perceptual disorder.
> *Cognitive Level—Applying*
> *Client Needs Category—Physiological integrity*
> *Client Needs Subcategory—Basic Care and Comfort*

83. 2. A trochanter roll is used to maintain the hip in a position of extension. Placing this positioning device at the trochanter helps keep the hip from rotating outward. A footboard is used to prevent plantar flexion and foot drop deformity. A turning sheet is used to reposition a client. A foam mattress helps relieve pressure over bony prominences.
> *Cognitive Level—Applying*
> *Client Needs Category—Physiological integrity*
> *Client Needs Subcategory—Reduction of risk potential*

84. 1. A client with a total hip replacement is instructed to avoid crossing the legs because this action places the hip in a position of adduction and flexion. These two positions can displace the prosthetic device. Pointing the toes, as in plantar flexion or dorsiflexion, will not displace the device. Lying flat and standing upright are not harmful.
> *Cognitive Level—Analyzing*
> *Client Needs Category—Physiological integrity*
> *Client Needs Subcategory—Reduction of risk potential*

85. 3. Postoperatively and for an extended time afterward, a client with a total hip replacement must avoid flexing the hip more than 90 degrees. This necessitates using a raised toilet seat. The client does not need a wheelchair and can ambulate using a walker. The client can continue to use the bed at home. The nurse teaches the client the proper techniques for transferring from bed to a chair; therefore, a mechanical lift is unnecessary.
> *Cognitive Level—Applying*
> *Client Needs Category—Physiological integrity*
> *Client Needs Subcategory—Reduction of risk potential*

86. 1. The client with a total hip replacement must avoid bending over to put on or take off socks, pants, under-wear, and shoes. Someone should help with these items of clothing, or assistive devices may be used. Another approach is to modify the clothing so that the client can slip items on without flexing the hip more than 90 degrees. No special equipment is needed for bathing; however, the client should use the shower rather than bathtub to avoid hip flexion. Instructing the client about home safety is also important. Additional areas to cover include water and environmental temperatures, furniture placement, lighting, medication administration, and fire safety. Taking vigorous walks is inappropriate immediately after discharge because the client's activity level should be increased gradually. Stool softeners are not usually included in the client's discharge instructions.

> *Cognitive Level*—*Applying*
> *Client Needs Category*—*Safe and effective care environment*
> *Client Needs Subcategory*—*Coordinated care*

87. 2. Housekeeping staff are not authorized to access medical records and must log out. This is potentially a HIPAA violation which may be reported to the charge nurse. A list of clients who will be discharged is provided by nursing staff. The list of discharges may change as health care providers make rounds on their clients, but the housekeeper should not necessarily delay cleaning units until later in the day. Although clients may know they are due to be discharged, they are not the primary or reliable source for the information. The head of housekeeping is not responsible for informing their staff about discharges.

> *Cognitive Level*—*Applying*
> *Client Needs Category*—*Safe and effective care environment*
> *Client Needs Subcategory*—*Coordinated care*

88. 2. Arthroscopy is a minimally invasive surgery used most often to diagnose problems with the knee, but it also may be used to examine other joints. Most clients who undergo arthroscopy of the knee use crutches for some time after the procedure. Correct use of crutches must be reviewed prior to discharge to ensure the client's safety. Most clients who undergo arthroscopy have already per-sonally experienced the signs and symptoms of arthritis. Drug teaching, which is often limited to mild analgesics, is postponed until postoperative prescriptions have been writ-ten. Balancing rest with exercise is important, but the client usually enforces self-limiting behaviors.

> *Cognitive Level*—*Applying*
> *Client Needs Category*—*Physiological integrity*
> *Client Needs Subcategory*—*Reduction of risk potential*

89. 4. A continuous passive motion (CPM) machine is used primarily to restore full range of joint motion to the affected knee postoperatively. Clients with knee joint replacement are often reluctant to exercise the operative knee actively because of pain. Discomfort usually accompanies use of the CPM machine. Exercise tones and strengthens muscles and relieves dependent swelling by promoting venous circula-tion; however, these are considered secondary benefits. It is appropriate for the nurse to administer a prescribed analge-sic before the client uses a CPM machine.

> *Cognitive Level*—*Applying*
> *Client Needs Category*—*Health promotion and maintenance*
> *Client Needs Subcategory*—*None*

90. 2. The ability to flex the operative knee 90 degrees is an expected outcome before discharge. It is a criterion that supports discharging the client after surgery. The ability to perform straight-leg raises demonstrates quadriceps strength. A decrease in pain and wound approximation are positive signs of healing and rehabilitation, but they are not criteria for discontinuing the use of a continuous positive motion (CPM) machine.

> *Cognitive Level*—*Analyzing*
> *Client Needs Category*—*Physiological integrity*
> *Client Needs Subcategory*—*Physiological adaptation*

91. 1. Gout is a metabolic disease caused by hyperurice-mia as well as a form of acute arthritis. Marked by acute inflammation, gout can affect any joint; however, approxi-mately 80% of those with the disease experience symp-toms in their great toe, which makes ambulation painful. Pain and swollen joints in the fingers and thumb are more commonly associated with the inflammation that accompa-nies arthritis. The sacrococcygeal vertebrae are commonly affected by trauma or spinal changes due to aging. The temporomandibular joint is often affected by grinding the teeth.

> *Cognitive Level*—*Understanding*
> *Client Needs Category*—*Physiological integrity*
> *Client Needs Subcategory*—*Physiological adaptation*

92. 3. An elevated serum uric acid level is diagnostic among clients with gout. An elevated serum creatinine clearance and blood urea nitrogen level are indicative of renal failure. Serum calcium is elevated in hyperpara-thyroidism, primary cancers such as Hodgkin disease or multiple myeloma, and bone metastasis.

> *Cognitive Level*—*Applying*
> *Client Needs Category*—*Physiological integrity*
> *Client Needs Subcategory*—*Reduction of risk potential*

93. 4. Purines are chemicals in the body that eventually break down into uric acid. The accumulation of uric acid causes the signs and symptoms related to gout. Organ meats, such as liver, kidney, brain, and sweetbreads, are high in purines. Other food sources high in purines include fish roe (eggs), sardines, and anchovies. Foods that are moderately high in purines are meats, seafood, dried beans, lentils, spinach, and peas. The other choices are not high in purines and may be included in the client's diet.

> *Cognitive Level*—*Analyzing*
> *Client Needs Category*—*Safe and effective care environment*
> *Client Needs Subcategory*—*Coordinated care*

94. 1. Colchicine is an antigout agent used to treat acute attacks and to prevent recurrences of gout. The nurse would withhold this drug if the client manifests gastrointestinal disturbances such as nausea and vomiting, abdominal pain, and diarrhea. While the client is receiving the drug, the nurse should frequently assess the joints for pain, mobility, and edema. Dizziness, drowsiness, and headache are not signs of an adverse reaction to this drug.

Cognitive Level—*Applying*
Client Needs Category—*Physiological integrity*
Client Needs Subcategory—*Pharmacological therapies*

95. 3. It is best to provide the greater share of fluid in the morning to compensate for the long period without oral fluids while sleeping. Frequent urination related to increased intake will most likely occur during the day. Providing a large volume of fluid after a meal contributes to gastrointestinal fullness or upset. Consuming large amounts of fluid during evening hours or before bedtime usually results in nocturia and interferes with sleep.

Cognitive Level—*Applying*
Client Needs Category—*Physiological integrity*
Client Needs Subcategory—*Basic care and comfort*

96. 2. There is a correlation between the consumption of alcohol and the recurrence of gout symptoms. Therefore, it is best to instruct clients with gout to abstain from drinking alcohol. Coffee, cranberry juice, and carbonated beverages are safe to consume.

Cognitive Level—*Applying*
Client Needs Category—*Health promotion and maintenance*
Client Needs Subcategory—*None*

Nursing Care of Clients with Degenerative Bone Disorders

97. 3. The nurse is correct to support the joint being exercised by holding areas proximal and distal to the joint. Range-of-motion (ROM) exercises do not necessarily need to be completed independently. Force on a joint is not needed and can have serious consequences. ROM exercises are performed multiple times before the end of each day.

Cognitive Level—*Applying*
Client Needs Category—*Health promotion and maintenance*
Client Needs Subcategory—*None*

98. 3. Osteoporosis is a gradually progressive disease, seen more frequently in women, in which the density of bone tissue decreases over time. The thinning of the bone places the client at risk for fractures. Clients with osteoporosis tend to present with spinal deformities such as kyphosis (dowager's hump) or an inability to assume an erect posture. Although clients with osteoporosis may experience swollen joints, discomfort in sitting, and diminished energy, these conditions are not uniquely associated with this disorder.

Cognitive Level—*Applying*
Client Needs Category—*Physiological integrity*
Client Needs Subcategory—*Physiological adaptation*

99. 2. Smoking and consuming carbonated beverages contribute to the severity of osteoporosis. Smoking tobacco products inhibits the action of osteoblasts, cells that help form and replace bone cells. The phosphoric acid in carbonated beverages may interfere with bone density; also, substituting carbonated soft drinks for milk decreases the amount of calcium in a person's diet. Although caffeine has been contraindicated in the past, recent studies show no strong evidence linking it with osteoporosis. Aspirin, fiber-containing laxatives, and orange juice are safe to consume unless there are other reasons for which they are contraindicated. Supplemental calcium and consumption of dairy products are therapeutic measures for individuals who are at risk for or who have acquired osteoporosis.

Cognitive Level—*Applying*
Client Needs Category—*Health promotion and maintenance*
Client Needs Subcategory—*None*

100.

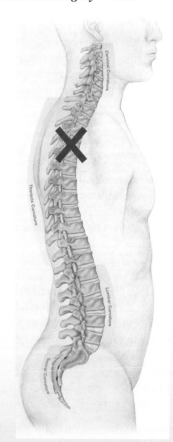

The client with osteoporosis typically develops progressive kyphosis, an exaggerated curvature of the thoracic spinal vertebrae. Kyphosis accompanies a loss of height. Osteoporosis of the spine can also cause back pain from spinal compression fractures.

Cognitive Level—*Understanding*
Client Needs Category—*Physiological integrity*
Client Needs Subcategory—*Physiological adaptation*

101. 3. Osteomyelitis is an infection in the bone and can be either acute or chronic. Bone infection typically occurs because of trauma, orthopedic surgery, or generalized sepsis. Fractures are possible with this condition; therefore, supporting the limb affected by osteomyelitis and handling it gently help reduce the risk of pathologic fracture. Meeting the client's needs for nutrition and fluids addresses the metabolic problems (such as fever) that accompany an infection. Because the activity of a client with osteomyelitis is often limited, using pressure-relieving devices becomes imperative in maintaining skin integrity.

Cognitive Level—*Applying*
Client Needs Category—*Physiological integrity*
Client Needs Subcategory—*Basic care and comfort*

102. 1, 2, 4. Symptoms of infrapatellar bursitis include pain, swelling, limited movement in the knee, and tenderness of the skin in the affected area. Bursitis can be caused from repetitive movement such as in occupations that cause an impact on joints. Allowing the injury to resolve by not aggravating with repetitive movements may occur with an "off work" medical excuse or an alternate work assignment. If the bursitis is a mild case, the treatment plan may include rest, ice, and limited movement. A corticosteroid injection in the bursa is also helpful in decreasing the inflammation. Although repetitive action would be limited, a knee brace is not required. Conservative treatment does not include a surgical arthroscopy. Systematic antibiotics is not included in a "noninfectious" diagnosis.

Cognitive Level—*Applying*
Client Needs Category—*Physiological integrity*
Client Needs Subcategory—*Physiological adaptation*

103. 1. Osteomalacia is a disease characterized by soft, brittle, easily fractured, or deformed bones. In adults, the disease is called *osteomalacia*, but in children, it is known as *rickets*. It is commonly caused by a lack of vitamin D. Vitamin D is necessary for calcium absorption. Exposure to sunlight helps to convert dehydrocholesterol in the skin and ergosterol, a plant precursor, to provitamins that eventually become vitamin D. The beneficial and harmful effects of eating cattle injected with bovine growth hormone have not been conclusively determined. Orange vegetables are good sources of beta carotene, a precursor of vitamin A. Organically grown produce does not provide any additional nutritional benefit over other produce; however, eliminating the ingestion of chemical fertilizers, herbicides, and pesticides may be beneficial.

Cognitive Level—*Applying*
Client Needs Category—*Health promotion and maintenance*
Client Needs Subcategory—*None*

Nursing Care of Clients with Amputations

104. 3. With very few exceptions, a person in shock is kept flat (supine) with the lower extremities slightly elevated (modified Trendelenburg position). Gravity helps to maintain blood in the area of the vital organs. Keeping the client prone (in a face-down position), in a side-lying position (lateral), or sitting up (Fowler's position) would not help circulate blood where it is critically needed. In fact, some of the described positions would interfere with emergency assessment and care.

Cognitive Level—*Applying*
Client Needs Category—*Physiological integrity*
Client Needs Subcategory—*Physiological adaptation*

105. 2. Staying with a grief-stricken client provides emotional support and may help the client feel the nurse will be available to respond during future needs. Leaving an uncomfortable situation is one method health professionals use to cope with their own feelings of inadequacy; however, the client would probably interpret the desertion as a sign that the nurse is not a caring individual. Allowing the client to release the rage can be therapeutic as long as it does not endanger the client or others. Feeling angry is one of the early steps in the grieving process. Requesting a sedative does not address the real problem of anger related to the missing limb.

Cognitive Level—*Applying*
Client Needs Category—*Psychosocial integrity*
Client Needs Subcategory—*None*

106. 2. Phantom pain or sensation is a phenomenon experienced by some people who have had a limb amputated. The person typically feels a physical sensation in the location of the missing limb. The feelings range from a sense that the amputated part is still there to other sensations that cause discomfort, such as pain, cramping, burning, and itching. Referred pain is discomfort experienced in a location that is distant from the actual area of pathology. Psychogenic pain, which the nurse should explain to the client in lay terms, is discomfort that is emotional in origin. Intractable pain is severe and unrelenting and may require a combination of therapies.

Cognitive Level—*Applying*
Client Needs Category—*Physiological integrity*
Client Needs Subcategory—*Physiological adaptation*

107. 3. Sitting in a chair, especially frequently or for long periods, is undesirable in individuals with poor circulation prior to surgery. Also, following surgery, below-the-knee amputees are prone to knee flexion contractures. A knee flexion contracture interferes with wearing a prosthesis and being able to walk again. For this reason, the stump is kept in an extended or neutral position as much as possible. The prone, supine, and standing positions all allow for extension of the stump.

Cognitive Level—*Analyzing*
Client Needs Category—*Physiological integrity*
Client Needs Subcategory—*Basic care and comfort*

108. 3. Almost immediately after surgery, the client should begin to use the trapeze to build up muscle strength in preparation for using crutches. The muscles that need the most strengthening are those in the arms, neck, shoulders, chest, and back. The client may also squeeze rubber balls and perform arm push-ups. Doing arm push-ups involves placing the palms flat on the bed and raising the buttocks. Some health care professionals provide the client with sawed-off crutches to use in bed to condition the same muscles needed during ambulation. Standing at the side of the bed and transferring from the bed to a chair should not be attempted without assistance because of the risk of falling. The client needs to get used to balancing with one leg; therefore, parallel bars are contraindicated at this time.

> *Cognitive Level*—*Applying*
> *Client Needs Category*—*Health promotion and maintenance*
> *Client Needs Subcategory*—*None*

109. 2. Wrapping the stump decreases stump edema, thereby shrinking and shaping the stump. A permanent prosthesis is not constructed until the stump is cone shaped and no longer undergoing changes in size. An equal amount of compression is applied with each turn of the elastic bandage. Isotonic and isometric exercises are used to tone muscles. Range-of-motion exercises help maintain joint flexibility. Gauze dressings absorb blood and drainage.

> *Cognitive Level*—*Applying*
> *Client Needs Category*—*Physiological integrity*
> *Client Needs Subcategory*—*Physiological adaptation*

110. 3, 4. To ensure optimal rehabilitation, the client needs to wrap the stump to control edema and shrink it to its final shape and size before a permanent prosthesis can be made. Active isometric exercises, such as quadriceps and gluteal setting exercises, help strengthen the muscles required for ambulation. The client should be taught to tighten the thigh muscles and to press the knee into the bed several times a day. Flexion, abduction, and external rotation should be avoided. Therefore, the client must avoid sitting for long periods, dangling the stump over the bedside, or putting a pillow under the thigh. The client is encouraged to keep the knee and leg in a neutral position. The stump bandage should be removed and reapplied at least two or three times a day, or whenever it becomes soiled or loose.

> *Cognitive Level*—*Applying*
> *Client Needs Category*—*Physiological integrity*
> *Client Needs Subcategory*—*Reduction of risk potential*

111. 2. A rubber tourniquet is usually kept at the bedside in case the client begins to hemorrhage when elevating the stump and applying direct pressure cannot control bleeding. An emergency supply of gauze dressings should not be necessary. If the airway becomes compromised, the nurse would maintain temporary patency by using the chin-lift/head-tilt maneuver. Most clients are transferred to the nursing unit from the recovery room with oxygen already in place.

> *Cognitive Level*—*Applying*
> *Client Needs Category*—*Physiological integrity*
> *Client Needs Subcategory*—*Physiological adaptation*

112. 3. If crutches are measured and fitted appropriately, there should be enough room to fit at least two fingers between the axilla and the axillary bar of the crutch. Prolonged pressure under the arm can affect circulation or impair nerve function, resulting in permanent paralysis. All of the other options indicate that the crutch length and the handgrip position are correct.

> *Cognitive Level*—*Applying*
> *Client Needs Category*—*Physiological integrity*
> *Client Needs Subcategory*—*Physiological adaptation*

113. 2. A skilled unlicensed assistive personnel on an orthopedic unit is able to provide complete instructions on how to use a shower chair. It is within the scope of nursing practice, not that of an unlicensed assistive personnel, to position a prosthesis in the appropriate manner for ambulation, discuss laboratory work, and assess drainage.

> *Cognitive Level*—*Analyzing*
> *Client Needs Category*—*Safe and effective care environment*
> *Client Needs Subcategory*—*Coordinated care*

Nursing Care of Clients with Herniated Intervertebral Disks

114. 2. Any activity that increases intraspinal pressure, such as sneezing, causes lower back pain to intensify. Other activities that can worsen back pain include coughing, lifting an object, and straining to have a bowel movement. Eating and urinating do not normally affect the intensity of pain. Resting and inactivity help relieve pain caused by a herniated intervertebral disk.

> *Cognitive Level*—*Applying*
> *Client Needs Category*—*Physiological integrity*
> *Client Needs Subcategory*—*Basic care and comfort*

115. 1. Many clients feel pain radiate into their buttocks and down the leg where the herniating disk protrudes on the spinal nerve root. The sciatic nerve is commonly affected when the herniated disk occurs between lumbar vertebrae. The iliac crests, knees, and toes are not generally symptomatic.

> *Cognitive Level*—*Applying*
> *Client Needs Category*—*Physiological integrity*
> *Client Needs Subcategory*—*Physiological adaptation*

116. 2. Cyclobenzaprine hydrochloride is a central-acting skeletal muscle relaxant. Clients with low back pain often maintain tensed muscles to reduce movement that aggravates the pain. After being contracted for a substantial amount of time, the muscles may spasm, which contributes to the pain instead of providing relief. Cyclobenzaprine does not reduce depression and should not be given with alcohol or other central nervous system depressants. Nonsteroidal anti-inflammatory drugs (NSAIDs) are given to decrease inflammation; sedatives and hypnotics are used to promote rest and sleep.

Cognitive Level—*Applying*
Client Needs Category—*Physiological integrity*
Client Needs Subcategory—*Pharmacological therapies*

117. 1. Most clinicians believe the transcutaneous electric nerve stimulation (TENS) unit generates sensations that the brain perceives rather than the pain that is being transmitted from the location where it originates. The process is compared to a car waiting while a train crosses the highway. The impulses from the TENS unit are like the train. As long as the TENS impulses flood the brain, the pain impulses are blocked. Thus, the TENS unit does not travel to a nerve root, weaken nociceptor sensory muscles, or destroy the brain's pain center.

Cognitive Level—*Applying*
Client Needs Category—*Physiological integrity*
Client Needs Subcategory—*Physiological adaptation*

118. 4. Encouraging extra fluids and maintaining a quiet environment can help prevent headaches after a myelogram. Drinking fluid dilutes and hastens excretion of the contrast medium used during the procedure. Increasing oral fluid intake also helps replace cerebrospinal fluid withdrawn before or after the procedure. Keeping the room dim can help relieve a spinal headache once it manifests; however, this is not generally done as a standard of care after a myelogram. Food may be withheld if the client becomes nauseated, but this is not routinely done. Administering

sedatives at scheduled intervals after a myelogram can mask early signs of central nervous system complications.

Cognitive Level—*Applying*
Client Needs Category—*Physiological integrity*
Client Needs Subcategory—*Physiological adaptation*

119. 4. A laminectomy is performed to relieve pressure on the nerves that are causing pain that radiates down the leg. Spinal fusion stabilizes the portion of the vertebrae in which the laminae were removed. The client with a laminectomy and spinal fusion should be rolled from side to side without twisting the spine. This type of movement, called *logrolling*, prevents displacing bone grafts until they have become solidly fused. Holding one's breath increases discomfort when accompanied by bearing down. Because the client cannot twist the spine, moving the lower body and then the upper body would be harmful. Likewise, raising the upper body and hips off the bed would be contraindicated.

Cognitive Level—*Applying*
Client Needs Category—*Physiological integrity*
Client Needs Subcategory—*Reduction of risk potential*

120. 1. Bending both knees and keeping the back straight make best use of the longest and strongest muscles in the body. The feet are spread apart for a broad base of support. Extending the arms strains the weaker muscles by placing the weight of the lifted object outside the body's center of gravity.

Cognitive Level—*Applying*
Client Needs Category—*Health promotion and maintenance*
Client Needs Subcategory—*None*

TEST **2**

The Nursing Care of Clients with Neurologic System Disorders

■ Nursing Care of Clients with Infectious and Inflammatory Conditions
■ Nursing Care of Clients with Seizure Disorders
■ Nursing Care of Clients with Neurologic Trauma
■ Nursing Care of Clients with Degenerative Disorders
■ Nursing Care of Clients with Cerebrovascular Disorders
■ Nursing Care of Clients with Tumors of the Neurologic System
■ Nursing Care of Clients with Nerve Disorders
■ Test Taking Strategies
■ Correct Answers and Rationales

Directions: *With a pencil, blacken the space in front of the option you have chosen for your correct answer.*

Nursing Care of Clients with Infectious and Inflammatory Conditions

A 23-year-old client is admitted to the hospital with a tentative diagnosis of meningitis.

1. If the diagnosis is accurate, what nursing assessment findings support the diagnosis? Select all that apply.
[ ] **1.** Photophobia
[ ] **2.** Stiff neck
[ ] **3.** Muscle weakness
[ ] **4.** Diarrhea
[ ] **5.** Vertigo
[ ] **6.** Fever

A spinal tap will be performed to confirm a diagnosis of meningitis.

2. When assisting the client on the examination table, how should the nurse position the client?
[ ] **1.**

[ ] **2.**

[ ] **3.**

[ ] **4.**

3. Once the client is positioned for the procedure, place an "X" in the location where the area will be cleansed and the needle will be placed for withdrawing spinal fluid.

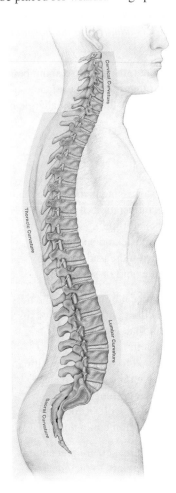

4. The nurse reviews the laboratory results of the client's cerebrospinal fluid. What findings suggest the client has bacterial meningitis? Select all that apply.
[ ] **1.** Cloudy fluid appearance
[ ] **2.** Clear fluid appearance
[ ] **3.** Large number of neutrophils
[ ] **4.** A few red blood cells
[ ] **5.** Elevated glucose in sample
[ ] **6.** Low glucose in sample

5. What nursing intervention is **most appropriate** after a spinal tap has been performed?
[ ] **1.** Maintain the client in a side-lying position.
[ ] **2.** Assist the client into a sitting position.
[ ] **3.** Place the client in a Trendelenburg position.
[ ] **4.** Keep the client flat for at least 30 minutes.

6. While awaiting the diagnostic test results for a client with possible meningitis, what transmission-based precautions are **best** to implement?
[ ] **1.** Droplet precautions
[ ] **2.** Airborne precautions
[ ] **3.** Contact precautions
[ ] **4.** Standard precautions

7. The nurse prepares to administer an I.V. containing 1 g of ceftriaxone to a client with bacterial meningitis. The drug has been added to 100 mL of lactated Ringer's solution. At what rate should the nurse set the electronic infusion device to deliver 100 mL in 30 minutes? Record your answer using a whole number.

_____ mL

A cooling blanket is prescribed to reduce the fever of a client with meningitis.

8. When implementing this medical prescription, what nursing action is **most appropriate**?
[ ] **1.** Place the cooling blanket on top of the client.
[ ] **2.** Wrap the cooling blanket in a light cloth cover.
[ ] **3.** Add normal saline solution to the fluid chamber.
[ ] **4.** Replace crushed ice periodically as it melts.

The care plan for a client with viral encephalitis indicates that the nurse should perform neurologic checks every 2 hours.

9. If the client had been unresponsive except to painful stimuli, what new Glasgow Coma Scale score indicates that the client has now become alert?

Flow Sheet: Glasgow Coma Scale Score

Add New Flow Sheet

Test	Score	Client's response
Eye Opening		
Spontaneously	4	Opens eyes spontaneously
To Speech	3	Opens eyes to verbal command
To pain	2	Opens eyes to painful stimulus
None	1	Doesn't open eyes in response to stimulus
Motor Response		
Obeys	6	Reacts to verbal commands
Localizes	5	Identifies localized pain
Withdraws	4	Flexes and withdraws from painful stimulus
Abnormal Flexion	3	Assumes a decorticate position
Extension	2	Assumes a decerebrate position
None	1	No response; lies flaccid
Verbal Response		
Oriented	5	Is orientated and converses
Confused	4	Is disorientated and confused
Inappropriate Word	3	Replies randomly with incorrect words
Incomprehensible	2	Moans or screams
None	1	No response

[ ] **1.** Client's Glasgow Coma Scale score is 3.
[ ] **2.** Client's Glasgow Coma Scale score is 5.
[ ] **3.** Client's Glasgow Coma Scale score is 7.
[ ] **4.** Client's Glasgow Coma Scale score is 12.

The nursing team discusses the care of a new client who has Guillain-Barré syndrome.

10. When the nurse reviews the client's medical history, what finding is **most likely** related to the client's diagnosis?

Medical History

Add New History	Acknowledge Pending Orders

Medical History Name	Medical History Results
Varicella	Age 3
Cesarean births	2 (1994, 2000)
Hypertension	2018
Crohn disease	since 2015
Spider bite with cellulitis	6 months ago
Influenza shot	4 days ago

[ ] **1.** The client had an influenza immunization in the past week.
[ ] **2.** The client was bitten by a spider within the past year.
[ ] **3.** The client had varicella as a child.
[ ] **4.** The client has a chronic health condition.

11. When the nursing team plans the care of a client with Guillain-Barré syndrome, what assessment finding **most accurately** determines whether the client is developing ineffective breathing?
[ ] **1.** Respiratory rate is 24 breaths/minute.
[ ] **2.** Skin is flushed.
[ ] **3.** Activity is decreased.
[ ] **4.** Pulse oximetry reading is 82% (0.82).

The client with Guillain-Barré syndrome begins to have difficulty swallowing food.

12. What nursing measure should the nurse anticipate for providing adequate nutrition for the client at this time?
[ ] **1.** Crystalloid I.V. fluid
[ ] **2.** Nasogastric tube feedings
[ ] **3.** Total parenteral nutrition
[ ] **4.** Gastrostomy tube feedings

A hospice nurse makes a visit to the home of a client with acquired immunodeficiency syndrome (AIDS) dementia complex.

13. What nursing approach for communication would be **best** if the client becomes confused?
[ ] **1.** Turn the television on so the client can hear human voices.
[ ] **2.** Play some music when the client is aggressive.
[ ] **3.** Orient the client to the surroundings and current situations.
[ ] **4.** Look at and talk about pictures in a photo album of the client's life.

Nursing Care of Clients with Seizure Disorders

A 23-year-old client who experienced a generalized seizure while at work is admitted to the hospital for diagnostic testing.

14. When the client tells the nurse about being allergic to kiwifruit, to what other hospital substance should the nurse anticipate the client may develop an allergic reaction?
[ ] **1.** Iodine
[ ] **2.** Latex
[ ] **3.** Laundry soap
[ ] **4.** Hand sanitizer

15. What nursing assessments indicate an autonomic nervous system manifestation of a seizure?
[ ] **1.** Numbness and tingling of the hands
[ ] **2.** Changes in taste and speech
[ ] **3.** Flushing and increased sweating
[ ] **4.** A subjective aura or sensation

16. What seizure precautions should the nurse implement when caring for a client with a known or suspected seizure disorder? Select all that apply.
[ ] **1.** Keep the room dark and quiet.
[ ] **2.** Lower the bed to the lowest position.
[ ] **3.** Keep the side rails up and padded.
[ ] **4.** Provide soft, soothing music.
[ ] **5.** Ensure a warm, well-lit room.
[ ] **6.** Make sure suction equipment is available.

17. When implementing seizure precautions, what nursing action is **most appropriate** to include?
[ ] **1.** Move the client to a room close to the nurses' station.
[ ] **2.** Serve the client's food in paper and plastic containers.
[ ] **3.** Avoid restraining the client's movement during a seizure.
[ ] **4.** Keep the client's airway clear with a padded tongue blade.

18. What nursing action should the nurse take when preparing a client for an electroencephalogram (EEG)?
[ ] **1.** Administer a sedative 1 hour before the test.
[ ] **2.** Withhold food and water after midnight.
[ ] **3.** Assist with shampooing the client's hair.
[ ] **4.** Assess the client's current level of pain.

19. If the client begins to have a seizure after the electroencephalogram (EEG), what action should the nurse take **first**?
[ ] **1.** Administer oxygen by nasal cannula.
[ ] **2.** Measure the blood pressure and pulse.
[ ] **3.** Check the client's pupillary response.
[ ] **4.** Place the client in a side-lying position.

20. When documenting a seizure, what information is **most important** to include initially?
[ ] **1.** The time the seizure started
[ ] **2.** The duration of the seizure
[ ] **3.** The client's mood just before the seizure
[ ] **4.** The client's comments after the seizure

21. What nursing actions are essential when finding a client experiencing a tonic-clonic seizure? Select all that apply.
[ ] **1.** Calling out the client's name
[ ] **2.** Holding the client's body during the seizure activity
[ ] **3.** Placing an emesis basin close to the client's mouth
[ ] **4.** Rolling the client's body to the side
[ ] **5.** Removing environmental hazards to protect the client
[ ] **6.** Calling the respiratory therapy department

After a tonic-clonic (grand mal) seizure, the client progresses to the postictal phase.

22. What clinical manifestation will the nurse **most** likely observe at this time?
[ ] **1.** Excessive jerking of the entire body
[ ] **2.** Staring with a brief loss of consciousness
[ ] **3.** Fluttering of the eyelids and movement of the lips
[ ] **4.** Confusion followed by deep sleep

23. What is the **priority** nursing intervention in the postictal phase of a seizure?
[ ] **1.** Assess the client's level of arousal.
[ ] **2.** Assess the client's breathing.
[ ] **3.** Reorient the client to the surroundings.
[ ] **4.** Change the client's clothing.

24. Before discharge, when the nurse provides drug teaching about self-administering phenytoin sodium, what hygiene measure should the nurse emphasize?
[ ] **1.** Frequent shampooing of the hair
[ ] **2.** Weekly trimming of fingernails
[ ] **3.** Brushing teeth at least twice daily
[ ] **4.** Daily bathing using mild soap

Nursing Care of Clients with Neurologic Trauma

A nurse stops to provide emergency assistance to injured motorists.

25. When the nurse assesses a victim who has been thrown from the vehicle, what assessment finding is **most suggestive** of a serious head injury?
[ ] **1.** The victim has a bad headache.
[ ] **2.** The victim asks the nurse, "What happened?"
[ ] **3.** The victim is hesitant to move.
[ ] **4.** The victim has clear fluid draining from the ears.

An accident victim with a suspected head injury is taken to the emergency department for evaluation.

26. While waiting to be examined, how should the client be positioned by a nurse attending to his or her care?
[ ] **1.** Dorsal recumbent with the legs elevated
[ ] **2.** Supine with the head slightly elevated
[ ] **3.** Flat with a neck immobilizer in place
[ ] **4.** Right lateral with the neck flexed

After x-rays are taken, the client is admitted for inpatient care.

27. When the nurse cares for the client with a head injury, what assessment should receive **priority** attention?
[ ] **1.** Lung sounds
[ ] **2.** Clarity of speech
[ ] **3.** Mobility of fingers
[ ] **4.** Pupillary responses

28. If the nurse obtains the following data, what finding should be reported **immediately**?
[ ] **1.** The client rates a headache as 5 on a scale of 0 to 10.
[ ] **2.** The client leaves most of the food on the dietary tray.
[ ] **3.** The client is difficult to arouse with stimulation.
[ ] **4.** The client reports feeling cold.

29. When assessing the client's head injury, the nurse observes a worsening in the client's condition. What finding is **most** likely contributing to the change?
[ ] **1.** The client has been disturbed every hour.
[ ] **2.** The client has had very little fluid intake.
[ ] **3.** The client's neck is flexed toward the chest.
[ ] **4.** The client's bladder is becoming full.

30. As the nurse cares for a client with a head injury, what client position indicates the **most** serious posturing a client would assume?
[ ] **1.** The client lying in the supine position with forearms across chest and wrists flexed.
[ ] **2.** The client lying in the supine position with arms at the side and wrist flexed outward away from the body.
[ ] **3.** The client lying in the supine position with arms to the side and the palms of the hands are down.
[ ] **4.** The client lying in the prone position with the arms at the side and the palms of the hands are upward.

After a diving accident, a 22-year-old client suffers a complete transection of the spinal cord at the level of the fifth thoracic (T5) vertebra, causing paraplegia.

31. What statement indicates that the client has an accurate understanding of the prognosis?
[ ] **1.** "After surgery, I can expect full function."
[ ] **2.** "I will have to have someone feed and bathe me."
[ ] **3.** "I will retain functions above my chest."
[ ] **4.** "No one can predict my potential outcome."

32. The nurse is providing instruction to the family on the location of the client's injury. In this lateral view of the spine, identify with an *X* the area on the thoracic vertebrae where the injury to the spinal cord has occurred.

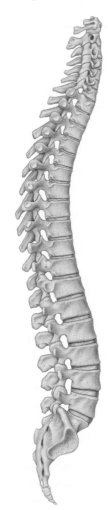

After medical stabilization, the client is transferred to a rehabilitation unit.

33. When the nursing team discusses the client's plan of care, what has the **highest priority**?
[ ] **1.** Teaching the client about prevention of skin breakdown
[ ] **2.** Strengthening the client's upper body muscles
[ ] **3.** Confronting the client's denial of the prognosis
[ ] **4.** Letting the client verbalize about the accident

34. The client with a spinal cord injury presents with characteristics related to autonomic dysreflexia. What signs and symptoms will the nurse detect with this disorder? Select all that apply.
[ ] **1.** Severe hypertension
[ ] **2.** Rapid heart rate
[ ] **3.** Pounding headache
[ ] **4.** Pale skin
[ ] **5.** Blurred vision
[ ] **6.** Nasal stuffiness

35. When planning a bowel retraining program for a client with a spinal cord injury, what nursing intervention is **most appropriate**?
[ ] **1.** Administering a stool softener twice per week
[ ] **2.** Encouraging the client to consume a high-fiber diet
[ ] **3.** Having the client drink two glasses of water every morning
[ ] **4.** Teaching the client to self-administer daily enemas

36. The nurse plans for the client's discharge and discusses the home environment with the client. What home care suggestion is **best** for promoting the mobility of the client with a spinal cord injury?
[ ] **1.** Rent or buy a conventional hospital bed.
[ ] **2.** Build a wheelchair ramp to the door.
[ ] **3.** Apply for a handicapped parking sticker.
[ ] **4.** Install a raised toilet seat with grab bars.

Nursing Care of Clients with Degenerative Disorders

An older adult diagnosed with Parkinson disease is admitted to a nursing home for basic nursing care.

37. What nursing assessment is **most important** to consider before developing the client's care plan?
[ ] **1.** The client's ability to perform activities of daily living
[ ] **2.** The client's preferences for and dislikes of various foods
[ ] **3.** The family members' views about nursing home placement
[ ] **4.** The client's feelings about giving up independent living

38. What nursing action should be the nurse's **priority** when caring for the client with Parkinson disease?
[ ] **1.** Preventing muscle weakness
[ ] **2.** Maintaining a balanced diet
[ ] **3.** Removing safety hazards
[ ] **4.** Promoting social interactions

39. What goal is **most** realistic when the nurse cares for the client with Parkinson disease?
[ ] **1.** To reverse the symptoms and cure the disease
[ ] **2.** To stop the progression of the disease process
[ ] **3.** To maintain optimal muscle and motor function
[ ] **4.** To prepare for a progressive terminal disease

The client with Parkinson disease takes levodopa/carbidopa three times a day.

40. When the nurse observes that the client has difficulty swallowing the capsule of medication, what action is **best**?
[ ] 1. Soak the capsule in water until soft.
[ ] 2. Tell the client to chew the capsule.
[ ] 3. Empty the capsule in the client's mouth.
[ ] 4. Offer water before giving the capsule.

41. Because the client with Parkinson disease is prone to constipation, the nurse should encourage increased consumption of which food?
[ ] 1. Fresh fruits
[ ] 2. Wheat pasta
[ ] 3. Low-fat cheese
[ ] 4. Canned vegetables

An older adult client with dementia is admitted to the Memory Care unit of an extended care facility.

42. When the client is observed wandering about the facility, the nurse modifies the client's care plan to provide for safety. What nursing intervention is **most appropriate** at this time?
[ ] 1. Maintain the client within close proximity to his or her room.
[ ] 2. Attach an identity tag to the client's clothes.
[ ] 3. Lock all the outside doors in the facility.
[ ] 4. Ensure the client knows the location of the facility.

43. What nursing approach is **best** when managing the care of a client with dementia who insists on carrying a purse at all times?
[ ] 1. Ask the client where the purse can be stored.
[ ] 2. Ensure that the client is never without the purse.
[ ] 3. Inform the client that the purse may become lost.
[ ] 4. Find out why the client feels the need for a purse.

44. The client repeatedly asks, "Where is my mother?" What response by the nurse would be **best** to prevent client frustration and agitation?
[ ] 1. Explain to the client, "Your mother died several years ago."
[ ] 2. Tell the client, "Your mother will visit later."
[ ] 3. State, "You miss your mother. What was she like?"
[ ] 4. Ask the client, "When did you last see your mother?"

45. A nurse responds frequently to shouts from a client with dementia. What action is **most** appropriate at this time?
[ ] 1. Shut the client's door to reduce disturbing others.
[ ] 2. Administer a sedative to quiet the confused client.
[ ] 3. Assign unlicensed assistive personnel to provide one-on-one care.
[ ] 4. Contact a family member to stay with the client 24/7.

46. A nurse is concerned about the number of falls clients have been experiencing recently. What **initial** nursing action is most likely to reduce the incidence of injuries?
[ ] 1. Perform a fall assessment on each client daily.
[ ] 2. Require all clients to be assisted getting out of bed.
[ ] 3. Post fall potential on each client's dry erase board.
[ ] 4. Remind clients to ask for staff assistance when walking.

A nurse reviews the fire plan with the staff according to the agency's policy.

47. Arrange the actions in the sequence they should be implemented in the case of a fire. Use all options.

| 1. Retrieve a fire extinguisher |
| 2. Remove those in danger. |
| 3. Close doors in the area. |
| 4. Report the location of the fire. |

48. What actions should a nurse perform when using a fire extinguisher? Select all that apply.
[ ] 1. Aim the nozzle near the base of the fire.
[ ] 2. Pull the pin from the handle.
[ ] 3. Aim the nozzle at the center of the fire.
[ ] 4. Sweep the nozzle from side to side.
[ ] 5. Squeeze the handle.
[ ] 6. Hold the nozzle steady in one position.

A 48-year-old client experiences an exacerbation of multiple sclerosis after being asymptomatic for the past 6 months.

49. How can the nurse **best** help the client deal with personal fears at this time?
[ ] 1. Encourage the client to verbalize feelings.
[ ] 2. Provide a detailed explanation of the disease progression.
[ ] 3. Tell the client about physical assessment findings.
[ ] 4. Explain that the disease may become periodically acute.

50. When assisting the client with activities of daily living (ADLs), what approach is **best**?
[ ] 1. Limit the time for performing ADLs to 30 minutes.
[ ] 2. Eliminate whatever tasks the client cannot perform.
[ ] 3. Let the client rest between activities.
[ ] 4. Perform all of the client's ADLs at this time.

During a physical assessment, the nurse notes that the client experiences weakness and numbness in various parts of the body.

51. What nursing measure is appropriate to add to the care plan at this time for preventing impaired skin integrity?
[ ] 1. Use an air-fluidized bed.
[ ] 2. Change the client's position every 2 hours.
[ ] 3. Rub any reddened areas every 2 hours.
[ ] 4. Provide daily treatment in a hyperbaric oxygen chamber.

52. When the client's discharge is anticipated, the nurse provides suggestions to the family about vacation areas to avoid. What areas should the nurse stress avoiding?
[ ] 1. Areas with predominantly hot weather
[ ] 2. Areas where the climate is generally wet
[ ] 3. Places with dry, arid environments
[ ] 4. Locations that are usually cold

Interferon beta-1a given intramuscularly using an injection pen is prescribed for a client with multiple sclerosis.

53. When the nurse teaches the client how to self-administer the intramuscular injection, what site is **best**?
[ ] **1.** The lateral upper arm (deltoid)
[ ] **2.** The middle third of anterior thigh (rectus femoris)
[ ] **3.** The middle third of outer thigh (vastus lateralis)
[ ] **4.** The outer buttocks (dorsogluteal)

54. What nursing action is **best** if the client develops anorexia and nausea while taking interferon beta-1a?
[ ] **1.** Withhold the medication.
[ ] **2.** Offer frequent mouth care.
[ ] **3.** Administer the drug after meals.
[ ] **4.** Provide small, frequent meals.

The nurse is caring for an older adult client who has been diagnosed with myasthenia gravis.

55. When the nurse obtains the client's medical history, what clinical sign would the client **most** likely report?
[ ] **1.** Sudden hearing loss
[ ] **2.** Sensitivity to light
[ ] **3.** Drooping eyelids
[ ] **4.** Protruding tongue

56. During a myasthenic crisis, what assessment finding is especially important for the nurse to monitor?
[ ] **1.** Breathing
[ ] **2.** Temperature
[ ] **3.** Blood pressure
[ ] **4.** Mental status

57. When planning nursing care for a client with myasthenia gravis, what equipment is **most** important to keep at the bedside?
[ ] **1.** A bite block in case of generalized seizures
[ ] **2.** A cardiac defibrillator in case of cardiac arrest
[ ] **3.** A suction machine in case of impaired swallowing
[ ] **4.** A cooling blanket in case of hyperthermia

Pyridostigmine bromide is prescribed for the client diagnosed with myasthenia gravis. The dosage will be adjusted according to the client's response.

58. What nursing action is **best** for controlling the symptoms of the client?
[ ] **1.** Ensure that the client has regular bowel and bladder elimination.
[ ] **2.** Administer each dose of medication at the precise scheduled time.
[ ] **3.** Encourage the client to exercise twice daily for 30 minutes.
[ ] **4.** Provide nutritional supplements between each meal and at bedtime.

The client's care plan indicates to use the Crede maneuver to promote urination.

59. What nursing observation provides evidence that the client is performing the Crede maneuver correctly?
[ ] **1.** The client contracts and relaxes the urinary sphincter 10 to 25 times daily.
[ ] **2.** The client squeezes the urinary sphincter and holds it for 3 seconds, then repeats.
[ ] **3.** The client bears down, takes a deep breath, and slowly releases it.
[ ] **4.** The client applies downward hand pressure at the umbilicus toward the symphysis pubis.

A 60-year-old client in the late stage of amyotrophic lateral sclerosis (Lou Gehrig disease) is admitted to the hospital.

60. The nurse notes that the client has progressed in the disease process and has the following symptoms. Arrange the symptoms in the order in which the disease progresses. Use all options.

| **1.** Difficulty walking |
| **2.** Poor balance |
| **3.** Dysphagia |
| **4.** Paralysis of breathing muscles |
| **5.** Loss of speech |
| **6.** Slurred words |

Nursing Care of Clients with Cerebrovascular Disorders

The nurse makes a home health visit to evaluate a 79-year-old client.

61. The nurse notes that the client has had a change in baseline neurologic functioning. What symptom suggests that the client may be having transient ischemic attacks (TIAs)?
[ ] **1.** Brief periods of unilateral weakness
[ ] **2.** Brief periods of hand numbness
[ ] **3.** Brief periods of photosensitivity
[ ] **4.** Brief periods of stabbing head pain

62. After the nurse gathers more data concerning the client's signs and symptoms, what action is **essential** at this time?
[ ] **1.** Explain the event in understandable language.
[ ] **2.** Refer the client for immediate medical evaluation.
[ ] **3.** Recommend taking a low-dose aspirin once daily.
[ ] **4.** Advise the client to call 911 if symptoms persist.

Later in the day, the client is admitted to the hospital after emergency medical personnel respond to a call that the client has been found unconscious.

63. When the nurse checks the client's pupils, what technique is correct?
[ ] 1. The nurse shines the penlight from the temple into each pupil.
[ ] 2. The nurse covers one of the client's eyes and then the other eye.
[ ] 3. The nurse brightens the lights in the examination area.
[ ] 4. The nurse observes for extraocular eye movement.

A computed tomography (CY) scan of the client's brain with contrast dye is prescribed.

64. The nurse asks about the client's allergy history. What allergy **must** be reported before the CT scan?
[ ] 1. Penicillin
[ ] 2. Shellfish
[ ] 3. Latex
[ ] 4. Metal

The nursing team begins developing a care plan for the client who experienced a cerebral vascular accident (CVA).

65. When the nurse monitors the client's neurologic status, what finding is **most suggestive** that the client's intracranial pressure is increasing?
[ ] 1. Systolic pressure increases and diastolic pressure decreases.
[ ] 2. Systolic pressure decreases and diastolic pressure increases.
[ ] 3. Apical heart rate is greater than the radial rate.
[ ] 4. Radial pulse rate is greater than the apical rate.

During a multidisciplinary conference, a concern of the client's swallowing ability was stated.

66. What nursing intervention is **most appropriate** for managing this problem?
[ ] 1. Keeping the client supine
[ ] 2. Removing all head pillows
[ ] 3. Performing oral suctioning
[ ] 4. Providing frequent oral hygiene

A client experienced a cerebral vascular accident (CVA). The nurse completes a fall assessment that confirms the client is at risk for falls.

67. What risk factors increased the client's risk assessment score? Select all that apply.
[ ] 1. The client is male.
[ ] 2. The client has a fever.
[ ] 3. The client is confused.
[ ] 4. The client has vertigo.
[ ] 5. The client has impaired hearing.
[ ] 6. The client needs help with toileting.

The nurse evaluates the medication profile because of the increased risk for falls.

68. What classifications of drugs are **most** likely to result in falls? Select all that apply.
[ ] 1. Antilipemics
[ ] 2. Benzodiazepines
[ ] 3. Opioids
[ ] 4. Glucocorticoids
[ ] 5. Anticonvulsants
[ ] 6. Antihypertensives

69. On the basis of the client's fall risk assessment, what interventions should the nurse implement? Select all that apply.
[ ] 1. Instruct the client to ask for help before getting up.
[ ] 2. Turn on the bed alarm.
[ ] 3. Apply restraints to the upper extremities.
[ ] 4. Advise the client's family to inform the staff when leaving.
[ ] 5. Place the bed in the lowest position.
[ ] 6. Obtain a prescription for a physical therapy consult.

A client has been diagnosed with right-sided hemiplegia after experiencing a cerebral vascular accident (CVA).

70. When the client is stable enough to transfer from the bed to a wheelchair, what nursing action is correct?
[ ] 1. Instruct the client to balance with a walker.
[ ] 2. Position the wheelchair perpendicular to the bed.
[ ] 3. Ask the client if a gait belt is preferred.
[ ] 4. Brace the paralyzed foot and knee.

71. When teaching the client's spouse how to perform passive range-of-motion (ROM) exercises, what instructions are **most** accurate? Select all that apply.
[ ] 1. Move the paralyzed limbs in as many directions as possible.
[ ] 2. Perform the exercises every hour while awake.
[ ] 3. Repeat each exercise three times.
[ ] 4. Take the pulse before exercising.
[ ] 5. Allow rest periods between exercises.
[ ] 6. Begin the exercises starting with the affected leg.

72. What nursing intervention is **best** for communicating with the client who has expressive aphasia?
[ ] 1. Speak using a low tone of voice.
[ ] 2. Have the client point to key phrases printed on a clipboard.
[ ] 3. Complete the sentence if the client becomes frustrated.
[ ] 4. Encourage the client to practice verbalizing key words.

A client experienced a cerebral vascular accident (CVA) and is in the rehabilitative stage.

73. What nursing goal is **most important** to the rehabilitation of a client following a stroke?
[ ] 1. Regulating bowel and bladder elimination
[ ] 2. Preventing contractures and joint deformities
[ ] 3. Managing problems of altered body image
[ ] 4. Fostering positive outcomes from depression

74. The client's spouse notices situations during which the client laughs or cries inappropriately. The spouse asks the nurse, "Why are these mood swings occurring?" What is the **best** response by the nurse?

[ ] **1.** "Your spouse is trying to gain control over the situation by these mood swings."

[ ] **2.** "Emotional fluctuations are common for many after experiencing a stroke."

[ ] **3.** "The stroke has destroyed the part of the brain dealing with emotions."

[ ] **4.** "It is common to be very emotional after a major life event."

75. The client's spouse will administer warfarin after the client is discharged. What teaching topics should the nurse include before discharge? Select all that apply.

[ ] **1.** Dietary restrictions

[ ] **2.** Avoiding heavy lifting

[ ] **3.** Staying out of bright sunlight

[ ] **4.** Missed doses

[ ] **5.** Bruising or blood in urine

[ ] **6.** Need for frequent laboratory work

Assessment reveals that the client has hemianopia following a cerebral vascular accident (CVA).

76. What intervention should be added to the client's care plan in relation to this finding?

[ ] **1.** Have the client wear dark glasses when in bright light.

[ ] **2.** Cover the client's affected eye with an eye patch.

[ ] **3.** Approach the client from the unaffected side.

[ ] **4.** Position food on the tray resembling the face of a clock.

A client with a leaking cerebral aneurysm is being treated conservatively with complete bed rest, anticonvulsants, and sedatives.

77. When the nurse gathers assessment data, what finding poses the **most** danger for the client?

[ ] **1.** The client has a chronic cough.

[ ] **2.** The client is becoming jittery.

[ ] **3.** The client's skin is warm and clammy.

[ ] **4.** The client develops diarrhea.

78. When the nurse prepares to assess the client with a cerebral aneurysm, what assessment is the **highest priority**?

[ ] **1.** Motor strength

[ ] **2.** Vital signs

[ ] **3.** Level of consciousness

[ ] **4.** Skin integrity

Nursing Care of Clients with Tumors of the Neurologic System

A client with a suspected brain tumor is scheduled for a positron emission tomography scan.

79. When preparing the client for the upcoming positron emission tomography (PET) scan, what substances should the nurse instruct the client to avoid the day before the test? Select all that apply.

[ ] **1.** Caffeine

[ ] **2.** Sugar

[ ] **3.** Medications

[ ] **4.** Juice

[ ] **5.** Alcohol

[ ] **6.** Water

80. What discharge instruction is **most** appropriate following the positron emission tomography scan?

[ ] **1.** Take a mild sedative tonight.

[ ] **2.** Increase your fluid intake.

[ ] **3.** Limit active exercise.

[ ] **4.** Report signs of a fever.

Positron emission tomography confirms a brain tumor, and the client is scheduled for a craniotomy.

81. What preoperative assessment is **most important** for the nurse to document as a basis for postoperative comparison?

[ ] **1.** Motor strength in all extremities

[ ] **2.** Serum electrolyte values

[ ] **3.** Pulses in lower extremities

[ ] **4.** Glucometer glucose levels

82. Before the client undergoes the craniotomy, the nurse inserts a urinary catheter. How far should the catheter be inserted if the client is a male?

[ ] **1.** Up to 2 in (up to 5 cm)

[ ] **2.** 3 to 5 in (7.5 to 12.5 cm)

[ ] **3.** 6 to 8 in (15 to 20 cm)

[ ] **4.** 9 to 11 in (22.5 to 28 cm)

The client returns to the nursing unit after 6 hours of craniotomy surgery.

83. During the immediate postoperative assessment, the nurse notes that the client's dressing is moist. What action is most appropriate to take **first**?

[ ] **1.** Change the dressing.

[ ] **2.** Reinforce the dressing.

[ ] **3.** Remove the dressing.

[ ] **4.** Document the findings.

After the craniotomy, the client has periods of confusion.

84. What nursing intervention is **best** during the confused episodes?
[ ] **1.** Reading a newspaper or magazine to the client
[ ] **2.** Informing the client that confusion is temporary
[ ] **3.** Withholding verbal communication temporarily
[ ] **4.** Reorienting the client to place and situation

A clear liquid diet is prescribed with a restriction of no more than 1,000 mL of oral intake.

85. Before requesting the clear liquid diet, what assessment is **essential** for the nurse to validate?
[ ] **1.** The client's ability to raise the head
[ ] **2.** The client's preferences of clear liquids
[ ] **3.** The presence of active bowel sounds
[ ] **4.** The client's ability to swallow effectively

Nursing Care of Clients with Nerve Disorders

A client is diagnosed with trigeminal neuralgia (tic douloureux).

86. What nursing intervention is **most appropriate** to include in this client's plan of care for preventing episodes of paroxysmal pain?
[ ] **1.** Direct a fan toward the client's face.
[ ] **2.** Avoid care that involves touching the client's face.
[ ] **3.** Keep ice chips available at the client's bedside.
[ ] **4.** Apply warm facial compresses for pain.

Carbamazepine is prescribed to treat the client.

87. Because carbamazepine can cause liver dysfunction, what should the nurse inform the client to report if it develops?
[ ] **1.** Unusual bleeding
[ ] **2.** Gastric distress
[ ] **3.** Cloudy urine
[ ] **4.** Mottled skin

Drug therapy is unsuccessful for the client with trigeminal neuralgia; one of the branches of the trigeminal nerve is severed as additional treatment. Eye irrigations are prescribed postoperatively.

88. To correctly perform the eye irrigation, in what direction should the nurse instill the irrigant?
[ ] **1.** From the lower conjunctiva toward the corneal surface
[ ] **2.** From the outer canthus of the eye to the inner canthus
[ ] **3.** From the nasal corner of the eye toward the temple
[ ] **4.** From the margins of the eyelashes to the folds of the lids

A client develops Bell palsy due to inflammation around cranial nerve VII.

89. When the nurse performs a physical assessment, what finding is **most indicative** of the client's disorder?
[ ] **1.** Quivering eye movement
[ ] **2.** Muscle spasms in the lower extremities
[ ] **3.** Loss of motor function on the affected side
[ ] **4.** Unilateral facial paralysis

90. What nursing intervention is **most** appropriate for a client diagnosed with Bell palsy?
[ ] **1.** Reduce the amount of light in the room.
[ ] **2.** Advise the client to drink liquids from a straw.
[ ] **3.** Inspect the buccal pouch for food after eating.
[ ] **4.** Instruct the client on how to walk with a cane.

A client who experiences recurrent pain along the sciatic nerve is scheduled for a myelogram.

91. When the nurse instructs the client on the myelogram procedure, which statement is a priority?
[ ] **1.** "Part of the test involves a lumbar puncture."
[ ] **2.** "You will be asked to change positions frequently."
[ ] **3.** "Dye is instilled into a vein in your arm."
[ ] **4.** "Light anesthesia is administered during the test."

The myelogram shows that the client has a herniated intervertebral lumbar disk.

92. The nurse begins developing a teaching plan for the client. What instruction is **most** applicable after symptoms are relieved?
[ ] **1.** "Carry heavy objects away from your center of gravity."
[ ] **2.** "Lift with your knees bent and your back straight."
[ ] **3.** "Create a base of support by keeping your feet together."
[ ] **4.** "Select a soft, spongy mattress for your bed."

93. What should the nurse include in the discharge instructions for the client who has had a diskectomy and spinal fusion? Select all that apply.
[ ] **1.** Avoid twisting or jerking the back.
[ ] **2.** Sit in a chair with a soft back.
[ ] **3.** Avoid sitting for long periods during the first week.
[ ] **4.** Bend from the waist when picking up items.
[ ] **5.** Report if pain is similar to before surgery.
[ ] **6.** Notify if wound drainage is clear or blood-tinged.

Test Taking Strategies

Nursing Care of Clients with Infectious and Inflammatory Conditions

1. Consider each option independently to decide its merit in answering the question. Apply your knowledge of meningitis to select a cluster of symptoms.

2. Analyze the images of all four client positions. Eliminate positions that do not facilitate withdrawing cerebrospinal fluid.

3. Recall vertebrae are numbered in sequence from cervical 1 through 8, thoracic 1 through 12, lumbar 1 through 5, and sacral 1 through 5; four coccygeal vertebrae eventually fuse into one forming the coccyx. Apply your knowledge of the numbers and location of spinal vertebrae to identify the answer.

4. Read all the choices carefully. Use the process of elimination to select options that correlate with the findings when cerebrospinal fluid from a client with bacterial meningitis is examined. Recall that white blood cells respond in large numbers causing the cerebrospinal fluid to appear cloudy. Although glucose in cerebrospinal fluid is normally greater than 60%, it is less than 40% in bacterial meningitis.

5. Note the key term "most appropriate" indicating one answer is better than any others. Recall that cerebrospinal fluid (CSF) cushions the brain; a flat supine position reduces further leakage and the potential for a headache. A spinal tap lowers the volume of CSF that takes time to be replaced.

6. Note the key word "best." Use the process of elimination to select the option that identifies the transmission-based precaution for controlling the pathogens that cause meningitis, which are transmitted through the exchange of respiratory secretions during close contact.

7. Recall that infusion pumps are set at milliliters per hour. This dose is to be infused in half the time which would double the milliliters infused.

8. Note the key words "most appropriate" indicating one option is better than any others. Use the process of elimination to select the intervention that promotes client safety. Recall that the cooling process can cause significant vasoconstriction in unprotected skin, thus reducing the distribution of oxygen and nutrients to cells and causing local thermal injury. To reduce the risk of damage to the client's skin, a protective surface must be placed between the cooling blanket and the client. Option 1 is not the most efficient method for the transfer of body heat via conduction. Options 3 and 4 represent options that do not correlate with the standard for care.

9. Note the key words "new assessment finding" indicating a change, and "improving." Recall that a Glasgow Coma Scale (GCS) score of 8 or less is evidence of having suffered a severe head injury and a comatose state. The lowest Glasgow Coma Score is 3. A GCS of 12 indicates the client may demonstrate some level of eye opening, an ability to respond verbally to some degree, and a motor response involving withdrawing or localizing to pain.

10. Note the key words "most likely" in reference to the relationship between an event in the client's history and the disease process. Recall that Guillain-Barré is linked to a postinfectious inflammatory process.

11. Note the key words "most accurately," which indicates the answer correlates with respiratory compromise. Recall the best evidence of ineffective breathing is provided by using a pulse oximeter to document oxygen saturation of the blood.

12. Use the process of elimination to select the option that identifies the best temporary nutritional method to use in place of the oral route while still utilizing normal digestive processes. Options 3 and 4 can be eliminated because they are routes needing invasive techniques that are more appropriate for clients requiring nutritional support over a prolonged period of time. Option 1 can be eliminated due to the inadequacy of the nutrition provided. Option 2 correlates with a near-normal route for providing nutrients for a client with impaired swallowing but an intact gastrointestinal tract.

13. Note the key term "best" indicating one answer is better than any others. Use the process of elimination to select the option that identifies a key principle for reorienting a confused client. Option 3 specifically addresses a technique for reorientation. All other options can be eliminated because they do not address reorientation.

Nursing Care of Clients with Seizure Disorders

14. Use your knowledge of cross-sensitivities linked to food items. Recall that individuals with a latex allergy are also likely to report allergies to kiwi.

15. Analyze the options to determine what assessments correlate with autonomic nervous system manifestations. Recall that the autonomic nervous system primarily involves the function of internal organs and changes in the periphery, such as the dilation of smooth muscles in hair follicles and blood vessels. Options 1, 2, and 4 are associated with the central nervous system.

16. Review all the options and select those that protect the client from injury. Eliminate options 4 and 5, which promote comfort or facilitate observing the client but do not affect the safety of the client.

17. Note the key words "most appropriate" indicating that one option is best. Use the process of elimination to identify the seizure precaution and specific nursing action that would best limit injury. Avoiding any form of client restraint during a seizure (option 3) is the best answer. Option 1 may be beneficial, but it is not a standard of care, nor are options 2 and 4.

18. Analyze each choice to select the option that describes the preparation of the client for an electroencephalogram (EEG). With the goal of obtaining an accurate EEG for diagnostic purposes, recall that contact between the electrode and the scalp throughout the test is crucial to obtaining accurate results. Removing oil from the hair and scalp with shampoo before the test promotes electrode and scalp contact, making option 3 the best answer.

19. Note the key word "first" indicating the priority action. Maslow's hierarchy addresses physiologic needs, which include maintaining the airway and breathing as a priority; thus, maintaining a patent airway (option 4) is the best answer. Although option 1 helps to improve oxygenation, it would be ineffective if the airway is not patent. A side-lying position helps prevent the tongue from occluding the airway. Options 2 and 3 only provide assessment data.

20. Note the key words "initially" and "most important." Recall that the duration of a seizure is critical information. Options 1, 3, and 4 provide secondary or inconsequential information.

21. Analyze each option to determine essential actions to take when a client experiences a tonic-clonic seizure. Essential actions are those that maintain physiologic needs and protect the client from harm until the seizure concludes. Options 4, 5, and 6 focus on maintaining an airway, protecting the client from harm, and improving oxygenation.

22. Note the key words "at this time" that require knowledge of the postictal stage following a seizure. Recall that following a seizure, clients are often confused and sleep for a period of time. Eliminating signs of other types of seizures (myoclonic, partial, and absence) leaves option 4 as the correct answer.

23. Note the key word "priority." Use Maslow's hierarchy to select the option that is most important. Recall that determining a client's respiratory status is a physiological priority.

24. Analyze the options to determine what hygiene measure correlates with the administration of phenytoin. Recall that phenytoin causes oral problems, so routine oral and dental care is a priority and an essential teaching point.

Nursing Care of Clients with Neurologic Trauma

25. Note the key words "most suggestive" and "serious head injury." Recall that when a portion of the skull pierces the brain, cerebrospinal fluid, which may be clear or blood-tinged, can leak from the ears or nose. Options 1, 2, and 3 are significant, but option 4 is a definite indication of a serious head injury.

26. Analyze the options and select an option that is most likely to prevent injury to the spinal cord. Recall that in the case of a head injury, maintaining a neutral anatomic position is essential to avoid possible or further damage to the spinal cord before the client is further evaluated. Option 3 keeps the client flat and, combined with the neck immobilizer, prevents flexion of the neck better than other positions.

27. Use the process of elimination to identify the option that has the greatest significance during a neurologic assessment. Option 4 directly relates to potential pathologic changes affecting the status of the neurologic system and a need for immediate medical intervention. Options 2 and 3 are loosely related to components of the Glasgow Coma Scale score but not as significant as the assessment of pupillary responses. Listening to lung sounds is important, but not neurologically because it relates to assessments of the respiratory system.

28. Note the key word "immediately" in relation to an assessment finding that indicates a significant problem. Use the process of elimination to select an option that suggests the client's condition could be in jeopardy. Option 3 directly relates to a change in neurologic status with a potential for progressing deterioration. Options 1, 2, and 4 can most likely be managed with nursing interventions.

29. Begin by analyzing each option and the assessment that would cause the change in neurologic status. Option 3 relates directly to impairing the flow of cerebrospinal fluid, making it the best option. The remaining options relate to potential problem situations, but they do not affect the neurologic status in this case.

30. Read each description. Recall that posturing is an indicator of the amount of damage that has occurred to the brain. All of the descriptions of posturing are strongly associated with poor outcomes. Their significance from most to lesser, but nonetheless all significantly serious, is as follows: flaccid, decerebrate, then decorticate. Also noted is the prone position, which is normal.

31. Use the process of elimination to select the option that best describes the outcome of a spinal injury at the T5 level. Option 1 can be eliminated because it is known that the client has a complete transection of the spinal cord at the thoracic level. Thus, one can expect that there will not be full neuromuscular function. Option 4 can also be eliminated because with a complete transection of the spinal cord, there is a definite disruption of nerve transmission that nullifies any improved outcome in the future. Option 2 can be eliminated because the injury is at the thoracic, not cervical, level. Option 3 is the best answer because it describes the ability to use the arms.

32. Examine the image of the spinal vertebrae. Find the location of the thoracic region and then mark the site of the fifth thoracic vertebrae.

33. Note the key words "highest priority." Use Maslow's hierarchy to identify the option that has the highest priority in the rehabilitation setting. Recall that physiological needs such as strengthening the upper body muscles are higher priority than dealing with psychological issues or teaching even though they are important nursing interventions.

34. Read all the options. Apply your knowledge of the signs and symptoms of autonomic dysreflexia. Recall that autonomic dysreflexia develops when the sympathetic branch of the autonomic nervous system causes acute, uncontrolled hypertension. Select those options that are associated with severe hypertension.

35. Note the key words "most appropriate." Use the process of elimination to select an option that identifies a nursing action for establishing independent bowel elimination with the least harsh and invasive measures. Options 1 and 4 require medication administration, so they can be eliminated. Option 3 does not meet the daily requirements; thus, it will not improve bowel function. Option 2 is not invasive and promotes regular bowel elimination, so it is the best choice.

36. The key word "best" indicates one answer is better than any others. Use the process of elimination to select the option that best fulfills the goal of promoting client mobility after discharge. Options 1, 3, and 4 are all good suggestions, but option 2 is the only choice that promotes mobility.

Nursing Care of Clients with Degenerative Disorders

37. The key words "most important" indicate selecting a priority. According to Maslow, physiologic needs represent the highest priority. Option 1 is the only assessment that relates to physical ability. All other options, which address preferences and feelings, are less important than determining the client's ability for self-care.

38. Look at the key word "priority." Recall that safety is always a nursing priority, especially for clients like those with Parkinson disease who have an unsteady gait or poor balance.

39. Use the process of elimination to identify the option that is the most realistic goal for a client with Parkinson disease. Eliminate reversing and curing the disease and stopping its progression because these goals are not accurate or realistic. Preparing for a terminal illness is inaccurate because Parkinson disease is not in itself a terminal disease; most clients with Parkinson disease die from complications such as aspiration or pneumonia. Option 3 is the most realistic choice and falls within the realm of nursing.

40. A question that uses the key word "best" indicates that one answer is better than all others. Use the process of elimination to identify the best nursing action when a client has difficulty swallowing oral medication. Eliminate soaking the capsule in water, instructing the client to chew the capsule, and emptying the capsule in the client's mouth because these interfere with the integrity of the

capsule and its rate of absorption. Offering the client water provides a moist surface in the mouth that makes it easier to swallow the capsule.

41. Analyze the options to determine which option involves the application of nutritional strategies for managing constipation. Recall the foods that can decrease constipation. Fresh fruits are an excellent source of fiber and contain fructose, a natural sweetener with laxative effects, making it the best choice.

42. Note the key words "most appropriate." Use the process of elimination to select the best option for maintaining mobility that also protects a confused client's safety. Safety is always a priority. Option 2 provides the best means for client identification and safety. Option 1 interferes with the client's freedom to move about. Option 3 can be eliminated because it jeopardizes the safety of all of the clients and personnel in the case of a fire; therefore, it is an inappropriate nursing action. Option 4 is not reasonable due to the effects caused by the disease process.

43. Note the key word "best" indicating one option is better than any others. Use the process of elimination to identify a nursing intervention that supports the client's psychological need for security. Recall that if a behavior does not endanger the safety of the client or others (option 2), it is appropriate.

44. Note the key word "best." Eliminate options until selecting one that prevents client frustration by using a therapeutic communication technique in relation to a client's cognitive deficits. Asking the client to discuss what the client's mother was like may distract the client without being dishonest or causing emotional distress.

45. Eliminate options until one remains that is better than any others. Recall that assigning a staff person to care for the client protects the client's right to be free of seclusion or chemical restraints for the purpose of convenience rather than medical treatment.

46. Note the key word "initial." Recall that assessment is the first step in the nursing process. Identifying and implementing interventions follow after assessment.

47. Arrange the order of options that should be followed in the case of a fire. Recall that anyone in the area of the fire should be assisted elsewhere as quickly as possible. Using a fire alarm or notifying the switchboard operator who calls the fire response team follows. The fire may be contained by closing doors. Lastly, the fire may be eliminated using a fire extinguisher.

48. Review all the options and select those that correlate with the acronym, PASS. Recall that PASS stands for Pull, Aim, Squeeze, and Sweep.

49. Note the key word "best." Use the process of elimination to identify an option that allows the client to discuss his or her personal basis for fears. Avoid selecting options in which the nurse provides information based on the assumption of what the client wants to know.

50. Use the process of elimination to identify the best approach that promotes completion of activities of daily living (ADLs) while maintaining the client's dignity. Recall that weakness and fatigue most often interfere with successful completion of ADLs; thus, resting between activities enables the client to tolerate activity better and facilitates self-care.

51. Exclude options that are incorrect or are used after pressure sores develop. Recall that when the arterial component of a capillary, which delivers oxygenated blood to cells and tissues, falls below 32 mm Hg, it becomes ischemic and dies if blood flow is not restored. Relieving pressure by changing the client's position helps to maintain circulation of oxygenated blood and prevent skin impairment.

52. Analyze the choices and select the option that may place the client at risk for an exacerbation of the illness. Recall that clients with multiple sclerosis are heat sensitive.

53. Analyze the options to determine the best site for self-administering an intramuscular injection. Eliminate options that are difficult to reach independently or are not recommended for various reasons. Recall that the outer side of the thigh, the vastus lateralis, is easily accessed independently.

54. Note the key word "best" in reference to a nursing response when a medication causes anorexia and nausea. Recall that interferon beta-1a is administered by injection. Ensuring that the client consumes sufficient nutrients in smaller quantities is a reasonable method for overcoming the client's anorexia. Providing foods that are easily digested may prevent or reduce nausea.

55. Use the process of elimination to select a sign or symptom most associated with myasthenia gravis. Recall that muscular weakness is a classic symptom, and option 3 is the only option that correlates with this symptom. The remaining options can be eliminated because they are not evidence of skeletal muscle weakness.

56. Look at the key words "myasthenic crisis." Eliminate options that do not have a connection with muscle weakness and then choose the option with the greatest health risk. Recall that muscle weakness can cause respiratory compromise, leading to an emergency situation.

57. Use the process of elimination to identify the equipment that is most important to maintaining the safety of a client with respiratory muscle weakness. Recall that having a suction machine at the bedside can keep the airway open when swallowing becomes compromised.

58. Use the process of elimination to identify a nursing measure that would best control symptoms associated with myasthenia gravis. Recall that maintaining a consistent blood level of medication directly relates to controlling disease symptoms.

59. Use the process of elimination to select the option that promotes emptying the bladder. Recall that exerting manual pressure on the abdomen over the bladder compresses abdominal muscles that facilitate urination in clients who may be unable to initiate spontaneous voiding.

60. Analyze the options to determine early symptoms indicating a deviation from normal, middle symptoms indicating a progression of deterioration, and late symptoms that occur at the end of life. Use knowledge of neurological and musculoskeletal deterioration.

Nursing Care of Clients with Cerebrovascular Disorders

61. Analyze the options and exclude those that are not related to those manifested by someone experiencing a transient ischemic attack (TIA). Recall that a TIA resembles a cerebrovascular accident (stroke), but the signs are temporary.

62. Use the process of elimination to select the option describing an essential nursing action if a TIA is suspected. Recall that ensuring the client's well-being by avoiding a potential for a stroke is an immediate priority.

63. Use the process of elimination to select the option that identifies the correct procedure for checking the client's pupillary response. Recall that pupil responses are assessed directly in each eye while observing a consensual response in the opposite eye.

64. Analyze the options to select a substance that correlates with a cross-sensitivity to contrast dye. Recall that an allergy to shellfish could indicate that the client has an allergy to iodine, which is a component in many contrast dyes.

65. Note the key words "most suggestive" in relation to evidence of increased intracranial pressure. Select the option that is more significant than descriptions in others. Recall that widened pulse pressure is the difference between systolic and diastolic blood pressures.

66. Note the key words "most appropriate," which means one option is better than any others. Recall that a client with a stroke is at risk for aspiration. Eliminate options that are not specific for managing a client who may choke on food or fluids.

67. Read all the options and consider each one's significance for predicting someone at risk for a fall. Most accredited agencies have developed a focus assessment form listing various risk factors for falls with a numerical score. Recall how gender and subjective and objective data affect the safety of clients.

68. Analyze each option to decide its merit for increasing a risk for falls. Recall that any drug category that affects a client's state of alertness, balance, judgment, orientation, or blood pressure creates a risk for falls.

69. Review all the options. Select options that directly prevent falls. When considering a risk for falls, think about immediate safety measures.

70. Use the process of elimination to identify the option that describes a principle that applies to proper transfer skill for a hemiplegic client. Begin by thinking of the physical weakness and how that impacts the client's ability to transfer. Eliminate any option in which use of the affected side would be required or the client's safety would be jeopardized.

71. Review all the options carefully. Select options that identify accurate information regarding the performance of range-of-motion (ROM) exercises and eliminate options that are inaccurate or of no importance. Recall that ROM exercises must be performed intermittently throughout the day to put the joints through their various positions.

72. Look at the option that best applies to communicating with a client with expressive aphasia. Recall that a client with expressive aphasia can understand but cannot verbally respond.

73. Note the key words "most important" indicating one option is better than any others. Recall that rehabilitation following a stroke will involve long-term measures to facilitate optimum function of affected extremities.

74. Note the key words "best response." Use the process of elimination to identify the nursing response that is better than any others. Recall that rapid mood changes known as pseudobulbar affect often occur after a stroke. It is characterized as crying or laughing that doesn't correlate with the client's mood.

75. Read all the options carefully. Select options that apply to teaching topics for a client receiving warfarin. Recall that clients taking warfarin, an anticoagulant, should be taught about evidence of unusual bleeding, food and drug interactions, the need for laboratory tests on a regular basis, and actions to take if one or more doses are missed.

76. Analyze the options to determine what information involves knowledge of hemianopia. Breaking down the word as hemi- (relates to half) and -opia (relates to the eye) can be helpful in determining the answer. Recall that clients who are affected by hemianopia have incurred damage to the visual pathway, affecting half of their visual field and causing loss of vision in the respective half.

77. Note the key words "most" in relation to "danger." Use the process of elimination to select the option that has the greatest potential for causing the weakened blood vessel in the brain to rupture. Recall that coughing increases intravascular pressure, which can be particularly dangerous for a client with a cerebral aneurysm.

78. Analyze the options to determine which assessment has the highest priority. Recall that when a client has a cerebral aneurysm, the nurse must identify data that indicate a change of neurologic status or bleeding from the cerebral aneurysm. A change in a client's level of consciousness accompanies rupture of the aneurysm.

Nursing Care of Clients with Tumors of the Neurologic System

79. Read all the options carefully. Exclude those do not affect positron emission tomography (PET) scan results. Recall that a PET scan provides an image where glucose is located in the body. Consuming sugary substances can have a major effect on the results of the test. Substances such as central nervous system stimulants or depressants also are avoided.

80. Note the key words "most appropriate." Use the process of elimination to select the discharge instruction that is better than any others. Recall that a positron emission tomography (PET) scan produces few adverse effects unless the radioisotope is not fully excreted.

81. Note the key words "most important" indicating one option has a higher priority. Use the process of elimination to identify the option that describes an assessment that, when compared to preoperative findings, indicates a neurologic deficit after a craniotomy. Recall that neurologic checks, including tests for motor strength, are vital to assess the postoperative status.

82. Analyze the choices to select the option that relates to a standard of care when catheterizing an adult male. Recall that an adult male's urethra is significantly longer than a female urethra. Although there may be some variation, the minimum length for inserting a retention catheter would be 6 in (10 cm), but it is best to continue advancing the catheter until urine flows from the distal end before inflating the balloon.

83. Note the key words "most appropriate" indicating the question asks for a priority action. Use the process of elimination to select an option the nurse should perform "first" upon finding a moist dressing. Recall that the surgeon generally changes the dressing initially. If the nurse assesses a moist dressing, the dressing must be reinforced to prevent wicking pathogens in the direction of the incision.

84. Use the process of elimination to select the "best" intervention when interacting with a confused client. Recall that the goal of the intervention is reorientation.

85. Note the key word "essential" indicating a priority. Use the process of elimination to select an option that ensures safety for the client. Recall that aspiration is a life-threatening consequence of providing oral fluids before a client can protect his or her own airway when swallowing.

Nursing Care of Clients with Nerve Disorders

86. Note the key words "most appropriate." Use the process of elimination to identify the best intervention for preventing paroxysmal pain secondary to trigeminal neuralgia. Recall that the trigeminal nerve affects muscular and sensory activities involving the jaw, cheeks, and corneas. The term neuralgia describes pain that travels along the course of a nerve and any physical stimulation of the nerve must be avoided.

87. Analyze all the choices to determine the option that describes evidence of an adverse drug effect on the liver. Recall that the physiologic functions of the liver include the production of prothrombin, a substance that promotes clotting.

88. Use the process of elimination to select the option that best describes the technique for performing an eye irrigation. Recall that the correct procedure for eye irrigation avoids instilling fluid into the nasolacrimal ducts that originate in the lacrimal puncta (opening) in the inner canthus of each eye.

89. Note the key words "most indicative." Use the process of elimination to identify the assessment finding associated with Bell palsy. Recall that a disorder of the seventh cranial nerve impairs motor and sensory functions in the facial area.

90. Use the process of elimination to select the option that identifies an intervention that addresses the consequences of facial motor dysfunction.

91. Use the process of elimination to identify the statement that provides priority information regarding the myelogram, a diagnostic test used to determine pathology within the spinal canal. Recall that a myelogram involves injecting dye into the spinal canal, which has a constant circulating volume.

92. Use the process of elimination to identify the option that best describes appropriate teaching for a client with low back pain. Recall that a herniated intervertebral disk is commonly caused by poor body mechanics. The focus of teaching should include bending from the knees to lift, carrying heavy objects close to the center of gravity, and spreading the feet to distribute weight being borne by the spine.

93. Read all the options. Select options that provide discharge instructions for the client after a diskectomy. Recall that proper body mechanics are essential to prevent reinjuring the spine, which would be evidenced by a reoccurrence of symptoms.

Correct Answers and Rationales

Nursing Care of Clients with Infectious and Inflammatory Conditions

1. **1, 2, 6.** Meningitis is an inflammation of the meninges and can be caused by bacteria, viruses, fungi, or parasites. Bacterial meningitis is the most serious form and is contagious. Neck stiffness, also called *nuchal rigidity*, is a common symptom among those who contract meningitis. Other common signs and symptoms include photophobia, nausea, vomiting, restlessness, irritability, seizures, headache, and fever. Muscle weakness, diarrhea, and vertigo are not typical signs and symptoms of meningitis.

> *Cognitive Level*—*Remembering*
> *Client Needs Category*—*Physiological integrity*
> *Client Needs Subcategory*—*Physiological adaptation*

2.

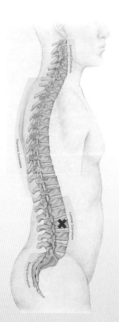

1. A lateral recumbent position with the back arched widens the intervertebral spaces that facilitates inserting a needle to withdraw cerebrospinal fluid. A knee-chest (genupectoral) position may be used when performing a sigmoidoscopy. A Sims position is used for examining the rectum and vagina. A lateral position is often used to relieve pressure on the posterior areas of the body.

> *Cognitive Level*—*Applying*
> *Client Needs Category*—*Physiological integrity*
> *Client Needs Subcategory*—*Reduction of risk potential*

3.

A spinal tap is also known as a lumbar puncture because a spinal needle is usually inserted between the third and fourth or fourth and fifth lumbar vertebrae where there is cerebrospinal fluid but avoids entering the spinal cord itself.

> *Cognitive Level*—*Remembering*
> *Client Needs Category*—*Physiological integrity*
> *Client Needs Subcategory*—*Reduction of risk potential*

4. **1, 3, 6.** The appearance and content of cerebrospinal fluid (CSF) when obtained from a client with bacterial meningitis differ from normal findings and those associated with viral meningitis. Two of the primary differences are that the CSF appears cloudy and contains an elevated level of white blood cells known as neutrophils. The level of glucose tends to be low in bacterial meningitis. The CSF is clear in normal and viral meningitis. If there are red blood cells, it generally is due to trauma that occurred during the lumbar puncture. Obtaining three samples during the lumbar puncture usually shows fewer, if any, red blood cells in the third sample when compared with the first or second specimens.

> *Cognitive Level*—*Applying*
> *Client Needs Category*—*Physiological integrity*
> *Client Needs Subcategory*—*Reduction of risk potential*

5. **4.** To prevent complications and allow time for more cerebrospinal fluid (CSF) to form, clients are kept flat in bed for a minimum of at least 30 minutes after undergoing lumbar puncture. Increasing fluids helps re-form CSF at a faster rate. To apply pressure on the puncture site, a supine position rather than a side-lying position is preferred. Assisting the client into a sitting position is unsafe; it can lead to a severe headache or neurologic complications.

> *Cognitive Level*—*Applying*
> *Client Needs Category*—*Physiological integrity*
> *Client Needs Subcategory*—*Physiological adaptation*

6. **1.** The three categories of transmission-based precautions include airborne, droplet, and contact precautions. Most forms of meningitis are spread within a 3-foot (1-meter) radius from an infected person to an uninfected person via moist, oral, and respiratory secretions released during coughing, sneezing, or talking. The Centers for Disease Control and Prevention, therefore, advises that droplet precautions are most appropriate in a client with possible meningitis. Airborne precautions are implemented to prevent the transmission of pathogens such as those from tuberculosis, for example, within the residue of evaporated droplets that remain suspended in the air or attached to dust particles. Contact precautions are used for pathogens that may be transmitted from direct contact with body fluids or from indirect contact with contaminated objects in the client's environment. Standard precautions are followed when caring for all clients, regardless of their infectious status.

> *Cognitive Level*—*Applying*
> *Client Needs Category*—*Safe and effective care environment*
> *Client Needs Subcategory*—*Safety and infection control*

7. 200 mL/hour. When the rate of infusion is an amount in 30 minutes, the rate will be twice the volume in mL/hour (60 minutes) using an electronic infusion device.

> *Cognitive Level—Applying*
> *Client Needs Category—Physiological integrity*
> *Client Needs Subcategory—Pharmacological therapies*

8. 2. To protect the client's skin, there should be a layer of light cloth between the client and the cooling blanket. The cooling blanket is placed beneath the client, not on top. Distilled water is used to fill the fluid chamber, not normal saline. Ice is not used; the distilled water is chilled electronically.

> *Cognitive Level—Applying*
> *Client Needs Category—Safe and effective care environment*
> *Client Needs Subcategory—Safety and infection control*

9. 4. A client with a score of 12 is the sign of significant improvement in client status. The best sign of improvement is when a previously unresponsive client now has a Glasgow Coma Scale score above 8. The Glasgow Coma Scale is a tool that assesses a client's eye opening, verbal, and motor response to stimuli. The scores range from 3 to 15. A score of 8 or less is interpreted as comatose; a score of 15 indicates normal functioning.

> *Cognitive Level—Applying*
> *Client Needs Category—Physiological integrity*
> *Client Needs Subcategory—Physiological adaptation*

10. 1. Guillain-Barré syndrome is characterized by an acute autoimmune inflammatory destruction of the myelin sheath covering the peripheral nerves, which causes rapid, progressive symmetrical loss of motor function; however, the sensory nerves remain intact. Most clients show signs of recovery several weeks after symptoms cease. The exact cause of Guillain-Barré syndrome is unknown, but there seems to be a relationship to prior exposure to infectious agents, by either an actual infection or their attenuated form in an immunization (e.g., flu shot). This condition is not associated with spider bites, chronic illnesses, or past illnesses.

> *Cognitive Level—Applying*
> *Client Needs Category—Physiological integrity*
> *Client Needs Subcategory—Physiological adaptation*

11. 4. When planning client care, it is important to know that in clients diagnosed with Guillain-Barré syndrome, weakness often begins in the extremities and progresses to the upper areas, including the chest. The diaphragm may become paralyzed, resulting in apnea with no respiratory effort. The pulse oximetry reading, which can be monitored continuously, is the most accurate technique for assessing whether a client is breathing effectively. Normal pulse oximetry readings are between 95% and 100% (0.95 and 1.00), so a reading of 82% (0.82) indicates major respiratory compromise. A respiratory rate of 24 breaths/minute is more than what would be expected at rest but may correlate with the presence of a fever. Flushed skin is not a finding associated with impaired breathing. Activity may be decreased to conserve oxygenation, but it is not as significant as the measurement of oxygenation with a pulse oximeter.

> *Cognitive Level—Analyzing*
> *Client Needs Category—Physiological integrity*
> *Client Needs Subcategory—Physiological adaptation*

12. 2. Tube feedings utilize the normal route for digestion, absorption, and elimination of nutrients. Nasogastric (NG) tube feedings are less invasive than gastrostomy tube feedings. Crystalloid I.V. fluid does not supply all the nutrients that a person needs to maintain a healthy state. Total parenteral nutrition (TPN) requires a more invasive administration technique than NG tube feedings.

> *Cognitive Level—Applying*
> *Client Needs Category—Physiological integrity*
> *Client Needs Subcategory—Physiological adaptation*

13. 3. Human immunodeficiency virus encephalopathy, also known as *acquired immunodeficiency syndrome (AIDS) dementia complex*, occurs in at least two-thirds of clients with AIDS. It is characterized by a progressive decline in cognitive, behavioral, and motor function. The best technique to reduce the client's confusion is reorientation to person, place, and circumstances. Reorientation may have to be repeated frequently. Encouraging the family to turn on the television, playing the client's favorite music, or looking at a photo album with the client is a technique for providing sensory stimulation, but they do not help with confusion.

> *Cognitive Level—Applying*
> *Client Needs Category—Physiological integrity*
> *Client Needs Subcategory—Basic care and comfort*

Nursing Care of Clients with Seizure Disorders

14. 2. There are many cross-sensitivities among food allergens and latex. A high degree of association or prevalence of hypersensitivities has been documented among kiwi, bananas, avocados, and chestnuts. There is a moderate degree of hypersensitivity between latex and apples, carrots, celery, papaya, potatoes, and melons. No such relationship exists between kiwi and iodine, laundry soap, or hand sanitizer; however, a person who is allergic to shellfish may also be allergic to iodine.

> *Cognitive Level—Applying*
> *Client Needs Category—Safe and effective care environment*
> *Client Needs Subcategory—Safety and infection control*

15. 3. Autonomic nervous system manifestations of a seizure include an increase in epigastric secretions, pallor, sweating, flushing, piloerection, pupillary dilation, and tachycardia. Numbness and tingling and changes in taste and speech are somatosensory changes. Psychic changes include an aura that may be associated with a smell, noise, or sensation.

> *Cognitive Level—Applying*
> *Client Needs Category—Physiological integrity*
> *Client Needs Subcategory—Physiological adaptation*

16. 1, 2, 3, 6. Safety is a priority for a client diagnosed with a known or suspected seizure disorder. Modifying the environment helps reduce the potential for injuries. The nurse should keep the room dark and quiet, lower the bed to its lowest position, and keep the side rails up and padded. Suction and oxygen equipment should also be available. Lights, noise, and warm temperatures have been known to cause seizures. Providing soft, soothing music can cause relaxation but does not decrease the potential for injuries.

> *Cognitive Level—Applying*
> *Client Needs Category—Safe and effective care environment*
> *Client Needs Subcategory—Safety and infection control*

17. 3. To protect a client with a known or suspected seizure disorder, the client should not be restrained when a seizure occurs. Rather, the immediate area should be free of items that may contribute to injuries. In addition, side rails are padded to prevent injury. Although glass or metal utensils on a tray may injure a client, they are not usually restricted. The nurse may be able to observe the client more closely if the client is in a room close to the nurses' station, but such room arrangements are not always possible.

> *Cognitive Level—Applying*
> *Client Needs Category—Safe and effective care environment*
> *Client Needs Subcategory—Safety and infection control*

18. 3. An electroencephalogram (EEG) is a record of the brain's electrical activity. To ensure that the electrodes of the EEG remain attached to the skull during the test, hair should be clean and dry. Therefore, assisting the client in shampooing the hair is the most appropriate intervention at this time. Fasting is not required, although beverages containing caffeine are restricted 8 hours before an EEG. Drugs that affect brain activity, such as sedatives, are withheld for 24 to 48 hours because they can affect the test outcome. To increase the chances of recording seizure activity, it is sometimes recommended that the client be deprived of sleep.

> *Cognitive Level—Applying*
> *Client Needs Category—Physiological integrity*
> *Client Needs Subcategory—Reduction of risk potential*

19. 4. When a client begins to convulse, the highest priority is maintaining a patent airway. Turning the client on his or her side is the most immediate method of protecting the client's airway. It allows saliva and vomitus (if present) to drain from the mouth rather than descend into the airway. Turning the client also prevents the tongue from blocking the airway. Oxygen is administered after the airway is open and clear. Vital signs are taken after the seizure is completed. Checking a client's pupils would be a very difficult task to perform while the client is having a seizure.

> *Cognitive Level—Analyzing*
> *Client Needs Category—Physiological integrity*
> *Client Needs Subcategory—Reduction of risk potential*

20. 2. Although the time that the seizure started is important information to document, it is not as valuable to the diagnostic process as identifying the seizure's duration. The client's mood before the seizure and comments afterward may be diagnostic, but they are not higher priorities than documenting the duration of the seizure.

> *Cognitive Level—Analyzing*
> *Client Needs Category—Physiological integrity*
> *Client Needs Subcategory—Physiological adaptation*

21. 4, 5, 6. When responding to the client who is experiencing a generalized tonic-clonic seizure, safety and maintenance of the airway are the priority concerns. Rolling the client's whole body to the side facilitates any drainage that may occur from the mouth and keeps the airway open. Objects or situations that could harm the client should be removed from the environment. The respiratory therapy department (or the rapid response team) should be activated for additional support, such as oxygen therapy. The jaw is typically clenched during a seizure; therefore, placing an emesis basin close to the mouth is not an effective action. Furthermore, it may cause the client harm. Calling out the client's name is not essential because the client may lose consciousness for up to several minutes during a seizure. Holding the client down during the seizure activity can harm the client and does nothing to stop the seizure.

> *Cognitive Level—Applying*
> *Client Needs Category—Safe and effective care environment*
> *Client Needs Subcategory—Safety and infection control*

22. 4. A tonic-clonic (generalized) seizure involves both a tonic phase and a clonic phase. Within the tonic phase, loss of consciousness, dilated pupils, and muscular stiffening are common clinical manifestations. This period lasts approximately 20 to 30 seconds. The clonic phase of a generalized seizure results in repetitive movements of muscle contraction. The generalized seizure ends with confusion, drowsiness, deep sleep, and resumption of regular respirations. Jerking in one extremity is a clinical manifestation of a partial seizure. An absence seizure, which frequently goes unnoticed, involves staring with brief loss

of consciousness and fluttering of the eyelids and lip movement. Excessive jerking of the entire body is a manifestation of myoclonic seizures.
> *Cognitive Level—Analyzing*
> *Client Needs Category—Physiological integrity*
> *Client Needs Subcategory—Physiological adaptation*

23. 2. A priority nursing measure during the postictal phase of a seizure is to maintain the client's airway and assess the client's breathing pattern for an effective rate, rhythm, and depth. Oxygen administration may be necessary. Assessing the levels of consciousness and arousability as well as reorientation to person, place, and time are important to complete, but only after a patent airway and regular respiratory pattern have been established. Incontinence of bowel and bladder is common during a seizure, and providing hygiene is important for the client's dignity but not as important as maintaining an airway and assessing breathing.
> *Cognitive Level—Applying*
> *Client Needs Category—Physiological integrity*
> *Client Needs Subcategory—Physiological adaptation*

24. 3. Phenytoin sodium causes gingival hyperplasia. Thorough oral hygiene, gum massage, daily flossing, and regular dental care are essential. Therefore, brushing the teeth becomes especially important for preventing oral complications. Shampooing the hair, trimming the fingernails, and bathing the skin are important components of good hygiene for all clients, but ensuring oral hygiene requires emphasis for clients who have been prescribed phenytoin sodium.
> *Cognitive Level—Applying*
> *Client Needs Category—Physiological integrity*
> *Client Needs Subcategory—Pharmacological therapies*

Nursing Care of Clients with Neurologic Trauma

25. 4. All the identified assessment findings are possible with a head injury, but the most serious is observing serous drainage from the ears. Serous drainage from the ears or nose suggests that the meninges have been lacerated and the drainage is cerebrospinal fluid.
> *Cognitive Level—Analyzing*
> *Client Needs Category—Physiological integrity*
> *Client Needs Subcategory—Physiological adaptation*

26. 3. As long as the accident victim is breathing and alert, it is best to keep the head and neck in a neutral position using a neck immobilizer. A neck immobilizer or cervical collar also prevents obstruction of venous drainage from the head. Keeping the head elevated 30 to 45 degrees promotes venous return, which helps to reduce intracranial pressure, but is appropriate only after spinal cord injury

has been ruled out. None of the other positions allows for maintaining a neutral position and, therefore, will not help to prevent spinal cord damage.
> *Cognitive Level—Applying*
> *Client Needs Category—Physiological integrity*
> *Client Needs Subcategory—Physiological adaptation*

27. 4. Changes in pupil response indicate increasing intracranial pressure and provide vital information regarding the client's neurologic status. Preventing and stabilizing intracranial pressure is a priority because elevated intracranial pressure could lead to brain damage. The other assessments are appropriate when caring for any client, but they are not as specific for information about the client's neurologic status.
> *Cognitive Level—Analyzing*
> *Client Needs Category—Physiological integrity*
> *Client Needs Subcategory—Physiological adaptation*

28. 3. A change in the client's level of consciousness is the most significant indication that intracranial pressure is increasing and possible secondary brain damage is imminent. The information in the other options is important to document but not serious enough to report for additional medical prescriptions.
> *Cognitive Level—Analyzing*
> *Client Needs Category—Physiological integrity*
> *Client Needs Subcategory—Physiological adaptation*

29. 3. Flexing the neck interferes with venous outflow from the brain. Venous congestion raises intracranial pressure. Fluids are generally restricted for a client with a head injury to reduce the potential for raising intracranial pressure. Being frequently disturbed interferes with the client's sleep pattern, but that is not as significant a consequence as identifying the relationship between neck flexion and increased intracranial pressure. A full bladder causes discomfort that can be managed with straight catheterization. A full bladder may cause autonomic dysreflexia in a client with a spinal cord injury but not necessarily a client with a head injury.
> *Cognitive Level—Analyzing*
> *Client Needs Category—Physiological integrity*
> *Client Needs Subcategory—Physiological adaptation*

30. 3. Flaccid posturing is characterized by total lack of muscle tone. It indicates severe neurologic impairment, which may herald brain death. The other descriptions include decorticate posturing (*option 1*) and decerebrate posturing (*option 2*). Decerebrate posturing is more serious than decorticate posturing, but neither is as ominous as flaccid posturing. The prone position (*option 4*) is a normal position.
> *Cognitive Level—Analyzing*
> *Client Needs Category—Physiological integrity*
> *Client Needs Subcategory—Physiological adaptation*

31. 3. The client is correct in stating that function will be retained above the chest and including function of the upper extremities; however, with a complete transection of the spinal cord at the T5 level, the client will have permanent paraplegia. The client will be able to eat and bathe independently.

    Cognitive Level—Analyzing
    Client Needs Category—Physiological integrity
    Client Needs Subcategory—Physiological adaptation

32.

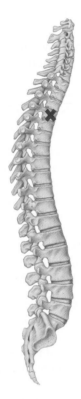

Understanding the area of injury and the neurologic deficits that accompany it is an important aspect of nursing care. At the top of the vertebral column are the cervical vertebrae (C1–7), followed by the thoracic vertebrae (T1–12), then the lumbar vertebrae (L1–5), and the sacral vertebrae (S1–5). The correct placement of the *X* is at the level of T5 where the injury occurred.

    Cognitive Level—Remembering
    Client Needs Category—Physiological integrity
    Client Needs Subcategory—Physiological adaptation

33. 2. All of the goals listed are appropriate, but the highest priority for maintaining the client's physical abilities is to strengthen and retain as much upper body function as possible. Upper body strength is the key to ensuring the client's mobility, self-care, and self-worth. Preventing skin breakdown, addressing the client's denial of his or her condition, and allowing the client to verbalize feelings are important but are not the priority at this time.

    Cognitive Level—Analyzing
    Client Needs Category—Health promotion and
      maintenance
    Client Needs Subcategory—None

34. 1, 3, 5, 6. Autonomic dysreflexia is an acute emergency that occurs as a result of exaggerated autonomic responses to stimuli. Signs and symptoms include severe hypertension, slow heart rate, pounding headache, nausea, blurry vision, flushed skin, sweating, nasal stuffiness, and goose bumps. Clinical manifestations occur after spinal shock has been resolved and are often triggered by a full bladder or fecal impaction. Therefore, checking the client's catheter for patency is an appropriate action to take. Autonomic dysreflexia can have life-threatening consequences if unrelieved.

    Cognitive Level—Applying
    Client Needs Category—Physiological integrity
    Client Needs Subcategory—Physiological adaptation

35. 2. Adding fiber increases bulk to the stool, promoting regular bowel elimination. Fiber attracts fluid to moisten stool, which reduces or prevents fecal impaction. The presence of fecal impaction may also cause autonomic dysreflexia. Some paraplegics perform manual disimpaction on a regular basis to promote bowel elimination. Daily enemas are excessive; however, if an enema is necessary, it is more effective if administered after a meal, when the gastrocolic reflex is more active. Stool softeners twice per week will not promote daily bowel function. Water is necessary for both bowel and bladder function, but the recommended daily requirement for water is eight glasses, not two.

    Cognitive Level—Applying
    Client Needs Category—Physiological integrity
    Client Needs Subcategory—Physiological adaptation

36. 2. A wheelchair ramp will promote mobility by enabling the client to get in and out of the house easily. A hospital bed will assist with positioning the client. A handicapped parking sticker ensures that the client will not have to travel long distances to get in and out of public facilities, but it does not ultimately promote mobility. A raised toilet seat is an inappropriate choice, especially if it is higher than the level of the wheelchair. This would promote inconvenience rather than mobility.

    Cognitive Level—Analyzing
    Client Needs Category—Safe and effective care
      environment
    Client Needs Subcategory—Coordinated care

Nursing Care of Clients with Degenerative Disorders

37. 1. Parkinson disease is the result of a deficiency in dopamine, a neurotransmitter. It is usually seen in clients older than age 50; early signs and symptoms include stiffness, tremors of the hands, and pill rolling (rhythmic motions of thumb against the fingers). Later signs and symptoms include stooped posture, slow shuffling gait, and drooling. Assessing the client's ability to carry out various activities of daily living (ADLs) is the most appropriate nursing intervention at this time. It also allows for proper planning with the various disciplines that will be involved in the client's care. All the other data are important to the care of the client, but physiologic needs are a higher priority.

> *Cognitive Level—Applying*
> *Client Needs Category—Safe and effective care environment*
> *Client Needs Subcategory—Coordinated care*

38. 3. The primary focus for the client with Parkinson disease is safety because much of the disease progression renders the client at risk for falling. The client typically has a propulsive unsteady gait, characterized by a tendency to take increasingly quicker steps while walking. The client may have difficulty beginning to walk and then difficulty returning to a seated position. Clients with Parkinson disease do not characteristically have muscle weakness as a consequence of the disease, but they may have muscle weakness as a consequence of disuse. The client's diet is generally balanced, but aspiration may be a problem. Social interactions are only compromised if others avoid the client.

> *Cognitive Level—Analyzing*
> *Client Needs Category—Safe and effective care environment*
> *Client Needs Subcategory—None*

39. 3. The most realistic goal is to slow further deterioration, including that of muscle and motor activity. Intensity and duration of symptoms may vary based on the client's status from day to day or between medication doses. There is no known cure for Parkinson disease and no way to stop its progression. However, many clients live with the disease for years.

> *Cognitive Level—Analyzing*
> *Client Needs Category—Health promotion and maintenance*
> *Client Needs Subcategory—None*

40. 4. Offering a few sips of water before placing the capsule in the client's mouth should help moisten the oral cavity and help the client swallow the medication. Capsules are never softened by placing them in water before administration, nor should clients be instructed to chew capsules. Emptying the contents of the capsule into the client's mouth will produce an unpleasant taste. At the worst, an opened capsule may be absorbed at an undesirable rate.

> *Cognitive Level—Applying*
> *Client Needs Category—Safe and effective care environment*
> *Client Needs Subcategory—Safety and infection control*

41. 1. Fresh fruits and vegetables are good sources of fiber, which increases the bulk and water content of the stool. Most pasta is made from some type of refined wheat flour. Whole grains are a better source of fiber. Canned vegetables contain fiber but also a great deal of sodium. Cooking softens the fiber in vegetables and fruit; consequently, the cooking process reduces the indigestible bulk. Cheese is known to cause constipation, not help control it.

> *Cognitive Level—Applying*
> *Client Needs Category—Physiological integrity*
> *Client Needs Subcategory—Basic care and comfort*

42. 2. In the event the client wanders from the facility, make sure the client can be identified and returned to the care-providing agency. The Alzheimer's Association distributes identification tags and keeps a registry of client names as well. Restricting the client to a close proximity to his or her room is inappropriate. The Alzheimer's Association also recommends door locks that are installed up high or out of sight. Locking the outside doors is a fire and safety hazard. It is better to install doors that sound an alarm when opened. Memory loss is a classic sign of Alzheimer disease. The client will most likely have to be redirected several times during the day.

> *Cognitive Level—Applying*
> *Client Needs Category—Safe and effective care environment*
> *Client Needs Subcategory—Safety and infection control*

43. 2. The purse may be a symbol of security for the client. Therefore, it is best to accommodate the client's idiosyncrasy. Trying to alter the client's behavior may increase the client's confusion and lead to aggressive behavior. The client may not have the cognitive ability to offer a reason, choose a storage place, or understand the concept of loss.

> *Cognitive Level—Applying*
> *Client Needs Category—Psychosocial integrity*
> *Client Needs Subcategory—None*

44. 3. Clients with dementia can sometimes be distracted from their original thoughts; therefore, stating that the client misses the mother and asking questions that foster long-term memory are most appropriate. In many cases, the short-term memory of a client with dementia has deteriorated; however, long-term memory may be intact. Reminding the client about the mother's death may cause distress. Lying by saying the client's mother will visit later is unethical. Frustration may develop when asking the client to identify the mother's last visit.

> *Cognitive Level—Applying*
> *Client Needs Category—Psychosocial integrity*
> *Client Needs Subcategory—None*

45. 3. A client who shouts out frequently indicates a need for care and attention. Assigning unlicensed assistive personnel exclusively to the client ensures someone can remain in the room to reassure the client and attend to the client's needs. Shutting the door acts as a barrier for nursing care. Administering a sedative to quiet a client is a form of chemical restraint and must be avoided. Obtaining assistance from the family may help, but their ability to do so may not be convenient or reasonable.

> *Cognitive Level—Applying*
> *Client Needs Category—Safe and effective care environment*
> *Client Needs Subcategory—Coordinated care*

46. 1. Assessing all clients daily to determine their risk for falls and then implementing fall precautions on all those identified at risk are the first steps in reducing the incidence of falls. Clients who are not at risk for a fall would not need assistance. Posting or identifying a client who is at risk for a fall and reminding clients to seek assistance are appropriate interventions, but they would follow after identifying clients who are at risk.

> *Cognitive Level—Applying*
> *Client Needs Category—Safe and effective care environment*
> *Client Needs Subcategory—Coordinated care*

47.

| 2. Remove those in danger. |
| 4. Report the location of the fire. |
| 3. Close doors in the area. |
| 1. Retrieve a fire extinguisher |

The proper response to a fire follows the acronym RACE, which stands for Rescue, Alarm, Contain, and Extinguish. Hospitals and other health care agencies are required to review and practice the fire plan regularly. The fire plan is discussed with all persons hired for employment in the agency. The fire plan is available in the agency's printed manual or online.

> *Cognitive Level—Applying*
> *Client Needs Category—Safe and effective care environment*
> *Client Needs Subcategory—Safety and infection Control*

48. 2, 1, 5, 4. During a nursing in-service or when reviewing the fire plan, the use of a fire extinguisher is reviewed. The acronym PASS is a method to remember how a fire extinguisher is used. The steps include **p**ulling the pin from the handle, **a**iming the nozzle near the base of the fire, **s**queezing the handle, and **s**weeping the nozzle from side to side.

> *Cognitive Level—Applying*
> *Client Needs Category—Safe and effective care environment*
> *Client Needs Subcategory—Safety and infection control*

49. 1. Multiple sclerosis is a progressive, debilitating disease affecting the myelin sheath of the peripheral nerves. The cause is unknown, and onset affects clients usually between ages 20 and 40. Myelin is necessary for the transmission of nerve impulses to and from the brain. Being able to verbalize feelings of fear and frustration about a debilitating disease can be extremely therapeutic for the client. Sharing possibly irrational fears with a caring individual may help put them in a more realistic light. Giving accurate information, identifying assessment findings, and validating that the present health experience is common are appropriate nursing measures once the client verbalizes fears.

> *Cognitive Level—Applying*
> *Client Needs Category—Psychosocial integrity*
> *Client Needs Subcategory—None*

50. 3. A client with multiple sclerosis is typically weak and tires easily. Scheduling rest periods between activities will help manage these symptoms; it may also facilitate more self-care measures and elevate the client's self-esteem. The client is entitled to have basic needs met; if unable to do so independently, staff must carry out the responsibility. Hurrying through tasks would probably tire the client. Doing tasks that the client is capable of performing is demeaning.

> *Cognitive Level—Applying*
> *Client Needs Category—Physiological integrity*
> *Client Needs Subcategory—Basic care and comfort*

51. 2. Clients with multiple sclerosis may experience numbness or decreased sensations; consequently, they may be unable to tell when an area of pressure is developing. Changing the client's position every 2 hours is sufficient in most circumstances to maintain skin that is still intact. An air-fluidized bed is appropriate for clients who are totally immobile or who have already developed stage 3 or 4 pressure ulcers. Rubbing a reddened skin area is inappropriate because this further damages the skin. Hyperbaric oxygen chambers promote healing by administering 100% oxygen at pressure three times greater than atmospheric pressure and are used when skin breakdown does not heal. Hyperbaric therapy is not used to prevent skin breakdown. Daily treatments can be costly and inconvenient because few hospitals have this type of therapy available.

> *Cognitive Level—Applying*
> *Client Needs Category—Physiological integrity*
> *Client Needs Subcategory—Basic care and comfort*

52. 1. Hot weather, even hot baths, increases the weakness common among clients with multiple sclerosis. Clients are not usually as adversely affected by rainy, dry, or cold environments.

> *Cognitive Level—Applying*
> *Client Needs Category—Health promotion and maintenance*
> *Client Needs Subcategory—None*

53. 3. The vastus lateralis is the best intramuscular site to teach an adult to use when self-administering an injection. The ventrogluteal site is used by nurses when administering intramuscular injections, but this site is difficult for self-injection and may require assistance from another person. The rectus femoris site is generally used for infants and is associated with pain. The dorsogluteal site in the buttocks is used least of all because it can result in damage to the sciatic nerve or major blood vessels in the area. The deltoid injection site is difficult to use for self-administration.

> *Cognitive Level—Applying*
> *Client Needs Category—Safe and effective care environment*
> *Client Needs Subcategory—Safety and infection control*

54. 4. Interferon beta-1a is essential for reducing exacerbations in relapsing forms of multiple sclerosis. The drug slows the progression of physical disability. Therefore, withholding the drug because of anorexia and nausea is not an option. Mouth care improves the client's appetite, but it will not relieve the client's nausea. Administering the drug after meals will neither improve the client's appetite nor relieve nausea. The best approach is to meet the client's nutritional needs by providing small, frequent meals that are easy to digest.

> *Cognitive Level—Applying*
> *Client Needs Category—Physiological integrity*
> *Client Needs Subcategory—Basic care and comfort*

55. 3. Myasthenia gravis is a neuromuscular disorder characterized by severe weakness of one or more skeletal muscles. Ptosis, which is drooping of the eyelids, is one of the more common signs of this disease and probably would be noticed by the client. Other common signs of generalized weakness include difficulty chewing and swallowing, mask-like facial expressions, and inarticulate speech. The client's hearing and pupillary reflex would be unaffected by the disease. The client may have some problems moving the tongue during speech, but the tongue does not generally protrude.

> *Cognitive Level—Remembering*
> *Client Needs Category—Physiological integrity*
> *Client Needs Subcategory—Physiological adaptation*

56. 1. Clients with myasthenia gravis are prone to upper body muscular weakness that can compromise the ability to breathe. Because ventilation is critical to life, this assessment is the most appropriate and critical to make. During a myasthenic crisis, the client experiences respiratory difficulty, increased weakness, and problems talking and swallowing. Confusion, hypertension, and elevated temperature are not associated with this disorder.

> *Cognitive Level—Applying*
> *Client Needs Category—Physiological integrity*
> *Client Needs Subcategory—Physiological adaptation*

57. 3. Because swallowing, which requires muscular strength, is compromised, an oral suction machine is best kept at the bedside of a client with myasthenia gravis. Suctioning may be needed quickly if the client cannot clear his or her airway. A cardiac defibrillator should remain centrally located near the nurses' station when not in use. Typically, clients with myasthenia gravis do not have seizures, nor do they develop hyperthermia, so a bite block and cooling blanket are not necessary.

> *Cognitive Level—Applying*
> *Client Needs Category—Physiological integrity*
> *Client Needs Subcategory—Reduction of risk potential*

58. 2. Administering medications for myasthenia gravis at precise times prevents the worsening of symptoms as the medication wears off. Getting adequate nourishment is a healthy behavior, but dietary measures do not affect the symptoms of myasthenia gravis. Exercise may actually precipitate muscular weakness. Ensuring elimination is an appropriate nursing measure for managing the consequences of myasthenia gravis but not for controlling the muscular weakness that causes elimination problems.

> *Cognitive Level—Applying*
> *Client Needs Category—Physiological integrity*
> *Client Needs Subcategory—Pharmacological therapies*

59. 4. Applying gentle downward pressure to the bladder while voiding is the correct way to perform a Crede maneuver to help empty the bladder. Kegel exercises are used to restore muscle function to the pelvic floor; they are used after birth and to help with urinary incontinence and involve contracting of the urinary sphincter. The Valsalva maneuver is used to aid in defecation.

> *Cognitive Level—Applying*
> *Client Needs Category—Health promotion and*
>   *maintenance*
> *Client Needs Subcategory—None*

60.

Early Symptoms

2. Poor balance

6. Slurred words

Middle Symptoms

1. Difficulty walking

3. Dysphagia

Late Symptoms

5. Loss of speech

4. Paralysis of breathing muscles

Early symptoms include poor balance and slurred words. As the disease progresses, the client experiences middle symptoms including difficulty walking and dysphagia. As the client nears end of life, late symptoms appear, including loss of speech and paralysis of breathing muscles.

> *Cognitive Level—Analyzing*
> *Client Needs Category—Physiological integrity*
> *Client Needs Subcategory—Physiological adaptation*

Nursing Care of Clients with Cerebrovascular Disorders

61. 1. A client who is experiencing a transient ischemic attack (TIA) may have unilateral weakness, dizziness, speech disturbances, visual loss, or double vision. Although the client may report visual changes, photosensitivity is not one of them. Stabbing head pain is more characteristic of a cerebral hemorrhage. Numbness and tingling in the hand are associated with nerve damage such as a pinched nerve in the neck, which is not associated with TIAs.

> *Cognitive Level—Understanding*
> *Client Needs Category—Physiological integrity*
> *Client Needs Subcategory—Physiological adaptation*

62. **2.** A transient ischemic attack (TIA) signals that a stroke may occur in the very near future; it is therefore inappropriate to ignore the symptoms or see if the symptoms persist. Providing an explanation is appropriate, but referring the client for immediate medical evaluation is the nurse's priority. Taking a low-dose aspirin daily may prevent vascular thrombosis; however, it does not supersede seeking evaluation and treatment of the underlying cause of symptoms.

> *Cognitive Level—Analyzing*
> *Client Needs Category—Physiological integrity*
> *Client Needs Subcategory—Physiological adaptation*

63. **1.** To obtain valid assessment data, the nurse should dim the lights in the examination area and shine the penlight from the side of the temple into each pupil. If conscious, the client is typically instructed to stare into the distance, not directly at the light. Both eyes are open, and the response of each pupil is observed separately before the opposite eye is directly stimulated. The nurse is primarily observing for constriction of the stimulated pupil, not extraocular eye movement.

> *Cognitive Level—Remembering*
> *Client Needs Category—Physiological integrity*
> *Client Needs Subcategory—Physiological adaptation*

64. **2.** An allergy to shellfish indicates sensitivity to iodine, which is a component in many contrast dyes. To avoid a reaction, an allergy to shellfish must be reported. Allergy to any of the other substances does not affect the computed tomography (CT) scan.

> *Cognitive Level—Applying*
> *Client Needs Category—Physiological integrity*
> *Client Needs Subcategory—Reduction of risk potential*

65. **1.** A widened pulse pressure is an ominous sign that accompanies increased intracranial pressure. Pulse pressure is the difference between systolic and diastolic blood pressures. A pulse pressure between 30 and 50 mm Hg is considered normal. A widened pulse pressure in increased intracranial pressure is one that exceeds 50 mm Hg when the systolic pressure increases and the diastolic pressure decreases. If a trend is developing, however, it should be reported early rather than waiting until the pulse pressure equals or exceeds 50 mm Hg. The remaining choices are not indicators that intracranial pressure is increasing.

> *Cognitive Level—Applying*
> *Client Needs Category—Physiological integrity*
> *Client Needs Subcategory—Physiological adaptation*

66. **3.** Suctioning is required whenever a client cannot clear his or her own airway. An unconscious client should be positioned on the side rather than supine. Removing pillows is inconsequential to maintaining a clear airway. Oral hygiene is an appropriate nursing measure for meeting the client's basic needs, but it does not clear the airway.

> *Cognitive Level—Applying*
> *Client Needs Category—Physiological integrity*
> *Client Needs Subcategory—Reduction of risk potential*

67. **1, 3, 4, 6.** Assessment of a client's fall risk is a National Patient Safety Goal set by The Joint Commission and should be completed on admission, periodically during the hospitalization according to hospital policy, and when the client's status changes. Men are more likely to take risks or not ask for help, which makes them a higher risk for falls. Unless a fever is significantly high and accompanied by delirium, it is generally not considered a risk factor. Clients who are confused become disoriented, are less likely to follow or remember instructions, have poor judgment, and are more likely to forget their limitations. Vertigo or dizziness makes clients unsteady on their feet, which also poses a risk for falls. Clients with sensory deficits such as impaired vision are at higher risk than those with a hearing loss. Altered elimination, such as incontinence, urinary or bowel frequency, nocturia, or needing assistance to go to the toilet also are risk factors that frequently cause falls.

> *Cognitive Level—Analyzing*
> *Client Needs Category—Physiological integrity*
> *Client Needs Subcategory—Reduction of risk potential*

68. **2, 3, 5, 6.** Medications that cause drowsiness or sleep or lower blood pressure place the client at higher risk for falls. Benzodiazepines are antianxiety drugs, such as alprazolam, chlordiazepoxide, diazepam, and lorazepam, which cause a tranquilizing effect. Opioids such as morphine, fentanyl, codeine, and meperidine also cause drowsiness and can affect judgment. Anticonvulsants containing barbiturates such as phenobarbital cause central nervous system (CNS) depression, resulting in sedation and dizziness. Antihypertensives, on the other hand, can cause orthostatic hypotension on rising, resulting in dizziness, vertigo, and unsteady gait. Antilipemics such as statins like atorvastatin and simvastatin and glucocorticoids like methylprednisolone and prednisone do not pose a fall risk for the client.

> *Cognitive Level—Analyzing*
> *Client Needs Category—Physiological integrity*
> *Client Needs Subcategory—Pharmacological therapies*

69. **1, 2, 4, 5.** Preventing a client from falling is of utmost importance. Instructing the client to ask for help before getting up, turning on the bed alarm, advising the client's family to inform staff when they are leaving the room, and placing the bed in its lowest position are all appropriate nursing activities to prevent falls. Applying restraints to prevent a client from falling should be used as a last resort when all other alternative interventions have been attempted. Obtaining a prescription for a physical therapy consult may help with strengthening the lower extremities and providing stamina, but this would be a long-term goal and not one that would prevent falls initially.

> *Cognitive Level—Applying*
> *Client Needs Category—Physiological integrity*
> *Client Needs Subcategory—Reduction of risk potential*

70. **4.** A client with hemiplegia is best assisted from bed to a wheelchair by bracing the disabled foot and knee. The client with hemiplegia is unable to use a walker unless there is some residual strength in the paralyzed arm. The wheelchair is placed parallel to the bed. The nurse stands in front of the client to facilitate bracing and balancing.

Cognitive Level—*Applying*
Client Needs Category—*Physiological integrity*
Client Needs Subcategory—*Basic care and comfort*

71. 1, 3, 5. Passive range-of-motion (ROM) exercises are performed on a routine basis (usually three times per day) to prevent paralyzed extremities from forming contractures. Passive ROM exercises should be performed on all of the joints that the client does not move actively; each joint exercise should be performed three times each. It is not necessary for the client's spouse to take the pulse, but the spouse should be instructed to watch for signs of pain, color changes, and respiratory distress. The client's spouse should also be instructed to watch for signs of fatigue and to allow rest periods between exercises to promote optimal joint functioning. Passive ROM exercises should be conducted slowly in a systematic sequence, starting at the head and working downward toward the lower extremities.

Cognitive Level—*Applying*
Client Needs Category—*Physiological integrity*
Client Needs Subcategory—*Basic care and comfort*

72. 2. Expressive aphasia means that the client can understand what is said but cannot respond using spoken language. An appropriate alternative is to use some nonverbal method by which the client can communicate, such as pointing to a written or printed list of key words. Encouraging the client to practice key words is likely to cause frustration because the loss of language is not from a lack of effort or practice. Despite the client's inability to respond verbally, it is still appropriate for the nurse to speak to the client, but it should be done in a normal tone of voice, allowing the client ample time to complete thoughts. Completing the client's sentences serves no therapeutic benefit.

Cognitive Level—*Applying*
Client Needs Category—*Psychosocial integrity*
Client Needs Subcategory—*None*

73. 2. The long-term outcomes after a stroke are often determined by aggressive nursing efforts to maintain musculoskeletal function. Rehabilitation begins on admission with functional positioning, active and passive exercises, and early physical and occupational therapies. Managing bowel and bladder elimination does not have the same impact as preventing the development of musculoskeletal deformities. Helping the client cope with altered body image, depression, and grieving from loss of health and independence is an appropriate nursing responsibility; however, even if those concerns are positively resolved, the client's rehabilitation would be delayed if contractures and joint immobility develop.

Cognitive Level—*Analyzing*
Client Needs Category—*Physiological integrity*
Client Needs Subcategory—*Reduction of risk potential*

74. 2. After a stroke, emotional fluctuations, also called emotional lability or pseudo-bulbar affect, which can consist of inappropriate laughing or crying, are a common manifestation. Crying is the most common symptom. Family members need to be advised that this frequently occurs from the effects of the stroke. This manifestation is not a ploy to regain control of the client's life nor does it occur from the destructive effects in the brain. Emotional fluctuations do not occur in all stroke clients and do not always relate to having a major event in one's life.

Cognitive Level—*Applying*
Client Needs Category—*Psychosocial integrity*
Client Needs Subcategory—*None*

75. 1, 4, 5, 6. One of the National Patient Safety Goals set by The Joint Commission states that clients who are being discharged on anticoagulants must have discharge teaching. Warfarin is an orally administered anticoagulant that reduces the clotting time by causing a deficiency of prothrombin. It is used in stroke clients to reduce the risk of clot formation that could lead to further strokes. Discharge instructions should cover the following: dietary restrictions (foods high in vitamin K, including avocado, green leafy vegetables, and broccoli, can reverse or reduce drug effects), missed doses (the client should not double the dose if missed but should check with the prescriber), and evidence of bruising or blood in any body fluids such as urine, stool, or emesis that should be reported immediately. In addition, the client and spouse should be aware of the need to have frequent international normalized ratio (INR) levels determined until therapeutic levels can be obtained and periodically thereafter. There are no restrictions associated with warfarin use regarding the avoidance of heavy lifting or staying out of the sun.

Cognitive Level—*Applying*
Client Needs Category—*Physiological integrity*
Client Needs Subcategory—*Pharmacological therapies*

76. 3. Hemianopia is a visual field defect in which the client is unable to see the left or right half of an image. It is the result of the stroke affecting the client's visual pathway. In short, it is blindness in one-half of the visual field and may be temporary or permanent. To accommodate the client's residual peripheral vision, it is best to approach the client from the unaffected side. Placing food in a pattern resembling a clock will serve no therapeutic benefit because the client will not be able to see half of the plate. The interventions listed in the other options have no therapeutic value when caring for a client with hemianopia.

Cognitive Level—*Applying*
Client Needs Category—*Safe and effective care environment*
Client Needs Subcategory—*Safety and infection control*

77. 1. Coughing increases intracranial pressure and thereby increases the potential for cerebral bleeding. The other identified problems require the nurse's attention, but reducing or eliminating coughing should be the highest priority.

Cognitive Level—*Analyzing*
Client Needs Category—*Physiological integrity*
Client Needs Subcategory—*Reduction of risk potential*

78. 3. The most critical assessment that the nurse should make is to evaluate the client's level of consciousness (LOC). This is the best indicator of brain function; any deterioration in the client's condition would alter LOC. Motor strength, an indication of the brain's ability to control voluntary actions, is important to assess but is secondary to the client's LOC. Vital signs are measured frequently when a client has a cerebral aneurysm, but they may not vary significantly unless and until the aneurysm ruptures. Skin integrity must be assessed for evidence of breakdown caused by a client's limited activity, but the priority is performing assessments that indicate a worsening of the client's condition.

Cognitive Level—*Analyzing*
Client Needs Category—*Physiological integrity*
Client Needs Subcategory—*Physiological adaptation*

Nursing Care of Clients with Tumors of the Neurologic System

79. 1, 2, 4, 5. A positron emission tomography (PET) scan uses computed cross-sectional images of an organ to provide facts about benign and malignant cell activity. It is used primarily for lung, colon, liver, pancreatic, and brain tumors. The client should be instructed to eliminate caffeine, sources of sugar such as juice and even chewing gum and breath mints, and alcohol for 24 hours before a PET scan. Medications may be taken, although clients with diabetes may need to modify their drugs or diet to avoid hypoglycemia. Drinking water is encouraged to ensure hydration.

Cognitive Level—*Applying*
Client Needs Category—*Physiological integrity*
Client Needs Subcategory—*Reduction of risk potential*

80. 2. Consuming extra fluids helps excrete the radio-isotope used during the examination. There is no specific reason to recommend taking a sedative, avoiding active exercise, or reporting signs of a fever.

Cognitive Level—*Applying*
Client Needs Category—*Physiological integrity*
Client Needs Subcategory—*Physiological adaptation*

81. 1. The nurse must frequently monitor the neurologic status of a client who has had a craniotomy. One of the most important assessments involves checking the client's extremities for movement and motor strength (not for pulses) and comparing preoperative with postoperative assessment findings. Any decrease in strength or ability to move usually indicates that the intracranial pressure is increasing. Although the other assessments are appropriate to note, they are not as significant to the client's critical condition.

Cognitive Level—*Applying*
Client Needs Category—*Physiological integrity*
Client Needs Subcategory—*Physiological adaptation*

82. 3. When catheterizing an adult male, the catheter is usually inserted at a distance of 6 to 8 in (15 to 20 cm) or until urine begins to flow. A catheter that is inserted less than 6 in (15 cm) or inflated before urine flows might not be properly located in the bladder. Urethral damage may occur if the tip of the catheter and the bulb are not fully within the bladder.

Cognitive Level—*Understanding*
Client Needs Category—*Physiological integrity*
Client Needs Subcategory—*Physiological adaptation*

83. 2. To reduce the potential for a wound infection, it is best to reinforce a moist dressing. Usually, the surgeon performs the first dressing change unless otherwise specified in the medical prescriptions. The condition of the dressing and the action taken are important information to document. Removing or changing the dressing would be inappropriate.

Cognitive Level—*Applying*
Client Needs Category—*Physiological integrity*
Client Needs Subcategory—*Reduction of risk potential*

84. 4. Reorientation is appropriate during periods of confusion. It may be necessary to repeat information several times. Explaining the nature of the confusion to the client or withholding communication would be inappropriate. Reading to the client may help to raise the level of consciousness but would not necessarily correct confusion.

Cognitive Level—*Applying*
Client Needs Category—*Psychosocial integrity*
Client Needs Subcategory—*None*

85. 4. Clear liquids are given postoperatively to keep the mouth moist and to stimulate peristalsis of the gastrointestinal system. However, before the client receives any oral fluids, it is essential that the nurse assess the client's ability to swallow. Clients undergoing neurologic surgery may have residual muscular weakness, which creates the potential for aspiration. It is an expectation that bowel sounds will return to all four quadrants postoperatively but may not be totally functional by the time clear liquids are started. Ice chips are usually given before other types of clear liquids; the nurse should assess whether the client has any nausea or vomiting before starting broth, juice, or gelatin rather than obtaining information about food preferences. The ability to raise the head to drink is not as important to assess as the ability to swallow.

Cognitive Level—*Applying*
Client Needs Category—*Physiological integrity*
Client Needs Subcategory—*Reduction of risk potential*

Nursing Care of Clients with Nerve Disorders

86. **2**. Trigeminal neuralgia is a painful condition involving cranial nerve V, the trigeminal nerve. The cause of this condition is unknown, but it produces problems with chewing, facial movement, and sensation. The client may describe the pain as sudden, severe, and burning. The pain, which comes and goes quickly, may occur several times per day. Therefore, the client's care plan must include measures to prevent any stimulation to trigger points that could provoke pain along the ophthalmic, mandibular, and maxillary branches of the trigeminal nerve. Therefore, all contact with the face—including heat, cold, and drafts—should be avoided.
> *Cognitive Level—Applying*
> *Client Needs Category—Physiological integrity*
> *Client Needs Subcategory—Physiological adaptation*

87. **1**. Because the liver produces prothrombin, a substance important to clot formation, signs of unusual bleeding in a client taking carbamazepine indicate adverse effects to the liver. Clay-colored stools and dark-brown urine, not black stools or cloudy urine, are associated with liver disturbances. Mottled skin is not a sign of liver impairment.
> *Cognitive Level—Applying*
> *Client Needs Category—Physiological integrity*
> *Client Needs Subcategory—Pharmacological*
> *   therapies*

88. **3**. Directing the flow of the eye irrigant across the conjunctiva from the nasal to the temporal corners of the eye helps keep the solution from dripping down the client's nose. It also keeps debris from entering the nasolacrimal duct.
> *Cognitive Level—Applying*
> *Client Needs Category—Physiological integrity*
> *Client Needs Subcategory—Pharmacological therapies*

89. **4**. There are 12 cranial nerves, the seventh of which is the facial nerve. The cause of Bell palsy is unknown, but inflammation occurs around the facial nerve, resulting in sudden paralysis of the skeletal muscles about the face. The paralysis is usually unilateral and affects the muscles of the eyelids and face, making speaking, chewing, and blinking difficult.
> *Cognitive Level—Applying*
> *Client Needs Category—Physiological integrity*
> *Client Needs Subcategory—Physiological adaptation*

90. **3**. Bell palsy involves impairment of cranial nerve VII, which affects the face, speaking, and chewing. Food may become trapped in the buccal pouch of a client with Bell palsy. Therefore, the nurse should inspect this area after each meal, assess for mechanical trauma, and remove any oral debris. Controlling light has no therapeutic value. Bell palsy affects the nerves of the face and does not affect motor involvement of the lower extremities. Therefore, instructing the client how to walk with a cane is unwarranted.
> *Cognitive Level—Applying*
> *Client Needs Category—Physiological integrity*
> *Client Needs Subcategory—Physiological adaptation*

91. **1**. To allow room for instilling dye or air within the vertebral column, approximately 15 mL of spinal fluid is withdrawn via a lumbar puncture. The client is instructed to lie prone on the examination table. The table, however, is tilted to promote movement of the dye. Local anesthesia is used at the site of the lumbar puncture, but no other forms of anesthesia are commonly given.
> *Cognitive Level—Applying*
> *Client Needs Category—Physiological integrity*
> *Client Needs Subcategory—Reduction of risk potential*

92. **2**. Bending the knees while keeping the back straight is an excellent technique for good body mechanics. The back is often strained by lifting objects with the waist bent. Heavy objects are carried close to the center of gravity. Clients should be placed on a firm mattress rather than a soft one.
> *Cognitive Level—Applying*
> *Client Needs Category—Health promotion and*
> *   maintenance*
> *Client Needs Subcategory—None*

93. **1, 3, 5**. A diskectomy with spinal fusion involves the removal of the herniated disk followed by grafting a piece of bone onto the vertebrae. Clients should be instructed to avoid twisting or jerking the back, sit in a chair with a straight back, and avoid sitting for prolonged periods. The client should bend from the knees when picking items up from the floor. Furthermore, clients should be instructed to report pain that is similar to before surgery or is not relieved with rest or pain medication. Clear or blood-tinged wound drainage is normal immediately after surgery, but purulent drainage indicates a possible infection.
> *Cognitive Level—Applying*
> *Client Needs Category—Physiological integrity*
> *Client Needs Subcategory—Reduction of risk potential*

The Nursing Care of Clients with Disorders of Sensory Organs and the Integument

- Nursing Care of Clients with Eye Disorders
- Nursing Care of Clients with Ear Disorders
- Nursing Care of Clients with Nasal Disorders
- Nursing Care of Clients with Disorders of the Skin and Related Structures
- Test Taking Strategies
- Correct Answers and Rationales

Directions: *With a pencil, blacken the space in front of the option you have chosen for your correct answer.*

Nursing Care of Clients with Eye Disorders

A high school chemistry student is splashed in the eyes with a chemical. The school nurse is immediately called to the lab and meets the client at the eye wash station.

1. What information is **most important** for the school nurse to obtain from the client initially?
[ ] **1.** Whether safety glasses were worn
[ ] **2.** The name of the splashed chemical
[ ] **3.** The treatment already provided
[ ] **4.** Whether the client's vision is impaired

The school nurse prepares to irrigate the student's irritated eye.

2. What solution is **best** for the school nurse to use when irrigating the student's eye at this time?
[ ] **1.** Tap water
[ ] **2.** Sodium bicarbonate
[ ] **3.** Normal saline
[ ] **4.** Magnesium sulfate

Following the eye wash, the nurse reassesses the client's eye in the health room and irrigates with normal saline.

3. The nurse is preparing to irrigate the student's eye. What step(s) is appropriate in completing the irrigation? Select all that apply.
[ ] **1.** Place the solution directly into the center of the eye.
[ ] **2.** Tilt the head toward the opposite eye.
[ ] **3.** Perform hand hygiene and put on gloves.
[ ] **4.** Offer the client a paper tissue.
[ ] **5.** Place the solution into the conjunctival sac.
[ ] **6.** Continue eye irrigation until all redness is resolved.

4. When irrigating the client's eyes, what technique describes the **best** way to direct the flow of irrigating solution?
[ ] **1.** Directly onto the corneal surface
[ ] **2.** Away from the inner canthus
[ ] **3.** Within the anterior chamber
[ ] **4.** Toward the nasolacrimal duct

The nurse re-evaluates the student's eye 48 hours later. The student still reports eye discomfort, and redness is noted across the sclera.

5. When updating the plan of care, to which professional is it **best** to refer the student for follow-up care?
[ ] **1.** An optician
[ ] **2.** An ophthalmologist
[ ] **3.** An optometrist
[ ] **4.** An orthoptist

6. When a small foreign body becomes embedded in a client's eye, what nursing action should be taken **first** before referring the client for emergency treatment?
[ ] **1.** Remove the object with forceps.
[ ] **2.** Ask the person to blink rapidly.
[ ] **3.** Instill antibiotic ointment.
[ ] **4.** Loosely patch both eyes.

The nurse uses a Snellen chart to assess a client's visual acuity. The Snellen chart is placed in the hall.

7. In preparing for an accurate screening, which factor is **most** important?
[ ] **1.** Instilling mydriatics to dilate the pupils
[ ] **2.** Having a distance of 20 ft (6 m) from the chart
[ ] **3.** Encouraging the client to squint to see the letters
[ ] **4.** Using glasses first to read the chart then read unaided

8. The visual acuity is documented as 20/40 (6/12) in the client's medical record. How is this compared to the person who sees 20/20 (6/6)?
[ ] **1.** The client needs to be 20 ft (6 m) closer to read the chart.
[ ] **2.** The client needs to be 40 ft (12 m) closer to read the chart.
[ ] **3.** The client needs to be 20 ft (6 m) farther away to read the chart.
[ ] **4.** It is not possible to make an accurate comparison.

An unlicensed assistive personnel confides to the nurse that a family member needs eyeglasses.

9. When a nurse assesses a client with astigmatism, what statement aligns most closely with the diagnosis?
[ ] **1.** "I see near objects more clearly."
[ ] **2.** "I see blurry objects in front of me."
[ ] **3.** "I see far objects more clearly."
[ ] **4.** "I see two of the same object."

10. The nurse interacts with a client who has developed a type of conjunctivitis, commonly called *pinkeye*. What health teaching is appropriate for the nurse to provide? Select all that apply.
[ ] **1.** Avoid personal contact with anyone else for 2 weeks.
[ ] **2.** Sleep separately from anyone until symptoms are relieved.
[ ] **3.** Avoid sharing towels and face cloths.
[ ] **4.** Wear dark glasses when going to work.
[ ] **5.** Avoid touching the eye and area around it.
[ ] **6.** Wash the hands with soap and water or use hand sanitizer.

11. The nurse instructs the client's spouse on the administration of ophthalmic antibiotic ointment. On the drawing below, place an *X* on the area to which the nurse should tell the spouse to begin applying the ointment.

12. What nursing intervention is **most appropriate** to include in the care plan of an anxious client who is blind or has both eyes patched?
[ ] **1.** Touch the client before speaking.
[ ] **2.** Explain the nursing actions before performing them.
[ ] **3.** Stand in front of the client when speaking.
[ ] **4.** Leave the room lights on at all times.

A client with myopia undergoes a laser keratotomy (LASIK) procedure.

13. What statement is the **best** nursing evidence that the client understands the anticipated outcome of this procedure?
[ ] **1.** "I will have better night vision."
[ ] **2.** "I will correctly identify colors."
[ ] **3.** "I will see well without glasses."
[ ] **4.** "I will use both eyes when reading."

A client with a malignant eye tumor has consented to undergo enucleation of the eye.

14. What statement provides the nurse with the **best evidence** that the client understands the postoperative outcome of this surgery?
[ ] **1.** "My vision will be restored with a plastic prosthesis."
[ ] **2.** "The prosthetic eye will be inserted during surgery."
[ ] **3.** "I will have to remove my prosthesis for cleaning."
[ ] **4.** "I will have a permanently empty eye socket."

15. When a client with a stye (hordeolum) asks a nurse to suggest measures to relieve the discomfort, what is the **best** advice the nurse can offer?
[ ] **1.** Squeeze the lesion to express the exudate.
[ ] **2.** Apply warm, moist compresses to the area.
[ ] **3.** Pierce the lesion with the tip of a sterile pin.
[ ] **4.** Cover the lesion with a dry gauze dressing.

The nurse observes the unlicensed assistive personnel ambulating a blind client.

16. What instruction to the unlicensed assistive personnel is **best** for maintaining the client's safety and security?
[ ] **1.** Let the client take your arm while walking.
[ ] **2.** Take the client's arm while walking.
[ ] **3.** Position the client in front of you and to your side.
[ ] **4.** Have the client walk independently by your side.

17. What nursing action is **best** for promoting a blind client's feeling of self-reliance when eating?
[ ] **1.** Help the client locate food by comparing its placement to clock positions.
[ ] **2.** Ask a hospital volunteer to feed the client so the client does not have to ask for help.
[ ] **3.** Order foods that can be sipped from containers rather than eaten with utensils.
[ ] **4.** Ask the dietary department to serve the client's food on paper plates and in paper cups.

The nurse is assigned to care for an older client who has bilateral cataracts.

18. What image **best** simulates how cataracts affect the client's vision?

[ ] **1.**

[ ] **2.**

[ ] **3.**

[ ] **4.**

19. When the nurse assesses the client's eyes, what clinical finding is **most indicative** of the presence of cataracts?
[ ] **1.** Ruptured blood vessels in the eye
[ ] **2.** An irregularly shaped iris
[ ] **3.** A white spot behind the pupil
[ ] **4.** A painless corneal lesion

20. When the nurse discusses the development of cataracts with the client, what statement is the **best** indication that the client understands when cataract surgery is needed?
[ ] **1.** "I will need surgery when my loss of vision really interferes with my activities."
[ ] **2.** "I will need surgery when I no longer can control the pain with eyedrops."
[ ] **3.** "I will need surgery when I start to feel self-conscious about my appearance."
[ ] **4.** "I will need surgery when my cataracts are at their maximum density."

The client with bilateral cataracts is scheduled to have a cataract removed from the right eye.

21. One hour before surgery, the nurse instills ophthalmic drops in the client's eyes. Place the nurse's actions in the correct sequence. Use all the options.

1. Put on clean gloves.
2. Have the client gently blink the eye.
3. Ask the client to look toward the ceiling.
4. Form a pouch in the client's lower eyelid.
5. Obtain the client's name and birth date.
6. Perform alcohol-based hand hygiene.

22. The nurse is instructing a client's spouse on instilling eyedrops postoperatively. Into which location would the nurse reinforce correct eyedrop placement?
[ ] **1.** Onto the cornea
[ ] **2.** At the inner canthus
[ ] **3.** At the outer canthus
[ ] **4.** In the lower conjunctival sac

23. Place an *X* on the diagram where the nurse should apply slight pressure to avoid possible systemic absorption of ophthalmic medication.

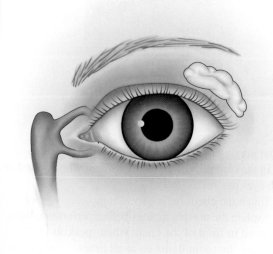

24. What nursing prescription on a standardized care plan should be eliminated for the postoperative nursing management of a client who has had a cataract extraction?
[ ] 1. Keep the client's bed in a low position at all times.
[ ] 2. Maintain the client supine or on the unoperative side.
[ ] 3. Urge the client to cough every 2 hours while awake.
[ ] 4. Assist the client when ambulating in the hall or room.

25. After cataract surgery, the client tells the nurse of severe pain in the operative eye. What nursing action is **most appropriate**?
[ ] 1. Report the finding to the charge nurse.
[ ] 2. Give the client a prescribed analgesic.
[ ] 3. Assess the client's pupils with a penlight.
[ ] 4. Reposition the client on the operative side.

The discharge instructions indicate that the client must temporarily wear a metal shield over the operative eye while sleeping.

26. When the client asks the nurse about the purpose of the eye shield, what explanation is **best**?
[ ] 1. "The shield keeps foreign substances out of the eye."
[ ] 2. "The shield protects the eye from accidental trauma."
[ ] 3. "The shield reduces rapid eye movement when dreaming."
[ ] 4. "The shield promotes dilation of the pupil at night."

27. What information is **most appropriate** to include in the discharge instructions for the client who has undergone a cataract extraction?
[ ] 1. Avoid bending over from the waist.
[ ] 2. Keep both eyes patched at all times.
[ ] 3. Sleep with the head slightly elevated.
[ ] 4. Expect bleeding to decrease in 1 week.

A nurse is assigned to care for an older client with chronic open-angle glaucoma.

28. What nursing assessment finding can the nurse expect the client with open-angle glaucoma to describe?
[ ] 1. Itching and burning eyes
[ ] 2. Headaches while reading
[ ] 3. Seeing halos around lights
[ ] 4. Loss of peripheral vision

29. When the nurse prepares the client for an eye examination, what instrument will be obtained for assessing the client's intraocular pressure (IOP)?
[ ] 1. Ophthalmoscope
[ ] 2. Tonometer
[ ] 3. Retinoscope
[ ] 4. Speculum

The client with chronic open-angle glaucoma is to administer timolol maleate ophthalmic eyedrops daily in each eye.

30. What comment strongly suggests to the nurse that the client with glaucoma needs more teaching?
[ ] 1. "I must wash my hands before instilling the drops."
[ ] 2. "This drug decreases the formation of fluid in my eye."
[ ] 3. "I will need to take this until my eye pressure is normal."
[ ] 4. "The cap on the container should be replaced after use."

31. What medication should the nurse question if it is prescribed for a client with glaucoma?
[ ] 1. Atropine sulfate
[ ] 2. Morphine sulfate
[ ] 3. Magnesium sulfate
[ ] 4. Ferrous sulfate

32. What assessment finding is noted when the intraocular pressure (IOP) of a client with angle-closure glaucoma progresses to a dangerous level?
[ ] 1. Spots in the visual field
[ ] 2. Severe eye pain
[ ] 3. Pinpoint pupils
[ ] 4. Bulging eyes

Once the intraocular pressure has been temporarily reduced, an iridectomy is performed on a client with angle-closure glaucoma.

33. When the nurse assesses the client's operative eye after surgery, what finding is **most** expected?
[ ] 1. The pupil appears cloudy and gray.
[ ] 2. The pupil has a fixed size and shape.
[ ] 3. The entire iris lacks color.
[ ] 4. A section of the iris appears black.

The nurse is assigned to care for a client with a retinal detachment.

34. The nurse is assisting with preparation of the client's meal tray. The client self-reports following the Orthodox Judaism religion and following a specific diet. As the nurse prepares the tray, what item should the nurse remove and replace with a substitute?
[ ] 1. Baked salmon
[ ] 2. Breaded shrimp
[ ] 3. Hamburger patty
[ ] 4. Egg salad

35. Of the following data, what nursing information provided in the client's health history is **most likely** to have caused a retinal detachment?
[ ] 1. The client is younger than age 40.
[ ] 2. The client fell and struck the head.
[ ] 3. The client has multiple allergies.
[ ] 4. The client is being treated for glaucoma.

36. What is the **most appropriate** nursing action when applying eye patches to the client?

[ ] **1.** Securing the eye patches in place with a head strap

[ ] **2.** Ensuring that both patches exert tight pressure on the eyes

[ ] **3.** Maintaining the client's eyelids in a closed position

[ ] **4.** Making sure the client can see while the patches are in place

37. Before leaving the room of the client with the patched eyes, what nursing action **best** preserves the client's dignity?

[ ] **1.** The nurse straightens the client's linens.

[ ] **2.** The nurse informs the client when leaving the room.

[ ] **3.** The nurse offers to update the client's spouse.

[ ] **4.** The nurse shares some current events with the client.

After a few days of continual bed rest after retinal detachment, the client tells the nurse, "I am not having any pain, and I am not dying. Why can't I get up just once to go to the bathroom?"

38. What response by the nurse is **best** in this situation?

[ ] **1.** "Gravity helps to reattach the separated retina."

[ ] **2.** "You do not want to be permanently blind, do you?"

[ ] **3.** "I can get you a sedative if it is hard to lie still."

[ ] **4.** "I am closely following your health care provider's prescriptions."

The client with a detached retina undergoes a scleral buckling procedure.

39. Postoperatively, what client data should be the nurse's major concern?

[ ] **1.** Boredom

[ ] **2.** Vomiting

[ ] **3.** Anxiety

[ ] **4.** Fatigue

Nursing Care of Clients with Ear Disorders

While performing a nursing admission interview, the nurse notes that a client continues to ask that questions be repeated.

40. When the nurse obtains the client's history, what occupation is **most likely** to have contributed to hearing loss?

[ ] **1.** Telephone repairman

[ ] **2.** Computer programmer

[ ] **3.** Rock musician

[ ] **4.** Operating room nurse

41. The nurse assesses the client's hearing to check if there is conductive hearing loss. Identify the technique by placing an "X" on the technique for assessing the quality of sound transmitted by air conduction.

[ ] **1.**

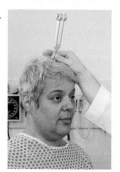

[ ] **2.**

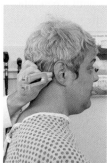

[ ] **3.**

42. After inspecting the client's ears, the nurse notes a large amount of cerumen. What information is **best** to offer next?

[ ] **1.** "Try cleaning your ears with the corner of a soapy washcloth."

[ ] **2.** "Use a short rather than long cotton-tipped applicator."

[ ] **3.** "The curved end of a hairpin could be used to remove earwax."

[ ] **4.** "I can refer you to someone who can regularly irrigate your ears."

43. When the client tells the nurse about experiencing continuous ringing in the ears, what question is **most appropriate** for the nurse to ask?

[ ] **1.** "What childhood diseases have you had?"

[ ] **2.** "Do any relatives have a similar problem?"

[ ] **3.** "Do you eat a well-balanced diet?"

[ ] **4.** "Have you taken aspirin recently?"

A client who wears a hearing aid is frustrated by the loud and shrill noise (feedback) that is occasionally heard.

44. What nursing action is **most helpful** for reducing or eliminating feedback from the client's hearing aid?
[ ] **1.** Repositioning the hearing aid within the ear
[ ] **2.** Cleaning the hearing aid with a soft cloth
[ ] **3.** Replacing the battery in the hearing aid
[ ] **4.** Turning down the volume in the hearing aid

45. If a client who has recently experienced diminished hearing takes medications from each of the following drug categories, which one is **most likely** to have affected the client's hearing?
[ ] **1.** Corticosteroid
[ ] **2.** Beta-adrenergic blocker
[ ] **3.** Aminoglycoside antibiotic
[ ] **4.** Histamine-2 (H_2) antagonist

46. When the nurse instills prescribed medication into the ear of an adult, what is the correct technique?
[ ] **1.** Pull the ear upward and backward.
[ ] **2.** Pull the ear downward and forward.
[ ] **3.** Pull the ear upward and forward.
[ ] **4.** Pull the ear downward and backward.

47. After instilling medication into the client's ear, what nursing instruction is **most appropriate**?
[ ] **1.** Keep your head tilted for 5 minutes.
[ ] **2.** Pack a cotton ball tightly in your ear.
[ ] **3.** Do not blow your nose for at least 1 hour.
[ ] **4.** Wipe the excess medication from the ear.

When inspecting a client's ear, the nurse finds that the ear canal is red, swollen, and tender.

48. What additional assessment finding provides evidence of an infection in the external ear?
[ ] **1.** Foul-smelling drainage
[ ] **2.** Scarred tympanic membrane
[ ] **3.** Diminished hearing
[ ] **4.** Enlarged lymph nodes

Parents bring their 3-year-old child to the health care provider for a possible ear infection. They ask the nurse why their 18-year-old adolescent does not seem to get ear infections.

49. What nursing response is an accurate explanation for why organisms travel more easily from the nasopharynx to the middle ear in a child?
[ ] **1.** A child's eustachian tube is shorter and straighter.
[ ] **2.** A child's eustachian tube is longer and straighter.
[ ] **3.** A child's eustachian tube is shorter and more curved.
[ ] **4.** A child's eustachian tube is longer and more curved.

A middle ear infection is diagnosed.

50. The nurse uses an illustration to explain the structure of the ear and the area of infection. Place an *X* in the location of the middle ear.

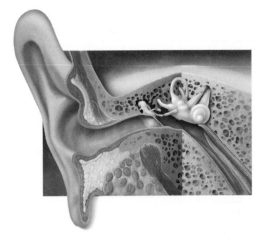

51. What is the **best** evidence that the antibiotic the nurse is administering for the treatment of acute otitis media is having a therapeutic effect?
[ ] **1.** The ear feels less warm to the touch.
[ ] **2.** Ringing sounds within the ear stop.
[ ] **3.** Ear drainage is thin and watery.
[ ] **4.** Ear discomfort is relieved.

52. If a client with a middle ear infection reports the following symptoms, what is **most indicative** that the infection has spread to the inner ear?
[ ] **1.** Temporal headaches
[ ] **2.** A sore throat
[ ] **3.** Nasal congestion
[ ] **4.** Postural dizziness

Despite antibiotic therapy, a client has experienced repeated episodes of otitis media. A myringotomy will be performed.

53. When the nurse prepares the client for the myringotomy, what statement **best** explains the purpose of the procedure?
[ ] **1.** A myringotomy prevents permanent hearing loss.
[ ] **2.** A myringotomy provides a pathway for drainage.
[ ] **3.** A myringotomy aids in administering medications.
[ ] **4.** A myringotomy maintains motion of the ear bones.

54. When the nurse provides discharge instructions, what information is **most appropriate** to provide concerning the cotton ball in the client's ear canal?
[ ] **1.** "Leave the cotton ball in place until it is saturated."
[ ] **2.** "Keep the cotton ball loosely within the ear canal."
[ ] **3.** "Soak the cotton ball in peroxide before insertion."
[ ] **4.** "Remove the cotton ball when the cotton becomes dry."

A middle-aged client has diminished hearing caused by otosclerosis.

55. What finding in the health history would the nurse expect of a client with otosclerosis?
[ ] **1.** Hearing loss beginning in childhood
[ ] **2.** Upper respiratory infections with high fevers
[ ] **3.** History of tonsils and adenoid removal
[ ] **4.** One or more relatives similarly diagnosed

The team leader responsible for the client's initial care plan makes a client priority of the risk for impaired verbal communication related to hearing loss.

56. When the team leader asks the admitting nurse to assist with developing a goal for the identified priority, what goal correlates **best?**
[ ] **1.** The client will respond appropriately to communication by staff.
[ ] **2.** The staff will improve verbal communication techniques.
[ ] **3.** The client will demonstrate the ability to express emotions.
[ ] **4.** The client will be able to communicate basic needs.

The nurse helps the team leader plan appropriate interventions to ensure effective communication with the client with hearing impairment.

57. What intervention is **most appropriate** to include in the care plan?
[ ] **1.** Speak directly into the client's ear.
[ ] **2.** Face the client directly when speaking.
[ ] **3.** Drop your voice at the end of each sentence.
[ ] **4.** Raise the pitch of your voice an octave higher.

The client is scheduled for a stapedectomy but does not seem to understand the information about the surgery.

58. What nursing intervention is the **best** alternative for helping the client to comprehend the details of the procedure at this time?
[ ] **1.** Provide a printed pamphlet on the topic.
[ ] **2.** Ask a client who underwent a stapedectomy to talk with the client.
[ ] **3.** Contact someone proficient in sign language.
[ ] **4.** Write all the information in longhand.

The client expresses concerns about the impending stapedectomy and says to the nurse, "There are so many awful complications that can happen with this surgery."

59. What response by the nurse is **most therapeutic** to the client in this situation?
[ ] **1.** "You have got the best surgeon on the staff."
[ ] **2.** "Tell me more about how you are feeling."
[ ] **3.** "Do not worry. Those things hardly ever happen."
[ ] **4.** "Let's think positively about the outcome."

60. After the stapedectomy, what is the **most appropriate** technique for assessing whether the client's facial nerve function is intact?
[ ] **1.** Ask the client to identify familiar odors.
[ ] **2.** Ask the client to smile or raise the eyebrows.
[ ] **3.** Ask the client to stick out the tongue.
[ ] **4.** Ask the client to read printed information.

61. How should the nurse position the client for the first 24 hours after a stapedectomy?
[ ] **1.** Flat with the head elevated and tilted toward the nonoperative ear
[ ] **2.** Facing forward with the head raised and the knees in a flexed position
[ ] **3.** Supine with the head of the bed elevated and the head resting on the occiput
[ ] **4.** Prone with the head positioned toward the operated side

The day after the stapedectomy, the client is discouraged because hearing is more impaired than it was preoperatively.

62. What is the **most accurate** nursing explanation for the client's current hearing deficit?
[ ] **1.** There will be temporary hearing loss until edema in the operative ear decreases.
[ ] **2.** There will be temporary hearing loss until the nerve regenerates.
[ ] **3.** There will be temporary hearing loss until fitted with a molded plastic hearing aid.
[ ] **4.** There will be temporary hearing loss until the prosthesis becomes stabilized with new bone.

63. What instruction by the nurse is **best** for preventing the dislodgement of the client's internal prosthesis after a stapedectomy?
[ ] **1.** "When chewing food, keep your mouth closed."
[ ] **2.** "When blowing your nose, use a paper tissue."
[ ] **3.** "When sneezing, keep your mouth wide open."
[ ] **4.** "When coughing, turn your head to the side."

64. When the nurse reviews discharge instructions for the client who underwent a stapedectomy, what activity is **most** important for the nurse to stress the client avoid?
[ ] **1.** Listening to music
[ ] **2.** Flying in an airplane
[ ] **3.** Driving an automobile
[ ] **4.** Singing in the choir

65. What common ailment should the nurse instruct the client who underwent a stapedectomy to report immediately?
[ ] **1.** The common cold
[ ] **2.** A sore throat
[ ] **3.** Productive cough
[ ] **4.** Conjunctivitis

The nurse is assessing a client who was admitted to the hospital for possible Ménière's disease.

66. What subjective symptom is the client with Ménière's disease **most likely** to report to the nurse?
[ ] **1.** Burning
[ ] **2.** Pressure
[ ] **3.** Vertigo
[ ] **4.** Pain

A caloric test is scheduled for the client with Ménière's disease.

67. What nursing information will **best** prepare the client for what to expect with caloric testing?
[ ] **1.** Cold water and warm water will be instilled into each of the ears.
[ ] **2.** You will wear earphones through which sounds are transmitted.
[ ] **3.** The room will be darkened, and scalp electrodes will be attached to the head.
[ ] **4.** Your blood will be drawn from a vein and examined microscopically.

During rounds, the nurse observes that the client with Ménière's disease seems anxious whenever nursing staff enter the room.

68. If the client's anxiety is due to fear that nursing care will intensify symptoms, what nursing intervention is **most appropriate** to add to the care plan at this time?
[ ] **1.** Let the client suggest ways to carry out care.
[ ] **2.** Discontinue nursing care measures at this time.
[ ] **3.** Restrict care to nutrition and elimination only.
[ ] **4.** Carry out nursing activities quickly and efficiently.

69. When caring for a client with Ménière's disease, what nursing action is **most** helpful in preventing nausea and vomiting?
[ ] **1.** Increasing the client's intake of oral fluids
[ ] **2.** Changing the client's position frequently
[ ] **3.** Keeping the room lights dim
[ ] **4.** Avoiding jarring the bed

The client with Ménière's disease responds to conservative treatment and will be discharged.

70. The nurse should stress to the client the importance of adhering to what dietary restriction?
[ ] **1.** Fats
[ ] **2.** Sodium
[ ] **3.** Potassium
[ ] **4.** Cholesterol

Nursing Care of Clients with Nasal Disorders

An older client arrives at the emergency department with a severe nosebleed.

71. On the basis of the following data, what assessment finding **most likely** caused or contributed to the client's nosebleed?
[ ] **1.** Pulse rate of 110 beats/minute
[ ] **2.** Blood pressure of 200/104 mm Hg
[ ] **3.** Temperature of 97.6°F (36.4°C) orally
[ ] **4.** Respirations of 24 breaths/minute

72. What nursing action is **best** for controlling the client's nosebleed?
[ ] **1.** Have the client lie down slowly and swallow frequently.
[ ] **2.** Have the client lie down and breathe through the mouth.
[ ] **3.** Have the client bend forward and apply direct pressure to the nose.
[ ] **4.** Have the client lean forward and clench the teeth.

73. The nurse suspects the client's fear is heightened by observing a shirt stained with blood from the nosebleed. How can the nurse **best** relieve the client's fear and anxiety?
[ ] **1.** Recline the client so as to avoid seeing the blood.
[ ] **2.** Give the client a popular magazine to read.
[ ] **3.** Replace the client's clothing with a hospital gown.
[ ] **4.** Cover the client's eyes with a bath towel.

Silver nitrate is used to chemically cauterize the client's nasal area to stop the nosebleed.

74. Before the client leaves the emergency department, what nursing instruction is essential for preventing another nosebleed?
[ ] **1.** Advise the client to limit dietary intake of fluids.
[ ] **2.** Tell the client to sleep in a recliner or with the head up.
[ ] **3.** Show the client how to take the carotid pulse at hourly intervals.
[ ] **4.** Warn the client to avoid blowing the nose for several hours.

A client seeks treatment for nasal polyps.

75. When the nurse collects the client's history, what **most likely** contributed to the development of nasal polyps?
[ ] **1.** Recent nasal injury
[ ] **2.** Respiratory allergies
[ ] **3.** Previous nasal surgery
[ ] **4.** A past tonsillectomy

The client undergoes a nasal polypectomy and has nasal packing in place when returning from surgery.

76. Aside from blood on the anterior end of the packing, what other sign or symptom would suggest to the nurse that the client is bleeding from the operative area?
[ ] **1.** Frequent swallowing
[ ] **2.** Impaired appetite
[ ] **3.** Slight hoarseness
[ ] **4.** Diminished hearing

A middle-aged client is having a rhinoplasty procedure to improve the appearance of the nose. After the rhinoplasty, the client asks the nurse how the repaired nose looks.

77. What response by the nurse is **best** at this time?
[ ] **1.** "I am sure you will look absolutely gorgeous."
[ ] **2.** "I did not think you were unattractive before."
[ ] **3.** "Your face is swollen with bruises around the eyes."
[ ] **4.** "Your personality is more important than your looks."

Nursing Care of Clients with Disorders of the Skin and Related Structures

A nurse stops to give first aid to a burn victim who is seen running from a home. The victim's clothing is on fire.

78. What action is the nurse's **immediate** priority?
[ ] **1.** Rub petroleum jelly into the burned areas.
[ ] **2.** Wrap the affected areas with a clean cloth.
[ ] **3.** Apply ice to the affected burned areas.
[ ] **4.** Roll the victim to smother the flames.

79. The nurse notes that the victim's chest and neck are burned. What nursing action is **most** appropriate at this time?
[ ] **1.** Check the client's pulse for irregularities.
[ ] **2.** Monitor the client for respiratory distress.
[ ] **3.** Determine if the client can speak.
[ ] **4.** Estimate the extent of the burn.

The client is brought to the emergency department with partial-thickness and full-thickness burns.

80. What immediate nursing intervention(s) is indicated for this client? Select all that apply.
[ ] **1.** Apply cool compresses to the burned areas.
[ ] **2.** Administer a tetanus injection.
[ ] **3.** Debride any blisters on the client's body
[ ] **4.** Begin an infusion of crystalloid solution.
[ ] **5.** Administer pain medication.
[ ] **6.** Administer oxygen therapy.

In the emergency department, it is necessary to estimate the total body surface that is burned.

81. When the nurse estimates the percentage of burns, what characteristic is associated with full-thickness burns?
[ ] **1.** Full-thickness burns appear white and leathery.
[ ] **2.** Full-thickness burns appear pink and blistered.
[ ] **3.** Full-thickness burns appear red and painful.
[ ] **4.** Full-thickness burns appear mottled and wet.

82. The client has the following areas burned. Which percentage is accurate for percentage of area burned, if the nurse uses the rule of nines to estimate the total body surface that has been burned?

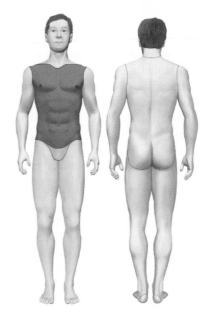

[ ] **1.** 9%
[ ] **2.** 4.5%
[ ] **3.** 18%
[ ] **4.** 1%

83. What is the primary reason the nurse estimates the percentage of the burn?
[ ] **1.** It is used to determine the client's prognosis.
[ ] **2.** It is used to calculate fluid replacement.
[ ] **3.** It is used to identify the need for skin grafts.
[ ] **4.** It is used to project the client's length of stay.

84. Calculate the volume the nurse should program an electronic infusion device if the client is to receive half of 10,000 mL of I.V. fluid in the first 8 hours. Record your answer using a whole number.

_____ mL/hour

85. What nursing assessment is the **best evidence** of a successful response to the initial burn treatment for the client with both partial-thickness and full-thickness burns?
[ ] **1.** Normal body temperature
[ ] **2.** Minimal level of pain
[ ] **3.** Adequate urine output
[ ] **4.** Ability to perform exercises

86. If the open method of burn wound management is used when caring for the client with both partial-thickness and full-thickness burns, what potential problem is **most important** for the nurse to detect?
[ ] **1.** Infection
[ ] **2.** Hyperthermia
[ ] **3.** Depression
[ ] **4.** Malnutrition

87. What is the chief disadvantage when the nurse applies mafenide acetate cream to the burn wound?
[ ] **1.** Skin discoloration
[ ] **2.** Pain on application
[ ] **3.** Unpleasant odor
[ ] **4.** Contact dermatitis

88. Before each periodic debridement of the burn wound using hydrotherapy, what nursing intervention is **essential**?
[ ] **1.** Keeping the client in a fasting state
[ ] **2.** Witnessing a signed consent form
[ ] **3.** Administering a prescribed analgesic
[ ] **4.** Weighing the client on a bed scale

The health care team is informed that skin autografting is planned for the client with burns.

89. Following an autograft of skin, what is **most appropriate** to include in the care plan?
[ ] **1.** Minimize movement to prevent graft disruption.
[ ] **2.** Change the dressing over the graft every 8 hours.
[ ] **3.** Reinforce the graft dressing if drainage occurs.
[ ] **4.** Apply wet soaks to the graft every 4 hours.

Before discharge, the client is fitted for an elasticized pressure garment that covers the burned areas of skin.

90. What statement is the **best** indication to the nurse that the client understands the purpose of wearing the pressure garment?
[ ] **1.** It prevents subsequent wound infection.
[ ] **2.** It prevents exposure to the sun and ultraviolet rays.
[ ] **3.** It reduces the severity of scar and contracture formation.
[ ] **4.** It reduces the potential for social rejection.

During the nurse's initial physical assessment of an older client who was just transferred from a nursing home, the nurse notes that the client has a pressure injury on the left hip and sacrum.

91. Based on the etiology of pressure injuries, what nursing intervention is **best** for promoting the client's skin integrity?
[ ] **1.** Apply a skin-toughening agent to susceptible areas.
[ ] **2.** Massage skin areas that remain persistently red.
[ ] **3.** Keep the head of the bed elevated 30 degrees.
[ ] **4.** Reposition the client every 2 hours.

A home health nurse visits the home of a family being treated for pediculosis.

92. Which of the parent's statements indicates that the nurse should provide more teaching?
[ ] **1.** "Lice are gone if I do not see any the day following."
[ ] **2.** "I have washed all the bed linens in soap, hot water, and bleach."
[ ] **3.** "None of my children share combs or brushes."
[ ] **4.** "Once there is an outbreak, all students should be inspected."

93. What area of health teaching from the nurse is **essential** when a female client is prescribed isotretinoin for treating acne vulgaris?
[ ] **1.** Breast self-examination techniques
[ ] **2.** Techniques for avoiding pregnancy
[ ] **3.** Methods for predicting ovulation
[ ] **4.** Information on preventing sexual transmission

94. What is the **best** nursing advice for individuals who have frequent outbreaks of tinea pedis?
[ ] **1.** Never go barefoot when outdoors.
[ ] **2.** Cut toenails straight across.
[ ] **3.** Wear different shoes each day.
[ ] **4.** Avoid wearing white cotton socks.

95. When examining the skin of a client with psoriasis, what finding would the nurse expect to observe?
[ ] **1.** Weeping skin lesions on the trunk of the body
[ ] **2.** Red skin patches covered with silvery scales
[ ] **3.** Fluid-filled blisters surrounded by crusts
[ ] **4.** A red rash containing raised pustules
[ ] **5.**

96. When a client reports pruritus from dry skin, what nursing suggestion is **most appropriate** for consistently relieving the client's discomfort?
[ ] **1.** Use hypoallergenic or glycerin soap for bathing.
[ ] **2.** Apply lotion to the affected skin every other day.
[ ] **3.** Take showers rather than tub baths.
[ ] **4.** Rub the skin dry after bathing.

97. When a client presents with a skin rash, what question(s) is appropriate for the nurse to ask to determine its etiology? Select all that apply.
[ ] **1.** "Have you eaten foods that are different from usual?"
[ ] **2.** "Have you taken any new medications?"
[ ] **3.** "Have you been exercising in a gym?"
[ ] **4.** "Have you been exposed to excessive sunlight?"
[ ] **5.** "Have you changed your laundry detergent?"
[ ] **6.** "Have you acquired any new pets?"

Test Taking Strategies

Nursing Care of Clients with Eye Disorders

1. Note the key words "most important," which indicate a priority. Recall that diluting and removing the chemical by flushing the eyes with plain water should be done as soon as possible after the chemical injury.

2. Note the key word "best" indicating one answer is better than any others. Use the process of elimination to select the option that describes the best solution to irrigate the eyes in an emergency. Recall that plain tap water is readily available.

3. Read all the options carefully. Determine which options correctly describe steps to take when irrigating an eye. Recall that when irrigating an injured eye, it is important to avoid introducing pathogens, to direct the irrigant in an anatomical structure that is not currently impaired, and to provide material that will absorb any irrigant that may escape.

4. Use the process of elimination to select the best location for directing the irrigating solution when flushing the eye. Recall that the canthi (plural for canthus) are the angles where the upper and lower eyelids meet and that instilling fluid away from the inner canthus avoids introducing the chemical into the unaffected eye.

5. Use the process of elimination to select the best professional for providing follow-up care for a client who has incurred a chemical burn to an eye. Recall that an ophthalmologist has a broader scope of medical practice than the others.

6. Note the key word "first" indicating an initial intervention. Recall that the muscular action involved in blinking may drive a foreign body even further within the eye or injure the posterior surface of the eyelid.

7. Consider that visual acuity means the ability to discern letters or numbers at a given distance according to a fixed standard. Recall that a Snellen chart displays letters of the alphabet, or other symbols for young children or those who are illiterate, in sequential lines that become progressively smaller. For accuracy, consistency in distance from the chart is needed to evaluate visual acuity.

8. Note the key words "compared to the person who sees 20/20 (6/6)." Interpret 20/20 (6/6) as normal vision and determine what makes 20/40 (6/12) different. Consider that closeness to the chart affects visual acuity.

9. Analyze the options to determine a statement describing the visual image caused by uncorrected astigmatism. Recall that clients with astigmatism often describe seeing a blurred object or image that is distorted, similar to looking in a carnival mirror.

10. Read all the choices carefully. Select measures that prevent transmission by direct or indirect contact with the infected eye or its exudate. Recall that transmission can occur from pathogens that are transferred to objects others touch, especially if the person with the infection has not performed conscientious handwashing.

11. Observe the diagram of the eye and accessory structures. Recall that ophthalmic ointment is applied along the inner aspect of the lower eyelid medially to the nose and follows the length of the lid laterally.

12. Note the key words "most appropriate" to select the best option when communicating with a sightless client. Recall that telling a client what to expect regardless of whether the anxious client is sighted or not helps to decrease a stress response.

13. Use the process of elimination to select the option that provides the best evidence that the client understands the outcome of a laser keratotomy (LASIK) procedure. Recall that radial keratotomy changes the shape of the cornea and corrects refractive errors.

14. Note the key words "best evidence" indicating that one answer is better than the others. Recall that even though the contents of the eye socket are removed, a permanent conformer is implanted to maintain the shape and contour of the eye socket. A prosthesis that occupies the space between the eyelids lies on the surface of the conformer; it is removed for cleaning on a weekly, monthly, or bimonthly schedule.

15. Use the process of elimination to select the option that provides the best nursing advice for relieving the discomfort caused by a stye. Recall that warm, moist applications will relieve the symptoms associated with a stye and facilitate healing.

16. Use the process of elimination to select the option that describes the best method for accompanying a blind client when ambulating. Recall that letting the blind client take the sighted person's arm and walk about a half-step behind is a safer method for ambulating than feeling pulled, pushed, or allowed to walk independently.

17. Use the process of elimination to select the best option for preserving a blind client's self-reliance when eating. Recall that a blind client may continue to eat independently if the location of food is described using clock imagery.

18. Examine each image to select the option that shows how vision is affected by cataract formation. Recall that cataracts cause an opacity of the lens; over time vision becomes progressively worse to the point that some describe it as like looking through a dirty window.

19. Use the key words "most indicative" to select an option that describes an assessment finding that more closely relates to the appearance of a cataract than the other options. Recall that the lens, which is located behind the pupil, will change from transparent to cloudy as the protein in its structure becomes altered.

20. Use the process of elimination to select the option that best identifies a client's accurate understanding about when cataract surgery is indicated. Recall that the time to consider cataract surgery is relative to when it affects the client's quality of life as the client defines it.

21. Read each option carefully. Visualize the sequence for instilling eyedrops and place them in order. Recall that the first step is to identify the client and ends with having the client blink gently.

22. Analyze the options to determine the anatomical location for instilling eyedrops. Recall that eyedrops are administered by pulling the lower eyelid down and instilling the medication in the conjunctival sac, being careful not to touch the dropper to the eye.

23. Examine the image carefully. Identify the anatomical structures that are displayed. Recall that the inner canthus is the origin of the nasolacrimal duct, which could allow medication to be absorbed systemically.

24. Analyze the options to determine an action that is inappropriate after a cataract extraction. Read the choices carefully because you are selecting the option that is contraindicated in this scenario. Recall that any activity, such as coughing, that increases intraocular pressure may cause postoperative complications after cataract surgery.

25. Look at the key words "most appropriate" indicating a priority. Recall that severe ocular postoperative pain is not normal and should be reported immediately.

26. Analyze the choices to select an option that more accurately describes the purpose for applying an eye shield postoperatively than any others. Recall that an eye shield does what the name implies; it shields the eye from objects or movements that may injure the eye.

27. Note the key words "most appropriate," and apply them to select the option that identifies a discharge instruction that is more pertinent to a client having had cataract surgery than any of the others. Recall that any activity that increases intraocular pressure should be avoided. This includes straining at stool, coughing, sneezing, or bending from the waist.

28. Analyze the choices to determine the option that describes a symptom experienced by those with open-angle glaucoma. Recall that open-angle glaucoma causes a slow, progressive loss of peripheral vision due to irreversible damage to the optic nerve.

29. Analyze the choices to select the option that identifies the instrument used to measure a client's intraocular pressure. Recall that a tonometer includes the word "meter," indicating a measurement. A tonometer measures tension or pressure—in this case, the pressure within the eye.

30. Analyze the choices to select the option that demonstrates a need for additional teaching. Recall that increased intraocular pressure (IOP) can be managed with medications so that further damage to the optic nerve and loss of vision do not progress, but those medications must be self-administered throughout the client's lifetime. Even after IOP has been returned to a normal range, it will gradually increase if the client stops taking the prescribed medication.

31. Analyze the choices for a drug that should be withheld if prescribed for a client with glaucoma. Recall that any drug that dilates the pupil, such as atropine sulfate or other anticholinergic or sympathomimetic drugs, will cause the lens to obstruct the flow of intraocular fluid moving through the canal of Schlemm, a circular drainage channel for aqueous fluid that leads to the venous circulation. Obstruction of fluid drainage raises intraocular pressure, which is already increased above normal range.

32. Analyze the choices to select an option that identifies an assessment finding associated with increased intraocular pressure. Recall that the sudden obstruction of fluid drainage sends the pressure skyrocketing, causing severe eye pain.

33. Analyze the choices to determine what option describes the expected appearance (shape and color) of the eye after an iridectomy. Recall that the lens lies behind the iris, the center of which is the dark pupil. When a portion of the iris is removed, it changes the round appearance of the pupil.

34. Review the list of food items. Eliminate any option that does not have fins or scales or does not chew their food or have cloven hooves. Recall that salmon have fins and scales and cows chew their food. Shrimp have neither fins nor scales. Eggs are neutral.

35. Note the key words "most likely" indicating that one answer is better than the others. Recall that trauma to the head may create sufficient force at the moment of impact to cause compression followed by decompression within the orbit of the eye, resulting in a retinal tear.

36. Note the key words "most appropriate" indicating that one answer is better than the others. Recall that until surgical treatment is performed, contact between the retina and choroid is promoted preoperatively through bed rest and patching both eyes with the eyelids closed to prevent unnecessary head movement and worsening of the detachment.

37. Use the process of elimination to select the option that identifies the best nursing action for preserving the client's dignity before leaving the room. Recall that communication involves two people. The client may feel foolish talking when no one is there to hear.

38. Use the process of elimination to select the option that provides the best response to the client's question. Recall that providing information that is accurate and honest helps facilitate a client's understanding and ultimately his or her cooperation.

39. Use the process of elimination to select the postoperative problem that represents the highest priority for nursing action. Recall that vomiting is a priority because if not controlled, it can raise intraocular pressure and the risk for postoperative complications.

Nursing Care of Clients with Ear Disorders

40. Note the key words "most likely" indicating that one answer is better than the others. Recall that the hair cells of the organ of Corti in the inner ear are sensitive to loud sounds. Sound is measured in decibels (dB). Ear protection should be worn if exposed to sounds that exceed 85 dB. The sound at a rock concert is generally between 120 dB and 150 dB, which can cause permanent hearing loss to musicians and their attendees.

41. Look at all three images. Recall that sound is conducted by both bone and air. The Rinne test in which the vibrating tuning fork is held beside the ear without any contact with bone is a method of detecting air conductive hearing loss.

42. Use the process of elimination to select the option that identifies the best method initially for cleaning the ears. Recall that the tympanic membrane can be punctured if sharp or pointed objects are forced into the ear to remove cerumen.

43. Note the key words "most appropriate," and select the option that identifies a question that correlates with determining an etiology for the client's symptom better than the others. Recall that tinnitus may develop in clients from prolonged self-administration of high doses of aspirin, but the condition can be relieved once aspirin is discontinued.

44. Note the key words "most helpful" indicating that one answer is better than the others. Recall that feedback is generally due to a malposition of the hearing aid within the ear. Removing and replacing the hearing aid so it is more compatible with the ear anatomy tend to eliminate the problem.

45. Analyze the options to determine a category of drugs known to cause hearing loss. Recall that ototoxity is among the side effects caused by aminoglycoside antibiotics.

46. Analyze the choices to determine which option provides an accurate description of the method for straightening the ear canal of an adult. Recall that pulling the auricle up and back straightens the ear canal of an adult.

47. Note the key words "most appropriate," which should alert you to the fact that one option is preferable to the others. Select the option that identifies the best instruction after instilling medication within the ear. Recall that before administering the medication, the client tilts his or her head away from the affected ear. Keeping the head tilted temporarily facilitates gravity flow of the medication to the end of the ear canal.

48. Use the process of elimination to select the option that identifies the assessment finding that is most indicative of an infection in the external ear. Recall that redness, swelling, and tenderness are classic signs of inflammation. Drainage that is present in or from the external ear suggests that the exudate contains white blood cells that are localizing the source of the infection and removing debris.

49. Analyze the choices to determine the option that provides the reason young children have more ear infections than older persons. Recall that young children who have shorter and straighter ear canals, which explains why pathogens migrate more easily to the middle ear in young children.

50. Look at the image carefully. Apply your knowledge of anatomy to identify the location of the middle ear. Recall that the middle ear lies between the tympanic membrane and oval window.

51. Use the process of elimination to select the option that identifies the best evidence that antibiotic therapy is having a therapeutic effect. Recall that the best evidence of antibiotic effectiveness in the case of an ear infection is when the pain due to pressure from an accumulation of inflammatory exudates has been relieved.

52. Look at the key words "most indicative" indicating that one answer is better than any of the others. Recall that a disturbance in vestibular function interferes with balance, which some describe as a spinning sensation.

53. Use the process of elimination to select the option that identifies the best explanation for a myringotomy procedure. Recall that a myringotomy reduces excessive fluid pressure and discomfort by providing a pathway for drainage from the middle ear.

54. Look at the key words "most appropriate" indicating one answer is significantly better than the others. Recall that a compacted cotton ball will reduce the capacity of the fibers to absorb drainage, so positioning it loosely within the ear is more effective.

55. Analyze the choices to determine the option that provides a possible etiology that relates to otosclerosis. Recall that there is a familial predisposition for developing otosclerosis.

56. Use the process of elimination to select the option that identifies the best goal for the identified risk. Recall that the goal must show how the client's potential problem is ultimately reduced or eliminated.

57. Note the key words "most appropriate" indicating one option has precedence over the others. Recall that facing a person helps to project the sound toward the listener, allows for reading lips, and facilitates the listener's ability to observe nonverbal communication, which improves understanding.

58. Use the process of elimination to select the option that identifies the best alternative for providing the client with an explanation of the proposed surgical procedure. Recall that providing a written pamphlet rather than verbal information supplements comprehension for a client with hearing impairment.

59. Look at the key words "most therapeutic" indicating one answer is better than the others. Recall the principles of therapeutic communication that include giving a client the opportunity to talk about his or her fears and feelings. Being an active listener is extremely therapeutic for relieving anxiety and clarifying the significance of a pending procedure.

60. Note the key words "most appropriate," which indicate the necessity to select the best option for assessing the function of the facial nerve that may have been damaged during the stapedectomy. Recall that the facial nerve facilitates contracting muscles in the face, promoting such actions as the ability to smile and raise the eyebrows.

61. Analyze the options to determine a postoperative position indicated for a client after a stapedectomy. Recall that using gravity by keeping the operative ear up helps maintain the prosthetic stapes in place until tissue healing affixes it to the incus.

62. Note the key words "most accurate" indicating one answer is more correct than the others for explaining the diminished hearing experienced by the client postoperatively. Recall that anything that acts as a barrier to sound conduction, such as edematous tissue, operative drainage, and dressing materials, will temporarily reduce the perception of sound.

63. Use the process of elimination to select the option that describes the best nursing instruction for preventing dislodgement of the prosthetic stapes. Recall that resisting the desire to stifle a sneeze or to avoid blowing the nose helps prevent pressure within the middle ear, which could dislodge the tenuous position of the prosthesis.

64. Analyze the choices to select an option that identifies an activity that the client should avoid temporarily following a stapedectomy. Recall that even though airplane cabins are pressurized to compensate for the low atmospheric pressure outside, passengers may experience barotrauma when gases trapped within the middle ear or paranasal sinuses expand or contract when the plane climbs to a higher altitude or descends before landing.

65. Analyze the options to select a condition that requires immediate reporting by the poststapedectomy client. Recall that symptoms of the common cold caused by rhinoviruses tend to be localized in the nose, sinuses, and nasopharynx, which could affect the pressure within the middle ear.

66. Note the key words "most likely," and select the option that identifies a symptom that a client with Ménière's disease experiences more so than the others listed. Recall that the cause of Ménière's disease is unknown, but the symptoms include vertigo, hearing loss, and tinnitus.

67. Use the process of elimination to select the option that identifies the best explanation for how a caloric test will be performed. Recall that the term caloric implies temperature, which should provide a clue that a caloric test involves instilling water of opposing temperatures.

68. Note the key words "most appropriate" indicating that one answer is better than the others. Recall that the client should be a partner in planning nursing care. Therefore, allowing the client to suggest nursing activities, provided they are safe and relevant, and implementing them should reduce the client's anxiety.

69. Use the process of elimination to select the option that identifies the most helpful method for preventing nausea and vomiting when caring for a client with Ménière's disease. Recall that jarring the bed should be avoided because it sets the endolymph (inner ear fluid) in motion. The dizziness that occurs may be accompanied by nausea and vomiting.

70. Analyze the options to determine which is a dietary restriction should be followed by a client with Ménière's disease. Recall that sodium and fluid volume are interrelated.

Nursing Care of Clients with Nasal Disorders

71. Note the key words "most likely" indicating that one answer is better than the others. Recall that when the pressure within blood vessels becomes appreciably elevated, the vessel wall may rupture and cause observable bleeding.

72. Use the process of elimination to select the option that describes the best nursing action for controlling a nosebleed. Recall that any type of bleeding can be reduced or controlled by direct pressure.

73. Use the process of elimination to select the option that identifies the best method for relieving the client's fear and anxiety. Recall that fear is the result of perceiving a threat to well-being, which in this case is represented by the blood on the client's shirt. Removing the bloody shirt from view reduces the image that is triggering the client's fear.

74. Analyze the options to determine a nursing instruction that is essential for preventing a recurrence of nosebleed. Recall that vigorously blowing the nose disrupts the tenuous clot that controls the bleeding and may lead to another bleeding episode.

75. Analyze the options to determine data in a client's health history that relates to the development of nasal polyps. Recall that a chronic inflammatory response within the nose secondary to inhalant allergies is believed to be a main cause of nasal polyps.

76. Use the process of elimination to select the option that describes an assessment finding that suggests the client is bleeding from the operative area after a nasal polypectomy. Recall that because the nose is likely to have been packed to control bleeding, any blood loss will drain posteriorly down the throat. The client will swallow frequently as blood accumulates in the oropharynx.

77. Use the process of elimination to select the option that identifies the best nursing response to the client's question concerning the appearance of the nose following a rhinoplasty. Recall that an honest response without avoiding the question or providing comments that may or may not be accurate is best.

Nursing Care of Clients with Disorders of the Skin and Related Structures

78. Analyze the options to determine the nurse's immediate priority when helping a victim whose clothes are on fire. Recall that smothering the burning clothing eliminates the oxygen that supports the combustion of flammable clothing and reduces the potential severity of a burn.

79. Note the key words "most appropriate" indicating a priority. Recall that because the client's neck and chest are burned, it is possible that breathing will become impaired. Monitoring breathing is a nursing action that is directed toward a physiologic need that is of greatest importance. Remember that the airway and breathing are factors that must be addressed whenever caring for a client, especially one predisposed to impaired ventilation.

80. Analyze to determine what nursing interventions are indicated during the immediate care for a client with full-thickness and partial-thickness burns. Recall that oxygenation and fluid replacement are primary concerns. The client will require I.V. pain medication and a tetanus injection if it has been 10 or more years since receiving a booster.

81. Analyze the choices to select the option that describes the appearance of a full-thickness burn. Recall that a full-thickness burn results in the greatest depth of a burn injury. The tissue is literally dead (white) or completely charred black and leathery.

82. Review the choices and select the option that corresponds with the percentage of burn assigned to the shaded area (chest and torso). Recall that the middle of the body is the largest component and, therefore, would be measured at the highest percentage.

83. Use the process of elimination to select the option that correlates with the primary reason for estimating the total body surface that has been burned. Recall that fluid replacement formulas, such as the Parkland-Baxter formula, incorporate the volume per kilogram of body weight and percent of burn, for example, 4 mL/kg/% burn.

84. Use the figures in the stem of the problem to calculate the hourly rate of I.V. infusion for the first 8 hours. Recall that electronic infusion devices are programmed in mL/hour. Gravity infusions are calculated in gtt/minute.

85. Use the process of elimination to select the option that identifies the assessment finding that provides the best evidence of the client's response to initial burn treatment. Recall that adequate urine output is evidence that the client's fluid replacement efforts are satisfactory.

86. Note the key words "most important." Select the option that represents a priority concern when caring for a burn client treated with the open method. Recall that impaired skin that is exposed to environmental pathogens is highly susceptible to infection.

87. Analyze the choices to select the option that identifies the chief disadvantage to applying mafenide acetate cream to the burn wound. Recall that mafenide acetate cream causes a transient burning sensation when it is applied.

88. Note the use of the key word "essential," which indicates a priority action. Recall that to reduce the pain that results from debridement, the nurse must administer an analgesic before the procedure.

89. Look at the key words "most appropriate" indicating that one answer is better than the others. Recall that the donor skin used for the graft is very thin and easily dislodged. Movement of the graft or shearing forces may lead to graft failure by disrupting the attachment of the graft to the wound bed. Reducing movement helps avoid displacing the skin graft until it becomes established.

90. Use the process of elimination to select the option that identifies the best indication that the client understands the purpose for wearing a pressure garment. Recall that to avoid a thickened, nodular, or buckling appearance to the skin, a pressure garment must be worn continuously for an extensive period of time.

91. Use the process of elimination to select the option that describes the best nursing intervention for restoring skin integrity when caring for a client who has a pressure injury. Recall that relieving pressure on the skin, especially over bony prominences, by frequently changing the client's position increases capillary blood flow that will revitalize impaired tissue.

92. Analyze the options to determine which statement requires clarification. Recall that one application of a pediculicide may not eliminate all the head lice.

93. Note the key word "essential," which indicates a priority. Recall that isotretinoin is a teratogen, a substance that interferes with normal embryonic development. Therefore, women who are or may become pregnant should not take this drug.

94. Use the process of elimination to select the option that identifies the best nursing advice for a client who has frequent outbreaks of tinea pedis. Recall that fungi thrive and infect the feet of individuals who wear shoes that are damp from perspiration or inclement weather and do not dry sufficiently from day to day.

95. Use the process of elimination to select the option that describes the appearance of psoriatic lesions. Recall that the lesions associated with psoriasis appear as thick raised areas with well-defined borders. The raised areas are covered by white scales that easily flake off, revealing shiny red skin underneath.

96. Note the key words "most appropriate," which indicate that one answer is better than the others. Select the option that identifies the best method for relieving itching associated with dry skin. Recall that bathing with commercial bar soap contributes to skin dryness, and an alternative that moisturizes the skin should be substituted.

97. Read all the options carefully. Use the process of elimination to exclude options that do not correlate with a common skin allergen. Recall that individuals with allergic skin rashes have overly sensitive immune systems and develop rashes when exposed to internal and external proteins.

Correct Answers and Rationales

Nursing Care of Clients with Eye Disorders

1. 3. Immediate action is important when treating chemical injuries to the eyes. Therefore, it is important for the school nurse to determine what treatment was given at the time of injury. This information provides a baseline for further treatment. Diluting and removing the chemical reduce the potential for corneal damage. Identifying the chemical is important; however, taking time to determine what, if anything, will neutralize the chemical does not supersede immediate treatment. Liability is affected if safety glasses are not worn, but the priority is treating the chemical splash if that has not already been done. It is too soon to evaluate the extent of sensory damage.

> *Cognitive Level—Applying*
> *Client Needs Category—Physiological integrity*
> *Client Needs Subcategory—Physiological adaptation*

2. 1. Water is typically used in an emergency to flush the eyes and dilute the chemical. Tap water from a faucet or eye wash station is generally available. The other chemical solutions may be appropriate depending on the specific chemical that caused the trauma, but they may need to be diluted to a specific strength to prevent additional damage to the eye. Delaying first aid measures wastes valuable time. Ideally, the nurse responds immediately as the student's eyes are flushed in the classroom at an appropriate eye wash station.

> *Cognitive Level—Applying*
> *Client Needs Category—Physiological integrity*
> *Client Needs Subcategory—Physiological adaptation*

3. 3, 4, 5. When irrigating the eyes, the nurse should perform hand hygiene and wear gloves to prevent the transmission of microorganisms. The nurse should offer the client a tissue or pad the shoulder area to absorb solution as it drains from the eye. The solution should not be directed into the center of the eye because this can harm the cornea. Instead, the irrigating solution should be instilled in the conjunctival sac, which is located by pulling the lower lid down. The client's head should be tilted toward the affected eye to facilitate drainage and prevent contamination of the unaffected eye. The eye will remain reddened after irrigation due to the irritant nature of the chemical. In a chemical exposure, the eye should be irrigated for at least 15 minutes.

> *Cognitive Level—Applying*
> *Client Needs Category—Physiological integrity*
> *Client Needs Subcategory—Basic care and comfort*

4. 2. The irrigating solution is directed so that it flows from the inner canthus toward the outer canthus. This is an especially important principle to follow so that substances in one eye do not come in contact with the tissue of the other eye. It is best to instill the force of the water on the conjunctiva rather than onto the sensitive cornea, which may cause discomfort or reflex blinking. The anterior chamber is not an external eye structure. The nasolacrimal duct lies in the area of the inner canthus.

> *Cognitive Level—Applying*
> *Client Needs Category—Physiological integrity*
> *Client Needs Subcategory—Basic care and comfort*

5. 2. An ophthalmologist is a health care provider who is licensed to diagnose and treat eye diseases and traumatic injuries. An optician fills prescriptions for corrective lenses. An optometrist tests vision and prescribes glasses or contact lenses to correct visual acuity. An orthoptist is a person who helps strengthen the extraocular muscles of the eye.

> *Cognitive Level—Applying*
> *Client Needs Category—Health promotion and maintenance*
> *Client Needs Subcategory—None*

6. 4. The eyes are patched loosely with the lids closed to reduce further injury by blinking and eye movement. Instilling antibiotic ointment interferes with the medical examination, although antibiotic ointment may be prescribed after the object is removed. Attempts to remove an embedded object are left to those with specialized medical training.

> *Cognitive Level—Applying*
> *Client Needs Category—Physiological integrity*
> *Client Needs Subcategory—Physiological adaptation*

7. 2. A Snellen chart is used to test far vision and visual acuity by having the client read a series of block letters from a chart. Visual acuity is the ability to see detail in focus at a certain distance. Typically, clients stand 20 ft (6 m) from the chart and are asked to read letters that progressively become smaller. Normal visual acuity is 20/20 (6/6). This means that a client can see an object at a distance of 20 ft (6 m) that normally can be seen at 20 ft (6 m) by others with normal vision. Dilating the eyes and squinting is not encouraged. Testing is completed without glasses.

> *Cognitive Level—Analyzing*
> *Client Needs Category—Health promotion and maintenance*
> *Client Needs Subcategory—None*

8. 1. Visual acuity is expressed as a fraction. If a person has 20/40 (6/12) vision, this means that person needs to be 20 ft (6 m) away to see an object others can normally see from 40 ft (12 m) away; thus, the client will need to be 20 ft (6 m) closer. The other distances are incorrect. Comparison to 20/20 (6/6) vision is able to be determined.

Cognitive Level—*Analyzing*
Client Needs Category—*Health promotion and maintenance*
Client Needs Subcategory—*None*

9. 2. Owing to an irregularly shaped cornea or lens, a person with astigmatism has unequal refraction of images on the retina. Therefore, there will be an area where objects appear more blurred or distorted (wider or taller) than they actually are. People with hyperopia see far objects more clearly. People with myopia can see near objects more clearly. People with strabismus (crossed eyes) see double images early in life, but the brain later suppresses one of the images so the person sees only one image.

Cognitive Level—*Applying*
Client Needs Category—*Physiological integrity*
Client Needs Subcategory—*Physiological adaptation*

10. 3, 5, 6. Conjunctivitis, also known as pinkeye, is caused by either a bacterial or viral pathogen that is easily spread from person to person. It is especially common among toddlers in day care facilities and school-aged children because they are in close proximity and not as likely to practice scrupulous handwashing. Symptoms may occur immediately or over many hours or days. A bacterial etiology is treated with antibiotic ointment or eyedrops. There is no treatment for viral conjunctivitis. Both types are managed with hygiene measures until the condition runs its course, which is approximately a week. Avoiding personal contact including sleeping with others is unnecessary. Wearing dark glasses may prevent others from noticing the inflamed eye, but does not affect its transmission. Typically, work is restricted.

Cognitive Level—*Analyzing*
Client Needs Category—*Safe and effective care environment*
Client Needs Subcategory—*Safety and infection control*

11.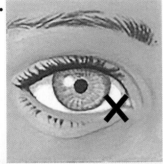

The correct technique is to apply a thin ribbon of ointment along the lower eyelid beginning at the inner canthus and moving to the outer canthus while avoiding the lacrimal duct.

Cognitive Level—*Understanding*
Client Needs Category—*Physiological integrity*
Client Needs Subcategory—*Pharmacological therapies*

12. 2. Anxiety occurs because a person feels threatened by an unexpected or unfamiliar situation. Hearing an explanation of care beforehand prepares a person for what is about to take place. The nurse should always speak before touching a blind client or one whose vision is obstructed by eye patches. Standing in front of a person when speaking may help a client who has a hearing disorder but not one who is blind. Having adequate light helps partially sighted clients, not those who cannot see.

Cognitive Level—*Applying*
Client Needs Category—*Psychosocial integrity*
Client Needs Subcategory—*None*

13. 3. Radial keratotomy is performed to reshape the cornea so visual images converge directly on the retina. If the procedure is successful, the client should no longer require corrective lenses. Radial keratotomy does not improve night vision, correct color blindness, or facilitate binocular vision.

Cognitive Level—*Analyzing*
Client Needs Category—*Physiological integrity*
Client Needs Subcategory—*Physiological adaptation*

14. 3. Enucleation is the removal of the eyeball from the eye socket, but the muscles surrounding the eyeball are usually left intact. After an enucleation, clients are taught how to remove, clean, and replace the shell-shaped prosthetic eye. The prosthetic eye is only cosmetic, not functional. A conformer, which is a round implant, is inserted during surgery to maintain the shape of the eye and prevent shrinkage of the surrounding tissue. The conformer remains permanently in place; the prosthesis is not inserted until healing takes place, which typically is approximately 4 to 6 weeks postoperatively.

Cognitive Level—*Analyzing*
Client Needs Category—*Health promotion and maintenance*
Client Needs Subcategory—*None*

15. 2. A stye (hordeolum) is a bacterial infection within a meibomian gland, a special type of sebaceous gland at the rim of the eyelids. Warm, moist heat improves circulation to the area that is inflamed and swollen. Vasodilation relieves the edema and promotes a reduction in exudate via absorption or phagocytosis. Incision and drainage may become necessary, but this should not be attempted by the client. Covering the lesion disguises the appearance of the stye, but it does not provide any therapeutic benefit.

Cognitive Level—*Applying*
Client Needs Category—*Physiological integrity*

16. *Client Needs Subcategory*—*Basic care and comfort*
1. A blind person feels safer and more secure by following the lead of someone who is sighted. This is best accomplished by having the blind person stand slightly behind and to the side while taking the sighted person's arm just

above the elbow. Safety is a higher priority than total independence in an unfamiliar environment.

Cognitive Level—Applying
Client Needs Category—Safe and effective care environment
Client Needs Subcategory—Safety and infection control

17. 1. Using the imagery of a clock helps a blind client to locate food and self-feed. Feeding a client who has the ability to self-feed does not promote self-reliance. Ordering liquid forms of nourishment without prior collaboration implies that the client is not capable of eating like an adult and may lower the client's self-esteem. Beverages in paper cups are more likely to spill during the client's attempts to eat independently and may reinforce a feeling of inadequacy.

Cognitive Level—Applying
Client Needs Category—Psychosocial integrity
Client Needs Subcategory—None

18.

2. A cataract is a clouding of the lens inside the eye, which, to the client, is like looking through a frosty or fogged window. The visual change is due to degeneration of the eye lenses. A feeling of fullness and ocular pain or discomfort are more likely due to trauma or an inflammatory process. Seeing flashes of light is a symptom described by someone with a detached retina.

Cognitive Level—Analyzing
Client Needs Category—Physiological integrity
Client Needs Subcategory—Physiological adaptation

19. 3. When the eyes of someone with cataracts are examined, the usually dark pupil appears white, gray, or yellow. This is due to an opacity of the lens, which lies behind the pupil, the opening in the center of the iris. Ruptured blood vessels on the eye are associated with conditions in which the blood pressure has been suddenly elevated, such as when performing the Valsalva maneuver while vomiting or defecating. An irregularly shaped iris can be congenital or the result of surgery performed for the treatment of

glaucoma. Abnormal tissue may appear as a growth on the cornea.

Cognitive Level—Applying
Client Needs Category—Physiological integrity
Client Needs Subcategory—Physiological adaptation

20. 1. The time for cataract removal is left to the client. It largely depends on the person's tolerance of the condition and the degree to which vision impairment interferes with the quality of life. Cataracts are painless. Feeling self-conscious about one's appearance is not necessarily a medically justifiable reason for pursuing surgery. Postponing surgery until a cataract reaches maximum density or "ripens" is no longer considered a standard of care.

Cognitive Level—Analyzing
Client Needs Category—Health promotion and maintenance
Client Needs Subcategory—None

21.

5. Obtain the client's name and birth date.
6. Perform alcohol-based hand hygiene.
1. Put on clean gloves.
4. Form a pouch in the client's lower eyelid.
3. Ask the client to look toward the ceiling.
2. Have the client gently blink the eye.

When administering any medication, it is essential to use two methods for identifying the client. Hand hygiene precedes any contact with the client. Clean gloves are worn to avoid introducing resident pathogens from the nurse's hands into or near the client's operative eye. The nurse creates a pouch by pulling the skin downward below the eye. Eyedrops are instilled within the conjunctival pouch in the lower lid after instructing the client to look upward. Having the client blink gently after the instillation of the eyedrop(s) prevents displacing the medication onto the client's cheek.

Cognitive Level—Analyzing
Client Needs Category—Physiological integrity
Client Needs Subcategory—Pharmacological therapies

22. 4. Eyedrops and ointments are placed in the exposed lower conjunctival sac. The nurse should pull downward below the eye on the lower eyelid to form the conjunctival sac. If the eyedrops are placed on the cornea, they may cause discomfort and reflex blinking. Medication is systemically absorbed when instilled at the inner canthus. Placing eyedrops and ointments at the outer canthus makes it difficult to distribute them in the eye.

Cognitive Level—Applying
Client Needs Category—Physiological integrity
Client Needs Subcategory—Pharmacological therapies

23.

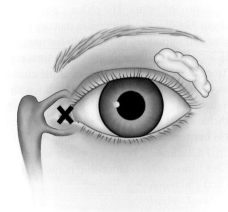

The opening in the inner canthus contains the nasolacrimal duct that leads to the nose and pharyngeal passages. Systemic absorption of medication is avoided by placing gentle pressure on the inner canthus.

> *Cognitive Level—Applying*
> *Client Needs Category—Physiological integrity*
> *Client Needs Subcategory—Pharmacological therapies*

24. 3. Coughing, vomiting, and other activities, such as straining or squeezing the eyelids together, are avoided to prevent an increase in intraocular pressure. Raising intraocular pressure strains the delicate sutures and may dislodge an implanted intraocular lens. All other interventions are appropriate for this client.

> *Cognitive Level—Applying*
> *Client Needs Category—Physiological integrity*
> *Client Needs Subcategory—Reduction of risk potential*

25. 1. Severe pain is an indication that intraocular hemorrhage is occurring. It is essential to report this finding to the charge nurse or surgeon immediately. Giving an analgesic will mask the symptom, thereby diminishing its significance as a serious complication. Assessing the pupils will not reveal the cause of the symptom. The pupils will most likely be dilated and not respond to light. Postoperatively, cataract clients are not positioned on their operative side.

> *Cognitive Level—Applying*
> *Client Needs Category—Physiological integrity*
> *Client Needs Subcategory—Reduction of risk potential*

26. 2. A metal eye shield called a *Fox shield* is applied at night or before naps to prevent accidental injury to the operative eye. Although the shield is a mechanical barrier between the environment and the eye, its primary purpose is to prevent traumatic injury. Patching the eyes will not prevent the rapid eye movements that occur during sleep. If pupil dilation is necessary, drugs will be used to paralyze the ciliary muscle.

> *Cognitive Level—Applying*
> *Client Needs Category—Safe and effective care environment*
> *Client Needs Subcategory—Safety and infection control*

27. 1. Bending over is contraindicated for approximately 2 weeks after eye surgery because it puts strain on the operative sutures. It is unnecessary to keep both eyes patched at all times. The client may sleep with or without a pillow but should be instructed to sleep only on the unaffected side for approximately 1 week to prevent pressure on the operative eye and reduce tissue edema. External bleeding is not expected at any time postoperatively. Intraocular bleeding, indicated by sudden eye pain, is considered a complication that necessitates immediate examination.

> *Cognitive Level—Applying*
> *Client Needs Category—Safe and effective care environment*
> *Client Needs Subcategory—Coordinated care*

28. 4. Glaucoma is a progressive eye disease characterized by increased intraocular pressure resulting in atrophy of the optic nerve possibly leading to blindness. The increased pressure is due to excessive fluid accumulation inside the eye. There are two types of glaucoma: angle closure and open angle. Angle-closure glaucoma usually presents suddenly and is painful; open-angle glaucoma has a slower onset and few or no symptoms, until a gradual loss of peripheral vision. Itching and burning are most likely allergic responses. Headaches may occur when a client in need of corrective lenses strains to read. Clients with angle-closure glaucoma report seeing halos around lights.

> *Cognitive Level—Analyzing*
> *Client Needs Category—Physiological integrity*
> *Client Needs Subcategory—Physiological adaptation*

29. 2. The symptoms of glaucoma occur as a result of increased intraocular pressure. This condition is diagnosed using an instrument called a *tonometer*. There are many types of tonometers; one of the more common types is a Schiotz tonometer, which measures the depth of the impression made when a plunger is placed on the surface of the cornea. An ophthalmoscope is used for viewing the fundus or back portion of the eye. A retinoscope is used to measure visual acuity and determine refractory errors. A speculum is an instrument that widens a cavity; an eye speculum keeps the eyelids separated.

> *Cognitive Level—Remembering*
> *Client Needs Category—Health promotion and maintenance*
> *Client Needs Subcategory—None*

30. 3. Glaucoma can potentially lead to blindness and requires lifelong treatment with medication unless the condition is treated surgically. Handwashing and replacing the cap of the prescription container are aseptic measures that prevent the transmission of organisms within the eye. Timolol maleate is a beta-adrenergic blocker that decreases aqueous humor formation without constricting the pupil.

> *Cognitive Level—Applying*
> *Client Needs Category—Health promotion and maintenance*
> *Client Needs Subcategory—None*

31. 1. Atropine sulfate and other anticholinergic drugs dilate the pupil. This blocks the drainage of aqueous fluid. If administered, it may cause an acute attack by precipitating high intraocular pressure (IOP), which left untreated can cause permanent blindness. Morphine sulfate is an opioid analgesic. Magnesium sulfate is known as *Epsom salts* and is used externally for several purposes, especially to soothe musculoskeletal ailments. Ferrous sulfate is an iron preparation. None of these last three medications are contraindicated for clients with glaucoma.

> *Cognitive Level*—*Analyzing*
> *Client Needs Category*—*Physiological integrity*
> *Client Needs Subcategory*—*Pharmacological therapies*

32. 2. A client who experiences an acute increase in intraocular pressure (IOP) will have severe eye pain, nausea, vomiting, and loss of vision. Dangerously high ocular pressure is an emergency. A client with retinal detachment or hypertension typically describes seeing spots in the visual field. During an acute attack of angle-closure glaucoma, the pupils are widely dilated; treatment involves administering drugs that both constrict the pupils and eliminate intraocular fluid. The eyes appear normal in size even during an acute attack of angle-closure glaucoma, but the cornea and conjunctive become red and steamy in appearance.

> *Cognitive Level*—*Applying*
> *Client Needs Category*—*Physiological integrity*
> *Client Needs Subcategory*—*Physiological adaptation*

33. 4. An iridectomy involves removing a piece of the iris to allow aqueous fluid to flow from the posterior chamber into the anterior chamber through the trabecular meshwork and out the canal of Schlemm. Intense heat is used to create this opening for drainage. The iris no longer appears perfectly round postoperatively; the missing section appears black. A cloudy pupil occurs when a cataract forms. A fixed pupil occurs when there is increased intracranial pressure. There is no known condition that causes an iris to lack color; even albinos have very light-colored irises.

> *Cognitive Level*—*Applying*
> *Client Needs Category*—*Physiological integrity*
> *Client Needs Subcategory*—*Physiological adaptation*

34. 2. Jewish dietary laws forbid the consumption of unclean animals such as pork and shellfish and in some cases mixtures of foods like meat and milk. Only meat from animals that chew their food or have cloven hooves are permissible. Seafood must have fins and scales. Salmon and hamburger from beef are permitted, but shrimp are not. Food that is neither meat nor dairy is considered neutral, making eggs a permitted food item.

> *Cognitive Level*—*Applying*
> *Client Needs Category*—*Safe and effective care environment*
> *Client Needs Subcategory*—*Coordinated care*

35. 2. The retina is the neurosensory layer of tissue on the innermost posterior surface of the eye. The retina contains rods and cones, which are necessary for color and black and white vision. Light that comes into the eye via the lens is focused onto the retina. The retina's photoreceptors convert the light into electrical impulses that are relayed to the optic nerve and ultimately to the brain for interpretation. Retinal detachment, the separation of retinal pigment epithelium from the sensory layer, has multiple etiologies. Common causes include trauma (such as occurs with a fall or a blow to the head), myopia, and degenerative changes. Aging is a factor, but the most common period for retinal detachment is between ages 50 and 60. Glaucoma may result in retinal detachment, but the opposite is not generally true. There is no causal relationship between retinal detachment and glaucoma.

> *Cognitive Level*—*Applying*
> *Client Needs Category*—*Physiological integrity*
> *Client Needs Subcategory*—*Reduction of risk potential*

36. 3. The purpose for patching the eyes of a client with a detached retina is to keep the eyes at rest; therefore, patches are applied to both eyes with the eyelids closed. Keeping the eyelids closed also protects the eyes from contact with dust or fibers and prevents the eyes from becoming dry because blinking is difficult once the eyes are patched. Light is not necessarily harmful, but it may cause the client to look about rather than resting the eyes. Gravity rather than pressure has some therapeutic value when treating a detached retina. Patching the eyes but facilitating vision is a contradiction in therapeutic principles.

> *Cognitive Level*—*Applying*
> *Client Needs Category*—*Physiological integrity*
> *Client Needs Subcategory*—*Reduction of risk potential*

37. 2. It is important for the nurse to indicate when leaving because the client whose eyes are patched has no visual cue as to whether the nurse is still in the room. The client would find it frustrating and embarrassing to attempt communicating if no one is there to respond. Straightening the client's linens, offering a back rub, and sharing current events are acts of kindness and good nursing care but do not specifically help to maintain the client's dignity.

> *Cognitive Level*—*Applying*
> *Client Needs Category*—*Psychosocial integrity*
> *Client Needs Subcategory*—*None*

38. 1. Bed rest and bilateral patching are conservative treatments that rely on the principle of gravity to help reattach the separated retina. This approach is common before surgical alternatives are considered. Explaining the purpose of bed rest may help the client to comply with the prescribed therapy. Asking whether the client wants to be permanently blind may heighten anxiety. Although sedatives are sometimes prescribed, this situation does not warrant the added risks caused by sedation. Responding in a superficial, belittling manner, as in the last option, implies that the client's question is frivolous.

> *Cognitive Level*—*Applying*
> *Client Needs Category*—*Psychosocial integrity*
> *Client Needs Subcategory*—*None*

39. 2. Scleral buckling is a surgical procedure that takes a tuck in the sclera, ultimately decreasing the size of the eyeball. This facilitates contact between the choroid and the retina, repairing a detachment. An increase in intraocular pressure, which occurs with vomiting, could damage the surgical repair; therefore, vomiting requires prompt treatment. The client requires an antiemetic if one was not prescribed. Boredom is not as serious as vomiting because it does not affect the outcome of the surgery. Boredom, however, causes emotional distress. The nurse should find methods for relieving the tedium associated with bed rest. Anxiety and fatigue are not physiologic problems and therefore do not rank as high on the list of priorities.

> *Cognitive Level*—*Applying*
> *Client Needs Category*—*Physiological integrity*
> *Client Needs Subcategory*—*Reduction of risk potential*

Nursing Care of Clients with Ear Disorders

40. 3. Musicians and others who are exposed to excessively loud sounds, like those attending rock concerts without ear protection, can acquire sensorineural hearing loss. Farmers are also susceptible to hearing loss from the loud noise of farm equipment. However, many farmers now have equipment in which they are enclosed or they use earplugs or noise-cancelling earphones. There is no significant evidence that occupations involving telephone repair or programming computers are associated with impaired hearing.

> *Cognitive Level*—*Applying*
> *Client Needs Category*—*Physiological integrity*
> *Client Needs Subcategory*—*Reduction of risk potential*

41. 3.

Rinne and Weber tests are performed to differentiate conductive versus sensorineural hearing losses. A tuning fork is used when conducting these tests. To determine an air conductive loss, a vibrating tuning fork is held beside the ear. A bone conduction loss is assessed by holding a vibrating tuning fork against the mastoid bone. The length of time the client is able to hear the sound, or not hear the sound, when the tuning fork is held beside the ear determines if the hearing loss is due to a disorder that interferes with sound conducted on air currents. The Weber test is performed by striking the tuning fork and placing it in the center of the head to detect if sound is heard similarly through bone conduction in each ear or is perceived differently in one ear than the other.

> *Cognitive Level*—*Applying*
> *Client Needs Category*—*Health promotion and maintenance*
> *Client Needs Subcategory*—*None*

42. 1. The accumulation of normal cerumen is best removed by washing the ears with soapy water and a soft cloth. Hard and sharp objects can injure the ear canal or tympanic membrane. A medical referral is appropriate only if the cerumen is excessively hard or impacted.

> *Cognitive Level*—*Applying*
> *Client Needs Category*—*Health promotion and maintenance*
> *Client Needs Subcategory*—*None*

43. 4. Tinnitus, ringing or buzzing in the ears, is a common symptom experienced by people who take repeated, high dosages of aspirin. Although tinnitus is associated with many ear disorders and a few occupations, the other questions posed by the nurse do not necessarily help to establish a cause-and-effect relationship with the client's symptom.

> *Cognitive Level*—*Applying*
> *Client Needs Category*—*Health promotion and maintenance*
> *Client Needs Subcategory*—*None*

44. 1. Feedback, a loud shrill noise, occurs when a hearing aid is positioned incorrectly within the ear. Cleaning, replacing the battery, and regulating the volume are important considerations for the client with a hearing aid, but they do not affect feedback.

> *Cognitive Level*—*Applying*
> *Client Needs Category*—*Physiological integrity*
> *Client Needs Subcategory*—*Basic care and comfort*

45. 3. The aminoglycoside family of antibiotics is ototoxic and nephrotoxic. Beta-adrenergic blockers cause vertigo but do not affect hearing acuity. Neither steroids nor H_2 antagonists are known to be ototoxic.

> *Cognitive Level*—*Analyzing*
> *Client Needs Category*—*Physiological integrity*
> *Client Needs Subcategory*—*Pharmacological therapies*

46. 1. The external ear canal is a curved tube that is about 1 in (2.5 cm) long and extends from the auricle, the flared end of the ear, to the tympanic membrane. The ear canal lies within the temporal bone, the growth of which is not complete in an infant and child; thus, the angle for straightening the canal for medication administration differs depending on the client's age. The correct technique for straightening the ear canal of an adult is to pull the ear upward and backward. For a child, the ear is pulled downward and backward. The other described maneuvers are not methods for straightening the ear canal of adults or infants.

> *Cognitive Level*—*Applying*
> *Client Needs Category*—*Physiological integrity*
> *Client Needs Subcategory*—*Pharmacological therapies*

47. 1. Keeping the head tilted to the side for at least 5 minutes or maintaining a side-lying position facilitates the movement of the medication to the lowest area of the ear canal. Cotton is loosely inserted within the ear to collect drainage and any excess volume of medication; therefore, wiping away remnants of the drug is unnecessary. The eustachian tube does connect the middle ear with the pharynx. However, if the tympanic membrane is intact, blowing the nose will not displace the medication.

> *Cognitive Level—Applying*
> *Client Needs Category—Physiological integrity*
> *Client Needs Subcategory—Pharmacological therapies*

48. 1. *Otitis externa* is the medical term for an inflammatory process that involves the external ear. The presence of drainage, called *otorrhea*, is most suggestive that an inflammation is the underlying problem. Because the drainage is foul smelling, the inflammation is most likely due to an infectious process. Hearing is diminished from swelling and drainage that block the transmission of sound on air currents, but other preinfectious factors can also cause a loss of hearing. Scarring of the tympanic membrane is not an indication that there is a current infection. It may, however, indicate that the tympanic membrane ruptured during a prior middle ear infection and is now healed. Enlarged lymph nodes are indicative of a systemic inner ear infection.

> *Cognitive Level—Applying*
> *Client Needs Category—Physiological integrity*
> *Client Needs Subcategory—Physiological adaptation*

49. 1. Microorganisms travel more easily through a pathway between the nose and eustachian tube that is short and straight, which is the case in infants and young children. With growth, the ear canal changes to a 45-degree angle. This natural curved angle provides a barrier against ascending pathogens. Other statements do not describe the normal anatomic characteristics of a child's eustachian tube.

> *Cognitive Level—Analyzing*
> *Client Needs Category—Health promotion and*
>   *maintenance*
> *Client Needs Subcategory—None*

50.

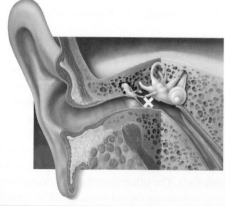

The middle ear, which is the site of the client's infection, is a small, air-filled cavity in the temporal bone. The eustachian tube extends from the floor of the middle ear to the pharynx and is lined with mucous membrane. A chain of three small bones—the malleus, the incus, and the stapes—stretches across the middle ear cavity from the tympanic membrane to the oval window.

> *Cognitive Level—Applying*
> *Client Needs Category—Physiological integrity*
> *Client Needs Subcategory—Physiological adaptation*

51. 4. Antibiotic efficacy is most evident when the client's ear discomfort is relieved. The inflamed area in the middle ear is beyond the reach of the fingers; therefore, assessing the temperature of the tissue by touch is impossible. Tinnitus, or disturbing sounds, is not generally a problem for a person during the acute phase of a middle ear infection. Watery or purulent drainage is an indication that the eardrum is perforated.

> *Cognitive Level—Applying*
> *Client Needs Category—Physiological integrity*
> *Client Needs Subcategory—Pharmacological therapies*

52. 4. The labyrinth, which is another name for the inner ear, contains structures that are responsible for both hearing and balance. Balance and equilibrium are maintained by receptors that sense rotation, acceleration, and deceleration of the body as it responds to gravitational changes. Structures in the vestibular pathway of the inner ear carry impulses via the eighth cranial nerve to the cerebellum in the brain. The cerebellum restores balance and postural stability by facilitating a correction from the motor cortex to skeletal muscles. When the labyrinth becomes infected, its functions are disrupted. Signs of labyrinthitis (inflammation of the labyrinth of the inner ear) include dizziness, nausea, vomiting, and nystagmus. Headaches indicate that the infection has extended to the meningeal area of the brain. Sore throat and nasal congestion are more likely caused by the primary upper respiratory infection, which commonly precede a middle ear infection.

> *Cognitive Level—Applying*
> *Client Needs Category—Physiological integrity*
> *Client Needs Subcategory—Physiological adaptation*

53. 2. A *myringotomy*, which is the term for incising the tympanic membrane or eardrum, provides a pathway for drainage from the middle ear. As the exudate drains, the client's discomfort is reduced. A surgical incision is preferable to spontaneous rupture of the eardrum because a surgical incision heals better without excessive and irregular scar formation. In most situations, a *tympanoplasty*, the insertion of plastic tubes within the incised eardrum, is performed at the same time. The plastic tubes, which may remain in the ear for several months, equalize the air pressure within the middle ear when the natural pathway between the eustachian tube and middle ear is impaired. Although hearing may be permanently diminished by repeated middle ear infections, the potential for infection and the severity of future infections are reduced after the tympanic membrane is incised. Systemic antibiotics rather than topical drugs are more effective in treating a middle ear infection. Incising the eardrum is not done to preserve the motion of the ossicles in the middle ear.

Cognitive Level—Applying
Client Needs Category—Physiological integrity
Client Needs Subcategory—Physiological adaptation

54. 2. Loosely packed cotton is more likely to absorb drainage than tightly packed cotton. The cotton ball should be replaced when it is moist, not totally saturated. The ear canal is generally cleaned using soap and water before inserting another dry cotton ball.

Cognitive Level—Applying
Client Needs Category—Physiological integrity
Client Needs Subcategory—Reduction of risk potential

55. 4. Otosclerosis is the result of bony overgrowth of the stapes, a bone of the middle ear, and is a common cause of hearing impairments in adults. Although the cause of otosclerosis is unknown, most of those affected have a family history of this condition. The onset of this disorder usually becomes apparent when clients are in their 20s or 30s. High fever and removal of the tonsils or adenoids have no relationship to the development of otosclerosis.

Cognitive Level—Applying
Client Needs Category—Physiological integrity
Client Needs Subcategory—Physiological adaptation

56. 1. Responding appropriately to communication with staff indicates an ability to understand the information that is being discussed despite impaired hearing. Accomplishing this goal indicates that the approaches used by the staff to communicate with the client with hearing impairment are effective. The goal should not indicate what the nursing team hopes to accomplish. The client with normal speech but decreased hearing does not have difficulty verbally communicating to staff or expressing emotions.

Cognitive Level—Analyzing
Client Needs Category—Safe and effective care environment
Client Needs Subcategory—Coordinated care

57. 2. It is best to face a client with impaired hearing so that lip movements and facial expressions are seen because most people with hearing impairment learn to adapt by lip reading or speech reading. Speaking into the client's ear distorts the words and masks visual cues. Dropping the voice causes some of the words to be missed. Raising or lowering the voice pitch helps people with hearing loss in one of the other vocal registers. High tones are generally more difficult to hear.

Cognitive Level—Applying
Client Needs Category—Physiological integrity
Client Needs Subcategory—Basic care and comfort

58. 1. As long as the client is literate and not visually impaired, reading a descriptive pamphlet is an appropriate alternative. Another client who underwent a stapedectomy should not be the primary resource for explaining technical information. The client with otosclerosis probably

is not so profoundly deaf that sign language is necessary. Writing short sentences or words is appropriate, but writing lengthy technical information is too tedious and time consuming.

Cognitive Level—Applying
Client Needs Category—Safe and effective care environment
Client Needs Subcategory—Coordinated care

59. 2. Encouraging a discussion of feelings is therapeutic. Endorsing or defending the surgeon's expertise will not relieve the client's fears about the risks. Giving advice, offering a reassuring cliché, and changing the subject even to positive thoughts are nontherapeutic.

Cognitive Level—Applying
Client Needs Category—Psychosocial integrity
Client Needs Subcategory—None

60. 2. The facial nerve, which is cranial nerve VII, is assessed by having the client smile or raise the eyebrows. Facial asymmetry suggests damage to this nerve. The olfactory nerve is assessed by asking the client to identify familiar odors. The hypoglossal nerve is tested by having the client stick out the tongue. The optic nerve is tested by determining if the client can see.

Cognitive Level—Applying
Client Needs Category—Physiological integrity
Client Needs Subcategory—Physiological adaptation

61. 1. Keeping the client flat with the head of the bed elevated and the operative ear up helps to maintain the placement of the prosthetic stapes and reduce the occurrence of vertigo. The client should not lie on the operative ear but should be positioned with the head toward the nonoperative ear. None of the other positional choices accomplishes this goal.

Cognitive Level—Applying
Client Needs Category—Physiological integrity
Client Needs Subcategory—Reduction of risk potential

62. 1. Both rebound swelling and packing within the ear contribute to diminished hearing acuity after a stapedectomy. This setback is only temporary and eventually subsides in the absence of any complications. The success of the surgery is evident in a matter of weeks. If the surgery is successful, the client will not need a hearing aid. The prosthetic stapes is secured to the incus by a fine wire loop or hook; it moves without any bone formation around it.

Cognitive Level—Applying
Client Needs Category—Physiological integrity
Client Needs Subcategory—Physiological adaptation

63. 3. To avoid displacing the device that replaces the stapes, the client should keep the mouth widely open when a sneeze is unavoidable. Aesthetically, chewing food with a closed mouth shows good etiquette. To prevent transmitting infectious organisms, it is best to enclose the exudate from the nose in a paper tissue and dispose of it in a lined refuse container. Turning the head also reduces the potential for droplet transmission of pathogens.

Cognitive Level—*Applying*
Client Needs Category—*Health promotion and maintenance*
Client Needs Subcategory—*None*

64. 2. Flying in an airplane is temporarily contraindicated after a stapedectomy because of the potential damaging effects that may occur with changes in air pressure. For the same reason, scuba diving is also avoided. None of the other activities is specifically contraindicated for a client who has had a stapedectomy.

Cognitive Level—*Applying*
Client Needs Category—*Physiological integrity*
Client Needs Subcategory—*Reduction of risk potential*

65. 1. The client who has undergone a stapedectomy should be instructed by the nurse to report any signs of a common cold or condition that would contribute to congestion in the ears. A throat infection or productive cough is less likely than a common cold to involve the ears. Conjunctivitis is an infection of the conjunctiva of the eye, which does not include congestion of the ears as a symptom.

Cognitive Level—*Applying*
Client Needs Category—*Health promotion and maintenance*
Client Needs Subcategory—*None*

66. 3. Ménière's disease involves the inner ear, affecting balance and hearing, and is believed to be caused by excessive fluid in the inner ear but can be caused by a variety of conditions. The pressure from the fluid increases and causes the major symptom of Ménière's disease, which is severe vertigo. Typically, the client will describe this as a sensation of seeing and feeling motion or rotation, not just a case of dizziness. Ménière's disease encompasses a group of symptoms that includes progressive deafness, ringing in the ears, dizziness, and a feeling of pressure or fullness in the ears. The other symptoms are unrelated to Ménière's disease.

Cognitive Level—*Applying*
Client Needs Category—*Physiological integrity*
Client Needs Subcategory—*Physiological adaptation*

67. 1. A caloric test, used to assess vestibular function, involves instilling cold and warm solutions separately into each ear. An audiometric test requires headphones. Electrodes are used for electroencephalography and electronystagmography. A specimen of blood is not used in a caloric test.

Cognitive Level—*Applying*
Client Needs Category—*Physiological integrity*
Client Needs Subcategory—*Reduction of risk potential*

68. 1. Allowing the client to participate in the planning and implementation of nursing activities maintains an independent locus of control. The client, more than anyone, knows what movement will cause the least discomfort.

Discontinuing or restricting nursing activities does not reflect a high standard of care. Performing nursing activities quickly heightens the client's anxiety because unexpected movements can induce or aggravate symptoms.

Cognitive Level—*Applying*
Client Needs Category—*Psychosocial integrity*
Client Needs Subcategory—*None*

69. 4. Sudden movement of the client's head or sudden body movements can precipitate an attack that includes nausea and vomiting. Decreasing the client's fluid intake is beneficial. Frequent changing of positions should be avoided. The intensity of room lights is not a factor in controlling the symptoms of Ménière's disease.

Cognitive Level—*Applying*
Client Needs Category—*Physiological integrity*
Client Needs Subcategory—*Basic care and comfort*

70. 2. Most clients with Ménière's disease can be successfully treated with diet and medication therapy. Many clients can control their symptoms by avoiding sodium and adhering to a low-sodium diet. The amount of sodium is one of the many factors that regulate the balance of fluid within the body. Sodium and fluid retention disrupts the delicate balance between endolymph and perilymph in the inner ear. Limiting the amount of fat intake and cholesterol in the diet is a good health practice but is not essential with Ménière's disease. Restriction of potassium is unnecessary.

Cognitive Level—*Applying*
Client Needs Category—*Physiological integrity*
Client Needs Subcategory—*Reduction of risk potential*

Nursing Care of Clients with Nasal Disorders

71. 2. Nosebleeds occur when the arterial blood pressure becomes high. The hypertension causes capillaries in the nasal membrane to rupture and bleed. Therefore, a pulse rate of 110 beats/minute is the result, not the cause, of blood loss. Anxiety causes a transient elevation in both the heart and respiratory rates. An oral temperature of 97.6°F (36.4°C) is slightly lower than normal. However, a low temperature is not likely to cause the nosebleed.

Cognitive Level—*Applying*
Client Needs Category—*Physiological integrity*
Client Needs Subcategory—*Physiological adaptation*

72. 3. The best first aid measure for controlling a nosebleed is to apply direct pressure. Leaning forward allows blood to drain from the nose rather than down the nasopharynx into the throat. An upright position tends to lower the blood pressure. Swallowing, mouth breathing, and teeth clenching do not control bleeding.

Cognitive Level—*Applying*
Client Needs Category—*Physiological integrity*
Client Needs Subcategory—*Physiological adaptation*

73. 3. Fear is an emotional response to a real or imagined danger. It occurs when a person feels helpless or powerless to control the situation. Eliminating or reducing the fear-provoking stimulus—in this case the bloody clothing—will probably diminish fear. Having the client recline is inappropriate because the first aid treatment for a nosebleed involves having the client lean forward. A towel is unlikely to stay in place unless the client is reclining. An anxious or fearful person probably will not be able to concentrate on reading.
    Cognitive Level—*Applying*
    Client Needs Category—*Psychosocial integrity*
    Client Needs Subcategory—*None*

74. 4. Blowing the nose retraumatizes the ruptured nasal capillaries, causing bleeding to recur. There is no need to restrict fluid intake. Taking the carotid pulse is unnecessary. Being told to keep the head up to help lower blood pressure is helpful, but it is not the most essential information the client requires in this situation.
    Cognitive Level—*Applying*
    Client Needs Category—*Physiological integrity*
    Client Needs Subcategory—*Reduction of risk potential*

75. 2. Nasal polyps are benign growths found in the nasal passages. If large, they can affect breathing and the ability to smell and can contribute to sinus infections. Nasal polyps are associated with chronic inflammation of the nasopharynx, which is caused by inhalant allergies or upper respiratory infections. Nasal injuries are more correlated with a deviated septum. A history of nasal surgery or tonsillectomy is incidental to the development of nasal polyps.
    Cognitive Level—*Applying*
    Client Needs Category—*Physiological integrity*
    Client Needs Subcategory—*Physiological adaptation*

76. 1. Swallowing at frequent intervals is common when blood accumulates posteriorly in the pharynx. The client feels the need to continue to swallow as the blood accumulates. Impaired appetite, hoarseness, and diminished hearing are abnormal assessment findings, but they are not directly related to nasal bleeding.
    Cognitive Level—*Applying*
    Client Needs Category—*Physiological integrity*
    Client Needs Subcategory—*Reduction of risk potential*

77. 3. Remaining objective and limiting the response to a description of the client's external appearance is the most appropriate approach. Predicting that the client will look gorgeous is considered false reassurance because body image is a personal concept. The client most likely felt unattractive before the surgery; contradicting an opinion might cause the client to mistrust the nurse. Telling the client that personality is more important also expresses the nurse's subjective opinion. It borders on giving advice, which is a nontherapeutic communication technique.
    Cognitive Level—*Applying*
    Client Needs Category—*Psychosocial integrity*
    Client Needs Subcategory—*None*

Nursing Care of Clients with Disorders of the Skin and Related Structures

78. 4. The first response in helping a victim who is in flames is to smother the fire either by rolling the victim on the ground or covering the flames with a blanket or some other dense material. Nothing but cool water is applied to the skin until the victim is examined. A clean cloth is used to cover the burn wound, but this would be done only after the flames are extinguished. The use of ice is contraindicated because it causes hypothermia or further thermal injury to the burned tissue.
    Cognitive Level—*Analyzing*
    Client Needs Category—*Physiological integrity*
    Client Needs Subcategory—*Reduction of risk potential*

79. 2. Whenever a burn involves the head, neck, or chest, establishing and maintaining a patent airway is vitally important. Many burn victims, regardless of the area that is burned, inhale smoke, which irritates the air passages and results in increased respiratory secretions and edema of the air passages. Taking the pulse and blood pressure is important, but this assessment can be delayed until determining that the airway is patent. Identifying the next of kin and determining the extent of burns are less important than ensuring that the victim can breathe.
    Cognitive Level—*Applying*
    Client Needs Category—*Physiological integrity*
    Client Needs Subcategory—*Physiological adaptation*

80. 2, 4, 5, 6. When a client with a burn arrives in the emergency department, the medical team works quickly to stabilize the body systems and assess the extent of the injury. Team members ensure adequate ventilation by administering oxygen or by inserting an endotracheal tube. Fluid resuscitation with lactated Ringer's solution and administration of pain medication are completed via an I.V. infusion. The client also receives a tetanus injection and antibiotics at this time. Cool compresses would not be placed on the wound because they may lead to hypothermia or further tissue damage.
    Cognitive Level—*Applying*
    Client Needs Category—*Physiological integrity*
    Client Needs Subcategory—*Physiological adaptation*

81. 1. Full-thickness burns include the epidermis, dermis, and subcutaneous layers of skin. Previously identified as third-degree or fourth-degree burns, these burns are generally white, cherry red, tan, dark brown, or black. The tissue is leathery and painless. Partial-thickness burns are pink to rosy red, dull white or tan, blistered, and painful.
    Cognitive Level—*Remembering*
    Client Needs Category—*Physiological integrity*
    Client Needs Subcategory—*Physiological adaptation*

82. 3. When using the rule of nines, the components of the body are divided into numbers that are 9% or divisions or multiples of 9% with the exception of the genital area, which is identified as 1%. The torso is estimated at 18%. The head and each arm are estimated at 4.5%; each leg is estimated at 9%. The percentages are doubled if both the anterior and posterior body areas are burned, for a total of 100%. Deaths from burns and their complications increase exponentially according to the total body surface that is burned. The mortality when a burn is 40% to 50% is approximately 25%; it is almost 60% if there is a 70% to 80% total body surface that is burned.

> **Cognitive Level**—*Applying*
> **Client Needs Category**—*Physiological integrity*
> **Client Needs Subcategory**—*Physiological adaptation*

83. 2. Fluid resuscitation with crystalloid and colloid solutions is calculated in part based on the severity of the burn injury. The fluid replacement regimen is calculated from the time the burn injury occurred. The goals of fluid resuscitation include restoration of intravascular volume, prevention of tissue and cellular ischemia, and maintenance of vital organ functions. Other assessments are made to determine the client's prognosis, need for skin grafts, and length of stay.

> **Cognitive Level**—*Applying*
> **Client Needs Category**—*Physiological integrity*
> **Client Needs Subcategory**—*Physiological adaptation*

84. 625 mL/hour.

To calculate the rate, follow the following steps:

Divide 10,000 mL in half (5,000 mL). Next, divide 5,000 mL by 8 hours (625 mL/hour).

> **Cognitive Level**—*Applying*
> **Client Needs Category**—*Physiological integrity*
> **Client Needs Subcategory**—*Pharmacological therapies*

85. 3. The first major complication of a burn is hypovolemic shock. Therefore, urine output is monitored hourly to evaluate the effectiveness of fluid replacement therapy. Burn clients initially receive massive volumes of fluid to replace what is lost from the intracellular space and what is transferred from the intravascular space to the interstitial space. The ideal urine output is at least 50 mL of urine or more per hour. Although body temperature is difficult to regulate during the initial stages after a burn injury, the client's temperature must be monitored to track the course of infection that typically occurs in later phases of burn management. Clients with full-thickness burns do not experience as much pain as those with partial-thickness burns over a similar percentage of body-surface area. Exercising is not an initial concern but becomes a priority to prevent contractures during the healing phases of burn care.

> **Cognitive Level**—*Analyzing*
> **Client Needs Category**—*Physiological integrity*
> **Client Needs Subcategory**—*Physiological adaptation*

86. 1. Infection is a common complication when the burn wound is exposed to microorganisms in the environment as well as those present and residing in the client's own tissues, secretions, and excretions. Hypothermia, rather than hyperthermia, occurs due to leaving the burn wound undressed. Depression about the potential change in body image and malnutrition occur regardless of the method used to manage the burn wound.

> **Cognitive Level**—*Applying*
> **Client Needs Category**—*Physiological integrity*
> **Client Needs Subcategory**—*Reduction of risk potential*

87. 2. Mafenide acetate is an excellent antimicrobial for preventing and treating postburn wound infections. However, the pain it causes on application is an obvious disadvantage. It does not have an unpleasant odor. Another topical antimicrobial, silver sulfadiazine, does not cause pain but can cause a rash. Silver nitrate, which is used for burn wound management, stains tissue and everything else it contacts. It also causes stinging on application and increases the potential for electrolyte imbalance.

> **Cognitive Level**—*Applying*
> **Client Needs Category**—*Physiological integrity*
> **Client Needs Subcategory**—*Pharmacological therapies*

88. 3. Because debridement causes pain, it is essential to administer an analgesic no sooner than 30 minutes before the procedure. In the case of hydrotherapy when a whirlpool is used, the client does not need to refrain from ingesting food or fluids. If the client requires surgical debridement under anesthesia, a consent form must be obtained, and the client needs to fast.

> **Cognitive Level**—*Applying*
> **Client Needs Category**—*Physiological integrity*
> **Client Needs Subcategory**—*Physiological adaptation*

89. 1. Minimal movement of the grafted area is best for approximately 48 hours to ensure that the graft is not displaced. Disturbance of the graft may result in such problems as failure of the graft to adhere to underlying tissues, infection, and tissue necrosis. The graft dressing is only changed or reinforced by the health care provider. Wet soaks are not applied to the graft because this disturbs the contact between the graft and underlying tissues.

> **Cognitive Level**—*Applying*
> **Client Needs Category**—*Physiological integrity*
> **Client Needs Subcategory**—*Physiological adaptation*

90. 3. Pressure garments are worn for as long as 2 years to promote a smooth appearance to the burn scar and help prevent or reduce wound contractures. An elastic garment reduces scarring by using pressure to align the skin's surface in a parallel plane, avoiding hypertrophic scarring and deformities. Pressure garments are not used to prevent wound infection, avoid exposure to sunlight, or prevent social rejection, although the latter two are considered secondary benefits.

> **Cognitive Level**—*Applying*
> **Client Needs Category**—*Health promotion and maintenance*
> **Client Needs Subcategory**—*None*

91. 4. Repositioning the client every 2 hours is the best method of restoring or maintaining skin integrity. Application of a skin-toughening agent would be ineffective if the client's position is not changed at frequent intervals. Keeping the head of the bed elevated is of no value in preventing skin breakdown; a sitting position creates a shearing force that contributes to skin impairment. Massaging skin that does not blanch when pressure is relieved is contraindicated because it causes further skin disruption and damage.

Cognitive Level—Applying
Client Needs Category—Physiological integrity
Client Needs Subcategory—Reduction of risk potential

92. 1. Lice have a life span of approximately 30 days. Nits, eggs laid by adult females, hatch in 7 to 10 days and may not be affected by the first application of a pediculicide because they are attached tightly to the sides of hair shafts. The National Pediculosis Association opposes the use of strong chemicals such as lindane and benzene because they are neurotoxic. Other nonprescription pediculicides that contain pyrethrin are effective. Although one use usually kills the initial infestation of lice, some adults and nits, small white lice eggs, may survive and be evident within 7 to 14 days of the initial treatment. If evidence of lice persists, a second application is necessary. As long as lice and nits are seen, shampooing must be repeated. The client's statements in the remaining options are essentially correct.

Cognitive Level—Applying
Client Needs Category—Health promotion and maintenance
Client Needs Subcategory—None

93. 2. Because birth defects are associated with isotretinoin, a derivative of vitamin A, its use is contraindicated during pregnancy. It is classified as pregnancy risk category X, the most dangerous category, by the U.S. Food and Drug Administration because there are risks of miscarriage and congenital malformations, including nervous system defects, facial defects, and cleft palate. There is no known relationship between breast cancer or ovulation and increased vulnerability to the drug's adverse effects. Acne vulgaris, one condition for which this drug is prescribed, is not a sexually transmitted infection.

Cognitive Level—Applying
Client Needs Category—Physiological integrity
Client Needs Subcategory—Pharmacological therapies

94. 3. *Tinea pedis,* which results from a fungal infection, is commonly called athlete's foot. The fungus growth that causes tinea pedis is supported in a dark, moist, and warm environment. Wearing a different pair of shoes each day provides time for shoe moisture to evaporate. Eliminating one or more of these factors may reduce the frequency of tinea pedis. Avoiding bare feet, cutting the nails straight across, and wearing colored socks will not promote or eliminate tinea pedis.

Cognitive Level—Applying
Client Needs Category—Health promotion and maintenance
Client Needs Subcategory—None

95. 2. Psoriasis is characterized by red skin lesions covered with silvery scales. It is a common chronic disease of the skin in which erythematous papules form plaques with distinct borders. Areas affected usually include the elbows, knees, and scalp, although other areas may also be affected. The lesions do not weep, nor contain blisters or raised pustules.

Cognitive Level—Applying
Client Needs Category—Physiological integrity
Client Needs Subcategory—Physiological adaptation

96. 1. Hypoallergenic or glycerin soap decreases skin irritation and therefore lessens itching (pruritus). Regular soap removes skin oils, which can contribute to or cause itching. Lotion should be applied more frequently than every other day. Tepid water, rather than hot or cold water, is recommended for bathing or showering. Patting the skin dry, rather than rubbing, reduces skin irritation and itching.

Cognitive Level—Applying
Client Needs Category—Physiological integrity
Client Needs Subcategory—Basic care and comfort

97. 1, 2, 5, 6. When investigating the cause of a client's rash, it is important to ask about all aspects of the client's life that have the potential for being skin allergens. In this case, asking about food allergies; medication allergies; allergies to soaps, detergents, or lotions; and allergies to pets are important questions to include. Exposure to sunlight and exercising in a gym are not related to rashes.

Cognitive Level—Applying
Client Needs Category—Health promotion and maintenance
Client Needs Subcategory—None

TEST

4

The Nursing Care of Clients with Endocrine Disorders

- Nursing Care of Clients with Disorders of the Pituitary Gland
- Nursing Care of Clients with Disorders of the Thyroid Gland
- Nursing Care of Clients with Disorders of the Parathyroid Glands
- Nursing Care of Clients with Disorders of the Adrenal Glands
- Nursing Care of Clients with Pancreatic Endocrine Disorders
- Test Taking Strategies
- Correct Answers and Rationales

Directions: *With a pencil, blacken the space in front of the option you have chosen for your correct answer.*

Nursing Care of Clients with Disorders of the Pituitary Gland

After suffering head trauma, a client develops signs and symptoms of diabetes insipidus.

1. What characteristic symptom of the client's disorder would the nurse expect to find during an assessment?
[ ] **1.** Polyphagia
[ ] **2.** Polyuria
[ ] **3.** Glycosuria
[ ] **4.** Hyperglycemia

2. When the nurse collects a specimen of urine, what urine characteristic does the nurse anticipate?
[ ] **1.** Tea-colored
[ ] **2.** Pale yellow
[ ] **3.** Colorless
[ ] **4.** Light pink

3. What nursing intervention is **essential** for monitoring the client's condition?
[ ] **1.** Measuring fluid intake and output
[ ] **2.** Analyzing blood glucose levels
[ ] **3.** Inserting a Foley catheter
[ ] **4.** Sending urine samples to the laboratory

The client's nursing care plan indicates that the client must be weighed each day.

4. When directing the unlicensed assistive personnel to weigh the client, what instruction is **most important** for obtaining accurate data?
[ ] **1.** Have the client stand on a bedside scale.
[ ] **2.** Weigh the client at the same time each day.
[ ] **3.** Ask that slippers be removed when being weighed.
[ ] **4.** Ask about the client's predisease weight.

The client is treated with intranasal lypressin, 2 sprays q.i.d. and as needed.

5. The nurse is evaluating the client self-administering the medication. What action indicates that the client is using the medication correctly?
[ ] **1.** The client shakes the medication vigorously.
[ ] **2.** The client's head is tilted to the side.
[ ] **3.** The client inverts the drug container.
[ ] **4.** The client inhales with each spray.

The nurse is assessing a client who is experiencing signs and symptoms of acromegaly.

6. During physical assessment, what documented finding does the nurse identify as a clinical manifestation of acromegaly?
[ ] **1.** Shortened height
[ ] **2.** Enlarged hands
[ ] **3.** Gonadal atrophy
[ ] **4.** Loss of teeth

7. What priority concern should the nursing team consider when developing this client's plan of care?
[ ] **1.** Activity intolerance needing periods of rest
[ ] **2.** Self-care deficit with personal hygiene
[ ] **3.** Ineffective breathing with ambulation
[ ] **4.** Impaired swallowing with thin liquids

Because medical treatment was unsuccessful, the client with acromegaly is scheduled for a transsphenoidal hypophysectomy.

8. The night before surgery, the nurse provides the client with information about what to expect during the postoperative period. What statement by the client indicates a misunderstanding of the expected surgical outcome?
[ ] **1.** "My appearance will gradually become normal."
[ ] **2.** "I will need to take replacement hormones."
[ ] **3.** "I will need to have regular follow-ups."
[ ] **4.** "The surgical incision will be inconspicuous."

9. When completing a postoperative evaluation, what location is **essential** to assess to ensure an absence of bleeding?
[ ] **1.** The skull
[ ] **2.** The nose
[ ] **3.** The ear canal
[ ] **4.** The tongue

Nursing Care of Clients with Disorders of the Thyroid Gland

A 35-year-old seeks medical attention to determine the reason menstruation has ceased. A radioactive iodine uptake test is prescribed.

10. After the radioactive iodine uptake test, what nursing instruction is **most** accurate?
[ ] **1.** "You must remain isolated until the radiation level decreases sufficiently."
[ ] **2.** "You are free to go without further precautionary instructions."
[ ] **3.** "You must follow special precautions for a short period of time."
[ ] **4.** "You will be given an antidote to reduce the radioactivity level."

The results of the diagnostic tests confirm that the client has myxedema.

11. When teaching the client about the disease process, place an "X" on the endocrine gland that is dysfunctional in myxedema.

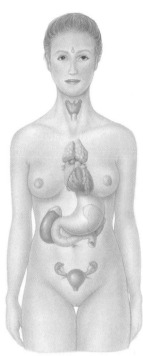

12. In addition to amenorrhea, what other signs of myxedema is the nurse likely to observe in this client? Select all that apply.
[ ] **1.** Hoarse and raspy voice
[ ] **2.** Oily skin with large pores
[ ] **3.** Thin trunk and extremities
[ ] **4.** Extreme restlessness
[ ] **5.** Low body temperature
[ ] **6.** Decreased blood pressure

13. When the nurse conducts an admission history for a client with myxedema, what subjective symptom is the client likely to describe?
[ ] **1.** Difficulty urinating
[ ] **2.** Intolerance to cold
[ ] **3.** Profuse perspiration
[ ] **4.** Excessive appetite

The client with myxedema is treated with levothyroxine, one tablet P.O. every day.

14. What statement provides the **best** evidence to the nurse that the client understands the prescribed drug therapy?
[ ] **1.** "I must take this drug after meals."
[ ] **2.** "I should avoid driving when sleepy."
[ ] **3.** "I will need to take this drug for life."
[ ] **4.** "I can skip a dose if I am nauseated."

15. What adverse effects of levothyroxine should the nurse monitor to detect? Select all that apply.

[ ] **1.** Dyspnea
[ ] **2.** Palpitations
[ ] **3.** Excessive bruising
[ ] **4.** Raised, red rash
[ ] **5.** Hyperactivity
[ ] **6.** Insomnia

A client seeks medical attention after noticing fullness in the neck. After several diagnostic tests, a large endemic goiter is diagnosed.

16. As the nurse provides care for the client newly diagnosed with a large goiter, what interventions are appropriate for the nurse to implement? Select all that apply.

[ ] **1.** Observe the client's respiratory status.
[ ] **2.** Assess for a high fever.
[ ] **3.** Provide a diet high in iodized salt.
[ ] **4.** Obtain a prescription for a soft diet.
[ ] **5.** Elevate the head of the client's bed.
[ ] **6.** Administer prescribed antibiotics.

A client with Graves' disease is given several options for treatment: antithyroid drugs, radioactive iodine, and surgery.

17. When the family of the client with Graves' disease encourages treatment with antithyroid drugs, but the client favors surgical treatment, what nursing action is **best** at this time?

[ ] **1.** Encourage the client to choose drug therapy.
[ ] **2.** Explain the advantages and disadvantages of surgery.
[ ] **3.** Review the prognosis associated with each treatment.
[ ] **4.** Support the treatment of the client's choice.

Methimazole is prescribed preoperatively to treat the client's Graves' disease.

18. Before administering this medication, what is **essential** for the nurse to ask the client?

[ ] **1.** "Do you have trouble swallowing?"
[ ] **2.** "Do you prefer a liquid form of medication?"
[ ] **3.** "Have you had digestive disorders in the past?"
[ ] **4.** "Is there a possibility you could be pregnant?"

19. Because methimazole can cause agranulocytosis, what problem should the nurse advise the client to report **immediately**?

[ ] **1.** Persistent sore throat
[ ] **2.** Occasional heart palpitations
[ ] **3.** Fatigue on exertion
[ ] **4.** Prolonged bleeding with trauma

After a period of taking methimazole, the client with Graves' disease will undergo a near-total thyroidectomy, which allows a small portion of the gland to remain. Potassium iodide solution 4 gtt P.O. is prescribed for 10 days before the scheduled surgery.

20. What nursing instruction is **most appropriate** when the nurse teaches the client how to self-administer potassium iodide solution?

[ ] **1.** Swallow the drug quickly.
[ ] **2.** Take the drug before meals.
[ ] **3.** Dilute the drug in fruit juice.
[ ] **4.** Chill the drug before taking it.

The client asks the nurse to explain the purpose of preoperative therapy with potassium iodide solution.

21. What response by the nurse about potassium iodide solution is correct?

[ ] **1.** It firms the gland so it is easily removed.
[ ] **2.** It decreases the postoperative recovery time.
[ ] **3.** It decreases the risk of postoperative bleeding.
[ ] **4.** It eliminates the need for hormone replacement.

22. Preoperatively, what information is **most important** to teach the client before the thyroidectomy?

[ ] **1.** Techniques for head support
[ ] **2.** Reasons for performing leg exercises
[ ] **3.** The necessity for daily dressing changes
[ ] **4.** Postoperative use of the incentive spirometer

23. In preparation for potential postoperative complications following the thyroidectomy, what item is **best** for the nurse to keep at the client's bedside?

[ ] **1.** Dressing change kit
[ ] **2.** Tracheostomy tray
[ ] **3.** Ampule of epinephrine
[ ] **4.** Mechanical ventilator

After thyroidectomy surgery, the client is returned to the nursing unit in stable condition.

24. In what position should the nurse place the client?

[ ] **1.** Supine
[ ] **2.** Sims'
[ ] **3.** Semi-Fowler's
[ ] **4.** Recumbent

25. Postoperatively, for what activity should the nurse provide further instruction if seen when caring for the client with the thyroidectomy?

[ ] **1.** The client is eliciting a forced cough
[ ] **2.** The client is using deep breathing exercises
[ ] **3.** The client is ambulating in the hall
[ ] **4.** The client is dangling legs off the bed

26. When the nurse cares for the client following the thyroidectomy, what assessments indicate potential complications? Select all that apply.
[ ] **1.** Elevated temperature
[ ] **2.** Fullness in the throat
[ ] **3.** Blood behind the neck
[ ] **4.** Hoarse voice
[ ] **5.** Muscle spasms

27. The nurse is assessing the client with the thyroidectomy to determine a positive or negative Chvostek's sign. Place an *X* in the area of the head where the nurse should assess.

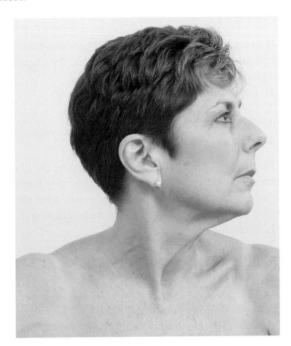

A day after a client undergoes the near-total thyroidectomy, the nurse suspects that the client is developing clinical manifestations of thyroid crisis.

28. What signs and symptoms are identified during SBAR communication to a health care provider which may indicate a thyroid crisis? Select all that apply.
[ ] **1.** High fever
[ ] **2.** Falling blood pressure
[ ] **3.** Regular noisy respirations
[ ] **4.** Hand spasms
[ ] **5.** Heart palpitations
[ ] **6.** Decreased urine output

Based on the client's clinical presentation, a diagnosis of thyroid crisis is made.

29. What nursing interventions are **most appropriate** at the time of a thyroid crisis? Select all that apply.
[ ] **1.** Take the client's vital signs at least every hour.
[ ] **2.** Assess Chvostek's sign every shift.
[ ] **3.** Limit the client's activity.
[ ] **4.** Administer antipyretics per prescription.
[ ] **5.** Encourage a diet high in iodized salt.
[ ] **6.** Make sure I.V. calcium gluconate is available.

30. At the beginning of thyroid replacement therapy, what findings would the nurse expect to detect if the client is receiving more thyroid hormone replacement than required? Select all that apply.
[ ] **1.** Hyperglycemia
[ ] **2.** Tachycardia
[ ] **3.** Insomnia
[ ] **4.** Hirsutism
[ ] **5.** Tremors
[ ] **6.** Hypertension

Nursing Care of Clients with Disorders of the Parathyroid Glands

A client who develops a benign parathyroid tumor manifests signs of hyperparathyroidism.

31. The unlicensed assistive personnel assigned to this client asks why the plan of care indicates that the client is at risk for falls and injury. What is the **best** nursing explanation?
[ ] **1.** There is an inability to maintain balance.
[ ] **2.** There is a risk of developing seizures.
[ ] **3.** Fainting may occur when changing positions.
[ ] **4.** Pathologic bone fractures may occur.

The client has three of the four lobes of the parathyroid gland surgically removed.

32. After the client returns from surgery and resumes eating, the nurse should encourage the client to eat foods from what food groups?
[ ] **1.** Bread and cereals
[ ] **2.** Milk and cheese
[ ] **3.** Meat and seafood
[ ] **4.** Fruit and vegetables

A client diagnosed with hypoparathyroidism develops tetany and presents to the emergency department for treatment.

33. What I.V. medication can the nurse expect will be prescribed to treat the client's condition?
[ ] **1.** Calcium gluconate
[ ] **2.** Ferrous sulfate
[ ] **3.** Potassium chloride
[ ] **4.** Sodium bicarbonate

Nursing Care of Clients with Disorders of the Adrenal Glands

The nurse is caring for a client with a disorder of the adrenal glands.

34. The client does not speak the dominant language. To explain the location of the adrenal glands, the nurse uses a diagram. Place an *X* where the adrenal glands are located.

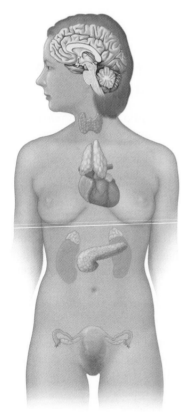

The nurse cares for a client with Addison's disease.

35. What characteristic findings would the nurse expect to assess when examining this client? Select all that apply.
[ ] **1.** Salt craving
[ ] **2.** Skin blemishes
[ ] **3.** Moon-shaped face
[ ] **4.** Bronzed skin
[ ] **5.** Hypoglycemia
[ ] **6.** Weight gain

A client diagnosed with Addison's disease is learning appropriate food choices to help with disease management.

36. If the following foods are available, which one, selected by the client, confirms an understanding of appropriate food selection?
[ ] **1.** Graham crackers
[ ] **2.** Cheddar cheese
[ ] **3.** Raw carrots
[ ] **4.** Canned fruit

The nurse documents that the client has recurrent episodes of hypoglycemia. Using appropriate snacks in between mealtimes is encouraged.

37. If a regular diet is prescribed, what between-meal snack should the nurse offer to help regulate the client's blood glucose level?
[ ] **1.** Lemonade and peanuts
[ ] **2.** Cola and potato chips
[ ] **3.** Coffee and a muffin
[ ] **4.** Milk and crackers

38. Because this client is at risk for developing the life-threatening condition of an addisonian crisis, also known as *acute adrenal insufficiency* and *adrenal crisis*, what should the nurse instruct the client to limit in daily situations?
[ ] **1.** Stressful situations
[ ] **2.** Alcoholic beverages
[ ] **3.** Complex carbohydrates
[ ] **4.** Sleep deprivation

A client with Addison's disease is admitted to the hospital with a history of nausea and vomiting for the past 3 days. Methylprednisolone is prescribed.

39. Based on the client's drug therapy, what nursing prescriptions are **most** important to add to the client's plan of care? Select all that apply.
[ ] **1.** Assess glucometer measurements a.c. and hs.
[ ] **2.** Record intake and output volumes each shift.
[ ] **3.** Obtain a daily weight during length of stay.
[ ] **4.** Observe for signs of infection.
[ ] **5.** Be alert for depressed mood.
[ ] **6.** Check bowel elimination daily.

A 38-year-old female client is hospitalized after developing symptoms that resemble those of Cushing's syndrome. The nurse completes admission documentation.

40. Based on the client's condition, what findings will the nurse **most** likely observe when completing the initial physical assessment? Select all that apply.
[ ] **1.** The client has very thin legs.
[ ] **2.** The client looks emaciated.
[ ] **3.** The client has bulging eyes.
[ ] **4.** The client's skin is pale.
[ ] **5.** The client has bruising.
[ ] **6.** The client's scalp hair is thin.

A 24-hour urine collection is prescribed for the client with possible Cushing's syndrome.

41. The nurse documents the following urine output during the 0700–1500 shift:

I/O

| Add New I/O Order | Acknowledge Pending Orders |

Name	Time	Amount Output
Urine	0830	250 mL
Urine	1045	550 mL
Urine	1400	625 mL

[ ] **1.** At which time would the urine collection begin?
[ ] **2.** 0830
[ ] **3.** 1045
[ ] **4.** 1400
[ ] **5.** 0700 the following day

42. What statement is correct concerning the collection of urine for a 24-hour specimen?
[ ] **1.** The volume of each voiding is measured and recorded.
[ ] **2.** The urine is placed in a container of preservative.
[ ] **3.** Each voiding is taken immediately to the laboratory.
[ ] **4.** The client voids directly into the specimen container.

After the health care team meets to discuss the nursing needs for the client with Cushing's syndrome, a focus of body image is added to the care plan.

43. Which nursing outcome is **most appropriate**?
[ ] **1.** Minimizing masculine characteristics
[ ] **2.** Reducing heavy menstrual flow
[ ] **3.** Stopping severe weight loss
[ ] **4.** Alleviating fine motor tremors

Diagnostic tests confirm that the client's adrenal glands are producing excessive amounts of adrenocortical hormones.

44. What comorbidity is the client with Cushing's syndrome likely to experience?
[ ] **1.** Anxiety and occasional panic attacks
[ ] **2.** Depression and suicidal tendencies
[ ] **3.** Impulsiveness and poor self-control
[ ] **4.** Forgetfulness and memory changes

The client with Cushing's syndrome is placed on a low-sodium diet.

45. What nursing assessment provides the **best data** for monitoring the client's therapeutic response to sodium restriction?
[ ] **1.** Monitoring sodium intake
[ ] **2.** Measuring pedal edema
[ ] **3.** Assessing skin turgor
[ ] **4.** Weighing the client

The client undergoes a bilateral adrenalectomy to correct Cushing's syndrome.

46. To detect complications of surgery in the immediate postoperative period, what assessment component is **most** important for the nurse to monitor?
[ ] **1.** Blood pressure
[ ] **2.** Urine output
[ ] **3.** Temperature
[ ] **4.** Specific gravity

47. What assessment finding provides the **best** evidence that the client is no longer at risk of an adrenal (addisonian) crisis after surgery?
[ ] **1.** Urine output is approximately 2,000 mL/day.
[ ] **2.** The client's pedal edema has lessened.
[ ] **3.** Capillary blood glucose level is within normal limits.
[ ] **4.** Vital signs are within preoperative ranges.

48. Based on the knowledge that clients with Cushing's syndrome heal slowly, what nursing measure is **most appropriate** during the client's postoperative period?
[ ] **1.** Applying an abdominal binder
[ ] **2.** Removing tape toward the incision site
[ ] **3.** Increasing the client's dietary protein intake
[ ] **4.** Covering the wound with a gauze dressing

49. What statement to the nurse provides the **best evidence** that the client who has undergone a bilateral adrenalectomy understands the postoperative course?
[ ] **1.** "I should avoid people with infectious diseases."
[ ] **2.** "I need to limit my fluid intake to 1 quart (1 liter) per day."
[ ] **3.** "My appearance will never be the same as it was before."
[ ] **4.** "No other treatment is necessary after I recover from surgery."

Nursing Care of Clients with Pancreatic Endocrine Disorders

A nurse participates in a community-wide screening to identify adults who may have undiagnosed diabetes mellitus.

50. The nurse obtains a blood glucose level using a glucometer. A reading of 106 mg/dL (6.7 mmol/L) is obtained. Which instruction is appropriate?
[ ] **1.** "It is important that you eat complex carbohydrates right away."
[ ] **2.** "The blood sugar is elevated, and you need to drink 8 ounces of water."
[ ] **3.** "I will document the result, which you can show your health care provider."
[ ] **4.** "The result is a critical value which needs to be addressed by a health care provider."

51. When the nurse instructs on various tests to diagnose diabetes mellitus, what explanation of a glucose tolerance test is **most accurate**?
[ ] **1.** "You need to eat a large meal just before the test begins."
[ ] **2.** "You need to bring a voided urine specimen to the laboratory."
[ ] **3.** "You are limited to coffee or tea in the morning before the test."
[ ] **4.** "You will be given a sweetened liquid to drink before the test."

52. If a screening for diabetes includes a measurement of postprandial blood glucose with morning breakfast consumed at 0800, at which time would the nurse ensure a serum glucose level is obtained?
[ ] **1.** 0600
[ ] **2.** 1000
[ ] **3.** 1145
[ ] **4.** 1300

53. What statement indicates that a client with an elevated postprandial blood glucose level understands the significance of the screening test results?
[ ] **1.** "I need to eat less frequently."
[ ] **2.** "I need to stop eating candy."
[ ] **3.** "I need further testing."
[ ] **4.** "I need to begin taking insulin."

54. What signs and symptoms are **most appropriate** for the nurse to investigate when screening adults who have come to have their blood glucose tested?
[ ] **1.** Glucosuria, hypertension, and edema
[ ] **2.** Neuralgia, anorexia, and fatigue
[ ] **3.** Polycholia, polyemia, and polyplegia
[ ] **4.** Polyuria, polydipsia, and polyphagia

After the screening test, one client is referred for additional follow-up. Further diagnostic tests confirm that the client has type 2 diabetes mellitus.

55. When given the news, the client becomes angry, stating there has been a mistake in the tests. What nursing action is **most appropriate** at this time?
[ ] **1.** Emphasizing the importance of treatment
[ ] **2.** Reassuring the client that diabetes is easily managed
[ ] **3.** Explaining that many people live with diabetes
[ ] **4.** Listening as the client expresses current feelings

The client with newly diagnosed type 2 diabetes mellitus is referred to the diabetes clinic.

56. The nurse prepares a teaching plan for this client. What action is essential before developing the plan?
[ ] **1.** Determining the client's preferred learning style
[ ] **2.** Finding out how much the client knows about the diagnosis
[ ] **3.** Selecting age-appropriate pamphlets for the client
[ ] **4.** Including the client's significant other in the teaching

57. When the client asks the nurse why regular exercise is recommended for clients with diabetes, the **best** answer is that regular exercise helps to:
[ ] **1.** control weight.
[ ] **2.** decrease appetite.
[ ] **3.** reduce blood glucose levels.
[ ] **4.** improve circulation to the feet.

A dietitian explains how to use the American Diabetes Association exchange list.

58. What statement by the client provides the **best evidence** that the client understands the principle of an exchange list for meal planning?
[ ] **1.** "I can eat one serving from each category on the exchange list per day."
[ ] **2.** "Measured amounts of food in each category are equal to one another."
[ ] **3.** "The number of servings from the exchange list is unlimited."
[ ] **4.** "I need to use the exchange list to determine the nutrition in food."

59. The nurse assesses the client with diabetes' understanding of what "free" foods on the exchange list means if the client eliminates which item from a meal plan?
[ ] **1.** Iced tea, sugar substitute
[ ] **2.** Flavored water
[ ] **3.** Light beer
[ ] **4.** Club soda

A 1,500-calorie diet and metformin are prescribed initially to treat the client's type 2 diabetes.

60. The client tells the nurse that she always skips breakfast. What response by the nurse is **most** appropriate?
[ ] 1. "If you drink a glass of milk and eat a breakfast bar, that will be sufficient for breakfast."
[ ] 2. "You should eat each meal and snack at the same time each day."
[ ] 3. "If you skip breakfast, eat a high-calorie snack at midmorning."
[ ] 4. "Wait to take your medication until you eat your first meal of the day."

Before discharge from the diabetes clinic, the client is advised to have laboratory tests every 6 months to monitor the response to the diet and medication management.

61. At the client's 6-month checkup, the nurse reviews the laboratory test results of the client with type 2 diabetes. What laboratory finding indicates that the client requires more teaching?
[ ] 1. The fasting blood sugar (FBS) is 100 mg/dL (5.56 mmol/L)
[ ] 2. The urinalysis shows an absence of ketones.
[ ] 3. The glycosylated hemoglobin (A1C) is 8.7%.
[ ] 4. The random blood glucose is 160 mg/dL (8.89 mmol/L)

62. The client reports difficulty controlling blood sugar levels within therapeutic range. What advice should the nurse provide? Select all that apply.
[ ] 1. Increase the self-administration of oral medications.
[ ] 2. Consult a dietitian to help manage caloric intake.
[ ] 3. Increase activity level, such as walking each day.
[ ] 4. Skip lunch, but eat a bigger breakfast.
[ ] 5. Avoid going to buffet-style restaurants.
[ ] 6. Eat more fibrous food items each day.

Emergency medical personnel bring a client who is lethargic and confused to the emergency department (ED). A tentative diagnosis of type 1 diabetes mellitus and diabetic ketoacidosis (DKA) is made.

63. What assessment findings would the nurse expect to document if the client has diabetic ketoacidosis (DKA)? Select all that apply.
[ ] 1. The client has a slow pulse.
[ ] 2. The client is hypotensive.
[ ] 3. The client smells of acetone.
[ ] 4. The client feels nauseous.
[ ] 5. The client has cold, pale skin.
[ ] 6. The client reports being thirsty.

64. When the nurse assesses the client with diabetic ketoacidosis (DKA), what pattern of breathing will the nurse **most** likely detect?
[ ] 1. Fast, deep, labored respirations
[ ] 2. Shallow respirations, alternating with apnea
[ ] 3. Slow inhalation and exhalation through pursed lips
[ ] 4. Shortness of breath with pauses

65. After receiving initial medical prescriptions, what is the **priority** nursing action when managing the care of the client with diabetic ketoacidosis (DKA)?
[ ] 1. Give the client oxygen.
[ ] 2. Insert a nasogastric tube.
[ ] 3. Infuse intravenous fluid.
[ ] 4. Insert a retention catheter.

66. The nurse obtains information from the spouse of the client with diabetic ketoacidosis (DKA). What information is the **most** likely contributor to the client's present condition?
[ ] 1. The client has a current urinary infection.
[ ] 2. The client exercises daily for 30 minutes.
[ ] 3. The client recently got a job promotion.
[ ] 4. The client had an asthma attack last week.

67. The nurse plans to monitor the client with diabetic ketoacidosis (DKA) using periodic capillary blood glucose measurements. What actions are correct when using a glucometer to monitor the client's blood glucose level? Select all that apply.
[ ] 1. Clean the client's finger with povidone-iodine.
[ ] 2. Take a set of vital signs before the test.
[ ] 3. Pierce the central pad of the client's finger.
[ ] 4. Apply a large drop of blood to a test strip or area.
[ ] 5. Don gloves before piercing the client's finger.
[ ] 6. Check if a quality control test was done.

A sliding scale of regular insulin is prescribed before each meal and at bedtime.

68. The nurse administers 12 units of regular insulin subcutaneously at 0800. At what time will the nurse reassess for signs of hypoglycemia?
[ ] 1. 0805
[ ] 2. 0830
[ ] 3. 1000
[ ] 4. 1300

69. The nurse delegates checking the client's capillary blood glucose to a certified nursing assistant (CNA). If the CNA reports the blood glucose measured 40 mg/dL (2.2 mmol/L), what nursing actions are appropriate **at this time**? Select all that apply.
[ ] 1. Withhold the client's next meal.
[ ] 2. Assess the client's level of consciousness.
[ ] 3. Recheck the client's capillary glucose level.
[ ] 4. Record the test result in the medical record.
[ ] 5. Administer glucose tablets if the client is alert.
[ ] 6. Ask if the client's breath smells "fruity."

70. The nurse teaches the client with newly diagnosed diabetes mellitus about hypoglycemia. If the client experiences the following symptoms, which symptoms identify the need to raise the blood glucose level? Select all that apply.
[ ] 1. Sleepiness
[ ] 2. Shakiness
[ ] 3. Thirst
[ ] 4. Heart palpitations
[ ] 5. Diaphoresis
[ ] 6. Confusion

The client with poor vision and type 1 diabetes mellitus must learn to combine two insulins—regular and intermediate acting—and self-administer the injection before being discharged.

71. If the nurse would suggest an option for insulin administration, what item would **most** ensure the client's success?
[ ] 1. A low-dose insulin syringe
[ ] 2. A tuberculin syringe
[ ] 3. An insulin pen
[ ] 4. An insulin pump

72. The client must combine 10 units of additive-free (clear) insulin with 20 units of insulin containing an additive (cloudy) in the same syringe. Place the following actions in correct sequence for combining the two insulins. Use all options.

1. Instill 20 units of air in the vial of insulin with the additive.
2. Withdraw 20 units of insulin from the vial of insulin with the additive.
3. Instill 10 units of air in the vial of additive-free insulin.
4. Withdraw 10 units of insulin from the vial of additive-free insulin.

73. When the client practices self-administration of the insulin, what action is correct?
[ ] 1. Piercing the skin at a 30-degree angle
[ ] 2. Using a syringe calibrated in milliliters
[ ] 3. Using a 22-gauge needle on the syringe
[ ] 4. Rotating abdominal sites for each injection

74. At the completion of the diabetes teaching by the nurse, what statement indicates the client's misunderstanding about type 1 diabetes?
[ ] 1. "I may need more insulin during times of stress."
[ ] 2. "I may need more food when exercising strenuously."
[ ] 3. "My insulin needs may change as I get older."
[ ] 4. "My dependence on insulin may stop eventually."

The nurse reviews the complications of diabetes type 2 with the client.

75. When teaching about each of the following complications, which one does the nurse correlate as a consequence of neuropathy?
[ ] 1. Blindness
[ ] 2. Renal failure
[ ] 3. Impotence
[ ] 4. Stroke

76. A client has developed foot pain. What recommendations can the nurse make? Select all that apply.
[ ] 1. Wear slippers instead of shoes.
[ ] 2. Investigate current drug therapies.
[ ] 3. Keep your feet elevated.
[ ] 4. Exercise on a stationary bicycle.
[ ] 5. Wear elastic stockings.
[ ] 6. Stop using tobacco products.

77. What statement by the client about foot care indicates to the nurse a need for further teaching?
[ ] 1. "I need to inspect my feet daily."
[ ] 2. "I should soak my feet each day."
[ ] 3. "I need to wear shoes whenever I am not sleeping."
[ ] 4. "I need to schedule regular appointments with the podiatrist."

After 3 months, the client with type 1 diabetes returns for a follow-up appointment to evaluate the progress of self-care.

78. What information is **most important** for the nurse to elicit from the client to effectively evaluate compliance with the prescribed therapy?
[ ] 1. The dosage and frequency of insulin administration
[ ] 2. The client's glucose monitoring records for the past week
[ ] 3. The client's weight and vital signs before the office interview
[ ] 4. The symptoms experienced in the past month

The client reports researching the use of insulin pumps on the Internet and wants to know the possibility of being a candidate.

79. When the nurse teaches the client about infusions using an infusion pump, what is the correct information about where the pump is most often located?
[ ] 1. In a vein within the nondominant hand
[ ] 2. In the muscular tissue of the thigh
[ ] 3. In the abdomen below the belt line
[ ] 4. In an implanted I.V. catheter in the arm

The nurse cares for an older adult client who is insulin dependent and lives in a long-term care facility.

80. What intervention is **most appropriate** for the nurse to add to the client's care plan?
[ ] **1.** Encourage the client to use an electric razor.
[ ] **2.** Have a podiatrist cut the client's toenails.
[ ] **3.** Soak the client's feet twice each day.
[ ] **4.** Advise the client to use deodorant soap when bathing.

81. The nurse has prepared 24 units of Humulin N insulin for subcutaneous administration. Identify with an *X* the preferred location for insulin administration to facilitate **rapid** absorption.

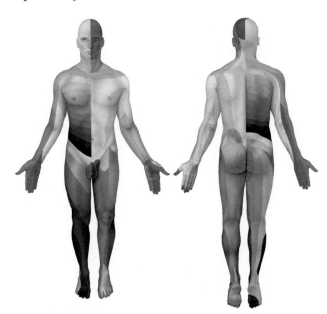

82. What sign is **most suggestive** to the nurse that a client with type 2 diabetes is progressing to hyperosmolar hyperglycemic nonketotic syndrome (HHNS)?
[ ] **1.** The client's serum glucose level is 650 mg/dL (35.8 mmol/L).
[ ] **2.** The client's urinary output is 3,000 mL/24 hours.
[ ] **3.** The client's skin is cool and moist.
[ ] **4.** The client's urine contains acetone.

A client with type 1 diabetes mellitus presents to the clinic with reports of persistent bouts of nausea, vomiting, and diarrhea for the past 4 days. The client has skipped insulin injections because of not being able to eat or keep anything down.

83. What instruction should the nurse give the client about managing diabetes during periods of illness?
[ ] **1.** Monitor blood glucose levels every 2 to 4 hours.
[ ] **2.** Eat candy or sugary foods frequently.
[ ] **3.** Drink a high-energy beverage daily.
[ ] **4.** Continue administering insulin as prescribed.

84. The nurse instructs a client about using a Humulin 70/30 prefilled insulin pen. What statement by the client needs further clarification?
[ ] **1.** "I need to prime the pen before selecting the prescribed insulin dose."
[ ] **2.** "The insulin mix in the pen is the same as what I draw up in my vial."
[ ] **3.** "Since my spouse and I use the same type of insulin mix, we can share the insulin pen."
[ ] **4.** "Needle change is needed prior to administering the next insulin dosage."

85. During change of shifts, a nurse discovers that a hospitalized client with diabetes received two doses of intermediate-acting insulin. What nursing action should the nurse take **next**?
[ ] **1.** Complete an incident report.
[ ] **2.** Contact the client's health care provider.
[ ] **3.** Administer a glass of orange juice.
[ ] **4.** Check the client's blood glucose level.

Test Taking Strategies

Nursing Care of Clients with Disorders of the Pituitary Gland

1. Use the process of elimination to select the most characteristic symptom of a client who has diabetes insipidus. Recall that the disease process is influenced by the pituitary gland's dysregulation of antidiuretic hormone (ADH), causing an excessive urine output.

2. Use the process of elimination to select the option that correlates with the appearance of urine excreted by a client with diabetes insipidus. Recall that the large volume of water that the kidney tubules are unable to reabsorb dilutes the urobilin, a yellow pigment excreted in urine. The urine becomes so diluted by the high volume of water that it appears colorless.

3. Note the key word "essential" indicating a priority. Use the process of elimination to select the option that identifies the nursing intervention necessary for monitoring the client with diabetes insipidus. Recall that the classic sign of the disorder is extreme polyuria.

4. Note the key words "most important" indicating that more than one option may be correct, but one is essential for obtaining an accurate client weight. Recall that body weight fluctuates depending on a person's fluid intake and output. To accurately compare weight as an indicator of fluid gain or loss, all conditions must be duplicated at each weighing.

5. Analyze the choices to determine which option identifies evidence that a client who self-administers a nasal spray containing medication is doing so in a correct manner. Recall that to distribute the aerosolized spray to blood vessels within the nose where it will be absorbed, the client must inhale at the time the medication container is compressed.

6. Use the process of elimination to select the option that correlates best with an assessment finding of a client with acromegaly. Recall that acromegaly is an endocrine disorder that occurs in adults after they have reached their full skeletal growth. Because the bones are no longer able to lengthen in response to excess growth hormone stimulation, they become enlarged.

7. Analyze the choices to determine the option that identifies a priority concern when planning the care of a client with acromegaly. Consider the pathophysiology and impact causing deficits. Recall that the client with acromegaly often lacks stamina and endurance despite having a large body size.

8. Analyze the choices to determine the option that describes the client's lack of understanding of the surgical procedure. Look for a statement that reflects a misunderstanding—in other words, an inaccurate belief—regarding the outcome after a transsphenoidal hypophysectomy. Recall that removing the anterior lobe of the pituitary gland will not change the client's appearance, but it will eliminate further stimulation of the client's bone growth.

9. Note the key word "essential." Use the process of elimination to help select the option that identifies the best location for assessing the client for postoperative bleeding. Recall that the pituitary gland is located in the cranium above the back of the nose.

Nursing Care of Clients with Disorders of the Thyroid Gland

10. Apply the key term "most accurate" when evaluating the options. Select the option that correctly identifies the nursing statement about the client's care after a radioactive iodine uptake test. Recall that special precautions must be taken until the half-life of the radioactive iodine is low enough to be considered safe.

11. Review the image and apply your knowledge of anatomy to identify the location of the thyroid gland. Recall that hypothyroidism is also known as myxedema.

12. Read all the choices carefully. Use the process of elimination to select options that correlate with signs of myxedema. Recall that thyroid hormones regulate metabolic processes, and when insufficiently produced, the client manifests evidence of reduced physical and physiological processes.

13. Note the word "subjective," which indicates a manifestation that only the client can identify, but one that is not obvious during assessment by the nurse. Recall that this disorder results in slowed metabolism, which means that the client is not metabolizing nutrients to create calories at a normal rate. Calories are responsible for producing heat.

14. Note the key words "best evidence" indicating one option is better than any others. Use the process of elimination to select the option that accurately describes that the client understands the drug therapy for managing myxedema. Recall that thyroid replacement therapy is a lifelong component of treatment when the thyroid gland no longer functions properly.

15. Read all the choices carefully. Use the process of elimination to select options that correlate with unwanted effects associated with thyroid replacement therapy. Recall that when thyroid hormones are replaced, the effects would be evidence of increased metabolic activity.

16. Read all the choices carefully. Use the process of elimination to select options that correlate with nursing interventions for a client with an endemic goiter. Recall that a goiter is an enlargement of the thyroid gland that can affect breathing and swallowing because of its location. In addition, an endemic goiter is caused by a deficiency of dietary iodine.

17. Note the key words "best" and "at this time." Use the process of elimination to select one option that is better than any others once a client has made a decision concerning the treatment of choice. Recall that ethically the autonomy of each individual is respected based on his or her informed consent regardless of what others may advocate.

18. Note the word "essential." Use the process of elimination to select a nursing priority before administering antithyroid medication. Recall that methimazole suppresses thyroid hormone production. If the client is pregnant, the drug can also suppress thyroid hormone production in a fetus, causing congenital hypothyroidism or cretinism.

19. Analyze the choices to determine the option that correlates with a manifestation of agranulocytosis. Recall that agranulocytosis refers to low numbers of white blood cells (WBCs). Because WBCs are necessary for fighting infections, having a sore throat suggests a bacterial infection may be present.

20. Note the key word "most appropriate" to select the option that describes a nursing instruction that is applicable to administering potassium iodide. Recall that potassium iodide solution has an unpleasant taste and that diluting the drug in a substance like fruit juice can make it more palatable.

21. Use the process of elimination to select the option that identifies the purpose for administering potassium iodide solution preoperatively. Recall that handling the thyroid during its surgical removal can contribute to postoperative bleeding and excessive release of thyroid hormones. Administering potassium iodide solution can reduce the risk for bleeding because it shrinks the thyroid gland.

22. Note the key words "most important" indicating one option is better than any other. Although there are similarities in all preoperative instructions, recall that supporting the head prevents strain on the suture line.

23. Note the key word "best." Use the process of elimination to select the option that correlates with an item that may be needed in an emergency for a potential postoperative complication. Recall that the nature and site of the surgery create a potential for an impaired airway caused by swelling adjacent to the trachea.

24. Analyze the choices to select the body position that helps to prevent or reduce the potential for postoperative complications. Recall that the operative site is the neck, making breathing a nursing priority. A semi-Fowler's position with the head elevated is best for improving ventilation.

25. Analyze the choices to select the option that describes an action that may potentially cause harm. Recall that although forced coughing helps to clear the airway postoperatively, it may contribute to bleeding in this particular client.

26. Read all the choices carefully. Use the process of elimination to select options that suggest a complication for any surgical client and those that are unique to a client who has undergone a thyroidectomy. Recall that thyroidectomy clients are at risk for localized bleeding, damage to the laryngeal nerve, and hypocalcemia.

27. Examine the image. Mark the correct location to elicit Chvostek's sign. Recall that eliciting Chvostek's sign by tapping the area over the facial nerve is a neurologic assessment that enables the examiner to determine if an insufficient blood calcium level is present.

28. Use the process of elimination to select options that are signs and symptoms of thyroid crisis. Recall that thyroid crisis is an emergency situation that results from an excessive level of thyroid hormone that reflect increased metabolism.

29. Note the key words "most appropriate" indicating some options are better than others. Use the process of elimination to select options that identify nursing interventions for managing the consequences of thyroid storm. Recall that the nurse must monitor and manage the extremely elevated metabolic rate that coincides with a thyroid crisis.

30. Read all the options. Use the process of elimination to select options that correlate with a higher than necessary dose of thyroid replacement hormone. Recall that the dose that is in excess of what is appropriate for producing a euthyroid (normal thyroid) state will cause symptoms similar to hyperthyroidism.

Nursing Care of Clients with Disorders of the Parathyroid Glands

31. Note the key word "best" indicating one option is better than any other. Use the process of elimination to select the option that correlates with an effect of hyperparathyroidism. Recall that hyperparathyroidism causes hypocalcemia. To raise blood calcium levels, calcium is withdrawn from bones, making the client susceptible to osteopenia (low bone mass), osteoporosis (low bone density), and pathologic bone fractures.

32. Use the process of elimination to select the option that identifies the food groups a client who has had most of the parathyroid tissue removed should consume. Recall that the bones have been weakened by the hyperparathyroidism and a goal is to restore bone density. Milk and cheese are excellent sources of calcium.

33. Use the process of elimination to select the option that identifies the medication used to treat the complication of tetany. Recall that tetany is a consequence of low levels of blood calcium.

Nursing Care of Clients with Disorders of the Adrenal Glands

34. Examine the image. Apply your knowledge of anatomy to identify the location of the adrenal glands. Recall that the adrenal glands are superior to the kidneys.

35. Read all the options. Use the process of elimination to select options that correlate with signs and symptoms of Addison's disease. Eliminate skin blemishes, moon-shaped face, and weight gain that are more characteristic of Cushing's rather than Addison's disease.

36. Use the process of elimination to select the option that identifies a dietary item that would raise the level of sodium in the blood. Recall that dairy products are high in sodium as well as calcium.

37. Use the process of elimination to select the option that identifies the best between-meal items for maintaining or raising the client's blood glucose level to normal or near-normal range. Recall the fundamental principle that complex carbohydrates raise and maintain a consistent blood glucose level and that simple carbohydrates tend to produce spikes in blood glucose levels.

38. Use the process of elimination to select the option that correlates with the potential for developing addisonian crisis. Recall that healthy adrenal glands secrete cortisol, a hormone that enables coping with stress, but cortisol is not sufficiently produced by clients who have Addison's disease. By avoiding stress-producing situations, which may overburden the status of a client with this disease, addisonian crisis may be prevented.

39. Read all the options carefully. Use the process of elimination to help select the options that identify nursing actions that correlate with the administration of a glucocorticoid. Recall that glucocorticoids get their name from their effect on raising blood glucose levels. Steroids also cause fluid retention and weight gain as well as mood disorders.

40. Read all the options carefully. Use the process of elimination to select items that correlate with typical assessment findings in a client with Cushing's syndrome. Recall that Cushing's syndrome causes the same manifestations that occur among clients who take steroids for a prolonged period of time.

41. Use the process of elimination to select the option that correctly describes when a 24-hour urine collection should begin. Recall that starting the collection immediately after

a client voids and discarding that voided urine ensures that the specimen does not contain urine that was formed prior to the start of testing.

42. Use the process of elimination to select the option that identifies a correct statement regarding the collection of a 24-hour urine specimen. Recall that chemical changes, such as becoming highly alkaline, may occur if urine is allowed to stand without being chemically preserved or kept cool.

43. Use the process of elimination to select the option that identifies the best rationale for adding a focus of body image to the care plan of a female client with Cushing's syndrome. Recall that a female's body image may be negatively affected by the development of masculine characteristics such as facial hair from an excess of androgenic hormone production and a moon face.

44. Use the process of elimination to select the option that identifies psychological or emotional changes that may be experienced by a person with Cushing's syndrome. Recall that there are many adverse mental effects, but depressive mood disorders are a primary concern for individuals who have Cushing's syndrome as well as those who are prescribed endogenous corticosteroids.

45. Note the key term "best data" indicating one option is better than the others. Use the process of elimination to select the option that identifies the best method for determining a therapeutic response to sodium restriction. Recall that weighing the client provides objective evidence of water loss that can be attributed to sodium restriction.

46. Note the key words "most important" indicating one option has more significance than others. Use the process of elimination to select the option that identifies the assessment component that is indicated during the immediate postoperative period after a bilateral adrenalectomy. Recall that, as with any type of surgery, assessing vital signs, including monitoring the blood pressure, is one of the standard methods for detecting postoperative complications.

47. Note the key words "best evidence." Use the process of elimination to select the best option that is an indication that an addisonian crisis has been averted. Recall that severe hypotension is a life-threatening sign that an addisonian crisis is developing; maintaining stable vital signs that are within the preoperative range is the best answer.

48. Note the key words "most appropriate." Discriminate among the options to select an option that identifies a nursing measure that accommodates for the client's slow healing. Recall that pulling tape toward rather than away from the incision keeps the wound edges approximated without interrupting the status of healing.

49. Note the key words "best evidence." Use the process of elimination to select the option that identifies that the client understands the postoperative course of his or her condition. Recall that the client will forever be susceptible to infections as a result of endogenous steroid replacement.

Nursing Care of Clients with Pancreatic Endocrine Disorders

50. Use your knowledge of the normal range of blood glucose readings to first identify that the blood sugar reading is within normal limits. Once identified, no follow-up is needed.

51. Note the key words "most accurate" in reference to an explanation for conducting a glucose tolerance test. Use the process of elimination to select the option that correlates with a requirement for the test. Recall that to determine the client's tolerance of glucose, a premeasured amount of glucose solution must be consumed.

52. Use the process of elimination to select the option that identifies the timing of a blood specimen drawn to measure a client's postprandial blood sugar level. Recall that the term "postprandial" means "after eating."

53. Use the process of elimination to select the option that is an accurate understanding about an abnormal postprandial blood sugar test. Recall that this is only a screening test and that further diagnostic testing may be required.

54. Look at the key words "most appropriate" in reference to signs and symptoms that relate to testing blood glucose levels. Recall that an elevated blood glucose level is associated with diabetes mellitus. Of all the choices, the signs and symptoms of polyuria, polydipsia, and polyphagia are classic for diabetes mellitus.

55. Note the key words "most appropriate." Use the process of elimination to select the best therapeutic response when a client becomes angry. Recall that this diagnosis may create fear and anxiety. Denial and anger are methods used to cope when events threaten a person's well-being. Although all of the options describe plausible nursing actions, remember that it is always therapeutic for the nurse to listen as the client verbalizes his or her thoughts and feelings before proceeding further.

56. Note the key word "essential" indicating one option identifies a priority. Recall that teaching that builds on a client's current knowledge is more efficient because it avoids repetition.

57. Use the process of elimination to select the best answer to the client's question about the rationale for including regular exercise in the diabetic treatment regimen. All of the options have merit. However, reducing blood glucose levels is the primary reason a person with diabetes should exercise regularly.

58. Use the process of elimination to select the option that identifies the best evidence that the client understands the principle for using a dietary exchange list. Recall that the benefit of an exchange list is its simplicity for selecting food items that can be "exchanged" for one another depending on what the client has available.

59. Use the process of elimination to select the option that identifies a food choice that is not considered a "free" food. Recall that "free" foods do not contain calories nor have to be counted on the exchange. Light beer contains reduced calories, but nonetheless it contains calories.

60. Note the key words "most appropriate" indicating one option is better than any other. Use the process of elimination to select an option that demonstrates best compliance with the treatment regimen. Recall that eating all meals regularly helps to prevent fluctuations in blood sugar levels.

61. Analyze the options. Use the process of elimination to select an option that exceeds a recommended test finding. Recall that an A1C range of 7% is preferred, but it can be less or more depending on certain criteria. A range beyond 8% indicates the client needs more teaching.

62. Read all the options carefully. Use the process of elimination to select options that promote a therapeutic range of blood sugar levels. Recall that learning more about nutrition and dietary management, increasing exercise, avoiding the temptation of eating in a buffet-style restaurant, and eating more fibrous foods may help to restore a stable range of blood sugar measurements.

63. Read all the options. Use the process of elimination to select the assessment findings associated with diabetic ketoacidosis (DKA). Recall that indications of ketoacidosis include a cluster of manifestations, but being thirsty, the smell of acetone to the breath, flushed skin, and hypotension are classic signs.

64. Use the process of elimination to select the option that identifies the best description of Kussmaul's respirations. Recall that this pattern of breathing is characterized by an increase in the rate and depth of ventilation. Its purpose is to restore acid-base balance by eliminating carbon dioxide so it does not contribute to blood acidity by forming carbonic acid.

65. Use the process of elimination to select the nursing intervention that responds to the client's most critical need, which is the administration of insulin. Recall that in diabetic ketoacidosis (DKA) the client is extremely hyperglycemic, but without sufficient insulin, the glucose in the blood cannot penetrate body cells. Without glucose for energy, the body utilizes fat for energy causing fatty acids to accumulate in the blood.

66. Use the process of elimination to select the option that is considered one of the primary causes of diabetic ketoacidosis (DKA). Recall that DKA often occurs in undiagnosed diabetes and in clients with diabetes who have not taken insulin as prescribed. However, infections are major causes of DKA.

67. Read all the options carefully. Use the process of elimination to select actions that are used when monitoring capillary blood glucose levels with a glucometer. Recall that after cleaning the finger and donning gloves, the side of a finger or thumb is pierced. The droplet of blood is applied to the test strip. To ensure that the glucometer is functioning correctly, the standard of care requires that a quality control test has been performed daily.

68. Use the process of elimination to select the option that identifies the time that hypoglycemia may occur after administering a subcutaneous injection of regular insulin. Recall that regular insulin is a short-acting insulin with an onset time of approximately 30 minutes, but reaches its peak 2 to 4 hours later.

69. Read all the options carefully. Note the key words "at this time" indicating immediate actions should be selected. Use the process of elimination to select options that are appropriate responses upon being informed of a client's low blood sugar measurement. Recall that hypoglycemia requires quick action, but validating the data is critical to determining what further interventions should be taken.

70. Read all the options carefully. Use the process of elimination to select options that identify signs and symptoms of hypoglycemia. Recall that hypoglycemia symptoms develop quickly and cause significant symptoms such as shakiness, diaphoresis, heart palpitations, and confusion that most clients with diabetes can easily identify. Once hypoglycemia is noted, clients must take measures to raise their blood sugar with some quick-acting carbohydrate.

71. Use the process of elimination to select the option that identifies insulin administration equipment that would best facilitate use by a client with low vision. Recall that an insulin pen contains 300 units of insulin without having to withdraw any insulin from a vial. The desired number of units can be easily selected by reading the numbers on the dial or by counting the audible clicks as each unit is selected for self-administration.

72. Review the options carefully. Order all the options in the correct sequence for combining two types of insulin in the same syringe. Recall that some use the phrase "clear to cloudy" to remember that clear insulin is placed in the syringe first and the cloudy insulin follows. This avoids mixing the insulin with the additive in the vial with the additive-free insulin.

73. Use the process of elimination to select the option that identifies correct information about the self-administration of insulin injections. Recall that rotating injection sites is best for preventing abnormal tissue conditions known as

lipodystrophy and lipoatrophy that over time affect the absorption of insulin.

74. Use the process of elimination to select an incorrect statement about the need for insulin in managing diabetes mellitus. Recall that insulin is a lifelong requirement with few exceptions, that insulin needs change during illness or stress but are still necessary, and that exercise lowers blood sugar levels that may need to be compensated with additional calories.

75. Use the process of elimination to select the option that is associated with neuropathy among clients with diabetes. Recall that an erection is a combination of parasympathetic and sympathetic nerve stimulation that promotes engorgement of the penis in response to the release of nitric oxide, a vasodilator.

76. Read the options carefully. Use the process of elimination to exclude options that will not benefit the relief of foot pain. Recall that the etiology of foot pain among clients with diabetes is most often due to nerve damage made worse by impaired circulation. Exercise and tobacco cessation promote circulation; prescription and nonprescription medications have been approved for the relief of diabetic foot pain.

77. Use the process of elimination to selection an option that describes an incorrect statement indicating that the client needs further teaching. Recall that clients with diabetes are prone to vascular complications and are slow to heal. Consequently, softening the skin on the feet by soaking them daily creates a risk for complications.

78. Note the key words "most important." Look for information among the options that is better than the others for objectively determining the quality of the client's compliance. Recall that other than A1C laboratory reports, the trend in glucometer measurements helps to evaluate how well or poorly the client is carrying out the therapeutic regimen.

79. Use the process of elimination to select the option that identifies where an insulin pump is located. Recall that the abdomen is the site most often used for inserting the infusion needle that is attached to the tubing and pump mechanism.

80. Note the key words "most appropriate." Although more than one option may seem reasonable, only one is the best answer. Recall that podiatrists have the knowledge and experience to care for feet. Nursing personnel are discouraged from trimming toenails, especially those of clients with diabetes, because injury to the nails or surrounding tissue creates the potential for trauma that could lead to impaired healing or gangrene.

81. Look at the provided image. Note the key words "rapid absorption." Mark the preferred location for injecting insulin where insulin will be absorbed faster than any other injection site. Recall that the absorption rate is more rapid when injected within the abdomen.

82. Note the key words "most suggestive" indicating one option describes a characteristic of hyperosmolar hyperglycemic nonketotic syndrome (HHNS) more accurately than any other. Recall that a classic manifestation of hyperosmolar hyperglycemic nonketotic syndrome is a serum blood glucose level that measures an almost unbelievably high level without evidence of ketoacidosis.

83. Use the process of elimination. Exclude options that are inappropriate. Recall that many factors, including illness, cause fluctuations in blood glucose levels. The fact that food has not been eaten nor has insulin been administered indicates that without self-testing the blood sugar, the current level is unknown.

84. Use the process of elimination to exclude options that describe accurate information. Look for the statement that is incorrect regarding the use of an insulin pen that needs clarification. Recall that insulin pens should not be shared among family members or clients in a hospital or other health care facilities even if someone else is prescribed the same type of insulin.

85. Note the key word "next," which means the first action following the discovery of more than one dose of insulin. Use the process of elimination to select the option that identifies the priority following an overdose of insulin. Recall that "assessment" comes before implementation, thus obtaining a current blood glucose level comes first. Next, recall that this medication error will cause the blood sugar to fall well below normal levels and administering a quick-acting carbohydrate may be required. The client's blood sugar should be measured frequently thereafter. Medical prescriptions for an injection of 50% glucose or an injection of glucagon may follow if an oral form of carbohydrate has not effectively restored a normal blood sugar level.

Correct Answers and Rationales

Nursing Care of Clients with Disorders of the Pituitary Gland

1. 2. Diabetes insipidus is a disorder of the posterior lobe of the pituitary gland that results in excessive urination caused by inadequate amounts of antidiuretic hormone, or vasopressin. It can occur secondary to head trauma, brain tumors, or infections such as meningitis. Clients with diabetes insipidus may excrete as much as 20 L/day of very dilute urine; consequently, they need to compensate for fluid loss and may drink up to 20 to 40 L/day, resulting in frequent voiding that poses limits on activity. Weakness, dehydration, and weight loss will result. They also experience polydipsia (intense thirst) not polyphagia (excessive hunger) and hypernatremia. Hyponatremia, glycosuria, and hyperglycemia are not characteristic of this disorder.

Cognitive Level—Applying
Client Needs Category—Physiological integrity
Client Needs Subcategory—Physiological adaptation

2. 3. The urine of someone with diabetes insipidus is so dilute that it appears colorless. The specific gravity may be 1.002 or less. The specific gravity measures the concentration of the urine; normal values of the urine are between 1.010 and 1.025. Dark tea- or cola-colored urine is commonly associated with glomerulonephritis (a renal disorder), not diabetes insipidus (an endocrine disorder). Normal urine appears pale yellow. Light pink urine indicates hematuria (blood in the urine), which can result from irritation, infection, or renal disorders.

Cognitive Level—Applying
Client Needs Category—Physiological integrity
Client Needs Subcategory—Physiological adaptation

3. 1. To prevent dehydration, it is essential to replace fluids based on the deficit between the client's intake and output. Glucose metabolism is unaffected in diabetes insipidus; therefore, monitoring blood glucose values is unnecessary. Although a client with diabetes insipidus might not eat well because of the constant drinking, maintaining an adequate fluid volume is the primary nursing concern; therefore, monitoring intake and output is critical in this situation. It is not necessary to insert an indwelling catheter to monitor urine output; however, urine does need to be measured. Sending urine to the laboratory is also unnecessary.

Cognitive Level—Analyzing
Client Needs Category—Physiological integrity
Client Needs Subcategory—Reduction of risk potential

4. 2. For the sake of comparison, clients are weighed at the same time each day, on the same scale, and wearing similar clothing each time. Nothing in the situation indicates whether a standing scale was used or whether the client wore slippers during previous weight assessments. The client's predisease weight has no bearing on the current condition except as a point of reference.

Cognitive Level—Applying
Client Needs Category—Physiological integrity
Client Needs Subcategory—Basic care and comfort

5. 4. Lypressin is a synthetic hormone preparation of vasopressin and is prescribed because of its antidiuretic effects. It promotes reabsorption of water by acting on the collecting ducts in the kidneys, thereby decreasing urine excretion. The client's head should be maintained in an upright position when administering lypressin because the tip of the container is inserted upright into a nostril. The client then inhales while compressing the container and releasing the spray. Vigorous shaking does not improve the medication's effectiveness and, therefore, is unnecessary.

Cognitive Level—Applying
Client Needs Category—Physiological integrity
Client Needs Subcategory—Pharmacological therapies

6. 2. Acromegaly results from an overproduction of growth hormone. Growth hormone is secreted by the pituitary gland; if oversecreted, as in the case of a pituitary tumor, and left unchecked, it can lead to organ enlargement, increased blood glucose levels, hyperlipidemia, and lengthening and widening of the bones. When the disorder occurs in adulthood, the bones of the hands, jaw, feet, and forehead enlarge but do not lengthen. Acromegaly that develops at or before puberty generally results in gigantism. Undersecretion of growth hormone results in shortened height and dwarfism. Males with acromegaly are likely to experience impotence, but their testes are not unusually small. Although the disorder may cause wide gaps between the teeth due to jaw changes, acromegaly is not known to cause tooth loss.

Cognitive Level—Applying
Client Needs Category—Physiological integrity
Client Needs Subcategory—Physiological adaptation

7. 1. Despite the large size, a client with acromegaly is likely to suffer from activity intolerance because of the client's size, muscle weakness, joint pain, and joint stiffness. There is no indication that the client with acromegaly will have difficulty providing self-care, although because of the large size, assistance may be needed. Pulmonary functions generally remain adequate. Clients with acromegaly have difficulty chewing because of the malformations in their jaw and teeth, but swallowing is unaffected.

Cognitive Level—Analyzing
Client Needs Category—Safe and effective care environment
Client Needs Subcategory—Coordinated care

8. 1. The treatment of choice for a pituitary tumor that is oversecreting growth hormone is a transsphenoidal hypophysectomy. This involves the surgical removal of the pituitary gland through the nasal passage through an incision under the upper lip. A belief that the client's appearance will return to normal reflects a misunderstanding of the outcome of surgery by the client. Unfortunately, a client with acromegaly will never regain a normal appearance despite successful treatment of the disease. Hormone replacement therapy is necessary after surgery or irradiation of the anterior pituitary gland. The client must be medically evaluated at regular intervals. The surgical incision is invisible.

> *Cognitive Level—Analyzing*
> *Client Needs Category—Physiological integrity*
> *Client Needs Subcategory—Physiological adaptation*

9. 2. The surgical incision is made through the upper gingival mucosa in the mouth, along one side of the nasal septum and through the sphenoid sinus, or it is performed transnasally. Postoperatively, the nose is packed with gauze. In addition to checking the saturation and appearance of the gauze packing, the nurse inspects the pharynx, where blood or cerebrospinal fluid may drain posteriorly. Examining the client's skull, ear canal, or tongue will facilitate an assessment of bleeding.

> *Cognitive Level—Applying*
> *Client Needs Category—Physiological integrity*
> *Client Needs Subcategory—Reduction of risk potential*

Nursing Care of Clients with Disorders of the Thyroid Gland

10. 3. A radioactive iodine uptake test is used in diagnostic scans and destroys thyroid tissue in disorders involving hyperthyroidism and thyroid malignancies. The amount of radiation used in a radioactive iodine uptake test is minute, but special precautions (such as flushing the toilet twice after use, rinsing the bathroom sink and tub, and using separate bath linens) are generally suggested. These precautions are only needed for a few days. Although there is no antidote for radioactive iodine, there is no justification for isolating the client because of the minute exposure.

> *Cognitive Level—Applying*
> *Client Needs Category—Safe and effective care*
> *   environment*
> *Client Needs Subcategory—Safety and infection*
> *   control*

11.

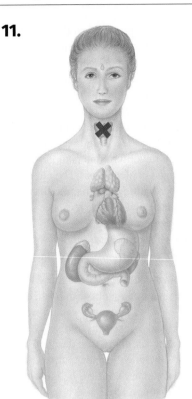

Myxedema results from an insufficient secretion of thyroid hormone. The thyroid gland is a butterfly-shaped gland located in the anterior neck. The thyroid gland has two distinct lobes that are connected by a bridge dividing the two halves, called the isthmus.

> *Cognitive Level—Applying*
> *Client Needs Category—Health promotion and*
> *   maintenance*
> *Client Needs Subcategory—None*

12. 1, 5, 6. The severe form of hypothyroidism is called *myxedema.* Hypothyroidism is the result of insufficient production of thyroid-stimulating hormone that results in a slowing of metabolic processes. Myxedema is life threatening if left untreated. Common signs of myxedema include hypothermia, hypotension, a hoarse and raspy voice, slow speech, lethargy, expressionless face, protruding tongue, coarse and sparse hair, weight gain, and dry skin.

> *Cognitive Level—Applying*
> *Client Needs Category—Physiological integrity*
> *Client Needs Subcategory—Physiological adaptation*

13. 2. Because of the lowered rate of metabolism, individuals with myxedema do not generate the same amount of energy and body heat as those with a normal metabolism. Consequently, clients typically report being excessively cold. The disorder is not associated with difficulty in urination, profuse perspiration, or excessive appetite.

> *Cognitive Level—Applying*
> *Client Needs Category—Physiological integrity*
> *Client Needs Subcategory—Physiological adaptation*

14. 3. Thyroid replacement therapy with levothyroxine is maintained during the course of a client's lifetime. A low dose is given initially, then increased or decreased on the basis of the drug levels in the blood. Dosage adjustments are also made periodically during a client's lifetime based on the client's liver and kidney function, other medications that the client may be taking, and the client's clinical presentation of signs and symptoms. The drug is taken once per day, not after each meal. Levothyroxine is more likely to cause insomnia than fatigue or sleepiness. The client should consult the prescriber before omitting, modifying, or discontinuing the drug, regardless of the reason.

> *Cognitive Level*—*Applying*
> *Client Needs Category*—*Physiological integrity*
> *Client Needs Subcategory*—*Pharmacological therapies*

15. 1, 2, 5, 6. Once the client is accurately diagnosed with hypothyroidism or myxedema, treatment is established with thyroid replacement therapy. The nurse should watch for signs and symptoms related to *hyper*thyroidism, which could be an indication that the levothyroxine dosage is too high. The adverse reactions include dyspnea, palpitations, hyperactivity, dizziness, insomnia, excessive hunger, rapid pulse, and gastrointestinal distress. Excessive bruising is not associated with thyroid replacement therapy; instead it may be a consequence of anticoagulant therapy or a blood dyscrasia. A rash is not associated with thyroid replacement therapy.

> *Cognitive Level*—*Applying*
> *Client Needs Category*—*Physiological integrity*
> *Client Needs Subcategory*—*Pharmacological therapies*

16. 1, 3, 4, 5. An endemic goiter is caused by a deficiency of iodine in the diet resulting in an enlarged thyroid gland. As a consequence, the client feels a fullness in the neck. Appropriate nursing interventions include observing the client's respiratory status because the client may experience respiratory distress due to pressure on the trachea. Elevating the head of the bed can relieve respiratory symptoms. Because the endemic goiter is a result of iodine deficiency, providing a diet high in iodized salt is also appropriate. Obtaining a prescription for a soft diet is prudent because of the pressure of the enlarged thyroid on the esophagus, which makes swallowing difficult. There is no need to assess for fever or administer antibiotics because a goiter is not related to an infectious process.

> *Cognitive Level*—*Applying*
> *Client Needs Category*—*Physiological integrity*
> *Client Needs Subcategory*—*Physiological adaptation*

17. 4. Clients who are competent have the right to self-determination, which means they can make decisions on their own behalf once they are provided with information. The nurse acts as an advocate once the client has made a decision. Therefore, it is unethical to persuade the client to select one method of treatment over another. The nurse may explain the advantages and disadvantages of surgery

later. The surgeon is more likely to review the prognosis for the surgical treatment.

> *Cognitive Level*—*Applying*
> *Client Needs Category*—*Safe and effective care environment*
> *Client Needs Subcategory*—*Coordinated care*

18. 4. Methimazole is given to block thyroid hormones preoperatively. It inhibits the manufacture of thyroid hormones. Antithyroid drugs can cause cretinism (hypothyroidism) in a developing fetus. Cretinism results in irreversible brain and skeletal abnormalities with cognitive impairment and dwarfism if thyroid replacement therapy is not initiated within the first 6 weeks after birth. Therefore, asking about the client's pregnancy status is essential. Although the client may have trouble swallowing and the drug may cause gastrointestinal side effects, ensuring the safety of the client and fetus is the nurse's priority. Methimazole is not available in a liquid form, but the medication may be crushed and mixed with food if there is a problem swallowing medication in solid form.

> *Cognitive Level*—*Applying*
> *Client Needs Category*—*Physiological integrity*
> *Client Needs Subcategory*—*Pharmacological therapies*

19. 1. Agranulocytosis is a decrease in white blood cells (WBCs) are produced to fight infections. A sore throat, fever, and malaise may indicate that the client has insufficient WBCs to prevent infection. Heart palpitations, a symptom of Graves' disease, become infrequent as treatment with methimazole continues. Prolonged bleeding is evidence of thrombocytopenia (a decrease in platelets) and is not related to agranulocytosis. Fatigue can be caused by anemia related to a decreased number of circulating red blood cells.

> *Cognitive Level*—*Applying*
> *Client Needs Category*—*Physiological integrity*
> *Client Needs Subcategory*—*Pharmacological therapies*

20. 3. Potassium iodide solution is given in conjunction with an antithyroid drug such as methimazole to curb thyroid activity before surgery and to decrease postoperative complications. Potassium iodide solution has a bitter, metallic taste and can cause burning in the mouth and sore gums. Diluting the strong solution in fruit juice or water tends to disguise its unpleasant taste. Although swallowing the drug quickly may ensure that all of the drug is taken, this is not the best advice. There is no real reason to recommend chilling the drug or taking it before meals.

> *Cognitive Level*—*Applying*
> *Client Needs Category*—*Physiological integrity*
> *Client Needs Subcategory*—*Pharmacological therapies*

21. 3. Clients commonly receive antithyroid drugs several weeks before surgery to prevent excessive release of thyroid hormones during and after surgery. Preoperative therapy with antithyroid drugs reduces the potential for postoperative bleeding and the development of a thyroid crisis, or storm. Although the treatment reduces the size of the gland, it is not the underlying reason for the drug therapy. The postoperative recovery period is shortened if complications are prevented, but reducing the potential for bleeding is a more accurate answer. Thyroid replacement therapy may still be required after a near-total thyroidectomy despite preoperative antithyroid drug therapy.

> *Cognitive Level—Applying*
> *Client Needs Category—Physiological integrity*
> *Client Needs Subcategory—Pharmacological therapies*

22. 1. Preoperative instructions must include how to support the head and neck when turning or rising to a sitting or standing position. This prevents tension on the sutures in the neck. The other information is important to include, but is not as essential for the client to know.

> *Cognitive Level—Applying*
> *Client Needs Category—Physiological integrity*
> *Client Needs Subcategory—Basic care and comfort*

23. 2. Airway obstruction is a potential postoperative complication for clients who undergo thyroidectomy. Therefore, a common standard of practice is to keep a tracheostomy tray in the client's room. A mechanical ventilator will probably be unnecessary once airway patency is reestablished. A dressing change kit can be easily obtained; it is not an emergency item. Epinephrine may be necessary if the client develops a life-threatening cardiac arrhythmia, but this drug is usually stocked in emergency crash carts.

> *Cognitive Level—Applying*
> *Client Needs Category—Physiological integrity*
> *Client Needs Subcategory—Reduction of risk potential*

24. 3. A near-total thyroidectomy removes most of the glandular tissue that is overproducing thyroid hormones. Semi-Fowler's position, with the head elevated 30 to 45 degrees, is best for reducing postoperative incisional edema and facilitating ventilation. None of the other identified positions are therapeutic for accomplishing this goal.

> *Cognitive Level—Applying*
> *Client Needs Category—Physiological integrity*
> *Client Needs Subcategory—Reduction of risk potential*

25. 1. Coughing may precipitate bleeding in and around the surgical area and increase the risk of airway obstruction. Therefore, it is best to discourage coughing postoperatively. The client is encouraged to take deep cleansing breaths, ambulate, and dangle the legs from the side of the bed, as tolerated. These activities will prevent pneumonia and postoperative thrombosis.

> *Cognitive Level—Applying*
> *Client Needs Category—Physiological integrity*
> *Client Needs Subcategory—Reduction of risk potential*

26. 1, 2, 3, 4, 5. An elevated temperature may be a sign that the client is developing an infection. However, the assessments that are more specific to the client who has undergone a thyroidectomy include fullness in the neck, which may indicate blood accumulation in the surgical

area. Blood behind the neck suggests that blood is draining posteriorly by gravity. A hoarse voice may mean the client's laryngeal nerve has been damaged. Muscle spasms may indicate hypocalcemia in the event that the parathyroid glands were inadvertently removed.

> *Cognitive Level—Applying*
> *Client Needs Category—Physiological integrity*
> *Client Needs Subcategory—Physiological adaptation*

27.

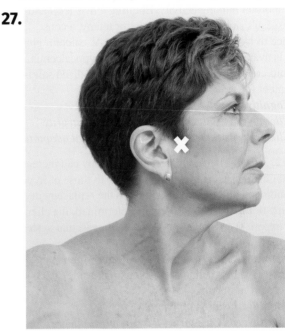

Chvostek's sign is assessed by tapping the area over the facial nerve, which is about 1 in (2.5 cm) anterior to the earlobe, just below the zygomatic arch. A client with hypocalcemia will manifest Chvostek's sign, evidenced by facial muscle spasms such as twitching of the cheek, mouth, and nose.

> *Cognitive Level—Applying*
> *Client Needs Category—Physiological integrity*
> *Client Needs Subcategory—Reduction of risk potential*

28. 1, 5. Exaggerated signs of increased metabolism are a manifestation of thyroid crisis (also called *thyroid storm* or *thyrotoxicosis*). Some signs include hyperpyrexia (fever) as high as 105.8°F (41°C), hypertension, severe tachycardia, chest pain, cardiac arrhythmias/palpitations, dyspnea, and an altered level of consciousness. Carpal spasms are a sign of hypocalcemia. Noisy respirations may indicate laryngospasm due to hypocalcemia or a partial airway obstruction. Hypotension is not a sign of thyroid crisis, nor is decreased urine output.

> *Cognitive Level—Analyzing*
> *Client Needs Category—Physiological integrity*
> *Client Needs Subcategory—Reduction of risk potential*

29. 1, 3, 4. Thyroid crisis is a life-threatening situation and is triggered by manipulation during surgical removal of the thyroid gland, stress, infection, or physical examination of the thyroid gland. The nurse should monitor the client's vital signs at least hourly, paying close attention to the client's temperature (which is elevated) and heart rate and rhythm. Tachycardia and cardiac arrhythmias are common manifestations of this condition. Because of the increased metabolism, the heart has to work harder; unless managed, this could result in cardiac arrest. Therefore, limiting the client's activities decreases the workload on the heart and decreases the need for oxygen. Antipyretics decrease the client's temperature, so this is an important nursing activity. Eliciting Chvostek's and Trousseau's signs are assessments for tetany, a consequence of hypocalcemia. Making sure I.V. calcium gluconate is available is essential for treating hypocalcemia, not thyroid crisis. Encouraging a diet high in iodized salt is the treatment for goiter.

> *Cognitive Level*—*Analyzing*
> *Client Needs Category*—*Physiological integrity*
> *Client Needs Subcategory*—*Physiological adaptation*

30. 2, 3, 5, 6. Thyroid replacement therapy can increase metabolism, causing symptoms similar to those of hyperthyroidism. Until the client adjusts to the replacement therapy or the optimum dosage is determined, the client may experience stimulation of the cardiovascular system, which is manifested by tachycardia and hypertension. Metabolic stimulation can also result in insomnia and tremors. Hyperglycemia and hirsutism are side effects of corticosteroid therapy.

> *Cognitive Level*—*Applying*
> *Client Needs Category*—*Physiological integrity*
> *Client Needs Subcategory*—*Pharmacological therapies*

Nursing Care of Clients with Disorders of the Parathyroid Glands

31. 4. Loss of calcium from the bones weakens the skeletal system, which potentiates the risk of pathologic fractures. Impaired equilibrium, seizures, and syncope are not common among clients with hyperparathyroidism.

> *Cognitive Level*—*Applying*
> *Client Needs Category*—*Safe and effective care environment*
> *Client Needs Subcategory*—*Safety and infection control*

32. 2. After the removal of almost all of the lobes of the parathyroid gland, it is therapeutic to include sources of calcium in the client's diet because the function of the parathyroid gland is suddenly and severely compromised. Foods that are good sources of calcium include milk and cheese. Calcium gluconate may be administered intravenously if the client experiences severe hypocalcemia. The remaining options do not provide calcium in the amounts that are comparable to dairy products.

> *Cognitive Level*—*Applying*
> *Client Needs Category*—*Physiological integrity*
> *Client Needs Subcategory*—*Basic care and comfort*

33. 1. Hypoparathyroidism is caused by inadequate secretion of parathyroid hormone, which leads to increased phosphorus levels and a deficiency in blood calcium levels. This deficiency results in hypocalcemia and leads to tetany, the chief symptom of hypoparathyroidism. Tetany is a general muscular condition that results in tremors and spastic, uncoordinated movements. When tetany occurs, calcium gluconate or calcium chloride is the drug of choice for I.V. administration. Ferrous sulfate is a source of iron; it is administered orally to treat anemia. Potassium chloride is given to prevent or relieve hypokalemia. Sodium bicarbonate is administered to maintain normal acid-base balance.

> *Cognitive Level*—*Applying*
> *Client Needs Category*—*Physiological integrity*
> *Client Needs Subcategory*—*Pharmacological therapies*

Nursing Care of Clients with Disorders of the Adrenal Glands

34.

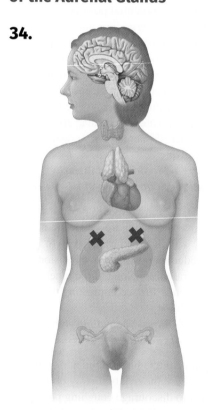

The adrenal glands are located at the top of each kidney, hence the name "ad- *renal*." The outer cortex and the inner medulla produce numerous hormones that affect the use of fats, proteins, and carbohydrates; suppress the inflammatory response; regulate the kidneys' excretion of sodium; supplement hormones that contribute to male secondary sexual characteristics; and promote physiologic activities that are helpful for responding to stressors.

> *Cognitive Level*—*Remembering*
> *Client Needs Category*—*Health promotion and maintenance*
> *Client Needs Subcategory*—*None*

35. 1, 4, 5. Addison's disease is caused by a deficiency of cortical hormones that develops from adrenal insufficiency. Clients appear unusually tan, bronze, or darkly pigmented. Other signs and symptoms include fatigue, weight loss/emaciation, hypotension, and decreased blood glucose. Decreased sodium levels result in a craving for salt. An increased potassium level is also a clinical manifestation of this disease. A moon-shaped face, skin blemishes, and obesity are more characteristic of a hyperfunctioning adrenal cortex or endogenous steroid therapy.

Cognitive Level—*Applying*
Client Needs Category—*Physiological integrity*
Client Needs Subcategory—*Physiological adaptation*

36. 2. A client with Addison's disease has low sodium levels; therefore, replacing dietary sodium is important. Milk products, such as cheese, and other sources of animal protein are high in natural sodium content. Although baked goods also contain hidden sodium, two graham crackers have half the amount of sodium as 1 oz of cheddar cheese. Fruits and vegetables are considered low in sodium when compared with other food sources.

Cognitive Level—*Applying*
Client Needs Category—*Physiological integrity*
Client Needs Subcategory—*Basic care and comfort*

37. 4. Clients with Addison's disease are prone to developing low blood glucose levels (hypoglycemia). Snacks such as milk and crackers contain complex carbohydrates that take longer to metabolize than simple sugars. Therefore, they are more likely to help maintain a stable blood glucose level. To reduce episodes of hypoglycemia, it is appropriate to schedule at least six small meals per day or between-meal snacks. Although the other choices contain some complex carbohydrates, they also contain sources of quickly metabolized sugars.

Cognitive Level—*Applying*
Client Needs Category—*Physiological integrity*
Client Needs Subcategory—*Basic care and comfort*

38. 1. Stress and any of the following factors—salt deprivation, infection, trauma, exposure to cold, or overexertion—can overwhelm the client's ability to maintain homeostasis. This imbalance can lead to the development of addisonian crisis, a life-threatening condition. Alcohol consumption, eating complex carbohydrates, and sleep deprivation are not relevant factors in Addison's disease.

Cognitive Level—*Applying*
Client Needs Category—*Physiological integrity*
Client Needs Subcategory—*Reduction of risk potential*

39. 1, 3, 4, 5. Administering a glucocorticoid raises blood glucose levels and often requires insulin coverage. It is important for clients receiving glucocorticoids to regularly monitor blood glucose levels using a glucometer. Intake and output and daily weights may be implemented as well. Emotional instability often occurs among individuals who take glucocorticoids.

Cognitive Level—*Analyzing*
Client Needs Category—*Physiological integrity*
Client Needs Subcategory—*Pharmacological therapies*

40. 1, 5, 6. Cushing's syndrome is the result of excessive corticosteroid production. When this occurs, the client develops several multisystem clinical manifestations, including thin extremities (from muscle wasting and weakness) and a heavy, obese trunk. Other common signs and symptoms include moon face, thinning scalp hair, buffalo hump, ruddy complexion, thin and fragile skin, bruising, striae, peripheral edema, hypertension, hirsutism (in women), mood changes, depression, and psychosis.

Cognitive Level—*Applying*
Client Needs Category—*Physiological integrity*
Client Needs Subcategory—*Physiological adaptation*

41. 2. To be precise, a 24-hour urine collection for this client begins at 1045 with the second void. This ensures that the client empties the bladder (with the 0830 voiding) and ends with a final voiding at the same time the following day. Urine that is voided before the test begins contains components that have accumulated prior to the urine collection. There is no need to wait for later in the day or until the following day.

Cognitive Level—*Applying*
Client Needs Category—*Physiological integrity*
Client Needs Subcategory—*Reduction of risk potential*

42. 2. To avoid chemical changes in the contents of the urine, a 24-hour specimen is deposited in a container with preservative. Generally, the urine is refrigerated or placed on ice during the collection period. The collection container is usually kept in the client's room or bathroom. It is unnecessary to measure each voided volume; if this is done, it is for reasons other than specimen collection. Clients generally void into a urinal or container suspended in the toilet; the urine is then added to the collection container, but it is not taken to the laboratory until all the urine in 24 hours has been collected.

Cognitive Level—*Understanding*
Client Needs Category—*Physiological integrity*
Client Needs Subcategory—*Reduction of risk potential*

43. 1. Female clients with Cushing's syndrome acquire masculine characteristics, such as a deep voice and excessive growth of body hair, including facial hair. If premenopausal, they may also develop amenorrhea. Fine tremors, heavy menstruation, and severe weight loss are not characteristic of Cushing's syndrome.

Cognitive Level—*Applying*
Client Needs Category—*Physiological integrity*
Client Needs Subcategory—*Physiological adaptation*

44. 2. Depression is common among clients with Cushing's syndrome because of the severity of physical changes or excess cortisol from increased adrenal glucocorticoid production; this places clients at increased risk for suicide. The other emotional symptoms are not necessarily associated with Cushing's syndrome, although they may occur randomly in some clients for other psychophysiologic reasons.

Cognitive Level—*Applying*
Client Needs Category—*Psychosocial integrity*
Client Needs Subcategory—*None*

45. 4. A sodium-restricted diet is prescribed to reduce the potential for excess fluid volume due to increased serum sodium levels. One of the best ways to monitor the effects of sodium restriction is by weighing the client daily. The client's skin turgor and pedal edema are unlikely to change as much as weight from one day to the next. Monitoring the amount of sodium that the client consumes from the dietary tray is difficult without the assistance of the dietitian. It does not provide an objective nursing assessment as well as the daily weight.

> *Cognitive Level*—*Analyzing*
> *Client Needs Category*—*Physiological integrity*
> *Client Needs Subcategory*—*Reduction of risk potential*

46. 1. Blood pressure is the best indicator of excessive blood loss or cardiovascular collapse, a sudden loss of effective blood flow, in the client who has an adrenalectomy. This manifestation would appear in the immediate postoperative period. Preoperative hypertension is likely to subside postoperatively, which would also be evidenced by lower blood pressure trends. Temperature would be an early indication of infection and would not present immediately in the postoperative period. Decreased urine output is a clinical manifestation; however, it would not occur in the immediate postoperative period. Specific gravity changes are indicative of other disorders.

> *Cognitive Level*—*Applying*
> *Client Needs Category*—*Physiological integrity*
> *Client Needs Subcategory*—*Reduction of risk potential*

47. 4. Extreme hypotension, fever, vomiting, diarrhea, abdominal pain, profound weakness, headache, and restlessness are all signs of addisonian crisis, which occurs from a sudden drop in adrenocortical hormones. Therefore, the client's ability to maintain vital signs within preoperative ranges is the best indication that addisonian crisis has been avoided. An adequate urine output, normal blood glucose level, and lessening of pedal edema are all positive outcomes, but they are not the best evidence that addisonian crisis has been prevented.

> *Cognitive Level*—*Analyzing*
> *Client Needs Category*—*Physiological integrity*
> *Client Needs Subcategory*—*Reduction of risk potential*

48. 2. Because of the client's thin, fragile skin and tendency to heal slowly, it is best to pull tape toward the suture line rather than away from it when changing dressings. This will prevent the sutures from separating. Although it is true that protein promotes healing and that the nurse needs to cover the client's wound with gauze, neither this nursing measure nor applying an abdominal binder are as critical to the healing process as preserving an intact incisional site.

> *Cognitive Level*—*Applying*
> *Client Needs Category*—*Physiological integrity*
> *Client Needs Subcategory*—*Basic care and comfort*

49. 1. Postoperatively after a bilateral adrenalectomy, there is an increased risk for acquiring infections because of the anti-inflammatory effects of corticosteroid replacement hormones, which may mask the common signs of inflammation and infection. Therefore, avoiding people with infectious diseases is prudent for the client with Cushing's syndrome who has undergone a bilateral adrenalectomy. The client is also at risk for fluid volume deficits due to a deficit of aldosterone and should maintain an adequate fluid intake. The client's cushingoid appearance should slowly recede as hormone levels are reestablished at lower-than-preoperative levels. After a bilateral adrenalectomy, hormone replacement therapy is a lifelong necessity. In fact, a medical alert tag should be worn at all times.

> *Cognitive Level*—*Applying*
> *Client Needs Category*—*Health promotion and maintenance*
> *Client Needs Subcategory*—*None*

Nursing Care of Clients with Pancreatic Endocrine Disorders

50. 3. The nurse is most correct to identify that a blood glucose reading via a glucometer of 106 mg/dL (6.7 mmol/L) is within normal limits; thus, the result can be documented so that the client can review with the health care provider. There is no need to eat right away, drink water, or see a health care provider.

> *Cognitive Level*—*Applying*
> *Client Needs Category*—*Physiological integrity*
> *Client Needs Subcategory*—*Physiological adaptation*

51. 4. A glucose tolerance test is performed to determine how well or poorly a person is able to metabolize glucose. After an initial sample of blood is drawn, an extremely sweet solution of glucose must be consumed within about 5 minutes or less. A sample of blood is then taken every hour until the test is completed, which may be in 2, 3, or 5 hours. Persons undergoing this test can eat a normal diet in the day preceding the test but must abstain from food and beverages with the exception of water for 8 hours before the test begins. A sample of urine is generally required just prior to the test.

> *Cognitive Level*—*Remembering*
> *Client Needs Category*—*Health promotion and maintenance*
> *Client Needs Subcategory*—*None*

52. 2. The term *postprandial* means "after eating a meal." The meal acts as a glucose challenge. The blood glucose level normally increases in response to the intake of carbohydrates. Two hours later or at 1000, the serum blood glucose level is drawn and the blood glucose level of clients who do not have diabetes should return to normal. If the blood glucose level remains elevated 2 hours after eating, it suggests a metabolic disorder such as diabetes mellitus. A serum blood glucose level obtained at 0600 will be before the glucose of the meal is ingested. Obtaining the serum blood glucose at 1145 and 1300 does not provide accurate information related to the serum blood glucose level of the breakfast meal.

> *Cognitive Level—Applying*
> *Client Needs Category—Health promotion and maintenance*
> *Client Needs Subcategory—None*

53. 3. Positive screening test results are an indication that the client requires further evaluation. Because several factors and disease pathologies can cause hyperglycemia, it is always best to inform clients that additional testing may be indicated. Comments about eating less frequently, taking insulin, or avoiding candy should alert the nurse that the client requires further teaching.

> *Cognitive Level—Analyzing*
> *Client Needs Category—Health promotion and maintenance*
> *Client Needs Subcategory—None*

54. 4. Polyuria (excessive secretion and voiding of urine), polydipsia (excessive thirst), and polyphagia (increased appetite) are the classic signs and symptoms of diabetes mellitus. Polycholia (increased secretion of bile), polyemia (increased amount of circulating blood), polyplegia (paralysis of several muscles), hypertension, edema, and anorexia are not considered signs and symptoms of this endocrine disorder. Glucosuria and fatigue can be seen in diabetes. Weight gain or loss is seen in some people with diabetes.

> *Cognitive Level—Applying*
> *Client Needs Category—Physiological integrity*
> *Client Needs Subcategory—Physiological adaptation*

55. 4. The client needs time to accept the diagnosis, demonstrate anger, and talk about fears and concerns. Listening is the most therapeutic intervention at this point. Stressing the importance of treatment is likely to increase the client's fears. The client with type 2 diabetes may be required to take oral hypoglycemic agents, but telling the client that the disease is easily managed is false reassurance. Telling the client that others manage their diabetes ignores the fact that, for each client, the experience is unique.

> *Cognitive Level—Applying*
> *Client Needs Category—Psychosocial integrity*
> *Client Needs Subcategory—None*

56. 2. Before developing a teaching plan, it is important to find out how knowledgeable a person is on a particular subject. The manner in which the information is taught will depend on the client's preferred learning style. It may involve selecting age-appropriate pamphlets, but this is not essential. Including the client's significant other is beneficial but is not required.

> *Cognitive Level—Applying*
> *Client Needs Category—Health promotion and maintenance*
> *Client Needs Subcategory—None*

57. 3. Exercise has many beneficial effects, such as controlling weight, reducing appetite, improving circulation, and lowering heart rate, regardless of a person's health status. For a client with diabetes, however, one of the primary benefits is a reduced blood glucose level. If the blood glucose level decreases with exercise, drug treatment with oral hypoglycemic agents or insulin may be delayed, reduced, or eliminated.

> *Cognitive Level—Applying*
> *Client Needs Category—Health promotion and maintenance*
> *Client Needs Subcategory—None*

58. 2. The main advantage of using an exchange list is that it eliminates the need to count calories. Instead, clients are prescribed the number of exchanges they may use in particular categories. They can choose among items of equal nutritional value, provided they consume the serving size the list specifies. When following an exchange list, clients can eat more than one serving per category, but the number of servings is limited. An exchange list simplifies following a caloric limited nutrition diet.

> *Cognitive Level—Applying*
> *Client Needs Category—Health promotion and maintenance*
> *Client Needs Subcategory—None*

59. 3. "Free foods" are those foods or drinks that have less than 20 calories per serving and no more than 5 grams of carbohydrate per serving. They are considered free because they may be eaten up to three times a day in reasonable amounts without significantly raising blood sugar levels. "Lite" or "light" is a food-labeling term that means the product contains one-third fewer calories than a similar unaltered item. Thus, light beer contains calories or grams of nutrients that must be calculated in the client's diet or exchange list. The other selections are considered "free" and do not contain calories; therefore, these choices could be incorporated into the client's meal plan as "free."

> *Cognitive Level—Applying*
> *Client Needs Category—Health promotion and maintenance*
> *Client Needs Subcategory—None*

60. 2. To maintain stable control of blood glucose levels, it is essential to take medication, eat, and exercise at regular, consistent times each day. Implying that the therapeutic regimen is flexible predisposes clients to develop unstable blood glucose levels and metabolic complications.

> *Cognitive Level—Applying*
> *Client Needs Category—Health promotion and maintenance*
> *Client Needs Subcategory—None*

61. 3. An A1C test of 8.7% is outside the acceptable range. Both the American and Canadian Diabetes Associations recommend A1C ranges from 6.5% to 8% or less depending on the age of the client and the duration the client has had diabetes. The most reasonable goal is to achieve an A1C of 7%, which is likely to reduce the potential for long-term complications if it is sustained over the years. A fasting blood sugar (FBS) of 100 mg/dL (5.51 mmol/L) and a random blood glucose of 160 mg/dL (8.82 mmol/L) are considered normal. There should be no ketones in the urine unless the client has ketoacidosis.

> *Cognitive Level*—*Applying*
> *Client Needs Category*—*Health promotion and maintenance*
> *Client Needs Subcategory*—*None*

62. 2, 3, 5, 6. Clients who have difficulty maintaining their blood sugar levels within therapeutic range may benefit from a consultation with a dietitian for new information or reinforcement of prior learning. Increasing active exercise can lower blood sugar levels if it is performed regularly for at least 30 minutes. Buffet-style restaurants are a temptation at which some clients with diabetes cannot avoid overeating. Increasing dietary fiber adds to a feeling of fullness with less consumption of food. Altering a medication regimen and skipping meals is likely to interfere with the management of a person's diabetes.

> *Cognitive Level*—*Applying*
> *Client Needs Category*—*Health promotion and maintenance*
> *Client Needs Subcategory*—*None*

63. 2, 3, 4, 6. An acetone (sometimes described as sweet or fruity) breath odor, weakness, thirst, anorexia, vomiting, drowsiness, abdominal pain, rapid and weak pulse, hypotension, flushed skin, and Kussmaul's respirations (rapid, deep, and noisy) are manifested by persons with diabetic ketoacidosis (DKA). In severe cases, the client may be comatose or semicomatose.

> *Cognitive Level*—*Applying*
> *Client Needs Category*—*Physiological integrity*
> *Client Needs Subcategory*—*Physiological adaptation*

64. 1. Kussmaul's respirations, a common sign of diabetic ketoacidosis (DKA), is a compensatory mechanism to eliminate carbon dioxide from the body and prevent a further drop in pH. Respirations are typically fast, rapid, deep, and labored with a longer expiration. The other options are not characteristic of Kussmaul's respirations.

> *Cognitive Level*—*Applying*
> *Client Needs Category*—*Physiological integrity*
> *Client Needs Subcategory*—*Physiological adaptation*

65. 3. The client experiencing diabetic ketoacidosis (DKA) requires regular insulin by the intravenous route to decrease the elevated level of blood sugar. Intravenous insulin is administered in a continuous drip when added to a solution of crystalloid solution. The client needs to exhale carbon dioxide; mechanical ventilation may be necessary eventually to regulate breathing. A nasogastric tube would only be needed if the client becomes unconscious and cannot consume food orally for a period of time. A retention catheter would be beneficial because it would

eliminate the need to expend energy using a urinal or bedpan but that is not the priority in this client's care.

> *Cognitive Level*—*Analyzing*
> *Client Needs Category*—*Physiological integrity*
> *Client Needs Subcategory*—*Physiological adaptation*

66. 1. An infection, especially one affecting the urinary tract, is one of the chief causes of diabetic ketoacidosis (DKA). Regular exercise should lower blood glucose levels. Although getting a job promotion may on the surface appear positive, it can also be a source of stress. However, a job promotion is not as significant in this client's history as having a current urinary tract infection. An asthma attack can be serious and may be resolved with rescue medication such as albuterol and, in severe cases, a steroid, which may raise blood sugar. But the steroids and brief respiratory distress do not outweigh the significance of an infection.

> *Cognitive Level*—*Applying*
> *Client Needs Category*—*Physiological integrity*
> *Client Needs Subcategory*—*Physiological adaptation*

67. 4, 5, 6. Before the test, it is important that a quality control check has been done prior to using the machine to ensure an accurate reading, especially when a client has diabetic ketoacidosis (DKA). It is also mandatory to follow standard precautions and don gloves when there is a potential for contact with blood. Piercing the central pad of a finger is avoided; the margin around the digit produces less pain. It is best to let the blood flow passively by gravity onto the test strip or reflecting area of the electronic glucometer. Usually one large drop is sufficient to obtain an accurate reading. The skin is usually cleaned with soap and water or an alcohol swab, not povidone-iodine. Vital signs may be taken at the same time in an attempt to coordinate care and save time, but they are not necessary for this test.

> *Cognitive Level*—*Applying*
> *Client Needs Category*—*Physiological integrity*
> *Client Needs Subcategory*—*Reduction of risk potential*

68. 3. The onset of action of most short-acting insulins (regular insulin in particular) is within 30 to 60 minutes after administration. Hypoglycemia is more likely to occur when insulin reaches its peak effect. For regular insulin, the peak effect is approximately 2 to 4 hours later. The duration of regular insulin is approximately 5 to 7 hours. Hypoglycemia will not appear in 5 minutes or in 30 minutes, which is the onset of the action of regular insulin. Assessing for hypoglycemia 5 hours later is beyond the expected duration of regular insulin.

> *Cognitive Level*—*Applying*
> *Client Needs Category*—*Physiological integrity*
> *Client Needs Subcategory*—*Pharmacological therapies*

69. 2, 3, 5. When an unusual blood sugar measurement is reported, it is prudent to recheck the blood sugar to validate its accuracy. Checking the client's level of consciousness could support the validity or negate the first test result. If the blood sugar is abnormally low on a second measurement, most agency policies have standing prescriptions for administer glucose tablets. Each standard glucose tablet provides 15 to 20 g of quick carbohydrate. If the client is alert, providing three to four tablets can raise the blood sugar 45 to 80 mg/dL (2.50 to 4.44 mmol/L). If the client is not alert, an injection of glucagon may be necessary. The next meal should not be withheld because the client needs food to restore a normal range of blood sugar. A fruity odor to the breath is associated with ketoacidosis and hyperglycemia.

Cognitive Level—*Analyzing*
Client Needs Category—*Physiological integrity*
Client Needs Subcategory—*Physiological adaptation*

70. 2, 4, 5, 6. A client with diabetes must learn to recognize the signs of hypoglycemia. Shakiness and disturbed cognition/confusion—two classic signs—occur when the central nervous system, which relies entirely on glucose for energy, receives insufficient glucose from the blood. The body releases epinephrine in response to low blood glucose, causing such symptoms as palpitations and diaphoresis. Signs of hyperglycemia (not hypoglycemia) include thirst and sleepiness.

Cognitive Level—*Understanding*
Client Needs Category—*Physiological integrity*
Client Needs Subcategory—*Physiological adaptation*

71. 3. To ensure safety and accuracy when a client with low vision must self-administer insulin, using an insulin pen would be the best item to use. When determining the prescribed units of insulin, the client can hear a click that represents one unit of insulin on the dial. A low-dose insulin syringe has tiny calibrations that are difficult to see. A tuberculin syringe can be used in an emergency when an insulin syringe is unavailable, but it too has very small calibration marks. An insulin pump is sophisticated equipment that requires hand and eye coordination for delivering a bolus and continuous dose of insulin. In addition, the device requires replacing components approximately every 2 to 3 days.

Cognitive Level—*Analyzing*
Client Needs Category—*Physiological integrity*
Client Needs Subcategory—*Pharmacologic therapies*

72.

1. Instill 20 units of air in the vial of insulin with the additive.
3. Instill 10 units of air in the vial of additive-free insulin.
4. Withdraw 10 units of insulin from the vial of additive-free insulin.
2. Withdraw 20 units of insulin from the vial of insulin with the additive.

The client needs to avoid mixing the intermediate-acting insulin, which contains an additive, with the additive-free insulin. The instilled air in the comparable amount is first

added to the insulin vial containing the cloudy insulin (insulin that contains the additive). Next, the comparable amount of air is added to the vial of additive-free (clear) insulin. Without withdrawing the needle and syringe, the additive-free vial is inverted and the desired amount of insulin is withdrawn. Lastly, the syringe is reinserted into the vial with the insulin that contains the additive, and the insulin is withdrawn into the syringe combining the two in the same syringe.

Cognitive Level—*Applying*
Client Needs Category—*Physiological integrity*
Client Needs Subcategory—*Pharmacological therapies*

73. 4. To prevent lipodystrophy and lipoatrophy and promote appropriate absorption of insulin, it is correct to rotate insulin injection sites; insulin is preferably administered in the abdomen. Insulin is prepared in an insulin syringe calibrated in units. A 25- to 30-gauge needle may be used to inject insulin. Insulin is injected at a 45- or 90-degree angle, depending on the client's size.

Cognitive Level—*Applying*
Client Needs Category—*Physiological integrity*
Client Needs Subcategory—*Pharmacological therapies*

74. 4. Insulin-dependent clients are likely to remain so for the rest of their lives unless they receive a transplant of pancreatic tissue. Therefore, further instruction is needed if the client believes that it may eventually be unnecessary to take the medication. Even some clients with type 2 diabetes eventually become insulin dependent. The client is correct in understanding that insulin needs increase during times of stress, such as infections and emotional crises. Although exercise is beneficial, clients may need additional calories to prevent symptoms of hypoglycemia.

Cognitive Level—*Applying*
Client Needs Category—*Health promotion and maintenance*
Client Needs Subcategory—*None*

75. 3. Impotence, sometimes referred to as erectile dysfunction, is considered a form of neuropathy when it affects men with diabetes. When blood sugar levels are not adequately controlled, nerves such as those necessary to achieve and sustain an erection are damaged. Nerve damage is often followed by vascular impairment, compounding the inability to experience an erection. Blindness and strokes are complications from vascular changes. Renal failure is classified as nephropathy.

Cognitive Level—*Applying*
Client Needs Category—*Physiological integrity*
Client Needs Subcategory—*Physiological adaptation*

76. 2, 4, 6. Pain that develops in the feet of clients with diabetes is a consequence of peripheral neuropathy. It is generally experienced as burning, tingling, or stabbing pain. It develops more often among persons who do not control their blood sugar levels in therapeutic ranges. The pain may be managed by taking B complex vitamins or obtaining a prescription for drugs such as an anticonvulsant like pregabalin or gabapentin. Exercise improves blood flow to tissue and provides some relief. Tobacco products should be avoided because they contain nicotine, a vasoconstrictor, which interferes with circulation leading to more pain. Slippers and going barefoot are discouraged because they increase the potential for foot injuries that are slow to heal. Keeping the feet elevated and wearing elastic stockings are appropriate for improving distal circulation, but they have no relation to relieving foot pain.

> *Cognitive Level—Applying*
> *Client Needs Category—Health promotion and maintenance*
> *Client Needs Subcategory—None*

77. 2. Soaking the feet tends to soften the skin, subjecting them to potential trauma. The feet are washed daily with soap and water and then dried thoroughly before the client dons clean socks and supportive shoes. Clients with diabetes should inspect their feet daily for signs of injury or poor circulation. Going barefoot is contraindicated because this predisposes the client to foot injuries. The client should see a podiatrist regularly to have toenails cut and filed.

> *Cognitive Level—Applying*
> *Client Needs Category—Health promotion and maintenance*
> *Client Needs Subcategory—None*

78. 2. The most objective evidence for evaluating how well the client is managing therapy is a record of glucose monitoring values. Some glucometers store the data so that results can be retrieved and evaluated; others can be downloaded by a pharmacist. Otherwise, clients are asked to keep a written record of their monitoring results. Identifying the dosage and frequency of insulin administration does not indicate that the client is actually self-administering the insulin. Maintaining or gradually losing weight is good evaluative information, but it is not as specific as glucose monitoring values. Some clients are not as self-aware of symptoms, and some have an exaggerated awareness of their body functions. Therefore, subjective symptoms are not as valuable as hard objective data.

> *Cognitive Level—Analyzing*
> *Client Needs Category—Health promotion and maintenance*
> *Client Needs Subcategory—None*

79. 3. An insulin pump delivers insulin continuously with a needle in the subcutaneous tissue of the abdomen. The most common site for the subcutaneous injection is the abdomen, although the arms and thighs, and sections of the back may be used. Intravenous administration of insulin is reserved for emergencies.

> *Cognitive Level—Applying*
> *Client Needs Category—Health promotion and maintenance*
> *Client Needs Subcategory—None*

80. 2. Older adult clients with diabetes should receive foot care, including trimming toenails, by a podiatrist, a person trained to manage disorders affecting the feet and ankles. Podiatrists are identified by the initials DPM, which stand for doctor of podiatric medicine. Long-term care facilities often contract with one or more DPMs to care for clients on a regular basis. An abrasive file may be used to keep the nails short, but it is best to refer clients to a podiatrist for nail maintenance or other foot problems. The other hygiene measures are good to implement, but they are not as pertinent to the care of a client with diabetes.

> *Cognitive Level—Applying*
> *Client Needs Category—Physiological integrity*
> *Client Needs Subcategory—Reduction of risk potential*

81.

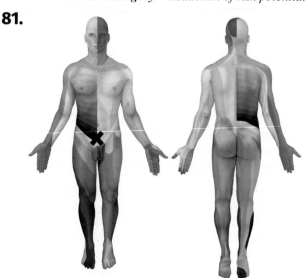

The abdomen is the preferred site for insulin administration to facilitate the most rapid rate of absorption. Absorption is somewhat slower in the arms, slower still in the legs, and slowest in the hip or buttocks area. The abdomen is also generally easier to access for self-administration, and the absorption rate is constant.

> *Cognitive Level—Analyzing*
> *Client Needs Category—Physiological integrity*
> *Client Needs Subcategory—Pharmacological therapies*

82. 1. Hyperosmolar hyperglycemic nonketotic syndrome (HHNS) is an acute complication of diabetes characterized by extremely high blood glucose levels—between 600 (33.3 mmol/L) and 1,000 mg/dL (55.5 mmol/L)—without signs of ketoacidosis. The severe hyperglycemia causes fluid to shift from the intracellular space to the extracellular space, and urine elimination exceeds the upper limit of normal volumes. The skin would be warm and dry from dehydration, rather than cool and moist. Acetone is not present in the urine of clients experiencing HHNS; it is typically found in the urine as ketones in those with ketoacidosis.

> *Cognitive Level—Applying*
> *Client Needs Category—Physiological integrity*
> *Client Needs Subcategory—Physiological adaptation*

83. 1. During illness, dehydration (from persistent vomiting and diarrhea) and stress cause the glucose levels to increase significantly. This is especially critical for an insulin-dependent client who may have insufficient insulin to counteract the rising glucose level. Therefore, it is important for the nurse to teach the client about the need to monitor blood glucose levels closely when ill. Blood glucose levels should be monitored every 2 to 4 hours when eating, and when the usual schedule for administering insulin is interrupted. Eating candy or drinking high-energy beverages will cause the blood glucose level to rise, especially if there is insufficient insulin to counteract the glucose. Testing the urine daily for protein is not typically done during times of illness.

>   ***Cognitive Level**—Analyzing*
>   ***Client Needs Category**—Health promotion and maintenance*
>   ***Client Needs Subcategory**—None*

84. 3. Prefilled insulin pens such as Humulin 70/30 pens are a convenient way to administer insulin for individuals who travel, the visually impaired, or who mix standard insulin types (intermediate and rapid types). Due to infection control concerns, each insulin pen is designed for only one person. It is correct that the insulin type is the same as the type in a vial, the needle is primed with insulin prior to use, and the needle is changed between injections.

>   ***Cognitive Level**—Analyzing*
>   ***Client Needs Category**—Physiological integrity*
>   ***Client Needs Subcategory**—Reduction of risk potential*

85. 4. Insulin lowers blood glucose levels. The client who received two doses of insulin is at risk for developing hypoglycemia. Therefore, the nurse should monitor the client's blood glucose level immediately after the error is discovered before notifying the client's health care provider. If the client's blood sugar is low, the nurse should follow the agency's policy for administering some form of quick-acting glucose and continue assessing the blood sugar frequently thereafter. The nurse reports the incident, the client's blood sugar measurement, and measures that have been taken to the client's health care provider who may provide additional prescriptions.

>   ***Cognitive Level**—Applying*
>   ***Client Needs Category**—Physiological integrity*
>   ***Client Needs Subcategory**—Physiological adaptation*

The Nursing Care of Clients with Cardiac Disorders

- Nursing Care of Clients with Hypertensive Heart Disease
- Nursing Care of Clients with Coronary Artery Disease (CAD)
- Nursing Care of Clients with Myocardial Infarction
- Nursing Care of Clients with Heart Failure
- Nursing Care of Clients with Conduction Disorders
- Nursing Care of Clients with Valvular Disorders
- Nursing Care of Clients with Infectious and Inflammatory Disorders of the Heart
- Test Taking Strategies
- Correct Answers and Rationales

Directions: *With a pencil, blacken the space in front of the option you have chosen for your correct answer.*

Nursing Care of Clients with Hypertensive Heart Disease

A nurse volunteers to do blood pressure screenings at a local community hospital's annual health fair.

1. As the nurse prepares to take a person's blood pressure, what observation indicates that the current aneroid sphygmomanometer will not measure the blood pressure accurately?
[ ] **1.** The needle is above zero on the gauge.
[ ] **2.** The pressure release screw is loose.
[ ] **3.** The clip on the pressure gauge is missing.
[ ] **4.** The cuff is 40% of the arm circumference.

2. What nursing modification is **most** appropriate when taking the blood pressure of a client who weighs 250 lb (113.4 kg)?
[ ] **1.** Take the blood pressure on the client's thigh.
[ ] **2.** Have the client lie down during the assessment.
[ ] **3.** Pump the manometer up to 250 mm Hg.
[ ] **4.** Use an extra-large blood pressure cuff.

3. When the nurse teaches a client's spouse how to take a blood pressure measurement, when is the correct time to note the diastolic blood pressure reading?
[ ] **1.** When the loud knocking sounds become muffled
[ ] **2.** When the last loud knocking sound is heard
[ ] **3.** When the swishing sound becomes loud
[ ] **4.** When the swishing sound becomes faint

A client has been recording blood pressure readings for the health care provider to review. The client asks the nurse why it is important to control hypertension and if there is anything that can be done.

4. The nurse instructs on prevention techniques aimed at which long-term negative effect?
[ ] **1.** Decreasing the life span of many blood cells
[ ] **2.** Forming venous blood clots
[ ] **3.** Compromising blood flow to many vital organs
[ ] **4.** Narrowing of the cardiac valves

5. When obtaining a health history from a person at the clinic, what finding strongly suggests that the person is hypertensive? Select all that apply.
[ ] **1.** Throbbing headaches
[ ] **2.** Difficulty sleeping at night
[ ] **3.** Waking to urinate at night
[ ] **4.** Occasional heart palpitations
[ ] **5.** Blurred vision
[ ] **6.** Flushed skin color

The nurse advises a person at the clinic to seek medical attention immediately following blood pressure readings of 206/110 mm Hg and 198/104 mm Hg.

6. When a person with hypertension is assessed, what finding is the **best indication** that the client's heart has been affected by sustained high blood pressure?
[ ] **1.** The client has a strong S₁ heart sound.
[ ] **2.** The client's heart rate is 100 beats/minute.
[ ] **3.** The client's heart is moderately enlarged.
[ ] **4.** The client has an irregular heart rhythm.

A low-sodium diet is recommended for a client with hypertension.

7. The **best evidence** that the client understands the nurse's instructions regarding dietary restrictions is if the client says he or she should avoid which item?
[ ] **1.** Soy sauce
[ ] **2.** Lemon juice
[ ] **3.** Maple syrup
[ ] **4.** Onion powder

8. If the client with hypertension is willing to implement lifestyle changes to reduce blood pressure, what common changes are **most** important for the nurse to encourage? Select all that apply.
[ ] **1.** Eating a diet higher in fiber
[ ] **2.** Sleeping at least 8 hours
[ ] **3.** Taking up a leisure-time hobby
[ ] **4.** Giving up smoking cigarettes
[ ] **5.** Pursuing measures for losing weight
[ ] **6.** Checking blood pressure monthly

9. A nurse responds to a client's concern that the stress level experienced while at work causes the blood pressure to remain in hypertensive ranges. What nursing suggestion is **best**?
[ ] **1.** "You can switch from drinking coffee to tea."
[ ] **2.** "Are you able to delegate more tasks to colleagues?"
[ ] **3.** "You can try to focus on your positive qualities."
[ ] **4.** "Have you considered reducing the number of working hours?"

A client with hypertension will begin taking furosemide 40 mg orally every day.

10. What nursing assessment is the **best indication** that the furosemide has had a desired effect?
[ ] **1.** The client's pulse becomes slower.
[ ] **2.** The client's blood pressure stabilizes.
[ ] **3.** The client's urine output increases.
[ ] **4.** The client's anxiety is diminished.

11. What time of day should the nurse advise the client to take the prescribed furosemide?
[ ] **1.** Before bedtime
[ ] **2.** During the morning
[ ] **3.** With the main meal
[ ] **4.** In the late afternoon

12. The client's laboratory results include a potassium level of 3.2 mEq/L (3.2 mmol/L). Based on this result, which dietary recommendation(s) is encouraged? Select all that apply.
[ ] **1.** Baked fish
[ ] **2.** Orange juice
[ ] **3.** Reduced fat milk
[ ] **4.** Greens like Swiss chard
[ ] **5.** Whole grain cereal

Enalapril, an angiotensin-converting enzyme (ACE) inhibitor, is prescribed to a client's medication regimen. The nurse documents the following morning assessment:

Notes

Documented At:

| 4/20 | | 0800 | ? |

Additional Notes

Temperature: 100.2 (37.8); Heart Rate: 88 (Irregular); Respiratory Rate: 22; Blood Pressure: 114/70. Alert and oriented. States feeling weak, lethargic and not having an appetite. White patches in mouth noted. Occasional wheeze throughout lung fields. Client states a persistent, dry hacky cough. States occasional heart palpitations. Voiding clear, yellow urine with frequent urgency. Soft bowel movement this morning.

13. What portion of the documentation indicates that the client is experiencing a side effect of enalapril?
[ ] **1.** Poor appetite and white patches in the mouth
[ ] **2.** Persistent dry, hacky cough
[ ] **3.** States feeling weak and lethargic
[ ] **4.** Irregular heart rate and heart palpitations

14. What nursing measure should the nurse include **initially** when a client begins treatment with an antihypertensive medication?
[ ] **1.** Monitor the client's urine elimination.
[ ] **2.** Assist the client to a standing position.
[ ] **3.** Assess the client's quality of sleep.
[ ] **4.** Ask if the client has blurred vision.

Nursing Care of Clients with Coronary Artery Disease (CAD)

15. When reviewing a client's history, what risk factor is **most significant** for developing coronary artery disease (CAD)?
[ ] **1.** Drinking a nightly cocktail
[ ] **2.** History of mitral valve repair
[ ] **3.** Rheumatic fever during childhood
[ ] **4.** Weighing 25 lb (11.5 kg) above normal

To reduce a client's hyperlipidemia, a client is advised to follow a low-cholesterol diet.

16. When the client asks the nurse how cholesterol acts as a cardiac risk factor, the **best explanation** is that excess fat in the blood:
[ ] **1.** expands the circulating blood volume.
[ ] **2.** thickens the lining of the arteries.
[ ] **3.** causes slower blood clotting.
[ ] **4.** stimulates the heart to beat faster.

When the nurse enquires about the client's diet, the client tells the nurse that breakfast usually includes sausage, eggs, hash browns, and white bread and butter.

17. To help the client comply with a low-cholesterol diet, what healthful alternative should the nurse recommend?
[ ] **1.** Wheat toast for white bread
[ ] **2.** Margarine for butter
[ ] **3.** Cereal for eggs
[ ] **4.** Ham for sausage

Lifestyle changes prove insufficient for reducing the client's cholesterol level. Atorvastatin is prescribed.

18. After providing medication instructions, the **best evidence** that the client knows this drug's potential side effects is when the client states it may cause which adverse effect?
[ ] **1.** Muscle pain
[ ] **2.** Palpitations
[ ] **3.** Visual changes
[ ] **4.** Weight loss

The client with coronary artery disease (CAD) is scheduled for a stress electrocardiogram (ECG).

19. When the client asks why an ECG has been prescribed, what is an accurate nursing explanation for its purpose?
[ ] **1.** It shows how the heart performs during exercise.
[ ] **2.** It determines your target heart rate.
[ ] **3.** It verifies how much you need to improve fitness.
[ ] **4.** It predicts whether you will have a heart attack soon.

A client with coronary artery disease (CAD) experiences periodic chest pain and is diagnosed with angina pectoris.

20. If the client is typical of others who have angina pectoris, the nurse would expect the client to report that chest pain is **best** relieved by what nonpharmacological measure?
[ ] **1.** Taking a deep breath
[ ] **2.** Resting in a chair
[ ] **3.** Applying heat to the chest
[ ] **4.** Rubbing the chest

A client is diagnosed with angina pectoris. Sublingual nitroglycerin tablets are prescribed for whenever the client experiences chest pain.

21. Following client instruction of the correct medication regimen, which client statement confirms successful teaching?
[ ] **1.** "I will place the tablet between the gum and cheek."
[ ] **2.** "I will toss the tablet at the back of the throat."
[ ] **3.** "I will put the tablet under the tongue allowing it to dissolve."
[ ] **4.** "I will chew the tablet and drink 8 ounces of water."

22. What side effects should the nurse instruct the client are **most** closely associated with the use of nitroglycerin tablets? Select all that apply.
[ ] **1.** Headache
[ ] **2.** Confusion
[ ] **3.** Dry mouth
[ ] **4.** Sweating
[ ] **5.** Dizziness
[ ] **6.** Flushing

23. What information should the nurse explain is a sign the nitroglycerin tablets need replacing?
[ ] **1.** "The tablets will smell like vinegar."
[ ] **2.** "The tablets will be discolored."
[ ] **3.** "They will not tingle in your mouth."
[ ] **4.** "They will disintegrate when touched."

24. What should the nurse advise the client, if the chest pain is not relieved after taking one nitroglycerin tablet?
[ ] **1.** Take another tablet in 5 minutes.
[ ] **2.** Drive to the emergency department.
[ ] **3.** Call an ambulance immediately.
[ ] **4.** Swallow two additional tablets.

Because a client has daily repeated episodes of angina, the nitroglycerin tablets are discontinued and replaced with a prescription for a daily nitroglycerin transdermal patch.

25. What nursing action is **most appropriate** when applying a new transdermal patch?
[ ] **1.** Rotate the application site.
[ ] **2.** Clean the skin with alcohol.
[ ] **3.** Tape the patch to the client's chest.
[ ] **4.** Take the blood pressure afterward.

26. What assessment finding should signal the nurse to withhold applying the client's nitroglycerin patch?
[ ] **1.** Temperature of 99.8°F (37.6°C)
[ ] **2.** Respiratory rate of 24 breaths/minute at rest
[ ] **3.** Apical heart rate of 90 bpm
[ ] **4.** Blood pressure of 94/62 mm Hg

A client diagnosed with angina has been advised to reduce consumption of saturated fat to control the progression of coronary artery disease (CAD).

27. When the nurse assesses the client's dietary compliance, what is the **most appropriate** fat for cooking?
[ ] 1. Melted margarine
[ ] 2. Clarified butter
[ ] 3. Solid shortening
[ ] 4. Liquid corn oil

When a client experiences an increased number of anginal episodes, a cardiac catheterization and coronary arteriogram are prescribed.

28. What nursing action can **best** help reduce the client's anxiety in this situation?
[ ] 1. Teach the client how coronary artery disease (CAD) is usually treated.
[ ] 2. Listen to the client's feelings about the scheduled diagnostic tests.
[ ] 3. Explain that the procedure has been very helpful for other clients.
[ ] 4. Avoid discussing the heart catheterization until the client has relaxed.

29. The nurse implements the teaching plan for cardiac catheterization and coronary arteriogram. What information the nurse provides is accurate?
[ ] 1. "You will have to avoid moving during the test."
[ ] 2. "You will feel a heavy sensation in your chest."
[ ] 3. "You will be unconscious from the anesthesia."
[ ] 4. "You will feel warm as the dye is instilled."

30. The nurse recognizes an allergy to what substance presents a high risk when the client undergoes a cardiac catheterization?
[ ] 1. Penicillin
[ ] 2. Morphine
[ ] 3. Shellfish
[ ] 4. Eggs

A client has just completed a cardiac catheterization and coronary arteriogram.

31. In what position should the nurse maintain the client's affected leg used for inserting the cardiac catheter?
[ ] 1. Extended
[ ] 2. Flexed
[ ] 3. Abducted
[ ] 4. Adducted

32. When the client is returned to the room on the nursing unit, what should the nurse plan to do **first**?
[ ] 1. Palpate the client's distal peripheral pulses.
[ ] 2. Auscultate the client's heart and breath sounds.
[ ] 3. Percuss all four quadrants of the client's abdomen.
[ ] 4. Inspect the skin integrity in the client's groin.

33. The nurse provides discharge instructions for the client who has now recovered. What instructions should be included? Select all that apply.
[ ] 1. Take a shower rather than a tub bath until the puncture site heals.
[ ] 2. Perform leg exercises every 2 hours while awake.
[ ] 3. Drink a generous amount of fluids for the next 24 hours.
[ ] 4. Report worsening of pain in the leg that was catheterized.
[ ] 5. Flush the toilet twice after eliminating urine and stool in the next 24 hours.
[ ] 6. Change the dressing over the puncture site daily until it heals.

A client with coronary artery disease (CAD) will undergo percutaneous transluminal coronary angioplasty (PTCA).

34. The nurse knows that the client understands the explanation of the PTCA procedure when the client makes which statement?
[ ] 1. "A balloon-tipped catheter will be inserted into my coronary artery."
[ ] 2. "A Teflon graft will be used to replace an area of weakened heart muscle."
[ ] 3. "A section of my leg vein will be grafted around a narrowed coronary artery."
[ ] 4. "A portion of biologic tissue will be inserted within a heart valve."

While a client is waiting to undergo percutaneous transluminal coronary angioplasty (PTCA), the nurse administered the prescribed propranolol.

35. What information validates that the nurse will be giving the medication to the right client? Select all that apply.
[ ] 1. The nurse asks the client's birthdate.
[ ] 2. The nurse asks the client's age.
[ ] 3. The nurse asks the client's full name.
[ ] 4. The nurse asks for the health care provider's name.
[ ] 5. The nurse asks for the client's address.

36. While the client takes propranolol, what assessment finding can the nurse expect?
[ ] 1. The client's pulse will be faster than usual.
[ ] 2. The client's pulse will be stronger than before.
[ ] 3. The client's pulse will be slightly irregular.
[ ] 4. The client's pulse will be slower than in the past.

The client is told to take 81 mg of aspirin daily while waiting for the scheduled percutaneous transluminal coronary angioplasty (PTCA).

37. What is the **best** nursing explanation for the drug therapy in this situation?
[ ] 1. Aspirin tends to relieve chest pain.
[ ] 2. Aspirin tends to prevent blood clots.
[ ] 3. Aspirin tends to lower blood pressure.
[ ] 4. Aspirin tends to dilate the coronary arteries.

38. When the client returns to the room after the percutaneous transluminal coronary angioplasty (PTCA) procedure, what assessment finding should be reported **immediately**?
[ ] **1.** Urine output of 100 mL/hour
[ ] **2.** Blood pressure of 108/68 mm Hg
[ ] **3.** Report of dry mouth
[ ] **4.** Reports of chest pain

A client is undergoing a coronary artery bypass graft (CABG) procedure.

39. The nurse assesses the client's mental status upon being transferred from the postanesthesia recovery (PAR) room. The **best explanation** the nurse can attribute to incorrect answers to the nurse's questions is that the client:
[ ] **1.** shows evidence of dementia.
[ ] **2.** is influenced by anesthesia.
[ ] **3.** has a developmental disability.
[ ] **4.** is experiencing alcohol withdrawal.

40. Where is it **best** for the nurse to assess an incision when checking the client's leg following coronary artery bypass graft (CABG) surgery? In the area of the:
[ ] **1.** saphenous vein.
[ ] **2.** femoral artery.
[ ] **3.** popliteal vein.
[ ] **4.** iliac artery.

41. The action that indicates that the nurse needs to provide more instruction to the unlicensed assistive person (UAP) on how to accurately assess the client's pulse rate is when the UAP:
[ ] **1.** places a thumb over the radial artery.
[ ] **2.** counts the pulse rate for 1 full minute.
[ ] **3.** rests the client's arm on the abdomen.
[ ] **4.** presses the radial artery against the bone.

The client reports having acute pain in the incisional area after coronary artery bypass graft (CABG) surgery.

42. When the nurse is analyzing the client's vital signs, which finding **most** closely reflects the client's reported pain level of 9 out of 10 on the pain scale?
[ ] **1.** Temperature: 99.6°F (37.5°C)
[ ] **2.** Pulse rate: 128 bpm
[ ] **3.** Respiratory rate: 16 breaths/minute
[ ] **4.** Blood pressure: 109/64 mm Hg

43. When the client uses a patient-controlled analgesia (PCA) infusion pump, what nursing instruction is **most important** to include?
[ ] **1.** "Press the control button whenever you feel you need pain medication."
[ ] **2.** "Call the nurse each time you need to use the PCA pump."
[ ] **3.** "Use the PCA pump only when the pain is severe."
[ ] **4.** "Do not use the PCA pump too frequently, because it can cause addiction."

44. What information about the client's use of a patient-controlled analgesia (PCA) pump is **most important** to communicate to the staff on the next shift?
[ ] **1.** The name of the analgesic
[ ] **2.** The solution that is infusing
[ ] **3.** The number of doses administered
[ ] **4.** The client's reported pain rating

45. What nursing assessment is a **priority** to determine if the client is experiencing a side effect of opioid analgesia?
[ ] **1.** Monitor the client's heart rate.
[ ] **2.** Check the client's bowel elimination.
[ ] **3.** Observe the client's overall appetite.
[ ] **4.** Assess the client's ambulation status.

46. After the coronary artery bypass graft (CABG) surgery, what nursing assessment finding provides the **best evidence** that collateral circulation at the donor graft site is adequate?
[ ] **1.** The client is free from chest pain.
[ ] **2.** The client's toes are warm when touched.
[ ] **3.** The client moves the operative leg easily.
[ ] **4.** The client's heart rate remains regular.

47. When the nurse applies antiembolism stockings following cardiac surgery, what measurements are necessary for ensuring an optimum fit? Select all that apply.
[ ] **1.** Obtain the client's height while standing.
[ ] **2.** Measure the length of the foot from the toe to the heel.
[ ] **3.** Assess the circumference of the client's calf.
[ ] **4.** Measure the length from the heel to the bend of the knee.
[ ] **5.** Obtain the distance from the toes to the groin.

48. When initially ambulating the client after surgery, which assistive device is **most helpful**?
[ ] **1.** Cane
[ ] **2.** Walker
[ ] **3.** Hydraulic lift
[ ] **4.** Gait belt

Nursing Care of Clients with Myocardial Infarction

A 65-year-old client with severe chest pain is evaluated in the emergency department. A tentative diagnosis of myocardial infarction (MI) is made.

49. What nursing assessment finding is **most** closely correlated with an evolving MI?
[ ] **1.** Profuse sweating
[ ] **2.** Facial flushing
[ ] **3.** Severe headache
[ ] **4.** Productive cough

50. On the drawing below, place five chest leads in the locations for monitoring the client in lead III.

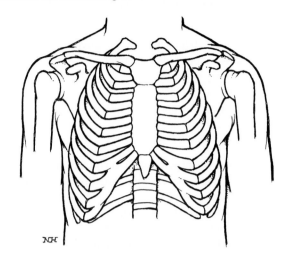

51. When the client is startled by an alarm caused by a loose electrocardiogram (ECG) lead, what is the **best** approach for the nurse to take to relieve the client's anxiety?
[ ] **1.** Describe the current heart rhythm.
[ ] **2.** Explain the reason the alarm sounded.
[ ] **3.** Give the client a prescribed tranquilizer.
[ ] **4.** Allow the client to look at a rhythm tracing.

52. When assessing the client's electrocardiogram (ECG) tracings, which tracing change supports the diagnosis of a myocardial infarction?
[ ] **1.** Inverted P wave
[ ] **2.** Prolonged PR interval
[ ] **3.** Widened QRS complex
[ ] **4.** Elevated ST segment

53. When the nurse is obtaining the health history of a client reporting severe chest pain, what question about pain is **most important** to ask?
[ ] **1.** "When did your pain begin?"
[ ] **2.** "Where is your pain located?"
[ ] **3.** "What were you doing when your pain started?"
[ ] **4.** "What medications do you take for pain?"

54. If the client's pain is due to a myocardial infarction (MI), what prescribed medication can the nurse expect would be **most helpful**?
[ ] **1.** A nonsteroidal anti-inflammatory drug (NSAID) such as ibuprofen
[ ] **2.** Nonsalicylate such as acetaminophen
[ ] **3.** A COX-2 inhibitor such as celecoxib
[ ] **4.** An opioid such as morphine sulfate

The client's spouse tells the nurse that medical attention for chest pain was delayed because the client thought the discomfort was due to strained muscles from doing yard work.

55. The nurse understands that the client's hesitation in going to the hospital is an example of what coping mechanism?
[ ] **1.** Regression
[ ] **2.** Projection
[ ] **3.** Denial
[ ] **4.** Undoing

56. What laboratory results would the nurse expect to be elevated if the client had a myocardial infarction (MI)?
[ ] **1.** Isoenzymes and troponin
[ ] **2.** Sodium and potassium
[ ] **3.** Red blood cells and platelets
[ ] **4.** Plasminogen and lactic acid

After confirming the client had a myocardial infarction (MI), an infusion of streptokinase is begun.

57. What is the **best explanation** the nurse can provide for why the streptokinase is being administered?
[ ] **1.** Streptokinase dissolves blood clots to open coronary arteries.
[ ] **2.** Streptokinase slows the heart rate to reduce oxygenation.
[ ] **3.** Streptokinase improve heart contraction to prevent cardiac arrest.
[ ] **4.** Streptokinase lowers blood pressure to reduce the risk of a stroke.

58. When a client receives streptokinase, what is **most important** for the nurse to monitor?
[ ] **1.** Evidence of elevated blood pressure
[ ] **2.** Body temperature for hyperthermia
[ ] **3.** Signs of internal or external bleeding
[ ] **4.** Respiratory effort like dyspnea

59. What drug should the nurse have on hand in case the client develops an allergic reaction to streptokinase?
[ ] **1.** Vitamin K
[ ] **2.** Heparin
[ ] **3.** Diphenhydramine
[ ] **4.** Warfarin

60. When the nurse observes the monitor displaying the client's cardiac rhythm, what rhythm is **most** characteristic of a potentially lethal arrhythmia?

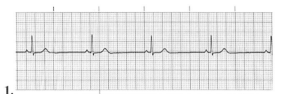

1.

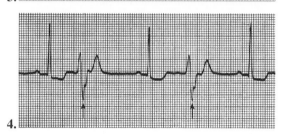

2.

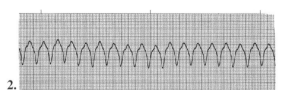

3.

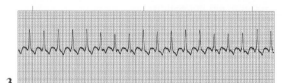

4.

61. When the client says, "Having a heart attack scares me. I almost died." What response by the nurse is **most** therapeutic?
[ ] **1.** "Tell me more about your feelings."
[ ] **2.** "Why are you so scared?"
[ ] **3.** "You are doing just fine."
[ ] **4.** "You need to concentrate on getting well."

Before discharge, the client must receive dietary instructions about a calorie-restricted, low-fat, low-sodium diet.

62. Avoiding which food item is the **best evidence** for the nurse that the client understands the dietary instructions?
[ ] **1.** Pepperoni pizza
[ ] **2.** Vinegar and oil salad dressing
[ ] **3.** Liver and onions
[ ] **4.** Lemon-pepper chicken

A nurse listens to a spouse's concerns that the partner may be depressed after being discharged following the recent myocardial infarction.

63. What observations as reported to the nurse offer the greatest support for the spouse's concerns? Select all that apply.
[ ] **1.** The partner has increased church attendance.
[ ] **2.** The partner is consuming more alcohol.
[ ] **3.** The partner is researching heart disease.
[ ] **4.** The partner's motivation has decreased.
[ ] **5.** There has been a decrease in sexual intimacy.

A spouse tells the nurse that the partner has become emotionally abusive since being discharged after the myocardial infarction.

64. Which of the client's actions are **most** indicative of emotional abuse? Select all that apply.
[ ] **1.** Becoming hypercritical
[ ] **2.** Slapping the spouse
[ ] **3.** Controlling the couple's finances
[ ] **4.** Making untrue accusations
[ ] **5.** Having difficulty apologizing

65. The nurse asks the spouse, "Do you feel safe at home?" If the client answers, "no," what is the **best action** the nurse can recommend?
[ ] **1.** Walk away from your partner.
[ ] **2.** Try to stay calm and respectful.
[ ] **3.** Call 911 when you feel threatened.
[ ] **4.** Avoid confrontational issues.

A visitor collapses in the hospital, and a nurse goes to the victim's aid.

66. Place the following list of resuscitation activities in the sequence in which they should be performed. Use all options.

1. Open the victim's airway.
2. Administer rescue breaths.
3. Check responsiveness.
4. Activate emergency assistance.
5. Check for spontaneous breathing.
6. Perform chest compressions.

67. Another nurse arrives with a health care provider and evaluates the cardiopulmonary resuscitation (CPR) in process. The evaluation includes a nurse's hand placement directly over the manubrium. Which instruction would the evaluating nurse provide?
[ ] **1.** Adjust hands down to lower portion of sternum.
[ ] **2.** Adjust hands to the tip of the xiphoid process.
[ ] **3.** Continue the process until it is time to switch.
[ ] **4.** Place your hands higher on the chest.

68. During cardiopulmonary resuscitation (CPR), at what rate should the nurse compresses the chest of an adult victim?
[ ] **1.** No less than 15 compressions per minute
[ ] **2.** No less than 40 compressions per minute
[ ] **3.** No less than 80 compressions per minute
[ ] **4.** No less than 100 compressions per minute

69. Two nurses are performing cardiopulmonary resuscitation (CPR). To meet the goal of high-quality CPR, the nurses must accurately complete which sequence?

[ ] **1.** 30 compressions to 2 breaths
[ ] **2.** 15 compressions to 2 breaths
[ ] **3.** 30 compressions for each breath
[ ] **4.** 15 compressions for each breath

70. What is the **most effective** method for resuscitating a lifeless person?

[ ] **1.** Performing chest compressions
[ ] **2.** Keeping the airway open
[ ] **3.** Using an automated external defibrillator (AED)
[ ] **4.** Positioning on a hard, flat surface

71. What technique is **most appropriate** for the nurse to use to open the airway of a victim who is not breathing?

[ ] **1.** Elevate the neck
[ ] **2.** Lift the chin
[ ] **3.** Press on the jaw
[ ] **4.** Clear the mouth

72. After the client has been successfully resuscitated by the nurse, what body position is **most correct** while awaiting transfer to the emergency department?

[ ] **1.** Supine with the head elevated
[ ] **2.** Laterally with the upper knee flexed
[ ] **3.** Prone with the head lowered
[ ] **4.** Flat with the knees extended

73. What nursing statement would be **most helpful** for an untrained individual if a trained individual is not present to assist with CPR?

[ ] **1.** An untrained person can always stay with the victim until help arrives.
[ ] **2.** Do not worry about compressions; just breathe regularly in the mouth.
[ ] **3.** Begin chest compressions hard and fast in the center of the chest.
[ ] **4.** Place the client flat and elevate the feet to promote circulation.

Nursing Care of Clients with Heart Failure

74. The nurse is administering 0900 medications of lisinopril, furosemide and metoprolol to a client diagnosed with left-sided heart failure. The client's blood pressure is 132/84 mm Hg and heart rate is 70 bpm. Prior to medication administration, the nurse reviewed the laboratory results. Which nursing action is **most** correct?

Diagnostics

Add New Diagnostics Order   Acknowledge Pending Orders

Diagnostic Name	Diagnostic Time	Diagnostic Result
Glucose	0730	110 mg/dl (6.1 mmol/l)
Sodium	0730	141 mEq/l (141 mmol/l)
Potassium	0730	6.8 mEq/l (6.8 mmol/l)
Chloride	0730	104 mEq/l (104 mmol/l)
Blood urea nitrogen	0730	18 mg/dl (6.4 mmol/l)
Creatine	0730	1.0 mg/dl (88.4 mmol/l)
Hemoglobin	0730	120 g/l (1.2g/dl)
Hematocrit	0730	37% (0.37)

[ ] **1.** Proceed with client identification and medication administration.
[ ] **2.** Notify the health care provider that the client is in renal failure.
[ ] **3.** Withhold the lisinopril because of an electrolyte imbalance.
[ ] **4.** Question the need for a blood transfusion and hold the furosemide dose.

75. When the nurse obtains a health history from the client with left-sided heart failure, what would be the **earliest** symptom the client is likely to report?

[ ] **1.** Swollen feet
[ ] **2.** Shortness of breath
[ ] **3.** Night time urination
[ ] **4.** Persistent headaches

76. Because the client is exhibiting signs and symptoms of left-sided heart failure, what position is **most beneficial** for the nurse to place the client?

[ ] **1.** Supine with knees slightly bent
[ ] **2.** Side-lying on the right side
[ ] **3.** Side-lying on the left side
[ ] **4.** Semi-Fowler's position

The client's left-sided heart failure worsens with severe pulmonary edema. The nurse prepares to transfer the client to the intensive care unit (ICU).

77. The client tells the nurse of being extremely frightened and fearful of dying. What is the **most appropriate** action for the nurse to take at this time?

[ ] **1.** Stay with the client.
[ ] **2.** Notify the spouse.
[ ] **3.** Tell the client he or she will be fine.
[ ] **4.** Offer to contact a clergy person.

The nurse monitors the client's laboratory values because of the large doses of diuretics the client is receiving.

78. What laboratory test result should the nurse report **immediately**?

[ ] **1.** Sodium: 137 mEq/L (137 mmol/L)
[ ] **2.** Potassium: 2.5 mEq/L (2.5 mmol/L)
[ ] **3.** Chloride: 97 mEq/L (97 mmol/L)
[ ] **4.** Bicarbonate: 25 mEq/L (25 mmol/L)

79. A home health nurse visits a client recovering from heart failure to evaluate the client's self-care. What signs are evidence that the client is neglecting oneself? Select all that apply.

[ ] **1.** The client gave away the pet dog.
[ ] **2.** The client's fingernails are overgrown.
[ ] **3.** The client microwaves meals.
[ ] **4.** The client has lost significant weight.
[ ] **5.** The client stopped newspaper delivery.
[ ] **6.** The client has multiple bruises on the arms.

A client is admitted with possible right-sided heart failure.

80. When completing a focused assessment confirming the diagnosis of right-sided heart failure, which objective data are anticipated?

[ ] **1.** Neck vein distention
[ ] **2.** Bradycardia
[ ] **3.** Dry, hacking cough
[ ] **4.** Flushed, red face

Digoxin 0.125 mg is prescribed orally each day.

81. If each tablet of digoxin contains 0.25 mg, how many tablets should the nurse administer to the client each day?

_____ tablet(s)

82. The nurse is using a computerized medication administration system with a bar code. The nurse scans the client and the medication. Before the system allows for documentation, the nurse is expected to document which **essential** finding about the client in the medication administration system?

[ ] **1.** Heart rate
[ ] **2.** Orientation status
[ ] **3.** Heart sounds
[ ] **4.** Drug allergies

83. The nurse is reviewing laboratory data prior to administering the morning dose of digoxin. Which nursing action is **best**?

Diagnostics

Add New Diagnostics Order	Acknowledge Pending Orders

Diagnostic Name	Diagnostic Time	Diagnostic Result ▲
Digoxin	0730	6.8 ng/dl

[ ] **1.** Hold the dose and assess for anorexia and nausea.
[ ] **2.** Provide a half-dose and assess for dizziness and insomnia.
[ ] **3.** Administer the dose after a negative assessment for double vision.
[ ] **4.** Hold the dose if the client reports any ringing in the ears or itchy skin.

The nursing team develops nursing interventions to achieve the goal: The client's cardiac output will improve by discharge.

84. How can the nurse **best** measure whether the client has achieved the goal?

[ ] **1.** The client will have vital signs within normal parameters.
[ ] **2.** The client will lose no more than 5 lb (2.2 kg) per day.
[ ] **3.** The client will have decreased peripheral edema.
[ ] **4.** The client will have a 24-hour urine output of 1,000 mL.

Nursing Care of Clients with Conduction Disorders

A 24-hour ambulatory electrocardiography using a Holter monitor is prescribed for a client who has been experiencing brief fainting spells.

85. The nurse provides instructions for the purpose and use of the Holter monitor. What nursing instruction is **most beneficial** for interpreting the information collected by the Holter monitor?

[ ] **1.** "Record the times and types of physical activities you perform."
[ ] **2.** "Take your radial pulse rate every hour during the next day."
[ ] **3.** "Try to relax and limit your exercise as much as possible."
[ ] **4.** "Keep your lower extremities elevated while sitting."

The client is scheduled for a cardioversion.

86. What nursing explanation is accurate when preparing the client for the cardioversion procedure?
[ ] **1.** An electrical current will be administered to the heart.
[ ] **2.** A thin, plastic catheter will be threaded into the heart.
[ ] **3.** Blood flow to areas of the heart muscle will be evaluated.
[ ] **4.** The heart will be scanned after injecting a radio-isotope intravenously.

87. What finding would **strongly indicate** to the nurse that the cardioversion procedure has been successful?
[ ] **1.** The client regains consciousness immediately.
[ ] **2.** Normal sinus cardiac rhythm is restored.
[ ] **3.** The apical heart rate equals the radial rate.
[ ] **4.** The pulse pressure is approximately 40 mm Hg.

Because the client continues to have periods with an irregular heart rate, an artificial pacemaker will be inserted.

88. If the client understands the nurse's explanation of the heart's conduction system, what structure will the client identify as the site of the natural pacemaker? Place an *X* over the correct site.

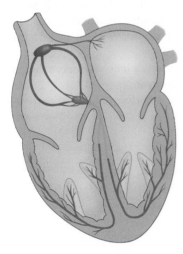

89. What area of the skin is the **best** location for the nurse to assess where the pacemaker pulse generator has been implanted?
[ ] **1.** Beneath the left nipple
[ ] **2.** Near the brachial artery
[ ] **3.** In the midsternal area
[ ] **4.** Below the left clavicle

90. As part of the discharge instructions, what symptom should the nurse instruct the client is a sign of artificial pacemaker malfunction?
[ ] **1.** Tingling in the chest area
[ ] **2.** Dizziness during activity
[ ] **3.** Pain radiating to the arm
[ ] **4.** Tenderness beneath the skin

Nursing Care of Clients with Valvular Disorders

91. When gathering nursing assessment data, what finding will adults with chronic cardiac diseases **most frequently** manifest?
[ ] **1.** Barrel-shaped chest
[ ] **2.** Flushed facial skin
[ ] **3.** Clubbed fingertips
[ ] **4.** Chest pain

During a routine preemployment physical examination of a 28-year-old client, a heart murmur is heard.

92. If the heart murmur is related to valve damage caused by a childhood infection, the nurse would expect the client to report having had what disease?
[ ] **1.** Varicella (chickenpox)
[ ] **2.** Rubella (German measles)
[ ] **3.** Rheumatic fever
[ ] **4.** Whooping cough

After a diagnostic workup, the client is diagnosed with stenosis of the mitral valve.

93. Indicate with an *X* the **best** anatomic area for the nurse to evaluate the characteristic of mitral valve sounds.

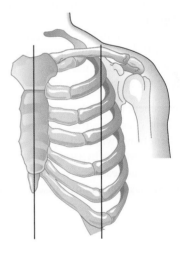

Over a period of 10 years, the client's condition has progressively worsened, and the client is now scheduled to have surgery for a mitral valve replacement.

94. What statement is the **best indication** to the nurse that the client understands the surgical procedure involving mitral valve replacement?
[ ] **1.** "My blood will be circulated through a heart-lung machine."
[ ] **2.** "The surgeon will enlarge my valve by inserting a stent."
[ ] **3.** "My chest will be opened during surgery, but my heart will not."
[ ] **4.** "A piece of my leg vein will be used to replace the diseased valve."

95. The nurse notes that postoperatively the client experiences shortness of breath during self-care. What nursing action would **best** reduce the client's energy expenditure?

[ ] 1. Administering oxygen when the client is dyspneic
[ ] 2. Staggering self-care activities over several hours
[ ] 3. Providing analgesic medications when necessary
[ ] 4. Restricting visitors to brief periods of time

The client is disappointed about not progressing quickly after the mitral valve replacement.

96. When the client pushes away the lunch tray and it falls to the floor, what nursing response is **most appropriate**?

[ ] 1. Cleaning up the floor and saying nothing
[ ] 2. Finding out what food would be preferred
[ ] 3. Allowing the client to vent his or her feelings
[ ] 4. Leaving the client alone until feeling better

Nursing Care of Clients with Infectious and Inflammatory Disorders of the Heart

A 63-year-old client with liver cancer is admitted to the medical-surgical unit with a diagnosis of pericarditis.

97. When auscultating the client's heart and breath sounds during a routine shift assessment, what action by the nurse is **most appropriate**?

[ ] 1. Asking the client to hold the breath
[ ] 2. Turning off the television momentarily
[ ] 3. Positioning the client flat in bed
[ ] 4. Locating the xiphoid process

98. What assessment finding **best** supports the assumption that the client's cardiac stroke volume is reduced?

[ ] 1. The client faints with activity.
[ ] 2. The client develops hypertension.
[ ] 3. The client manifests bradycardia.
[ ] 4. The client has a bounding pulse.

A 50-year-old client is scheduled for a heart transplant. Because of the client's anxiety, the client has difficulty comprehending the nurse's information.

99. When the client's anxiety interferes with comprehending the nurse's preoperative instructions, what nursing action is **most** appropriate?

[ ] 1. Administering a hypnotic or sedative medication
[ ] 2. Providing an educational video for the client to watch
[ ] 3. Waiting until the client's spouse is present to begin
[ ] 4. Encouraging the client to talk about surgical concerns

100. During the postoperative period, what is the **best rationale** for the nurse frequently assessing the client's fluid status?

[ ] 1. Urine retention is common after a heart transplant.
[ ] 2. Urine output is an indication of perfusion to the kidneys.
[ ] 3. Hydration determines when the client needs to be transfused.
[ ] 4. Hydration indicates when fluids should be increased.

101. On the nursing unit, the nurse is a team member following a primary nursing care delivery model. What activity is unique to this delivery system of nursing care?

[ ] 1. The nurse shares the care of clients with unlicensed assistive personnel.
[ ] 2. The nurse oversees client care from admission to discharge.
[ ] 3. The nurse is a liaison between the care providers and the client.
[ ] 4. The nurse performs all the care for a group of clients.

Test Taking Strategies

Nursing Care of Clients with Hypertensive Heart Disease

1. Read each option carefully. Use the process of elimination to exclude options that describe components of a sphygmomanometer that are necessary for accuracy or are of no consequence when assessing the blood pressure. Recall that the accuracy of a blood pressure measurement depends on the needle resting in the oval at the bottom of the gauge indicating a beginning pressure of zero.

2. Note the key words "most appropriate" in reference to a modification that is required when assessing the blood pressure of an obese client. Recall that the bladder within the blood pressure cuff must be larger than that within a normal adult size cuff to avoid obtaining a falsely high measurement.

3. Use the process of elimination to identify the option that best describes the sound at which the diastolic blood pressure measurement is identified. Recall that phase V is identified as beginning when the last sound is heard.

4. Use the process of elimination to select the option that identifies the most accurate reason for controlling hypertension. Recall that hypertension is the result of arterial constriction, which impairs blood flow to vital organs.

5. Read all the choices carefully. Use the process of elimination to select options that correlate with signs and symptoms of hypertension. Recall that the signs and symptoms of hypertension are a consequence of increased vascular pressure.

6. Note the key words "best indication." Use the process of elimination to select the option that describes a consequence of hypertension more accurately than other options. Recall that when the heart contracts against the resistance of narrowed arteries and arterioles, it requires more effort. Muscles, such as the myocardium, increase in size when they are overworked.

7. Note the key words "best evidence" indicating one answer is better than any other. Use the process of elimination to identify the option that identifies the item that should be avoided by someone on a low-sodium diet. Recall that soy sauce is made from a salty broth of brewed or fermented grains of wheat and soy.

8. Read all the options carefully focusing on lifestyle changes that will have the greatest effect on reducing hypertension. Although some options may have merit, choices must be limited to the actions that are best for reducing blood pressure. Recall that nicotine causes vasoconstriction; eliminating tobacco can reduce blood pressure. Losing weight and maintaining a healthy weight decrease fatty tissue and vascular resistance.

9. Note the key word "best." Use the process of elimination to select an option that is better than any other for reducing work-related stress. Recall that delegating tasks relieves the burden of having to independently complete all job requirements.

10. Note the key words "best indication." Use the process of elimination to select the option that identifies the best indication that furosemide is having a desired effect. Recall that furosemide is a diuretic. Apply the relationship between decreasing excess circulating volume and blood pressure.

11. Use the process of elimination to select the optimum time of day to recommend self-administering furosemide. Recall that the onset of diuresis occurs within 1 hour of taking the drug, with the peak effect occurring within 1 to 2 hours. Self-administering furosemide in the morning is better because urinary frequency would be more prevalent during the day and decrease over time as the drug is eliminated, thus decreasing the potential for interrupting sleep.

12. First, interpret the laboratory result as hypokalemia. Next, read all the options carefully while identifying options that would raise the potassium level. Use the process of elimination to select food sources that are high in potassium. Recall that fruits and vegetables contain potassium, but a person may need to eat a significant amount to provide 4,700 mg/day. A potassium supplement is often prescribed to ensure that a deficit does not occur.

13. Analyze the client scenario from the nursing documentation. Use the process of elimination to select the option that identifies a side effect of angiotensin-converting enzyme (ACE) inhibitors. Recall that although about 20% of individuals who take ACE inhibitors develop a dry, hacking cough, it is considered more annoying than dangerous.

14. Use the process of elimination to select the option that identifies a nursing intervention that should be implemented when a client undergoes initial treatment with an antihypertensive medication. Recall that antihypertensive medications lower blood pressure and, if lowered significantly, there is a potential for a decrease in blood pressure leading to fall-related injuries.

Nursing Care of Clients with Coronary Artery Disease (CAD)

15. Note the key words "most significant." Select the option that correlates most as a risk factor for developing coronary artery disease (CAD). Recall how obesity is linked to atherosclerosis due to the accumulation of low-density lipoprotein (LDL) in the blood.

16. Note the key words "best explanation" indicating that one option is better than any other. Use the process of elimination to select the option that identifies an accurate explanation for how cholesterol acts as a CAD risk factor.

Recall that cholesterol is a saturated dietary animal fat that is transported in the blood by lipoproteins. Low-density lipoprotein (LDL) in particular enhances the deposition of cholesterol within the endothelium of arteries causing atherosclerosis from an accumulation of fatty plaque. When the process involves the coronary arteries, it contributes to impaired circulation to heart muscle.

17. Use the process of elimination to select the option that corresponds with the healthiest substitution for a component that contains cholesterol in the client's diet. Recall that cereal, preferably consumed with skim or reduced fat milk, would be better than consuming eggs.

18. Note the key term "best evidence." Use the process of elimination to select the option that identifies a potential adverse effect of atorvastatin. Recall that muscle pain (myalgia), myopathy (impaired muscle function), and rhabdomyolysis (break down of skeletal muscles) are adverse effects associated with statin therapy.

19. Analyze the choices to determine which option correctly identifies the purpose of a stress electrocardiogram (ECG). Recall that the difference between a resting ECG and a stress ECG is that the latter shows how exercise affects the heart's rate and rhythm.

20. Use the process of elimination to select the option that identifies the best nonpharmacological measure that typically relieves chest pain associated with angina pectoris. Recall that rest reduces the heart muscle's demand for oxygen. Once cardiac muscle has a sufficient amount of oxygen in relation to the work it must perform, chest pain is reduced or relieved.

21. Use the process of elimination to select the option that identifies the location where nitroglycerin tablets should be placed. Recall that the tablet form of this drug is placed sublingually, meaning under the tongue.

22. Read all the options carefully. Use the process of elimination to select the options that correlate with side effects of nitroglycerin. Recall that nitroglycerin causes vasodilation manifested by headache, dizziness caused by hypotension, and flushed skin.

23. Use the process of elimination to select the option that identifies the best evidence that the supply of nitroglycerin tablets needs to be replaced. Recall that a burning or tingling sensation when placed under the tongue is not a totally reliable method for assessing tablet potency, but it is the best choice from the list of options.

24. Use the process of elimination to select the option that represents the most appropriate nursing advice when chest pain is unrelieved after taking one nitroglycerin tablet. Recall that a sublingual tablet may be readministered at 5-minute intervals after the first dose for a total of three tablets. If chest pain continues to be unresolved after three doses, the client or a support person should call 911 and request ambulance transport to an emergency department to rule out the possibility of a myocardial infarction.

25. Note the key words "most appropriate." Select the option that identifies a standard nursing action when applying a transdermal nitroglycerin patch. Recall that more than one option may have some merit, but the best answer must be selected. To avoid skin irritation, the standard of care is to rotate the application site when applying a fresh patch.

26. Use the process of elimination to select the option that identifies an assessment finding that could be potentiated by applying a nitroglycerin patch. Recall that a side effect of nitroglycerin is hypotension due to the dilation of blood vessels. If the client is currently hypotensive, the hypotension could be compounded by applying a nitroglycerin patch.

27. Use the process of elimination to select the option that identifies the type of fat for cooking as evidence of a client's compliance with dietary measures for saturated fat. Recall that solid shortening, and margarine and butter even in a liquid form, are examples of saturated fats that contribute to coronary artery disease (CAD). Corn oil is better than any other options because it is derived from a vegetable source and is classified as unsaturated fat.

28. Apply principles of therapeutic communication. Select an option that is better than any other for reducing a client's anxiety. Recall that providing an opportunity for an anxious client to verbalize feelings is always a therapeutic.

29. Analyze the choices to select correct information to tell a client undergoing a cardiac catheterization. Recall that when the contrast dye is injected, it causes a warm sensation throughout the body like a "hot flash" that lasts approximately 10 to 20 seconds.

30. Use the process of elimination to select the option identifying the allergen that may interfere with conducting a cardiac catheterization. Recall that a client who is allergic to shellfish may also be hypersensitive to the iodine-based contrast medium used during a cardiac catheterization and coronary arteriogram. Modifications may be required before proceeding with the test.

31. Analyze choices to select the leg position required after a client undergoes a cardiac catheterization. Recall that circulating blood flow has been affected by placement of the catheter in the femoral artery, which is located in the groin. The leg must be placed in an extended position that facilitates blood flow, reducing the risk for vessel obstruction with a clot.

32. Note the key word "first," which indicates a priority. Analyze the choices to select the option that is required when the nurse begins to assess the client after cardiac catheterization. Recall that because the femoral artery in the groin was used as the site for inserting the catheter, assessing the distal pulses provides the best indication that arterial circulation is being maintained or impaired.

33. Read all the options carefully. Use the process of elimination to select options that are appropriate discharge instructions after cardiac catheterization. Recall that a tub bath may introduce pathogens into the catheter insertion site, whereas a shower and keeping the site covered are less likely to do so. Consuming an increased volume of fluids promotes dye excretion. Increased leg pain suggests an ischemic complication.

34. Use the process of elimination to select the option that correlates with a correct description of the percutaneous transluminal coronary angioplasty (PTCA) procedure. Recall that a PTCA procedure involves the insertion of a balloon-tipped catheter into the coronary artery for the purpose of widening its lumen.

35. Read all the options carefully. Use the process of elimination to exclude information that is unlikely to verify a client's identity. Recall that a client's name and birthdate are information unique to each client.

36. Use the process of elimination to select the option that identifies an accurate explanation for the mechanism by which propranolol prevents angina. Recall that propranolol is a nonspecific beta-adrenergic antagonist that blocks beta-receptors from responding to stimulation from the sympathetic nervous system. In doing so, propranolol reduces heart rate and the force of heart muscle contraction, thereby reducing the heart's need for oxygen. Improving oxygenation of the heart muscle reduces the potential for angina.

37. Use the process of elimination to help select the option that identifies accurate information about the rationale for taking low-dose aspirin before a percutaneous transluminal coronary angioplasty (PTCA) procedure. Recall that aspirin has an antiplatelet action that reduces the potential for developing a thrombus in one or more coronary arteries.

38. Note the key word "immediately" indicating there should be no delay. Analyze the options to select an assessment finding that indicates a potential complication. Recall that chest pain suggests myocardial ischemia; if unrelieved, it may result in damage to the heart muscle.

39. Note the key words "best explanation." Analyze the options, and select the option that describes a reasonable interpretation of a client's disturbed mental status while being assessed in the postanesthesia recovery room. Recall that in addition to rendering clients unconscious, anesthesia may also interfere with the ability to perform mental functions.

40. Use the process of elimination to select the option that identifies the blood vessel most commonly used for a coronary artery bypass graft (CABG). Recall that the saphenous vein is the longest human vein. It lies close to the surface within the lower extremity, making it more accessible for harvest.

41. Analyze the choices to determine the option that describes an incorrect technique being used by the unlicensed assistive person (UAP) when assessing a client's pulse. Recall that the radial pulse is assessed by lightly pressing the first and second fingertips against the radius. An inaccurate assessment may result if the thumb is used because the UAP may be confused by feeling her or his pulse.

42. Analyze the vital signs choices to determine the effect pain has on vital signs. Look for abnormal values and then relate to pain. Recall that pain increases the heart rate, perhaps because it causes anxiety and sympathetic nervous system stimulation.

43. Note the key words "most important" indicating that one option is better than any other. Use the process of elimination to select the option that identifies an accurate nursing instruction for the client who will be using a PCA pump. Recall that one of the advantages of using a PCA pump is that the client can self-administer an analgesic medication intravenously when it is needed without waiting for the nurse to respond. An overdose is unlikely because there is a lock-out period before a client can administer another dose.

44. Apply the key words "most important" when evaluating the information that is most significant to report. Recall that reporting the number of doses a client has self-administered provides nurses on the next shift with data about the client's pattern for requiring pain relief.

45. Note the key word "priority" indicating the need to select an assessment that is more important than any other. Recall that there is current drug therapy for managing opioid-induced constipation that inhibits opioids from binding with mu-receptors. Many health care providers include stool softeners when prescribing opioids.

46. Note the key words "best evidence." Use the process of elimination to select the option that indicates circulation in the extremity from which the graft was taken is adequate. Exclude other options that describe assessments that may be generally appropriate but are not as significant as noting the temperature of the toes. Recall that harvesting a section of the saphenous vein may temporarily impair venous circulation in the leg.

47. Read all the choices carefully. Use the process of elimination to exclude measurements that are not generally used for determining the size of antiembolism stockings. Recall that knee-high antiembolism stockings are most frequently prescribed because thrombi are generally formed in distal leg veins.

48. Use the process of elimination to select the option that is better than any other. Recall that when clients require assistance to maintain their balance and reduce the potential for a fall when ambulating, a gait belt is appropriate to use.

Nursing Care of Clients with Myocardial Infarction

49. Note the key words "most closely correlated." Use the process of elimination to select the option that correlates with an assessment finding manifested by a client at the onset of a myocardial infarction. Although chest or referred pain is classic, clients also sweat profusely and may be nauseous and vomit.

50. Examine the diagram. Identify the clavicles and sternum. Count the intercostal spaces. Mark the locations for monitoring a client with a five-lead wire system in lead III. A method that helps to recall the correct placement is: white (sky) on the right, green (grass) under white on the lower right side, black (smoke) over red (fire) on the left side. Brown goes in the middle at the fourth intercostal space to the right of the sternal border.

51. Use the process of elimination to identify the option that identifies the nursing approach that will most likely relieve a client's anxiety caused by a cardiac monitor alarm. Recall that knowledge is power. Providing a simple explanation that a loose lead can trigger an alarm can help relieve the client's emotional distress.

52. Analyze the options to select one that describes an electrocardiogram (ECG) change associated with a myocardial infarction (MI). Recall that the ST segment is normally isoelectric but becomes elevated when the myocardium is injured during an MI.

53. Note the key words "most important" indicating one option will provide information of greatest importance. Recall that the possibility of administering a thrombolytic medication depends on the time from which the client's pain began.

54. Note the key words "most helpful" when selecting an option that identifies pain medication that will relieve the pain experienced by a client having a myocardial infarction. Recall that morphine sulfate is a drug that is used to relieve acute pain, whereas the drugs in the other options relieve pain of a lesser intensity.

55. Use the process of elimination to select the option that correlates with a coping mechanism that is characterized by believing that the experienced symptoms are due to a condition that is less serious than a life-threatening myocardial infarction. Recall that denial is a coping mechanism that protects the psyche by dismissing the potential reality that is occurring.

56. Use the process of elimination to select the option that correlates with the laboratory test results that are diagnostic for myocardial infarction. Recall that cardiac enzymes are elevated when the heart muscle is damaged.

57. Note the key words "best explanation" indicating one option describes a rationale better than any other. Use the process of elimination to exclude options that correlate with incorrect information. Recall that the suffix -ase indicates this drug is an enzyme. Because it is a thrombolytic enzyme, its desired effect, as the name indicates, is to lyse (dissolve) a thrombus (blood clot).

58. Note the key words "most important." Analyze the choices to select the option that correlates with an adverse effect associated with administration of streptokinase. Recall that the function of thrombolytics is to dissolve existing clots, but it may temporarily interfere with the ability to form clots. Consequently, a major adverse effect is bleeding or hemorrhage.

59. Analyze the choices to select the option that identifies a specific drug used to combat an allergic reaction. Recall that diphenhydramine inhibits most responses of smooth muscle to histamine, the chemical that is responsible for allergic reactions.

60. Examine the electrocardiogram (ECG) rhythm strips in the four examples. Use the process of elimination to exclude examples in which the P, QRS, and T waves appear fairly normal. Exclude the rhythm strip that shows abnormal P waves, but the QRS complexes have a fairly normal appearance despite the fast ventricular rate. Recall that ventricular tachycardia is characterized by sustained broad QRS complexes occurring at a rapid rate.

61. Use the process of elimination to select an option that correlates with therapeutic communication. Exclude examples of nontherapeutic communication techniques. Recall that encouraging the client to reflect and expand about his or her feelings is therapeutic.

62. Note the key words "best evidence." Use the process of elimination to select the option that is better than any other for demonstrating that the client understands the diet teaching. Recall that the components included in a pepperoni pizza are high in dietary substances the client should avoid.

63. Read the options carefully. Use the process of elimination to exclude behaviors that do not suggest psychiatric pathology like depression. Recall that depression results in feeling sad and overwhelmed. It interferes with previously healthy relationships and activities. Alcohol is sometimes abused to cope with managing symptoms.

64. Read all the choices carefully. Note the question asks about emotional abuse, not physical abuse. Use the process of elimination to exclude any options that correlate with physical abuse. Recall that emotional abuse involves behaviors that diminish the dignity and self-worth of another individual. Treating another as unequal in a relationship is a classic sign of emotional abuse.

65. Note the key words "best action," when a client indicates feeling unsafe at home. Use the process of elimination to select the option that provides the most immediate safety for the client. Recall that there is a short response time when a call is made to 911. Having the support of responding police who will perhaps arrest the person who poses an assault threat or escort the person at risk from the home is better than the actions in other options for facilitating the client's safety. The other options perpetuate passivity, whereas calling 911 empowers the victim.

66. Read all the options carefully. Arrange the options in the order in which they should be performed when resuscitating a victim. Recall that to properly assess the need for resuscitation, the nurse's first action is to check for responsiveness by shaking the victim and shouting, "Are you OK?" If the victim remains unresponsive, the next step for the rescuer is to call loudly for additional help or activate emergency services personnel. If the victim cannot be aroused, the rescuer should begin compressions immediately. Current guidelines indicate that opening the airway, checking for breathing, and giving rescue breaths wastes valuable time and can be delayed until compressions are initiated.

67. Identify the area of the manubrium as the broad upper part of the sternum and then select the option that would guide the nurse to the accurate place for preforming cardiac compressions. Recall that two fingers are placed at the tip of the breastbone where the ribs come together. The heel of the other hand is then placed above the fingers. Stacking one hand on top of the other and locking the fingers provides the correct location for administering chest compressions.

68. Use the process of elimination to select the option that correctly identifies the rate for chest compressions during resuscitative attempts. Recall that the current recommendation is at least 100 compressions per minute.

69. Use the process of elimination to select the option that correctly identifies the ratio for chest compressions to breaths with two rescuers during resuscitative attempts on an adult. Recall that the current recommendation is 30 compressions to 2 breaths for one or two rescuers.

70. Note the key words "most effective." Use the process of elimination to select the option that identifies a method with the greatest success for restoring circulation in a pulseless victim. Recall that performing chest compressions is vital, even before defibrillation is used, but recovery statistics are lower than when an automated external defibrillator is used.

71. Note the key words "most appropriate." Select the option that describes the technique that is better than any of the others for opening a client's airway. Recall that the chin-lift technique positions the tongue, which is the leading cause of an airway obstruction, away from the back of the throat.

72. Note the key words "most correct." Use the process of elimination to select the option that describes the best position for a victim after successful resuscitation. Recall that a lateral position facilitates keeping the airway free of vomitus. Flexion of the uppermost knee prevents the client from rolling onto his or her abdomen.

73. Note the key words "most helpful." Recall that lay individuals may be hesitant to perform mouth-to-mouth resuscitation but can still perform chest compressions. Untrained laypersons are told to perform compressions "hard and fast."

Nursing Care of Clients with Heart Failure

74. Use knowledge of laboratory values to identify that the potassium level is elevated. Relate the level to the medications that are prescribed. Analyze the impact to choose the correct nursing action.

75. Analyze to determine what information the question asks for, which is a symptom that is associated with left-sided heart failure. Recall that when the left side of the heart fails, the lungs become congested with blood, leading to dyspnea. Review the path of pulmonary circulation to the left side of the heart if you had difficulty answering this question.

76. Note the key words "most beneficial." Use the process of elimination to select the option that identifies the most therapeutic position for a client who is having difficulty breathing. Recall that sitting and standing relieve dyspnea because they reduce pulmonary hydrostatic pressure and congestion in the lungs by pooling blood in lower anatomic levels, thus increasing the potential for pulmonary expansion.

77. Note the key words "most appropriate." Select the option that is best for responding to a client who feels frightened. Recall that fear intensifies when it is experienced in isolation; fear is reduced when there is a supportive person available.

78. Note the key word "immediately" indicating one option represents a critical value that represents is a priority need for reporting. Recall that many diuretics are potassium wasting; a serum potassium level of 2.5 mEq/dL (2.5 mmol/L) could result in lethal cardiac arrhythmias. Intravenous potassium replacement followed by oral supplementation is necessary.

79. Read all the options carefully. Analyze the options and exclude actions that are not obvious signs of neglect. Recall that significant weight loss and having overgrown fingernails are more suggestive of neglect than other behaviors.

80. Analyze the choices to determine the option that correlates with a sign or symptom of right-sided heart failure. Recall that if the right side of the heart fails to pump effectively, blood volume increases in the venous blood vessels delivering blood to the right atrium. Consequently, jugular neck vein distention is an indication of right-sided heart failure.

81. Analyze to determine what information the question asks for, which involves calculating how many tablets are required to administer 0.125 mg when the supplied dose contains 0.25 mg per tablet. Use a standard formula for calculating dosages such as ratio/proportion or $\frac{D}{H} \times Q$.

82. Computerized medication administration and documentation systems have been found to decrease medication errors and increase documentation compliance. The nurse is to document the client's heart rate prior to medication administration. Select the nursing action that cannot be ignored or overlooked before administering a digoxin dose. Recall that digoxin slows the conduction of cardiac impulses through the atrioventricular (AV) node, slowing the heart rate. This action improves cardiac output by allowing a greater volume of blood to fill the heart before its contraction.

83. Use the process of elimination and knowledge of therapeutic laboratory values to select the option that correlates with a toxic digoxin level of 6.8 ng/dL and clinical manifestation of digitalis toxicity. Although anorexia, nausea, vomiting, and diarrhea are seemingly nonspecific, they may be caused by digitalis toxicity.

84. Note the key word "best" meaning one option is better than any other. Use the process of elimination to select the option that identifies the best measurement for evaluating whether the client's cardiac output has improved. Recall that normal vital signs, especially a normal heart rate, are indications that the cardiac output is improved.

Nursing Care of Clients with Conduction Disorders

85. Note the key words "most beneficial." Select the option that is best for promoting the diagnostic value when a client wears a Holter monitor. Recall that keeping a log of physical activities helps correlate when and how the cardiac rhythm changes in relation to the client's activities of daily living.

86. Use the process of elimination to select the option that identifies correct information about a cardioversion. Recall that when cardioversion is used, an electrical current is applied to the chest to temporarily interrupt the irregular conduction of heart impulses and facilitate normal pacemaker initiation of cardiac conduction.

87. Use the process of elimination to select the option that identifies a successful outcome after cardioversion. Recall that the purpose of cardioversion is to restore a normal electrical rhythm to the heart.

88. First, examine the image of the heart and identify its conduction pathway. Next, locate and mark the location of the SA node, which is located in the upper wall of the right atrium.

89. Use the process of elimination to select the option that identifies the location of an implanted pacemaker pulse generator. Recall that the pulse generator is usually placed on the client's nondominant side below the clavicle.

90. Use the process of elimination to select the option that accurately describes a symptom associated with pacemaker malfunction. Recall that an artificial pacemaker is designed to ensure cardiac conduction that facilitates an adequate cardiac output. If cardiac output is compromised, the client will experience symptoms of hypoperfusion. The brain is especially sensitive to an inadequate blood supply resulting in dizziness and perhaps fainting.

Nursing Care of Clients with Valvular Disorders

91. Note the key words "most frequently." Select the option that identifies an assessment finding that occurs among clients with chronic cardiac disease. Recall that a chronic decrease in tissue oxygenation leads to an increased growth of fibrous tissue between the nail and distal portion of each digit, leading to a clubbed appearance, and subsequently alters the normal angle between the nail and the nail bed.

92. Use the process of elimination to select the option that correlates with a childhood disease that predisposes to valvular damage. Recall that streptococcal infections cause rheumatic fever and rheumatic heart disease.

93. Analyze the choices to select the option that correlates with the location where sounds from the mitral valve can be heard best. Recall that the mitral valve is auscultated in the same location as the S_1 heart sound, which is at the fifth intercostal space in the left midclavicular line.

94. Note the key words "best indication." Use the process of elimination to select the option that identifies correct information about the client's understanding of the mitral valve replacement procedure. Recall that the traditional method for replacing the mitral valve involves opening the heart while blood is circulated through a heart-lung machine. Enlarging the valve using an inflated balloon, known as a valvuloplasty, may be performed in some cases, but the natural valve remains; it is not replaced.

95. Note the key word "best" meaning one option is better than any other. Use the process of elimination to select the option that would benefit most for reducing the client's energy expenditure. Recall that staggering activities will not tax the client's stamina and endurance as much as clustering the activities into a short amount of time.

96. Note the key words "most appropriate." Select the option that identifies the best nursing action when a client displays an emotional outburst. Recall that listening while the client verbalizes may help reduce the client's frustration and identify the underlying cause of the client's distress.

Nursing Care of Clients with Infectious and Inflammatory Disorders of the Heart

97. Note the key words "most appropriate." Select the action that enhances the assessment of heart and breath sounds better than any of the other choices. Recall that reducing noise within the environment helps when attempting to identify and discriminate among heart and breath sounds.

98. Use the process of elimination to select the option that identifies the best evidence of reduced cardiac stroke volume. Recall that fainting indicates less than adequate blood flow to the brain.

99. Note the key words "most appropriate." Select the option that describes the nursing action that is best for dealing with an anxious client. Recall that providing an opportunity for the client to share fears is a therapeutic measure for reducing anxiety.

100. Note the key words "best rationale." Use the process of elimination to select the option that identifies the most accurate reason for frequently assessing the client's fluid status postoperatively. Recall that when the heart is pumping adequately, the kidneys are perfused with blood and urine is excreted.

101. Use the process of elimination to identify the key component of primary nursing. Note the word "primary" that indicates a responsibility of care by one nurse. Also, eliminate standards of care which all nursing delivery systems require.

Correct Answers and Rationales

Nursing Care of Clients with Hypertensive Heart Disease

1. 1. To provide an accurate blood pressure measurement, the needle must be in the oval that corresponds with zero. Blood pressures that are not within the oval must be recalibrated. The pressure release screw should be loose; it is tightened before compressing the bulb. If the clip is missing on the pressure gauge, it can be held in the hand without affecting the accuracy of the measurement; in fact, some gauges are designed to be handheld. The width of the blood pressure cuff should be 40% of the arm circumference; the length of the cuff bladder should be 80% of the arm circumference.

> *Cognitive Level—Analyzing*
> *Client Needs Category—Safe and effective care*
> *environment*
> *Client Needs Subcategory—Safety and infection control*

2. 4. The nurse can assume that an obese client will need an extra-large adult cuff. A common guide is to select a cuff with a bladder that encircles at least two-thirds of the limb at its midpoint and is as wide as 40% of the midlimb circumference. If the cuff is too narrow, the blood pressure will be higher than its true measurement; if too wide, the measurement will be lower than the true pressure. A normal-sized cuff will not fit around the obese client's thigh. Having the client lie down would have no bearing on the cuff size, but it could affect a client's blood pressure measurement; in this case, the cuff is too small anyway. Pumping the manometer to 250 mm Hg is also incorrect. The blood pressure manometer should be pumped up to approximately 30 mm Hg above the baseline blood pressure. The American Heart Association recommends the following: inflate the cuff while palpating the brachial artery, note when the pulse disappears, deflate the cuff, wait, and reinflate the cuff to 30 mm Hg above the point at which the pulse disappeared.

> *Cognitive level—Applying*
> *Client Needs Category—Health promotion and*
> *maintenance*
> *Client Needs Subcategory—None*

3. 2. The point at which the last sound is heard before a period of continuous silence (known as *phase V of Korotkoff sounds*) is considered the best reflection of adult diastolic pressure. In some cases, two diastolic pressures are recorded: the pressure at which the loud knocking sound becomes muffled and the pressure when the last sound is heard. The diastolic measurement does not correlate with a loud or faint swishing sound.

> *Cognitive Level—Applying*
> *Client Needs Category—Health promotion and*
> *maintenance*
> *Client Needs Subcategory—None*

4. 3. Sustained untreated hypertension tends to cause fibrous tissue formation in systemic arterioles. The fibrous tissue leads to decreased tissue perfusion, which is especially dangerous when it affects target organs, such as the heart, kidneys, and brain. Hypertension is not linked to a shortened life cycle of blood cells, venous clots, or stenosis of cardiac valves. The nurse should assess risk factors for hypertension at the time that the blood pressure is taken. Risk factors for hypertension include obesity, hypercholesterolemia, smoking, family predisposition, and ethnicity or race.

> *Cognitive Level—Understanding*
> *Client Needs Category—Health promotion and*
> *maintenance*
> *Client Needs Subcategory—None*

5. 1, 5, 6. Hypertension is a serious disorder that is associated with stroke and heart disease. It may be classified as *primary* (without a known cause) or *secondary* (a known pathology). Some of the earliest signs and symptoms of hypertension include spontaneous nosebleeds, chronic persistent throbbing or pounding headaches, blurred vision, and flushed skin color. Other symptoms include dizziness, fatigue, and nervousness. Congestive heart failure, one of the complications of hypertension, can cause dyspnea when lying down, which may affect sleeping; insomnia, however, can have many causes. Nocturia and heart palpitations are not generally associated with hypertension.

> *Cognitive Level—Applying*
> *Client Needs Category—Physiological integrity*
> *Client Needs Subcategory—Physiological adaptation*

6. 3. Myocardial hypertrophy (heart enlargement) is the direct consequence of the heart having to pump against increased peripheral vascular resistance due to hypertension. A strong S_1 heart sound is a healthy finding. A heart rate of 100 beats/minute is at the highest range of normal and would most likely occur during periods of activity. Hypertension is not usually associated with an irregular heart rhythm, which can have multiple causes.

> *Cognitive Level—Applying*
> *Client Needs Category—Physiological integrity*
> *Client Needs Subcategory—Physiological adaptation*

7. 1. General guidelines recommend that adults should not consume more than 2,300 mg of sodium a day (1 tsp); the recommendations also say that people with hypertension, and people who are middle-aged and older should not consume more than 1,500 mg of sodium a day, making their diets low in sodium. Limiting salt will also reduce fluid retention. Less circulating fluid in blood will decrease the volume the heart must pump and lower blood pressure. Soy sauce is high in sodium and, therefore, is restricted on a low-sodium diet. Lemon juice and onion powder (not onion salt) may be used liberally. Maple syrup is not restricted for its sodium content but may be limited if the client needs to monitor blood glucose levels or lose weight.

Cognitive Level—Applying
Client Needs Category—Health promotion and maintenance
Client Needs Subcategory—None

8. **4, 5.** Smoking cessation is the single most therapeutic health change for anyone who has, or is at risk for, cardio-pulmonary disease. Losing weight decreases the work-load of the heart and therefore decreases blood pressure. Although increasing the intake of complex carbohydrates (such as fiber-containing oatmeal and other whole grains) has healthy benefits in lowering blood cholesterol, smoking cessation provides dramatic results in less time. Striking a healthy balance between rest and exercise and taking advantage of more leisure activities are beneficial, but any one of these cannot compare with the beneficial effects on arterioles achieved by smoking cessation and weight loss. Monitoring blood pressure measurements facilitates know-ing how well or poorly lifestyle changes are affecting blood pressure; it will not in and of itself reduce hypertension.

Cognitive Level—Analyzing
Client Needs Category—Health promotion and maintenance
Client Needs Subcategory—None

9. **2.** Distributing work-related tasks among colleagues lightens the stress level. Coffee and tea, unless they are decaffeinated, will not alter the effect of stress on the sympathetic nervous system. Focusing on positive qualities is emotionally beneficial, but it may contribute to a person taking on excess work-related tasks. Reducing working hours may be advantageous, but it may also create finan-cial hardships that can add to a person's stress.

Cognitive Level—Applying
Client Needs Category—Psychosocial integrity
Client Needs Subcategory—None

10. **3.** Furosemide is a loop diuretic often prescribed in conjunction with antihypertensives to lower blood pressure. It decreases excess fluid in the body. Therefore, an increase in urine output indicates that the drug is achieving its desired effect. Eliminating excessive water from the blood volume reduces the work of the heart. Furosemide may lower blood pressure due to the change in fluid volume, but stabilizing the blood pressure rather than lowering it does not offer the best evidence of the effectiveness of the medication. Pulse rate does not change appreciably when furosemide is given. Although decreasing anxiety can reduce vasoconstriction, it is not an effect that can be achieved with furosemide.

Cognitive Level—Applying
Client Needs Category—Physiological integrity
Client Needs Subcategory—Pharmacological therapies

11. **2.** When given once daily, furosemide is generally administered in the early morning to avoid disturbing the client's sleep with the need to urinate. If the medication is prescribed twice a day, the first dose is usually given early in the morning at about 6 A.M. and the other dose in the early afternoon at about 1 P.M.

Cognitive Level—Applying
Client Needs Category—Physiological integrity
Client Needs Subcategory—Pharmacological therapies

12. **2, 4.** Serum potassium levels are routinely obtained to monitor potassium levels. A serum potassium level of 3.2 mEq/L (3.2 mmol/L) is low, under the normal range of 3.5 to 5 mEq/L (3.5 to 5 mmol/L). Furosemide typi-cally depletes potassium levels; therefore, the client should eat foods that replace this electrolyte. The recommended amount of dietary potassium is 4,700 mg/day. Fruits and vegetables, especially those that are fresh rather than cooked, are good dietary sources of potassium. Although orange juice and bananas are often recommended to replace potassium, one banana contains only 422 mg of potassium. One cup of orange juice contains 496 mg of potassium. Even richer sources of potassium are in dark green leafy vegetables such as Swiss chard, which contains 960 mg/cup or spinach, which contains 839 mg/cup. Fish, milk, and whole grain cereals are healthy dietary sub-stances, but they are not rich in potassium.

Cognitive Level—Applying
Client Needs Category—Health promotions and maintenance
Client Needs Subcategory—None

13. **2.** A dry, hacking cough is a side effect of angiotensin-converting enzyme (ACE) inhibitors. The cough is attrib-uted to the drug's increase in bradykinin, an inflammatory substance, which causes sensitization of sensory nerves in the airway and an enhancement of the cough reflex. If this occurs, the client should inform the health care provider because the medication may need to be changed. Switching to an angiotensin II receptor blocker (ARB) relieves the cough and lowers blood pressure. Anorexia can have several causes, but white patches in the mouth may occur from a fungal infection or a side effect of chemo-therapy. Feeling weak and lethargic can be a symptom of many disease processes or anemia and is not characteristic of ACE inhibitors. Heart palpitations with an irregular pulse are not characteristic of potential side effects of ACE inhibitors.

Cognitive Level—Analyzing
Client Needs Category—Physiological integrity
Client Needs Subcategory—Pharmacological therapies

14. **2.** All types of antihypertensive medications can cause postural (orthostatic) hypotension when rising from a sitting to a standing position. Postural hypotension is accompanied by dizziness especially in the early course of treatment. The prevalence of postural hypotension varies depending on the age of the client, but it increases with age. Postural hypotension contributes to the incidence of falls and fractures; therefore, the nurse should assist the client to a standing position. Although some antihypertensives affect urinary output, that is not true of the class of medications as a whole. The quality of sleep and vision are associated with the effects of antihypertensive therapy.

> **Cognitive Level**—*Applying*
> **Client Needs Category**—*Safe and effective care environment*
> **Client Needs Subcategory**—*Safety and infection control*

Nursing Care of Clients with Coronary Artery Disease (CAD)

15. 4. Obesity, which is often linked with hyperlipidemia, is a risk factor for developing coronary artery disease (CAD). Drinking a nightly cocktail and undergoing surgery to repair the mitral valve are unrelated to development of CAD. Rheumatic fever is more likely to cause valvular disease than CAD.

> **Cognitive Level**—*Applying*
> **Client Needs Category**—*Health promotion and maintenance*
> **Client Needs Subcategory**—*None*

16. 2. A buildup of cholesterol in the blood vessels causes a condition known as *atherosclerosis*. As fat becomes deposited within the lining of arteries, the deposits enlarge to form plaque, which thickens the arterial walls and causes the blood vessels to narrow. Eventually the plaque is infiltrated with calcium, which causes the vessel to become hard and rigid. When a normal volume of blood is forced through these narrowed, inelastic vessels, the pressure within the vessels increases. The heart is prone to failure because it must work hard to pump against the vascular resistance. Cholesterol neither expands the circulating blood volume nor causes the heart to beat faster. Blood clots may form quicker due to the narrowing blood vessel. This narrowing can also cause stagnation of the blood.

> **Cognitive Level**—*Applying*
> **Client Needs Category**—*Physiological integrity*
> **Client Needs Subcategory**—*Physiological adaptation*

17. 3. In keeping with a low-cholesterol diet, the healthiest change is to eat cereal rather than eggs for breakfast. Egg yolk is a rich source of cholesterol. There is not much, if any, appreciable change in cholesterol levels by substituting the foods listed in the other options. Whole-grain wheat toast, however, provides additional fiber, which is healthier than white bread toast but it is not the best answer from among the options.

> **Cognitive Level**—*Applying*
> **Client Needs Category**—*Health promotion and maintenance*
> **Client Needs Subcategory**—*None*

18. 1. Atorvastatin, one of many drugs that are referred to as *statins*, lowers low-density lipoprotein and total triglyceride levels and increases the amount of high-density lipoproteins. In doses large enough to lower blood fat components, this drug may cause back pain and muscle pain (myalgia). Although the link between statin drugs and myalgia as well as other muscle pathology continues to be speculative, some believe that the side effect is due to a disruption in the lipid membrane layer of muscle cells caused by a depletion of cholesterol. Palpitations, visual changes, and weight loss are not adverse effects associated with this drug and others in the same category.

> **Cognitive Level**—*Applying*
> **Client Needs Category**—*Physiological integrity*
> **Client Needs Subcategory**—*Pharmacological therapies*

19. 1. A stress electrocardiogram (ECG) demonstrates the extent to which the heart tolerates and responds to the additional demands placed on it during exercise. The ability of the heart to continue adapting is related to the adequacy of blood supplied to the myocardium through the coronary arteries. If the client develops chest pain, dangerous cardiac rhythm changes, or significantly elevated blood pressure, the diagnostic testing is stopped. Although the test may indicate that further exercise is needed to improve fitness, this is not the primary purpose of testing. An ECG does not predict the occurrence of a heart attack or determine the target heart rate.

> **Cognitive Level**—*Applying*
> **Client Needs Category**—*Health promotion and maintenance*
> **Client Needs Subcategory**—*None*

20. 2. Angina, or chest pain, is caused by an inadequate supply of oxygenated blood to the myocardium due to narrowed coronary arteries. Rest generally relieves angina. Once the myocardium's demand for additional oxygen is reduced through inactivity or rest, the chest pain is generally relieved. Taking a deep breath and applying heat to the chest or rubbing the chest will not alleviate the pain of angina pectoris. One main difference between stable angina pectoris and a myocardial infarction is that rest relieves the chest pain associated with stable angina.

> **Cognitive Level**—*Applying*
> **Client Needs Category**—*Physiological integrity*
> **Client Needs Subcategory**—*Physiological adaptation*

21. 3. Nitroglycerin is a vasodilator. It dilates both veins and arteries. Some believe the best explanation for how nitroglycerin relieves chest pain is that peripheral vasodilation results in decreased venous return to the heart and vascular resistance to ventricular ejection, reducing the work of the heart and its need for oxygen. The sublingual form of nitroglycerin is one of the common routes for administering nitroglycerin on an as-needed basis. When administered, a tablet is placed under the tongue. The drug is then quickly absorbed through the rich supply of blood vessels beneath the tongue. Clients who take sublingual nitroglycerin for angina are instructed not to chew or swallow the tablets and not eat, drink, smoke, or chew tobacco until the tablet dissolves. Tablets for buccal administration are placed between the gum and cheek. A tablet intended for swallowing is placed on the tongue at the back of the throat. A chewable tablet is placed between the teeth.

> *Cognitive Level*—*Applying*
> *Client Needs Category*—*Physiological integrity*
> *Client Needs Subcategory*—*Pharmacological therapies*

22. 1, 5, 6. Side effects of nitroglycerin include headache, flushing, hypotension, and dizziness. These effects are the direct result of vasodilation. The other choices are not associated with nitroglycerin.

> *Cognitive Level*—*Applying*
> *Client Needs Category*—*Physiological integrity*
> *Client Needs Subcategory*—*Pharmacological therapies*

23. 3. The client should experience a fizzing or tingling in the mouth if nitroglycerin tablets are still fresh. Another possibility of lost tablet potency is a failure to experience relief of chest pain similar to that experienced when the prescription was originally filled. If potent, chest pain should be reduced or relieved in 1 to 5 minutes after administering a tablet. To ensure that tablets remain potent, they should be stored in a cool location, tightly capped to avoid moisture, and replaced every 3 months. They do not discolor or disintegrate when they have lost their potency. Old aspirin tablets, not nitroglycerin tablets, tend to smell like vinegar.

> *Cognitive Level*—*Applying*
> *Client Needs Category*—*Physiological integrity*
> *Client Needs Subcategory*—*Pharmacological therapies*

24. 1. The dose of nitroglycerin may be repeated in 5 minutes, for a total of three doses. However, the client should be told to call 911, contact a hospital's chest pain hot line, or medical provider if the pain is unrelieved after three successive doses because other treatment may be necessary. A client having chest pain should never drive to the hospital alone; transport by ambulance with emergency medical technicians or paramedics is a better choice. Sublingual tablets are never swallowed.

> *Cognitive Level*—*Applying*
> *Client Needs Category*—*Physiological integrity*
> *Client Needs Subcategory*—*Pharmacological therapies*

25. 1. When topical nitroglycerin ointment or transdermal patches are used, application sites are rotated, and the medication may be placed on the chest, back, upper abdomen, or arms. The drug reservoir should not be touched, squeezed, or manipulated in any way. The patch is self-adhering when the adhesive backing is removed. Ointment application papers are covered with plastic wrap and taped in place to prevent soiling and promote drug absorption. It is not necessary to clean the skin with alcohol before applying. Clipping the chest hair may be necessary,

especially if the client is particularly hairy. After removing the old patch or paper, the old ointment should be removed with a dry cloth. It is not standard practice to take the client's blood pressure after application unless the client becomes symptomatic.

> *Cognitive Level*—*Applying*
> *Client Needs Category*—*Physiological integrity*
> *Client Needs Subcategory*—*Pharmacological therapies*

26. 4. Nitroglycerin dilates arterial vessels, including the coronary vessels. This action lowers the blood pressure. Therefore, if the client's blood pressure is already low (as with a pressure of 94/62 mm Hg), the nurse should temporarily withhold the application of the transdermal patch. Although a body temperature of 99.8°F (37.6°C) is not normal, body temperature can vary depending on multiple variables, but it should not contradict the application of a transdermal patch. A respiratory rate of 24 breaths/minute and an apical heart rate of 90 bpm are within normal limits.

> *Cognitive Level*—*Applying*
> *Client Needs Category*—*Physiological integrity*
> *Client Needs Subcategory*—*Pharmacological therapies*

27. 4. Corn oil is an example of a polyunsaturated fat and is a better choice than solid saturated fats such as margarine, butter, or shortening. Using unsaturated fats helps lower blood cholesterol. In limited amounts, it is healthier to consume polyunsaturated fats made from vegetable products than saturated fats, such as butter, from animal sources, or hydrogenated fats, such as solid vegetable shortenings and hard margarines even in a melted form.

> *Cognitive Level*—*Applying*
> *Client Needs Category*—*Health promotion and maintenance*
> *Client Needs Subcategory*—*None*

28. 2. A cardiac catheterization is a test in which a catheter is placed into the heart (usually through a vessel in the groin) to evaluate the anatomy and function of the heart and its blood vessels. Dye is injected through the catheter, and images are taken as the dye fills the coronary arteries. Most clients are concerned about the test and, more importantly, what the findings will be. When a client is worried and fearful, the nurse should encourage an expression of feelings and listen attentively. Most clients feel alone, overwhelmed, and helpless during a crisis; being able to verbalize fears and concerns can help ease their emotional burden. Listening is an active process, even if the nurse does not make many verbal contributions. Teaching the client about the treatment of coronary artery disease (CAD) is inappropriate because learning is impaired during times of mild to severe anxiety. How others have responded to a diagnostic test or procedure disregards the uniqueness of the client's situation. Avoiding the subject communicates that the nurse does not care.

> *Cognitive Level*—*Applying*
> *Client Needs Category*—*Psychosocial integrity*
> *Client Needs Subcategory*—*None*

29. 4. The contrast dye used during the coronary arteriogram causes vasodilation and is experienced as a brief flush or warmth that spreads over the skin surface. Some clients feel fluttering or what is described as "butterflies" as the catheter is passed into the heart, disturbing its rhythm. Heaviness or chest pain, if experienced, is generally treated with nitroglycerin. The client receives sedation but is not anesthetized and may be required to change positions or cough during the test.

> ***Cognitive Level***—*Applying*
> ***Client Needs Category***—*Physiological integrity*
> ***Client Needs Subcategory***—*Reduction of risk potential*

30. 3. People who are allergic to shellfish may also be sensitive to iodine. The radiopaque dye used during the arteriogram is iodine based. The client's allergies must be communicated both verbally as well as by attaching an allergy wrist band to the client to determine whether to cancel the procedure or prepare to administer an antihistamine or other emergency drugs. Morphine and penicillin are not associated with allergic reactions caused by the dye. Allergy to eggs is related to certain types of vaccines given as immunizations.

> ***Cognitive Level***—*Applying*
> ***Client Needs Category***—*Physiological integrity*
> ***Client Needs Subcategory***—*Reduction of risk potential*

31. 1. If the femoral artery was the site used for inserting the heart catheter, the nurse must position the client so that the catheterized leg is extended (not bent) to avoid flexing the hip for 6 to 8 hours after the procedure. Flexing the hip may lead to bleeding and clot formation. Abduction and adduction have no bearing on the affected leg. Sandbags may be placed over the pressure dressing to decrease discomfort and control bleeding.

> ***Cognitive Level***—*Applying*
> ***Client Needs Category***—*Physiological integrity*
> ***Client Needs Subcategory***—*Reduction of risk potential*

32. 1. Peripheral pulses distal to the catheter insertion site are assessed frequently after arteriography. This is performed because the injury to the artery and subsequent bleeding can lead to clot formation. A thrombus could totally occlude the flow of oxygenated blood through the vessel, resulting in the absence of a distal pulse—a medical emergency that must be reported immediately. After checking the client's pulses, the nurse inspects the skin integrity in the groin because bleeding, hemorrhage, or hematoma formation may occur. Assessing the heart, lungs, and abdomen should be done regardless of whether the arteriogram is performed.

> ***Cognitive Level***—*Analyzing*
> ***Client Needs Category***—*Physiological integrity*
> ***Client Needs Subcategory***—*Reduction of risk potential*

33. 1, 3, 4, 6. After cardiac catheterization, a shower is preferred because it reduces the risk of infection at the puncture site. Consuming fluid promotes the excretion of dye that was instilled intravenously during the procedure. An increase in leg pain may indicate formation of an arterial thrombus and arterial occlusion, which requires immediate intervention. The puncture site should be covered with a dressing until it heals. The client should rest for 3 days and avoid strenuous activity; therefore, leg exercises are contraindicated. There is no need to flush urine or stool twice because excreted waste products contain no toxic or biological hazardous substances.

> ***Cognitive Level***—*Applying*
> ***Client Needs Category***—*Physiological integrity*
> ***Client Needs Subcategory***—*Reduction of risk potential*

34. 1. Percutaneous transluminal coronary angioplasty (PTCA) involves dilating narrowed or occluded coronary arteries with a double-lumen balloon catheter. The pressure from the inflated balloon compresses the fatty plaque that has narrowed the artery. Leg veins are used in coronary artery bypass grafting (CABG) surgery to bypass narrowed coronary arteries. A pacemaker is used when it is difficult to maintain a normal heart rate or rhythm with drug therapy. Grafting skeletal muscle, not Teflon, over scarred areas of the myocardium is now in experimental stages.

> ***Cognitive Level***—*Applying*
> ***Client Needs Category***—*Physiological integrity*
> ***Client Needs Subcategory***—*Physiological adaptation*

35. 1, 3. The Joint Commission's National Patient Safety Goals requires that clients be identified correctly. The recommendation is that at least two methods should be used to identify clients such as the client's name and date of birth. The client's age, the client's health care provider's name, nor the client's address is sufficient for ensuring that the medication will be given to the correct client or that the treatment will be performed on the correct client.

> ***Cognitive Level***—*Remembering*
> ***Client Needs Category***—*Safe and effective care environment*
> ***Client Needs Subcategory***—*Safety and infection control*

36. 4. Propranolol is a beta-adrenergic blocker (betablocker). It blocks the sympathetic receptors for epinephrine. Epinephrine speeds the heart rate, which requires a great deal of oxygen. By blocking the effect of epinephrine, the heart rate is slowed and the myocardium does not need as much oxygen. In addition, at a slower rate, the heart fills with a greater volume of blood. Thus, each time the heart contracts, it delivers a substantial amount of blood to the coronary arteries. As long as the coronary arteries deliver an adequate amount of oxygenated blood to the myocardium, chest pain is prevented. Propranolol does not cause the pulse to beat faster or stronger, nor does it precipitate an irregular heart rhythm.

> ***Cognitive Level***—*Applying*
> ***Client Needs Category***—*Physiological integrity*
> ***Client Needs Subcategory***—*Pharmacological therapies*

37. **2.** Aspirin is recommended in low daily doses to reduce the potential for forming a blood clot, which could occlude the narrowed opening in a diseased coronary artery. It interferes with platelet aggregation or clumping and, therefore, acts as a prophylactic antithrombotic agent. Aspirin is more useful in relieving headaches and musculoskeletal pain than chest pain. Aspirin will not lower the blood pressure or cause vasodilation of the coronary arteries.

> *Cognitive Level*—*Applying*
> *Client Needs Category*—*Physiological integrity*
> *Client Needs Subcategory*—*Pharmacological therapies*

38. **4.** Despite dilating one or more coronary arteries with a balloon-tipped catheter, it is possible for clients to experience chest pain after percutaneous transluminal coronary angioplasty (PTCA). Chest pain after PTCA should never be ignored or dismissed as being inconsequential. It can occur for a variety of reasons, such as sudden collapse of a previously dilated coronary artery, thrombus formation within a coronary artery, or a change in the diameter of an arterial lumen due to the presence of a stent. Whatever the reason, chest pain should be reported immediately because it may indicate a life-threatening complication. If a thrombus in a coronary artery is untreated, a myocardial infarction (MI) could develop. An hourly urine output of 30 to 50 mL or more is considered adequate. A blood pressure of 108/68 mm Hg is within the low ranges of normal. A dry mouth is a consequence of fluid restriction and medication administered before the procedure. As long as the blood pressure continues to remain within normal ranges, the nurse relieves the discomfort of a dry mouth by giving oral care and administering oral fluids.

> *Cognitive Level*—*Applying*
> *Client Needs Category*—*Physiological integrity*
> *Client Needs Subcategory*—*Physiological adaptation*

39. **2.** Cognitive deficits that are present following surgery may be attributed initially to the effect of the anesthetic. The condition has been identified as *Postoperative Cognitive Disorder.* One hypothesis is that the anesthetic drug binds to and incapacitates proteins on the surface of neurons that are essential for attention and memory as well as other cognitive functions. As the anesthetic is metabolized, memory and the ability to concentrate improve. The cognitive deficit may be early evidence of dementia, but that should not be the nurse's initial assumption. A developmental disability would have been evidenced preoperatively as well as postoperatively. Early alcohol withdrawal presents with signs of nervous system stimulation such as an increase in vital signs before more neurologic signs like delirium and hallucinations develop.

> *Cognitive Level*—*Analyzing*
> *Client Needs Category*—*Psychosocial integrity*
> *Client Needs Subcategory*—*None*

40. **1.** Coronary artery bypass graft (CABG) surgery is performed when more than one blood vessel is partially or totally occluded. During CABG surgery, a healthy vein or artery is grafted to the diseased coronary artery to bypass the narrowed area, creating a new passageway for oxygen-rich blood to the heart muscle. The saphenous vein, which is located in the leg, is commonly harvested for grafting. The nurse should assess pulses and the incisional site in the affected leg immediately after surgery. The internal mammary artery, located in the chest, is another vessel sometimes used for CABG surgery. The other vessels mentioned are not typically used for this type of surgery.

> *Cognitive Level*—*Applying*
> *Client Needs Category*—*Physiological integrity*
> *Client Needs Subcategory*—*Physiological adaptation*

41. **1.** Using the thumb to obtain a pulse rate can yield inaccurate data because the health care worker's pulse may be felt rather than the client's. It is best to rest or support the client's arm and compress the artery against the bone using the fingertips. Counting the pulse for 1 full minute seems prudent immediately after major cardiovascular surgery.

> *Cognitive Level*—*Applying*
> *Client Needs Category*—*Safe and effective care environment*
> *Client Needs Subcategory*—*Coordinated care*

42. **2.** A client in acute pain is most likely to have a rapid pulse rate, rapid respiratory rate, and rising blood pressure. A pulse rate of 128 beats per minute is elevated indicating pain. The respiratory rate and blood pressure are not elevated. Pain is least likely to influence body temperature.

> *Cognitive Level*—*Analyzing*
> *Client Needs Category*—*Physiological integrity*
> *Client Needs Subcategory*—*Physiological adaptation*

43. **1.** With a patient-controlled analgesia (PCA) pump, the client presses a control button to release a very low dose of an opioid when feeling the need for medication. The dose is low enough to allow for frequent administration. Usually, this results in the client using less total medication because the discomfort rarely falls below a tolerable level. It is best to use the PCA pump before pain becomes severe. PCA pumps are used for only a few days postoperatively, making addiction unlikely. Because the client can use the machine independently, it frees the nurse to tend to other responsibilities.

> *Cognitive Level*—*Applying*
> *Client Needs Category*—*Physiological integrity*
> *Client Needs Subcategory*—*Pharmacological therapies*

44. **3.** The number of doses the client administered during the current shift is the most important information to communicate to the nurses on the next shift. This serves as a measure of how much pain the client is experiencing. The name of the analgesic and the solution that is infusing may be a component of the end-of-shift report, but it is not as important as the number of doses the client has self-administered. The client's pain rating may vary according to the time it was assessed; the most recent pain rating would be appropriate to include.

Cognitive Level—*Analyzing*
Client Needs Category—*Safe and effective care environment*
Client Needs Subcategory—*Coordinated care*

45. 2. The nurse should assess bowel elimination of clients receiving opioid analgesics. Opioids bind with mu-opioid receptors in the intestinal tract, which results in slowing stool transit time and inhibiting the propulsive effort to expel stool. The resulting constipation may affect the client's appetite but that is not the primary focus for assessment. Opioids do not generally affect heart rate or the ability to ambulate.

Cognitive Level—*Applying*
Client Needs Category—*Physiological integrity*
Client Needs Subcategory—*Pharmacological therapies*

46. 2. The saphenous vein is the most common blood vessel used for coronary artery bypass graft (CABG) surgery. Removing a portion of this leg vein can temporarily impair the return of venous blood to the heart. Impaired venous return is manifested by cool skin and edema in the toes, foot, or ankle of the operative leg. Therefore, the fact that the toes are warm is the best evidence that venous blood is adequately returning to the heart through other blood vessels in the leg. The ability to move the leg indicates that neurologic function is intact. A regular heart rate and absence of chest pain are evidence that the newly attached graft is supplying the heart muscle with adequate oxygenated blood.

Cognitive Level—*Analyzing*
Client Needs Category—*Physiological integrity*
Client Needs Subcategory—*Reduction of risk potential*

47. 3, 4. Antiembolism stockings are sometimes referred to as thromboembolism-deterrent (TED) hose. To be effective, they must compress veins in the lower legs to support valves, thereby preventing the accumulation of venous blood distally by gravity. Proper fit is essential; their size is determined by measuring the circumference of the calf and the length from the heel to the bend of the knee. Measurements are then compared with the manufacturer's size chart. The client's height is inconsequential. If thigh-high stockings are required, a third measurement from the heel to the gluteal fold is obtained. The distance from the toes to the groin is not measured.

Cognitive Level—*Applying*
Client Needs Category—*Physiological integrity*
Client Needs Subcategory—*Basic care and comfort*

48. 4. A gait belt is a device that promotes safety when ambulating clients who may be weak or have problems with balance. The belt should be applied around the client's waist between the rib cage and top of the pelvis with room

for two fingers between the belt and the client's body. The nurse grasps the underside of the belt and walks behind and slightly to the side of the client. If the client begins to fall, the nurse controls the impact by lowering the client to the floor. A hydraulic lift is used to transfer a client from the bed to a chair and vice versa. A cane is the least stable device for walking. A walker is used for clients who need some balance and support when walking independently.

Cognitive Level—*Applying*
Client Needs Category—*Physiological integrity*
Client Needs Subcategory—*Basic care and comfort*

Nursing Care of Clients with Myocardial Infarction

49. 1. Another name for a heart attack is a *myocardial infarction* (MI) or *acute myocardial infarction* (AMI). An MI is the interruption of blood supply to the myocardium, causing heart cells to die. The cellular death is most commonly due to the occlusion of one or more of the coronary arteries. The chest pain accompanying an MI is usually so severe that the client becomes extremely diaphoretic. Hypotension is apt to make the client's skin appear pale or ashen, not flushed. Headache is more closely associated with stroke. Coughing is not characteristic.

Cognitive Level—*Applying*
Client Needs Category—*Physiological integrity*
Client Needs Subcategory—*Physiological adaptation*

50.

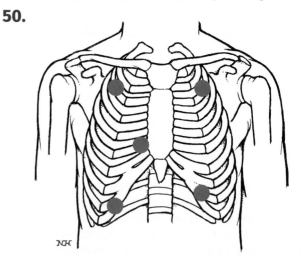

The correct locations for placement of leads in lead III, the most common arrangement for monitoring clients who require cardiac care, are as follows:

Second intercostal space in the right midclavicular line
Second intercostal space in the left midclavicular line
On the lower rib cage at the eighth intercostal space chest, left midclavicular line
On the lower rib cage at the eighth intercostal space, right midclavicular line
At the fourth intercostal space, right sternal border

Cognitive Level—Remembering
Client Needs Category—Physiological integrity
Client Needs Subcategory—Reduction of risk potential

51. 2. Hospitalization, for most people, is a unique experience. Therefore, providing clients who are in an unfamiliar environment with information about hospital equipment, clinical procedures, and agency routines helps relieve anxiety. All explanations are given in simple, understandable terms. Once informed, clients have a basis for interpreting the reality of their experiences. A client is unlikely to understand a description of heart rhythm or interpret the pattern on a rhythm strip. Administering a tranquilizer at this time will not help prevent a similar reaction in the future.
Cognitive Level—Applying
Client Needs Category—Psychosocial integrity
Client Needs Subcategory—None

52. 4. When a client has a myocardial infarction (MI), the ST segment in the electrocardiogram (ECG) becomes elevated. This finding may be accompanied by T-wave inversion and occasionally a definite Q wave. Aside from these findings, other diagnostic findings include elevated levels of CK-MB, a cardiospecific enzyme, and elevated cardiac markers of myoglobin and troponin.
Cognitive Level—Applying
Client Needs Category—Physiological integrity
Client Needs Subcategory—Physiological adaptation

53. 4. The most pertinent data to assess concerning a client's chest pain are its onset, quality, intensity, location, and duration and what makes the pain better or worse. Knowing when chest pain began determines if a thrombolytic can be given. The effectiveness of thrombolytic therapy is best if it is given within 2 hours from the onset of chest pain. Thrombolytics may be given up to 12 hours after the onset of pain, but the benefit decreases over time. The other questions may provide data, but they are not as important as determining the time the pain began.
Cognitive Level—Applying
Client Needs Category—Health promotion and maintenance
Client Needs Subcategory—None

54. 4. An opioid analgesic, such as morphine sulfate, is usually required to relieve the severe pain associated with a myocardial infarction (MI). Because the pain is so severe and triggers fear of dying, the heart is tachycardic. Tachycardia increases the oxygen demands and places extra stress on dying tissue. Morphine sulfate decreases pain and relieves anxiety, thus slowing the heart rate. Nonsteroidal anti-inflammatory drugs (NSAIDs) as well as nonsalicylate and salicylate analgesics are generally prescribed for minor pain that is not cardiac in origin.
Cognitive Level—Applying
Client Needs Category—Physiological integrity
Client Needs Subcategory—Pharmacological therapies

55. 3. Denial is a coping mechanism used to control anxiety and fear. Denial diverts awareness of reality. The client refuses to believe that an event, such as a heart attack, is really happening. Regression occurs when a client resorts to a pattern of behavior characteristic of an earlier age. Projection involves blaming a negative situation on someone or something else. Undoing often takes on the form of offering a verbal apology or gift to make up for unacceptable behavior.
Cognitive Level—Applying
Client Needs Category—Psychosocial integrity
Client Needs Subcategory—None

56. 1. Cardiac enzyme studies are the major tests used to diagnose myocardial infarction (MI). Cardiac enzymes and isoenzymes are released into the bloodstream when organs such as the heart are damaged. CK-MB, the isoenzyme most commonly used to diagnose an MI, is found in high concentrations in the heart and skeletal muscles and in much smaller amounts in brain tissue. The creatine kinase (CK) blood level, especially its isoenzyme CK-MB, becomes elevated within 2 hours after an infarction. CK enzymes correlate with the size of the infarct—in other words, the higher the serum CK-MB, the greater the damage to the heart. If an MI is suspected, cardiac enzymes are drawn on admission and at periodic intervals (every 8 hours) for the next 2 days. Troponin, a protein necessary for heart conduction, is also quickly elevated during an MI. Therefore, it can be used to rule out or confirm an MI. Troponin levels are usually drawn in the emergency department or even in the ambulance on the way to the hospital. Sodium and potassium are electrolytes; they are not used to diagnose an MI. Red blood cell and platelet counts also are not considered diagnostic indicators of an MI. Plasminogen is a protein that, when activated, dissolves clots. Lactic acid is a waste product of cellular metabolism and causes sore skeletal muscles. Neither is used to diagnose an MI.
Cognitive Level—Analyzing
Client Needs Category—Physiological integrity
Client Needs Subcategory—Reduction of risk potential

57. 1. In the case of a myocardial infarction (MI), a clot has occluded one of the coronary arteries, causing the heart muscle to be deprived of oxygen and permanently damaged. It is imperative to restore oxygenation to the myocardium by dissolving the clot. Streptokinase, a thrombolytic enzyme, is used to dissolve deep vein and arterial thromboemboli. This and other thrombolytic agents, such as urokinase, anistreplase, alteplase, and tissue plasminogen activator (t-PA), activate plasminogen and convert it to plasmin. Plasmin breaks down the fibrin of a blood clot. Thrombolytic agents do not slow the heart rate, improve heart contraction, or lower blood pressure. Thrombolytics are contraindicated for clients who have bleeding disorders, a history of stroke, recent trauma, birth, or surgery.
Cognitive Level—Applying
Client Needs Category—Physiological integrity
Client Needs Subcategory—Pharmacological therapies

58. 3. Bleeding is the most common and dangerous adverse reaction associated with thrombolytic drug therapy. Blood loss may be internal, involving the gastrointestinal or genitourinary tract, or may result in bleeding within the brain. Most clients who receive streptokinase are placed in the intensive care unit for a period of very close observation. Bleeding may also be external or superficial, manifested as oozing from venipuncture or injection sites, nosebleeds, and skin bruising. Other side effects include hypotension, nausea and vomiting, and cardiac arrhythmias. Hypertension, hyperthermia, and tachypnea are not recognized side effects of this drug.

> *Cognitive Level*—*Applying*
> *Client Needs Category*—*Physiological integrity*
> *Client Needs Subcategory*—*Pharmacological therapies*

59. 3. Streptokinase is made from a nonhuman source and is antigenic; thus, it may provoke allergic reactions. The antihistamine drug diphenhydramine is typically used when a client develops an allergic reaction. Diphenhydramine inhibits most responses of smooth muscle to histamine, the chemical that is responsible for most allergic reactions. Vitamin K may be given as an antidote when prothrombin levels are beyond the therapeutic range, as in the case of oral anticoagulants such as warfarin. Both heparin and warfarin are administered to prevent future blood clots from developing.

> *Cognitive Level*—*Applying*
> *Client Needs Category*—*Physiological integrity*
> *Client Needs Subcategory*—*Pharmacological therapies*

60. 2.

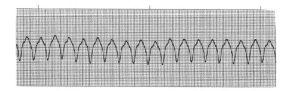

The second rhythm strip in the series shows ventricular tachycardia. By definition, ventricular tachycardia can reach rates of 110 to 250 bpm. Ventricular tachycardia can progress to lethal arrhythmias such as ventricular fibrillation and asystole. When ventricular tachycardia occurs in unstable clients, it requires immediate cardioversion or defibrillation. The first rhythm strip in the series is an image of sinus bradycardia with a rate of approximately 45 bpm. The third rhythm strip is an image of atrial flutter with a ventricular rate of approximately 150 bpm. The fourth rhythm strip is an image of sinus bradycardia with a ventricular rate of approximately 34 bpm with unifocal premature ventricular contractions.

> *Cognitive Level*—*Analyzing*
> *Client Needs Category*—*Physiological integrity*
> *Client Needs Subcategory*—*Physiological adaptation*

61. 1. The best therapeutic approach when a client reveals being scared is to listen actively, remain nonjudgmental, and avoid offering personal opinions. Asking a client a "why" question is usually nontherapeutic because the client may not be consciously aware of what is motivating these feelings or behavior. Telling a client that he or she is doing fine implies that the client's fears are unfounded. A nonempathetic response may cause the client to terminate further discussion. Giving advice, as in "You need to concentrate on getting well," is also nontherapeutic because it blocks continued communication about the subject.

> *Cognitive Level*—*Applying*
> *Client Needs Category*—*Psychosocial integrity*
> *Client Needs Subcategory*—*None*

62. 1. Pepperoni pizza contains lots of calories, salt (processed meat), and fat (cheese). That makes this choice unsuitable for the client's low-calorie, low-fat, low-sodium diet. Vinegar and oil salad dressing is appropriate because it is low in sodium and calories. The oil, however, must be used sparingly. Liver and onions are acceptable considering this client's dietary restrictions, and the liver may improve iron stores. However, liver contains some cholesterol and should be eaten sparingly. Lemon-pepper chicken is also acceptable in this client's diet because it is low in fat, and lemons and pepper are items that can be used freely with this type of diet.

> *Cognitive Level*—*Applying*
> *Client Needs Category*—*Health promotion and maintenance*
> *Client Needs Subcategory*—*None*

63. 2, 4, 5. People who are depressed may find it difficult to resume the usual relationships and activities they previously found pleasurable. They may self-medicate with alcohol. Decreased energy and feeling worthless may result in a lack of motivation. Sexual intimacy may decline because they feel sad, hopeless, or worthless. Increasing church attendance and researching heart disease are not "red flags" that correlate with depression; rather, they may actually be healthy activities.

> *Cognitive Level*—*Applying*
> *Client Needs Category*—*Psychosocial integrity*
> *Client Needs Subcategory*—*None*

64. 1, 3, 4, 5. Emotional abuse is more insidious than physical abuse. It involves behaviors that damage another person's self-esteem like being hypercritical and controlling money and how it is spent. Abusers may make untrue accusations to deflect their own personal blame for causing conflicts. They may make excuses for their behavior rather than take responsibility and apologize for their actions. Emotional abuse can eventually lead to or be combined with physical abuse.

> *Cognitive Level*—*Applying*
> *Client Needs Category*—*Psychosocial integrity*
> *Client Needs Subcategory*—*None*

65. 3. Calling 911 is one approach when a person feels they are in danger. However, unless a responding officer observes signs of bodily injury, no arrest will be made. Because involving the police poses a potential for physical abuse as a result of the call, officers may advise applying for an order of personal protection and going to a shelter or another person's home. Violent crimes are more likely to occur when a victim of intimate partner violence attempts to end a relationship. Walking away, staying calm and respectful, and avoiding confrontational issues may delay the escalation to physical violence temporarily, but it is unlikely to provide continued safety and protection.

> *Cognitive Level—Applying*
> *Client Needs Category—Psychosocial integrity*
> *Client Needs Subcategory—None*

66.

| 3. Check responsiveness. |
| 4. Activate emergency assistance. |
| 6. Perform chest compressions. |
| 1. Open the victim's airway. |
| 5. Check for spontaneous breathing. |
| 2. Administer rescue breaths. |

This sequence of actions follows the American Heart Association's (AHA's) International Cardiopulmonary Resuscitation (CPR) and Emergency Cardiovascular Care (ECC)'s 2015 Guidelines.

> *Cognitive Level—Applying*
> *Client Needs Category—Physiological integrity*
> *Client Needs Subcategory—Physiological adaptation*

67. 1. The manubrium is the broad portion of the upper sternum that is too high to effectively compress the heart; thus, an adjustment is required. When administering chest compressions on an adult, the hands are positioned on the lower half of the sternum. If placed below the tip of the xiphoid process or over the costal cartilage, bones may be fractured ultimately puncturing a lung.

> *Cognitive Level—Analyzing*
> *Client Needs Category—Physiological integrity*
> *Client Needs Subcategory—Physiological adaptation*

68. 4. The most recent cardiopulmonary resuscitation guideline indicates chest compressions should be performed at a rate of at least 100 per minute on any aged individual. The rates in the other options are too slow.

> *Cognitive Level—Remembering*
> *Client Needs Category—Physiological integrity*
> *Client Needs Subcategory—Physiological adaptation*

69. 1. Regardless of whether there is one or two rescuers when resuscitating an adult, the ratio is 30 compressions to 2 breaths. The rate for one rescuer of children or infants is 30 compressions to 2 breaths. When two rescuers are involved in resuscitating children or infants, the rate is 15 compressions to 2 breaths. The ratios in the remaining options are either insufficient or excessive for resuscitating an adult.

> *Cognitive Level—Remembering*
> *Client Needs Category—Physiological integrity*
> *Client Needs Subcategory—Physiological adaptation*

70. 3. An automated external defibrillator (AED) is a portable, battery-operated device that analyzes heart rhythms and delivers an electrical shock to restore a functional heartbeat. Early defibrillation within the first 3 to 5 minutes after a cardiac event, combined with early advanced care, results in 50% or greater long-term survival rates. Successful resuscitation is reduced as the time to defibrillation is delayed. Performing chest compressions, keeping the airway open, and positioning the victim on a hard surface are all important actions during resuscitation, but they are not as beneficial when compared to using an AED.

> *Cognitive Level—Analyzing*
> *Client Needs Category—Physiological integrity*
> *Client Needs Subcategory—Physiological adaptation*

71. 2. If the victim is not breathing and neck trauma is not suspected, the nurse should use the chin-lift/head-tilt method to open the airway. This is performed by using one hand to lift the chin upward to maintain position and placing the other hand across the victim's forehead. The jaw thrust method is used only if the chin-lift/head-tilt method does not open the airway adequately or if the victim might have a neck injury. Placing a hand under the neck is no longer recommended. Clearing the mouth with a finger sweep is not a component of cardiopulmonary resuscitation.

> *Cognitive Level—Applying*
> *Client Needs Category—Physiological integrity*
> *Client Needs Subcategory—Physiological adaptation*

72. 2. The recovery position after successful cardiopulmonary resuscitation (CPR) is a side-lying position with the upper leg flexed. This position helps protect and maintain the airway and prevents aspiration if the client should vomit. The other choices do not adequately maintain the airway.

> *Cognitive Level—Applying*
> *Client Needs Category—Physiological integrity*
> *Client Needs Subcategory—Physiological adaptation*

73. 3. According to the American Heart Association's (AHA's) International Cardiopulmonary Resuscitation (CPR) and Emergency Cardiovascular Care (ECC) Guidelines of 2015 with 2018 updates, bystanders untrained in CPR may assist with CPR by calling 911 and performing chest compressions only. The bystander is instructed to push down 2 in (5 cm) at a rate of at least 100 to 120 beats/minute, which is comparable to the Bee Gees song, *Stayin' Alive*. Compressions should continue until help arrives. Staying with the victim is helpful; however, circulating blood in the victim promotes oxygenation of the tissues. Promoting oxygenation of the tissues is the most important factor during this time to prevent cellular death. Respirations are not as crucial as compressions, so rescue breathing is not required for the untrained bystander, who may be unwilling to provide rescue breathing. Placing the client flat and elevating the feet is important for a client in shock.

Cognitive Level—Understanding
Client Needs Category—Physiological integrity
Client Needs Subcategory—Physiological adaptation

Nursing Care of Clients with Heart Failure

74. 3. The most correct nursing action is to hold the ace inhibitor (lisinopril) and notify the health care provider of the elevated (6.8 mEq/L; 6.8 mmol/L) potassium level. The side effect of lisinopril is hyperkalemia. The nurse would not administer medication without considering the effects of the medications. The blood urea nitrogen and creatinine levels are normal. The nurse would question the metoprolol if the heart rate was lower than 60 bpm. The hemoglobin and hematocrit level are normal for a female and slightly low for a male. A blood transfusion is not indicated.

Cognitive Level—Analysis
Client Needs Category—Physiological integrity
Client Needs Subcategory—Reduction of risk potential

75. 2. Heart failure refers to the heart's ineffective ability to pump blood to the tissues and organs to meet the body's metabolic needs. Heart failure is the accumulation of blood and fluids in the tissues and organs due to poor circulation. Heart failure is divided into two types: left-sided, which produces respiratory distress and pulmonary edema, and right-sided, which causes congestion of blood throughout the venous circulatory system. Left-sided heart failure often precedes right-sided heart failure. Early left-sided heart failure is manifested by shortness of breath and fatigue. Other classic signs and symptoms include a moist cough, orthopnea, tachycardia, restlessness, and confusion. Signs and symptoms of right-sided heart failure include shortness of breath, edema of the feet and ankles, pronounced neck veins, palpitations, tachycardia, weakness and fatigue, and fainting or light-headedness. Anorexia and nausea may have many causes and are not closely associated with heart failure. Headaches are related to hypertension and not heart failure.

Cognitive Level—Analyzing
Client Needs Category—Physiological integrity
Client Needs Subcategory—Physiological adaptation

76. 4. A client with left-sided heart failure is usually most comfortable and has the least amount of difficulty breathing when placed in either a semi-Fowler's, mid-Fowler's, high-Fowler's, or standing position. Sitting and standing positions cause organs to fall away from the diaphragm, giving more room for the lungs to expand. Right-side

lying, left-side-lying, and back-lying positions, even with the knees bent, are inappropriate because they impede good lung expansion.

Cognitive Level—Applying
Client Needs Category—Physiological integrity
Client Needs Subcategory—Physiological adaptation

77. 1. The presence of another person, especially a health care provider, does much to relieve a client's anxiety. This is especially true when the client's perception is one of being helpless or powerless. It is essential for the nurse to make sure that the client is not left alone. Notifying the spouse of the client's fear is inappropriate because the spouse probably will be unable to do anything more in this situation. Telling the client that he or she will be okay is meaningless reassurance and nontherapeutic. The client may accept the offer for a clergy person, but that will not help the client in the immediate situation.

Cognitive Level—Applying
Client Needs Category—Psychosocial integrity
Client Needs Subcategory—None

78. 2. Diuretics such as furosemide deplete potassium as well as sodium. Therefore, it is important for the nurse to monitor for signs of hypokalemia. Normal serum potassium levels are between 3.5 and 5.0 mEq/L (3.5 and 5.0 mmol/L), so a potassium level of 2.5 mEq/L (2.5 mmol/L) should signal the need for immediate attention. Normal serum sodium levels are between 135 and 145 mEq/L (135 and 145 mmol/L), making this choice within the normal range. Normal chloride levels are between 90 and 110 mEq/L (90 and 110 mmol/L), also making this value within normal limits. Bicarbonate is a blood gas value. Normal bicarbonate values are between 21 and 28 mEq/L (21 and 28 mmol/L); therefore, this value is also within the normal range.

Cognitive Level—Applying
Client Needs Category—Physiological integrity
Client Needs Subcategory—Reduction of risk potential

79. 2, 4. Having overgrown fingernails suggests decreased attention to hygiene. Loss of a significant amount of weight suggests the client is not eating properly. Giving away a pet dog may be attributed to several possibilities: reduced ability to provide adequate care or a cost-saving measure. Microwaving meals may be a time-saving measure. Stopping newspaper delivery may be a cost-saving measure or possible depression. Multiple bruises indicate injury from a home accident but not neglect.

Cognitive Level—Applying
Client Needs Category—Psychosocial integrity
Client Needs Subcategory—None

80. 1. If jugular neck veins distend with the head elevated 45 degrees or more, it indicates that an increased volume of blood is not circulating well through the right side of the heart. Tachycardia—not bradycardia—is associated with heart failure. A dry, hacking cough is an indicator of left-sided heart failure and not right-sided heart failure. A flushed, red face is not commonly associated with heart failure; it is related to hypertension.

Cognitive Level—Applying
Client Needs Category—Physiological integrity
Client Needs Subcategory—Physiological adaptation

81. ½ **tablet.**

Half of a 0.25-mg tablet is the correct amount of drug to administer if the prescription is for 0.125 mg. The formula for determining the correct number of tablets is as follows:

$$\frac{\text{Dosage Desired}}{\text{Dosage on Hand}} \times \text{Quantity} = \text{Amount to Administer}$$

$$\frac{0.125}{0.25} \times 1 \text{ tablet} = 0.5 \text{ or } ½ \text{ tablet}$$

Cognitive Level—Applying
Client Needs Category—Physiological integrity
Client Needs Subcategory—Pharmacological therapies

82. 1. Safe medication administration and complete documentation is a standard of practice. The nurse must assess the heart rate prior to administration of the medication. Because digoxin affects cardiac automaticity and the conduction system, it is essential that the nurse monitor the client's apical or radial pulse for 1 full minute before administration of each dose of the drug. If the heart rate is below 60 beats/minute, the dose of digoxin is temporarily withheld. If the pulse rate is significantly decreased or if other arrhythmias develop secondary to the administration of this drug, digoxin immune Fab may be prescribed for its antidigoxin effect. Assessments of orientation status and blood pressure are an important part of a physical assessment but not the most important part of digoxin administration needing assessment and documentation. Assessment of allergies is noted on admission and would not need to be documented each time digoxin is administered.

Cognitive Level—Applying
Client Needs Category—Physiological adaptation
Client Needs Subcategory—Pharmacological therapies

83. 1. A normal serum digoxin level is 0.5 to 2.0 ng/dL. A level higher than 6.0 ng/dL is toxic. The nurse is correct to hold the medication and assess for signs of toxicity. Gastrointestinal symptoms associated with digitalis toxicity include anorexia, nausea, vomiting, and diarrhea. The client may also become drowsy and confused or have visual changes, such as blurred vision, disturbance in seeing yellow and green colors, and a halo effect around objects. Toxic doses of digoxin can also increase cardiac automaticity, causing a rapid heart rate, or depress the conduction of cardiac impulses, causing a slow heart rate. Pinpoint pupils are associated with opioid toxicity. Double vision is associated with myasthenia gravis. Ringing in the ears is a symptom of salicylate toxicity.

Cognitive Level—Analyzing
Client Needs Category—Physiological integrity
Client Needs Subcategory—Pharmacological therapies

84. 1. For the client who exhibits signs and symptoms of heart failure, the main goals include decreasing the heart's workload, improving circulation, and managing fluid retention. The identified goal of improved cardiac output can be measured by assessing the stability of vital signs. Rapid weight loss of 5 lb (2.2 kg) per day is too much and is inappropriate for this goal. Having a decrease in peripheral edema is too subjective and not easily measured. Although an adequate urine output does correlate with improved cardiac output, a 24-hour urine output of 1,000 mL is inadequate; adequate urine output should be about 2,000 mL/day.

Cognitive Level—Applying
Client Needs Category—Physiological integrity
Client Needs Subcategory—Physiological adaptation

Nursing Care of Clients with Conduction Disorders

85. 1. A Holter monitor is used for 24 hours or longer to gather data about a client's heart rhythm patterns during normal daily activity. For an accurate interpretation, it is important to correlate the recorded data with the performance of physical activity. Instructing the client to keep a log is a good way to do this. The client need not assess the radial pulse; the heart rate is determined from the rhythm strip. The client should not alter usual activities of daily living to obtain pertinent data. There is no reason that the client's lower extremities should be elevated while the Holter monitor is in place.

Cognitive Level—Applying
Client Needs Category—Physiological integrity
Client Needs Subcategory—Reduction of risk potential

86. 1. Cardioversion is similar to defibrillation, except that cardioversion is a planned procedure, whereas defibrillation is used in emergency situations. Cardioversion involves administering a mild electric shock to the heart to correct rapid arrhythmias. Cardiac catheterization and angiography involve threading a catheter into the heart. Several types of cardiac imaging, such as multigated acquisition and thallium-201 scans, can be used to assess blood flow to the heart muscle.

Cognitive Level—Applying
Client Needs Category—Physiological integrity
Client Needs Subcategory—Physiological adaptation

87. 2. The purpose of cardioversion is to stop the rapid ectopic cardiac rhythm and reestablish the sinoatrial (SA) node as the pacemaker. If this occurs, the heart beats regularly between 60 and 100 bpm. Such drugs as diazepam and midazolam are used to produce moderate sedation. The client remains awake but usually has no memory of the experience. Equal apical and radial pulse rates are desirable, but this is not an indication of successful cardioversion. The normal difference between the systolic and diastolic blood pressures, also known as the *pulse pressure*, is approximately 40 mm Hg. Adequate cardiac output is generally reflected in a normal blood pressure measurement. However, the primary expected outcome of cardioversion is the restoration of normal cardiac rhythm.

Cognitive Level—Applying
Client Needs Category—Physiological integrity
Client Needs Subcategory—Physiological adaptation

88.

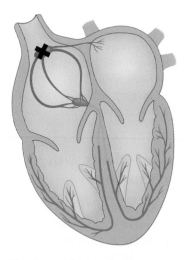

Correct identification of the conduction system and then location of the specialized cardiac tissue are needed to answer this question. The sinoatrial (SA) node is the site of the heart's natural pacemaker. The SA node is called the pacemaker of the heart because it creates the electrical impulses that cause the heart to contract. This specialized tissue is located in the wall of the right atrium between the openings of the superior and inferior vena cavae. A properly functioning SA node initiates regular impulses at a rate of 60 to 100 bpm. Once an impulse is sent from the SA node, it then travels to the left atrium and down several internodal pathways to the AV node, the bundle of His, the right and left bundle branches, and the Purkinje fibers.

Cognitive Level—Applying
Client Needs Category—Physiological integrity
Client Needs Subcategory—Physiological adaptation

89. 4. A permanent pacemaker pulse generator is usually implanted beneath the skin below the left clavicle in right-hand dominant individuals. The right clavicle is used for left-hand dominant individuals. The wire for a temporary pacemaker is inserted through a peripheral vein, not the brachial artery, and then threaded into the right atrium and the right ventricle. Temporary pacemaker wires are placed during cardiac surgery in case a client needs pacing postoperatively. The wires are seen externally from the skin on the chest. The area beneath the nipple is too low for the pacemaker, and most pacemakers are not located in the sternal area.

Cognitive Level—Applying
Client Needs Category—Physiological integrity
Client Needs Subcategory—Physiological adaptation

90. 2. If the artificial pacemaker does not support a heart rate high enough to maintain adequate cardiac output, the client feels dizzy and possibly faints. Tingling in the chest is unrelated to the artificial pacemaker. Pain that radiates

to the arm is a symptom of angina pectoris or myocardial infarction. Tenderness may be caused by an infection.

Cognitive Level—Applying
Client Needs Category—Safe and effective care environment
Client Needs Subcategory—Coordinated care

Nursing Care of Clients with Valvular Disorders

91. 3. Clubbing of the fingertips is a physical change that occurs after years of poor oxygenation. It is found in people with long-term cardiopulmonary diseases. As the name suggests, the fingertips appear like clubs; they are wider than normal at the distal end. The angle at the base of the nail is greater than the normal 160 degrees. A barrel-shaped chest is most common in clients with chronic obstructive pulmonary disease. Flushed facial skin is seen in clients who are feverish or have hypertension or excess blood volume. Chest pain is a sign of impaired tissue oxygenation. It is not usually associated with chronic cardiac disease.

Cognitive Level—Applying
Client Needs Category—Physiological integrity
Client Needs Subcategory—Physiological adaptation

92. 3. Rheumatic fever commonly causes permanent damage to the heart and valves and is often the result of a streptococcal infection (strep throat). About half of clients who had rheumatic fever have narrowed mitral valves. Varicella, rubella, and whooping cough (pertussis) are acute infections, but they are not known to cause damage to heart valves. Intrauterine rubella infection can cause congenital heart defects.

Cognitive Level—Applying
Client Needs Category—Physiological integrity
Client Needs Subcategory—Physiological adaptation

93.

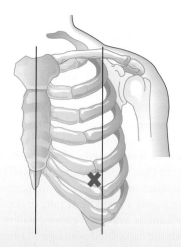

The sound from the mitral valve is best evaluated by auscultating the apical area, which is at the fifth intercostal space in the left midclavicular line. When assessing heart sounds, the auscultatory areas are not directly over the anatomic locations of the heart valves. The aortic valve is best heard at the second intercostal space to the right of the sternum. The pulmonic valve is best heard at the second intercostal space to the left of the sternum. The tricuspid valve is best heard at the fourth intercostal space to the left of the sternum.

Cognitive Level—*Applying*
Client Needs Category—*Physiological integrity*
Client Needs Subcategory—*Physiological adaptation*

94. 1. To maintain adequate perfusion of all the cells in the body during any open-heart surgery, including mitral valve replacement, blood is oxygenated and circulated by cardiopulmonary bypass using a heart-lung machine. Porcine (pork) or bovine (cow) valves and mechanical valves, not harvested leg veins, are used for replacing diseased valvular tissue. Stents are not used to treat defective valves.

Cognitive Level—*Applying*
Client Needs Category—*Physiological integrity*
Client Needs Subcategory—*Physiological adaptation*

95. 2. Ensuring adequate rest between routine self-care activities (such as bathing, oral hygiene, and ambulation) helps the client adapt to activity intolerance. Administering oxygen is appropriate to prevent hypoxemia, but it does not reduce energy expenditure. Analgesics help relieve pain, but they do not relieve shortness of breath. Visits from family and friends are likely to tire the client. However, because most clients benefit from the emotional support of significant others, restricting the client's visitors would not be the first intervention implemented to reduce energy expenditure.

Cognitive Level—*Applying*
Client Needs Category—*Physiological integrity*
Client Needs Subcategory—*Basic care and comfort*

96. 3. When a client is emotionally upset, it is most therapeutic to allow the client to express his or her feelings. Saying nothing or leaving the room is of little help because these actions are not supportive. In this case, the client is not unhappy with the food. Rather, the client is displacing anger and frustration onto an inanimate object. Finding out the food preferences avoids dealing with the emotional issues.

Cognitive Level—*Applying*
Client Needs Category—*Psychosocial integrity*
Client Needs Subcategory—*None*

Nursing Care of Clients with Infectious and Inflammatory Disorders of the Heart

97. 2. To enhance the ability to hear auscultated sounds, it is best to reduce or eliminate noise sources in the room, in this case the television. To auscultate the anterior, posterior, and lateral aspects of the chest, it is best for the client to be in a sitting position. Holding the breath may aggravate the client's already-compromised ventilation and would make assessment of lung sounds impossible. Locating the xiphoid process will not promote the auscultation of heart or breath sounds.

Cognitive Level—*Applying*
Client Needs Category—*Physiological integrity*
Client Needs Subcategory—*Reduction of risk potential*

98. 1. Fainting indicates that the volume of blood ejected from the left ventricle is inadequate to keep the brain oxygenated. Reduced stroke volume is also manifested by hypotension, tachycardia, and a weak pulse, which makes the other options inaccurate.

Cognitive Level—*Applying*
Client Needs Category—*Physiological integrity*
Client Needs Subcategory—*Physiological adaptation*

99. 4. Fear of death is often a cause for increased anxiety in clients who undergo transplantation. Allowing the client to verbalize fears about death or concerns regarding personal finances, employment, length of rehabilitation, sexual performance, or immunosuppressive therapy helps decrease anxiety so that learning can take place. If the client's anxiety escalates to the point where the client is out of control, requesting a prescription for a sedative or hypnotic would be appropriate. Providing a video is inappropriate because there is no way to evaluate whether the client has learned anything. Also, the video may provide too much material to comprehend or be too graphic, causing further anxiety. Certainly, the spouse should be included in the discussions about the procedure and length of rehabilitation. However, having the spouse at the bedside may not lessen the client's anxiety. Therefore, this choice is not the best option.

Cognitive Level—*Applying*
Client Needs Category—*Psychosocial integrity*
Client Needs Subcategory—*None*

100. 2. Because the client has had a heart transplant, assessing urine output is a good indicator of the heart's ability to pump and perfuse the kidneys. Monitoring intake and output also helps the nurse determine whether the client has a fluid volume overload or deficit. Usually, recipients who undergo heart transplantation are fluid restricted until their condition stabilizes; therefore, fluids are monitored. Hemoglobin and hematocrit values are used to help determine when the client needs transfusions. Urine retention is not common.

Cognitive Level—*Applying*
Client Needs Category—*Physiological integrity*
Client Needs Subcategory—*Physiological adaptation*

101. 4. Primary nursing is a model for delivering nursing care in which one nurse individually manages assigned clients' care for the entire shift. Typically, the nurse is assigned a small group of clients, depending on the acuity and needs of the clients. All nursing care delivery models require the nurse to work as part of a multidisciplinary team. A group of nursing personnel that collectively care for a group of clients is a characteristic of a team nursing model. Case management is a delivery care model in which a nurse plans and coordinates the progress of clients through various phases of care to avoid delays, unnecessary testing, and overuse of expensive resources.

Cognitive Level—*Applying*
Client Needs Category—*Safe and effective care environment*
Client Needs Subcategory—*Coordinated care*

6

The Nursing Care of Clients with Vascular, Hematologic, and Lymphatic Disorders

- ■ Nursing Care of Clients with Venous Disorders
- ■ Nursing Care of Clients with Arterial Disorders
- ■ Nursing Care of Clients with Red Blood Cell Disorders
- ■ Nursing Care of Clients with White Blood Cell Disorders
- ■ Nursing Care of Clients with Bone Marrow Disorders
- ■ Nursing Care of Clients with Disorders Affecting the Lymph Nodes
- ■ Test Taking Strategies
- ■ Correct Answers and Rationales

Directions: *With a pencil, blacken the space in front of the option you have chosen for your correct answer.*

Nursing Care of Clients with Venous Disorders

While helping a client onto the examination table, the nurse notes that the client has several large protruding leg veins.

1. What risk factor revealed in the client's health history is **most** closely related to the development of varicose veins?
[ ] **1.** The client's mother also has varicose veins.
[ ] **2.** The client has smoked cigarettes for 20 years.
[ ] **3.** The client was a track athlete in high school.
[ ] **4.** The client is a 50-year-old corporate executive.

2. What client statement can the nurse attribute to varicose leg veins?
[ ] **1.** "My legs ache and feel tired after standing."
[ ] **2.** "I get cramps in my toes during the day."
[ ] **3.** "I wake up at night with a restless feeling in my legs."
[ ] **4.** "I have pain in my shins when I jog."

3. What nursing instruction is **most beneficial** in helping relieve the client's symptoms caused by varicose veins?
[ ] **1.** Elevate your legs frequently during the day.
[ ] **2.** Keep the room temperature above 70°F (21°C).
[ ] **3.** Massage your calves when experiencing leg cramps.
[ ] **4.** Modify your lifestyle to include sedentary activities.

4. The nurse provides discharge instructions to the client with varicose veins. For what planned activity, when stated by the client, would the nurse need to provide additional teaching?
[ ] **1.** Walking in athletic shoes
[ ] **2.** Jogging a mile a day
[ ] **3.** Sitting with crossed knees
[ ] **4.** Wearing leggings

The client is scheduled for a ligation and vein-stripping procedure as treatment for varicose veins.

5. The client asks the nurse how the blood in the lower legs will circulate after surgery. What nursing response is accurate?
[ ] **1.** Some of the arteries begin to function as veins.
[ ] **2.** New veins grow to replace the ones that were removed.
[ ] **3.** Other veins take over the work of those removed.
[ ] **4.** The healthy vein ends are attached to other veins.

6. When the nurse is planning the client's postoperative care, what action is the **priority**?
[ ] **1.** Providing the client with protein-rich foods
[ ] **2.** Ambulating the client frequently
[ ] **3.** Monitoring for wound infection
[ ] **4.** Assessing for frequent leg cramping

A 67-year-old client has developed venous stasis injuries on the lower leg.

7. When assessing the client's lower leg, what findings characteristic(s) of venous stasis injuries is the nurse **most** likely to find? Select all that apply.
[ ] **1.** Purulent drainage from lesions
[ ] **2.** Blanched patches around open areas
[ ] **3.** Dark brown, dry, and crusty skin
[ ] **4.** Fluid-filled blisters
[ ] **5.** Edema in the lower legs
[ ] **6.** Fine red rash below the knee

8. When managing the nursing care for the client with stasis injuries, what intervention is **essential** in promoting venous circulation?
[ ] **1.** Offer the client an analgesic for pain.
[ ] **2.** Apply elastic compression stockings.
[ ] **3.** Maintain a daily fluid intake of at least 2,500 mL.
[ ] **4.** Apply a heating pad to the lower extremity.

9. A client returns to the wound clinic for evaluation of a stasis injury. What nursing observation confirms healing progress?
[ ] **1.** The wound is smaller, and more drainage is present.
[ ] **2.** The wound is smaller, and the client has less discomfort.
[ ] **3.** The wound is smaller, and the cavity appears pink.
[ ] **4.** The wound is smaller, and the margin is white.

The nurse covers the client's leg venous stasis injury with a type of air-occlusive dressing.

10. When the client asks why this type of dressing is used, what is an accurate nursing response?
[ ] **1.** It will reduce the formation of scar tissue.
[ ] **2.** It will relieve pain from skin irritation.
[ ] **3.** It will be less expensive than gauze dressings.
[ ] **4.** It will speed healing by keeping the wound moist.

11. What client should the nurse identify as at highest risk for acquiring gangrene of the foot?
[ ] **1.** An insulin-dependent client with diabetes
[ ] **2.** An older adult with impaired circulation
[ ] **3.** A client who experienced trauma to the toes
[ ] **4.** A client who takes warfarin

A nurse gathers admission history from a 57-year-old client who is scheduled to have abdominal surgery.

12. When reviewing the client's health history, what data correlate with a potential for developing thrombophlebitis? Select all that apply.
[ ] **1.** The client weighs 350 lb (159 kg).
[ ] **2.** The client smokes two packs of cigarettes per day.
[ ] **3.** The client has been on bed rest due to heart failure.
[ ] **4.** The client reports having heaviness in the legs.
[ ] **5.** The client experiences leg cramps at night.
[ ] **6.** The client indicates that when active, there is joint pain.

The client is recovering from abdominal surgery that was performed 2 days earlier.

13. Following the nurse's assessment, what finding is **most likely** to predispose this client to developing venous thrombosis in a lower extremity?
[ ] **1.** The client resists ambulation.
[ ] **2.** The client breathes shallowly.
[ ] **3.** The client requests analgesics frequently.
[ ] **4.** The client drinks coffee excessively.

14. What nursing assessment finding **best** supports the assumption that the client has a thrombus in a leg vein?
[ ] **1.** The foot on the affected leg is pale.
[ ] **2.** The affected leg is warmer than the other.
[ ] **3.** The capillary refill takes 2 seconds.
[ ] **4.** The lower affected leg is swollen.

On the basis of data collection, the client has been diagnosed with thrombophlebitis and is being treated with subcutaneous injections of heparin.

15. What modification is **most appropriate** for the nurse to add to the client's care plan at this time?
[ ] **1.** Ambulate twice each shift.
[ ] **2.** Massage the leg toward the heart.
[ ] **3.** Avoid elevating the client's legs.
[ ] **4.** Discourage active leg exercises.

Warm, moist compresses are ordered for the affected leg.

16. The nurse is gathering supplies and instructing on the procedure. What nursing action is **most appropriate** when applying the warm, moist compress to the affected leg?
[ ] **1.** Heating the water to 120°F (48.8°C)
[ ] **2.** Using sterile technique
[ ] **3.** Inspecting the skin every 4 hours
[ ] **4.** Covering the wet gauze with a towel

Heparin sodium 7,500 units subcutaneously daily is prescribed.

17. Use the information on the drug label to calculate the milliliters of heparin to administer to the client. Record your answer using one decimal point.

LOT/EXP
B11340604
LOT/EXP

See package insert for complete production information
store at controlled room temperature 20° [see USP]
Each ml contains: Heparin sodium. 5,000 USP Units, Also, sodium chloride, 9 mg: benzyl alcohol, 9.45 mg added as preservative

NDC 0009-0291.01
10 mL

Heparin Sodium Injection, USP

from beef lung

5,000 Units/mL

For subcutaneous or intravenous use

_____ mL

18. When the nurse is evaluating for the therapeutic outcome of the heparin administration, which confirms that the heparin is effective?

[ ] **1.** Diagnostic testing shows a decrease in size of blood clots.

[ ] **2.** Doppler ultrasound reveals unrestrictive blood flow.

[ ] **3.** Upon assessment, no further blood clot formation is identified.

[ ] **4.** X ray indicates blood clots have moved.

19. What laboratory value would the nurse review before giving the heparin sodium injection?

[ ] **1.** Partial thromboplastin time (PTT)

[ ] **2.** Red blood cell (RBC) count

[ ] **3.** Hemoglobin (Hb)

[ ] **4.** Prothrombin time (PT)

20. When the nurse withdraws the heparin sodium from the multidose vial, what technique is correct?

[ ] **1.** Remove the rubber stopper on the top of the vial.

[ ] **2.** Instill an equal volume of air as liquid to be withdrawn.

[ ] **3.** Mix the drug by rolling it between both palms.

[ ] **4.** Shake the drug vigorously to promote even distribution.

21. If the client is of average weight for height, what action by the nurse is **most appropriate** when administering the heparin sodium subcutaneously in the abdomen?

[ ] **1.** Selecting the dorsogluteal site

[ ] **2.** Using a 22-gauge, 1.5-in (3.75-cm) needle

[ ] **3.** Inserting the needle at a 90-degree angle

[ ] **4.** Massaging the site immediately afterward

22. After several days of receiving heparin, what nursing assessment should be reported immediately?

[ ] **1.** The client has discomfort at the injection sites.

[ ] **2.** The client notes abdominal bruising from the injections.

[ ] **3.** The client's gums bleed after tooth brushing.

[ ] **4.** The client's stools are soft and light brown in color.

23. The nurse reviews the following laboratory result.

Diagnostics

Add New Diagnostics Order | Acknowledge Pending Orders

Diagnostic Name	Diagnostic Time	Diagnostic Result
aPTT	1500	65 seconds (Reference range: 30 to 40 seconds)

What medication is **most appropriate** for the nurse to have available?

[ ] **1.** Calcium lactate

[ ] **2.** Sodium benzoate

[ ] **3.** Protamine sulfate

[ ] **4.** Aluminum phosphate

A nurse applies prolonged pressure to the injection site of a client who is receiving anticoagulant therapy.

24. What is an accurate analysis of the nurse's action when performed after administering the injection to a client who is concurrently receiving heparin?

[ ] **1.** Prolonged pressure to the injection site is inappropriate as it promotes hematoma formation.

[ ] **2.** Prolonged pressure to the injection site is inappropriate because it delays drug absorption.

[ ] **3.** Prolonged pressure to the injection site is appropriate because it distributes the drug evenly.

[ ] **4.** Prolonged pressure to the injection site is appropriate because it diminishes blood loss.

The client will take warfarin on a daily basis.

25. What client statement offers the **best** evidence to the nurse that the client understands information that should be reported following discharge?

[ ] **1.** "I will need to report having dark amber urine."

[ ] **2.** "I must report having tar-colored stools."

[ ] **3.** "I will call the health care provider if I develop diarrhea."

[ ] **4.** "I will call the health care provider if my skin looks yellow."

26. The nurse instructs that, because of taking warfarin, the client should avoid eating foods containing **large amounts** of vitamin K. What food(s) should the nurse include in the teaching plan? Select all that apply.

[ ] **1.** Fresh spinach

[ ] **2.** Lettuce

[ ] **3.** Turnip greens

[ ] **4.** Brussels sprouts

[ ] **5.** Peas

[ ] **6.** Corn

A postoperative client has been receiving I.V. fluids through the same site for several days.

27. What initial assessment finding would the nurse expect if the client begins developing phlebitis at the I.V. site?

[ ] **1.** The vein is red and feels warm.

[ ] **2.** The vein looks dark and feels cool.

[ ] **3.** The vein is pale and feels hard.

[ ] **4.** The vein looks purplish and feels spongy.

28. What is the **first** nursing action to take when a phlebitis at an I.V. site is suspected?

[ ] **1.** Elevate the affected extremity on pillows.

[ ] **2.** Apply pressure to the I.V. insertion site.

[ ] **3.** Administer the I.V. solution at a faster rate.

[ ] **4.** Remove the needle or catheter from the current site.

Nursing Care of Clients with Arterial Disorders

A 75-year-old client in a skilled nursing facility has peripheral arterial disease (PAD).

29. The client with PAD says to the nurse, "No matter what I do, my legs get painful and then numb." What nursing response is **best**?
[ ] 1. "Focus on your overall health rather than this one problem."
[ ] 2. "Unfortunately, your condition will get worse before it gets better."
[ ] 3. "What are the circumstances that cause the greatest discomfort?"
[ ] 4. "That is a common experience among others with your disorder."

30. What nursing intervention is **most appropriate** if the client experiences cold feet as a result of impaired circulation?
[ ] 1. Applying a commercial heat packet
[ ] 2. Using an electric heating pad
[ ] 3. Wrapping the feet in a warm blanket
[ ] 4. Elevating the feet on a stool

The nurse prepares to use a Doppler ultrasound device to assess blood flow through the client's dorsalis pedis artery.

31. Place an X over the location where the nurse should place the Doppler ultrasound device.

32. What nursing technique is correct when using the Doppler device to assess the client's blood flow?
[ ] 1. The nurse places the probe beside the ankle.
[ ] 2. The nurse applies acoustic gel to the skin.
[ ] 3. The nurse records the time of capillary refill.
[ ] 4. The nurse records the quality of the pulse.

A 36-year-old client with a 7-year history of Raynaud disease comes to donate blood during a community blood drive.

33. The nurse is assessing the client for the effects of the disease process. At which location would the nurse begin?
[ ] 1. Legs
[ ] 2. Hands
[ ] 3. Chest
[ ] 4. Neck

34. When the nurse interviews the client with Raynaud disease, what will the client **most likely** report that triggers the symptoms?
[ ] 1. Exposure to heat
[ ] 2. Exposure to cold
[ ] 3. Exposure to sun
[ ] 4. Exposure to wind

35. When preparing this client's teaching plan, which topic would be included as aggravating to the disease process?
[ ] 1. Wearing gloves
[ ] 2. Emotional stress
[ ] 3. Drinking alcoholic beverages
[ ] 4. Bathing with perfumed soap

A 32-year-old client has been diagnosed with thromboangiitis obliterans, also known as Buerger's disease.

36. When reviewing the health history, what **early** symptom of thromboangiitis obliterans would be identified in the record?
[ ] 1. A heavy feeling in the lower extremities
[ ] 2. Frequent problems with ingrown toenails
[ ] 3. Leg pain accompanying walking or exercise
[ ] 4. Swollen feet at the end of the day

37. What type of therapeutic exercise is most appropriate for the client with Buerger's disease?
[ ] 1. Leg raising
[ ] 2. Knee squats
[ ] 3. Jogging in place
[ ] 4. Quadriceps strengthening

38. When preparing discharge instructions, what activity is stressed as most unsafe to the client?
[ ] 1. Heavy lifting
[ ] 2. Tobacco use
[ ] 3. Airplane travel
[ ] 4. Sexual activity

Ultrasound reveals that a resident of a long-term care facility has an abdominal aortic aneurysm.

39. The nurse reviews the client's health history. What finding(s) indicates factors that have contributed to the development of an abdominal aortic aneurysm? Select all that apply.
[ ] 1. The client has type 2 diabetes mellitus.
[ ] 2. The client has chronic hypertension.
[ ] 3. The client has a sedentary lifestyle.
[ ] 4. The client takes digoxin.
[ ] 5. The client is 80 years old.
[ ] 6. The client smokes cigarettes.

40. What statement, made by the client to the nurse, shows an accurate understanding of the abdominal aortic aneurysm?

[ ] **1.** "I did not realize that I had a heart condition."
[ ] **2.** "It is no wonder that blood clots run in my family."
[ ] **3.** "I will report any severe headaches."
[ ] **4.** "It is scary to know that my vessel wall is weak."

The client refuses surgical treatment and wishes to stay in the long-term care facility.

41. What symptom is the client **most likely** to exhibit if the abdominal aortic aneurysm becomes larger or begins to dissect?

[ ] **1.** Hematuria
[ ] **2.** Indigestion
[ ] **3.** Rectal bleeding
[ ] **4.** Lower back pain

Nursing Care of Clients with Red Blood Cell Disorders

The complete blood count (CBC) of a 71-year-old client indicates that the erythrocytes are below normal.

42. What condition in the client's health history is the nurse accurate in attributing to the client's reduced red blood cell count?

[ ] **1.** Mitral valve insufficiency
[ ] **2.** Arteriosclerotic heart disease
[ ] **3.** Peptic ulcer disease
[ ] **4.** Prostatic hypertrophy

43. During the initial interview, what information provided by the client is **most likely** related to the client's anemia?

[ ] **1.** The client fainted last week at work.
[ ] **2.** The client has occasional headaches.
[ ] **3.** The client's gallbladder has been removed.
[ ] **4.** The client's abdomen is somewhat tender.

44. The nurse reviews the complete blood count (CBC) of the client. What laboratory result is **most indicative** that the client is anemic?

[ ] **1.** Red blood cell count is 4.9 million/mm^3 (4.9 ×10^{12}/L).
[ ] **2.** Red blood cell count is 5.1 million/mm^3 (5.1 ×10^{12}/L).
[ ] **3.** Hemoglobin is 9.2 g/dL (92 g/L).
[ ] **4.** Hemoglobin is 12.0 g/dL (120 g/L).

The health care provider prescribes ferrous sulfate 10 mg/day orally for the client.

45. If the health care provider prescribes the medication at 0830, which time would be best for the first dose to be administered?

[ ] **1.** 1000 between meals
[ ] **2.** 0900 during the medication pass
[ ] **3.** Just before lunch at 1145
[ ] **4.** 2100 with a snack

46. When administering an iron tablet, what beverage would the nurse obtain?

[ ] **1.** Milk
[ ] **2.** Tea
[ ] **3.** Soft drink
[ ] **4.** Orange juice

Three days after going to the clinic, the client phones the health office and explains that it is difficult to swallow the large iron capsule. A liquid iron preparation is prescribed.

47. When instructing the client about the administration of the liquid iron preparation, what information should the nurse provide?

[ ] **1.** Use a straw when taking liquid iron.
[ ] **2.** Drink the liquid iron from a paper cup.
[ ] **3.** Pour the liquid iron over crushed ice.
[ ] **4.** Mix the liquid iron with whole milk.

Iron dextran 100 mg is prescribed intramuscularly because the client's anemia has not sufficiently improved with oral medications.

48. What image demonstrates the **best** technique the nurse should use when administering the iron dextran?

1.

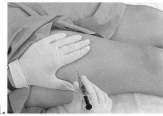

2.

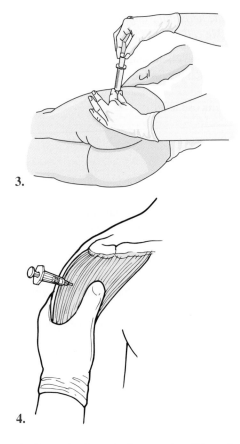

3.

4.

A client who is severely anemic will receive 2 units of packed blood cells.

49. The client verbalizes concern about becoming human immunodeficiency syndrome (HIV) positive from receiving transfusions of publicly donated blood. What is the **best** nursing response?

[ ] **1.** "Blood donors are tested for HIV before their blood is accepted."

[ ] **2.** "Donated blood no longer contains the HIV virus."

[ ] **3.** "Donated blood is tested for HIV antibodies after collection."

[ ] **4.** "There is no way to identify the AIDS virus in blood yet."

50. When the client asks how a unit of packed blood cells are different from the usual blood transfusion, what response by the nurse is **most** accurate?

[ ] **1.** Packed cells contain the same blood cells in less fluid volume.

[ ] **2.** Packed cells contain more blood cells in the same fluid volume.

[ ] **3.** Packed cells are less likely to cause an allergic reaction.

[ ] **4.** Packed cells will stimulate the client's bone marrow to function.

The client has type A, Rh-positive blood. The licensed practical nurse is delegated by the registered nurse to obtain the blood from the facility laboratory.

51. When checking the label on the blood, what blood type would the nurses identify as being incompatible?

[ ] **1.** Type A, Rh negative

[ ] **2.** Type O, Rh positive

[ ] **3.** Type O, Rh negative

[ ] **4.** Type AB, Rh positive

52. During the first 15 minutes of the blood infusion, what assessment finding strongly suggests that the client is experiencing a transfusion reaction?

[ ] **1.** The client feels an urgent need to urinate.

[ ] **2.** The client's blood pressure becomes low.

[ ] **3.** The client has localized swelling at the infusion site.

[ ] **4.** The client's skin is pale at the site of the infusion.

53. A licensed practical nurse is asked to monitor the client who has just begun receiving a unit of blood. The nurse obtained vital signs at 1300. When should the nurse check the client's vital signs **next**?

[ ] **1.** 1305

[ ] **2.** 1315

[ ] **3.** 1330

[ ] **4.** 1400

54. The nurse who is monitoring the administration of a unit of blood is concerned about the time it is taking for the blood to infuse. What is the maximum amount of time that a unit of blood is safe to infuse?

[ ] **1.** One hour

[ ] **2.** Two hours

[ ] **3.** Three hours

[ ] **4.** Four hours

55. The nurse prepares to discontinue the transfusion tubing and empty container of blood when the transfusion is completed. What nursing action is **best** for disposing the equipment?

[ ] **1.** Place the transfusion equipment in a puncture proof container.

[ ] **2.** Place the transfusion equipment in a trash container in the utility room.

[ ] **3.** Place the transfusion equipment in a biohazard bag in a designated container.

[ ] **4.** Place the transfusion equipment in the waste container in the client's room.

A 30-year-old client who is experiencing a sickle cell crisis is admitted to the hospital.

56. What image is **most** representative of the abnormal cells in sickle cell anemia?

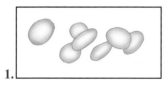

2.

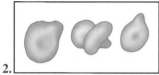

3.

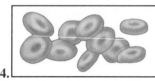

4.

57. What nursing intervention is the nurse's **priority** during the client's sickle cell crisis?
[ ] **1.** Improving nutrition
[ ] **2.** Controlling pain
[ ] **3.** Assisting ventilation
[ ] **4.** Relieving anxiety

58. If the nurse observes that the knee of the client in sickle cell crisis is edematous, what nursing measure is **most appropriate** to add to the care plan at this time?
[ ] **1.** Help the client to perform passive range-of-motion exercises.
[ ] **2.** Assist the client in changing positions to achieve comfort.
[ ] **3.** Ambulate the client at frequent intervals during the day.
[ ] **4.** Encourage the client to perform quadriceps setting exercises.

59. What nursing intervention is **best** for maintaining tissue perfusion during a sickle cell crisis?
[ ] **1.** Provide the client with a large quantity of fluids.
[ ] **2.** Assist the client with applying thigh-high elastic stockings.
[ ] **3.** Elevate the client's lower extremities.
[ ] **4.** Have the client dangle the legs over the side of the bed.

The nurse reviews the hereditary implications and precipitating factors of sickle cell anemia with the client.

60. The nurse teaches the client that the sickle cell crisis can be triggered by which precipitating factor(s)? Select all that apply.
[ ] **1.** Low blood glucose level
[ ] **2.** Fatigue
[ ] **3.** Overexertion
[ ] **4.** Overhydration
[ ] **5.** Fever
[ ] **6.** Smoking

61. When the client asks the nurse to elaborate on the significance of having the sickle cell trait, what response is accurate?
[ ] **1.** "People with sickle cell trait manifest the disease later in life."
[ ] **2.** "People with sickle cell trait have a milder form of disease symptoms."
[ ] **3.** "People with sickle cell trait do not develop symptoms of the disease."
[ ] **4.** "People with sickle cell trait have a much shorter life expectancy."

Nursing Care of Clients with White Blood Cell Disorders

62. The nurse is instructing the unlicensed assistive personnel of precautions needed when a client has a white blood cell count of 2.4 cells/mm³ (2.4×10^9/L). What nursing measure is **most important**?
[ ] **1.** Performing conscientious hand hygiene
[ ] **2.** Wearing a gown when providing care
[ ] **3.** Applying direct pressure on all puncture wounds
[ ] **4.** Obtaining vital signs every 4 hours

63. How can the nurse be **best** protected from acquired immunodeficiency syndrome (AIDS) when caring for a client with an unknown infectious status?
[ ] **1.** Wear a face mask when changing dressings.
[ ] **2.** Refrain from capping needles after injections.
[ ] **3.** Wear a cover gown when giving a bed bath.
[ ] **4.** Put on gloves before taking the client's vital signs.

A high school student presents with fatigue and a low-grade fever.

64. When the nurse obtains the client's history and performs a physical assessment, what information suggests that the client may have infectious mononucleosis? Select all that apply.
[ ] **1.** The client has a red pharynx.
[ ] **2.** The client has lost weight.
[ ] **3.** The client has been vomiting.
[ ] **4.** The client's cervical lymph nodes are large.
[ ] **5.** The client has swollen tonsils.

65. The nurse includes health teaching on transmission precautions when caring for the client with infectious mononucleosis. What information is **most appropriate**?
[ ] **1.** Avoid sharing food with anyone.
[ ] **2.** Wash your hands frequently.
[ ] **3.** Refrain from contact with others.
[ ] **4.** Wear a face mask in public.

66. The nurse interacts with the parent of the client with infectious mononucleosis who reports having arguments as a consequence of controlling the adolescent's extracurricular activities. What nursing response is **best**?
[ ] **1.** "You are feeling very frustrated."
[ ] **2.** "Your adolescent is just going through a phase."
[ ] **3.** "All adolescents rebel against restrictions."
[ ] **4.** "You are doing everything you can."

A 24-year-old client makes an appointment with a clinic health care provider because of unexplained weight loss. When obtaining the client's history, the nurse suspects that the client's signs and symptoms are suggestive of human immunodeficiency virus (HIV) infection. Several laboratory tests are prescribed to validate the client has acquired immunodeficiency syndrome (AIDS).

67. What diagnostic test is completed **first** as an initial screening to determine if the client has developed antibodies to HIV?
[ ] **1.** Monospot heterophile test
[ ] **2.** Comprehensive metabolic profile
[ ] **3.** Enzyme-linked immunosorbent assay (ELISA)
[ ] **4.** Venereal Disease Research Laboratory (VDRL) test

68. What instruction(s) about safer sex practices is appropriate for the nurse to discuss with the client who tests positive for HIV? Select all that apply.
[ ] **1.** Brush teeth after oral intercourse.
[ ] **2.** Reduce sexual partners to one.
[ ] **3.** Do not reuse condoms.
[ ] **4.** Avoid anal intercourse.
[ ] **5.** Engage in nonpenetrating sexual activities.

A client with acquired immunodeficiency syndrome (AIDS) is admitted to the hospital with an opportunistic respiratory infection. The client's statements to the nurse imply a sense of hopelessness.

69. When planning care for this client, what approach is **most therapeutic**?
[ ] **1.** Encourage the client to set small, daily goals.
[ ] **2.** Refer the client to the hospital chaplain.
[ ] **3.** Provide distractions such as watching television.
[ ] **4.** Recommend that the next of kin be contacted.

A 25-year-old client is admitted for diagnostic tests because the white blood cell count is extremely elevated. The client is suspected of having leukemia.

70. When informed about the possible diagnosis, the client says, "I ate breakfast before the blood tests were drawn, which explains the abnormal results." What mental defense mechanism is the client using?
[ ] **1.** Suppression
[ ] **2.** Compensation
[ ] **3.** Rationalization
[ ] **4.** Denial

71. The nurse will assist with a bone marrow aspiration on a client with leukemia. Place an *X* where the nurse will focus preparation for the procedure.

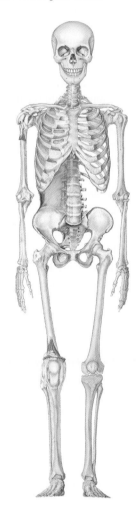

The bone marrow aspiration confirms the client's diagnosis of leukemia.

72. The nurse finds the client crying shortly after being informed of the diagnosis. What nursing response is **best**?
[ ] **1.** "I am sorry that this is upsetting."
[ ] **2.** "Why are you crying?"
[ ] **3.** "You seem terribly upset."
[ ] **4.** "Think positive thoughts."

Antineoplastic drug therapy is planned for the client with leukemia.

73. The client with leukemia tells the nurse about considering raw organic protein powder rather than continuing with chemotherapy. What nursing response is **best**?
[ ] **1.** "How did you hear about that treatment?"
[ ] **2.** "Have you discussed this with your oncologist?"
[ ] **3.** "Perhaps the two treatments could be combined."
[ ] **4.** "You should think twice about any self-treatment."

The nurse notes that the client's mouth bleeds after brushing the teeth.

74. What alternative form of oral care is **most appropriate** at this time?
[ ] **1.** Use foam mouth swabs.
[ ] **2.** Use only dental floss.
[ ] **3.** Use an antiseptic mouthwash.
[ ] **4.** Eliminate the use of toothpaste.

75. When assisting the client with selecting foods from the menu, what food choice should the nurse suggest?
[ ] **1.** Spaghetti with meatballs
[ ] **2.** Grilled cheese sandwich
[ ] **3.** Salad with French dressing
[ ] **4.** Creamed potato soup

In addition to an abnormal white blood cell count, laboratory test results indicate that the client has a platelet count of 75,000/mm³ (75 ×10⁹/L).

76. On the basis of the client's platelet count, what nursing intervention is **most appropriate** at this time?
[ ] **1.** Limiting the client's visitors to family
[ ] **2.** Instituting neutropenic precautions
[ ] **3.** Using small-gauge needles for injections
[ ] **4.** Providing rest periods between activities

Two years after the client's initial treatment, the client is hospitalized again. Although the client's condition is stable, the health care provider has informed the client and the family that the client will probably not survive for more than 6 months.

77. What is the **best** example of the nurse in the role of client advocate?
[ ] **1.** The nurse allows the client to direct wishes for personal care.
[ ] **2.** The nurse discusses hospice care with the client's family.
[ ] **3.** The nurse supports the client's wishes to have no further invasive procedures.
[ ] **4.** The nurse decorates the client's room with cards from friends and family.

Nursing Care of Clients with Bone Marrow Disorders

A health care provider examines a client with purpura and makes a tentative diagnosis of idiopathic thrombocytopenia.

78. When the nursing team meets to develop a care plan for the client, what would be considered a nursing **priority**?
[ ] **1.** Encouraging fluids
[ ] **2.** Promoting activity
[ ] **3.** Restricting visitors
[ ] **4.** Preventing injury

A 79-year-old client is admitted for treatment of multiple myeloma.

79. What type of infection control measure is appropriate when providing nursing care for this client?
[ ] **1.** Contact precautions
[ ] **2.** Airborne precautions
[ ] **3.** Droplet precautions
[ ] **4.** Standard precautions

80. The nurse reviews the laboratory blood work on the client with multiple myeloma. What finding is **most** likely to be present?
[ ] **1.** Elevated serum calcium
[ ] **2.** Decreased serum potassium
[ ] **3.** Elevated serum sodium
[ ] **4.** Decreased serum chloride

81. What nursing measure is **essential** when caring for the client with multiple myeloma?
[ ] **1.** Monitoring intake and output
[ ] **2.** Managing the client's pain
[ ] **3.** Preventing skin breakdown
[ ] **4.** Promoting weight loss

82. The client asks the nurse why he is on fall precautions. What is the nurse's **best** explanation?
[ ] **1.** Everyone older than age 65 is on fall precautions.
[ ] **2.** Your diagnosis puts you at high risk for fractured bones.
[ ] **3.** Fall precautions comply with safety policies of the facility.
[ ] **4.** It is a reminder for you to ask for assistance with ambulation.

Corticosteroid therapy is planned for the client with multiple myeloma.

83. The nurse prepares to administer 30 mg of prednisone syrup. The supply dose is 15 mg per teaspoon. How many milliliters should the nurse administer? Record your answer in a whole number.

_____ mL

84. While the nurse examines the client who has been receiving prolonged treatment with corticosteroids, what assessment finding is **most likely** related to the drug therapy?
[ ] **1.** The client's voice is quite husky.
[ ] **2.** The client's face is moon shaped.
[ ] **3.** The client's muscles are large.
[ ] **4.** The client's skin looks tanned.

85. What statement made by the client **best** supports the nurse's suspicion of a complication resulting from the use of corticosteroids?
[ ] **1.** "I have experienced heartburn lately."
[ ] **2.** "I have been taking long naps daily."
[ ] **3.** "I have lost my appetite for food."
[ ] **4.** "I have noticed my urine is light yellow."

86. The nurse suspects that the client with multiple myeloma is anxious and depressed. What nursing recommendation is **best** for helping the client cope with the disorder?
[ ] **1.** Develop a hobby.
[ ] **2.** Read about the disease.
[ ] **3.** Maintain a network of support.
[ ] **4.** Reduce lifestyle demands.

87. What approach is most likely to be cost effective to complete all care and teaching the client needs before discharge without exceeding the days allowed by health insurance reimbursement systems?
[ ] **1.** Developing individualized nursing care plans
[ ] **2.** Following the health care provider's daily prescriptions
[ ] **3.** Using multidisciplinary clinical pathways
[ ] **4.** Implementing Joint Commission standards

The health care provider plans to perform a bone marrow aspiration on a 67-year-old client who has had unexplained low counts of all blood cell components. The health care provider suspects aplastic anemia.

88. The client will receive midazolam for conscious sedation during the bone marrow aspiration, what equipment is **most important** for the nurse to use during the procedure?
[ ] **1.** Blood pressure equipment
[ ] **2.** Pulse oximeter
[ ] **3.** Supplemental oxygen
[ ] **4.** I.V. infusion pump

89. What nursing assessment is the **priority** following a bone marrow aspiration?
[ ] **1.** Assess fluctuations in blood pressure readings.
[ ] **2.** Assess pressure dressing for bleeding at puncture site.
[ ] **3.** Assess changes in cardiac rate and rhythm.
[ ] **4.** Assess for any change in level of consciousness.

The results of the bone marrow aspiration confirm that the client has aplastic anemia based on significantly low red blood cell, white blood cell, and platelet counts.

90. When the nurse is providing care to the client, what assessment finding is **most related** to the client's low platelet count?
[ ] **1.** Multiple bruises
[ ] **2.** Pale skin color
[ ] **3.** Elevated body temperature
[ ] **4.** Cool extremities

The client with aplastic anemia has consented to have a bone marrow transplant. The client undergoes total body irradiation.

91. What is the nursing **priority** for this client immediately before, and for several weeks after, the bone marrow transplantation?
[ ] **1.** Relieving depression
[ ] **2.** Promoting nutrition
[ ] **3.** Preventing infection
[ ] **4.** Monitoring hydration

Nursing Care of Clients with Disorders Affecting the Lymph Nodes

A 78-year-old client has just been admitted to a long-term care facility. The client's right arm is swollen due to lymphedema.

92. What finding in the client's medical history can the nurse **most likely** attribute to the development of lymphedema?
[ ] **1.** A healed fracture of the humerus
[ ] **2.** A radical mastectomy 25 years ago
[ ] **3.** Rickets as a very young child
[ ] **4.** A smallpox vaccination in the arm

93. What nursing intervention is **essential** to include in the care plan of the client with lymphedema?
[ ] **1.** Avoid giving injections in the right arm.
[ ] **2.** Avoid turning the client on the right side.
[ ] **3.** Avoid active exercise of the right arm.
[ ] **4.** Avoid trimming the fingernails on the right hand.

A 32-year-old client with a diagnosis of Hodgkin lymphoma is admitted to the hospital.

94. The **most likely** finding when the nurse palpates the client's cervical lymph nodes is that the lymph nodes are:
[ ] **1.** enlarged and painless.
[ ] **2.** small and firm.
[ ] **3.** enlarged and painful.
[ ] **4.** fixed and hard.

95. On admission, the client informs the nurse about using daily herbal therapy as a routine health practice. What nursing action is **most appropriate**?

[ ] **1.** Determine if herbal therapy is part of a naturalistic therapy regimen.

[ ] **2.** Recommend discontinuing use of herbs immediately.

[ ] **3.** Report the kind of herbs the client is currently using.

[ ] **4.** Disregard the information as herbs do not interfere with cancer treatment.

The client is scheduled to undergo external radiation of the cervical and axillary lymph nodes.

96. What nursing instruction should be included in the teaching plan when preparing the client for radiation therapy?

[ ] **1.** "Prevent getting the skin wet around your neck and under your arms."

[ ] **2.** "Avoid using any deodorants containing aluminum hydroxide."

[ ] **3.** "Shave the hair from your neck and underarms daily."

[ ] **4.** "Apply zinc oxide ointment to the radiated area after each treatment."

97. What response by the nurse is **most appropriate** when the client becomes concerned that the irradiated skin is red?

[ ] **1.** Explain to the client that this is an expected outcome with radiation.

[ ] **2.** Instruct the client that the heat from radiation causes vasodilation.

[ ] **3.** Inform the client that the redness indicates superficial bleeding.

[ ] **4.** Reassure the client that the redness is hardly noticeable.

The client will continue radiation treatment as an outpatient after discharge from the hospital.

98. What nursing instruction about being in the outdoor environment is **most** important to include in the client's discharge plan?

[ ] **1.** Be sure to wear several layers of warm clothing when outside.

[ ] **2.** Avoid becoming chilled or too warm.

[ ] **3.** Wear a mask when outdoors to filter dust and pollen.

[ ] **4.** Protect your irradiated skin from sunlight.

A client with advanced non-Hodgkin lymphoma is being treated with antineoplastic drugs to control the disease.

99. What finding should the nurse report **immediately** because it indicates that the client requires neutropenic precautions?

[ ] **1.** Anorexia and weight loss

[ ] **2.** Frequent diarrhea

[ ] **3.** Low white blood cell count

[ ] **4.** Disorientation and confusion

The client's disease fails to respond to medical treatment. The nurse is present when the client is told that the condition is terminal.

100. What nursing action is **most helpful** in assisting the client to deal with impending death?

[ ] **1.** Contacting the client's choice of clergyperson

[ ] **2.** Allowing privacy to reflect on the news

[ ] **3.** Encouraging communication regarding feelings

[ ] **4.** Suggesting a second opinion by another health care provider

Test Taking Strategies

Nursing Care of Clients with Venous Disorders

1. Use the process of elimination to help select the option that identifies the risk factor that correlates with the development of varicose veins more so than any other. Recall that having a blood relative with varicose veins is a predisposing factor for this disorder.

2. Use the process of elimination to select the option that identifies the sign or symptom that correlates with having varicose veins. Recall that stasis of venous blood results in engorgement of blood vessels in the lower extremities, causing discomfort that becomes more noticeable when the legs are in a dependent position for a period of time.

3. Note the key words "most beneficial." Select the option that identifies the best method for relieving the symptoms caused by varicose veins. Recall that elevating the legs uses gravity to promote the flow of venous blood back to the heart.

4. Use the process of elimination to select the option that identifies an activity that would aggravate the symptoms and discomfort caused by varicose veins. Recall that crossing the legs at the knees interferes with venous circulation and the transport of venous blood to the right side of the heart.

5. Use the process of elimination to select the option that correctly describes the manner that venous circulation occurs postoperatively. Recall that venous blood will return to the right side of the heart via smaller collateral veins in the legs rather than stagnate in distended tortuous varicose veins.

6. Note the key word "priority" indicating one option is more important than any other. Select the option that is best for promoting venous circulation. Recall that unlike arterial blood, which is circulated by the contraction of the left ventricle, venous blood requires skeletal muscle contraction to move blood toward the heart. Inactivity contributes to the formation of thrombi.

7. Choose the options that correlate with the appearance of stasis injuries. Recall that stasis ulcers are caused by impaired venous circulation.

8. Note the key word "essential" indicating one nursing intervention is better than the others for promoting venous circulation. Recall that valves within the veins prevent pooling of blood in the veins. Supporting the valves using elastic compression stockings reduces the potential for venous stasis.

9. Use the process of elimination to select the option that identifies the best evidence that a stasis injury is healing. Recall that pink tissue reflects adequate circulation and oxygenation to the tissue.

10. Use the process of elimination to select the option that correlates with the main advantage for using an air-occlusive dressing. Recall that a moist wound heals more rapidly and efficiently than one that is exposed to conditions that dry the wound.

11. Analyze the options to determine the client who is most susceptible to developing gangrene. Recall that there are several precipitating factors related to gangrene, but the underlying reason is vascular insufficiency.

12. Read the choices carefully. Use the process of elimination to select options that correlate with risk factors for thrombophlebitis. Recall that conditions that are associated with venous stasis can lead to the formation of clots.

13. Note the key words "most likely." Use the process of elimination to select the option that describes a client behavior that predisposes to the formation of a thrombus more so than any other. Recall that muscle contraction propels venous blood through valves in the path toward the right side of the heart. Resisting ambulation allows venous blood to stagnate and clot.

14. Use the process of elimination to select the option that identifies the most prominent sign that correlates with a thrombus more so than other options. Recall that the obstructed flow of blood through the vein with the thrombus will cause localized swelling.

15. Note the key words "most appropriate." Select an option that is better than the others in relation to the care of a client who has thrombophlebitis. Recall that bed rest is no longer required and has been found to be less beneficial than activity.

16. Note the key words "most appropriate." Look for the option that identifies a standard of practice that applies to the therapeutic use of heat. Recall that covering the moist compress helps to retain warmth and reduce evaporation of the moisture.

17. Analyze the information on the drug label. Use a dosage calculation method to determine the volume of one dose of heparin sodium from a multidose vial that contains 5,000 units/mL.

18. Analyze the options to determine an accurate explanation of heparin's mechanism of action. Recall that heparin will not affect the clot that has already formed; the body's production of endogenous plasmin will eventually liquefy it. However, heparin will reduce the risk of forming additional clots.

19. Use the process of elimination to select the option that correlates with the laboratory test result that is key to maintaining the safety of a client receiving heparin therapy. Recall that a partial thromboplastin time (PTT) is used to monitor and prescribe the changing doses of heparin. One method for remembering the difference between a prothrombin time (PT) and PTT is that the two Ts in PTT resemble an H. H stands for heparin.

20. Analyze the options to select one that correlates with the manner in which heparin is withdrawn from a multidose vial. Recall that adding air to the vial increases the pressure within the container, making it easier to fill the syringe with the parenteral medication.

21. Note the key words "most appropriate" and apply them to the four options. Select the option that identifies the correct technique for administering a subcutaneous injection when the client is normal weight for height. Recall that the proper location of heparin administration is in the abdomen with the needle at a 90-degree angle; however, a 45-degree angle can be used if the client is thin.

22. Analyze the choices to determine the option that correlates with a potential threat to the client's safety as a result of heparin therapy. Recall that significant bleeding, such as that which may occur during oral hygiene, should be reported.

23. Note the laboratory value which monitors heparin therapy as elevated. Use the process of elimination to select the option that correlates with the drug that is used as an antidote for the anticoagulating effect of heparin. Although the exact mechanism is unknown, it is believed that protamine sulfate, which is a basic substance, combines with heparin, which is strongly acidic, to form a stable complex that counteracts heparin's anticoagulant effect.

24. Analyze the choices to determine whether the nurse's action is appropriate or inappropriate. Select the option that identifies the correct rationale for applying pressure to the anticoagulant injection site. Recall that applying pressure controls the potential for bleeding in and around an injection site.

25. Use the process of elimination to select the option that identifies the best evidence that the client understands a sign that anticoagulant therapy is having an adverse effect. Recall that bleeding in the upper gastrointestinal tract correlates with having black stools.

26. Note the key words "large amounts." Read the list of choices carefully. Select options that correlate with foods that are high in vitamin K and should be avoided in large amounts when taking warfarin. Recall that eating foods containing vitamin K in consistent amounts is appropriate.

27. Use the process of elimination to select the option that correlates with the appearance of a phlebitis at the site of an I.V. line. Recall that the cardinal signs of an inflammation include redness and localized warmth.

28. Note the key word "first" indicating the priority nursing action. Use the process of elimination to select the option that identifies the action the nurse should take initially when suspecting phlebitis has developed. Recall that the goal is to eliminate the causative factor contributing to the phlebitis.

Nursing Care of Clients with Arterial Disorders

29. Apply principles of therapeutic and nontherapeutic communication when analyzing the statements in each option. Recall that asking an open-ended question is a therapeutic communication technique. Giving advice, being nonempathetic, and belittling are examples of nontherapeutic communication.

30. Note the key words "most appropriate" when reviewing the four options. Select the intervention for warming the feet of a client with impaired arterial circulation that is better than any of the others. Recall that older adults are more prone to thermal injury, so applying a warm blanket is safer than using methods such as heating pads or heat packets.

31. Examine the image. Determine the anatomic location for assessing the quality of blood flow through the dorsalis pedis artery. Recall that a Doppler ultrasound device can project the sound of pulsations when placed in the same area as the dorsalis pedis artery located on the top of the foot.

32. Use the process of elimination to select the option that identifies the correct technique for assessing the dorsalis pedis artery with a Doppler ultrasound device. Recall that acoustic gel helps reduce resistance to sound transmission so the nurse can better hear the pulsating sound made by the blood as it moves through the artery.

33. Use the process of elimination to select the primary location of the symptoms experienced by someone with Raynaud disease. Recall that the hands are most commonly affected.

34. Note the key words "most likely." Select the option that correlates best with the onset of symptoms caused by Raynaud disease. Recall that the symptoms of this disease are due to constriction of arteries and arterioles, which may be exacerbated by exposure to cold.

35. Use the process of elimination to select an option that identifies a behavior that a client with Raynaud disease should avoid. Recall that the pathophysiology of this disorder involves vasoconstriction. Consequently, avoiding stress, which is accompanied by the release of adrenaline, a vasoconstricting neurochemical, should be encouraged.

36. Analyze the choices to determine the option that describes an early symptom experienced by a person with thromboangiitis obliterans. Recall that pain is a cardinal symptom of inflammation. Because thromboangiitis obliterans involves inflammation of blood vessels in the lower legs, it is generally accompanied by pain, especially during active exercise.

37. Use the process of elimination to select the option that correlates best with the manner in which Buerger-Allen exercises are performed. Recall that these exercises are meant to improve circulation by emptying vessels filled with stagnant blood that may form clots. Raising followed by lowering the legs helps reduce the potential for ischemia and pain.

38. Use the process of elimination to select the option that is most important for a client with Buerger's disease should avoid. Recall that smoking causes vasoconstriction. Smoking cessation is the single most effective measure for preventing the progression of the disease and avoiding amputation.

39. Read all the options carefully. Use the process of elimination to select options that correlate with risk factors for abdominal aortic aneurysm. Recall that hypertension, age, and smoking correlate with vascular complications.

40. Use the process of elimination to select the option that provides subjective data that the client understands the pathology associated with an abdominal aortic aneurysm. Recall that the portion of affected aorta, rather than remaining straight, bulges due to a structural weakness caused by a reduction of elastin in the vessel wall.

41. Use the key words "most likely" to narrow the selection among the options to one that identifies a symptom that is most characteristic of an aortic dissection. Recall that rupture may be the first indication that an abdominal aortic aneurysm has formed. Clients generally report unrelenting pain that radiates through the abdomen to the back.

Nursing Care of Clients with Red Blood Cell Disorders

42. Use the process of elimination to select the option that correlates with a condition that may be the etiology underlying a low number of red blood cells. Recall that peptic ulcer disease, if untreated or ineffectively treated, may result in chronic blood loss that can eventually lead to anemia.

43. Note the key words "most likely." Use the process of elimination to select the option that correlates more than any of the others with a manifestation of anemia. Recall

that the brain is very sensitive to impaired oxygenation and low blood pressure, which may be manifested by light-headedness, dizziness, or fainting.

44. Use the process of elimination to select the option that identifies an abnormal laboratory test result. Recall that hemoglobin levels may vary from 12 to 15.5 g/dL (120 to 155 g/L) in adult women and 13.5 to 17.5 g/dL (135 to 175 g/L) in men.

45. Select the option that identifies the optimum time for the client to self-administer an iron supplement. Recall that iron is best taken when the stomach is empty because the undiluted hydrochloric acid in gastric secretions provides an optimum medium for iron absorption. Food should no longer be in the stomach 2 hours after eating a meal. Unfortunately, some do not tolerate the gastrointestinal side effects when taking the medication without food; enteric-coated forms also are available. Although taking iron with food is less desirable, it is better than totally omitting the iron supplement.

46. Use the process of elimination to select the option that correlates with a beverage that enhances the absorption of iron. Recall that increasing stomach acidity enhances absorption of many drugs, including an iron supplement. Because orange juice contains ascorbic acid (vitamin C), it is the best answer from among the options for facilitating a greater absorption of iron.

47. Use the process of elimination to select the option that correlates with a technique for administering an iron supplement in liquid form. Recall that liquid iron temporarily stains the teeth. To avoid an unaesthetic appearance, liquid iron should be diluted and consumed through a straw. Brushing the teeth with baking soda once a week may also reduce the staining effect.

48. Review the four images. Identify the best method for injecting iron dextran. Recall that iron dextran stains the tissue and that administering a medication that is irritating or may discolor tissue should be administered using a z-track technique.

49. Note the key word "best" to select the nursing response that is better than the others. Recall that all donated blood is tested for HIV and discarded if the virus is present. Although this may not ensure total protection from HIV infection, the outcome has shown extremely positive results. According to the Centers for Disease Control and Prevention, nearly all transmissions of HIV through transfused blood or blood products occurred before screening of the blood for HIV was initiated in 1985.

50. Use the process of elimination to select the option that identifies the most accurate explanation of how a transfusion of packed cells differs from one of whole blood. Recall that after withdrawing some of the serum what remains are packed cells.

51. Use the process of elimination to select the option that correlates with the blood type that is incompatible with that of the client if it is used in a blood transfusion. Recall that blood of the same type (A, Rh positive or negative) or the universal donor (O, Rh positive or negative) is compatible, but administering type AB, Rh positive or negative to this client would cause an incompatibility reaction.

52. Use the process of elimination to select the option that correlates with a transfusion reaction. Recall that anaphylaxis, an allergic reaction to incompatible antigens in the donated blood, results in shock symptoms such as hypotension almost immediately as the blood begins to infuse.

53. Note the key word "next," in reference to the timing for taking vital signs following the initial infusion of blood. Recall that a transfusion reaction can occur at any time, but the most serious transfusion reactions occur in the first 15 minutes when blood begins to infuse. The client who is receiving blood should be observed the entire first 15 minutes. After taking the vital signs in 15 minutes, the nurse responsible for monitoring the client can leave the client alone but should return to assess the client and obtain vital signs at hourly intervals if there are no signs of a transfusion reaction. A last set of vital signs are taken when the transfusion has completed.

54. Review the choices and select the option that correlates with the maximum time for a safe infusion of a unit of blood. Recall that as cold blood warms, there is a potential for growth of microorganisms. The standard of care is that blood must be fully infused within 4 hours.

55. Read each choice carefully. Select the option that describes the required method for disposing of medical waste such as blood and blood products. Recall that medical waste must be disposed in such a way as to prevent potential transmission of infectious bloodborne diseases.

56. Examine the examples in the four images. Select the image that resembles the appearance of red cells that contain the abnormal hemoglobin among those with sickle cell anemia. Recall that the red cells change from donut to rod and crescent shaped.

57. Note the key word "priority," which indicates one option represents a major concern. Use the process of elimination to select the option that correlates with the problem the nurse must attend to when caring for a client experiencing a sickle cell crisis. Recall that vascular occlusion results in tissue ischemia and severe pain.

58. Note the key words "most appropriate." Use the process of elimination to select the option that describes the best nursing measure when caring for a client with an edematous knee secondary to the effects caused by sickle cell crisis. Recall that during sickle cell crisis, the client has severe pain. Exercise and movement tend to contribute to discomfort, but helping the client change positions may reduce pain.

59. Use the process of elimination to help select the option that identifies the best intervention for maintaining tissue perfusion in the client experiencing a sickle cell crisis. Recall that a low volume of circulating fluid contributes to the clustering of sickled cells; therefore, increasing fluid intake will help mobilize the bolus of cells and increase blood flow to the ischemic tissue.

60. Read all the options carefully. Select the options from among those provided that trigger sickling of the blood cells. Recall that a sickling crisis can be precipitated when there is insufficient oxygen to cells. Some examples include exercise, stress, deficient fluid volume, cold environment, infections, and smoking.

61. Note the key word "accurate." Use the process of elimination to select the option that identifies a correct response to the client's question about the significance of having sickle cell trait. Recall that a person with sickle cell trait does not manifest symptoms but can pass on the defective gene to his or her children.

Nursing Care of Clients with White Blood Cell Disorders

62. Note the key words "most important" indicating a priority measure. Use the process of elimination to select the option that is essential when caring for a client with a reduced leukocyte count. Recall that leukocytes are white blood cells (WBCs) whose major function is to defend the body against infectious pathogens and remove cellular debris. When the WBC count is low, hand hygiene reduces the potential for transferring disease and introducing microorganisms to the client.

63. Note the key word "best." Use the process of elimination to select the option that describes an action that provides protection from acquiring human immunodeficiency virus when caring for a client with an unknown infectious status. Recall that a client's blood may be in and on a used needle; therefore, needles should never be recapped.

64. Read all the options carefully. Use the process of elimination to select the symptoms experienced by a person who acquires infectious mononucleosis. Recall that infectious mononucleosis is also called glandular fever because its onset includes an elevated temperature accompanied by a red sore throat and swollen lymph nodes.

65. Note the key words "most appropriate." Select the option that correlates with the route by which mononucleosis is transmitted. Recall that the Epstein-Barr virus responsible for infectious mononucleosis is spread by any exchange of saliva or using eating utensils on which saliva is still present. Although the virus remains in the body forever, its infectiousness diminishes over time.

66. Note the key word "best." Use the principles of therapeutic communication to select the option that acknowledges feelings. Recall that sharing perceptions gives the person an opportunity to validate or correct what is being communication either verbally or nonverbally.

67. Use the process of elimination to select the option that correlates with a diagnostic test for HIV infection. Recall that the ELISA test is only a screening test for those who are at risk for acquiring autoimmune deficiency syndrome (AIDS) such as I.V. drug users; people who have indiscriminate, unprotected sex; people who have had other sexually transmitted infections; and those who received blood transfusions before 1985 when blood began to be tested for HIV antibodies.

68. Read all the options carefully. Select options that are appropriate teaching about safer sex behaviors for the HIV-infected client. Recall that HIV is transmitted by having vaginal or rectal sex with multiple partners without the use of protective condoms. Nonpenetrating sexual activity is a safer alternative.

69. Note the key words "most therapeutic." Select the option that is more beneficial than any of the others when caring for a client who has lost hope for improvement. Recall that setting and achieving a goal provides evidence that progress is possible.

70. Use the process of elimination to select the option that corresponds with the defense mechanism characterized by the client's statement. Recall that rationalization is characterized by making excuses.

71. Examine the image closely. Mark the iliac crest with an *X*. Recall that the posterior iliac crest is preferred because it is easily accessible, no major blood vessels or organs are in this location, and there is less pain.

72. Note the key word "best" indicating that one option is better than any other. Verbalizing that the client seems upset helps the client understand that the nurse recognizes his or her despair. Recall that sharing perceptions shows empathy for the client's feelings.

73. Note the key word "best." Use the process of elimination to select a therapeutic statement. Suggesting an alternative as well as standard treatment may be combined shows respect for the client's choice yet supports standard treatment. Recall that if an alternative approach is not the sole unproven method of treating the client's condition, and it is not dangerous, it may be possible to incorporate both methods of treatment.

74. When analyzing the choices provided, use the key words "most appropriate" to determine the nursing approach for oral hygiene that is better than any of the others for a client with leukemia who develops bleeding gums. Recall that using a soft substance like foam swabs will cause less trauma to gums that already bleed easily.

75. Use the process of elimination to select the option that describes a menu item that is best for a client who has bleeding gums. Recall that creamed potato soup has minimum texture that would make it easier to consume without causing further mouth trauma.

76. Note the key words "most appropriate." Select the option that is better than any of the others for managing the care of a client with a low platelet count. Recall that an intervention that minimizes the potential for bleeding such as using small-gauge needles for injections deals specifically with the client's potential risk.

77. Note the key word "best" indicating one option is better than any other. Select the option that identifies a nursing action that demonstrates client advocacy, meaning it upholds the person's rights. Recall that as a client advocate, the nurse yields to the wishes of the client. An important component of client advocacy is demonstrated during end-of-life care decisions.

Nursing Care of Clients with Bone Marrow Disorders

78. Note the key word "priority" indicating one option identifies an action that is more important than any other. Use the process of elimination to select the option that addresses the client's potential for bleeding. Recall that thrombocytes are known as platelets. The main function of platelets is to contribute to hemostasis: the process of controlling bleeding. They aggregate (accumulate) and occlude the site of bleeding, after which they activate the clotting cascade to further reduce bleeding. Preventing injury reduces the potential for bleeding when a client's platelet count is low.

79. Use the process of elimination to select the option that is best for managing the care of a client with reduced resistance to infection. Recall that abnormal plasma cells that normally assist in producing antibodies are impaired. Standard precautions help to prevent the transmissions of pathogens to the client.

80. Use the process of elimination and knowledge of the pathophysiology of multiple myeloma to select the option that correlates with the result of bone resorption. Recall that osteoclasts absorb bone, whereas osteoblasts make bone; when the balance of bone resorption and bone replacement are imbalanced, calcium accumulates in the blood. Serum levels of calcium rise as the tumor volume increases.

81. Note the key word "essential," which indicates a priority for nursing care. Recall that pain is a manifestation that accompanies multiple myeloma from the expansion of plasma cells within bone and the development of pathologic fractures.

82. Note the key words "best explanation" indicating that one option describes the purpose for fall precautions better than others. Recall that the affected bones weaken causing the potential for pathologic fractures if a fall occurred.

83. Use a dosage calculation formula such as

$$\frac{\text{Desired dose}}{\text{Dose on hand}} \times \text{Quantity} = \text{Amount to administer}$$

or ratio proportion to calculate the answer.

84. Note the key words "most likely" meaning one option is better than the others. Use the process of elimination to select the option that correlates with an assessment finding that is characteristic of someone who is being treated with corticosteroids. Recall that corticosteroids are medications that increase the level of cortisol. Because many cells in the body have cortisol receptors, corticosteroids have far-reaching effects on appearance, such as weight gain in the face, abdomen, and chest, increased blood sugar levels, metabolism, and emotional changes.

85. Use the process of elimination to select the option that correlates with a side effect of corticosteroid therapy. Recall that oral corticosteroids have been implicated in the development of peptic ulcer disease when taken at high doses over a prolonged period of time.

86. Note the key word "best," which means one option is better than any other. Use the process of elimination to select the option that provides a coping strategy that is better than any other. Recall that having a social network of close family and friends can have far-reaching benefits and help a client through tough times.

87. Note the key words "most" and "cost effective." Use the process of elimination to select the option that would achieve outcomes without excessive costs. Recall that clinical pathways are structured and detailed so as to reduce a client's length of stay and cost of care.

88. Note the key words "most important" indicating a nursing priority. Use the process of elimination to select the option that identifies equipment that detects life-threatening changes in the client's condition. Recall that a pulse oximeter is vital for detecting depressed respirations when a client's consciousness is altered.

89. Note the key word "priority." Use the process of elimination to select the nursing assessment that is essential to perform after bone marrow aspiration. Recall that assessing for bleeding is necessary because a large-gauge needle is used to bore through the bone and withdraw marrow, which may result in bleeding from the site.

90. Apply the key words "most related" when analyzing the choices in the four options. Select the option that correlates more than any of the other with a low platelet count. Recall that when the ability to clot and control bleeding is compromised, bleeding into the skin and soft tissue will result in bruising.

91. Use the process of elimination to select the option that identifies the highest nursing priority when caring for a client who recently received a bone marrow transplant. Recall that irradiating the bone marrow destroys the client's ability to manufacture blood cells, which makes the client susceptible to infection that is potentially life threatening until the transplanted cells are reproduced in sufficient quantity.

Nursing Care of Clients with Disorders Affecting the Lymph Nodes

92. Note the key words "most likely" and apply them when searching the options to select a finding in the medical history that can be linked to lymphedema in the right arm. Recall that lymph circulates in a pathway of capillaries, lymph nodes, and lymphatic ducts before being returned to venous circulation. When axillary lymph nodes are removed during radical mastectomy, clients may develop lymphedema.

93. Note the key word "essential." Use the process of elimination to select the option that identifies a nursing action that accommodates for the client's impaired lymphatic circulation. Recall that trauma from invasive procedures, such as an injection, may result in a wound that resists healing or is prone to infection due to compromised circulation.

94. Note the key words "most likely." Analyze the choices to select an option that describes the lymph node assessment findings that are characteristic of Hodgkin lymphoma. Recall that any type of cancer rarely causes pain in an early stage—including Hodgkin lymphoma. A person with Hodgkin lymphoma will most likely have painless lymph node enlargement.

95. Note the key words "most appropriate" when determining which nursing action in the list of options is better than the others. Recall that even though herbs are plants, they contain active substances that can affect medical treatment. The nurse's responsibility is to identity the herbal supplements the client uses and share that information with the client's other health care providers.

96. Analyze to determine the option that should be included when preparing a client who will undergo radiation therapy. Recall that the client must be made aware of topical substances that may intensify the effect of radiation as well as measures that will reduce damage to the skin.

97. Note the key words "most appropriate" when discriminating among the options. Select the option that identifies an accurate nursing response to the client's concerns about reddened skin in the area targeted by external radiation. Recall that although the radiation is not felt, it has to go through the skin when it is beamed at its target. Varying degrees of redness and peeling skin are expected but are not necessarily dangerous if measures are taken to ensure the integrity of the skin.

98. Use the process of elimination to select the option that identifies the most important information regarding exposure to the outdoor elements when receiving external radiation. Although all of the advice provided in the options has merit in various circumstances, preventing skin exposure to direct sunlight is most critical and takes precedence over the other information.

99. Note the key word "immediately." Use the process of elimination to select an option that correlates with critical information necessary to protect the client from secondary effects of chemotherapy. Recall that the most abundant phagocytic white blood cells that attack microorganisms are neutrophils. If they are compromised, the client is susceptible to infection. As a safety precaution, health care workers follow neutropenic precautions.

100. Note the key words "most helpful." Use the process of elimination to select the option that correlates with the nursing action when a client is informed of a terminal illness. Recall that verbalizing one's feelings, especially with someone who is empathetic, is more therapeutic than internalizing them.

Correct Answers and Rationales

Nursing Care of Clients with Venous Disorders

1. 1. Varicose veins are swollen, twisted, purple or blue, bulging veins that are most commonly found in the legs or ankles. Heredity is a predisposing factor in the development of varicose veins. Other contributing factors include occupations that require prolonged standing or sitting such as cashiers, clerks, or beauticians; congenital weakness of the vein structure; obesity; female gender; use of hormones (oral contraceptives or hormone replacement therapy [HRT]); increasing age; and pressure on veins from an enlarging uterus during the later months of pregnancy. Although smoking is definitely unhealthy, nicotine has a major vasoconstricting effect on arterioles, not veins. An active lifestyle or athletic exercise is beneficial for the cardiovascular system and probably had little to do with the client developing varicose veins.
Cognitive Level—Analyzing
Client Needs Category—Health promotion and maintenance
Client Needs Subcategory—None

2. 1. Most clients with varicose veins state that their legs ache and feel heavy and tired, especially after prolonged standing. Because the impaired circulation is most prominent when the client sits or stands for long periods of time, symptoms are usually relieved during the night, especially when elevating the feet or by walking. Restless legs are not a common manifestation of varicose veins. Muscle cramps are not associated with varicose veins. Leg pain during activity is more likely to be caused by inadequate arterial blood flow or a sports-related injury.
Cognitive Level—Applying
Client Needs Category—Physiological integrity
Client Needs Subcategory—Physiological adaptation

3. 1. Elevating the legs periodically during the day relieves symptoms associated with varicose veins. Other techniques that improve venous circulation, such as isometric or isotonic exercise, are also helpful. Keeping the room temperature above 70°F (21°C) does provide comfort, but it will not appreciably affect venous circulation. Because circulation is already impaired, massaging the legs is not recommended because of the possibility of dislodging a clot. Sitting for long periods of time, as in a sedentary lifestyle, does not promote venous circulation.
Cognitive Level—Applying
Client Needs Category—Physiological integrity
Client Needs Subcategory—Basic care and comfort

4. 3. Clients with varicose veins must avoid anything that promotes venous stasis, such as sitting with crossed knees, standing for long periods of time, and wearing tight undergarments or knee-high stockings. Walking and jogging, which are best performed while wearing athletic shoes, promote circulation. Wearing leggings, though form fitting, does not typically constrict circulation. Wearing elastic support stockings is beneficial.
Cognitive Level—Applying
Client Needs Category—Health promotion and maintenance
Client Needs Subcategory—None

5. 3. After a vein stripping procedure, blood returns to the right side of the heart through other veins deeper in the leg. Arteries cannot transport both oxygenated and unoxygenated blood. New veins do not form as replacements. The ends of the removed veins are sutured closed; they are not reconnected to other blood vessels.
Cognitive Level—Applying
Client Needs Category—Physiological integrity
Client Needs Subcategory—Physiological adaptation

6. 2. Early and frequent ambulation is essential after vein stripping and vein ligation surgery because it helps promote venous circulation, which is temporarily compromised by the removal of some leg veins. During the immediate postoperative period, walking is prescribed hourly while the client is awake. Even during the night, the client may be aroused and assisted to walk several times. Although adding protein to the client's diet will help with building and repairing tissue after surgery, this is not the priority intervention at this time. The nurse should always monitor for signs of infection, but this is not the priority after this type of surgery. Leg cramping is not usually associated with vein stripping.
Cognitive Level—Analyzing
Client Needs Category—Safe and effective care environment
Client Needs Subcategory—Coordinated care

7. 3, 5. Stasis injuries appear darkly pigmented, dry, and scaly. Venous congestion causes edema, and this localized swelling interferes with adequate arterial blood flow, causing poor oxygenation and poor nourishment of skin tissue, usually below the knee. This, combined with the retention of metabolic wastes, leads to inflammation of the skin, sometimes referred to as *cellulitis*. The inflamed tissue chronically breaks open, forming craters that are difficult to heal. The remaining descriptions are not characteristic of such injuries.
Cognitive Level—Applying
Client Needs Category—Physiological integrity
Client Needs Subcategory—Physiological adaptation

8. 2. A major goal of therapy is to promote venous circulation. This is accomplished by applying elastic compression stockings, such as Jobst stockings, that maintain venous pressure at 40 mm Hg. These stockings are worn at all times except when lying down. Offering the client an analgesic for pain promotes pain control but not circulation. Maintaining a fluid intake of at least 2,500 mL is important in wound healing and is a priority in accomplishing daily fluid maintenance. The nurse would not apply a heating pad to the lower extremity because heat dilates blood vessels, contributing to venous congestion.

Cognitive Level—*Applying*
Client Needs Category—*Physiological integrity*
Client Needs Subcategory—*Physiological adaptation*

9. 3. The appearance of pink tissue indicates that granulation tissue is forming. Granulation tissue consists of capillaries and fibrous collagen that seal and nourish the tissue. An increase in drainage suggests that cellular death is continuing or the wound is infected. Relief of discomfort is a positive sign; however, venous stasis injuries are not severely painful even in the acute stage. White or black wound margins suggest an extension of cell death.

Cognitive Level—*Applying*
Client Needs Category—*Physiological integrity*
Client Needs Subcategory—*Physiological adaptation*

10. 4. A moist wound undergoes accelerated healing. An air-occlusive dressing prevents evaporation of wound moisture, thereby allowing the wound to heal by second intention at a more rapid rate. This may then decrease the amount of scar tissue, but this is a secondary benefit of using an air-occlusive dressing. Some also feel that healing is faster using an air-occlusive dressing because preventing oxygen from reaching the wound externally stimulates capillary growth to the wound. This type of dressing can remain in place for up to 7 days unless it loosens or the client develops signs of an infection. Air-occlusive dressings are initially more expensive than traditional gauze dressings; however, the need for less frequent changing tends to reduce the initial cost for some individuals. There is no evidence that this type of dressing will decrease pain related to skin irritation.

Cognitive Level—*Applying*
Client Needs Category—*Physiological integrity*
Client Needs Subcategory—*Physiological adaptation*

11. 1. Gangrene is a vascular complication that develops from ischemia and tissue necrosis. Clients with diabetes tend to develop inadequate circulation, especially in their feet and lower extremities. Most older adults have some degree of impaired circulation due to the aging process, but a client with diabetes has a risk for gangrene that is even greater. Trauma may compromise circulation due to swelling, but it most likely would be temporary. Taking warfarin interferes with blood clotting, which would lead to prolonged bleeding from a wound, but it is not considered a risk factor for gangrene.

Cognitive Level—*Analyzing*
Client Needs Category—*Physiological integrity*
Client Needs Subcategory—*Reduction of risk potential*

12. 1, 2, 3. Thrombophlebitis is a condition in which a blood clot totally or partially occludes the venous blood flow. Several risk factors are associated with blood clot formation. They include obesity, smoking, immobilization and bed rest, history of myocardial infarction and congestive heart failure, multiple sclerosis, oral contraceptive use, and cancer of the breast, pancreas, prostate, or ovary. Leg fatigue is associated with varicose veins. Cramping in the lower leg is associated with vitamin B, calcium, and magnesium deficiencies. Pain in the joints may be attributed to many etiologies, one of the more common is arthritis.

Cognitive Level—*Applying*
Client Needs Category—*Physiological integrity*
Client Needs Subcategory—*Reduction of risk potential*

13. 1. Thrombi typically form as a result of venous stasis. A common cause of venous stasis is inactivity. Postoperative clients are encouraged to perform active leg exercises and to ambulate frequently to promote venous circulation. Shallow breathing predisposes a client to pneumonia. Analgesics may make clients lethargic and less willing to ambulate, but pain is not a direct cause of thrombus formation. Caffeine constricts arteries and arterioles, which can impair oxygenated blood flow; thrombi generally form in veins.

Cognitive Level—*Applying*
Client Needs Category—*Physiological integrity*
Client Needs Subcategory—*Reduction of risk potential*

14. 4. If the client has a thrombus, the area distal to the thrombus would tend to swell due to the stasis of venous blood and the redistribution of plasma to the interstitial space from increased hydrostatic pressure in the capillaries. Below the thrombus, the leg would feel cool and appear pale. Capillary refill time is normally less than 3 seconds.

Cognitive Level—*Applying*
Client Needs Category—*Physiological integrity*
Client Needs Subcategory—*Physiological adaptation*

15. 1. Although ambulation was once contraindicated, current evidence-based practice now reports that early ambulation does not increase the risk for a pulmonary embolus in an anticoagulated client. In fact, it is beneficial for reducing swelling and pain. Active exercises can substitute for ambulation. When a thrombus is suspected, the legs must not be massaged. Massage can cause the blood clot to break away from the vessel wall and circulate, possibly to the lung. Although there is some controversy about elevating the legs, raising the legs 20 degrees or more may relieve local swelling; however, pillows should never be placed under the knees, and the lower portion of the bed should not elevate at the knees.

Cognitive Level—*Applying*
Client Needs Category—*Safe and effective care environment*
Client Needs Subcategory—*Coordinated care*

16. 4. A dry towel and a waterproof cover act as insulators, preventing rapid heat and moisture loss from the compress. To avoid burning the skin, the temperature of the compress solution is between 98°F and 105°F (36.6°C and 40.5°C). The skin is inspected at least every 30 minutes to monitor for thermal injury. Sterile technique is not necessary as long as the skin is intact.

Cognitive Level—Applying
Client Needs Category—Physiological integrity
Client Needs Subcategory—Basic care and comfort

17. 1.5 mL.

The drug label indicates that there are 5,000 units of heparin sodium per milliliter. Use the formula:

$$\frac{\text{Desired dose}}{\text{Dose on hand}} \times \text{Quantity} = \text{Amount to administer}$$

$$\frac{7,500 \text{ units}}{5,000 \text{ units}} \times 1\,\text{m} = 1.5\,\text{mL}$$

Cognitive Level—Applying
Client Needs Category—Physiological integrity
Client Needs Subcategory—Pharmacological therapies

18. 3. Nursing assessment confirming no further clot formation confirms the effectiveness of the heparin administration. Heparin sodium prevents future clots from forming and prevents those that have formed from becoming larger. Heparin is an anticoagulant that inhibits the conversion of fibrinogen to fibrin. Only thrombolytic agents, such as streptokinase, will shrink and dissolve clots already formed. The use of thrombolytic agents is extremely hazardous. The risks usually outweigh the benefits in the case of thrombophlebitis. Drug therapy will not prevent a thrombus from becoming dislodged and moving through circulation.

Cognitive Level—Analyzing
Client Needs Category—Physiological integrity
Client Needs Subcategory—Pharmacological therapies

19. 1. Partial thromboplastin time (PTT) is used to monitor the client's response to heparin therapy. The therapeutic range is 1.5 to 2.5 times the control time. A complete blood count (CBC) reports the number of red and white blood cells, not blood clotting factors. Hemoglobin (Hb) relates to the blood's oxygen-carrying capacity and is unaffected by heparin sodium. Prothrombin time (PT) is a test used to monitor the response of a client who is receiving an oral anticoagulant such as warfarin. Another test used when clients are on warfarin therapy is the International Normalized Ratio (INR).

Cognitive Level—Understanding
Client Needs Category—Physiological integrity
Client Needs Subcategory—Pharmacological therapies

20. 2. When a drug is withdrawn from a vial, the nurse instills a volume of air equal to the amount of fluid that will be withdrawn. Adding air to the contents of a vial facilitates withdrawing the drug. If air is not instilled, the partial vacuum makes it difficult to remove solution. If too much air is instilled, solution will surge into the syringe and, in some cases, force the plunger from the syringe barrel. If the rubber stopper is removed, the drug will not remain sterile. Insulins that contain additives are rotated gently before withdrawal to mix the additive and insulin. Heparin sodium is not shaken before withdrawing it from the vial.

Cognitive Level—Applying
Client Needs Category—Physiological integrity
Client Needs Subcategory—Pharmacological therapies

21. 3. When the adult client is of average size, it is acceptable practice to insert a needle intended for subcutaneous administration at a 90-degree angle to the skin. For thin adults, it is recommended that the nurse use a 45-degree angle to insert the needle. The dorsogluteal site is used for I.M. injections. The needle size for a subcutaneous injection is between 0.5 and 0.8 in (1.25 and 2 cm) and 23 to 26 gauge. The injection site should not be massaged after heparin sodium administration because this increases the tendency for localized bleeding.

Cognitive Level—Applying
Client Needs Category—Physiological integrity
Client Needs Subcategory—Pharmacological therapies

22. 3. Any sign of bleeding in a client receiving anticoagulant therapy must be reported. In this case, bleeding gums should be reported. Clients commonly report discomfort in the presence of tiny petechiae on the abdomen because of repeated subcutaneous needlesticks to the area. When this happens, the nurse should assess the abdomen for signs of a hematoma and avoid the site. Discomfort at needle sites and tiny points of intradermal bleeding secondary to needlesticks do not usually require immediate attention. Likewise, clients often complain about the number of times per day they are injected. Having stools that are light brown and soft is normal. Black, tarry stools would require immediate intervention because they could indicate bleeding.

Cognitive Level—Applying
Client Needs Category—Physiological integrity
Client Needs Subcategory—Pharmacological therapies

23. 3. Evaluate the aPTT, which is used to monitor heparin therapy, as elevated. Protamine sulfate, a heparin antagonist, is given to counteract the anticoagulant effects of heparin therapy and restore more normal clotting mechanisms. Calcium lactate is a mineral supplement. Sodium benzoate is used as a preservative. Aluminum phosphate is an ingredient in some antacid products.

Cognitive Level—Analyzing
Client Needs Category—Physiological integrity
Client Needs Subcategory—Pharmacological therapies

24. 4. When injections of anticoagulant medication cannot be avoided, it is appropriate for the nurse to apply pressure to the injection site for several minutes to prevent oozing of blood or localized bruising. Pressure is not applied to distribute the drug. Hematomas do not form as a result of applying pressure but can form if pressure is *not* applied. Drug absorption is not significantly affected by several minutes of local pressure.
Cognitive Level—*Applying*
Client Needs Category—*Physiological integrity*
Client Needs Subcategory—*Pharmacological therapies*

25. 2. Black, sticky, tar-colored stools are a sign of bleeding from the upper gastrointestinal tract. Dark amber urine is more indicative of low fluid volume. Dark amber urine is characteristic of dehydration. Diarrhea is not considered a side effect of warfarin. Jaundiced skin indicates a liver or biliary disorder or rapid hemolysis of red blood cells; however, this is quite rare.
Cognitive Level—*Applying*
Client Needs Category—*Physiological integrity*
Client Needs Subcategory—*Pharmacological therapies*

26. 1, 2, 3, 4. Green leafy vegetables, such as spinach, lettuce, turnip greens, and Brussels sprouts, are food sources of vitamin K. Vitamin K is associated with clotting factors in the blood. Half of the daily requirement of vitamin K comes from the diet, and the bacteria from the intestine manufacture the remaining amount. Warfarin is an anticoagulant that prevents clot formation. The current recommendation is that clients who take warfarin continue to consume a consistent amount of substances containing vitamin K and avoid irregular or over-consumption of foods containing vitamin K. Peas and corn do not contain appreciable amounts of vitamin K.
Cognitive Level—*Applying*
Client Needs Category—*Physiological integrity*
Client Needs Subcategory—*Reduction of risk potential*

27. 1. Signs of phlebitis include redness, tenderness, warmth, and swelling of the vein. An inflamed vein also feels indurated (hard, not soft and spongy) or cord-like, but it does not appear pale, purple, or dark.
Cognitive Level—*Applying*
Client Needs Category—*Physiological integrity*
Client Needs Subcategory—*Reduction of risk potential*

28. 4. The cause of the inflamed vein may be the presence of the foreign infusion device, the irritating solution, or trauma to the vein wall. In any case, the infusion should be discontinued and restarted in another site to prevent further injury to the vein and to promote healing. The standard of practice is to change an I.V. site at least every 72 hours regardless of whether it is exhibiting signs of phlebitis. Elevating the extremity is appropriate to relieve swelling after the needle or catheter has been removed. Applying

pressure would not diminish the current problem; rather, it would slow the rate of infusion. Increasing the infusion rate is contraindicated because it has not been medically approved and places the client at risk for fluid volume excess.
Cognitive Level—*Analyzing*
Client Needs Category—*Physiological integrity*
Client Needs Subcategory—*Physiological adaptation*

Nursing Care of Clients with Arterial Disorders

29. 3. Providing a client an opportunity to expand on his or her concern is a therapeutic communication technique. Telling a client to focus on overall health is an example of giving advice which is nontherapeutic. Stating that client's condition will get worse is not an empathetic response. Indicating that others have the same experience belittles the uniqueness of this client.
Cognitive Level—*Analyzing*
Client Needs Category—*Psychosocial integrity*
Client Needs Subcategory—*None*

30. 3. Extra clothing or blankets, rather than direct heat applications, are used whenever possible for individuals with peripheral arterial insufficiency. Because of the disease, such clients are typically insensitive to warm temperatures and are at high risk for being burned. Therefore, commercially prepared heat packets or heating pads are contraindicated. Instead, layers of loosely woven fibers, especially of natural material like cotton or wool, help hold pockets of warm air close to the body surface. This promotes a feeling of warmth. Elevating the feet relieves edema but does not necessarily make the feet feel warmer.
Cognitive Level—*Applying*
Client Needs Category—*Physiological integrity*
Client Needs Subcategory—*Basic care and comfort*

31.

The dorsalis pedis artery is a blood vessel that supplies oxygenated blood and nutrients to the dorsum (top) of the foot. The pulse can be felt by palpating the skin surface halfway between the toes and the ankle. When a pulsation is difficult to feel, a Doppler ultrasound device can be positioned in the same location to transform arterial pulsation, if it is present, into an audible sound.
Cognitive Level—*Remembering*
Client Needs Category—*Physiological integrity*
Client Needs Subcategory—*Reduction of risk potential*

32. 2. The nurse applies acoustic gel to the skin at the location of the dorsalis pedis artery when using a Doppler ultrasound device. Because air is a poor conductor of sound, the gel helps beam the ultrasound toward the blood vessel being assessed. Movement of red blood cells through an artery produces an intermittent, pulsating sound. Movement of blood through a vein makes a continuous sound, like whistling wind. The dorsalis pedis artery is on the top of the foot and is often used to assess the quality of blood flow to the foot. The posterior tibialis artery is beside the ankle and is used less frequently. When assessing capillary refill, the nurse releases a compressed nail bed and counts the number of seconds it takes for blood to return. The quality of a pulse, such as bounding or thready, is best determined by manual palpation.

Cognitive Level—Applying
Client Needs Category—Physiological integrity
Client Needs Subcategory—Reduction of risk potential

33. 2. Raynaud disease is a condition that results in vasospasm of the small arteries and arterioles. Symptoms are generally confined to an individual's hands (most common) or feet and usually result when the client is exposed to cold or emotional upsets. The nose, ears, and chin are less commonly involved. The arteries and arterioles in the legs, chest, and neck are not affected. The client experiences periodic episodes during which the affected areas feel cold, painful, numb, and prickly due to poor circulation. The hands usually turn white, then blue and, finally, red. As blood flow resumes, the deprived areas become flushed and warm. A throbbing sensation is then experienced.

Cognitive Level—Applying
Client Needs Category—Physiological integrity
Client Needs Subcategory—Physiological adaptation

34. 2. Conditions that lead to vasoconstriction, such as exposure to cold, emotional upsets, and use of tobacco, aggravate or exacerbate the symptoms experienced by individuals with Raynaud disease. The effect of wind depends on the air temperature. Sun and heat are related to vasodilation and are not associated with this disease.

Cognitive Level—Applying
Client Needs Category—Physiological integrity
Client Needs Subcategory—Physiological adaptation

35. 2. Stress stimulates the sympathetic nervous system, causing vasoconstriction. When the arterioles narrow, blood flow is impaired, and the client experiences an episodic attack of pain, numbness, and pallor. Therefore, avoiding stressful situations is important in avoiding the onset of symptoms. Wearing warm gloves while outdoors in cold weather is beneficial and is recommended. Drinking alcoholic beverages and bathing with perfumed soap are not necessarily contraindicated for a person with Raynaud disease.

Cognitive Level—Applying
Client Needs Category—Health promotion and maintenance
Client Needs Subcategory—None

36. 3. Thromboangiitis obliterans (Buerger's disease) is an acute inflammation of the arteries and veins in the lower extremities. Consequently, a clot forms in the inflamed blood vessel. Smoking causes the disease to worsen. Individuals with the disease commonly report experiencing leg pain or muscle cramps (referred to as *intermittent claudication*) during periods of active movement. Rest can relieve this symptom; however, eventually the pain occurs even while the client is inactive. Clients with varicose veins, not Buerger's disease, report a feeling of heaviness in their legs. Ingrown toenails are not related to the disease. Although edema does occur among clients with Buerger's disease, it is more likely to occur when the disease is far advanced.

Cognitive Level—Analyzing
Client Needs Category—Physiological integrity
Client Needs Subcategory—Physiological adaptation

37. 1. Buerger-Allen exercises help improve and promote collateral circulation and should be done several times per day by the client with Buerger's disease. The client performs them by first lying down and elevating the legs above the heart for 2 to 3 minutes; then, sitting on the edge of the bed or couch, the client lowers the legs to a dependent position. When the legs flush, the client returns to lying flat in bed. After returning to bed, the client should move the feet and toes by dorsiflexion, plantar flexion, and internal and external rotation. Knee squats, jogging in place, and strengthening the quadriceps muscles are not part of these exercises.

Cognitive Level—Applying
Client Needs Category—Health promotion and maintenance
Client Needs Subcategory—None

38. 2. A person with Buerger's disease should avoid tobacco because nicotine causes vasoconstriction. There are no contraindications for heavy lifting, traveling by air, or engaging in sexual activity based on the pathology involved in Buerger's disease.

Cognitive Level—Applying
Client Needs Category—Health promotion and maintenance
Client Needs Subcategory—None

39. 2, 5, 6. An aneurysm is an abnormal dilation (or bulging) of a blood vessel, usually an artery. The dilation typically results from weakness in a portion of the vessel and elevated blood pressure, which is higher in arteries. Several factors can predispose a client to develop an abdominal aortic aneurysm (AAA). These include hypertension (which may be secondary to arteriosclerosis), trauma, congenital weakness, smoking, and age. Although diabetes mellitus affects circulation, it is not considered a risk factor. A sedentary lifestyle predisposes clients to many cardiac risks, but it is not as highly correlated with aneurysm formation as hypertension or arteriosclerosis. Digoxin is a cardiac glycoside that increases the strength of myocardial contraction and lowers the heart rate. Its use, side effects, and indications have no bearing on aneurysm formation.

> *Cognitive Level—Applying*
> *Client Needs Category—Physiological integrity*
> *Client Needs Subcategory—Physiological adaptation*

40. 4. An aneurysm is a balloon-like outpouching in the wall of an artery, not a vein. Aneurysms commonly occur in the thoracic or abdominal aorta and in cerebral arteries because of the higher blood pressure in these vessels. Having an aneurysm does not mean that the client has a heart condition or a genetic link to having blood clots. There is no link to an abdominal aortic aneurysm and headaches.

> *Cognitive Level—Analyzing*
> *Client Needs Category—Physiological integrity*
> *Client Needs Subcategory—Physiological adaptation*

41. 4. Pressure from an enlarging or dissecting abdominal aortic aneurysm (AAA) is most likely to be manifested as lower back pain. The client will indicate that no position or nursing measure relieves the pain. The client will suffer internal hemorrhage, shock, and, possibly, death if the aneurysm becomes so large that it ruptures. Rectal bleeding, hematuria, and indigestion are related to other conditions, not AAAs.

> *Cognitive Level—Analyzing*
> *Client Needs Category—Physiological integrity*
> *Client Needs Subcategory—Physiological adaptation*

Nursing Care of Clients with Red Blood Cell Disorders

42. 3. Complications of peptic ulcer disease include chronic bleeding or hemorrhage. Blood loss occurs as the ulcer penetrates one or more blood vessels. If the bleeding is slight but continuous, it may go unnoticed until the client becomes weak and fatigued. Mitral valve insufficiency, arteriosclerosis, and an enlarged prostate are not usually associated with chronic or severe decreases in red blood cell count.

> *Cognitive Level—Applying*
> *Client Needs Category—Physiological integrity*
> *Client Needs Subcategory—Physiological adaptation*

43. 1. People who are anemic often experience dizziness and fainting. This is probably due to low blood volume or an inability to maintain adequate oxygenation to the brain. Anemia is also likely to cause an individual to feel tired and require more sleep. Headaches are not usually associated with anemia that is related to blood loss, but they may occur in a client with pernicious anemia. Having had the gallbladder removed does not relate to anemia because the function of the gallbladder is to aid fat digestion by releasing bile into the small intestine. Abdominal tenderness

is unrelated to anemia but may occur with menstrual cramping.

> *Cognitive Level—Applying*
> *Client Needs Category—Physiological integrity*
> *Client Needs Subcategory—Physiological adaptation*

44. 3. Hemoglobin is a protein attached to red blood cells. Its function is to carry oxygen from the lungs to tissues and cells. If the red blood count is low, as in the case of someone who is anemic, then the hemoglobin level will also be low. The normal hemoglobin level is 12 to 17.5 g/dL (120 to 175 g/L) depending on the gender of the client. The normal red blood cell count is 4.7 to 6.1 million cells/mm^3 (4.7 to 6.1 ×10^{12}/L).

> *Cognitive Level—Applying*
> *Client Needs Category—Physiological integrity*
> *Client Needs Subcategory—Reduction in risk potential*

45. 1. Iron is absorbed poorly from the gastrointestinal tract. Absorption occurs best when the drug is taken on an empty stomach with water. Taking the drug between meals or at least 1 hour before meals is the best routine for maximum benefit. Taking the drug just before eating or with the meal causes the drug to be present in the stomach with food. When food and other drugs such as antacids are taken simultaneously with iron, iron absorption is decreased. If a client experiences gastrointestinal upset while taking iron, the discomfort may be reduced by taking the ferrous sulfate with food or milk rather than discontinuing the medication. If the client takes the ferrous sulfate only before bedtime, the client would not be following the prescribed daily regimen, which is three times per day.

> *Cognitive Level—Applying*
> *Client Needs Category—Physiological integrity*
> *Client Needs Subcategory—Pharmacological therapies*

46. 4. The presence of vitamin C, found in orange or other citrus juices, improves the absorption of iron. For this reason, some pharmaceutical companies combine iron and vitamin C in the same capsule or tablet. Iron taken with milk interferes with its absorption. Taking iron with tea or a soft drink is not likely to be any more beneficial than taking it with water.

> *Cognitive Level—Applying*
> *Client Needs Category—Physiological integrity*
> *Client Needs Subcategory—Pharmacological therapies*

47. 1. Liquid iron preparations stain the teeth; therefore, drinking the medication through a straw minimizes drug contact with the teeth. Pouring the medication over ice or drinking it from a paper cup does not protect the teeth from unsightly staining. Mixing the medication with milk affects its absorption and does not protect the teeth. However, diluting the liquid iron with at least 2 to 4 oz of water as well as using a straw reduces the potential for staining teeth.

> *Cognitive Level—Applying*
> *Client Needs Category—Physiological integrity*
> *Client Needs Subcategory—Pharmacological therapies*

48. 2.

Irritating medications and those that cause tissue discoloration such as iron dextran are administered intramuscularly using a z-track method. Tissue irritation is minimized by the lateral displacement of the skin during injection that seals the drug into the muscle tissue, thereby inhibiting the escape of the injected drug into the subcutaneous layer of the skin. Leakage of the injected drug causes permanent staining of tissues. A large and deep muscle like the ventrogluteal site is generally used. The vastus lateralis, dorsogluteal, and deltoid injection sites are not used.

> *Cognitive Level*—*Applying*
> *Client Needs Category*—*Physiological integrity*
> *Client Needs Subcategory*—*Pharmacological therapies*

49. 3. All donated blood is tested for human immunodeficiency virus (HIV) antibodies after it is collected. Donated blood is the safest it has been since early 1985. However, it is still not 100% safe because some blood donors who have the virus in their blood have not produced sufficient antibodies to cause a positive reaction when the blood is tested. All potential blood donors are asked questions about lifestyle behaviors that indicate a risk for HIV infection, but some do not answer the questions honestly. Blood donors are not tested before donating blood, but they are encouraged to call the blood collection agency later and report an identifying number, not their name, if they feel someone is at risk by receiving a unit of their donated blood.

> *Cognitive Level*—*Applying*
> *Client Needs Category*—*Health promotion and maintenance*
> *Client Needs Subcategory*—*None*

50. 1. A unit of packed blood cells contains a similar number of blood cells found in a regular unit used in transfusions. However, when preparing the unit of packed blood cells, approximately two-thirds of the plasma from a unit of whole blood is removed. The administration of packed cells is preferred for clients who need a blood transfusion but for whom additional fluid in the circulatory system is hazardous. Typically, the candidate for packed cells is someone who is prone to heart failure or who has poor kidney function and does not need the extra fluid. Packed cells pose the same risk for an allergic reaction as whole blood. They do not stimulate the bone marrow to produce blood cells.

> *Cognitive Level*—*Understanding*
> *Client Needs Category*—*Physiological integrity*
> *Client Needs Subcategory*—*Reduction of risk potential*

51. 4. A person with type A, Rh-positive blood would have a reaction if transfused with type AB, Rh-positive blood. It is always best to administer the same blood type; however, a person with type O blood is referred to as the *universal donor*. In an emergency, anyone can receive type O, Rh-negative blood. People who are Rh positive can receive compatible blood types that are either Rh positive or Rh negative. The reverse is *not* true; in other words, a person who is Rh negative should never be given Rh-positive blood.

> *Cognitive Level*—*Applying*
> *Client Needs Category*—*Safe and effective care environment*
> *Client Needs Subcategory*—*Safety and infection control*

52. 2. Hypotension is one of the first signs of a serious blood transfusion reaction. In a serious transfusion reaction, urine formation is decreased. Swelling and pale skin at the infusion site are indications that there is a problem with the administration of the blood rather than a reaction to the blood product.

> *Cognitive Level*—*Analyzing*
> *Client Needs Category*—*Physiological integrity*
> *Client Needs Subcategory*—*Physiological adaptation*

53. 2. The next time that vital signs are evaluated is 1315. Vital signs are measured and recorded before the start of a transfusion and every 15 minutes thereafter. A final set of vital signs are taken at the completion of the infusion. Clients are observed during the first 15 minutes of a blood transfusion, which is the most critical time during which a life-threatening blood transfusion reaction may occur.

> *Cognitive Level*—*Applying*
> *Client Needs Category*—*Physiological integrity*
> *Client Needs Subcategory*—*Reduction of risk potential*

54. 4. There is a "four-hour rule," which means units of red blood cells must be administered from the time the blood is released from the blood bank in controlled temperature storage until it is completed to avoid the risk of bacterial growth. The transfusion should be initiated within 30 minutes after being released or it should be returned to the blood storage area for refrigeration. One unit of blood can generally be transfused in 1½ hours.

> *Cognitive Level*—*Applying*
> *Client Needs Category*—*Safe and effective care environment*
> *Client Needs Subcategory*—*Safety and infection control*

55. 3. The Occupational Safety and Health Administration (OSHA) has issued a Bloodborne Pathogens Standard that identifies that liquid blood or blood that is caked, dried, or semiliquid is "regulated waste." The Medical Waste Tracking Act correlates with the OSHA standard and specifies that any potential infectious materials such as items containing human blood or blood products must be isolated to protect others from communicable diseases. All medical waste such as an empty or partially empty blood bag must be placed in a sealable plastic bag marked with a biohazard symbol and securely closed. Bagged containers should be placed in a secondary container that will contain any potential leak. Discontinued units of blood should never be placed in an ordinary puncture proof container and trash or waste container in a utility or client's room.

Cognitive Level—*Applying*
Client Needs Category—*Safe and effective care environment*
Client Needs Subcategory—*Safety and infection control*

56. 3.

Sickle cell anemia causes red blood cells to become crescent shaped due to an abnormal type of hemoglobin, HbS. Sickled hemoglobin forms rods within the red cells, transforming the cells that are normally donut shaped (image 4) to crescent shape. The crescent-shaped cells stick to vessel walls and slow or stop the flow of blood so that oxygen cannot reach tissues and cells. Image 1 is representative of iron deficiency anemia; image 2 depicts megaloblastic anemia.

Cognitive Level—*Analyzing*
Client Needs Category—*Physiological integrity*
Client Needs Subcategory—*Physiological adaptation*

57. 2. Severe pain is the major problem for clients experiencing a sickle cell crisis. The pain is caused by tissue ischemia secondary to blockage of blood vessels by sickled red blood cells. Pain is most severe in the abdominal area; however, the chest, back, and joints may also be affected. Although the pain is likely to trigger anxiety, if the pain is controlled, anxiety is relieved as well. Adequate nutrition and ventilation are concerns for all clients. Usually, they are not a major concern in a sickle cell crisis unless complications, such as a cerebral or pulmonary infarction, develop.

Cognitive Level—*Analyzing*
Client Needs Category—*Physiological integrity*
Client Needs Subcategory—*Basic care and comfort*

58. 2. Because the client's activity is limited during a sickle cell crisis, it is important to change the client's position frequently to reduce discomfort and prevent complications of immobility. No specific position is ideal; the goal is to relieve pressure and promote comfort. Ambulation and any form of exercise are contraindicated because they increase the client's need for tissue oxygenation at a time when the oxygen-carrying capacity of red blood cells is limited.

Cognitive Level—*Analyzing*
Client Needs Category—*Physiological integrity*
Client Needs Subcategory—*Basic care and comfort*

59. 1. Adequate hydration is a major goal for clients in sickle cell crisis. Increasing and maintaining high volumes of fluid by oral or I.V. routes promote circulation and improve blood flow caused by sickled cells that have occluded the blood vessel. Although elastic stockings would also promote venous return of blood, the client's arterial blood contains the oxygen needed by cells and tissue. Elevating the legs relieves swelling associated with thrombus formation; however, in sickle cell crisis, the client is likely to have many microemboli. Neither elevating the legs nor dangling them helps move red blood cells that accumulate and form thrombi.

Cognitive Level—*Analyzing*
Client Needs Category—*Physiological integrity*
Client Needs Subcategory—*Physiological adaptation*

60. 3, 5, 6. A sickle cell crisis occurs when the client has a high demand for oxygen. Factors that can trigger a crisis include overexertion, dehydration, fever, infection, alcohol ingestion, smoking, and exposure to cold weather or high altitudes. Although the client becomes fatigued during a crisis, this is not a precipitating cause. Low blood glucose levels are not known to trigger sickle cell crisis.

Cognitive Level—*Analyzing*
Client Needs Category—*Physiological integrity*
Client Needs Subcategory—*Physiological adaptation*

61. 3. People with sickle cell trait inherit one defective gene and one normal gene for hemoglobin. Because the defective gene is a recessive trait, the disease (sickle cell anemia) is never manifested. Those who inherit a set of recessive genes (one defective gene from each parent) will have sickle cell anemia and manifest symptoms. A couple who both carry the recessive trait can produce a normal child (the child acquires a normal gene from both parents), a child who carries the trait (the child acquires one normal gene and one recessive gene), or a child with sickle cell anemia (the child acquires two recessive genes). Sickle cell anemia is usually diagnosed in childhood, not later in life. There is no evidence suggesting that clients who have sickle cell anemia have shorter life spans; however, some clients have died prematurely when they ignored the signs and symptoms of sickle cell crisis.

Cognitive Level—*Analyzing*
Client Needs Category—*Health promotion and maintenance*
Client Needs Subcategory—*None*

Nursing Care of Clients with White Blood Cell Disorders

62. 1. The client with a white blood cell count of 2.4 cells/mm³ (2.4 ×10⁹/L) has leukopenia and is at high risk for infection. Hand hygiene is the best technique for reducing the spread of microorganisms and decreasing the potential for infection. Applying direct pressure to puncture wounds is necessary when the client has a low platelet count. Wearing a gown when providing care may help reduce the spread of infection but is not as effective as good hand washing. Monitoring baseline vital signs is important because the red blood cells, white blood cells, and platelets are all affected, but this choice does not address the client's risk for infection.

> *Cognitive Level—Analyzing*
> *Client Needs Category—Physiological integrity*
> *Client Needs Subcategory—Reduction of risk potential*

63. 2. Standard precautions are used when a person's infectious status is unknown. Standard precautions involve donning one or more protective garments—depending on the potential for coming into contact with blood or body fluids—and taking precautionary actions to avoid penetrating injuries with objects contaminated with blood or body fluid. In *all* situations, it is important to avoid recapping needles because this will prevent an accidental needle-stick injury. A face mask provides protection from being splashed with blood or body fluid; however, most dressings absorb liquid drainage, and wearing gloves is more appropriate. Wearing a cover gown is appropriate if blood and body fluid may potentially penetrate clothing; however, this measure is unnecessary when giving most clients a bed bath. Gloves are appropriate when touching areas of the body where there may be contact with blood or body fluids. Wearing gloves while taking vital signs is generally unnecessary.

> *Cognitive Level—Applying*
> *Client Needs Category—Safe and effective care environment*
> *Client Needs Subcategory—Safety and infection control*

64. 1, 4, 5. One of the first signs of infectious mononucleosis is a severe sore throat and a red pharynx. Onset of symptoms usually takes 1 to 2 weeks, and the client has flu-like symptoms, such as fever, headache, anorexia, fatigue, and generalized aching. In severe cases, the lymph nodes—including the spleen—become enlarged. The symptoms last for 14 to 28 days. If complications develop, jaundice occurs. Abdominal discomfort, aching joints, and intestinal upset are not characteristic of the disorder.

> *Cognitive Level—Analyzing*
> *Client Needs Category—Physiological integrity*
> *Client Needs Subcategory—Physiological adaptation*

65. 1. Mononucleosis, an acute viral disease caused by the Epstein-Barr virus, is transmitted by direct contact with the droplets or saliva of another infected person; therefore, food should not be shared. Most common among 15- to 25-year-olds, this disease is referred to as *the kissing disease* because the virus passes from one individual to another orally. The incubation period is roughly 30 to 45 days. Sharing eating utensils, cups, and cigarettes are also ways of transmitting this disease. Hand washing is always a good hygiene practice, but it is not the most important

practice for preventing the spread of mononucleosis. It is not necessary for those with the virus to refrain from contact with others or wear a face mask.

> *Cognitive Level—Applying*
> *Client Needs Category—Safe and effective care environment*
> *Client Needs Subcategory—Safety and infection control*

66. 1. Commenting that the parent is feeling very frustrated is a therapeutic communication technique known as "sharing perceptions." Telling the parent that the adolescent is just going through a phase is nontherapeutic because it belittles the parent's feelings. Indicating that all adolescents rebel is a nontherapeutic example of stereotyping. Stating that the parent is doing everything he or she can is false reassurance.

> *Cognitive Level—Applying*
> *Client Needs Category—Psychosocial integrity*
> *Client Needs Subcategory—None*

67. 3. The enzyme-linked immunosorbent assay (ELISA) test is the most common initial test to screen for HIV infection. If the ELISA test is positive, it is followed by further tests to confirm HIV infection like a Western blot or p24 antigen test. A monospot heterophile test is used to detect infectious mononucleosis. A metabolic profile is a blood test that provides results for multiple blood components but not HIV antibodies. A Venereal Disease Research Laboratory (VDRL) test is used to detect an infection with *Treponema pallidum*, the organism that causes syphilis.

> *Cognitive Level—Applying*
> *Client Needs Category—Health promotion and maintenance*
> *Client Needs Subcategory—None*

68. 2, 3, 4, 5. Practicing safer sex behaviors includes abstinence and reducing the number of sexual partners to one. The client should be encouraged to notify previous and present partners of the human immunodeficiency virus (HIV) status. Condoms should be used for each sexual encounter but should be discarded after one use. Anal intercourse should be avoided due to the risk of bleeding from injury to the rectum and anal tissues. Engaging in nonpenetrating sexual activities, such as mutual masturbation, demonstrates an understanding of safer sex behavior. Other safer behaviors include not sharing needles, razors, toothbrushes, or objects used for sexual activities. Although HIV has been identified in saliva, it has not been identified as a source of transmission.

> *Cognitive Level—Applying*
> *Client Needs Category—Health promotion and maintenance*
> *Client Needs Subcategory—None*

69. 1. Setting and reaching realistic daily goals is the most therapeutic approach and can help the client experience a sense of hope. Hope has a powerful influence on a dying person's will to live and can lift a depressed person's spirits. Referring the client to the chaplain is appropriate if the client requests contact with a clergyman. Distraction will not help a client deal with the feelings nor will it promote a sense of hope. Contacting the next of kin may be therapeutic, depending on the client's relationship with the family.

> *Cognitive Level*—*Applying*
> *Client Needs Category*—*Psychosocial integrity*
> *Client Needs Subcategory*—*None*

70. 3. Defense mechanisms alleviate anxiety by distorting reality. Rationalization is a defense mechanism in which a person justifies information with faulty logic. Suppression occurs when a person avoids awareness by placing unwanted information from consciousness. Compensation covers up weaknesses by emphasizing a more desirable trait or by overachievement. Denial occurs when a person refuses to acknowledge an unacceptable reality.

> *Cognitive Level*—*Applying*
> *Client Needs Category*—*Psychosocial integrity*
> *Client Needs Subcategory*—*None*

71.

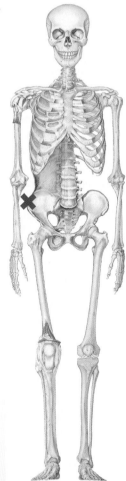

The preferred site for a bone marrow aspiration is the center of the posterior iliac crest (rear of the upper pelvic bone). The anterior iliac crest is an alternative site. Other sites include the sternum, which creates a higher risk because of its close proximity to the heart and lungs. The tibia may be used for infants less than 1 year old.

> *Cognitive Level*—*Applying*
> *Client Needs Category*—*Health promotion and maintenance*
> *Client Needs Subcategory*—*None*

72. 3. Indicating that the client feels terribly upset is a therapeutic communication technique called sharing perceptions. It is kind to identify that this is an emotionally painful time, but the statement closes communication. The other statements are nontherapeutic because they stifle the expression of feelings, ask a "why" question that the client many times cannot provide an answer to, or give advice.

> *Cognitive Level*—*Applying*
> *Client Needs Category*—*Psychosocial integrity*
> *Client Needs Subcategory*—*None*

73. 3. When an alternative treatment is not dangerous or will not interfere with standard treatment, it is best to respect the client's wishes to include it along with the prescribed treatment. Obviously, the alternative must be discussed with the oncologist, but by suggesting both may be combined, it supports the client's right to self-determination. Asking the client to identify the basis for the treatment implies a negative opinion of the client's choice. Chastising the client about self-treatment is a form of disagreeing with the client.

> *Cognitive Level*—*Applying*
> *Client Needs Category*—*Psychosocial integrity*
> *Client Needs Subcategory*—*None*

74. 1. Because the client's gums are bleeding, foam mouth swabs are less likely to traumatize the gums and oral mucous membranes. These swabs are substituted for the toothbrush temporarily. Because the mouth contains organisms that are a source of opportunistic infection, oral hygiene should not be discontinued. Antiseptic mouthwash may be used temporarily to eliminate bacteria, but this is not a permanent alternative to brushing. The risk for injury continues if the nurse eliminates toothpaste but continues to use the toothbrush. Using dental floss can cause further bleeding to the gums.

> *Cognitive Level*—*Applying*
> *Client Needs Category*—*Physiological integrity*
> *Client Needs Subcategory*—*Basic care and comfort*

75. 4. Soft, bland foods, such as creamed soups, cottage cheese, baked fish, macaroni and cheese, custard, and pudding, are recommended for clients with mouth sores. These types of foods help maintain nutrition and relieve oral discomfort. Spicy foods (such as spaghetti and French dressing) and coarse and irritating foods (grilled cheese sandwich) are avoided.

> *Cognitive Level*—*Applying*
> *Client Needs Category*—*Physiological integrity*
> *Client Needs Subcategory*—*Basic care and comfort*

76. 3. A low platelet count of less than 100,000/mm³ (100 ×10⁹/L) places the client at risk for bleeding. Using a small-gauge needle for injections reduces the amount of blood loss. Switching to oral medications when possible is even better. When the number of mature white blood cells (not platelets) is low, it is appropriate to place the client on neutropenic precautions and limit contact with visitors who may be infectious. Rest periods are appropriate to counteract the effects of a low red blood cell count.

Cognitive Level—Applying
Client Needs Category—Physiological integrity
Client Needs Subcategory—Reduction of risk potential

77. 3. An advocate performs duties on behalf of the client. To become a client advocate, the nurse must understand the client's rights. The nurse must uphold the client's right to be told the truth about his or her condition and the right to make an informed decision regarding his or her care. The best example of advocacy is upholding the client's decision to decline further invasive procedures. Allowing the client to refuse personal care promotes autonomy and client-centered care, but it is not the best answer from among the options. Discussing hospice without client input is not an example of client-centered care. Decorating the room with cards is an act of kindness, especially with client input.

Cognitive Level—Analyzing
Client Needs Category—Safe and effective environment
Client Needs Subcategory—Coordinated care

Nursing Care of Clients with Bone Marrow Disorders

78. 4. Preventing injury is a priority concern when caring for people with thrombocytopenia because they are prone to bleeding. The care plan specifies careful handling of the client, padding the side rails with soft material, using a soft toothbrush for mouth care, and using prolonged pressure when discontinuing I.V. infusions or injections. Activity is restricted to reduce the potential for injury. Generally, clients with thrombocytopenia are not at high risk for infection; therefore, visitors are not restricted. A normal intake of oral fluid is appropriate unless a client experiences a large loss of blood volume.

Cognitive Level—Applying
Client Needs Category—Physiological integrity
Client Needs Subcategory—Reduction of risk potential

79. 4. Standard precautions are appropriate when caring for a client with multiple myeloma, which is a type of cancer that is not infectious. Clients with this disorder are at risk for infection because their plasma cells within the bone marrow are abnormal and do not assist in the producing antibodies. Conscientious hand hygiene is the most effective method for reducing the transmission of pathogens. Contact precautions are best when caring for clients with infections that may be transmitted by skin-to-skin contact with an infected person. Airborne precautions are used to reduce the risk of transmitting pathogens that remain infectious over long distances. Droplet precautions block infectious pathogens within moist droplets during close contact with respiratory secretion.

Cognitive Level—Applying
Client Needs Category—Safe and effective care environment
Client Needs Subcategory—Safety and infection control

80. 1. Clients with multiple myeloma experience hypercalcemia due to the absorption of calcium from bone and its relocation in the blood. The abnormal plasma cells break bone down quickly and interfere with making new bone. Eventually, the bones weaken and predispose to pathologic fractures. Serum potassium, sodium, and chloride are not affected by multiple myeloma.

Cognitive Level—Applying
Client Needs Category—Physiological integrity
Client Needs Subcategory—Reduction of risk potential

81. 2. Clients with multiple myeloma may experience severe and unremitting bone pain secondary to pressure within bones, or on nerves, muscles, or other tissues, or from pathologic fractures. Multiple myeloma has a predilection for the bones of the spine, pelvis, and rib cage. As the treatment of the tumorous cells become more successful using chemotherapy, radiation, or stem cell transplantation, the pain can be lessened or relieved. In the meantime, pain is managed with analgesics and bisphosphonates, medications that prevent bone resorption. Monitoring intake and output and preventing skin breakdown may also be legitimate components of the client's care. Weight loss may be indicated to reduce the stress on weakened bones.

Cognitive Level—Applying
Client Needs Category—Physiological integrity
Client Needs Subcategory—Basic care and comfort

82. 2. Clients with multiple myeloma are at high risk for pathologic fractures due to the "holes" created in bone tissue secondary to bone resorption. Age is a factor in determining a person's risk for falls, but it is not the sole consideration. Fall precautions are a component of safety policies, but they are not universally applied to all clients. It is essential to stress that clients who are on fall precautions ask for assistance, but the precautions involve more than just act as a reminder to ask for assistance.

Cognitive Level—Applying
Client Needs Category—Safe and effective care environment
Client Needs Subcategory—Safety and infection control

83. 10 mL

Step 1

$$\frac{30 \text{ mg}}{15 \text{ mg}} \times 1 \text{ tsp} = 2 \text{ tsp}$$

Step 2

2 tsp × 5 mL (equivalent of 1 tsp) = 10 mL

> *Cognitive Level—Applying*
> *Client Needs Category—Physiological integrity*
> *Client Needs Subcategory—Pharmacological therapies*

84. 2. Corticosteroids are drugs that are used to treat inflammatory and immune disorders. They can cause the face to appear round, full, and puffy, sometimes referred to as *moon facies*. It is the result of a buildup of fat on the sides of the face due to the increase in exogenous cortisol combined with endogenous cortisol secreted by the adrenal cortex. Anabolic steroids are different from corticosteroids. Anabolic steroids are synthetic forms of androgens, male sex hormones. They are used by bodybuilders and those who compete in sports to increase the size of their muscles. A deepened voice is more noticeable in females who take anabolic steroids. The skin may thin, and there may be evidence of striae, but skin color should not be affected with corticosteroid therapy.

> *Cognitive Level—Applying*
> *Client Needs Category—Physiological integrity*
> *Client Needs Subcategory—Pharmacological therapies*

85. 1. Steroids may irritate the lining of the stomach causing gastritis because they inhibit cytoprotective prostaglandins in the stomach, weakening gastric mucosal defenses. It is best to take oral steroids with milk or a meal and avoid taking coprescribed medications that increase gastric acidity, like aspirin, at the same time. Steroids are not associated with sleepiness, anorexia, or changes in the color of urine.

> *Cognitive Level—Applying*
> *Client Needs Category—Physiological integrity*
> *Client Needs Subcategory—Pharmacological therapies*

86. 3. Social support is an important factor in coping with emotional and psychological issues. Being able to talk over problems with others actually helps improve a sense of well-being. A network of support can include family, friends, church members, groups of individuals with common interests—even social media. Developing a hobby or reading about a disease is an independent activity that does not involve any other person. Reducing lifestyle demands may modify the stress a person is under, but it does not provide human-to-human support.

> *Cognitive Level—Applying*
> *Client Needs Category—Psychosocial integrity*
> *Client Needs Subcategory—None*

87. 3. Clinical pathways, sometimes called care maps, coordinate care across different disciplines involved in a client's care. They provide explicit clinical outcomes on a daily basis to ensure quality of care and management of resources. Nursing care plans and health care provider's prescriptions represent a focus on problem-centered care, but they are not as comprehensive as a multidisciplinary clinical pathway. The Joint Commissions standards focus on safe practices.

> *Cognitive Level—Analyzing*
> *Client Needs Category—Safe and effective care environment*
> *Client Needs Subcategory—Coordinated care*

88. 2. Conscious sedation results in a depressed level of consciousness but allows the client to independently maintain a patent airway and respond to verbal commands. However, it is possible that clients may experience changes in their ventilation caused by the sedating agent. A pulse oximeter monitors the client's oxygenation and indicates when a client may need supplemental oxygen. Some advocate that pulse oximetry be combined with capnography, a noninvasive method for monitoring the amount of carbon dioxide in exhaled air either with the client breathing through nasal prongs or a continuous positive airway pressure (CPAP) mask. The nurse assesses blood pressure, pulse rate, and rhythm periodically throughout the procedure, but those assessments are not as critical as a client's ventilation. Supplemental oxygen may be provided, but it is not required. Equipment for the administration of the agent used for conscious sedation is used and is available for any reversal medications that may be needed, but the priority is monitoring the client's breathing.

> *Cognitive Level—Analyzing*
> *Client Needs Category—Physiological integrity*
> *Client Needs Subcategory—Reduction of risk potential*

89. 2. Bleeding from the puncture site is one of the most common problems after bone marrow aspiration, especially if the platelet count is low. If bleeding is not controlled, a painful hematoma forms. Firm pressure or an ice pack is used to limit bleeding. Under usual circumstances, bone marrow aspiration does not cause shock. Though the blood pressure and pulse may fluctuate somewhat, any variation is usually due to pain, anxiety, and fear rather than loss of blood volume. Heart conduction can be expected to stay in normal sinus rhythm. The client remains awake and alert throughout and following the procedure.

> *Cognitive Level—Analyzing*
> *Client Needs Category—Physiological integrity*
> *Client Needs Subcategory—Reduction of risk potential*

90. 1. A low number of platelets, also known as *thrombocytes*, increases the risk for bleeding. Bruises indicate bleeding into the skin. Pale skin color is associated with anemia, which is caused by a low red blood cell count. Elevated temperature may be a sign of infection or dehydration. Cool extremities are not associated with thrombocytopenia.

Cognitive Level—*Applying*
Client Needs Category—*Physiological integrity*
Client Needs Subcategory—*Physiological adaptation*

91. 3. Total body irradiation destroys the client's bone marrow and places the individual at high risk for infection. Medical asepsis is scrupulously followed, prophylactic antibiotics and antifungal medications are administered, and visitors are restricted to prevent the client from acquiring an infection from which the client may not recover. The nurse never neglects to promote optimum nutrition and hydration and to help the client cope with fear and depression. However, if these problems occur, they are more easily treated than an infection.

Cognitive Level—*Analyzing*
Client Needs Category—*Physiological integrity*
Client Needs Subcategory—*Reduction of risk potential*

Nursing Care of Clients with Disorders Affecting the Lymph Nodes

92. 2. When the axillary lymph nodes are removed during a radical mastectomy, lymph circulation is impaired. The lymph collects and pools within the arm on the side of the mastectomy. The condition is generally permanent once it develops. Elevating the affected arm and hand, applying an inflatable pressure sleeve or elasticized bandage, squeezing a rubber ball, and performing active range-of-motion exercises are immediate postoperative interventions designed to prevent, reduce, or eliminate the development of lymphedema. Fractures, rickets, and the smallpox vaccine are not associated with lymphedema.

Cognitive Level—*Applying*
Client Needs Category—*Physiological integrity*
Client Needs Subcategory—*Physiological adaptation*

93. 1. Because circulation in the arm with lymphedema is impaired, certain nursing interventions (administering injections, taking a blood pressure, obtaining blood, or starting an I.V. infusion) are avoided on the affected side. Prolonged pressure on the affected side during positioning is also avoided, but there is no contraindication to lying on the affected side for brief periods. Appropriate nursing interventions include performing active range-of-motion exercises and maintaining good nail hygiene such as trimming the nails.

Cognitive Level—*Applying*
Client Needs Category—*Physiological integrity*
Client Needs Subcategory—*Reduction of risk potential*

94. 1. During the early stages of Hodgkin lymphoma, the client's lymph nodes are typically enlarged and painless. Enlarged nodes are usually found first in the neck; if the client is untreated, the disease can spread throughout the lymphatic system. The physical change in cervical lymph nodes is generally one of the first abnormal signs of this disease. Later, the axillary and inguinal lymph nodes may also become involved. Regardless of the location in the body, cancerous growths are hardly ever painful in the early stages of the disease. This explains why early warning signs of cancer tend to be ignored. The other choices do not accurately describe the lymph nodes associated with Hodgkin lymphoma.

Cognitive Level—*Applying*
Client Needs Category—*Physiological integrity*
Client Needs Subcategory—*Physiological adaptation*

95. 3. On receiving the information that the client is using herbal therapy as a daily health practice, the nurse must assess and report the types of herbs being used. Determining if the herbal therapy is part of a naturalist therapy regimen helps to understand the client's overall plan of care but is not a priority for the nurse at this time. Instructing the client to suspend or discontinue herbal therapy is inappropriate until further information is obtained. Disregarding the information is inappropriate because some herbs can affect other prescribed therapies.

Cognitive Level—*Analyzing*
Client Needs Category—*Physiological integrity*
Client Needs Subcategory—*Reduction of risk potential*

96. 2. Deodorants or other skin preparations that contain metals are avoided because they absorb x-rays and increase skin irritation. The skin can be washed with tepid water, mild soap, and a soft washcloth. The hair in the area is not shaved. In fact, shaving may further impair the integrity of the skin, which is somewhat damaged temporarily by the radiation. Zinc oxide contains a metal; therefore, it should not be applied to the skin. If the skin does become dry, blistered, or begins to peel, the health care provider may prescribe a topical application of vitamin A and D ointment, lanolin, pure aloe vera gel, or cortisone ointment.

Cognitive Level—*Applying*
Client Needs Category—*Physiological integrity*
Client Needs Subcategory—*Reduction of risk potential*

97. 1. Skin reddening or bronzing is expected in the area that is irradiated. It is best to inform the client about anticipated skin changes before therapy begins and to stress that the red discoloration is only temporary. Although the ionizing radiation used in cancer therapy is a form of energy, it does not produce heat or cause bleeding under the skin. The client's concern is more likely related to a fear of adverse reactions to therapy than about the cosmetic change to the skin; therefore, reassuring the client that the redness is hardly noticeable is inappropriate.

Cognitive Level—*Applying*
Client Needs Category—*Health promotion and maintenance*
Client Needs Subcategory—*None*

98. 4. The most important information to give the client with irradiated skin is to protect it from direct sunlight. Advising the client to wear several layers of warm clothing is appropriate if the client has poor circulation. For comfort, any individual should avoid becoming chilled or too warm, so this choice is not as important as avoiding sunlight. Wearing a face mask is only warranted if the client has allergies to inhaled substances, has cardiovascular disease in which vasoconstriction causes ischemia, or needs a barrier to infectious microorganisms or environmental pollutants.

> *Cognitive Level—Applying*
> *Client Needs Category—Physiological integrity*
> *Client Needs Subcategory—Reduction of risk potential*

99. 3. Non-Hodgkin lymphoma is a malignant disease that primarily affects the lymphatic tissue of older adults. Like Hodgkin lymphoma, this condition begins with one lymph node and spreads to the rest of the body. Antineoplastic drugs (chemotherapy) can depress bone marrow function and decrease the body's ability to fight infection. If the white blood cell count drops to dangerously low levels, the client becomes susceptible to infection. Then, neutropenic precautions (also known as *protective* or *reverse isolation*) are necessary to prevent exposure to microorganisms that can lead to infection. Periodic blood cell counts are monitored to assess for this potential complication. Anorexia, nausea, vomiting, weight loss, and diarrhea are also side effects of cancer treatment, but they are not indications that require the client to be placed on neutropenic precautions. Confusion and disorientation suggest that the client is experiencing neurologic problems and should be observed closely to protect the client's safety, but the symptoms do not justify implementing neutropenic precautions.

> *Cognitive Level—Applying*
> *Client Needs Category—Safe and effective care environment*
> *Client Needs Subcategory—Safety and infection control*

100. 3. Discussing feelings with another person facilitates grieving. The client should not be left alone immediately after hearing this information. It is important to remain with the client until the information has been processed. The client would also benefit from talking with other supportive individuals, such as a spouse, family member, friend, or member of the clergy. Thinking in private helps some people, but most believe it is more effective to verbalize thoughts and feelings. If the client requests a second opinion, the request should not be denied; however, it would be inappropriate for the nurse to initiate the suggestion. Doing so is considered a form of false reassurance and could prolong the client's denial.

> *Cognitive Level—Applying*
> *Client Needs Category—Psychosocial integrity*
> *Client Needs Subcategory—None*

The Nursing Care of Clients with Respiratory Disorders

- Nursing Care of Clients with Upper Respiratory Tract Infections
- Nursing Care of Clients with Inflammatory and Allergic Disorders of the Upper Airways
- Nursing Care of Clients with Cancer of the Larynx
- Nursing Care of Clients with Inflammatory and Infectious Disorders of the Lower Airways
- Nursing Care of Clients with Asthma
- Nursing Care of Clients with Chronic Obstructive Pulmonary Disease (COPD)
- Nursing Care of Clients with Lung Cancer
- Nursing Care of Clients with Impaired Ventilation
- Test Taking Strategies
- Correct Answers and Rationales

Directions: *With a pencil, blacken the space in front of the option you have chosen for your correct answer.*

Nursing Care of Clients with Upper Respiratory Tract Infections

During a visit to the health care provider's office, a client angrily states to the nurse that the health care provider would not prescribe an antibiotic for a head cold. The client states, "I have felt awful for 3 days."

1. When de-escalating the situation, what explanation to the client by the nurse regarding the use of antibiotics is **best**?

[ ] **1.** The health care provider is protecting you from inappropriate use of antibiotics. Antibiotics are ineffective in treating viral infections.

[ ] **2.** The health care provider recognizes that antibiotics are ineffective after cold symptoms develop. There is no need for administration at this time.

[ ] **3.** The health care provider suggests over-the-counter medication for symptom relief. Antibiotics only prevent the spread of colds to others.

[ ] **4.** The health care provider realizes that you are a generally healthy person. Antibiotics are used only for immunosuppressed individuals.

The client returns to the health care provider's office and the nurse updates the medical record.

Notes

Documented At:

| 8/7 | | 1415 | ? |

Additional Notes

> Temperature: 101°F (38.3°C), Heart rate: 88 beats/min, Respiratory rate: 20 breaths/min. Lethargic. States having difficulty sleeping at night. Clear nasal drainage with nasal stuffiness. Verbalizes a hacky cough and scratchy throat.

2. What symptom reported by the client to the nurse is the **best** indicator that complications are developing from this cold?

[ ] **1.** Nasal stuffiness

[ ] **2.** Dry cough

[ ] **3.** High fever

[ ] **4.** Scratchy throat

3. Before recommending the use of a nonprescription decongestant to a client with a cold, what aspect(s) of the medical history should be assessed? Select all that apply.

[ ] **1.** Arthritis
[ ] **2.** Asthma
[ ] **3.** Hypertension
[ ] **4.** Diabetes
[ ] **5.** Glaucoma
[ ] **6.** Arrhythmias

4. When teaching the client about nasal decongestant sprays, what adverse effect is **most** important to stress?

[ ] **1.** Nasal irritation with rhinorrhea
[ ] **2.** Rebound congestion with nasal stuffiness
[ ] **3.** Bleeding from the nasal mucous membranes
[ ] **4.** Decreased ability to fight microorganisms

5. The nurse is teaching the client how to self-administer nose drops. When evaluating the client's technique, what method would the nurse identify as correct?

[ ] **1.** Bending the head forward, then instilling the drops
[ ] **2.** Pushing the nose laterally, then instilling the drops
[ ] **3.** Tilting the head backward, then instilling the drops
[ ] **4.** Turning the head to the side, then instilling the drop

Nursing Care of Clients with Inflammatory and Allergic Disorders of the Upper Airways

The health care provider prescribes a throat culture for a client with pharyngitis. Laboratory results on a throat culture indicate that the client has an infection caused by group A streptococci. Oral potassium penicillin V is prescribed.

6. The nurse advises the client to make sure to take the entire antibiotic prescription to avoid acquiring other conditions. What disorder(s) may result from an untreated or undertreated streptococcal infection? Select all that apply.

[ ] **1.** Glomerulonephritis
[ ] **2.** Otitis media
[ ] **3.** Shingles
[ ] **4.** Heart valve damage
[ ] **5.** Rheumatic fever
[ ] **6.** Pyelonephritis

A nursing home resident is admitted to the hospital; in accordance with hospital protocol, a nasal swab is obtained to screen for methicillin-resistant Staphylococcus aureus (MRSA).

7. When the nurse obtains the nasal swab, what action is **correct**?

[ ] **1.** The nurse dons sterile gloves before obtaining the specimen.
[ ] **2.** The swab is placed in the anterior portion of the naris and swept superiorly.
[ ] **3.** The client is asked to blow the nose before the specimen is collected.
[ ] **4.** The nurse uses separate applicators for each nare.

A client schedules an appointment for evaluating laryngitis.

8. Until the client can be examined later that morning, what nursing advice would be **most helpful**?

[ ] **1.** "Sucking on ice chips should help."
[ ] **2.** "Rest your voice by using gestures."
[ ] **3.** "Drink plenty of hot liquids."
[ ] **4.** "Rub a camphor and menthol balm on your throat."

A 23-year-old client experiences the following symptoms every fall: swollen nasal passages, endless sneezing, and red, watery, itchy eyes. The client makes an appointment with an allergist.

9. When the health care provider prescribes the first-generation antihistamine diphenhydramine for the client's symptomatic relief, what side effect is **most** emphasized?

[ ] **1.** Dry mouth
[ ] **2.** Constipation
[ ] **3.** Drowsiness
[ ] **4.** Nausea

The client is advised to undergo allergy skin testing and grading for level of response. Weekly injections for desensitization are prescribed.

10. After the client receives the weekly injection of diluted antigens, what nursing instruction is **essential**?

[ ] **1.** Take two 81-mg aspirin before leaving.
[ ] **2.** Wait at least 20 minutes in the waiting area before leaving.
[ ] **3.** Have a driver take you to and from the appointment.
[ ] **4.** Avoid direct sunlight or use a maximum protection sunscreen.

11. What nursing assessment is an **early indication** that the client is developing anaphylaxis?

[ ] **1.** Client states a 4 out of 10 on the pain scale
[ ] **2.** Blood pressure readings of 138/74, 110/68, and 90/50 mm Hg
[ ] **3.** A respiration rate of 12 and 14 breaths/minute at rest
[ ] **4.** Loss of consciousness with respiratory compromise

12. The client experiencing a severe allergic reaction becomes pulseless. The nurse shakes the client, shouts the client's name but gets no response, and activates the emergency medical response system. What nursing action becomes the **next priority**?

[ ] **1.** Administer a single blow to the sternum and call for help.
[ ] **2.** Give two quick breaths that make the chest visibly rise.
[ ] **3.** Begin chest compressions at a rate of 100 per minute.
[ ] **4.** Administer an intramuscular injection of epinephrine.

A client with a persistent upper respiratory infection develops acute bronchitis.

13. Aside from the characteristics of the client's cough, what other pertinent assessment finding should the nurse document?
[ ] **1.** Family history of respiratory disease
[ ] **2.** Current vital signs with pain level
[ ] **3.** Appearance of respiratory secretions
[ ] **4.** Ability to perform activities of daily living

The client is given a prescription for codeine-guaifenesin 10-100 for cough.

14. When the client asks why the health care provider prescribed this particular cough medicine, the nurse correctly responds that this medication is a combination medication with one medication liquefying mucus and the other doing which action?
[ ] **1.** Relieving discomfort
[ ] **2.** Dilating the bronchi
[ ] **3.** Suppressing coughing
[ ] **4.** Reducing inflammation

15. What nursing instruction regarding the prescribed medication is **most important** to tell this client?
[ ] **1.** "Do not take the drug more frequently than prescribed."
[ ] **2.** "Avoid taking the medication before going to sleep."
[ ] **3.** "Drink more fluid throughout the day."
[ ] **4.** "Warm the cough syrup to make it more palatable."

Nursing Care of Clients with Cancer of the Larynx

The nursing team develops a care plan for a client who has been diagnosed with cancer of the larynx. The client is scheduled for a total laryngectomy. After surgery, the client is taken to the recovery room until stabilized.

16. What assessment finding noted by the nurse on the client's return to the room is an **early indication** that the client's oxygenation status is compromised?
[ ] **1.** The client's dressing is bloody.
[ ] **2.** The client becomes restless.
[ ] **3.** The client's heart rate is irregular.
[ ] **4.** The client indicates feeling cold.

17. Which assessment finding provides the **best indication** that the nurse needs to suction the client's tracheostomy?
[ ] **1.** The respiratory rate is under 16 breaths/minute.
[ ] **2.** The pulse oximeter has fallen to 94% on room air.
[ ] **3.** Scattered rales is noted over the bronchi.
[ ] **4.** Wheezes are noted in the right middle lobe.

18. What nursing action is **essential** before suctioning the client with a tracheostomy tube?
[ ] **1.** Preoxygenating the client
[ ] **2.** Moistening the catheter
[ ] **3.** Cleaning around the stoma
[ ] **4.** Removing the inner cannula

19. When suctioning a client with a tracheostomy, when is the **best** time to occlude the vent on the suction catheter?
[ ] **1.** Before inserting the catheter
[ ] **2.** When inside the inner cannula
[ ] **3.** While withdrawing the catheter
[ ] **4.** When the client begins coughing

20. The nurse is evaluating a family member's suction technique of the client's tracheostomy. After the catheter is appropriately introduced, suction is applied for no longer than which amount of time?
[ ] **1.** 5 to 7 seconds
[ ] **2.** 10 to 12 seconds
[ ] **3.** 15 to 20 seconds
[ ] **4.** 25 to 30 seconds

21. Following the family member's suctioning of the client's tracheostomy, which withdrawal technique needs further instruction?
[ ] **1.** Remove the catheter in a steady action.
[ ] **2.** Release suction cover upon removal from the tract.
[ ] **3.** Move the catheter up and down the respiratory tract.
[ ] **4.** Twist and rotate the catheter throughout removal.

22. As the family member is completing the client's tracheostomy care, which action receives positive reinforcement from the nurse?
[ ] **1.** The family member cuts a gauze square to fit around the client's stoma.
[ ] **2.** The family member secures the ties at the back of the client's neck.
[ ] **3.** The family member attaches new ties before removing old ones.
[ ] **4.** The family member replaces the cannula after changing the ties.

23. The nurse is assembling supplies kept at the bedside. The nurse selects a cuffed tracheostomy tube per health care provider's prescriptions. The nurse anticipates the selection is to prevent which outcome?
[ ] **1.** Skin breakdown
[ ] **2.** Aspiration
[ ] **3.** Discomfort
[ ] **4.** Infection

24. Because of this client's impaired speech, what nursing action facilitates optimum communication?
[ ] **1.** Lip-read the client's attempts at communication.
[ ] **2.** Inform the client to speak slowly when talking.
[ ] **3.** Listen attentively to the client's vocalizations.
[ ] **4.** Provide the client with paper and pencil.

The nursing team discusses the client's anger and depression about the cancer diagnosis, the change in body image, and the loss of speech following a laryngectomy.

25. What is the **best indication** to the nurse that the client is beginning to accept the condition?
[ ] **1.** The client wants the spouse and children to visit.
[ ] **2.** The client asks about other treatment measures.
[ ] **3.** The client examines the tracheostomy tube in a mirror.
[ ] **4.** The client begins bathing independently each day.

Nursing Care of Clients with Inflammatory and Infectious Disorders of the Lower Airways

When an adult client with a diagnosis of pneumonia is admitted to the unit, the nurse observes symptoms of shaking chills and a fever of 103.1°F (39.5°C). A chest x-ray and sputum specimens for culture and sensitivity are prescribed.

26. To determine whether the pneumonia is caused by a bacteria or virus, the nurse asks the client about the onset of the symptoms for which reason?
[ ] **1.** The symptoms of bacterial pneumonia usually come on rapidly and tend to be more severe.
[ ] **2.** The symptoms of viral pneumonia usually come on rapidly and tend to be more severe.
[ ] **3.** The symptoms of viral pneumonia begin a couple of weeks after a person has developed upper respiratory symptoms, such as congestion or a sore throat.
[ ] **4.** The symptoms of bacterial pneumonia begin a couple of weeks after a person has developed upper respiratory symptoms, such as congestion or a sore throat.

The nurse provides crushed ice chips in an 8-ounce glass to the client who mouth breathes.

27. Which nursing action provides the **most accurate** intake amount?
[ ] **1.** Subtract the volume of ice left in the container from the 8 ounces.
[ ] **2.** Melt 8 ounces of ice and measure the volume.
[ ] **3.** The amount is minimal; it is unnecessary to record.
[ ] **4.** Record the volume as small, medium, or large.

The nurse applies a pulse oximeter and records a reading of 88%. After repositioning and confirming the 88% result, the nurse notes a trend of 90% and 89% on previous readings.

28. Which nursing intervention is completed **next**?
[ ] **1.** Begin oxygen at 2 L via nasal cannula.
[ ] **2.** Place a continuous pulse oximeter on the finger.
[ ] **3.** Notify the health care provider of the pulse oximeter reading.
[ ] **4.** Reposition the client and elevate the head of the bed.

29. The nurse instructs a client on the use of an incentive spirometer. Place the sequence of steps in the correct order. Use all options.

1. Hold your breath for 2 to 6 seconds.
2. Exhale normally.
3. Inhale slowly and deeply.
4. Identify the predetermined goal.
5. Remove the mouthpiece.
6. Seal the mouthpiece between your lips.

The client who has been diagnosed with pneumonia has difficulty expectorating respiratory secretions.

30. What nursing action is **most appropriate** when planning to obtain the prescribed sputum specimen?
[ ] **1.** Provide the client with a generous fluid intake.
[ ] **2.** Encourage the client to change positions regularly.
[ ] **3.** Ask the dietitian to send the client a clear liquid diet.
[ ] **4.** Administer an antitussive before collecting the specimen.

31. What time of day is **best** for the nurse to obtain a sputum specimen from the client?
[ ] **1.** Before bedtime
[ ] **2.** After a meal
[ ] **3.** Between meals
[ ] **4.** On awakening

32. What statement **best** suggests that the client understands the nurse's instruction on how to handle the sputum specimen container?
[ ] **1.** "I should put gloves on before opening the container."
[ ] **2.** "I should wipe the container with an alcohol swab."
[ ] **3.** "I cannot put the lid on the container until the container is fairly full."
[ ] **4.** "I must not touch the inside of the container."

33. What change in assessment finding indicates that the client has **most likely** developed pleurisy as a result of the pneumonia?
[ ] **1.** Productive cough
[ ] **2.** Pain when breathing
[ ] **3.** Cyanotic nail beds
[ ] **4.** Rapid heart rate

The nurse advises the client about reducing the potential for acquiring future respiratory infections.

34. What immunization should the nurse advise the client to receive yearly?
[ ] **1.** Zoster vaccine, live
[ ] **2.** Pneumococcal polysaccharide vaccine (PPSV23)
[ ] **3.** Pneumococcal 13-valent conjugate vaccine
[ ] **4.** Trivalent inactivated flu vaccine

Penicillin by I.M. injection is prescribed for the client diagnosed with pneumococcal pneumonia.

35. When the client asks why the health care provider chose this particular drug to treat the pneumonia, what response by the nurse is **best**?
[ ] **1.** "The sensitivity report showed the organism is often killed by penicillin."
[ ] **2.** "Most viral infections respond well when treated with penicillin drugs."
[ ] **3.** "Penicillin is one of the safest yet most effective antibiotics."
[ ] **4.** "All antibiotics are similar; the choice of drug is not that important."

The nurse prepares to administer penicillin G to a client. The prescription reads: penicillin G potassium 300,000 units I.M. four times daily. The directions on the label state, "This vial contains 1,000,000 units of penicillin G potassium. Add 9.6 mL sterile water for injection to reconstitute the powder for a concentration of 100,000 units/mL."

36. How many milliliters of the reconstituted medication should the nurse administer to the client? Record your answer using a whole number.

_____ mL

The nurse chooses to inject the prescribed dose of penicillin into the ventrogluteal injection site.

37. Which site should the nurse use for a ventrogluteal injection?

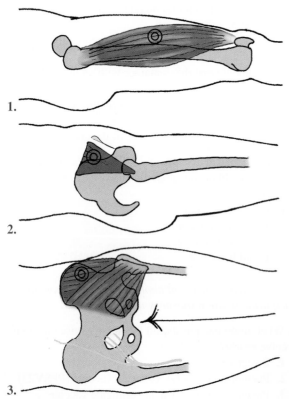

1.

2.

3.

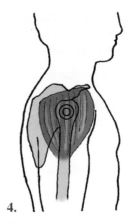

4.

38. If a client is allergic to penicillin, which medication would the nurse question?
[ ] **1.** Gentamycin 325 mg every 8 hours
[ ] **2.** Tetracycline 500 mg twice daily
[ ] **3.** Cephalexin 500 mg twice daily
[ ] **4.** Levofloxin 500 mg twice daily

The nurse volunteers to speak with older adults during a community-wide immunization campaign.

39. Other than obtaining a vaccination against influenza prior to flu season, what nursing advice is **most helpful** to high-risk clients who want to avoid getting influenza?
[ ] **1.** Consume adequate vitamin C.
[ ] **2.** Avoid crowded places.
[ ] **3.** Dress warmly in cold weather.
[ ] **4.** Reduce daily stress and anxiety.

A client is seen in the health care provider's office and is given oseltamivir, an antiviral medication for the client's symptoms of fever, chills, muscle aches, rhinitis, and sore throat related to influenza.

40. When the nurse is instructing the client on the effectiveness of oseltamivir, what instruction point is **essential**?
[ ] **1.** Oseltamivir must be started within 12 to 24 hours of the first symptoms.
[ ] **2.** Oseltamivir must be taken on an empty stomach to aid in absorption.
[ ] **3.** Oseltamivir affects the liver; liver enzymes are assessed before administration.
[ ] **4.** Oseltamivir is most effective when administered intranasally.

41. When caring for a client with influenza, what nursing assessment data indicate that the symptoms are progressing to include hypoxia? Select all that apply.
[ ] **1.** Cough
[ ] **2.** Restlessness
[ ] **3.** Fever
[ ] **4.** Tachypnea
[ ] **5.** Use of accessory muscles to breathe
[ ] **6.** Cyanosis

A nurse working in an assisted living facility notes that an older adult client with influenza has a fever of 101.8°F (38.7°C) and a dry cough. The client reports sore muscles and a headache.

42. The nurse instructs the unlicensed assistive personnel to encourage the client to consume extra fluids. If the client has normal cardiovascular and renal function, what is an appropriate goal for oral intake in the next 24-hour period?
[ ] **1.** 500 mL
[ ] **2.** 1,000 mL
[ ] **3.** 1,500 mL
[ ] **4.** 3,000 mL

The health care provider prescribes the nurse to give two acetaminophen tablets orally every 4 hours, as needed, if the client has a temperature over 102°F (38.9°C) and to give a tepid sponge bath at the same time.

43. What response is the **best indication** that the nurse should discontinue the client's sponge bath?
[ ] **1.** Nausea
[ ] **2.** Chills
[ ] **3.** Flushing
[ ] **4.** Confusion

The nurse in a long-term care facility is required by the state's law to test all newly admitted clients for tuberculosis. The policy of the agency is to administer a Mantoux skin test.

44. Place an *X* at the location indicating the nurse's correct injection technique for administering the skin test.

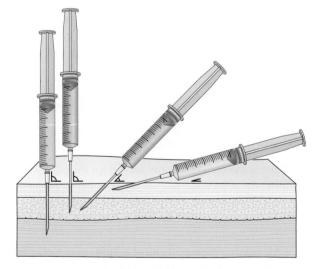

45. The nurse administers the tuberculin skin test on Monday at 0900. Which time is the nurse correct in reassessing the injection site?
[ ] **1.** The following Monday at 0900
[ ] **2.** The next day (Tuesday) at 0900
[ ] **3.** The next Wednesday (48 hours) at 0900
[ ] **4.** By the end of the week (Friday) at 0900

46. The client asks the nurse, "What is the significance of a positive tuberculin skin test?" What explanation is **most accurate**?
[ ] **1.** "You have an active tuberculosis infection."
[ ] **2.** "You have antibodies against tuberculosis."
[ ] **3.** "You are immune to tuberculosis."
[ ] **4.** "You require immediate isolation."

47. When a previously negative client has a positive reaction to a tuberculin skin test, what action is taken **next**?
[ ] **1.** A skin test will be performed every 6 months.
[ ] **2.** A routine chest x-ray is required every year.
[ ] **3.** The client will need to live alone temporarily.
[ ] **4.** Antituberculosis drugs will be prescribed.

48. The nurse cares for a client with a tentative admitting diagnosis of tuberculosis. What type of transmission precaution would the nurse follow during the client's care?
[ ] **1.** Contact precautions
[ ] **2.** Droplet precautions
[ ] **3.** Airborne precautions
[ ] **4.** Standard precautions

49. The client being cared for with transmission-based precautions feels shunned and abandoned and exhibits signs of sensory deprivation. What nursing measure would be **most helpful**?
[ ] **1.** Locate the client in a room close to the nursing station.
[ ] **2.** Help the client select a television network to watch.
[ ] **3.** Interact with the client at frequent intervals.
[ ] **4.** Encourage the client to text friends and family.

The health care provider prescribes a combination of rifampin and isoniazid to treat the client's tuberculosis.

50. When the client asks the nurse about why the health care provider has prescribed two drugs, what response is **most accurate**?
[ ] **1.** One medication diminishes the side effects of the other.
[ ] **2.** One medication kills the live organism; the other, its spores.
[ ] **3.** Using combined medications can reduce the dosages of both drugs.
[ ] **4.** Using two or more drugs lowers the potential for bacterial resistance.

51. What health measure is **most important** for the nurse to emphasize when instructing the client on how to prevent the transmission of tuberculosis while undergoing home drug therapy?
[ ] **1.** Wash plates and utensils in hot water.
[ ] **2.** Avoid sharing towels and wash cloths.
[ ] **3.** Use a paper tissue when coughing.
[ ] **4.** Wash your hands before and after meals.

Aware that the client must manage nutritional needs on a very low income after being discharged, the nurse reinforces the dietitian's instructions.

52. If the client identifies that lunches include the following foods, what meal is the **most nutritious**?
[ ] **1.** Tossed salad, dinner roll, and iced tea
[ ] **2.** Jelly sandwich on whole wheat bread and coffee
[ ] **3.** Meatless chili with beans, corn bread, and milk
[ ] **4.** Chicken soup, gelatin, and sweetened lemonade

The client diagnosed with tuberculosis is discharged but continues to have evidence of the tubercle bacilli in sputum after 6 weeks of drug therapy.

53. What question is **most important** for the nurse to ask the client at this time?
[ ] **1.** "When did you last take your prescribed medications?"
[ ] **2.** "Have you taken all your medications as prescribed?"
[ ] **3.** "How many drug refills have you obtained?"
[ ] **4.** "Have you experienced any drug side effects?"

Nursing Care of Clients with Asthma

An adult client who has had asthma since early childhood presents to the emergency department in respiratory distress. The nurse uses pulse oximetry to monitor the asthma client's oxygenation status.

54. Where is the **best** location the nurse can use when applying the pulse oximeter to obtain an accurate measurement?
[ ] **1.** Apply it to the client's finger.
[ ] **2.** Apply it to the client's toe.
[ ] **3.** Clip it to the client's earlobe.
[ ] **4.** Adhere it to the bridge of the nose.

55. The nurse is completing a health history. Which question is **most important**?
[ ] **1.** "When was your last asthma attack?"
[ ] **2.** "Have your triggers been identified?"
[ ] **3.** "Do you use a peak flow meter?"
[ ] **4.** "How often do you use your rescue inhaler?"

The client continues to have difficulty breathing and shortness of breath. The health care provider prescribes a levalbuterol hydrochloride inhalation treatment.

56. After levalbuterol hydrochloride administration, what side effect of the medication will the nurse **most likely** detect?
[ ] **1.** Respiratory rate of 28 breaths/minute
[ ] **2.** Heart rate of 96 beats/minute
[ ] **3.** Postural hypotension
[ ] **4.** Respiratory strider

A laboratory technician draws blood for an arterial blood gas (ABG) measurement from the client's radial artery before the health care provider's examination.

57. Immediately after the specimen is drawn, what nursing action is **essential**?
[ ] **1.** Apply direct pressure to the site for 5 minutes.
[ ] **2.** Warm the blood in the specimen tube for 5 minutes.
[ ] **3.** Assess the client's blood pressure in 5 minutes.
[ ] **4.** Elevate the client's arm for at least 5 minutes.

The health care provider prescribes administration of 60% oxygen with a partial rebreathing mask and reservoir bag to treat the client's asthma attack.

58. When administering oxygen to the client through a partial rebreathing mask, what observation is **most important** for the nurse to report to the respiratory therapy department?
[ ] **1.** Moisture is accumulating inside the mask.
[ ] **2.** The bag collapses during inspiration.
[ ] **3.** The mask covers the client's mouth and nose.
[ ] **4.** The strap around the client's head is snug.

59. Due to the client's compromised respiratory system, an oxygen concentration of more than 50% has been administered over the past 40 hours. Considering the oxygen concentration, what sign(s) and symptom(s) would indicate that the client is experiencing toxicity? Select all that apply.
[ ] **1.** Nonproductive cough
[ ] **2.** Nausea
[ ] **3.** Hyperventilation
[ ] **4.** Headache
[ ] **5.** Substernal chest pain
[ ] **6.** Nasal stuffiness

The health care provider prescribes 0.1 mg of epinephrine subcutaneously for the client. The label indicates that the epinephrine is a 1:1,000 dilution, which means that 1 g of epinephrine has been mixed with 1,000 mL of liquid.

60. What is the correct volume needed for the nurse to administer the prescribed dose of 0.1 mg of epinephrine to the client? Record your answer using one decimal place.

_____ mL

61. What nursing measure is **most helpful** in reducing the client's anxiety during an asthma attack?
[ ] **1.** Close the door to the examination room.
[ ] **2.** Remain within the client's view.
[ ] **3.** Pull the bedside privacy curtain.
[ ] **4.** Notify the client when the respiratory therapist arrives.

The use of a peak flow meter is prescribed to help the client judge asthma symptoms on a daily basis.

62. The nurse provides directions to the client on the proper use of a peak flow meter. Arrange the steps for the nurse's instruction to the client on the proper use of a peak flow meter in the correct sequence. Use all options.

| **1.** Record the highest rating after three attempts. |
| **2.** Slide the marker or arrow to zero. |
| **3.** Blow as fast as you can. |
| **4.** Take a deep breath. |
| **5.** Put the mouthpiece into your mouth. |
| **6.** Empty all the air from your lungs. |

63. The nurse is planning care for the long-term management of a client with persistent asthma symptoms. What type of medication would the nurse anticipate as a primary category of drug treatment?
[ ] **1.** Inhaled corticosteroid
[ ] **2.** Oral bronchodilator
[ ] **3.** I.V. sympathomimetic
[ ] **4.** Parenteral anti-inflammatory

Nursing Care of Clients with Chronic Obstructive Pulmonary Disease (COPD)

A client diagnosed with emphysema is admitted. The client has a history of smoking two packs of cigarettes per day for the past 40 years.

64. The nurse assesses a client with chronic obstructive pulmonary disease. What is the **most likely** appearance of the client's chest?

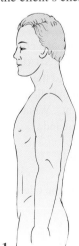
1.

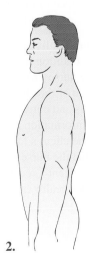
2.

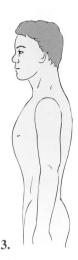
3.

4.

65. The nurse prepares to administer oxygen by nasal cannula to the client with chronic obstructive pulmonary disease who is experiencing compromised breathing. What oxygen flow rate is **most appropriate** for this client?
[ ] **1.** 2 L/minute
[ ] **2.** 5 L/minute
[ ] **3.** 8 L/minute
[ ] **4.** 10 L/minute

The client with chronic obstructive pulmonary disease (COPD) receives I.V. fluid containing aminophylline.

66. What nursing instruction identifies the primary goal for administering aminophylline?
[ ] **1.** Aminophylline will relieve persistent coughing.
[ ] **2.** Aminophylline will reduce sputum production.
[ ] **3.** Aminophylline will dilate the bronchial airways.
[ ] **4.** Aminophylline will thin respiratory secretions.

67. The nurse performs postural drainage on the client. What nursing intervention is **most beneficial** to loosen secretions?
[ ] **1.** Telling the client to take deep breaths
[ ] **2.** Striking the back with a cupped hand
[ ] **3.** Applying pressure below the diaphragm
[ ] **4.** Placing the client in a sitting position

The health care provider prescribes two puffs of albuterol sulfate twice a day as needed using a metered-dose inhaler.

68. After administering the first puff of medication, what client action demonstrates proper use of the inhaler?
[ ] **1.** The client depresses the canister a second time before exhaling.
[ ] **2.** The client holds his or her breath for up to 10 seconds before exhaling.
[ ] **3.** The client cleans the mouthpiece with a clean paper tissue or cloth.
[ ] **4.** The client bends from the waist to increase the exhaled volume.

Before discharge, the client with emphysema tells the nurse, "This disease makes me a prisoner in my own home."

69. What nursing response by the nurse is **best**?
[ ] **1.** "I am not sure what you mean by being a prisoner."
[ ] **2.** "There are lots of things you can still do."
[ ] **3.** "You are just having a bad day today."
[ ] **4.** "Why do you feel that way?"

While preparing to return home, the client with emphysema verbalizes concern about continued fatigue and shortness of breath.

70. What discharge instruction is **most appropriate** for reducing the client's fatigue and shortness of breath during mealtimes?
[ ] **1.** "Eat simple carbohydrates for quick energy."
[ ] **2.** "Eat fatty foods to get maximum caloric intake."
[ ] **3.** "Eat frequent, small meals to reduce energy use."
[ ] **4.** "Eat the largest meal late at night before sleep."

Nursing Care of Clients with Lung Cancer

The nurse is caring for an older adult client who is undergoing several diagnostic tests to determine a potential diagnosis of lung cancer. A bronchoscopy is scheduled.

71. After the bronchoscopy, the nurse should closely monitor the client's:
[ ] **1.** level of consciousness.
[ ] **2.** oral status.
[ ] **3.** respiratory effort.
[ ] **4.** ability to speak.

72. The nurse observes blood when suctioning secretions that have accumulated in the client's mouth following the bronchoscopy. To evaluate the significance of the client's bleeding, what assessment is **most** important for the nurse to make at this time?
[ ] **1.** Count the pulse rate.
[ ] **2.** Listen to heart sounds.
[ ] **3.** Check the gag reflex.
[ ] **4.** Measure the chest expansion.

73. What assessment technique is **essential** before allowing a client food or fluids after a bronchoscopy?
[ ] **1.** Touch the arch of the palate with a tongue blade.
[ ] **2.** Listen to the abdomen for active bowel sounds.
[ ] **3.** Inspect the oral mucous membranes for integrity.
[ ] **4.** Palpate the throat while the client swallows.

After the bronchoscopy, the client is diagnosed with advanced lung cancer. Pleural effusion is also discovered. The nurse prepares the client for a thoracentesis.

74. When the nurse auscultates the client's lung sounds, what assessment finding is the nurse **most likely** to detect?
[ ] **1.** Wheezing in the upper lobes
[ ] **2.** A friction rub posterior to the affected area
[ ] **3.** Crackles over the affected area
[ ] **4.** Decreased sounds over the involved area

75. How should the nurse position the client while undergoing a thoracentesis?
[ ] **1.** Sims
[ ] **2.** Sitting
[ ] **3.** Prone
[ ] **4.** Supine

After the thoracentesis, the client is advised that a pneumonectomy would be a treatment option. The client is told that a pneumonectomy is required to remove the cancerous tumor.

76. Following surgery, what position is **essential** for the nurse to place the client?
[ ] **1.** Lie with the healthy lung uppermost.
[ ] **2.** Lie with the head lower than the heart.
[ ] **3.** Lie with the affected side upward.
[ ] **4.** Lie with the arms elevated on pillows.

The client requests pain medication after the pneumonectomy.

77. Before administering morphine sulfate to the client, what is **most important** for the nurse to assess?
[ ] **1.** Rate and rhythm of the heart
[ ] **2.** Skin color and temperature
[ ] **3.** Presence of bowel sounds
[ ] **4.** Rate and depth of respirations

78. The nurse calls the health care provider about a client whose condition has changed and follows the SBAR format. The nurse provides self-identification and the identification of the client, the background on the client, and previous and current changes in assessments. What additional information is **most important** to include?
[ ] **1.** If the client's family has been notified
[ ] **2.** What the nurse thinks would be helpful
[ ] **3.** The client's recorded code status
[ ] **4.** Other health care providers involved in the client's care

Nursing Care of Clients with Impaired Ventilation

A high school football player presents to the emergency department with signs and symptoms suggestive of two fractured ribs.

79. Before discharging a client with fractured ribs from the emergency department, what instruction is **most important** for the nurse to provide?
[ ] **1.** Breathe deeply several times every hour.
[ ] **2.** Breathe shallowly to avoid discomfort.
[ ] **3.** Breathe rapidly to promote ventilation.
[ ] **4.** Breathe into a paper bag every hour.

While on the way to work one morning, a nurse witnesses a motorcycle accident and stops to assist the victim.

80. When assessing the accident victim, what finding strongly suggests the presence of a flail chest?
[ ] **1.** Sucking air is heard near the chest.
[ ] **2.** The trachea deviates from midline.
[ ] **3.** A portion of the chest moves inward during inspiration.
[ ] **4.** The victim has severe chest pain during expiration.

On arrival at the emergency department, it is determined that the victim's lung collapsed during the accident. A hemothorax is diagnosed, and two chest tubes are inserted.

81. After chest tube insertion, the nurse expect to see bloody drainage from the:
[ ] **1.** victim's nose.
[ ] **2.** victim's mouth.
[ ] **3.** tube in the upper chest.
[ ] **4.** tube in the lower chest.

Both the victim's chest tubes are connected to a commercial water seal drainage system.

82. When the nurse monitors the chamber with the water seal, what finding suggests that the system is functioning correctly?
[ ] **1.** The fluid rises and falls with respirations.
[ ] **2.** The fluid level is lower than when first filled.
[ ] **3.** The fluid bubbles continuously.
[ ] **4.** The fluid looks frothy white.

83. What assessment finding indicates that air is leaking into the tissue around the victim's chest tube insertion site?
[ ] **1.** The tissue appears pale or almost colorless.
[ ] **2.** A hissing sound, like a leaking tire, can be heard.
[ ] **3.** The skin crackles when touched.
[ ] **4.** Air is felt as it escapes.

The victim is transported to another unit for a chest x-ray. The chest tubes and water seal drainage system are still in place.

84. What nursing action is **most appropriate** before transporting the client to have x-rays taken?
[ ] **1.** Clamp the chest tubes before leaving the room.
[ ] **2.** Keep the drainage system below the insertion sites.
[ ] **3.** Attach a portable suction machine to the chest tubes.
[ ] **4.** Provide mechanical ventilation during transport.

85. What is the **best method** for determining the amount of drainage from a chest tube when a closed water seal system is used?
[ ] **1.** Empty the collection chamber, and measure the volume.
[ ] **2.** Subtract the client's fluid intake from drainage output.
[ ] **3.** Instill sterile irrigation solution, and measure the drainage.
[ ] **4.** Subtract the previously marked volume from the current amount.

The nurse is caring for a client who has a chest tube connected to a three-chamber water seal drainage system.

86. Place an X on the chamber of the chest tube drainage system in which the nurse should observe continuous gentle bubbling when suction is used to facilitate drainage from the pleural space.

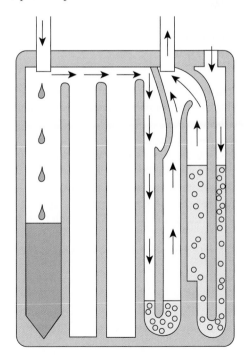

After abdominal surgery, a client suddenly experiences severe chest pain and dyspnea. A pulmonary embolism is suspected.

87. Where did the client's embolism **most likely** originate?

[ ] **1.** The deep veins of the legs
[ ] **2.** The pulmonary artery
[ ] **3.** The superior vena cava
[ ] **4.** The carotid artery

The client with a pulmonary embolism suddenly experiences chest pain and dyspnea and tells the nurse, "I think I am dying."

88. What nursing response is **best** at this time?

[ ] **1.** "The pain will lessen in a few minutes."
[ ] **2.** "I will stay with you until help comes."
[ ] **3.** "Why would you even think something like that?"
[ ] **4.** "Is there someone you would like me to contact?"

89. What nursing intervention is **most important** in response to the client's physical symptoms at this time?

[ ] **1.** Administering oxygen by face mask
[ ] **2.** Assessing the client's capillary refill
[ ] **3.** Having the client rate the pain on a pain scale
[ ] **4.** Requesting a health care provider's prescription for cardiac enzymes

90. Based on the client's clinical presentation, what drug should the nurse anticipate will be administered intravenously?

[ ] **1.** Heparin
[ ] **2.** Aminophylline
[ ] **3.** Nitroglycerin
[ ] **4.** Morphine

91. The nurse attaches a pulse oximeter to the client's finger. What nursing action(s) is appropriate at this time? Select all that apply.

[ ] **1.** Remove the client's fingernail polish.
[ ] **2.** Position the sensors so they are directly opposite to each other on the client's finger.
[ ] **3.** Connect the cable to the oximeter.
[ ] **4.** Set the SpO_2 alarms between 95% and 100%.
[ ] **5.** Notify the health care provide reach time an alarm sounds.
[ ] **6.** Relocate the spring-loaded sensor periodically.

A nurse working in a health care provider's office receives a telephone call from a frantic person whose family member is choking on a piece of hard candy.

92. What information does the nurse need to know **first** before recommending further action?

[ ] **1.** Can the victim walk?
[ ] **2.** Can the victim cough?
[ ] **3.** How is the victim positioned?
[ ] **4.** Can the victim still swallow?

93. The nurse knows that the correct way to position the hands when performing the abdominal thrust maneuver is with the thumb side of the closed fist on what part of the victim's abdomen?

[ ] **1.** Directly on the manubrium
[ ] **2.** Above the xiphoid process
[ ] **3.** Below the navel
[ ] **4.** Below the sternum

94. A nurse is involved in the care of a client with a suspected opioid overdose; naloxone 2 mg I.M. is prescribed stat. The naloxone is supplied in a 10-mL multidose vial that contains 0.4 mg/mL. What volume of the drug is needed to administer the prescribed dose? Record your using a whole number.

_____ mL

95. The friend of the client who has overdosed becomes hysterical. What nursing action is **best** for managing the friend's distress?

[ ] **1.** Administer a prescribed sedative.
[ ] **2.** Reassure the friend that everything will be okay.
[ ] **3.** Escort the friend to a quiet area.
[ ] **4.** Suggest contacting the chaplain.

Test Taking Strategies

Nursing Care of Clients with Upper Respiratory Tract Infections

1. Note the key word "best" indicating one explanation is most accurate and de-escalates the situation. Use the process of elimination to select the option that identifies the correct explanation for excluding antibiotic therapy when treating a head cold. Recall that the common cold is caused by a virus. Viruses are not susceptible to antibiotic therapy. The common cold is self-limiting with or without symptomatic treatment.

2. Note the key words "best indicator." Use the process of elimination to select the option that identifies that a person with a cold is developing complications. Recall that a high fever suggests a more systemic rather than local problem is developing.

3. Analyze to determine what the question asks, which is contraindications of decongestants. Recall that adrenergic drugs produce their effects by mimicking the sympathetic nervous system, resulting in vasoconstriction, increased heart rate, and dilation of the pupils. The latter can cause the iris to move forward, closing the channel that drains intraocular fluid.

4. Use the process of elimination to select the option that correlates with health teaching about the use of nasal decongestant sprays. Recall that rebound phenomenon, also known as rhinitis medicamentosa, is an increase in localized edema and congestion, and the effect of nasal congestion and stuffiness should be stressed.

5. Use the process of elimination to identify the option that describes how to effectively instill nasal medications. Recall how gravity can help direct liquid medication toward the tissue on which it will act.

Nursing Care of Clients with Inflammatory and Allergic Disorders of the Upper Airways

6. Read all the choices carefully. Use the process of elimination to select options that correspond with the consequences of untreated or undertreated streptococcal infections. Recall that streptococci can migrate and cause inflammation of other organs, in this case the glomeruli of the nephrons, if they are not completely eradicated, to the middle ear via the Eustachian tube, and heart valves secondary to rheumatic fever.

7. Note the key word "correct." Use the process of elimination to select an option that describes as the accurate technique for swabbing the nose to collect a screening specimen. Recall that when obtaining a screening specimen from the nose, the tip of the swab is placed within the anterior portion of the nostril, then angled superiorly, and rotated against the tissue as it is withdrawn. The action is repeated in the opposite nostril with the same swab.

8. Note the key words "most helpful" in reference to advice for helping a client relieve symptoms associated with laryngitis. Recall that laryngitis, an inflammation of the voice box that results in hoarseness, can be relieved by totally resting the voice.

9. Use the process of elimination to select a side effect of first-generation antihistamines such as diphenhydramine. Recall that a major side effect of this class of drugs is decreased alertness, slowed reaction time, drowsiness, and sleepiness.

10. Note the key word "essential," which implies a priority. Recall that the dangers of desensitization treatment can result in anaphylactic shock very shortly after being exposed to an allergen. Therefore, having the client wait for 20 minutes is an essential nursing action because it ensures that staff will be available to respond if there is a potentially fatal allergic reaction.

11. Note the key words "early indication" meaning near the onset of a reaction. Recall that anaphylactic shock occurs very quickly following contact with the allergen with early symptoms reflected in the vital signs. Anaphylactic shock includes severe hypotension, labored breathing (increased respiratory rate), gasping for air, skin color changes, anxiety (increase heart rate), and panic.

12. Note the key words "next priority." Use the process of elimination to select the option that correlates with the nursing action that should take place after activating emergency services to facilitate survival of a pulseless client. Guidelines for resuscitation were recently revised. Airway, breathing, and circulation, or the ABCs, have now been changed to circulation, airway, and breathing (CAB).

13. Use the process of elimination to select the option that correlates with an assessment that is important to document besides the characteristics of the client's cough. Recall that the appearance of expectorated secretions may help in the differential diagnosis of the respiratory condition.

14. Use the process of elimination to select the option that correlates with the rationale for prescribing an antitussive that contains codeine. Recall that codeine is a central nervous system depressant that inhibits the cough center in the medulla.

15. Note the key words "most important" in reference to the health teaching that relates to the prescribed cough medication. Recall that self-administering more than the prescribed dosage of the cough medication containing codeine may decrease alertness.

Nursing Care of Clients with Cancer of the Larynx

16. Note the key words "early indication" in reference to a sign of compromised oxygenation. Recall that restlessness occurs as a conscious or unconscious client struggles to breathe more effectively.

17. Note the key words "best indication" that a client's tracheostomy needs suctioning. Use the process of elimination to select the option that correlates with developing hypoxemia. Recall that if the airway is patent, breathing should be noiseless and effortless. Adventitious breath sounds of rales indicate secretions are occupying space within the airway and have the potential to impair oxygenation.

18. Note the key word "essential" indicating a priority. Use the process of elimination to select the option that correlates with a nursing action that is required before suctioning a client's tracheostomy. All of the actions listed in the options are components of tracheostomy care. However, recall that preoxygenation is essential because providing supplemental oxygen reduces the risk of hypoxia as the suction catheter removes secretions and air from the airway.

19. Note the key word "best" meaning one time is more appropriate than any other. Use the process of elimination to select the option that corresponds with the standard time to occlude the vent when suctioning a client. Recall that the vent is occluded after being fully inserted because it withdraws secretions while minimizing the amount of oxygen being removed.

20. Use the process of elimination to select the option that correlates with the maximum amount of time a suction catheter should be occluded while in the airway. Recall that the suctioning process removes oxygen as well as secretions. The potential for hypoxia increases the longer the vent is occluded. Standards of care indicate that the vent should be occluded no longer than 10 to 12 seconds. Reoxygenating the client is required if additional suctioning is required.

21. Use the process of elimination to select the option that is incorrect or "needs further instruction" by the nurse when withdrawing a suction catheter from the airway. Recall that the suction catheter has several ports and the removal is one direction, straight out of the tract. Evaluate each option against the standards of care.

22. Use the process of elimination to select the option that describes the recommended nursing action when providing tracheostomy care. Recall that until new ties are secured, the soiled ties hold the tracheostomy tube in place, preventing it from being accidentally displaced from the trachea.

23. Use the process of elimination to help select the option that identifies the rationale for using a cuffed tracheostomy tube. Recall that the reason a cuffed tracheostomy tube is used is to seal off the lower airway to prevent fluids from entering the lungs.

24. Use the process of elimination to select the option that correlates with a nursing action that promotes communication with a client whose larynx has been removed. Recall that a client who has had a total laryngectomy cannot ever speak normally. Using paper and pencil is the best alternative until the client masters alternative methods for speaking.

25. Use the process of elimination to select the option identifying the best evidence of beginning acceptance. Looking at the tracheostomy tube is a clue that the client is initially dealing with the reality of the situation. Avoidance would suggest impaired coping.

Nursing Care of Clients with Inflammatory and Infectious Disorders of the Lower Airways

26. Analyze the choices to determine the basis for the nurse's query as to when the client's symptoms first appeared. Recall that bacterial pneumonia comes on rapidly and the symptoms tend to be more severe. The symptoms of viral pneumonia are more gradual and less intense.

27. Note the key words "most accurate" in reference to how the volume of melted ice would be calculated. Recall that frozen water has a different size than liquid water; therefore, determining the volume in similar physical states promotes accuracy.

28. Note the key word "next." Rank the options and select the first nursing action to complete. Recall that normal SpO_2 and SaO_2 levels are 95% to 100%. Administering oxygen by nasal cannula should result in a level higher than 90% unless there is a major problem with ventilation that may require the administration of oxygen by some other means.

29. Read all the options carefully. Arrange the actions in the sequence they should be performed. Recall that the term "incentive" indicates that the client should make an effort during inhalation to reach the desired goal. If the goal is not reached, continued efforts should be made. To be of benefit, the use of the incentive spirometer should be used repeatedly.

30. Note the key words "most appropriate" meaning one answer is better than others. Use the process of elimination to select the option that describes an action that facilitates obtaining a sputum specimen. Recall that for easier expectoration, the client should be well hydrated. Changing positions can prevent pooling of respiratory secretions, but the most appropriate action to thin secretions is to provide adequate fluid.

31. Note the key word "best." Use the process of elimination to select the option that identifies the optimum time of day to obtain a sputum specimen. Recall that efforts to cough in the morning are likely to be more successful for collecting a sputum specimen because there is a greater volume of respiratory secretions accumulating during the night.

32. Use the process of elimination to select the option that provides evidence that a client understands about handling the container used to collect a sputum specimen. Recall that contamination of the specimen or the container in which it is held may cause the results of the culture to be inaccurate.

33. Note the key words "most likely" in reference to the assessment finding that correlates with pleurisy. Recall that there is an inflammatory process occurring between the layers of the pleura and that pain is a classic component of inflammation; the pain is aggravated during inspiration.

34. Use the process of elimination to select the vaccine that should be administered yearly. Recall that the vaccine for viral influenza changes yearly. The remaining vaccines are usually administered once as a client ages.

35. Note the key word "best" indicating that one answer is better than any other. Use the process of elimination to select the option that identifies the best reason for using penicillin to treat the client's pneumonia. Recall that in this client's case, a culture identified pneumococcus, also known as *Streptococcus pneumoniae*, as the causative organism. Penicillin is effective against gram-positive strains of streptococci and staphylococci and some gram-negative bacteria such as meningococcus.

36. Use a dosage calculation formula to determine the volume of medication to administer. Recall that medications are reconstituted by adding a specified amount of liquid to powdered medication to yield the indicated concentration.

37. Examine the images closely. Use the process of elimination to exclude the vastus lateralis, dorsogluteal, and deltoid injection sites. Recall that the ventrogluteal site is located by finding the anterior iliac crest and placing the palm of the hand over the trochanter. The second and middle fingers are then spread to make a "V." The injection is administered within the "V."

38. Analyze the choices and select the option that identifies an antibiotic from a category that can cause an allergic reaction in those hypersensitive to penicillins. Recall that if a client has an allergy to penicillin, he or she may also have one to cephalosporins. Relate the antibiotic to the cephalosporin category.

39. Note the key words "most helpful" indicating that some choices may have merit, but there is one that is better than others. Use the process of elimination to select the option that identifies the intervention, other than receiving flu vaccine that is better for avoiding influenza. Recall that influenza is spread from infected people via respiratory droplets. Limiting exposure to potentially infected individuals is superior to the interventions listed in the other options.

40. Note the key word "essential," which indicates a priority. Use the process of elimination to select the option that identifies a factor that affects the drug's effectiveness. Recall that oseltamivir is administered to reduce flu symptoms, making them less severe and shortening the course of the illness by several days. The longer the time between becoming infected and the initiation of drug treatment, the smaller the potential for modifying the symptoms and course of influenza.

41. Read all the choices carefully. Use the process of elimination to select the options that correlate with the signs and symptoms of hypoxia. Recall that clients who are hypoxic are restless, have rapid respirations, use accessory muscles to breathe, and develop cyanosis when levels of carbon dioxide levels rise in the blood.

42. Use the process of elimination to select the option that correlates with the volume of oral fluid intake for a client with a high fever. Recall that evaporation of perspiration reduces fluid volume that should be replaced with a large yet safe amount of fluid.

43. Use the process of elimination to select the assessment finding that indicates a sponge bath should be discontinued when being given for fever reduction. Recall that muscle contraction that occurs with chilling creates heat that increases body temperature, which is contrary to the purpose of the sponge bath.

44. Look at the image and select the technique for administering a tuberculin skin test. Recall that tuberculin skin tests are given using an intradermal injection in the left forearm.

45. Use the process of elimination to select the option that correlates with the time when a tuberculin test site should be assessed for a reaction. Recall that the standard recommended time for assessment is 48 to 72 hours.

46. Note the key words "most accurate" in reference to the significance of a positive skin test. Use the process of elimination to select the option that correctly explains the meaning of a positive tuberculin skin test. Recall that a positive skin test may indicate exposure with the development of antibodies or an actual infection with the tuberculin bacillus. Additional tests are required to determine if the client has a current infectious condition.

47. Use the process of elimination to select the option that identifies the most correct information about actions that are taken when a person with a previously negative skin test has a positive reaction. Recall that tuberculosis is an infectious disease. Efforts are taken to eliminate the disease in the affected person and control its transmission among members of the community, which is the basis for initiating drug therapy.

48. Use the process of elimination to select the option that identifies a transmission-based precaution that is used when caring for someone with a potential diagnosis of tuberculosis. Recall that tuberculosis can be spread from secretions that have been expelled during coughing, sneezing, and talking or carried on droplets or dust in the environment.

49. Note the key words "most helpful" in reference to reducing a client's feeling of being shunned or abandoned. Recall that Maslow's hierarchy indicates that humans have a need for love and belonging, which requires relationships with others.

50. Note the key words "most accurate" in reference to the rationale for prescribing two drugs to treat tuberculosis. Use the process of elimination to determine the correct explanation for using combination drug therapy. Recall that a drug regimen that uses only one drug results in the rapid development of resistance and treatment failure.

51. Note the key words "most important" in reference to preventing the transmission of tuberculosis. Use the process of elimination to select the option that correlates with the best method for preventing the transmission of tuberculosis. Some options are valid suggestions for hygiene. However, they are not as specific as covering the nose and mouth when coughing. Recall that covering the nose and mouth reduces the spread of airborne secretions containing the microorganism responsible for causing tuberculosis.

52. Note the key words "most nutritious" in reference to examples of meal selections. Use the process of elimination to select the option that correlates with the most nutrition for a client with a low income. Recall that beans and corn when combined provide all the essential amino acids yet are inexpensive.

53. Note the key words "most important" in reference to information the nurse should ask when a client who has been on drug therapy for 6 weeks continues to have tuberculosis bacilli in a subsequent sputum specimen. Recall that most individuals with active tuberculosis become noninfectious within 2 weeks with appropriate drug therapy. Using a "cause and effect" rationale, the nurse needs to determine if the client has been compliant with drug therapy. Directly observed therapy (DOT), in which the nurse or public health employee delivers and watches the client swallow the drugs, may be necessary to ensure that the medications are being taken. If the client has been compliant, he or she may be infected with a drug-resistant strain.

Nursing Care of Clients with Asthma

54. Use the process of elimination to select the option that correlates with the location of a pulse oximetry sensor that provides accurate data. Recall that the sensor uses light to detect blood flowing through the assessment site. The site must be thin enough to allow light to transilluminate from tissue to the sensor. The earlobe is used less frequently but is a possible secondary location.

55. Note the key words "health history" and "most important." Consider the most important information in the health history, which impacts the asthma diagnosis. Knowing the asthma triggers impacts the frequency of asthma attacks.

56. Analyze the options to select one that identifies a side effect of levalbuterol. Recall that this drug is a beta-adrenergic agonist that stimulates bronchial receptors, resulting in the relaxation of smooth muscles in the bronchial tree. To a certain extent, receptors in the heart are also stimulated, mimicking responses like those produced by the sympathetic nervous system.

57. Note the key word "essential" meaning it cannot be omitted. Use the process of elimination to select the nursing action that should not be avoided immediately after a sample of blood is drawn from an artery. Recall that arterial blood pressure is higher than that of venous blood, and arterial bleeding is less likely to stop on its own. Therefore, manual pressure must be applied by the nurse to prevent hematoma formation or blood loss.

58. Note the key words "most important" in relation to an assessment finding that can be life-threatening if ignored. Use the process of elimination to select the option that correlates with information to report when using a partial rebreather mask. Recall that a partial rebreather mask conserves the first third of the client's exhaled air within the reservoir bag while the rest escapes through the side ports. The retained air keeps the bag inflated so as to facilitate rebreathing carbon dioxide, a respiratory stimulant. If the reservoir bag empties, it must be reported to the respiratory therapy department.

59. Read all the options carefully. Choose the options that demonstrate signs and symptoms of oxygen toxicity. Recall that oxygen toxicity, also known as hyperoxia, occurs when high percentages of oxygen cause multiple forms of lung injury including tracheobronchitis and damage to the alveoli.

60. Use a dosage calculation formula to determine the volume of epinephrine to administer to a client in respiratory distress. Refer to the ratio-and-proportion method. Recall that 1:1,000 means 1 g (1,000 mg) of drug has been mixed in 1,000 mL of solution.

61. Note the key words "most helpful." Use the process of elimination to select the option that is most beneficial for reducing the client's anxiety during an asthma attack. Notifying the client that the respiratory therapist has arrived may decrease the client's anxiety somewhat but not as much as remaining with the client. Recall that anxiety and fear escalate without the presence of a supportive other.

62. Read the options carefully. Place the steps for using a peak flow meter in the proper order. Recall that peak flow measurements can show whether additional medication may be needed to avert an acute asthma attack.

63. Analyze the choices to determine which option represents a typical medication for long-term management of asthma symptoms. The key descriptor is "long-term" indicating prevention of symptoms. Recall that clients with asthma self-administer inhaled corticosteroids on a daily basis.

Nursing Care of Clients with Chronic Obstructive Pulmonary Disease (COPD)

64. Examine the figures in the options. Select the figure that correlates with an assessment finding on persons with chronic obstructive pulmonary disease. Recall that when air is retained within the lungs, it increases intrathoracic pressure that causes the chest wall to expand outward.

65. Note the key words "most appropriate" in reference to an oxygen flow rate that is safe to administer to a client with emphysema. Use the process of elimination to select the option that correlates with an oxygen flow rate that will not endanger a client with chronic respiratory disease. Recall that the stimulus that causes clients with chronic obstructive pulmonary disease to breathe is a low level of oxygen in their blood.

66. Use the process of elimination to select the option that identifies the rationale for administering aminophylline to a client with chronic obstructive pulmonary disease. Recall that aminophylline relaxes the smooth muscle of the bronchi and increases vital capacity, the volume of air that can be expelled from the lungs after taking a breath, which has been impaired by air trapping.

67. Note the key words "most beneficial" indicating an action that is better than any other. Use the process of elimination to select the option that is more effective than others for loosening respiratory secretions. Recall that cupping is a physiotherapy technique known as percussion that breaks up thick lung secretions by striking the chest wall with cupped hands to facilitate their removal.

68. Analyze the choices and select the option that describes the action that should be taken after administering the first puff from a metered-dose inhaler. Recall that albuterol is considered a "rescue inhaler" because it is used when other prescribed medications fail to control asthma symptoms. To work effectively, albuterol must be distributed throughout the airways, which is accomplished by temporarily holding the breath.

69. Note the key word "best." Use the process of elimination to select the option that represents a therapeutic response. Recall that clarification is a communication technique that facilitates understanding by having the client explain what is vague. Clarification avoids misinterpretation.

70. Note the key words "most appropriate" in reference to a suggestion for combating fatigue and shortness of breath when eating. Recall that energy is needed for the process of consuming the food and its subsequent digestion. Eating smaller, more frequent meals reduces fatigue because it avoids overtaxing energy requirements.

Nursing Care of Clients with Lung Cancer

71. Analyze the choices to select the option that correlates with a nursing assessment that is essential after a bronchoscopy. Recall that a compromised airway is life threatening. Dyspnea may result from laryngospasm.

72. Note the key words "most important." Use the process of elimination to select the option that identifies a critical nursing assessment for determining the significance of blood that is present in suctioned oral secretions. Recall that if there is a large volume of bleeding, the nurse would find a rapid heart rate. The pulse rate is easily assessed, and it increases when there is an appreciable loss of blood such as during hemorrhage.

73. Note the key word "essential" indicating an action that cannot be overlooked. Use the process of elimination to select the option that identifies whether a client can safety consume oral fluids and food after bronchoscopy. Recall that the client may not be able to protect his or her airway if it remains anesthetized. Therefore, the nurse must assess that the client's gag reflex is intact to reduce the risk for aspiration.

74. Analyze the choices to select the option that correlates with a description of an assessment finding associated with a pleural effusion. Recall that the density of fluid from the effusion will obscure the transmission of sound from the lung to the nurse's stethoscope, making these sounds more difficult to hear.

75. Use the process of elimination to select the option that correlates with the position the nurse should place a client in before a thoracentesis. Recall that when a thoracentesis is performed, a needle will be placed within the pleural space. A sitting position helps spread the spaces between the ribs, facilitating access to the anatomic location.

76. Note the key word "essential" indicating it is a priority. Use the process of elimination to select the option that identifies the position that is appropriate after a pneumonectomy. Recall that postoperatively, the client will be ventilating with the lung that remains. To avoid further compromising the client's breathing, the nurse should position the client in a sitting position or on the operative side when lying down.

77. Note the key words "most important" indicating a priority. Use the process of elimination to select the option that identifies a critical assessment before administering morphine sulfate. Recall that the side effects of morphine include respiratory depression and decreased peristalsis. Although checking for the presence of bowel sounds seems to be a good choice, bowel sounds are likely to be present, but hypoactive. However, breathing is a critical function that must be maintained and could be depressed by morphine sulfate. Most recommend that morphine be withheld if the respiratory rate is less than 12 breaths/minute.

78. Note the key words "most important." Use the process of elimination to select the option that correlates with the "R" (Recommendation) of SBAR communication. Recall that sharing what the nurse believes would resolve or reduce a current concern is a component of SBAR communication.

Nursing Care of Clients with Impaired Ventilation

79. Note the key words "most important" in reference to health teaching following fractured ribs. Use the process of elimination to select the option that counteracts a client's natural tendency to breath shallowly to reduce pain. Recall that breathing deeply promotes effective lung expansion, thereby preventing atelectasis, which can impair oxygenation.

80. Analyze the choices and select an option that identifies an assessment finding that suggests the client has a flail chest. Remember that when the ribs are intact or only fractured in one location, the chest wall moves out during inhalation and inward during exhalation. When a section of the ribs is broken free of any attachment, a portion of the chest moves opposite from what is expected.

81. Use the process of elimination to select the option that identifies location where the nurse would expect to observe bloody drainage. Refer to the scenario, which indicates that a chest tube was inserted. Remember that chest tubes are used to remove air and fluid (in this case, blood) from the pleural space. Blood accumulates low in the pleural space under the influence of gravity from the tube in the lower chest.

82. Use the process of elimination to select the option that describes evidence that a chest drainage system is functioning correctly. Recall that this type of drainage system has three chambers. A sign that correlates with correct functioning is the fluctuation of fluid up and down in the water seal chamber in synchrony with respirations until the lung reexpands.

83. Use the process of elimination to select the option that describes an assessment finding that indicates air accumulating in the tissue around the tube insertion site rather than escaping into the drainage system. Recall that the pockets of air in subcutaneous tissue have been compared to various familiar substances like crispy rice cereal or commercial bubble wrap in relation to how it feels and the crackling sound it makes when compressed.

84. Note the key words "most appropriate" in reference to the nursing action before transporting a client with a chest drainage system from his or her room to another area. Recall that if the drainage tube is connected to suction, it can be separated from the suction source and continue to function by gravity. Keeping the drainage system below the insertion sites will facilitate drainage without recollapsing the lung.

85. Note the key words "best method." Use the process of elimination to select the option that describes how drainage is measured in a water seal drainage system. Recall that the standard of practice is to mark the level in the drainage chamber at the end of each shift and add the date and time, but never empty it. The volume of drainage that occurs on each shift is calculated by subtracting the current volume from the former measured mark.

86. Examine the illustration and the three compartments carefully. Place an *X* on the compartment that should bubble continuously when suction is applied. Recall that when wall suction is applied to the system, it causes gentle bubbling in the chamber that has a greater amount of water than the water seal chamber.

87. Note the key words "most likely" in reference to identifying the location where a pulmonary embolism commonly originates. Recall that the most common origin of a clot that travels to the lungs is a thrombus in the deep veins of the legs, where they develop from stasis of blood flow. Active leg exercises and ambulation promote venous circulation and reduces the risk of forming thrombi that can become emboli.

88. Note the key word "best" as they refer to a nursing response that is supportive when a client senses a potential for dying. Recall that leaving an anxious and fearful client alone escalates the panic being experienced. The nurse should remain with the client and commandeer additional assistance from other nurses or the emergency response team.

89. Note the key words "most important." Use the process of elimination to select the option that describes an intervention that responds to the symptoms the client is experiencing. Recall that implementing an action is more appropriate than gathering assessments at this time. Providing supplemental oxygen helps to reduce respiratory distress and chest pain.

90. Analyze the choices to determine the option that correlates with the drug of choice for treating a pulmonary embolism. Recall that heparin is an anticoagulant that is given to prevent any further clots from forming.

91. Read all the choices carefully before answering the question. Use the process of elimination to select options that correlate with the use of a pulse oximeter. Recall that the device must be able to transmit light using opposing sides of the sensor; it must be connected via a cable to the displaying device; and alarms should be set to alert the development of hypoxia, not normal oxygenation levels. Spring-loaded sensors sometimes cause reduced blood flow where the sensor is attached and should be repositioned every 8 hours or less if necessary.

92. Note the key word "first" in relation to what the nurse needs to know. Analyze the choices of information the nurse should obtain before providing further instructions to a person assisting a client with an airway occlusion. Recall that if a client can cough, the airway is only partially occluded and continued efforts to cough may clear the obstruction. If the client cannot cough, the airway is totally occluded and further actions are required to prevent death from occurring.

93. Analyze the choices to select the option that correctly describes the placement of the hands when attempting to relieve an airway occlusion. Recall that the process for relieving an airway obstruction is to move air that is trapped in the lungs with sufficient force to expel the foreign object. Placing the hands below the sternum and above the navel is the recommended location for administering a quick upward thrust into the upper abdomen.

94. Insert information in the stem of the item within a formula for calculating dosages. Recall that using the total volume identified on a multidose vial is not needed. The dosage per milliliter within the multidose vial is more advantageous in the calculation.

95. Note the key word "best" in reference to an action for managing a hysterical person. Recall that hysteria is the outcome of excessive emotional stress. The goal is to minimize the source of the stress because the stressor acts to perpetuate the response. Removing the person from the location where treatment is being administered to the overdosed client reduces the stress stimulus. It allows the nurse to use his or her physical presence and supportive communication in a one-to-one situation.

Correct Answers and Rationales

Nursing Care of Clients with Upper Respiratory Tract Infections

1. 1. It is best to support the health care provider's decision to not prescribe an antibiotic and provide an explanation of why. By reinforcing the information, it is hopeful that the client will accept the health care provider's decision. The common cold, called *rhinitis* or *coryza*, is a viral infection that affects the nasal passages and throat. A cold is spread by inhalation of droplets or through direct contact. Antibiotics are only useful in treating bacterial, not viral, infections. No drug cures the common cold. Antibiotics are started only when clients have a secondary bacterial infection; then, most individuals, regardless of their immune status, get a prescription for antibiotics.

> **Cognitive Level**—*Applying*
> **Client Needs Category**—*Health promotion and maintenance*
> **Client Needs Subcategory**—*None*

2. 3. A high fever suggests that the client with a common cold has acquired a secondary bacterial infection, such as bronchitis or pneumonia. Viral infections such as the common cold are associated with a low-grade fever. Symptoms of the common cold are generally confined to the head and throat. They include nasal congestion and discharge, nose and throat discomfort, sneezing, and watery eyes. The client may also have a headache, chills, fatigue, and loss of appetite. A dry cough is caused by irritation from nasal drainage passing into the pharynx. A productive cough indicates that the infection involves the lower respiratory tract.

> **Cognitive Level**—*Applying*
> **Client Needs Category**—*Physiological integrity*
> **Client Needs Subcategory**—*Physiological adaptation*

3. 3, 5, 6. The common cold virus causes an inflammatory response within the nose and throat. Because one of the symptoms of a common cold is nasal stuffiness making it difficult to breathe, most clients can benefit from a decongestant. A decongestant decreases nasal edema by constricting blood vessels in the nose. Nonprescription decongestants that contain adrenergic drugs such as ephedrine sulfate or pseudoephedrine are contraindicated for clients with hypertension, heart disease, irregular heart rhythms, and narrow-angle glaucoma. Adrenergic drugs are not contraindicated for clients with arthritis, asthma, or diabetes unless they have cardiovascular disease.

> **Cognitive Level**—*Applying*
> **Client Needs Category**—*Physiological integrity*
> **Client Needs Subcategory**—*Pharmacological therapies*

4. 2. Nasal decongestants have a vasoconstricting action. Using them more frequently than recommended tends to result in nasal stuffiness from rebound vasodilation. This means that the congestion worsens and recurs in less time after frequent drug use. Decongestants do not cause microbial drug resistance. Bleeding of the nasal mucosa is more likely a consequence of irritation and trauma from blowing and wiping the nose. Most decongestants are adrenergic drugs, which cause vasoconstriction and an increase in heart rate and blood pressure. Decongestants, therefore, do not slow the heart rate. Decongestants do not cause mucosal ulceration; however, they can cause the mucous membranes to sting, burn, or feel dry. The immune system is unaffected by nasal decongestants.

> **Cognitive Level**—*Applying*
> **Client Needs Category**—*Health promotion and maintenance*
> **Client Needs Subcategory**—*None*

5. 3. Evidence that the client is self-administering nose drops correctly during a return demonstration to the nurse occurs when the client tilts his head backward enabling the liquid medication to settle within the nasopharynx by way of gravity. Bending forward would drain the medication from the nasal passages before it had a chance to provide a therapeutic effect. The other positions described would not help to distribute the nasal medication where it is intended for use.

> **Cognitive Level**—*Applying*
> **Client Needs Category**—*Health promotion and maintenance*
> **Client Needs Subcategory**—*None*

Nursing Care of Clients with Inflammatory and Allergic Disorders of the Upper Airways

6. 1, 2, 4, 5. Glomerulonephritis, otitis media, and damage to heart valves secondary to rheumatic fever are consequences of untreated or undertreated infections caused by beta-hemolytic streptococci. To ensure that the organism is destroyed, standards of care states treating streptococcal infections with a 10-day course of penicillin V or erythromycin. Pyelonephritis is generally caused by an ascending bacterial infection in the urinary tract. Shingles is caused by a virus, which is not treated with antibiotics.

> **Cognitive Level**—*Applying*
> **Client Needs Category**—*Health promotion and maintenance*
> **Client Needs Subcategory**—*None*

7. 2. MRSA stands for methicillin-resistant *Staphylococcus aureus* and describes an *S. aureus* infection that is resistant to methicillin and a range of other antibiotics. To control the spread of MRSA in the community, those people at risk for being colonized with the pathogen, such as nursing home residents, are screened on admission. The most common site of colonization is the anterior nares. When a specimen is collected, a swab is placed in the anterior portion of a nostril and swept posteriorly. The nurse dons clean, rather than sterile, gloves when collecting the specimen, which complies with standard precautions. Having the client blow the nose before collecting the specimen is not necessary because the bacteria will still be present on the surface of the nostril. The same swab is used for both nares. It would be rare that just one would be colonized.

    ***Cognitive Level**—Applying*
    ***Client Needs Category**—Health promotion and*
      maintenance
    ***Client Needs Subcategory**—None*

8. 2. Speaking in a normal voice or whispering prolongs laryngitis. Therefore, resting swollen vocal cords allows the local edema to subside and relieves hoarseness. Because the larynx is found between the throat and the trachea, sucking on ice chips will not be beneficial but may soothe the sore throat. Likewise, drinking hot liquids may help soothe the throat but will not help the larynx. A camphor and menthol balm is classified as a counterirritant because it makes the skin feel cool and then warm. Massaging the throat with the balm provides comfort for some people, but it does not relieve hoarseness.

    ***Cognitive Level**—Applying*
    ***Client Needs Category**—Health promotion and*
      maintenance
    ***Client Needs Subcategory**—None*

9. 3. Histamine, a chemical released from mast cells at the time of an allergic response, causes symptoms such as watery eyes, sneezing, and coughing. Antihistamines are drugs that counteract these symptoms. Diphenhydramine, a first-generation antihistamine, commonly causes drowsiness and a tendency to fall asleep easily, which can be a safety issue. Anyone taking a first-generation antihistamine is warned to use caution if driving or operating machinery. Dry mouth is a side effect, but gastrointestinal side effects include increased appetite and diarrhea, but not constipation. Nausea may occur, as with many medications, but nausea is not the major side effect of first-generation antihistamines

    ***Cognitive Level**—Applying*
    ***Client Needs Category**—Physiological integrity*
    ***Client Needs Subcategory**—Pharmacological therapies*

10. 2. The client undergoing desensitization stays in the health care provider's office for observation for at least 20 minutes after the injection. Occasionally, a person has a severe allergic reaction to even the small amount of antigen used in the desensitization injection. The client's safety is endangered if a severe reaction occurs and medical assistance is not immediately available. Antihistamines may reduce allergic symptoms, but aspirin has no direct effect.

If a client waits 20 minutes, driving is not contraindicated. Use of sunscreen is routinely encouraged but not the essential instruction.

    ***Cognitive Level**—Applying*
    ***Client Needs Category**—Physiological integrity*
    ***Client Needs Subcategory**—Reduction of risk potential*

11. 2. An anaphylactic reaction is a systemic hypersensitivity reaction that occurs within seconds to minutes after exposure to certain medications, foods, or insect stings. Vital signs provide significant data of impending anaphylaxis with decreasing blood pressure and an elevated heart rate. Later signs of anaphylaxis include labored breathing/chest tightness/coughing, hives/pruritus, loss of consciousness as blood pressure falls, and tachycardia. It is normal to experience some discomfort at the injection site.

    ***Cognitive Level**—Analyzing*
    ***Client Needs Category**—Physiological integrity*
    ***Client Needs Subcategory**—Physiological adaptation*

12. 3. After shaking the pulseless client, shouting the client's name, and calling for help, the next step in the chain of survival protocol is to begin administering chest compressions. Chest compressions are administered at a rate of 100 to 120 per minute. A precordial thump is not administered in the case of a severe allergic reaction. Epinephrine is an emergency drug that is administered initially in the midanterolateral aspect of the thigh, but its administration would be at the direction of the health care provider or emergency services personnel.

    ***Cognitive Level**—Applying*
    ***Client Needs Category**—Physiological integrity*
    ***Client Needs Subcategory**—Physiological adaptation*

13. 3. When assessing a cough, the nurse first determines if the cough is productive or nonproductive. If the cough is productive, the nurse should document the color, odor, amount, and viscosity of sputum that is raised. Other data that may aid the health care provider in making a diagnosis include the onset, duration, precipitating factors, and relief measures. Although family history is important, it does not relate to the cough itself. The client's vital signs may be affected by persistent coughing, but this does not address the characteristics of the cough. Whether the client is able to perform activities of daily living is not as pertinent as the presence and appearance of the sputum.

    ***Cognitive Level**—Applying*
    ***Client Needs Category**—Physiological integrity*
    ***Client Needs Subcategory**—Physiological adaptation*

14. 3. Codeine-guaifenesin 10-100 is a combination medication where the guaifenesin liquefies mucus secretions. so the secretions are easier to be expectorated. Codeine depresses the cough center in the brain and is used to suppress coughing. Antitussives that contain codeine or a similar synthetic chemical, dextromethorphan, are called *sedative antitussives.* Antitussives are indicated for coughing when a person's lungs are clear or when persistent coughing adversely affects recovery from other conditions. Suppressing a cough is contraindicated if the client needs to expectorate sputum. Bronchodilators open respiratory passages. Salicylates are used to relieve discomfort, and steroids reduce inflammation.

> *Cognitive Level—Applying*
> *Client Needs Category—Physiological integrity*
> *Client Needs Subcategory—Pharmacological therapies*

15. 1. A client taking an opioid (codeine) is warned not to exceed the recommended dosage. Extra self-administration leads to sedation and habituation. Opioid antitussives can cause drowsiness but do not interfere with sleep patterns. Many clients take the medication before bed to suppress coughing so they can sleep. Expectorants, not opioid antitussives, are taken with extra fluids to thin mucoid secretions and facilitate their expectoration. Chilling medications, rather than warming them, would help to disguise an unpleasant taste.

> *Cognitive Level—Applying*
> *Client Needs Category—Physiological integrity*
> *Client Needs Subcategory—Pharmacological therapies*

Nursing Care of Clients with Cancer of the Larynx

16. 2. Of the options provided, restlessness is most indicative of early hypoxia. Other signs of inadequate oxygenation include rapid, shallow breathing; nasal flaring; use of accessory muscles for breathing; hypertension; confusion; stupor; coma; and cyanosis of the skin, lips, and nail beds. Blood loss is expected after a laryngectomy; however, profuse or prolonged loss will eventually affect the red blood cells' oxygen-carrying capacity. Clients with compromised oxygenation are more likely to exhibit tachycardia than an irregular heart rhythm. Feelings of being cold are common after surgery and are generally related to the environmental temperature of the operating and recovery rooms.

> *Cognitive Level—Analyzing*
> *Client Needs Category—Physiological integrity*
> *Client Needs Subcategory—Physiological adaptation*

17. 3. Rales indicate that secretions are accumulating within the airway, noted by the popping sounds auscultated. Because a client with a tracheostomy sometimes lacks the ability to cough effectively, the nurse protects and maintains an open airway. As oxygenation becomes more impaired, the respiratory and pulse rate would increase. Oxygen saturation higher than 90% on room air is considered normal. Wheezes in the middle and lower lobes are not changed by suctioning.

> *Cognitive Level—Analyzing*
> *Client Needs Category—Physiological integrity*
> *Client Needs Subcategory—Physiological adaptation*

18. 1. Preoxygenating the client is a priority before suctioning. Many times, the client feels that all of the oxygen is being "vacuumed" from the lungs. It is a safe practice to moisten the catheter by immersing it in sterile normal saline solution and then suctioning the solution through the lumen. This is completed in the preparation for suctioning. This tests the function of the suction machine and reduces the surface tension inside the plastic catheter. Although clients with artificial airways need frequent mouth care, this is not essential before performing tracheal suctioning. The stoma is cleaned from time to time, but this does not have to be done before suctioning the airway. The airway is suctioned before removing the inner cannula for cleaning.

> *Cognitive Level—Applying*
> *Client Needs Category—Physiological integrity*
> *Client Needs Subcategory—Physiological adaptation*

19. 3. The vent on a suction catheter is occluded after the catheter is fully inserted and is being withdrawn. This reduces the potential for hypoxemia. Closing the vent before insertion or when the catheter is just inside the inner cannula prolongs the time that oxygen is removed from the airway. Coughing may or may not coincide with the proper time to occlude the vent; therefore, it is not used as a criterion for this action.

> *Cognitive Level—Applying*
> *Client Needs Category—Physiological integrity*
> *Client Needs Subcategory—Physiological adaptation*

20. 2. Suctioning should not extend beyond 10 to 12 seconds. Some suggest holding one's own breath during suctioning. This technique promotes awareness of the air hunger the client is experiencing. Suctioning for too little time will not effectively clear the airway. Suctioning for longer than 15 seconds causes hypoxemia.

> *Cognitive Level—Remembering*
> *Client Needs Category—Physiological integrity*
> *Client Needs Subcategory—Physiological adaptation*

21. 3. Moving the catheter up and down is an unacceptable technique during suctioning as it potentially can exceed the suctioning time and is traumatic to the mucosa. Twisting and rotating the catheter during its withdrawal help remove secretions located within the circumference of the airway. Withdrawing the catheter in a steady movement and uncovering the suction upon removal are appropriate.

> *Cognitive Level—Analyzing*
> *Client Needs Category—Physiological integrity*
> *Client Needs Subcategory—Physiological adaptation*

22. 3. To prevent the possibility that the client may cough the tracheostomy tube from the airway, the old ties are not removed until the replacement ties are secured. Special drain sponges or tracheostomy dressing materials are used, or gauze is folded rather than cut to fit around the stoma. The ties are secured at the side of the neck. The inner cannula is replaced as soon as it is cleaned, rinsed, and dried, or within 5 minutes.

Cognitive Level—*Applying*
Client Needs Category—*Physiological integrity*
Client Needs Subcategory—*Physiological adaptation*

23. 2. A cuff on a tracheostomy tube forms a tight seal, preventing liquid nasopharyngeal secretions, stomach contents, or tube-feeding formula from entering the lower respiratory passages. If the person is receiving mechanical ventilation, the cuff ensures that the oxygenated air does not escape before it is delivered to the lower areas of the lungs. An inflated cuff may lead to tissue breakdown if the pressure occludes capillary blood flow. Using a cuffed tracheostomy tube does not provide more comfort or reduce infection any better than an uncuffed tracheostomy tube.

Cognitive Level—*Applying*
Client Needs Category—*Physiological integrity*
Client Needs Subcategory—*Physiological adaptation*

24. 4. Until the laryngectomy client learns esophageal speech or the use of a mechanical vibrator, providing paper and pencil or a magic slate is the best alternative for communication. Lipreading is often frustrating for nursing personnel who are unaccustomed to this technique. The client has a permanent loss of natural voice as a result of a total laryngectomy. The client may be able to produce random sounds but will have difficulty verbalizing needs.

Cognitive Level—*Applying*
Client Needs Category—*Physiological integrity*
Client Needs Subcategory—*Physiological adaptation*

25. 3. Looking at the tracheostomy tube is interpreted as evidence that the client is dealing with the reality of the loss. This is a positive step toward acceptance and adaptation. Grieving follows a cycle of denial or disbelief, anger, depression, bargaining, and acceptance. Wanting a spouse and children to visit indicates a need for social and emotional support. Asking about other treatment measures may be a way of questioning if he or she made the best choice of treatment. Bathing independently suggests that the client perceives himself or herself as capable of self-care.

Cognitive Level—*Applying*
Client Needs Category—*Psychosocial integrity*
Client Needs Subcategory—*None*

Nursing Care of Clients with Inflammatory and Infectious Disorders of the Lower Airways

26. 1. Pneumonia is a potentially fatal infection involving one or both lungs. A major difference between bacterial and viral pneumonia is the onset of symptoms. In bacterial pneumonia, the onset of symptoms is rapid and more severe. Bacterial pneumonia has an incubation period of hours to 1 to 2 days. The fever that accompanies bacterial pneumonia is quite high. The onset of symptoms for viral pneumonia occurs gradually, and they are less severe. Laypeople call this type of pneumonia *walking pneumonia*. The incubation period for viral pneumonia is 2 to 5 days; it typically is preceded by 2 to 3 days (not weeks) by an upper respiratory infection or sore throat.

Cognitive Level—*Analyzing*
Client Needs Category—*Physiological integrity*
Client Needs Subcategory—*Physiological adaptation*

27. 2. Most authorities suggest that the volume of ice is half as much when melted. However, to be precise, the nurse could fill a container similar to the one provided for the client, allow it to melt, and measure the volume. Subtracting the volume of solid ice does not factor in its liquid volume. Determining the volume of liquid consumed should never be considered inconsequential. Using terms such as small, medium, or large is not an accurate approach to recording intake and output.

Cognitive Level—*Applying*
Client Needs Category—*Physiological integrity*
Client Needs Subcategory—*Basic care and comfort*

28. 1. If the SpO_2 is consistently lower than 90%, the client requires supplemental oxygen. If oxygen is administered by nasal cannula, the SpO_2 should return to normal, making it the first nursing action. All other options are completed after oxygen is administered.

Cognitive Level—*Analyzing*
Client Needs Category—*Physiological integrity*
Client Needs Subcategory—*Reduction of risk potential*

29.

4. Identify the predetermined goal.
6. Seal the mouthpiece between your lips.
3. Inhale slowly and deeply.
1. Hold your breath for 2 to 6 seconds.
5. Remove the mouthpiece.
2. Exhale normally.

When an incentive spirometer is used, the nurse identifies the predetermined goal, instructs the client to seal the mouthpiece with his or her lips, inhale slowly and deeply, hold each breath for 2 to 6 seconds, remove the mouthpiece, and exhale normally.

Cognitive Level—*Applying*
Client Needs Category—*Physiological integrity*
Client Needs Subcategory—*Reduction of risk potential*

30. 1. Increasing the fluid intake can help thin respiratory secretions that are difficult to expectorate. Increasing moisture in inspired air through humidification also helps. Changing positions improves circulation and prevents pooling of respiratory secretions. Health care providers must write a prescription for dietary changes. A clear liquid diet may thin secretions, but it is not usually prescribed when a sputum specimen is needed. Antitussives are cough suppressants. Suppressing the cough will inhibit coughing. An expectorant is the drug of choice if the client has a weak cough or a condition warrants its use.

Cognitive Level—Applying
Client Needs Category—Physiological integrity
Client Needs Subcategory—Reduction of risk potential

31. 4. It is easiest to obtain a sputum specimen when the client first awakens in the morning because secretions tend to accumulate in the respiratory tract during the night. Pooled secretions are more easily raised, especially if the individual is not fatigued from activity. Sputum collection may also be done after an aerosol treatment, which helps to loosen secretions. Forced coughing after a meal can lead to vomiting. The ability to obtain a sputum specimen before bedtime or between meals is not as likely to be as successful as one obtained on awakening.

Cognitive Level—Applying
Client Needs Category—Physiological integrity
Client Needs Subcategory—Reduction of risk potential

32. 4. The client must avoid touching the inside of the sputum specimen container and the inside of its lid. The inside of the container must be kept sterile so that no sources of microorganisms (such as pathogens found on the hands), other than those present in the sputum, are collected. Wearing gloves and wiping the outside of the specimen container are unnecessary because the outside surface is considered unclean anyway. The lid should be placed on the container as soon as sputum is deposited to prevent contamination from outside sources.

Cognitive Level—Applying
Client Needs Category—Physiological integrity
Client Needs Subcategory—Reduction of risk potential

33. 2. Pleurisy is an inflammation of the pleural membranes surrounding the lungs. The most classic symptom associated with pleurisy is feeling a sharp, stabbing pain when taking a deep breath. Neither a productive cough, cyanotic nail beds, nor tachycardia are as characteristic of pleurisy as pain when breathing.

Cognitive Level—Applying
Client Needs Category—Physiological integrity
Client Needs Subcategory—Physiological adaptation

34. 4. An influenza vaccine is a yearly immunization. The types of viruses in each year's vaccine may change from year to year. The zoster vaccine, live immunization for varicella, is recommended for individuals who had chickenpox earlier in life. The immunization usually lasts a lifetime without having to be repeated. The pneumococcal conjugate vaccine that protects against 13 types of pneumococcal disease is given to infants, toddlers, persons with chronic medical conditions that weaken the immune system, and adults over the age of 65. It is recommended that both the conjugate pneumonia vaccine and the vaccine that protects against 23 different bacterial strains be given. The pneumococcal 13-valent conjugate vaccine is given

first and pneumococcal polysaccharide vaccine (PPSV23) is administered 6 to 12 months later. If an adult already received the PPSV23 immunization, the pneumococcal 13-valent conjugate vaccine is given a year or more later.

Cognitive Level—Understanding
Client Needs Category—Health promotion
  and maintenance
Client Needs Subcategory—None

35. 1. Pneumococcal pneumonia is a bacterial infection, and the antibiotics used to treat it are selected on the basis of their effect on the infectious organism, demonstrated by performing a culture and testing drug sensitivity. The organism is first encouraged to grow in the laboratory medium. Then, small disks of various drugs are placed in the growing colonies. If growth is inhibited around a certain disk, this indicates that the drug is effective.

Cognitive Level—Applying
Client Needs Category—Physiological integrity
Client Needs Subcategory—Pharmacological therapies

36. 3 mL. To calculate the drug dosage, use the following formula:

$$\frac{\text{Desired dose}}{\text{Dose on hand}} \times \text{Quantity} = \text{Amount to administer}$$

The desired dose is 300,000 units, and the dose on hand, once reconstituted, is 100,000 units/mL.

$$\frac{300,000 \text{ units}}{100,000 \text{ units/mL}} \times 1 = 3 \text{ mL}$$

Cognitive Level—Applying
Client Needs Category—Physiological integrity
Client Needs Subcategory—Pharmacological therapies

37.

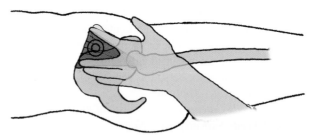

2. The ventrogluteal site is the preferred site for intramuscular injections because it has a thicker muscle mass than other sites without major nerves or blood vessels. The ventrogluteal site is halfway between the hip and the head of the femur. The dorsogluteal site is avoided because there is a high risk for injury. The deltoid site can be used for volumes of 1 mL or less. The vastus lateralis site is used primarily for infants and toddlers.

Cognitive Level—Remembering
Client Needs Category—Physiological integrity
Client Needs Subcategory—Pharmacological therapies

38. 3. Cephalosporins are chemically similar to the penicillins. Therefore, the nurse would expect that a client who is allergic to penicillin may also react adversely when given a cephalosporin antibiotic such as cephalexin. Before administering a cephalosporin to a client with a penicillin allergy, it is best to consult the health care provider and observe the client closely if the medical prescription is not changed. Although allergic reactions occur with the administration of any antibiotic, the other antibiotics do not demonstrate the same cross-sensitivity with penicillin.

Cognitive Level—*Analyzing*
Client Needs Category—*Physiological integrity*
Client Needs Subcategory—*Pharmacological therapies*

39. 2. All of the options help reduce the potential for infection. However, because respiratory infections are spread primarily by direct contact with another sick individual, avoiding crowds is the best advice. The U.S. Public Health Service Advisory Committee on Immunization recommends annual vaccination against influenza for people older than age 65 years and those with chronic health problems.

Cognitive Level—*Applying*
Client Needs Category—*Health promotion and maintenance*
Client Needs Subcategory—*None*

40. 1. Oseltamivir is prescribed twice daily for 5 days and is most effective when administered within 12 to 24 hours of experiencing the first symptoms because the action of the medication is to prevent the spread of the virus. Oseltamivir may be taken on an empty stomach or with food. No laboratory work is required before the initiation of the medication. Oseltamivir is available in capsules and oral suspension; it is not administered intranasally.

Cognitive Level—*Analyzing*
Client Needs Category—*Physiological integrity*
Client Needs Subcategory—*Pharmacological therapies*

41. 2, 4, 5, 6. Inadequate oxygenation causes the client to initially become restless and anxious. The respiratory rate accelerates in an effort to increase the diffusion of atmospheric oxygen from the lungs to the blood, causing tachypnea. When the increased respiratory rate is insufficient, accessory muscles compensate to increase the inspiratory volume. In the late stages of hypoxia, the client becomes confused as the brain suffers from oxygen deprivation. One of the last signs of hypoxia is cyanosis. Cough and fever may be signs of a respiratory infection that can lead to hypoxia, but they are not manifestations of a hypoxic state.

Cognitive Level—*Applying*
Client Needs Category—*Physiological integrity*
Client Needs Subcategory—*Physiological adaptation*

42. 4. An intake of 3,000 mL/day is safe in the absence of any preexisting cardiovascular or renal problems. The additional fluid helps to keep the client hydrated and aids

in temperature regulation. Less than 3,000 mL is insufficient because of the client's increased metabolic rate secondary to an extremely elevated body temperature.

Cognitive Level—*Applying*
Client Needs Category—*Physiological integrity*
Client Needs Subcategory—*Reduction of risk potential*

43. 2. Chilling is an indication that the body temperature is falling too rapidly. The muscle contraction that accompanies chilling produces heat and interferes with reducing body temperature. When chills occur, it is best to temporarily discontinue the sponge bath, dry the skin, and protect the client from any drafts. Nausea and confusion are not considered adverse effects associated with sponge bathing. A feverish individual is likely to have a flushed appearance that is unrelated to sponge bathing.

Cognitive Level—*Applying*
Client Needs Category—*Physiological integrity*
Client Needs Subcategory—*Reduction of risk potential*

44.

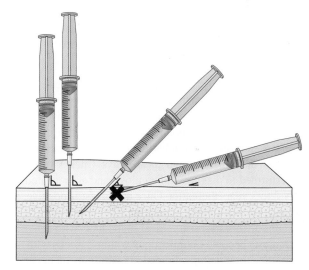

Typically, when administering a skin test, the needle is inserted between the layers of skin at approximately a 10- to 15-degree angle into the left forearm.

Cognitive Level—*Remembering*
Client Needs Category—*Physiological integrity*
Client Needs Subcategory—*Pharmacological therapies*

45. 3. The nurse is correct to assess the client's injection site on Wednesday. The standard length of time for reading a tuberculin skin test is 48 to 72 hours after the test is administered. The nurse observes for redness and measures any evidence of an indurated (hard) area of tissue. Some individuals who are immunosuppressed do not always respond positively to the initial skin test, yet they are symptomatic. A second skin test that is more strongly concentrated is administered to immunosuppressed clients and additional diagnostic tests (such as a sputum examination and chest x-ray) are performed to definitively diagnose the disease. Inspecting the injection site in 1 day, 5 days, or 1 week will not provide an accurate assessment.

Cognitive Level—Applying
Client Needs Category—Health promotion and maintenance
Client Needs Subcategory—None

46. 2. Tuberculosis is an infectious disease that is transmitted by inhaling moist droplets or dried spores containing the infectious organism. A positive tuberculin skin test indicates that, at some time, the person became infected with the microorganism that causes tuberculosis and developed antibodies. A positive skin test may or may not mean that an active infectious process is occurring. Isolation is not indicated on the basis of a positive skin test. Anyone with a positive tuberculin skin test without any known history of having had the disease must have a subsequent chest x-ray and sputum examinations. Drugs are administered prophylactically to individuals who suddenly test positive after having a history of being negative. A positive skin test does not indicate protective immunity nor a need to isolate the client immediately.

Cognitive Level—Applying
Client Needs Category—Physiological integrity
Client Needs Subcategory—Physiological adaptation

47. 4. Prophylactic drug therapy with isoniazid and rifampin is initiated whenever a person with a previously negative tuberculin skin test demonstrates a positive reaction. Isoniazid is combined with other drugs if the disease is confirmed with additional diagnostic tests, such as sputum examinations and chest x-rays. Chest x-rays are performed to diagnose tuberculosis and are repeated every 2 to 3 years thereafter. Once a skin test is positive, it remains positive lifelong. Therefore, skin tests every 6 months are not necessary. Most individuals with active tuberculosis become noninfectious within 2 weeks with appropriate drug therapy. Immediate family members and close contacts are also tested and treated prophylactically so that living separately is unnecessary.

Cognitive Level—Applying
Client Needs Category—Safe and effective care environment
Client Needs Subcategory—Safety and infection control

48. 3. Airborne precautions are implemented when caring for those who are known or suspected to be infected with a pathogen that can be transmitted over relatively long distances while being suspended in air. The tubercle bacillus may be present in the residue of evaporated droplets as well as attached to dust particles. Contact precautions block the transmission of pathogens by skin-to-skin contact with an infected person or touching an object in the infected person's environment. Droplet precautions block infectious pathogens within beads of moisture from close contact with an infected person or carrier. Standard precautions are used when caring for all clients who may have recognized or unrecognized sources of infection.

Cognitive Level—Applying
Client Needs Category—Safe and effective care environment
Client Needs Subcategory—Safety and infection control

49. 3. Humans are gregarious; they prefer to interact with other humans. Transmission-based precautions involve being cared for in a room with the door closed, which promotes feelings of isolation. Because of the social restriction and garments that are required, the client may feel abandoned and shunned. Those feelings can be reduced or eliminated by frequently interacting with the client. Locating the client in a room close to the nursing station does not automatically provide social interactions. Watching television is a solitary activity. Texting others may help reduce the monotony, but it does not substitute for human-to-human contact.

Cognitive Level—Applying
Client Needs Category—Psychosocial integrity
Client Needs Subcategory—None

50. 4. Rifampin and isoniazid are commonly combined to treat tuberculosis (TB) because resistant strains of TB occur rapidly if either medication is used alone. Side effects are not reduced, they do not act at different periods during the organism's life cycle, and their dosage is not altered when given in combination.

Cognitive Level—Applying
Client Needs Category—Physiological integrity
Client Needs Subcategory—Pharmacological therapies

51. 3. To prevent the transmission of infectious microorganisms that cause tuberculosis, it is most important to instruct the client to cover his or her nose and mouth with a paper tissue when coughing or sneezing, dispose of paper tissues appropriately, and perform frequent handwashing. Although handwashing is important for everyone, there is no logical correlation between preventing tuberculosis, which is spread through airborne respiratory secretions, and washing hands before and after meals or avoiding sharing towels and washcloths.

Cognitive Level—Applying
Client Needs Category—Safe and effective care environment
Client Needs Subcategory—Safety and infection control

52. 3. Combining beans (chili) and a grain (corn bread) is an economical means of consuming all essential amino acids found in an animal source. Drinking milk also improves the nutrition of this meal choice. The alternative meals are economical. However, because they do not provide adequate sources of protein, they are not considered nutritious choices.

Cognitive Level—*Applying*
Client Needs Category—*Health promotion and maintenance*
Client Needs Subcategory—*None*

53. 2. Because noncompliance is one of the leading causes of treatment failures in tuberculosis, asking the client if all of the prescribed medications have been taken is appropriate. All clients who must take one or more drugs must be informed that their medications should be taken consistently throughout the treatment period. The remaining questions are appropriate but should not be asked until the nurse has determined that the client has been taking the medications as prescribed.

Cognitive Level—*Analyzing*
Client Needs Category—*Health promotion and maintenance*
Client Needs Subcategory—*None*

Nursing Care of Clients with Asthma

54. 1. Pulse oximetry is a noninvasive method for assessing oxygen saturation in the tissues. In most cases, the sensor of a pulse oximeter is applied to the finger, which is the most accurate and convenient location. However, it may also be applied to the earlobe, thumb, toe, or bridge of the nose.

Cognitive Level—*Applying*
Client Needs Category—*Physiological integrity*
Client Needs Subcategory—*Reduction of risk potential*

55. 2. When taking a health history, it is most important to ask if the client has an identified asthma trigger. Identifying the asthma trigger impacts future asthma attacks and guides client teaching. Asking about the last asthma attack and if the client uses a peak flow meter or rescue inhaler are pertinent information to document but are not as important as knowing asthma triggers.

Cognitive Level—*Analyzing*
Client Needs Category—*Physiological integrity*
Client Needs Subcategory—*Physiological adaptation*

56. 2. Levalbuterol hydrochloride is a bronchodilator used to treat narrowing of the airways by inhalation treatment in clients with asthma when having difficulty breathing and shortness of breath. Side effects of the medication include several heart-related alterations, such as an elevated or irregular heart rate. Stridor is a sound that occurs when the airway becomes narrowed. Postural hypotension is more often a consequence of an antihypertensive medication. A respiratory rate of 28 breaths/minute is not unusual for a client experiencing an asthma attack.

Cognitive Level—*Applying*
Client Needs Category—*Physiological integrity*
Client Needs Subcategory—*Pharmacological therapies*

57. 1. To avoid excessive blood loss and a painful hematoma from a punctured arterial site, it is essential to apply direct pressure for a minimum of 5 minutes. The specimen is cooled in ice after collection. The blood pressure is unlikely to be affected by the loss of a small amount of blood. Elevating the arm is one way to control bleeding from a vein, but it probably would be ineffective in the case of bleeding from an artery.

Cognitive Level—*Applying*
Client Needs Category—*Safe and effective care environment*
Client Needs Subcategory—*Safety and infection control*

58. 2. The reservoir bag of a partial rebreathing mask remains partially filled during inspiration. If the bag collapses completely, the equipment may be faulty. This information must be reported to the respiratory therapy department. A properly fitting mask should cover the mouth and nose, and the strap should fit the head snugly. Moisture is likely to accumulate because the oxygen is humidified; this information does not need to be reported. The nurse can wipe away the moisture and reapply the mask.

Cognitive Level—*Applying*
Client Needs Category—*Safe and effective care environment*
Client Needs Subcategory—*Coordinated care*

59. 1, 2, 4, 5, 6. Signs and symptoms of oxygen toxicity include a nonproductive cough, substernal chest pain, nasal stuffiness, nausea and vomiting, fatigue, headache, sore throat, and hypoventilation (not hyperventilation).

Cognitive Level—*Applying*
Client Needs Category—*Physiological integrity*
Client Needs Subcategory—*Physiological adaptation*

60. 0.1 mL. The volume of epinephrine 1:1,000 needed to administer 0.1 mg is 0.1 mL. To solve the problem using a ratio-and-proportion method, use the following steps.

$$\frac{1,000 \text{ mg (1 g)}}{0.1 \text{ mg}} = \frac{1,000 \text{ mL}}{X \text{ mL}}$$
$$1,000 \, X = 100$$
$$X = 0.1 \text{ mL}$$

Cognitive Level—*Applying*
Client Needs Category—*Physiological integrity*
Client Needs Subcategory—*Pharmacological therapies*

61. 2. Remaining with the client in respiratory distress provides support and reassurance that someone is available. This should help to ease the client's anxiety. Closing the door and pulling the privacy curtain are confining actions; they would most likely heighten the client's anxiety and feelings of suffocation. Informing the client when the respiratory therapist has arrived is helpful, but not as effective as remaining with the client.

Cognitive Level—*Applying*
Client Needs Category—*Psychosocial integrity*
Client Needs Subcategory—*None*

62.

2. Slide the marker or arrow to zero.

5. Put the mouthpiece of the flow meter into your mouth.

4. Take a deep breath.

3. Blow out as fast as you can.

6. Empty all of the air from your lungs.

1. Record the highest rating after three attempts.

A peak flow meter is a handheld device for determining how well air moves in and out of the lungs. Measurements from a peak flow meter can help the client monitor the control or severity of asthma symptoms. When the meter is used, the client records the highest rating after three attempts including before and after using a rescue inhaler.

Cognitive Level—Analyzing
Client Needs Category—Physiological integrity
Client Needs Subcategory—Reduction of risk potential

63. 1. When planning care for the long-term management of asthma symptoms, inhaled corticosteroids are the most common form of treatment. Inhaled corticosteroids such as fluticasone, budesonide, and triamcinolone are taken daily and enter the lungs directly. Oral bronchodilators such as montelukast and zileuton are generally adjuvant medications to prevent asthma triggered by allergens. I.V. sympathomimetics such as methylxanthine (aminophylline) are given when an acute asthmatic episode is in progress. Parenteral anti-inflammatory drugs such as ketorolac are administered cautiously to clients with asthma because they can contribute to an asthmatic attack in those who are sensitive to aspirin or nonsteroidal anti-inflammatory medications.

Cognitive Level—Applying
Client Needs Category—Physiological integrity
Client Needs Subcategory—Pharmacological therapies

Nursing Care of Clients with Chronic Obstructive Pulmonary Disease (COPD)

64.

2. A barrel chest is a rounded, bulging appearance. It develops when the lungs are chronically overinflated with air among persons with chronic obstructive pulmonary disease. Over time, the chest always appears expanded. Breathing is difficult rather than improved. The remaining images illustrate a normal chest, pigeon chest, and funnel chest in that order.

Cognitive Level—Understanding
Client Needs Category—Physiological integrity
Client Needs Subcategory—Physiological adaptation

65. 1. Giving oxygen at a rate greater than 2 to 3 L/minute to a client with chronic respiratory disease interferes with the brain's response to the hypoxic drive to breathe. In a client with chronic obstructive pulmonary disease (COPD), the stimulus to breathe comes from low levels of oxygen rather than high levels of carbon dioxide. Administering high concentrations of oxygen depresses the respiratory center.

Cognitive Level—Applying
Client Needs Category—Physiological integrity
Client Needs Subcategory—Physiological adaptation

66. 3. The therapeutic action of aminophylline is the reduction of respiratory distress by dilating the airways. Aminophylline is classified as a bronchodilator. It does not relieve coughing, decrease sputum production, or thin secretions.

Cognitive Level—Applying
Client Needs Category—Physiological integrity
Client Needs Subcategory—Pharmacological therapies

67. 2. Administering rhythmic gentle blows to the back with a cupped hand, known as *percussion*, causes thick secretions to break loose from within the airways. This technique is also combined with vibration. Vibration involves producing wave-like tremors to the chest by making firm, circular movements with open hands. For draining all but the upper lobes of the lung, the client is positioned so that the lower chest is elevated higher than the head. Breathing deeply and applying pressure below the diaphragm will not loosen pulmonary secretions.

Cognitive Level—Applying
Client Needs Category—Physiological integrity
Client Needs Subcategory—Physiological adaptation

68. 2. To promote maximum distribution of inhaled medication, it is best to hold the breath for up to 10 seconds and then slowly exhale through pursed lips. If a second puff is prescribed, the client should wait several minutes before self-administering another dose. The mouthpiece should be cleaned in warm water, rinsed, and allowed to air-dry at least once each day. Using pursed-lip breathing rather than bending from the waist is the preferred method for increasing exhaled volume.

Cognitive Level—Applying
Client Needs Category—Physiological integrity
Client Needs Subcategory—Pharmacological therapies

69. 1. Informing the client that what was verbalized is not clearly understood is a therapeutic communication technique. It shows that the nurse wants to understand the underlying message that the client has said. Disagreeing with the client, belittling feelings, or asking a "why" question that often cannot be answered honestly are all blocks to the therapeutic effectiveness of communication.

Cognitive Level—Applying
Client Needs Category—Psychosocial integrity
Client Needs Subcategory—None

70. 3. Eating several small meals each day promotes adequate intake of calories without causing excess tiredness. Simple carbohydrates provide quick energy, but this recommendation is not better than eating various foods at frequent intervals. Dietary fats are higher in calories than carbohydrates and protein, but fat consumption contributes to hyperlipidemia and increases the risk of cardiovascular disease. Most people have more energy early in the day; consequently, eating the largest meal at night is counterproductive.

Cognitive Level—Applying
Client Needs Category—Physiological integrity
Client Needs Subcategory—Basic care and comfort

Nursing Care of Clients with Lung Cancer

71. 3. Respiratory effort is the most critical assessment after a bronchoscopy because the bronchoscope is passed directly into the larynx, trachea, and bronchi. Respiratory effort is one of the first responses to change if the client experiences edema and trauma in the airway. All of the other assessment alternatives are appropriate but not as likely to indicate life-threatening consequences.

Cognitive Level—Applying
Client Needs Category—Physiological integrity
Client Needs Subcategory—Reduction of risk potential

72. 1. The pulse rate is the best indication of whether the nurse should be concerned about the presence of blood in the secretions at this time. Slight bleeding is expected following bronchoscopy as a result of trauma. If hemorrhage or impaired ventilation occurs, the pulse rate is rapid. Heart sounds indicate how effectively blood is circulating through the heart chambers. The presence of a gag reflex indicates the client is able to swallow effectively to protect his or her airway. Chest expansion is more likely to change if one lung is not filling adequately with air.

Cognitive Level—Applying
Client Needs Category—Physiological integrity
Client Needs Subcategory—Reduction of risk potential

73. 1. The nurse establishes that the gag reflex is present before the client is given food or oral fluids after a bronchoscopy. Stimulating the palatal arch causes the client to gag if the effects of the local anesthetic have worn off. The

other choices are techniques of physical assessment but are unlikely to be affected by a bronchoscopy.

Cognitive Level—Applying
Client Needs Category—Physiological integrity
Client Needs Subcategory—Reduction of risk potential

74. 4. Pleural effusion is the accumulation of fluid between the pleural membranes. It is common in clients who have lung cancer, pneumonia, tuberculosis, pulmonary embolism, and heart failure. When auscultating the lungs of a client with pleural effusion, the nurse can expect to hear decreased lung sounds over the affected area. The changes are related to the fluid displacing the lung tissue. Wheezing is heard in clients with asthma. Crackles are sounds that result from the delayed openings of deflated airways; they sometimes clear when the client coughs or takes deep breaths. Friction rubs may result from pleural effusion, but they are heard over the affected area, not posterior to it.

Cognitive Level—Applying
Client Needs Category—Physiological integrity
Client Needs Subcategory—Physiological adaptation

75. 2. A thoracentesis involves draining excess pleural fluid from the pleural space by inserting a needle into the chest wall. A client undergoing this procedure is best placed in a sitting position so that the health care provider has access to the eighth or ninth rib space. It is helpful for the seated client to rest the head and elevate the arms on the overbed table. If this position is impossible, the nurse may alternatively place the client on the unaffected side. Neither Sims, prone, nor supine position are used when withdrawing fluid from the pleural space.

Cognitive Level—Applying
Client Needs Category—Physiological integrity
Client Needs Subcategory—Reduction of risk potential

76. 1. The client with a pneumonectomy should be positioned with the healthy, nonoperative lung uppermost. This position allows for better expansion and oxygenation with the remaining lung. If the affected side were upward, ventilation would be compromised because of the compression of the remaining healthy lung between the mattress and body weight. Lying with the head lowered interferes with breathing because abdominal contents press against the diaphragm. Elevating the arms on pillows may be an optional position to use if the client's breathing becomes labored.

Cognitive Level—Applying
Client Needs Category—Physiological integrity
Client Needs Subcategory—Reduction of risk potential

77. 4. Morphine sulfate, an opioid analgesic, depresses respiratory rate and depth. If the respiratory rate is severely compromised, the client will have inadequate oxygenation. Morphine does slow peristalsis, and bowel sounds should be assessed frequently; however, this is not the most important assessment to make. The heart rate, rhythm, and skin color are generally unaffected by morphine unless the client becomes hypoxic.

> *Cognitive Level*—Applying
> *Client Needs Category*—Physiological integrity
> *Client Needs Subcategory*—Pharmacological therapies

78. **2.** SBAR is an acronym that stands for **S**ituation, **B**ackground, **A**ssessment, and **R**ecommendation. SBAR is used to communicate appropriate information among other health care providers. The missing component in the stem of the question is the "R" for recommendation. To be complete, the nurse should indicate what would be helpful in response to the information that has been provided. The other information—whether notification of the family has occurred, the client's code status, and other health care providers involved in the client's care—may be reported, but they are not components of SBAR communication.

> *Cognitive Level*—Applying
> *Client Needs Category*—Safe and effective care
>   environment
> *Client Needs Subcategory*—Coordinated care

Nursing Care of Clients with Impaired Ventilation

79. **1.** To prevent the widespread collapse of alveoli known as *atelectasis,* clients with fractured ribs are instructed to breathe deeply several times every hour. People with fractured ribs have a natural tendency to breathe shallowly to avoid discomfort; however, shallow breathing promotes atelectasis. A rapid respiratory rate is more likely to only partially fill the lungs resulting in hypoinflation of alveoli. Breathing into a paper bag is a method of increasing the inhalation of exhaled carbon dioxide that may prevent or reduce respiratory alkalosis when a client persistently hyperventilates.

> *Cognitive Level*—Applying
> *Client Needs Category*—Safe and effective care
>   environment
> *Client Needs Subcategory*—Coordinated care

80. **3.** Flail chest is a condition in which ribs are broken in two or more places, making the chest wall unstable. Paradoxical movement of the unstable section during inspiration and expiration characterizes this condition. In other words, when the client takes a breath, an area of the chest wall moves inward; when the client exhales, the area moves outward. A sucking chest wound and tracheal deviation are associated with a pneumothorax. Chest pain that is aggravated by breathing is not unusual when there is a traumatic injury, but it is more likely to increase during inspiration when the chest expands.

> *Cognitive Level*—Applying
> *Client Needs Category*—Physiological integrity
> *Client Needs Subcategory*—Physiological adaptation

81. **4.** When a person experiences a hemothorax, blood collects and drains by gravity through the tube in the lower chest. Air in the chest rises and exits through the tube in the upper chest. It would be unusual to see blood coming from the victim's nose or mouth in this situation. If the client has a productive cough, the sputum may be blood tinged.

> *Cognitive Level*—Applying
> *Client Needs Category*—Physiological integrity
> *Client Needs Subcategory*—Physiological adaptation

82. **1.** The fluid in the water seal chamber should rise and fall in synchrony with respirations or may bubble intermittently immediately after the tube has been inserted. If the lung has expanded, if the drainage system is connected to suction, or if the tubing is kinked or plugged, the rise and fall of fluid and intermittent bubbling would not be seen. If the fluid level falls below the filling line of 2 cm, more fluid should be added. Continuous bubbling indicates a leak in the system. The fluid in the water seal chamber should be clear.

> *Cognitive Level*—Applying
> *Client Needs Category*—Physiological integrity
> *Client Needs Subcategory*—Physiological adaptation

83. **3.** Air that is leaking and becoming trapped within the local tissue at the insertion site crackles when touched. The crackling sound, called *crepitus* or *subcutaneous emphysema,* resembles that of crisp rice cereal when mixed with milk. The nurse would not feel puffs of air or hear a hissing sound because the air does not escape into the atmosphere. The air tends to diffuse into the tissue and rise to the upper part of the body. Eventually, the client's face and neck may appear swollen and the tissue around the chest may appear pale; however, this is not a phenomenon directly linked to an air leak.

> *Cognitive Level*—Applying
> *Client Needs Category*—Physiological integrity
> *Client Needs Subcategory*—Physiological adaptation

84. **2.** When transporting a client to another area of the hospital, the water seal drainage collector is always kept below the tubes' insertion sites to facilitate drainage. As long as the water seal is maintained, the client's lung function should be unaffected. Suction may be added to the water seal system, but the tube connecting to the suction source is disconnected when the client is ambulated or transported from the room. Clamping the chest tubes for an appreciable amount of time would lead to a tension pneumothorax. Mechanical ventilation is necessary only when a client cannot maintain adequate oxygenation even with supplemental oxygen. In that case, a portable x-ray may be prescribed and taken to the client's room.

> *Cognitive Level*—Applying
> *Client Needs Category*—Physiological integrity
> *Client Needs Subcategory*—Physiological adaptation

85. 4. At the beginning of each shift, the nurse should assess the color, consistency, and amount of drainage present in the water seal system. The previous nurse marks the level of drainage on the calibrated collection chamber with the date and time. The drainage volume is calculated by subtracting the previously marked volume from the current total volume at the end of the shift. The drainage compartment is never emptied while the chest tube is in place. Chest tubes are not irrigated. The client's intake is recorded separately and is not used to calculate the volume of chest tube drainage.

> **Cognitive Level**—*Applying*
> **Client Needs Category**—*Physiological integrity*
> **Client Needs Subcategory**—*Physiological adaptation*

86.

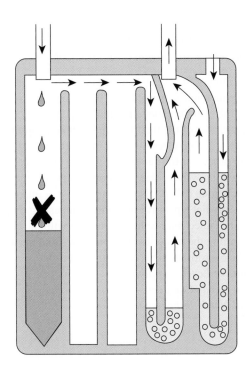

When suction is applied to a three-chambered chest drainage system, continuous gentle bubbling is observed in the column that is filled with water to the 20-cm mark. The level of water regulates the amount of suction applied to the system. The middle chamber contains the water seal, which fluctuates intermittently with the client's respirations until the lung reexpands. The remaining chamber, which is subdivided into three columns, collects air and liquid drainage. The air exits from the chest tube, diffuses through the water in the middle compartment, and eventually escapes through a vent into the atmosphere; the liquid drainage remains in the collection chamber.

> **Cognitive Level**—*Applying*
> **Client Needs Category**—*Physiological integrity*
> **Client Needs Subcategory**—*Physiological adaptation*

87. 1. Pulmonary emboli are obstructions (clots) in one or more of the pulmonary vessels. The usual site for clot formation is in the deep veins of the legs or in the pelvis. Conditions that predispose a client to pulmonary emboli include recent surgery, bed rest, immobility, trauma, obesity, and postpartal status. Clots are more likely to form in the veins, where there is venous stasis, although they can form anywhere. They are less likely to form in the pulmonary artery or the carotid artery because the blood pressure is higher in those vessels.

> **Cognitive Level**—*Applying*
> **Client Needs Category**—*Physiological integrity*
> **Client Needs Subcategory**—*Physiological adaptation*

88. 2. Staying with a frightened client is one of the best methods for relieving or reducing anxiety. Telling the client that symptoms will lessen in a few minutes is nontherapeutic because it offers false reassurance. Asking a "why" question is also nontherapeutic because this demands an explanation from the client. Asking if there is someone to contact does not adequately respond the client's immediate situation.

> **Cognitive Level**—*Applying*
> **Client Needs Category**—*Psychosocial integrity*
> **Client Needs Subcategory**—*None*

89. 1. Administering oxygen is the most significant immediate action for reducing the client's dyspnea and chest pain. Maintaining the airway and breathing are priorities at this point. Assessing capillary refill is a good choice and can be a useful way to monitor tissue perfusion, but it is not the priority action when the client is experiencing chest pain and dyspnea. Having the client rate the pain on a pain scale is another good choice, but not the priority at this time. Cardiac enzymes are prescribed for clients suspected of having a myocardial infarction, not a pulmonary embolism.

> **Cognitive Level**—*Analyzing*
> **Client Needs Category**—*Physiological integrity*
> **Client Needs Subcategory**—*Physiological adaptation*

90. 1. Intravenous heparin is given to treat a pulmonary embolism. This drug prevents further clot development as well as the showering of mini emboli. Through the course of treatment, the client receives I.V. heparin followed by subcutaneous enoxaparin sodium; a low molecular weight heparin or unfractionated heparin; and finally warfarin, which is given orally. Clotting studies are drawn frequently during anticoagulant therapy. Aminophylline is given to improve breathing; nitroglycerin relieves chest pain due to impaired coronary artery circulation; morphine is given for pain; but none of these drugs is the definitive drug for managing a pulmonary embolus.

> **Cognitive Level**—*Applying*
> **Client Needs Category**—*Physiological integrity*
> **Client Needs Subcategory**—*Pharmacological therapies*

91. 1, 2, 3, 6. A client's fingernail polish or acrylic nails should be removed before monitoring with a pulse oximeter because they interfere with the transmission of light.

The light emitting diode (LED) and photodetector must be aligned opposite each other on the monitoring site for an accurate reading. A pulse oximeter functions by delivering sensed data to the monitor via a cable. Some pulse oximeters are attached with an adhesive band. Others are spring loaded; both types must be relocated periodically to avoid injuring the skin. An arterial oxygen saturation (SpO_2) of at least 95% is clinically acceptable as normal; therefore, the SpO_2 alarm should be set to sound when it detects a level below 95%. (Many agencies suggest setting the alarm for a measurement below 85%.) An SpO_2 of 90% is equated with a partial pressure of oxygen of 60 mm Hg, an indication that the client could benefit from the supplemental administration of oxygen. When an alarm sounds, the nurse assesses the client to determine if the sensing device has become loose or has been removed, the client is restless and causing some artifacts that the machine is interpreting as significant changes, or the client is hypoxic. The nurse would notify the health care provider if measures to improve the client's oxygenation status, such as administering supplemental oxygen, are ineffective.

> ***Cognitive Level***—*Applying*
> ***Client Needs Category***—*Physiological integrity*
> ***Client Needs Subcategory***—*Reduction of risk potential*

92. 2. The ability to cough indicates that the foreign object in the airway is not totally obstructing the air passage. As long as the obstruction is only partial, the client is capable of coughing to clear his or her own airway. The victim's ability to walk is not important except to verify that the brain is still receiving oxygen and the client has not lost consciousness. The victim's position is not the most important data to obtain at this time. The ability to swallow will not dislodge an object that is in the victim's airway.

> ***Cognitive Level***—*Applying*
> ***Client Needs Category***—*Physiological integrity*
> ***Client Needs Subcategory***—*Physiological adaptation*

93. 4. The thumb side of the fist is placed against the abdomen, below the sternum but above the navel. The xiphoid process is the tip of the sternum, and the manubrium is the upper portion of the sternum. Neither location is used when performing the abdominal thrust.

> ***Cognitive Level***—*Remembering*
> ***Client Needs Category***—*Physiological integrity*
> ***Client Needs Subcategory***—*Physiological adaptation*

94. 5 mL

$$\frac{\text{Desired dose}}{\text{Dose on hand}} \times \text{Quantity} = \text{Amount to administer}$$

$$\frac{2\ \text{mg}}{0.4\ \text{mg}} \times 1\ \text{mL} = 5\ \text{mL}$$

> ***Cognitive Level***—*Applying*
> ***Client Needs Category***—*Physiological integrity*
> ***Client Needs Subcategory***—*Pharmacological therapies*

95. 3. Limiting the client's stimuli can help a hysterical client to gain control. That should be followed by remaining with the client or delegating that responsibility to another member of the treatment team. It is inappropriate to administer a sedative because that interferes with a person's ability to process information. Telling the hysterical person that everything will be okay is a nontherapeutic communication technique called false reassurance; it is impossible to always predict a positive outcome. Suggesting that the chaplain be called may be helpful to stay with the client after escorting the hysterical person away from the area where the overdosed client is being treated.

> ***Cognitive Level***—*Applying*
> ***Client Needs Category***—*Psychosocial integrity*
> ***Client Needs Subcategory***—*None*

TEST

8

The Nursing Care of Clients with Disorders of the Gastrointestinal System

- ■ Nursing Care of Clients with Disorders of the Mouth
- ■ Nursing Care of Clients with Disorders of the Esophagus
- ■ Nursing Care of Clients with Disorders of the Stomach
- ■ Nursing Care of Clients with Disorders of the Small Intestine
- ■ Nursing Care of Clients with Disorders of the Large Intestine
- ■ Nursing Care of Clients with Disorders of the Rectum and Anus
- ■ Test Taking Strategies
- ■ Correct Answers and Rationales

Directions: *With a pencil, blacken the space in front of the option you have chosen for your correct answer.*

Nursing Care of Clients with Disorders of the Mouth

A client develops mucositis of the oral cavity while receiving chemotherapy for cancer.

1. Which food item(s) is **best** for the nurse to withhold from the client's dietary tray? Select all that apply.
[ ] **1.** Tomato soup
[ ] **2.** Lime gelatin
[ ] **3.** Canned peaches
[ ] **4.** Hot coffee
[ ] **5.** Toast
[ ] **6.** Vanilla ice cream

2. The nurse assesses the client's oral cavity and plans to assist with oral care. What item should the nurse obtain?
[ ] **1.** A pediatric toothbrush
[ ] **2.** A battery-operated toothbrush
[ ] **3.** Sponge-tipped swabs
[ ] **4.** Mint-flavored mouthwash

A nurse is assigned to care for several clients who require total care and is planning oral care for them.

3. The nurse should plan specialized oral care twice a day for the client who:
[ ] **1.** has full dentures.
[ ] **2.** is on fluid restrictions.
[ ] **3.** is on a low-residue diet.
[ ] **4.** sucks on ice chips.

4. What nursing technique(s) is appropriate when providing oral care for a client's dentures? Select all that apply.
[ ] **1.** Using hot water while brushing and rinsing the dentures
[ ] **2.** Holding the dentures over a basin of water or a soft towel
[ ] **3.** Applying solvent to remove oral adhesive from the dentures
[ ] **4.** Placing the dentures in a clean, dry container after brushing
[ ] **5.** Donning clean gloves before taking dentures from the client's mouth
[ ] **6.** Removing the lower plate from the mouth by turning it to a slight angle

5. The nurse is brushing the teeth of a client who is unconscious. How should the client be positioned?
[ ] **1.** Supine with the head elevated
[ ] **2.** Sidelying with the head lowered
[ ] **3.** In Trendelenburg position with the head slightly raised
[ ] **4.** In a dorsal recumbent position with the head elevated

215

A client who has been taking an antibiotic for the past 2 weeks reports difficulty in eating and swallowing.

6. Upon completion of an oral assessment to provide to the health care provider, which objective data would indicate a candidal infection is causing the oral symptoms?
[ ] **1.** Clear, shiny, domed vesicles on the tongue
[ ] **2.** Red, ulcerated patches at the gum margin
[ ] **3.** White, curd-like patches throughout the mouth
[ ] **4.** Dark brown, flat lesions in the oropharynx

The client asks the nurse about the source of the oral infection.

7. The nurse correctly explains that most individuals acquire candidiasis (thrush) by what means?
[ ] **1.** Transferring bacteria from unclean dental instruments
[ ] **2.** Having an overgrowth of normal mouth organisms
[ ] **3.** Inhaling moist droplets when someone sneezed
[ ] **4.** Using someone's unwashed eating utensils

Nystatin oral suspension is prescribed to treat the client's candidiasis.

8. What instruction should the nurse plan to give the client when administering the nystatin oral suspension?
[ ] **1.** Drink the medication through a straw.
[ ] **2.** Dilute the medication with cold water.
[ ] **3.** Swish the drug within the mouth, and then swallow it.
[ ] **4.** Brush the teeth after using the medication.

A 70-year-old client is referred for suspected oral cancer after a routine dental examination.

9. If the client is typical of others with this diagnosis, what contributing factor is the nurse **most likely** to find when reading the medical history?
[ ] **1.** The client smoked marijuana occasionally as a teenager.
[ ] **2.** The client has used smokeless tobacco throughout adulthood.
[ ] **3.** The client has had exposure to asbestos as a construction worker.
[ ] **4.** The client has poor dental hygiene with several decayed teeth.

The client's oral cancerous lesion is surgically removed, and postsurgical radiation therapy is planned after discharge.

10. When the nurse plans postoperative nursing care, what nursing intervention(s) should be implemented? Select all that apply.
[ ] **1.** Position the client with the head of the bed flat.
[ ] **2.** Assess the client's ability to speak clearly.
[ ] **3.** Irrigate the client's mouth when fully awake and alert.
[ ] **4.** Observe the client's ability to swallow.
[ ] **5.** Provide ice chips as tolerated.
[ ] **6.** Watch for signs of depression.

The client's discharge prescriptions have been written, and radiation therapy is scheduled the following week.

11. Before discharge, the nurse prepares the client about the expected side effects of radiation therapy. What topic(s) should the nurse include in the discharge plan? Select all that apply.
[ ] **1.** Alopecia
[ ] **2.** Pale skin at the site
[ ] **3.** Restlessness
[ ] **4.** Stomatitis
[ ] **5.** Xerostomia
[ ] **6.** Confusion

While being prepared for an annual gynecologic examination, the nurse notes a herpes simplex type 1 mouth lesion that the client refers to as a "cold sore."

12. What statement made by the client indicates to the nurse that further instruction regarding herpes simplex is needed?
[ ] **1.** "My cold sore is caused by a virus."
[ ] **2.** "I got this by contact with an infected person."
[ ] **3.** "I have been under a lot of stress lately."
[ ] **4.** "The sores can only form on the lips."

The client is prescribed acyclovir to treat the herpes lesions.

13. What statement to the nurse indicates that the client understands the purpose for the drug therapy?
[ ] **1.** "I know that this drug will kill all the virus causing the lesion."
[ ] **2.** "The drug shortens the duration of an outbreak."
[ ] **3.** "The drug prevents future outbreaks from occurring."
[ ] **4.** "I will need to take the drug daily for the rest of my life."

Nursing Care of Clients with Disorders of the Esophagus

A 60-year-old client who has been experiencing difficulty swallowing is scheduled for an esophagoscopy.

14. What statement to the nurse indicates the client understands the preparation before an esophagoscopy?
[ ] **1.** "I need to eat a light breakfast before the examination."
[ ] **2.** "I should consume a low-residue diet until the test has been completed."
[ ] **3.** "I need to avoid food and fluids after midnight before the test."
[ ] **4.** "I have to drink a quart of liquid before arriving for the test."

The esophagoscopy reveals that the client has a stricture near the end of the esophagus.

15. To help improve the client's ability to swallow, what nursing recommendation is **most appropriate**?
[ ] **1.** Eat a variety of foods containing a thickener.
[ ] **2.** Thoroughly chew everything that is eaten.
[ ] **3.** Avoid drinking beverages while eating a meal.
[ ] **4.** Consume small amounts of full liquid consistency foods frequently.

A 38-year-old client is admitted with bleeding esophageal varices and will require a blood transfusion.

16. As the nurse reviews the client's medical record, what factor is **most likely** related to the client's present condition?
[ ] **1.** There was a prior suicide attempt with poison.
[ ] **2.** The client has been treated for peptic ulcer disease.
[ ] **3.** The client appears to be rather malnourished.
[ ] **4.** There is a history of chronic alcohol consumption.

The registered nurse (RN) starts an infusion of whole blood and asks the licensed practical/vocational nurse (LPN/LVN) to continue monitoring the client during the blood transfusion.

17. According to the Joint Commission's National Patient Safety Goals, what nursing action regarding blood administration is **most appropriate**?
[ ] **1.** Two nurses must review the blood bag and client's arm bracelet before administration.
[ ] **2.** A corticosteroid should be available in the event the client has a transfusion reaction.
[ ] **3.** An I.V. line using a 22-gauge needle should be started before administration.
[ ] **4.** Each unit of blood should be completed within 6 hours of starting it.

18. As the licensed practical/vocational nurse is monitoring the client receiving a blood transfusion, what assessment finding is the **best indication** of a transfusion reaction?
[ ] **1.** The client's urine is very dark yellow.
[ ] **2.** The client suddenly becomes dyspneic.
[ ] **3.** The client's skin is pale and cool.
[ ] **4.** The client experiences extreme thirst.

During a routine home visit, a client describes what the nurse believes may be symptoms related to gastroesophageal reflux disease (GERD).

19. The home care nurse updates the plan of care to include nursing interventions related to what main symptom that accompanies gastroesophageal reflux disease (GERD)?
[ ] **1.** Vomiting
[ ] **2.** Nausea
[ ] **3.** Anorexia
[ ] **4.** Heartburn

20. What nursing instruction is **most helpful** for providing some relief from the symptoms accompanying gastroesophageal reflux disease (GERD)?
[ ] **1.** "Eat three well-balanced meals a day."
[ ] **2.** "Eat foods that are easy to swallow."
[ ] **3.** "Avoid lying down after eating."
[ ] **4.** "Drink clear liquids at room temperature."

21. What modification in the client's position is **most appropriate** for the nurse to recommend when the client reports symptoms of gastroesophageal reflux disease (GERD)?
[ ] **1.** Have the client remain supine on a mattress that contains a bed board.
[ ] **2.** Advise the client to sleep on a water bed temporarily.
[ ] **3.** Tell the client to elevate the legs on pillows when retiring at night.
[ ] **4.** Have the client raise the head of the bed on 4-in (10-cm) blocks.

A 75-year-old client with metastatic cancer of the esophagus is undergoing palliative treatment that includes total parenteral nutrition (TPN) administered through a central subclavian catheter.

22. What nursing assessment is **essential** for evaluating the client's response to the total parenteral nutrition (TPN)?
[ ] **1.** Test the urine specific gravity.
[ ] **2.** Monitor the capillary blood glucose level.
[ ] **3.** Measure the arterial pulse pressure.
[ ] **4.** Obtain an apical-radial pulse rate.

23. What finding documented in the client's chart is the **best evidence** that the client is responding favorably to the administration of total parenteral nutrition (TPN)?
[ ] **1.** The client's serum electrolytes are in balance.
[ ] **2.** The client's weight has steadily increased by 8 lb (3.6 kg).
[ ] **3.** The client's appetite has improved to eating 50% of a meal.
[ ] **4.** The client is voiding 450 mL of clear, yellow urine.

In anticipation of transferring the client to a nursing home, a gastrostomy tube is inserted to provide nourishment.

24. Immediately after the gastrostomy tube is inserted, what finding should the nurse consider normal when assessing drainage around the gastrostomy tube?
[ ] **1.** Milky drainage
[ ] **2.** Serosanguineous drainage
[ ] **3.** Green-tinged drainage
[ ] **4.** Bright, red drainage

25. What nursing action is the **best method** for determining if the gastrostomy tube has migrated after being inserted?
[ ] **1.** Testing the pH of aspirated secretions
[ ] **2.** Monitoring the results of stomach x-rays
[ ] **3.** Measuring the length of the external tube
[ ] **4.** Palpating the abdomen for distention

The nurse fills a tube-feeding bag with two 8-ounce cans of commercially prepared formula that will infuse continuously through the client's gastrostomy tube through a feeding pump.

26. If the client is to receive 120 mL of formula per hour, the nurse can expect that the entire bag of formula will be empty in how many hours?

_____ hours

While the tube-feeding formula is infusing, the client tells the nurse about feeling full and nauseated.

27. What nursing action(s) is appropriate at this time? Select all that apply.
[ ] **1.** Measure the stomach residual.
[ ] **2.** Administer an antiemetic by gastrostomy tube.
[ ] **3.** Stop the infusion temporarily.
[ ] **4.** Add water to dilute the formula.
[ ] **5.** Turn the client onto the right side.
[ ] **6.** Request a prescription for a different type of formula.

28. After the tube-feeding formula has infused, what action should the nurse take **next**?
[ ] **1.** Place the client on the left side.
[ ] **2.** Lower the head of the client's bed.
[ ] **3.** Clamp the opening of the gastrostomy tube.
[ ] **4.** Flush with plain tap water down the tube.

29. When the nurse cares for the client receiving gastrostomy feedings, what is a common cause for the development of diarrhea?
[ ] **1.** Air in the gastrointestinal tract
[ ] **2.** Incorrect tube location
[ ] **3.** Fiber-rich formula
[ ] **4.** Highly concentrated formula

30. What nursing action is **best** for preventing bacterial contamination of tube-feeding formula?
[ ] **1.** Wipe the tube's exit site with an antiseptic swab.
[ ] **2.** Perform handwashing before bathing the client.
[ ] **3.** Wear gloves at all times when providing care.
[ ] **4.** Change the formula bag and tubing every day.

The client with the gastrostomy is silent and withdrawn as the nurse cares for the insertion site.

31. What nursing statement is **most appropriate** for encouraging the client's expression of feelings?
[ ] **1.** "Are you depressed?"
[ ] **2.** "It must be tough for you."
[ ] **3.** "This may get better soon."
[ ] **4.** "Lots of people eat this way."

32. The client is being discharged. What nursing instruction is **best** to provide the family if the gastrostomy tube becomes obstructed?
[ ] **1.** Irrigate the tube with peroxide.
[ ] **2.** Instill tap water with a syringe.
[ ] **3.** Milk the gastrostomy tube.
[ ] **4.** Apply suction to the gastrostomy tube.

Nursing Care of Clients with Disorders of the Stomach

A 46-year-old client is hospitalized to determine the cause of intermittent gnawing epigastric pain. The admitting nurse obtains the client's health history and suspects a peptic ulcer. During the client's admission interview, the client reports being a victim of recurring intimate partner violence.

33. What is the **most important** nursing action at this time?
[ ] **1.** Determine if the client fears for his or her life.
[ ] **2.** Suggest the client press criminal charges.
[ ] **3.** Secure assistance from a gender-specific shelter.
[ ] **4.** Refer the client to help from legal services.

34. On the basis of the client's admitting health history of intermittent gnawing epigastric pain, if the client's symptoms are due to a peptic ulcer, when would the nurse expect the client to indicate the epigastric pain is decreased?
[ ] **1.** When skipping meals
[ ] **2.** When going to bed
[ ] **3.** When eating food
[ ] **4.** When being active

35. In addition to the client's clinical presentation, what positive laboratory finding provides further evidence that the client's symptoms are related to a peptic ulcer?
[ ] **1.** Urine that is positive for albumin
[ ] **2.** Blood that is positive for glucose
[ ] **3.** Stool that is positive for blood
[ ] **4.** Emesis that is positive for pepsin

The client is scheduled for an x-ray of the upper gastrointestinal tract.

36. After the nurse explains the procedure for performing an upper gastrointestinal x-ray, what statement by the client is the **best indication** to the nurse that the client understands what this test involves?
[ ] **1.** "A flexible tube will be inserted into my stomach."
[ ] **2.** "Dye will be infused into my vein before the test."
[ ] **3.** "My body will be placed within an imaging chamber."
[ ] **4.** "I will have to drink a prescribed amount of contrast solution."

The client asks the nurse why an antibiotic has been prescribed.

37. What nursing explanation regarding the use of antibiotics for peptic ulcer therapy is **most accurate**?
[ ] **1.** Antibiotics heal the irritated mucous membranes of the stomach.
[ ] **2.** Antibiotics eliminate a microorganism that depletes gastric mucus.
[ ] **3.** Antibiotics add a protective coating over the ulcerated mucosa.
[ ] **4.** Antibiotics prevent secondary gastrointestinal infections.

The licensed practical/vocational nurse (LPN/LVN) assists the team leader in planning the discharge teaching for the client with a peptic ulcer. The goal is to provide the client with information that will help prevent further gastrointestinal irritation.

38. The nurse instructs the client to follow the label directions when taking medications to relieve occasional pain and discomfort. What medication is **most appropriate** for the client to take when considering the client's history and current medical concern?
[ ] **1.** Acetaminophen
[ ] **2.** Aspirin
[ ] **3.** Ibuprofen
[ ] **4.** Naproxen

The nurse prepares a client with a history of recurrent peptic ulcer disease for abdominal surgery.

39. As the nurse performs a head-to-toe physical assessment, what finding is the **best indication** that the client's ulcer has perforated?
[ ] **1.** The client's skin is ecchymotic.
[ ] **2.** The client's abdomen feels board like.
[ ] **3.** The client's pupils are widely dilated.
[ ] **4.** The client's respirations are rapid.

The licensed practical/vocational nurse (LPN/LVN) assists the registered nurse (RN) in inserting a nasogastric (NG) tube in the client with a perforated ulcer.

40. When gathering supplies for the procedure, what type of tube is the **best** choice to prevent irritation of the gastric mucosa when caring for a client requiring gastric decompression?
[ ] **1.** Levin tube
[ ] **2.** Salem sump tube
[ ] **3.** Ewald tube
[ ] **4.** Maxter tube

41. To determine the length of nasogastric tubing to insert, the nurse correctly places the tip of the tube at the client's nose and measures the distance from there to what area?
[ ] **1.** The jaw and then midway to the sternum
[ ] **2.** The mouth and then between the nipples
[ ] **3.** The midsternum and then to the umbilicus
[ ] **4.** The ear and then to the xiphoid process

42. What instruction should the nurse give the client when the nasogastric tube is in the oropharynx?
[ ] **1.** "Breathe deeply as the tube is advanced."
[ ] **2.** "Hold your head in a sniffing position."
[ ] **3.** "Press your chin to your upper chest."
[ ] **4.** "Avoid coughing until the tube is down."

43. If the client turns blue and coughs as the nasogastric (NG) tube is inserted, what additional sign indicates to the nurse that the tube has entered the respiratory tract?
[ ] **1.** Inability to speak
[ ] **2.** Inability to swallow
[ ] **3.** Sneezing
[ ] **4.** Vomiting

44. What is the **best** evidence-based practice to determine if a nasogastric tube is located in the stomach?
[ ] **1.** Test the pH of aspirated secretions.
[ ] **2.** Auscultate the stomach while instilling air.
[ ] **3.** Obtain an abdominal x-ray.
[ ] **4.** Determine if the client can talk.

45. What suction setting is **most appropriate** for the nurse to use when connecting the client's nasogastric (NG) tube to suction preoperatively?
[ ] **1.** Low intermittent suction
[ ] **2.** Low continuous suction
[ ] **3.** High intermittent suction
[ ] **4.** High continuous suction

46. What nursing action should be performed **first** when it appears that a nasogastric tube is draining poorly?
[ ] **1.** Turn the suction on and off repeatedly.
[ ] **2.** Check if the tube is kinked or compressed.
[ ] **3.** Increase the suction pressure in the wall unit.
[ ] **4.** Empty the tube's drainage container.

47. When caring for the client receiving tube feedings, what is the **best** nursing action immediately after checking the client's gastric residual?

[ ] **1.** Dispose of the gastric contents in the toilet.
[ ] **2.** Reinstill the aspirated gastric contents.
[ ] **3.** Rinse the tube before instilling fresh formula.
[ ] **4.** Warm the refrigerated tube-feeding formula.

48. If the client's gastric residual exceeds the maximum amount, what should the nurse do **next**?

[ ] **1.** Notify the attending health care provider.
[ ] **2.** Administer half of the next volume.
[ ] **3.** Recheck the residual in 30 minutes.
[ ] **4.** Help the client to ambulate.

49. After a bolus administration of tube-feeding formula through a gastrostomy tube, what nursing action is **best** for preventing air in the stomach causing gastric distension?

[ ] **1.** Clamp the tube before the last amount of formula instills.
[ ] **2.** Lower the barrel of the syringe to the level of the umbilicus.
[ ] **3.** Withhold instilling the last 30 mL of tube-feeding formula.
[ ] **4.** Place the client on his or her right side for 20 minutes.

The client with the perforated ulcer senses the critical nature of the condition and asks the nurse, "Am I going to die?"

50. What response by the nurse is **best**?

[ ] **1.** "We are doing everything we can right now to help you."
[ ] **2.** "That is something you will have to ask your health care provider."
[ ] **3.** "Now what kind of a silly question is that?"
[ ] **4.** "I have seen others with similar problems pull through."

A gastrojejunostomy, also called a Billroth II, will be performed to treat the client's perforated ulcer.

51. When the client says, "I will be glad to eat normally again." What is the nurse's **best response**?

[ ] **1.** "What do you mean by normal eating?"
[ ] **2.** "You have a very positive attitude."
[ ] **3.** "Have you talked with the surgeon?"
[ ] **4.** "I will request a consult with the dietitian."

The client returns to the room after recovering from the anesthesia.

52. When the client does not adequately cough and deep-breathe postoperatively due to incisional pain, what nursing action is **most appropriate**?

[ ] **1.** Explain about the high risk for developing pneumonia.
[ ] **2.** Have the client press a pillow against the incision.
[ ] **3.** Ask the health care provider to prescribe some oxygen for the client.
[ ] **4.** Keep the head of the bed elevated at all times.

The nurse notes that the nasogastric (NG) tube placed during the client's gastrojejunostomy has stopped draining; an irrigation is prescribed.

53. What nursing intervention is **most appropriate** when the nurse irrigates the nasogastric tube?

[ ] **1.** Instilling 30 mL of sterile distilled water into the tube
[ ] **2.** Administering oxygen before the irrigation
[ ] **3.** Recording the volume instilled and removed
[ ] **4.** Asking the client to swallow frequently

The client's nasogastric (NG) tube is discontinued and a full liquid diet is prescribed. The nurse is recording the client's intake and output.

54. On the basis of the following list of food consumed within the past 8 hours, how many milliliters of intake should the nurse record? Record your answer using a whole number.

One cup black coffee
One 8-ounce carton of milk
¼ cup of ice cream
8 ounces of supplemental nutritional drink
6 ounces of creamed soup
½ cup of fruit-flavored gelatin

_____ mL

The nurse creates a teaching plan for a client who develops dumping syndrome after a gastrojejunostomy.

55. What nursing instruction(s) offers a client recovering from a gastrojejunostomy method(s) for preventing symptoms associated with dumping syndrome? Select all that apply.

[ ] **1.** Consume a generous amount of fluid during meals.
[ ] **2.** Avoid eating simple carbohydrates.
[ ] **3.** Restrict consumption of raw fruits and vegetables.
[ ] **4.** Eat several small meals throughout the day.
[ ] **5.** Lie down for 30 minutes after a meal.
[ ] **6.** Chew food thoroughly while eating.

A 74-year-old client experiences persistent indigestion, feelings of gastric fullness, and unexplained weight loss.

56. When reviewing the results of the client's diagnostic tests, what finding would strongly suggest to the nurse that the client's symptoms are related to stomach cancer?

[ ] **1.** Gastric analysis showing absence of hydrochloric acid
[ ] **2.** An elevated level of gastrin in the blood
[ ] **3.** Gastric irritation noted during a gastroscopy
[ ] **4.** A decrease in hemoglobin and hematocrit

The client is diagnosed with stomach cancer and scheduled for a total gastrectomy. After surgery, the client, who has a single-lumen nasogastric (NG) tube connected to suction, informs the nurse about being very thirsty.

57. In response to the client's statement, what nursing intervention is **most appropriate** to add to the care plan?
[ ] **1.** Offer fluids at least every 2 hours.
[ ] **2.** Provide crushed ice in sparse amounts.
[ ] **3.** Increase oral liquids on the dietary tray.
[ ] **4.** Refill the water pitcher twice each shift.

One year after the gastrectomy, the client develops pernicious anemia. A home health nurse administers 1,000 mcg of vitamin B_{12} intramuscularly every month.

58. The label on the vial of vitamin B_{12} indicates that there is 1 milligram of drug per milliliter of solution. How many milliliters should the nurse inject? Record your answer using a whole number.

_____ mL

The nurse chooses to use the vastus lateralis muscle as the site for the I.M. vitamin B_{12} injection.

59. If the correct technique for administering the injection is followed, the nurse should give the injection in what location?
[ ] **1.** Upper arm at a 45-degree angle
[ ] **2.** Outer thigh at a 90-degree angle
[ ] **3.** Top of thigh at a 90-degree angle
[ ] **4.** Outer buttock at a 45-degree angle

Nursing Care of Clients with Disorders of the Small Intestine

A 19-year-old client has been having up to five loose stools per day. The client is admitted to the hospital for diagnostic testing and symptomatic treatment.

60. When the nurse collects a stool specimen for ova and parasites, what action is correct?
[ ] **1.** The nurse holds a specimen container under the client's anus.
[ ] **2.** The nurse places the collected specimen in a sterile container.
[ ] **3.** The nurse refrigerates the covered specimen after collection.
[ ] **4.** The nurse immediately takes the specimen to the laboratory.

Diphenoxylate hydrochloride 5 mg orally q.i.d. is prescribed to control the client's diarrhea.

61. When the nurse coordinates the times on the medication administration record, what military time schedule for administering this drug is **most** accurate?
[ ] **1.** 0730, 1130, 0430
[ ] **2.** 0600, 1200, 1800, 0000
[ ] **3.** 0900, 1300, 1700
[ ] **4.** 0400, 0800, 1200, 1600, 2000

The client's diet is restricted to clear liquids.

62. When the client asks for something to eat, what item(s) is appropriate for the nurse to provide? Select all that apply.
[ ] **1.** Chicken broth
[ ] **2.** Ginger ale
[ ] **3.** Gelatin
[ ] **4.** Orange juice
[ ] **5.** Milkshake
[ ] **6.** Vanilla pudding

The nurse assesses the client for signs of fluid volume deficit related to the diarrhea.

63. Which nursing documentation **best indicates** that fluid volume deficit is likely?
[ ] **1.** Blood pressure readings of 150/86 mm Hg, 158/90 mm Hg
[ ] **2.** Irregular heart rate at 72 beats/minute
[ ] **3.** Pink mucous membranes
[ ] **4.** 500 mL of dark yellow urine in 8 hours

A colonoscopy is prescribed because of the client's persistent diarrhea. The nurse instructs the client to drink 250 mL of polyethylene glycol/electrolytes every 15 minutes over a 2-hour period.

64. What observation by the nurse provides the **best evidence** that the solution has achieved its primary purpose?
[ ] **1.** The client's serum electrolyte levels are normal.
[ ] **2.** The client's intake approximates the output.
[ ] **3.** The client's stools become clear liquid.
[ ] **4.** The client's bladder fills with urine.

After experiencing the effects of having taken the prescribed dose of polyethylene glycol/electrolytes, the client reports feeling heart palpitations. Laboratory tests are prescribed.

65. What laboratory test finding(s) indicates to the nurse that the client has an electrolyte imbalance? Select all that apply.
[ ] **1.** Sodium, 126 mEq/L (126 mmol/L)
[ ] **2.** Potassium, 2.8 mEq/L (2.8 mmol/L)
[ ] **3.** Chloride, 90 mEq/L (90 mmol/L)
[ ] **4.** Calcium, 9.4 mEq/dL (2.35 mmol/L)
[ ] **5.** Phosphorus, 3.5 mEq/dL (1.13 mmol/L)
[ ] **6.** Blood urea nitrogen (BUN), 16 mg/dL (5.71 mmol/L)

The client's electrolyte imbalance is corrected. Before the colonoscopy, the client is given moderate sedation using midazolam hydrochloride.

66. During the colonoscopy and in the immediate recovery period, for what potential adverse effect of midazolam hydrochloride is it **essential** that the nurse assess the client closely?
[ ] **1.** Unstable blood pressure
[ ] **2.** Cardiac rhythm disturbance
[ ] **3.** Respiratory depression
[ ] **4.** Altered consciousness

The colonoscopy reveals that the client with diarrhea has Crohn disease. The client is placed on a fiber-controlled diet.

67. After consulting with the dietitian, the client demonstrates to the nurse an understanding of the therapeutic diet by relating which characteristic of fiber?
[ ] **1.** Fiber requires repetitive chewing
[ ] **2.** Fiber is located in muscle found in red meat
[ ] **3.** Fiber is a semisolid mass in the stomach
[ ] **4.** Fiber is the indigestible parts of plants

The client eventually develops a draining fistula between a loop of the ileum and the skin. The nursing team meets to revise the client's care plan.

68. On the basis of this new complication, what problem should the nursing team consider the **priority** when planning the client's care?
[ ] **1.** Pain from complex dressing changes
[ ] **2.** Skin breakdown
[ ] **3.** Body image
[ ] **4.** Containment of the odor from the wound

Nursing Care of Clients with Disorders of the Large Intestine

A 52-year-old client is admitted to the ambulatory surgery department for repair of an inguinal hernia. The nurse takes the signed operative consent form to the client to confirm the procedure. The form states that the surgical procedure will be a right inguinal herniorrhaphy.

69. When the client states, "I hope I can get along without that section of my bowel," what action should the nurse take **next**?
[ ] **1.** Cancel the surgery.
[ ] **2.** Notify the health care provider.
[ ] **3.** Witness the client's signature.
[ ] **4.** Clip the hair in the right groin.

70. According to the patient safety goals, surgical site verification and time-out processes must be performed. Place the statements in the order in which they should occur. Use all the options.

1. Time-out is done immediately before starting the procedure in the location where the procedure will be performed.
2. The surgeon verifies the surgical site with the client, initialing the correct site with an appropriate marking pen.
3. The nurse reviews the surgical consent, noting the correct procedure and site.
4. The procedure begins after the time-out when staff is confident the correct procedure is being performed on the correct client.
5. Before positioning the client on the operating room table, the nurse identifies the client using the client's name and birth date on the identification band.
6. All staff stops what they are doing and participates in the final verification, answering verbally when verifying the surgical site.

The client returns from surgery, which was performed under spinal anesthesia.

71. When the nurse is reviewing postoperative prescriptions, what prescription should the nurse question?
[ ] **1.** Diet as tolerated
[ ] **2.** Fluids as desired
[ ] **3.** Vital signs until stable
[ ] **4.** Fowler's position

72. What postoperative assessment should the nurse consider a **priority** after the client's herniorrhaphy?
[ ] **1.** Ability to urinate
[ ] **2.** Coughing efforts
[ ] **3.** Level of consciousness
[ ] **4.** Pain tolerance

After surgery, the nurse brings a suspensory (sling-like support) for the male client to apply.

73. What explanation regarding the use of the suspensory is **most appropriate**?
[ ] **1.** It is used to prevent sexual impotence
[ ] **2.** It is used to prevent scrotal edema
[ ] **3.** It is used to prevent strain on the incision
[ ] **4.** It is used to prevent wound contamination

Meperidine hydrochloride 50 mg I.M. is prescribed every 4 hours as needed to help relieve the client's pain after surgery.

74. The drug is supplied in ampules of 100 mg/mL. How many milliliters should the nurse administer? Record your answer to the nearest tenth.

_____ mL

75. The nurse appropriately documents the administration of meperidine hydrochloride on the client's medical administration record and in what other area?
[ ] **1.** Computer database
[ ] **2.** Opioid control log
[ ] **3.** Drug enforcement form
[ ] **4.** Pharmacy access book

A 31-year-old client with a long history of ulcerative colitis is admitted to the hospital for a colectomy.

76. Aside from the client's report of severe diarrhea, what other characteristic sign(s) or symptom(s) will the client likely report to the nurse during his admission? Select all that apply.
[ ] **1.** Mucus and blood in the stool
[ ] **2.** Hypoactive bowel sounds
[ ] **3.** Striae on the abdomen
[ ] **4.** Shallow ulcerations in the client's mouth
[ ] **5.** Left lower abdominal pain
[ ] **6.** Bowel incontinence

The nurse assesses the client's abdomen for bowel sounds following the sequential anatomic areas of the bowel.

77. Place an X in the quadrant the nurse auscultates to assess the proximal portion of the ascending colon.

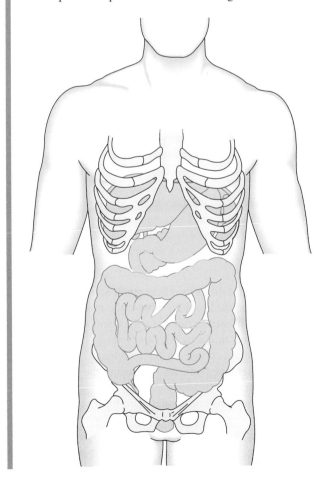

The nursing team includes the priority of "Bowel incontinence related to the loss of voluntary bowel control as evidenced by a sudden urgency for defecation" on the client's care plan.

78. What intervention is **most appropriate** when managing this nursing priority?
[ ] **1.** Keep the bedside commode nearby.
[ ] **2.** Answer the client's signal for help promptly.
[ ] **3.** Provide a disposable brief for the client.
[ ] **4.** Assist the client to the bathroom frequently.

The client tells the nurse about being hospitalized several times in the past few months without much improvement; this surgery is the last resort. The client is discouraged and states, "I am sure this surgery will not help either."

79. What nursing response is **most therapeutic**?
[ ] **1.** "You are saying that you doubt that you will get better."
[ ] **2.** "Do you want to talk to your health care provider again before surgery?"
[ ] **3.** "I would recommend a more positive attitude this time around."
[ ] **4.** "Of course surgery will work. Others wish they had it done sooner."

80. After giving the client preoperative medications, including meperidine hydrochloride, hydroxyzine, and atropine sulfate, what is the **most important** action for the nurse at this time?
[ ] **1.** Raising the bed side rails
[ ] **2.** Helping the client to the toilet
[ ] **3.** Observing for a dry mouth
[ ] **4.** Placing an emesis basin by the bedside

After recovering from anesthesia after the colectomy, the client is transferred to the nursing unit.

81. When the nurse monitors the client postoperatively, what assessment finding is **most indicative** of shock?
[ ] **1.** Bounding pulse
[ ] **2.** Slow respirations
[ ] **3.** Low blood pressure
[ ] **4.** High body temperature

The client's care plan includes providing measures for caring for the ileostomy created at the time of surgery.

82. What nursing intervention(s) is appropriate for managing the care of a client with an ileostomy? Select all that apply.
[ ] **1.** Change the faceplate of the appliance and pouch daily.
[ ] **2.** Inspect the size, color, and condition of the stoma.
[ ] **3.** Clean the peristomal area with alcohol or acetone.
[ ] **4.** Attach the opening of the faceplate snugly around the stoma.
[ ] **5.** Empty the pouch of the appliance as soon as stool is expelled.
[ ] **6.** Apply a skin barrier substance to excoriated skin.

83. When implementing the client's care plan, the **best** time of day for the nurse to perform stomal care and to change the appliance is after the client:
[ ] **1.** awakens in the morning
[ ] **2.** has showered after breakfast
[ ] **3.** has been ambulating in the hall
[ ] **4.** finishes the evening meal

84. The oncoming nurse is receiving report, which includes assessment findings of the client's ileostomy stoma. What nursing description would the oncoming nurse interpret as a normal finding?
[ ] **1.** Pale pink with a red marginal border
[ ] **2.** Bright red with a shiny appearance
[ ] **3.** Dark tan with no drainage or bleeding
[ ] **4.** Dusky blue located slightly below the skin level

85. When the nurse cleans the skin around the client's stoma, what action is **most appropriate**?
[ ] **1.** Cleaning the area with povidone-iodine
[ ] **2.** Swabbing the skin with 70% alcohol
[ ] **3.** Using water and mild soap
[ ] **4.** Scrubbing the skin with peroxide

86. What technique is **most accurate** when changing the ileostomy appliance?
[ ] **1.** Placing the faceplate over the opening of the stoma so it occludes it
[ ] **2.** Cutting the appliance opening 0.125 to 0.25 in (3 to 6 mm) larger than the stoma
[ ] **3.** Adhering the appliance after the skin has air-dried for 30 minutes
[ ] **4.** Securing the appliance snugly at the waist or belt line

87. When the nurse discusses postdischarge care with the client, what activity is unrealistic for a client with a conventional ileostomy?
[ ] **1.** Swimming
[ ] **2.** Jogging
[ ] **3.** Having sexual intercourse
[ ] **4.** Controlling defecation

A 20-year-old client presents to the emergency department with pain that is localized on the lower right side of the abdomen. Appendicitis is suspected.

88. What laboratory test prescribed on admission is **most important** for the nurse to monitor at this time?
[ ] **1.** Bilirubin level
[ ] **2.** Serum potassium level
[ ] **3.** Prothrombin time
[ ] **4.** Leukocyte count

89. If the client is typical of others with appendicitis, where can the nurse expect the client will experience tenderness when the abdomen is palpated? Indicate the site with an *X*.

Laparoscopic surgery is considered for removing the client's appendix.

90. When the client asks the nurse about the benefits of this type of procedure, what statement(s) is accurate? Select all that apply.
[ ] **1.** The recovery period is shorter.
[ ] **2.** No anesthesia is necessary.
[ ] **3.** There will be a small surgical scar.
[ ] **4.** Exercise can be resumed immediately.
[ ] **5.** Sexual intercourse may be resumed quicker.
[ ] **6.** Soft, easy-to-digest foods are eaten immediately after surgery.

The client's condition worsens before surgery; it is believed that the appendix has ruptured. The client is prepared for an emergency appendectomy. The laparoscopic approach for removing the appendix is no longer an option.

91. The nurse questions the client about activities just before coming to the hospital. What is the **most likely** action that contributed to rupturing the client's appendix?
[ ] **1.** The client ate tacos with spicy salsa.
[ ] **2.** The client continued usual activities.
[ ] **3.** The client applied a heating pad to the lower abdomen.
[ ] **4.** The client took acetaminophen for discomfort.

The client returns from surgery with an open (Penrose) drain extending from the incision. A sterile dressing covers the drain.

92. In what position should the nurse place the client to promote drainage from the wound?
[ ] **1.** Lithotomy
[ ] **2.** Fowler's
[ ] **3.** Supine
[ ] **4.** Trendelenburg

93. The client's dressing is to be changed daily. When changing the client's dressing, what nursing action is correct?
[ ] **1.** The nurse removes the soiled dressing with sterile gloves.
[ ] **2.** The nurse frees the tape by pulling it away from the incision.
[ ] **3.** The nurse encloses the soiled dressing within a latex glove.
[ ] **4.** The nurse cleans the wound in circles toward the incision.

The client requests medication to relieve pain from the appendectomy. Morphine sulfate 4 mg is prescribed I.M. q4h p.r.n.

94. If the label on the morphine sulfate states 10 mg/mL, how many milliliters should the nurse administer to the client? Record your answer to the nearest tenth.

_____ mL

A 68-year-old client has noted bloody stools for the past 6 months. One possible diagnosis is colorectal cancer.

95. Aside from rectal bleeding, when the nurse reviews the client's medical history, what data strongly suggest the client has colorectal cancer? Select all that apply.
[ ] **1.** The client states that bowel habits have changed.
[ ] **2.** The client has insulin-dependent diabetes.
[ ] **3.** The client experiences chronic indigestion.
[ ] **4.** The client has had a history of hepatitis.
[ ] **5.** The client has dull abdominal pain.
[ ] **6.** The client has a history of a drug use disorder.

The nurse provides instructions about the client's scheduled outpatient sigmoidoscopy. The night before the procedure, the client will begin preparing for the test.

96. What statement by the client indicates to the nurse that additional teaching is needed before the sigmoidoscopy?
[ ] **1.** "I should plan to spend the night in the hospital."
[ ] **2.** "I can have liquids or a light diet the evening before."
[ ] **3.** "A flexible scope will be inserted into my rectum."
[ ] **4.** "I should take my prescribed medications in the morning."

97. What position is **best** to place the client in when the nurse assists with the insertion of a flexible sigmoidoscope?
[ ] **1.** Lithotomy
[ ] **2.** Sims
[ ] **3.** Prone
[ ] **4.** Fowler's

Based on the findings from the sigmoidoscopy, the client will need to undergo a bowel resection to remove the cancerous tumor.

98. If a low-residue diet is prescribed for the client before surgery, what food should the nurse inform the client will be contraindicated?
[ ] **1.** Ground meat
[ ] **2.** Bran cereal
[ ] **3.** Orange juice
[ ] **4.** Baked fish

Before colorectal surgery, the client will receive 1 g of neomycin sulfate orally every hour for four doses and then 1 g orally every 4 hours for the balance of the 24 hours.

99. If the neomycin sulfate tablets come in a dosage strength of 500 mg per tablet, how many tablets should the nurse administer for each oral dose? Record your answer using a whole number.

_____ tablet(s)

100. When the client asks the nurse why neomycin sulfate is prescribed, what is the **most accurate** explanation?
[ ] **1.** "Neomycin treats any current infection you may have."
[ ] **2.** "Neomycin suppresses the growth of intestinal bacteria."
[ ] **3.** "Neomycin prevents the onset of postoperative diarrhea."
[ ] **4.** "Neomycin reduces the number of bacteria near the incision."

During the postoperative period, the client's abdominal incision separates, and the bowel protrudes through the opening.

101. What is the **first** action that the nurse should take at this time?
[ ] **1.** Check the client's vital signs.
[ ] **2.** Call the client's health care provider.
[ ] **3.** Cover the bowel with moist sterile gauze.
[ ] **4.** Push the bowel back through the opening.

A home health nurse visits a 71-year-old client and observes that the client's abdomen is quite distended. The client reports nausea and vomiting for the past 48 hours.

102. What question is important for the nurse to ask to determine if the client has a bowel obstruction?
[ ] **1.** "When did you last eat a full meal?"
[ ] **2.** "How much fluid are you vomiting?"
[ ] **3.** "Do your stomach contents appear to contain feces?"
[ ] **4.** "Has your appetite changed considerably?"

The client is hospitalized, and a nasogastric tube is inserted. Unfortunately, the client's bowel obstruction is unrelieved by gastric decompression. The client is scheduled for a laparotomy, possible colon resection, and a temporary colostomy. The client's preoperative prescriptions include meperidine hydrochloride and atropine sulfate I.M.

103. If the written prescription for the atropine sulfate says to administer 5 mg I.M. and the usual adult preoperative dose is 0.4 to 0.6 mg, what action is **best** for the nurse to take next?
[ ] **1.** Give the usual preoperative dose of atropine.
[ ] **2.** Administer just the meperidine at this time.
[ ] **3.** Withhold both medications and notify the health care provider.
[ ] **4.** Consult the pharmacist on what action to take.

The surgeon creates a double-barrel colostomy in the transverse colon.

104. Place an *X* over the stoma from which the nurse can expect the elimination of stool.

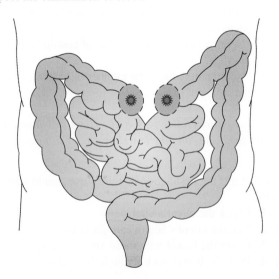

A few days after surgery, daily colostomy irrigations are begun.

105. What position is **best** for the nurse to place the client when irrigating the colostomy?
[ ] **1.** Lying on the left side
[ ] **2.** Sitting on the toilet
[ ] **3.** Standing at the sink
[ ] **4.** Kneeling in the bathtub

During a conversation concerning the client's feelings about the colostomy, the client suddenly becomes silent and tearful.

106. What nursing action is **best** at this time?
[ ] **1.** Change the subject briefly, then return to clarify feelings.
[ ] **2.** Pause quietly, refraining from interjecting comments.
[ ] **3.** Provide information about colostomy care, including handouts.
[ ] **4.** Offer a referral for psychological counseling to express feelings.

The client says to the nurse, "I do not think I will ever learn to change this bag correctly."

107. What nursing response is **best** at this time?
[ ] **1.** Encourage the client to express any further concerns.
[ ] **2.** Reassure the client that adjustment will come with time.
[ ] **3.** Recommend that the client investigate care in a nursing home.
[ ] **4.** Say nothing, but quote the client's statement in the chart.

A nursing home resident is admitted to the hospital with diarrhea. A diagnosis of Clostridium difficile is made.

108. To prevent *C. difficile* from being transmitted to other hospitalized clients, what nursing action(s) is appropriate? Select all that apply.
[ ] **1.** Use alcohol foam to wash hands when providing client care.
[ ] **2.** Request a prescription to place the client in contact isolation.
[ ] **3.** Wash hands with soap and water on entering and exiting the client's room.
[ ] **4.** Apply a mask when coming in contact with the client's feces.
[ ] **5.** Place the client in a negative pressure room.
[ ] **6.** Cohort clients with diarrhea to the same general location in the hospital.

Nursing Care of Clients with Disorders of the Rectum and Anus

A nurse assesses blood pressures at a senior citizens' community center during the lunch hour. An 80-year-old client discreetly asks the nurse for help with constipation.

109. Before recommending an over-the-counter laxative, the nurse asks what medications the client takes. If the medications include examples from each of the classifications listed here, which one(s) is known to cause constipation? Select all that apply.
[ ] **1.** Opioids
[ ] **2.** Iron preparations
[ ] **3.** Antacids containing calcium
[ ] **4.** Antibiotics
[ ] **5.** Antihypertensives
[ ] **6.** Nonsteroidal anti-inflammatory drugs (NSAIDs)

A nurse who works at a nursing home cares for several clients with bowel elimination problems.

110. When a nursing home resident informs the nurse about an inability to have a bowel movement without taking a daily laxative, what information is **essential** for the nurse to provide?
[ ] **1.** Long-term use of laxatives impairs natural bowel tone.
[ ] **2.** Stool softeners are likely to be less harsh.
[ ] **3.** Daily enemas are preferred to laxatives.
[ ] **4.** Dilating the anal sphincter may aid bowel elimination.

A nurse receives a report that one of the nursing home residents has not had a bowel movement for 3 days. On further investigation, the nurse suspects a fecal impaction.

111. What assessment data strongly indicate that a client has a fecal impaction?
[ ] **1.** The client passes liquid stool frequently.
[ ] **2.** The client has foul-smelling stools.
[ ] **3.** The client requests medication for a stomachache.
[ ] **4.** The client has not been eating well lately.

Before removing the fecal impaction, the nurse reviews the client's medical history.

112. What condition(s) is a contraindication for the nurse to digitally remove a fecal impaction? Select all that apply.
[ ] **1.** History of cardiac surgery
[ ] **2.** History of reproductive surgery
[ ] **3.** History of radiation to the abdomen
[ ] **4.** Presence of hemorrhoids
[ ] **5.** Dependence on laxatives
[ ] **6.** Use of anticoagulants

113. What nursing action is **most appropriate** for confirming that a client has a fecal impaction?
[ ] **1.** Administering an oil-retention enema
[ ] **2.** Inserting a gloved finger into the rectum
[ ] **3.** Reviewing the results of the client's lower gastrointestinal x-ray
[ ] **4.** Listening to the client's bowel sounds every 4 hours

A nursing home resident who is receiving supplemental tube feedings reports bloating and abdominal distention.

114. Before inserting a rectal tube, what nursing measure is **most helpful** for eliminating a client's intestinal gas?
[ ] **1.** Ambulating the client in the hall
[ ] **2.** Providing a carbonated beverage
[ ] **3.** Restricting the intake of solid food
[ ] **4.** Administering an opioid analgesic

115. If a rectal tube becomes necessary to relieve a client's abdominal distention and discomfort, what is the maximum length of time the nurse should plan to leave the tube in place each time it is used?
[ ] **1.** 15 minutes
[ ] **2.** 30 minutes
[ ] **3.** 45 minutes
[ ] **4.** 60 minutes

During the administration of a cleansing soapsuds enema, a client experiences cramping and has the urge to defecate.

116. What nursing action is **most appropriate** at this time?
[ ] **1.** Quickly finish instilling the remaining solution.
[ ] **2.** Tell the client to stop breathing and bear down.
[ ] **3.** Briefly stop the administration of the solution.
[ ] **4.** Turn the client supine and elevate the feet.

117. When the nurse is inserting a rectal suppository to relieve constipation, what nursing action is **most appropriate**?
[ ] **1.** Don a sterile glove on the dominant hand.
[ ] **2.** Position the client on the right side.
[ ] **3.** Insert the suppository approximately 2 to 4 in (5 to 10 cm).
[ ] **4.** Instruct the client to retain the suppository for 5 minutes.

118. Before beginning bowel retraining for a client experiencing bowel incontinence, what nursing action should be performed **first**?
[ ] **1.** Limit the client's daytime physical activity.
[ ] **2.** Record the time of day when incontinence occurs.
[ ] **3.** Decrease the amount of food eaten at each meal.
[ ] **4.** Empty the client's bowel with a soapsuds enema.

119. A home health nurse reviews the health history of a client who has hemorrhoids. What factor is the major contributor to the client's rectal disorder?

[ ] **1.** Taking a daily stool softener
[ ] **2.** History of ulcerative colitis
[ ] **3.** Frequent constipation
[ ] **4.** Occupation of a computer programmer

120. Besides increasing the consumption of bulk-forming foods (such as whole grains, fresh fruits, and vegetables), what is the **most appropriate** instruction the nurse can give the client with hemorrhoids?

[ ] **1.** Eat small meals frequently.
[ ] **2.** Drink eight glasses of water per day.
[ ] **3.** Take a daily laxative.
[ ] **4.** Reduce the intake of refined sugar.

The client with hemorrhoids eventually has them surgically removed. The nurse assists with giving the client a sitz bath postoperatively.

121. What nursing assessment provides validation that the sitz bath has been effective for this client?

[ ] **1.** The client's rectum is less painful.
[ ] **2.** The client's incision is clean.
[ ] **3.** The client feels refreshed.
[ ] **4.** The client has no evidence of a hematoma.

122. The following is added to the medication administration record.

MAR

Add New MAR Order	Acknowledge Pending Orders

Medication Name	Time Given
Docusate sodium 100 mg daily	0900

When administering the 0900 dose, the nurse recognizes that the medication affects bowel elimination in which way?

[ ] **1.** Easing the client's bowel evacuation with formed yet soft stool
[ ] **2.** Irritating the bowel, which promotes stool elimination
[ ] **3.** Stimulating peristalsis to remove wastes after digestion
[ ] **4.** Reducing intestinal activity, which decreases stool size

A client is admitted for surgical treatment of a pilonidal cyst.

123. When obtaining the client's health history, what characteristic finding(s) would the admitting nurse expect the client to report? Select all that apply.

[ ] **1.** A history of intermittent rectal bleeding
[ ] **2.** An open area near the coccyx that is draining
[ ] **3.** Frequent episodes of diarrhea
[ ] **4.** Baby-fine anorectal hair
[ ] **5.** Pain and swelling at the base of the spine
[ ] **6.** Frothy, foul-smelling stool

Before discharging the client, the nurse explains how to apply a nonprescription anesthetic ointment to the wound.

124. What instruction regarding medication administration to the wound is **essential** for promoting the drug's local effect?

[ ] **1.** Use gloves when applying the ointment.
[ ] **2.** Store the ointment in the refrigerator.
[ ] **3.** Apply the ointment just before defecating.
[ ] **4.** Clean the area before applying the drug.

Test Taking Strategies

Nursing Care of Clients with Disorders of the Mouth

1. Read all the choices carefully. Determine the options that correlate with foods that can irritate or cause trauma to oral tissue that is already inflamed. Recall that acidic, spicy, and hot foods and beverages cause further pain and discomfort.

2. Use the process of elimination to choose the option that best identifies an item used to provide oral care that does not further injure the oral mucosa. A sponge-tipped swab would be gentle on the oral mucosa, making this choice the better option.

3. Analyze the choices to select the option that identifies the client who requires more frequent oral care from among the provided choices. Recall that a client whose fluid is restricted is likely to have dry mucous membranes, making frequent oral care a priority.

4. Read all the choices. Select options that are appropriate when caring for dentures. Recall that dentures may be broken if they fall onto a hard surface. Removing dentures can be facilitated by gripping the dentures between the thumb and fingers and applying slight pressure to one side and then the other. Lower dentures come out more easily than upper dentures.

5. Use the process of elimination to select the option that correlates with the proper position for an unconscious client when providing oral care. Recall that oral care of an unconscious client places the client at risk for aspiration. Eliminate any option in which fluids could potentially enter the trachea and lungs. A head-down position makes use of gravity to keep liquids in the mouth.

6. Analyze the choices to determine the option that describes the appearance of candidal lesions. Recall that the symptoms of candidiasis (thrush) are a result of a fungal infection caused by the organism *Candida albicans*. The word albicans is a derivative of the Latin word alba, which means "white." Fungal infections in both the oral cavity and vagina are characterized as having small white patches.

7. Use the process of elimination to select the option that correctly corresponds with the source of candidiasis. Knowledge of candidiasis and understanding opportunistic infections is essential for answering the question correctly.

8. Use the process of elimination to select the option that correlates with the proper use of nystatin. Considering that the medication's intended action is within the oral cavity, keeping the medication in contact with the location of the infection as long as possible is the best choice.

9. Note the key words "most likely" in reference to a contributing factor in the development of oral cancer. Recall that the chronic use of smokeless tobacco places carcinogens in direct contact with the oral mucosa. Over time, oral tissues can undergo neoplastic malignant changes.

10. Read all the choices carefully. Select options that identify priority nursing interventions after oral cancer surgery. Recall that the mouth is a structure that connects with the airway, is used for nutrition, and helps to form words when speaking. Because the surgery causes facial disfigurement, clients' coping status should be assessed.

11. Read all the choices carefully. Use the process of elimination to select options that correlate with potential side effects of radiation therapy. Recall that the side effects of radiation are the result of irritation of normal tissue in the treatment area. Although side effects may vary from client to client, stomatitis, mucositis, dry mouth due to lack of salivary function, and hair loss—especially the beard of male clients—may occur.

12. Analyze the choices and select the option that correlates with an incorrect statement regarding the herpes simplex virus infection. Recall that herpes simplex I is a virus that infects nerve cells by way of the skin and mucous membranes. The viral particles flow outward through the site of infection causing blisters around and in the mouth and nasal or oral mucous membranes. Herpes simplex virus I can be transmitted through orogenital contact with the genitalia of another person.

13. Analyze the choices to select the option that correlates with a correct statement regarding treatment with acyclovir. Recall that acyclovir inhibits viral DNA replication, thus shortening the duration of the outbreak.

Nursing Care of Clients with Disorders of the Esophagus

14. Analyze the choices to select the option that correlates with preparation for an esophagoscopy. Recall that many diagnostic tests, including an esophagoscopy, require that the client avoid food and fluids after midnight.

15. Note the key words "most appropriate" as they relate to promoting food consumption when there is a stricture in the esophagus. Use the process of elimination to select the option that helps consumed food to pass through the stricture. Recall that nutrition can be compromised unless sufficient nutrients are eaten. Eating full liquid items at frequent intervals can meet caloric and nutritional requirements until the stricture is treated.

16. Note the key words "most likely" in reference to a factor that relates to bleeding esophageal varices. Recall that esophageal varices, cirrhosis of the liver, and portal hypertension are commonly related to chronic alcohol consumption.

17. Note the key words "most appropriate" in reference to a safety goal needed when administering a blood administration. Recall that having two nurses identify the client and review the numbers on the blood bag with the client's wrist band meets the safety goal. No other option meets the current safety goal.

18. Note the key words "best indication" in reference to an assessment finding that correlates with a transfusion reaction. Use the process of elimination to select the option that may occur during a transfusion of blood. Recall that blood incompatibilities are life threatening and are manifested through systemic effects such as dyspnea.

19. Analyze the choices and select the option that correlates with the most common complaint associated with gastroesophageal reflux disease (GERD). Recall that the reflux of acidic fluid causes pain that most describe as "heartburn."

20. Note the key words "most helpful" in reference to relieving the chief symptom of gastroesophageal reflux disease (GERD), which is heartburn. Recall that sitting or standing after eating facilitates the movement of ingested food into and out of the stomach.

21. Note the key words "most appropriate" in reference to a position that relieves symptoms of gastroesophageal reflux disease (GERD). Because GERD is the backflow of gastric contents, raising the head of the bed passively improves the gravitational movement of food into and out of the stomach.

22. Note the key word "essential," which indicates one answer is better than any other. Use the process of elimination to select the option that is best for evaluating the response of a client receiving total parenteral nutrition (TPN). Recall that blood glucose levels are directly affected by the components of TPN.

23. Note the key words "best evidence" indicating one answer is better than any other. Use the process of elimination to select the option that provides the best outcome of total parenteral nutrition (TPN) administration. Recall that weight gain or at least preventing weight loss reflects the goal of providing nutrition that meets the client's metabolic needs.

24. Use the process of elimination to select the option that describes an expected characteristic of drainage immediately after insertion of a gastrostomy tube. Recall that a gastrostomy tube is inserted percutaneously and that there will likely be some temporary bleeding.

25. Note the key words "best method" in reference to how to detect gastrostomy tube migration. Use the process of elimination to select the option that identifies the assessment method that is better than any other. Recall the word "migration" indicates that the tube is either further inward or outward than when originally inserted.

26. Use the equivalent to convert ounces to milliliters, then divide the total volume to determine the number of hours for instilling the formula.

27. Read all the choices carefully. Use the process of elimination to select the options that identify nursing actions to alleviate nausea in the client with a gastrostomy tube. Recall that temporarily interrupting the tube feeding and placing the client on his or her right side will promote emptying the volume of formula from the stomach.

28. Note the word "next" in the stem. Identify the correct action that should be completed first. Recall that flushing the tube following a tube feeding clears formula that could possibly coagulate and obstruct the tube.

29. Use the process of elimination to select the option that is most likely associated with the development of diarrhea among clients receiving tube feedings. Recall that one method for avoiding diarrhea is to initially administer formula that has been diluted with water and gradually increase its concentration while observing the formula's effects on bowel elimination.

30. Note the key word "best," which indicates one option is better than any other. Use the process of elimination to select the option that focuses on the bacterial contamination of tube-feeding formula. Recall that the standard practice is to only hang 4 hours' worth of formula at any one time, to flush the tube at regular intervals, and to replace the tube-feeding bag and tubing every 24 hours.

31. Note the key words "most appropriate" in relation to a communication technique that encourages the expression of feelings. Recall that when the nurse's goal is to promote a client's verbalization, therapeutic communication techniques such as sharing perceptions and validation are better than statements or questions that block further communication.

32. Note the key word "best" in reference to an instruction for caregivers at home to perform in case the tube appears obstructed. Use the process of elimination to select the option that describes the most appropriate method for eliminating an obstruction within a gastrostomy tube. Recall that tap water is available in the home care setting and that water can break up particles that may have collected causing a temporary obstruction.

Nursing Care of Clients with Disorders of the Stomach

33. Note the key words "most important" in reference to a nursing action that is better than any others. Use the process of elimination to select the option that identifies an action that determines a client's risk for safety. Recall that if a person is in immediate danger, the police can arrest the abuser and escort the victim and children to a safe place.

34. Analyze the choices to determine the usual pattern for experiencing the pain of a peptic ulcer. Recall that the gastric and duodenal mucosa are chemically eroded in a client with a peptic ulcer and that the presence of food provides something other than the mucosa for the hydrochloric acid and pepsin to act upon.

35. Use the process of elimination to select the option that correlates with a laboratory finding that supports the hypothesis that the client's symptoms are ulcer related. Recall that a peptic ulcer is often associated with bleeding from the ulcer site.

36. Use the process of elimination to select the option that identifies correct information regarding an upper gastrointestinal x-ray. Recall that a contrast medium, such as barium, is necessary to provide the best image of the hollow organs within the gastrointestinal tract and that the medium can be delivered to the upper gastrointestinal tract most easily by having the client swallow it.

37. Note the key words "most accurate" in reference to the rationale for prescribing antibiotic therapy to a client with a peptic ulcer. Use the process of elimination to select the option that identifies the correct relationship between antibiotics and the bacterium known to cause ulcers. Recall that a combination of two antibiotics and a drug to reduce gastric acid are used to eradicate the bacteria that commonly cause peptic ulcers and promote gastric healing.

38. Note the key words "most appropriate" in relation to an analgesic that has the least potential for harm when taken by a client who has an ulcer. Recall the side effects of the listed medications and their effects on the disease process. Because acetaminophen is not associated with gastric irritation that could lead to bleeding, clients with ulcers can safely take it rather than the other listed drugs.

39. Note the key words "best indication" in reference to an assessment finding associated with a perforated ulcer. Use the process of elimination to select the option that is better than any other. Recall that a perforation releases gastrointestinal contents into the abdomen, causing the abdomen to become hard, rigid, and tender.

40. Note the key term "best" meaning one option is better than any other. Use the process of elimination to select the tube that prevents irritating the gastric mucosa. Recall that a Salem sump tube has two lumens. The vented portion of the tube breaks the suction that could cause the drainage tube to adhere to the stomach wall.

41. Use the process of elimination to select the option that correlates with the procedure for measuring the length to which a nasogastric tube should be inserted. Recall the preliminary steps of measuring and marking the length of the tubing, beginning with the nose to the ear and ending at the xiphoid process, provides an estimate for each unique client.

42. Use the process of elimination to select the option that facilitates correct placement of a nasogastric tube once it is in the oropharynx. Recall that flexing the chin alters the passageway to the respiratory tract and avoids placing the tube in the airway.

43. Use the process of elimination to select the option that indicates a nasogastric tube has entered the client's airway. Recall that the ability to speak occurs as air from the lungs causes the vocal cords to vibrate, making sound. If a foreign object prevents the vocal cords from vibrating, speaking will be impaired.

44. Note the key word "best" in relation to determining the location of the distal end of a nasogastric tube. Use the process of elimination to select the option that is better than any other for an accurate assessment method. Recall that a blind insertion of a nasogastric tube can inadvertently enter the lungs. The most reliable method for identifying placement is with a chest or abdominal x-ray. Capnography, which uses a detector for carbon dioxide, may also be used to indicate placement in the pulmonary system.

45. Note the key words "most appropriate" in reference to the suction setting when using a nasogastric tube. Recall that low intermittent suction is safer because it reduces the potential for pulling on the wall of the stomach and conserves some electrolytes that are present in gastric secretions.

46. Note the key word "first" indicating the initial action the nurse should implement to troubleshoot a poorly draining nasogastric tube. Recall that draining depends on suction. Anything that interferes with suction will reduce or eliminate drainage. Therefore, check if the tube is kinked or compressed, if suction is currently on, or if there is a possible obstruction within the tube.

47. Note the key word "immediately" indicating an action that should be performed before any others. Recall that gastric residual contains components that are physiologically beneficial for the client's health.

48. Note the key word "next" indicating an action that should follow before any others. Recall that gastric emptying may be delayed. Rechecking the gastric residual in 30 minutes may provide a more definitive assessment that can lead to further actions.

49. Note the key word "best" indicating that one option is better than any other. Use the process of elimination to select the option that describes a nursing action that should be performed to reduce gastric distension. Recall that preventing environmental air from entering the tube reduces the potential for distending the stomach with more than the volume of formula.

50. Note the key word "best" in relation to a response to the client's question about the possibility of dying shortly. Recall that a response that provides factual information specifically about the client's situation is best. It does not ignore or belittle the client's question or give false reassurance—all examples of nontherapeutic communication techniques.

51. Note the key words "best response" in relation to a client's statement. Use knowledge of therapeutic communication techniques when excluding and selecting an option. Recall that the purpose of clarification is to resolve any confusion or misunderstanding during the communication process.

52. Note the key words "most appropriate" in reference to a nursing action that is useful when a postoperative client fails to cough and deep-breathe. Recall that supporting the incision decreases pain transmission because it limits abdominal movement. If the potential for pain is reduced, the client may be more willing to cough and deep-breathe.

53. Note the key words "most appropriate" indicating one option is better than any other. Use the process of elimination to select the option that provides accurate data when irrigating a nasogastric tube. Recall that all the volume used to instill or that is removed is recorded. Subtracting the volume instilled from the volume removed provides the volume's net amount.

54. Convert the liquid measurements to their metric equivalents. Calculate the sum in milliliters.

55. Read all the choices carefully. Use the process of elimination to select the options that correlate with steps to take to prevent dumping syndrome. Recall that when fluid leaves the stomach and rapidly enters the jejunum, the client experiences dumping syndrome, also known as rapid gastric emptying. The symptoms are associated with an increase in carbohydrate (hyperglycemia) causing insulin to be released, triggering hypoglycemia.

56. Analyze to determine the option that correlates with a diagnostic test result associated with gastric cancer. Recall that normal functioning of the stomach includes the secretion of hydrochloric acid. If cancer cells are present, an absence of hydrochloric acid occurs.

57. Note the key words "most appropriate" in reference to a nursing intervention for a client with a nasogastric (NG) tube who is thirsty. Recall that an NG tube that, in this case, is connected to suction removes electrolytes along with gastric secretions. It is important to relieve the client's thirst without contributing to a deficit of electrolytes.

58. Convert the dosages to similar metric measurements. To compute the answer, the supplied dose of 1 milligram must be converted to micrograms. Use a standard dosage calculation formula.

59. Note the key words "correct technique" in reference to the manner in which an I.M. injection is given in the vastus lateralis muscle. Recall that I.M. injections are given at a 90-degree angle. The site of the vastus lateralis muscle is the outer thigh.

Nursing Care of Clients with Disorders of the Small Intestine

60. Use the process of elimination to select the option that correlates with the action the nurse should take after collecting a stool specimen for ova and parasites. Recall that keeping the stool at near body temperature will keep the parasite alive and facilitate its subsequent identification.

61. Use the process of elimination to help select the option that accurately identifies a schedule for administering the medication as it was prescribed. Knowledge of the meaning of the abbreviation q.i.d. and military time are essential. Recall that q.i.d. indicates administration four times a day. Military time is identified using a 24-hour clock and identifying minutes from 0 to 60.

62. Read all the choices carefully. Use the process of elimination to select options the correlate with items that are classified as clear liquids. Recall that clear liquids are liquids or gelatins that are typically transparent.

63. Note the key words "best indicates" in reference to data that best correlates with dehydration. Recall that dehydration results in a decrease of circulating blood volume from which the kidneys make urine. Consequently, there is a concentration of urobilin, the yellow pigment in urine.

64. Note the key words "best evidence" in relation to achieving a therapeutic response from polyethylene glycol/electrolytes. Recall that polyethylene glycol/electrolytes is one of the several bowel cleansing agents used before a colonoscopy.

65. Read all the choices carefully. Use the process of elimination to select options that correlate with electrolyte levels that can be affected by illness. Choose options in which the serum electrolyte values are in an abnormal range. Recall that sodium, potassium, and chloride are electrolytes that are frequently imbalanced during illness.

66. Note the key word "essential" meaning one option represents a priority. Analyze the options to determine which one identifies an undesirable effect associated with midazolam. Recall that midazolam is a benzodiazepine used for conscious sedation during diagnostic tests. Its side effects include drowsiness, brief amnesia, and respiratory depression.

67. Use the process of elimination to select the option that describes evidence that the client understands the source of dietary fiber. Recall that raw fruits and vegetables, whole grains, nuts, and beans—all plant sources—are high in fiber.

68. Note the key term "priority" indicating one option is better than any other. Use the process of elimination to select the option that correlates with a significant problem associated with a draining intestinal fistula. Use Maslow's hierarchy to rank the complications. Recall that skin breakdown affects physiological needs and must be aggressively managed.

Nursing Care of Clients with Disorders of the Large Intestine

69. Note the key word "next" indicating an action must take place before any others. Use the process of elimination to select the option that correlates with an action that should be taken in response to evidence of a client's misunderstanding of the scheduled surgical procedure. Recall that legally, there must be informed consent, which is not evident based on the client's statement. The health care provider should be notified before the presurgical procedures proceed.

70. Read all the options carefully. Select options in the sequence the National Patient Safety Standards mandate for surgical site verification and time-out processes before surgery. Organize the options, beginning with reviewing the surgical consent and ending with the start of the surgical procedure.

71. Use the process of elimination to select the postoperative prescription that should be questioned. Recall that placing a client in Fowler's position, after spinal anesthesia, would represent a questionable postoperative prescription.

72. Use the process of elimination to select the priority assessment on a client following a herniorrhaphy. Consider the nature of the surgery and possible complications. Recall that although relieving pain is important, urine retention represents a greater physiologic threat.

73. Note the key words "most appropriate" in reference to an explanation for the male client's use of a suspensory. Based on the name of the device, prevention of scrotal edema is the only purpose for using this type of device.

74. Analyze to determine what information the question asks for, which involves dosage calculation. Refer to the mathematical formula and calculation in the rationale.

75. Analyze the choices to select the option that identifies a requirement for documentation besides the medication administration record (MAR). Recall that meperidine is an opioid, a controlled substance, and that administration of this category of drugs must be accounted for in a narcotics record, also known as an opioid control log.

76. Read all the choices carefully. Analyze the options to select those that correlate with the signs and symptoms of ulcerative colitis. Recall that clients with ulcerative colitis report having severe diarrhea to the point of incontinence. Stools generally contain mucus and blood. The diarrhea is accompanied by abdominal pain and cramping. Rectal bleeding may result in anemia and fatigue.

77. Note the key words "proximal portion" of the ascending colon. Examine the diagram. Recall the anatomic location of the ascending colon and the meaning of "proximal." Place the X in the correct location.

78. Note the key words "most appropriate" in relation to a nursing intervention for preventing or eliminating bowel incontinence. All of the options have merit, but because the client is a young adult, keeping a bedside commode nearby may provide a means of expelling stool without being incontinent. This may be inappropriate for an older client who may experience a fall while trying to access the commode.

79. Use the process of elimination to select the option that provides a therapeutic response to the discouraged client's statement. Recall that the communication technique known as reflecting uses statements that are similar to what the client has said but using different words.

80. Note the key words "most important" and "at this time." Use the process of elimination to select the option that identifies a nursing action after administration of sedating preoperative medications. Recall that when administrating preoperative medications that may affect a client's level of consciousness, balance, and thought processes, safety is always a concern. Raising bed rails helps to ensure the client's safety.

81. Note the key words "most indicative" indicating one option is more significant than any other. Use the process of elimination to select the option that represents the sign that correlates with shock. Recall that hypovolemic shock is a loss of circulatory volume that is commonly caused by hemorrhage. The loss of circulatory volume lowers the blood pressure.

82. Read all the choices carefully. Use the process of elimination to select options that correlate with nursing actions in the care of a client with an ileostomy. Select or eliminate each option independently in relation to a typical ostomy client's nursing care.

83. Note the key word "best." Use the process of elimination to select the option that correlates with the optimum time of day to change the ileostomy appliance. Recall that a client's dietary intake is limited or absent during the night, reducing the rate of peristalsis and stool elimination from the ileostomy; therefore, stool expulsion will be less likely to occur during the changing process.

84. Use the process of elimination to select the option that correlates with the normal color and characteristics of a stoma. Recall that the stoma, which consists of a layer of mucous membrane, requires an adequate blood supply, giving it a pink or red color.

85. Note the key words "most appropriate" in reference to the technique for cleaning the peristomal skin. Eliminate the options that would be irritating or harmful to a healing stoma. Using mild soap and water is the only option that cleans the peristomal skin without traumatizing the tissue or causing discomfort.

86. Note the key words "most accurate" in reference to the technique for changing an ileostomy appliance. Recall that the appliance must encircle the stoma without impairing its blood supply.

87. Use the process of elimination to select the option that identifies an activity that is impossible for a client with a conventional ileostomy. Recall that the fecal effluent from the ileum is unformed and watery, and there is no sphincter control, making control of defecation an unrealistic expectation.

88. Note the key words "most important" in reference to a laboratory test finding that supports a diagnosis of appendicitis. Recall that when the appendix becomes inflamed, there is a migration of leukocytes to the tissue, and the bone marrow increases the number of white blood cells it produces.

89. Examine the diagram. Place an "X" in the anatomic location where a client with appendicitis experiences tenderness. Recall that the classic sign of appendicitis is pain when pressure is applied and then released over what is known as McBurney's point, in the lower right quadrant. The phenomenon is known as rebound tenderness.

90. Read all the choices carefully. Use the process of elimination to select the options that correlate with advantages of laparoscopic surgery. Recall that a client who undergoes laparoscopic surgery experiences less pain, has a smaller incision, and heals faster.

91. Note the key words "most likely" in reference to a factor that may have contributed to rupturing the appendix. Recall that local applications of heat increase the blood supply to an area, which then contributes to edema of the tissue. As the tissue expands and swells, it is prone to rupturing.

92. Analyze the choices to select the option that correlates with the best position for promoting drainage from an open drain. Recall that gravity is helpful in promoting drainage. Fowler's position, in which the torso is upright, moves the collection of fluid toward the drain.

93. Analyze the choices to select the option that correlates with the correct nursing action when changing the client's abdominal dressing. Consider the aspects of wound/incisional care, including standards and infection control principles. Recall that a principle of medical asepsis is to enclose the soiled dressing in the glove and dispose it of properly.

94. Use a standard formula to calculate the volume of medication to administer parenterally.

95. Read all the choices carefully. Use the process of elimination to select options that correlate with symptoms of colorectal cancer. Recall that a classic warning sign of colorectal cancer is a change in bowel elimination. This is sometimes accompanied by occult or frank rectal bleeding and dull pain. Pain is often a late sign that accompanies any type of cancer.

96. Use the process of elimination to select the option that correlates with misinformation on the part of the client that the nurse should clarify. Recall that a sigmoidoscopy procedure can be performed in a health care provider's office or endoscopic outpatient unit. It does not require hospitalization.

97. Use the process of elimination to select the option that correlates with the client position that facilitates performing a sigmoidoscopy. Recall that there must be access to the anus in order to advance the sigmoidoscope into the sigmoid area of the large intestine.

98. Use the process of elimination to select the option that correlates with a food that is not included on a low-residue diet. Bran cereal contains fiber and is avoided in a low-residue diet.

99. Convert all dosages to metric equivalents. Use a dosage calculation formula to calculate the number of tablets to administer 1 g of drug per dose.

100. Note the key words "most accurate" that are used in reference to the rationale for administering neomycin preoperatively. Recall that neomycin sulfate is an antibiotic and that the bowel contains many microorganisms. These organisms are nonpathogenic as long as they remain in the large intestine. However, they can cause an infection if they are transferred to peritoneal or abdominal tissue during the surgical procedure.

101. Note the key word "first," indicating a priority before any further actions. Use the process of elimination to select the option that correlates with the initial nursing action when a wound eviscerates. Recall that keeping the bowel moist and covered limits contamination of the tissues that will be returned to the abdominal cavity.

102. Use the process of elimination to select the option that correlates with the question that suggests the development of a bowel obstruction. Consider the consequence of an obstruction when choosing the answer. Recall that if the bowel becomes obstructed, fecal contents may be eliminated in a retrograde fashion in emesis.

103. Use the process of elimination to select the option that correlates with the nursing responsibility when a prescribed dosage of a medication is outside the usual range. Recall that according to the Code of Ethics for Nurses with Interpretive Statements, published by the American Nurses Association, the nurse must advocate for and protect the health, safety, and rights of the client. Therefore, notifying the health care provider before administering any of the prescribed medications protects the client from potential harm.

104. Examine the figure carefully. Place an *X* in the portion of the colostomy through which stool is eliminated. Recall that the proximal stoma remains connected to the small intestine and other structures in the upper gastrointestinal tract. Consequently, it is the exit point for eliminating stool.

105. Use the process of elimination to select the option that identifies the most appropriate client position when irrigating a colostomy. Recall that a sitting position provides the best position for the client to access the stoma, insert the irrigating tip, instill irrigating fluid, and expel the solution and stool.

106. Note the key word "best" in reference to a nursing action when a client stops talking and becomes tearful. Recall that silence on the part of the nurse is a therapeutic communication technique.

107. Note the key word "best" in reference to a client's doubt about becoming competent to manage the care of a colostomy. Recall that providing a client with an opportunity to verbalize his or her feelings as well as being an active listener is always therapeutic.

108. Read all the choices carefully. Use the process of elimination to select options that correlate with steps to prevent transmitting *Clostridium difficile*. Recall that *C. difficile* spores survive hand hygiene with alcohol-based gels, but handwashing with soap and water or chlorhexidine has been shown effective in removing the spores from hands. Contact precautions are necessary until the diarrhea resolves.

Nursing Care of Clients with Disorders of the Rectum and Anus

109. Read the list of drug categories carefully. Use the process of elimination to select options that correlate with medication classifications that are prone to causing constipation. Recall that opioids produce analgesia by binding to mu receptors in the central nervous system; they also bind with these same receptors in the gastrointestinal tract. As a result, opioids inhibit the propulsive activity of the intestine and slow intestinal transit of stool. Iron tends to overpower normal intestinal flora resulting in a disruption of peristalsis; a longer transit time leads to more water absorption from the stool causing hard feces to form. Calcium supplements are known to cause gas, bloating, and constipation.

110. Note the key word "essential" indicating a higher priority than any other. Use the process of elimination to select the option that correlates with information the nurse should tell a client about taking a daily laxative. Recall that daily use of a laxative contributes to laxative dependence.

111. Use the process of elimination to select the option that correlates with a sign accompanying a fecal impaction. Recall that clients who experience a fecal impaction may pass liquid stool despite having a large amount of dried stool within the rectum.

112. Read all the choices carefully. Use the process of elimination to select options that correlate with factors that contraindicate the digital removal of impacted stool. Recall that conditions such as cardiac disorders and surgical or radiographic treatment of reproductive or abdominal disorders may experience potentially harmful effects when rectal tissue is manipulated.

113. Note the key words "most appropriate" in relation to the preferred method for confirming the presence of a fecal impaction. Use the process of elimination to select the technique that best confirms the presence of a fecal impaction. Recall that physical assessment is more time efficient and less expensive than radiographic assessment.

114. Note the key words "most helpful" in reference to a nursing measure that promotes the expulsion of intestinal gas. Recall that ambulation promotes peristalsis that helps to direct gas toward the anus.

115. Use the process of elimination to select the option that corresponds with the maximum time for keeping a rectal tube in place. Knowledge of nursing standards or nursing policy for rectal tube placement recommends a 20- to 30-minute period.

116. Note the key words "most appropriate" and "at this time" in reference to an action that is indicated when a client experiences cramping and an urge to defecate while receiving an enema solution. Recall that ideally the nursing goal is to infuse an appreciable volume of the solution, have the client retain the solution within the bowel temporarily, and assist the client to a location where the solution and stool can be eliminated. Temporarily stopping the instillation of the enema solution helps reduce the client's discomfort before administering the remainder of the enema solution.

117. Note the key words "most appropriate" in reference to a nursing action that relates to inserting a rectal suppository. Recall that to be effective, the suppository must be inserted beyond the internal anal sphincter. A clean glove, rather than a sterile one, is used; the client is positioned on the left side; and the suppository is left in place at least 15 to 30 minutes.

118. Note the key word "first" indicating an action that comes before any other. Use the process of elimination to select the option that correlates with the first step in bowel retraining. Recall that assessing the client is the first step in planning any care.

119. Use the process of elimination to identify the contributing factor to the development of hemorrhoids. Recall that chronically straining to expel hard stool can distend veins in the rectal area, causing them to become dilated and filled with blood.

120. Note key words "most appropriate" in reference to instructions that will be helpful to the client with hemorrhoids. Recall that preventing or relieving chronic constipation can greatly reduce the symptoms caused by hemorrhoids. Drinking sufficient fluids each day helps to keep stool moist.

121. Use the process of elimination to select the option that describes that the primary therapeutic effect has been achieved when providing a sitz bath. Gathering objective assessment data, such as a clean incision, provides the best evidence that the purpose of the sitz bath has been accomplished.

122. Analyze the choices to select the option that provides an accurate rationale regarding the purpose for administering docusate sodium. Recall that this medication is a stool softener that eases the passage of stool from the rectum.

123. Read all the choices carefully. Use the process of elimination to select options that correlate with characteristic findings of a pilonidal cyst. Recall that a pilonidal cyst is a pocket of debris within the skin that becomes infected and painful. A small opening may form from the cyst to the surface of the skin through which drainage is released.

124. Note the key words "essential" and "local effect" indicating that one option is better than any other. Use the process of elimination to select the option that is most important to tell a client who will be self-administering anesthetic ointment to the rectal area. Recall that a topical drug's effectiveness is related to the cleanliness of the skin or mucous membrane to which it is applied.

Correct Answers and Rationales

Nursing Care of Clients with Disorders of the Mouth

1. **1, 4, 5.** When the mucous membrane of the oral cavity is inflamed, it is best to eliminate foods that are acidic, salty, spicy, dry, or very hot. Cool, bland foods are more appropriate for clients with mucositis.

> *Cognitive Level*—*Applying*
> *Client Needs Category*—*Physiological integrity*
> *Client Needs Subcategory*—*Basic care and comfort*

2. **3.** Spongy oral swabs can clean plaque from the teeth, promote comfort, and produce less irritation than a toothbrush—regardless of its size or type. Even a soft-bristled toothbrush may cause too much trauma. Normal saline mouth rinse is preferable to a flavored mouthwash. Flavoring may refresh the breath but irritate the mouth.

> *Cognitive Level*—*Analyzing*
> *Client Needs Category*—*Physiological integrity*
> *Client Needs Subcategory*—*Basic care and comfort*

3. **2.** Clients who are limited in the amount of fluid they may consume need frequent mouth care. Limited hydration can reduce the volume of saliva, which helps keep the teeth clean and inhibits bacterial growth. A client with full dentures has the same oral hygiene needs as a person with natural teeth. A low-residue diet is one that reduces the volume of undigested substances in the bowel; the diet alone does not necessitate specialized oral hygiene. Sucking on ice chips is not an indication for modifying routine measures for oral hygiene.

> *Cognitive Level*—*Analyzing*
> *Client Needs Category*—*Physiological integrity*
> *Client Needs Subcategory*—*Basic care and comfort*

4. **2, 5, 6.** Gloves are always worn when coming in contact with a client's blood or body fluids (such as saliva). Holding dentures over a basin of water or a soft towel prevents them from breaking if they should slip from the nurse's hands. Turning the lower plate to a slight angle breaks the suction that holds the denture to the gum, making it easier to remove. Hot water may warp the plastic from which some dentures are made. Oral adhesives do not require a special solvent for removal. The adhesives usually rinse off easily with lukewarm water. When not being used, dentures are kept in water to retain their fit and color.

> *Cognitive Level*—*Applying*
> *Client Needs Category*—*Physiological integrity*
> *Client Needs Subcategory*—*Basic care and comfort*

5. **2.** When administering oral hygiene to an unconscious client, the nurse should place the client on the side with the head slightly lowered and tilted toward the mattress. This is the best position for preventing aspiration. Because the unconscious client cannot swallow, this position allows the fluid to run out of the mouth instead of pooling in the back of the throat. Trendelenburg position, in which the client's legs and feet are higher than the head, is used for treating shock victims; it is inappropriate for oral hygiene. A client in the dorsal recumbent position is placed supine, with the knees bent and feet flat on the mattress. Because the client is flat, the risk for aspiration is greater in this position.

> *Cognitive Level*—*Applying*
> *Client Needs Category*—*Safe and effective care environment*
> *Client Needs Subcategory*—*Safety and infection control*

6. **3.** Candidiasis (thrush) is a fungal infection that appears as small white patches resembling milk curds on the mucous membranes of the mouth and tongue. Candidiasis often occurs when antibiotic therapy destroys the normal flora of the body, which then allows yeast/fungi to grow. Immunosuppression, such as occurs in clients with acquired immunodeficiency syndrome (AIDS) or cancer, may also result in candidiasis. Red, ulcerated patches near the margin of the teeth and gums are characteristic of gingivitis. Herpes simplex lesions—clear, raised vesicles that transform into shallow ulcers—are not located on the tongue.

> *Cognitive Level*—*Applying*
> *Client Needs Category*—*Physiological integrity*
> *Client Needs Subcategory*—*Physiological adaptation*

7. **2.** Antibiotic therapy can upset the balance of organisms in the body, allowing some natural microbes to grow unchecked. Candidiasis is considered an opportunistic infection because the source of the infection is usually the client. It is unlikely that the client would acquire candidiasis from soiled dental instruments because most dentists follow guidelines for sterilizing their equipment between uses. Candidiasis is usually not transmitted by eating or drinking from someone's unclean utensils, especially if the person has a normal immune system. Because the organisms are present in the mouth, it is highly improbable that the infection could be acquired by inhaling respiratory droplets from another individual.

> *Cognitive Level*—*Analyzing*
> *Client Needs Category*—*Physiological integrity*
> *Client Needs Subcategory*—*Physiological adaptation*

8. **3.** Because nystatin is poorly absorbed from the gastrointestinal tract, holding the liquid suspension in the mouth as long as possible facilitates contact of the drug with the organism. The client is allowed to swallow the medication after swishing it around. There is no need to use a straw or to dilute the medication in this instance. Brushing the teeth will remove the medication from the mouth, causing the medication to be ineffective.

> *Cognitive Level*—*Applying*
> *Client Needs Category*—*Physiological integrity*
> *Client Needs Subcategory*—*Pharmacological therapies*

9. 2. Factors that predispose the client to oral cancer include any source of chronic irritation, such as holding a pipe in the mouth, holding chewing or smokeless tobacco in the mouth, alcohol consumption, or prolonged contact with rough dental appliances. Lip cancer is related to prolonged sun or wind exposure. Smoking marijuana as a teenager is unlikely to be the cause of the client's mouth cancer at this time. Medical complications associated with marijuana use include an increased risk of chronic cough, bronchitis, and emphysema, as well as increased risk of cancer of the head, neck, and lungs. Likewise, exposure to asbestos is related to lung cancer rather than mouth cancer. Poor dental hygiene and decaying teeth are not usually risk factors predisposing the client to oral cancer. However, poor oral and dental hygiene may worsen cancerous lesions.

Cognitive Level—Applying
Client Needs Category—Physiological integrity
Client Needs Subcategory—Physiological adaptation

10. 2, 3, 4, 6. The main objectives for clients who are recovering from oral cancer surgery include maintaining a patent airway, promoting nutrition, supporting communication, and observing for signs of depression. The client should be positioned with the head of the bed elevated (not flat), making it easier to breathe and cough up secretions and reducing edema. Because the client's tongue may be affected or partially removed, assessing the client's ability to speak is important. The nurse may need to provide alternative forms of communication if the client's speech is unable to be understood. Irrigation of the oral cavity is essential to remove old blood and tissue debris and to keep the surgical site clean. Although providing ice chips is usually common after surgery, in the case of a client recovering from oral cancer surgery, hot and cold foods are to be avoided because of the sensitivity of the oral tissues and teeth. Before giving any fluids, the nurse must assess the client's ability to swallow because pooling of saliva in the mouth and drooling are common in the postoperative period. Clients recovering from oral cancer surgery should be observed for signs of depression related to disfigurement, loss of communication skills, inability to eat and drink normally, and loss of health related to the cancer itself and further cancer treatment.

Cognitive Level—Applying
Client Needs Category—Physiological integrity
Client Needs Subcategory—Reduction of risk potential

11. 1, 4, 5. Radiation therapy is used to destroy cancer cells. It can be external or internal. Common side effects of radiation therapy include alopecia (hair loss), erythema/redness (not paleness) and inflammation at the site, fatigue rather than restlessness, and alterations of the oral mucosa, including stomatitis (inflammation of the mouth) and xerostomia (dry mouth). Confusion is not a side effect of radiation therapy. Other common side effects of radiation

therapy include nausea, vomiting and diarrhea, loss of appetite, and bone marrow suppression.

Cognitive Level—Applying
Client Needs Category—Physiological integrity
Client Needs Subcategory—Physiological adaptation

12. 4. The herpes simplex virus is transmitted by direct contact with an infected person. Lesions can appear on the face, cheeks, nose, lips, or in the perioral (mouth) area. The herpes virus remains latent until activated or triggered by stress, sunlight, or fever.

Cognitive Level—Analyzing
Client Needs Category—Physiological integrity
Client Needs Subcategory—Physiological adaptation

13. 2. Acyclovir does not cure the herpes infection or prevent future outbreaks. It only shortens the time during which the virus is replicating and being shed. Some of the virus retreats within nerve fibers and escapes detection by the body's immune system, where it remains dormant until stimulated. The drug may be administered orally or topically. Oral acyclovir is taken when the client first becomes aware of symptoms, such as an area of itching, pain, or tingling on the mucous membrane. Oral doses are generally taken for 10 days during a current outbreak.

Cognitive Level—Analyzing
Client Needs Category—Physiological integrity
Client Needs Subcategory—Pharmacological therapies

Nursing Care of Clients with Disorders of the Esophagus

14. 3. An esophagoscopy is a diagnostic test that involves passing a flexible fiberoptic tube down the esophagus. Food and fluids are avoided to reduce the potential for aspiration. Therefore, the client should be NPO (nothing by mouth) after midnight. After the procedure, the nurse should wait for the gag reflex to return before giving the client any food or fluid.

Cognitive Level—Analyzing
Client Needs Category—Physiological integrity
Client Needs Subcategory—Reduction of risk potential

15. 2. Taking smaller bites and chewing food thoroughly help the bolus slip through the narrowed stricture. Switching to thickened food or a full liquid diet is too drastic at this time. Drinking liquids throughout a meal is beneficial in thinning the bolus of food and should be encouraged.

Cognitive Level—Applying
Client Needs Category—Physiological integrity
Client Needs Subcategory—Basic care and comfort

16. 4. Esophageal varices are dilated, twisted veins found in the lower esophagus. The condition is usually related to portal hypertension from cirrhosis of the liver. Chronic consumption of alcohol can damage the liver and interfere with blood flow from the esophagus and other abdominal organs. Esophageal veins distend and bleed because of the portal hypertension created by the stagnation of blood. Attempted suicide using poison will not cause damage to the esophagus unless it is a caustic substance. Peptic ulcer disease has no correlation with esophageal varices. Malnourishment is not a cause of bleeding esophageal varices. Bleeding esophageal varices are life threatening and can result in shock or death.

> **Cognitive Level**—*Analyzing*
> **Client Needs Category**—*Physiological integrity*
> **Client Needs Subcategory**—*Physiological adaptation*

17. 1. The National Patient Safety Goals were developed by The Joint Commission as a way of ensuring safe client care in the clinical setting. One of the National Patient Safety Goals deals with client identification when administering blood. To be in compliance with the established goals, two licensed personnel must review the blood bag itself for the correct blood type, date, and time, as well as checking the client's individual blood tags and arm bracelet before any blood product can be administered. The process must take place at the client's bedside, not at the nurse's station. If there is a discrepancy, the blood cannot be given. In most circumstances, the registered nurse (RN) is responsible for starting the blood infusion, while the licensed practical/vocational nurse (LPN/LVN) monitors the client during the procedure. None of the other options is related to the National Patient Safety Goals. Epinephrine or similar drug may be needed to relieve the allergic reaction and raise the blood pressure. Most blood should be infused with an 18- to 20-gauge needle so the blood cells will not be damaged during infusion. Blood transfusions should be completed within 4 hours of starting to prevent bacterial growth.

> **Cognitive Level**—*Applying*
> **Client Needs Category**—*Safe and effective care environment*
> **Client Needs Subcategory**—*Safety and infection control*

18. 2. Dyspnea, hypotension, chest constriction, tachycardia, and back pain are some of the major symptoms associated with an incompatibility transfusion reaction—a life-threatening reaction. The other assessment findings are signs and symptoms associated with hypovolemia, most likely resulting from the client's blood loss.

> **Cognitive Level**—*Analyzing*
> **Client Needs Category**—*Physiological integrity*
> **Client Needs Subcategory**—*Pharmacological therapies*

19. 4. Gastroesophageal reflux disease (GERD) results when a weakened area of the diaphragm enables a portion of the stomach to protrude into the esophagus. The acid contents of the stomach reflux into the esophagus, causing irritation and inflammation, which the client describes as heartburn. Interventions related to heartburn are placed on the plan of care. Other symptoms include belching, epigastric pressure, and pain after eating and when lying down.

> **Cognitive Level**—*Applying*
> **Client Needs Category**—*Physiological integrity*
> **Client Needs Subcategory**—*Physiological adaptation*

20. 3. Sitting in an upright position for at least 2 hours after eating keeps swallowed food and gastric contents within the stomach by means of gravity. The client with a hiatal hernia should also be encouraged to sleep with the head of the bed elevated and to eat small, frequent meals to avoid overdistending the stomach. Drinking room temperature liquids has no effect on relieving the discomfort associated with gastroesophageal reflux disease (GERD).

> **Cognitive Level**—*Applying*
> **Client Needs Category**—*Health promotion and maintenance*
> **Client Needs Subcategory**—*None*

21. 4. Elevating the head of the bed helps to prevent gastric reflux. This is a therapeutic intervention in gastroesophageal reflux disease (GERD). Remaining supine, sleeping on a water bed, and elevating the legs on pillows will not relieve gastric acid reflux.

> **Cognitive Level**—*Applying*
> **Client Needs Category**—*Health promotion and maintenance*
> **Client Needs Subcategory**—*None*

22. 2. It is essential to monitor the blood glucose level frequently because total parenteral nutrition (TPN) solutions contain high concentrations of glucose. Insulin coverage may be needed to maintain the blood glucose level within an acceptable range. The specific gravity may become lower if the client begins to excrete large volumes of urine, but it is not generally monitored. Pulse pressure, the difference between the systolic and diastolic arterial pressure measurements, is usually unaffected by TPN. There is no need to monitor apical and radial pulses in relation to the TPN.

> **Cognitive Level**—*Analyzing*
> **Client Needs Category**—*Physiological integrity*
> **Client Needs Subcategory**—*Reduction of risk potential*

23. 2. Gradual, steady weight gain is one of the best ways to tell that a client is responding favorably to total parenteral nutrition (TPN). If laboratory reports are monitored daily, the client's electrolytes should be adjusted based on the results; therefore, they should be in balance. However, a balance in electrolytes does not necessarily indicate that the client is responding favorably to TPN. Hunger is an emotional and physical phenomenon. Even well-nourished, satiated people can feel hungry when they see, smell, or even think about food. Therefore, return of the client's appetite does not indicate that TPN is successful. If the TPN is infusing appropriately, the client's fluids should be in balance with normal urine output. Voiding clear yellow urine, however, is not an indication of the TPN itself, but of the amount of fluid that is being infused.

> **Cognitive Level**—*Analyzing*
> **Client Needs Category**—*Physiological integrity*
> **Client Needs Subcategory**—*Basic care and comfort*

24. 2. Slight pinkish (serosanguineous) bleeding or clear serous drainage at the gastrostomy site is a normal finding immediately after a gastrostomy has been performed. Milky drainage suggests an infection; drainage occurring after feedings have been initiated may indicate leakage of formula. Intestinal secretions cause green-tinged drainage, but the gastrostomy is located in the client's stomach, not intestines. Bright, bloody drainage indicates arterial bleeding, which is not a normal finding.

> *Cognitive Level*—*Applying*
> *Client Needs Category*—*Physiological integrity*
> *Client Needs Subcategory*—*Reduction of risk potential*

25. **3**. Comparing the measured length of tubing extending from the gastrostomy site is an easy and appropriate technique for determining tube migration. A change in pH from acid to alkaline indicates intestinal migration, but most gastrostomy tubes are too short to reach the small intestine. X-rays are expensive and expose clients to unnecessary radiation. A distended abdomen may indicate many complications, but tube migration is not one of them.

> *Cognitive Level*—*Applying*
> *Client Needs Category*—*Physiological integrity*
> *Client Needs Subcategory*—*Basic care and comfort*

26. **4 hours**.
Each ounce equals 30 mL. Therefore, 8 ounces equal 240 mL. It will take a total of 4 hours to instill 480 mL (two 8-ounce cans) at a rate of 120 mL/hour.

> *Cognitive Level*—*Applying*
> *Client Needs Category*—*Physiological integrity*
> *Client Needs Subcategory*—*Basic care and comfort*

27. **3, 5**. It is important that the stomach not become over-distended. Temporarily stopping the infusion will allow the remaining formula in the stomach to be digested. This will decrease the client's feeling of fullness. Repositioning the client onto the right side may also assist with faster gastric emptying and decrease the client's feelings of fullness. The stomach residual is checked before administering an intermittent feeding. As a general rule, the gastric residual should be no more than 150 mL of the previous intermittent feeding or, if continuous, no more than half of the previous hour's infusion volume. Administering an antiemetic will stop the nausea, but this is not the best choice at this time. Adding water to formula adds more volume and dilutes the nutrients. It is too early to request a change in types of formula, but the nurse should closely monitor the client's tolerance for the next day or so.

> *Cognitive Level*—*Applying*
> *Client Needs Category*—*Physiological integrity*
> *Client Needs Subcategory*—*Basic care and comfort*

28. **4**. The nurse should flush the feeding tube after each use to maintain its patency and to meet the client's needs for water. To prevent aspiration, the head of the bed should always be elevated during and for at least a half hour after a tube feeding. The client's head should also be turned to the side to allow regurgitated formula and saliva to drain

from the mouth. Gastrostomy tubes may be clamped intermittently, but only after they have been rinsed with water.

> *Cognitive Level*—*Applying*
> *Client Needs Category*—*Physiological integrity*
> *Client Needs Subcategory*—*Basic care and comfort*

29. **4**. There are many potential causes for diarrhea, the most commonly reported complication, in clients receiving tube feedings. Use of hyperosmolar formulas is one possible etiology for diarrhea because it interferes with the ability of the intestine to absorb the liquid. Air in the intestinal tract can cause distension and discomfort from the accumulation of gas. If the tube is not located in the intended location, the client may experience gastric reflux. Fiber-rich formulas may promote normal bowel elimination.

> *Cognitive Level*—*Applying*
> *Client Needs Category*—*Physiological integrity*
> *Client Needs Subcategory*—*Basic care and comfort*

30. **4**. The growth of bacteria is supported in a warm environment. It can be further compounded by residue of formula remaining within the tube and instillation container itself. Wiping the tube's exit site is not a standard practice. Handwashing and wearing gloves are methods for preventing the transmission of microorganisms; however, gloves are not necessary at all times. Performing handwashing before bathing a client is an important practice, but it is unrelated to preventing bacterial contamination of the tube-feeding formula.

> *Cognitive Level*—*Applying*
> *Client Needs Category*—*Safe and effective care environment*
> *Client Needs Subcategory*—*Safety and infection control*

31. **2**. In this case, sharing perceptions or validating the client's emotions is the best therapeutic communication technique for encouraging a discussion of feelings. Most clients tend to deny feeling angry or depressed if asked a direct question. Asking questions that have "yes-no" responses is not therapeutic because this does not encourage the client to elaborate on feelings. Telling the client that the situation may improve offers false reassurance and may cause the client to lose trust in the nurse's ability to be supportive. Knowing that many other clients are nourished by tube feedings will not necessarily make it easier for the client to cope with the situation.

> *Cognitive Level*—*Applying*
> *Client Needs Category*—*Psychosocial integrity*
> *Client Needs Subcategory*—*None*

32. **2**. Gastrostomy tubes may become obstructed with formula residue and remnants of medication, which is why the tube should be flushed with tap water after each use. The use of peroxide as a flush medium is not recommended. Using sterile water is not necessary because the gastrointestinal tract is not sterile, but instilling warm water is an alternative. Milking the tube may be attempted, but this is typically ineffective. Suction is never applied to a gastrostomy tube.

Cognitive Level—Applying
Client Needs Category—Physiological integrity
Client Needs Subcategory—Reduction of risk potential

Nursing Care of Clients with Disorders of the Stomach

33. 1. It is most important to assess the immediate danger for the client. All other actions, such as securing help at a gender-specific shelter, suggesting the client press criminal charges, and referring the client for legal assistance, can follow.

Cognitive Level—Analyzing
Client Needs Category—Psychosocial integrity
Client Needs Subcategory—None

34. 3. Clients with peptic ulcers generally find that eating relieves their discomfort. The pain is caused by irritation of the eroded mucosa by hydrochloric acid and pepsin. Food tends to dilute the acid, thereby raising the pH of the secretions. This reduces irritation of the ulcerated tissue. Skipping a meal increases the pain because the acid secretions become concentrated. Many ulcer clients report awakening at night with pain. Activity does not cause or relieve the discomfort associated with an ulcer.

Cognitive Level—Applying
Client Needs Category—Physiological integrity
Client Needs Subcategory—Physiological adaptation

35. 3. Blood in the stool is a significant finding associated with peptic ulcer disease. Its presence indicates that bleeding is occurring within the gastrointestinal tract. If bleeding occurs in the upper gastrointestinal tract, the stool appears thick, black, and tarry. This finding is called *melena*. However, blood may be present without an obvious change in the normal color of stool, a finding referred to as *occult blood*. Although identifying blood in the stool is not proof that the client has a peptic ulcer, it aids in the differential diagnosis. Albumin in the urine is associated with renal disease. An elevated blood glucose level may be due to diabetes mellitus. Emesis is not tested for the presence of pepsin.

Cognitive Level—Applying
Client Needs Category—Physiological integrity
Client Needs Subcategory—Physiological adaptation

36. 4. An upper gastrointestinal x-ray uses barium as a contrast medium. Once ingested by the client, this opaque substance fills the hollow structures of the esophagus and stomach, improving their imaging. A tube is not inserted before or during an upper gastrointestinal x-ray, nor is intravenous dye used. After the client swallows barium, radiographic images will be obtained with the client standing and then lying down, but not within an imaging chamber.

Cognitive Level—Applying
Client Needs Category—Physiological integrity
Client Needs Subcategory—Physiological adaptation

37. 2. Antibiotics such as clarithromycin eliminate *Helicobacter pylori*, the bacterium that depletes gastric mucus and causes the majority of peptic ulcers. Although antibiotics may ultimately heal the irritated mucous membrane of the stomach, this is not the primary reason for giving such drugs. Antibiotics neither coat the stomach nor are prescribed to prevent secondary infections in the case of ulcers.

Cognitive Level—Applying
Client Needs Category—Physiological integrity
Client Needs Subcategory—Pharmacological therapies

38. 1. Acetaminophen is not associated with gastritis or ulcer formation; therefore, this drug would be safest to take. Salicylates, such as aspirin, and nonsteroidal anti-inflammatory drugs, such as ibuprofen and naproxen, are closely linked to gastric irritation and ulcer formation and should be avoided.

Cognitive Level—Applying
Client Needs Category—Physiological integrity
Client Needs Subcategory—Pharmacological therapies

39. 2. When the stomach or other gastrointestinal structure perforates, the abdomen becomes very hard, rigid, and tender. The skin becomes pale, not ecchymotic, due to vasoconstriction associated with shock. Dilated pupils are due to a variety of causes and do not necessarily relate to perforation. Rapid respirations can be associated with pain but are not as significant as a tense abdomen.

Cognitive Level—Applying
Client Needs Category—Physiological integrity
Client Needs Subcategory—Physiological adaptation

40. 2. A Salem sump tube has a double lumen with one lumen that is a vent open to room air. The open end allows equalization of pressure that facilitates steady suctioning without pulling on gastric tissue. A Levin tube is a single-lumen gastric tube that may irritate the gastric mucosa from the pulling effect during suctioning. An Ewald tube is an orogastric tube that is inserted temporarily to remove ingested pills or other swallowed toxic substances. A Maxter tube is a weighted tube whose terminal end is intended for the large intestine.

Cognitive Level—Applying
Client Needs Category—Physiological integrity
Client Needs Subcategory—Reduction of risk potential

41. 4. The distance from the nose (N) to the earlobe (E) to the xiphoid (X) is called the *NEX measurement*. It is commonly used to determine the approximate distance to the stomach. None of the other landmarks is correct for approximating the length for nasogastric (NG) tube insertion.

Cognitive Level—Remembering
Client Needs Category—Physiological integrity
Client Needs Subcategory—Reduction of risk potential

42. 3. Placing the chin to the chest helps to direct the tube into the esophagus rather than the airway. The client is given water to sip, which makes breathing deeply difficult.

A sniffing position is appropriate when first inserting the tube into a client's nose. Coughing occurs as a reflex if the tube enters the airway; it is a helpful sign that the tube is in the wrong location.

> *Cognitive Level*—*Applying*
> *Client Needs Category*—*Physiological integrity*
> *Client Needs Subcategory*—*Reduction of risk potential*

43. **1**. Coughing and gagging are expected during the insertion of a nasogastric tube; however, the client should maintain the ability to speak throughout the procedure. The ability to swallow is normal; in fact, the client is instructed to take sips of water during the tube's insertion. Sneezing is a protective mechanism to expel debris from the nasal passages and does not indicate passage of the tube into the airway. Vomiting occurs as a method of eliminating the contents of the stomach. Once the tube is inserted and connected to suction, vomiting should not occur.

> *Cognitive Level*—*Applying*
> *Client Needs Category*—*Physiological integrity*
> *Client Needs Subcategory*—*Reduction of risk potential*

44. **3**. The best evidence-based practice for determining the location of the distal end of a nasogastric tube is with an x-ray. Several bedside assessment methods such as auscultating the abdomen while instilling air and testing the pH of gastric secretions currently are believed to be unreliable. Determining if the client can speak is a method of determining if the tube is in the lungs rather than in the stomach.

> *Cognitive Level*—*Applying*
> *Client Needs Category*—*Physiological integrity*
> *Client Needs Subcategory*—*Reduction of risk potential*

45. **1**. Low intermittent suction is the best setting for a single-lumen nasogastric (NG) tube. This setting reduces trauma to the gastric mucosa and reduces the volume of electrolytes that are withdrawn from the client's gastric secretions. Low continuous suction is used for vented or double-lumen NG tubes. High suction pressures and continuous suctioning are not used with single-lumen NG tubes.

> *Cognitive Level*—*Applying*
> *Client Needs Category*—*Physiological integrity*
> *Client Needs Subcategory*—*Reduction of risk potential*

46. **2**. The initial nursing action when a nasogastric tube is draining poorly is to check if the tubing is kinked or compressed in some way. Turning the suction on and off may free the tube if it has become attached to the gastric mucosa, but this is not the first action the nurse should take. Increasing the suction may promote drainage, but it should only be a temporary and not initial measure. Emptying the drainage container will not improve drainage that has slowed or stopped.

> *Cognitive Level*—*Applying*
> *Client Needs Category*—*Physiological integrity*
> *Client Needs Subcategory*—*Reduction of risk potential*

47. **2**. Gastric residual contains nutrients, stomach acids, and electrolytes, all of which are important for the client's well-being. After the residual is measured, it should be partially or completely reinstilled according to the agency's parameters. Some believe a volume that exceeds 150 to 200 mL indicates that the tube feeding should be temporarily delayed for 30 minutes before rechecking again. Ultimately, the volume of gastric residual should not be discarded. The tubing should be flushed to prevent an obstruction, but that is not the most immediate nursing action. Refrigerated formula can be added to the tube-feeding bag if it will instill by gravity over a 4-hour period. Refrigerated formula for bolus feedings should be allowed to sit for approximately 30 minutes to allow it to warm to room temperature. Tube-feeding formula should not be warmed in a microwave or other device.

> *Cognitive Level*—*Applying*
> *Client Needs Category*—*Physiological integrity*
> *Client Needs Subcategory*—*Reduction of risk potential*

48. **3**. The purpose for checking gastric residual is to determine if the formula is being delivered effectively from the stomach. If the residual volume exceeds the agency's standards or the health care provider's prescription, the tube feeding should be held, and the residual should be rechecked again in 30 minutes. If the gastric residual still exceeds the amount that indicates the tube feeding can be resumed, the nurse notifies the health care provider. Sometimes, a drug that promotes relaxation of the gastric sphincters will facilitate gastric emptying more efficiently. It may help to ambulate the client, but some clients are confined to bed. It is never safe to administer a partial volume of tube-feeding formula.

> *Cognitive Level*—*Applying*
> *Client Needs Category*—*Physiological integrity*
> *Client Needs Subcategory*—*Reduction of risk potential*

49. **1**. Clamping the tube before the total volume of formula instills prevents the introduction of air within the stomach. Lowering the barrel of the syringe may result in a reflux of formula that is being instilled. Withholding 30 mL of formula deprives the client of nutrients. Placing the client on his or her side is inappropriate because it may lead to aspiration of the gastric contents. The client's head should be elevated.

> *Cognitive Level*—*Applying*
> *Client Needs Category*—*Physiological integrity*
> *Client Needs Subcategory*—*Reduction of risk potential*

50. **1**. The nurse offers the client some hope by validating the conscientious efforts being made. The response is objective without giving false reassurance. By deferring an answer to the health care provider the client may interpret the nurse's unwillingness to answer as an indication that the client's worst fear is confirmed. By implying that a serious question is silly or frivolous, the client may be discouraged from attempting further communication about any fears and feelings. Indicating that others survive shows a disregard for the client's unique perception and fears.

 Cognitive Level—Applying
 Client Needs Category—Psychosocial integrity
 Client Needs Subcategory—None

51. 1. The best nursing response is to use a therapeutic communication technique like clarification. Clarification is used when a client uses words that are vague or may be misinterpreted. Pointing out that the client has a positive attitude does not really respond to the client's possible misunderstanding. Asking if the client would like to talk to the surgeon suggests that the nurse feels uncomfortable discussing more about the client's statement. Telling the client that a referral will be made to the dietitian also delays dealing with the client's concern about resuming the consumption of food.

 Cognitive Level—Applying
 Client Needs Category—Psychosocial integrity
 Client Needs Subcategory—None

52. 2. Splinting or supporting the incision promotes deeper inhalation and more forceful coughing. Explaining the risks for developing pneumonia is not likely to result in efforts to clear the airway. Oxygen would not be necessary unless ventilation is compromised. A high-Fowler's position facilitates the potential for a larger volume of air, but adequate lung expansion probably will not occur unless the client actively uses the respiratory muscles.

 Cognitive Level—Applying
 Client Needs Category—Physiological integrity
 Client Needs Subcategory—Reduction of risk potential

53. 3. Any fluid instilled or removed is recorded to maintain accurate intake and output. A nasogastric (NG) tube is usually irrigated with normal saline solution, not water, and the fluid does not have to be sterile. Oxygen is administered before tracheobronchial suctioning, not NG irrigation. Swallowing does not affect gastric tube irrigation.

 Cognitive Level—Applying
 Client Needs Category—Physiological integrity
 Client Needs Subcategory—Reduction of risk potential

54. 1,080 mL.
Fluid intake is the sum of all of the following: liquids the client drinks, the liquid equivalent of melted ice chips, foods that are liquid by the time they are swallowed (such as gelatin, ice cream, and black coffee or tea), I.V. infusions, and fluid instillations (such as the fluid used to flush a gastric feeding tube). The fluid volume for this client includes 1 cup (240 mL) of black coffee; 1 carton (8 ounces, or 240 mL) of milk; ¼ cup (60 mL) of ice cream; 8 ounces (240 mL) of supplemental nutritional drink; 6 ounces (180 mL) of creamed soup; and ¼ cup (120 mL) of fruit-flavored gelatin.

 Cognitive Level—Applying
 Client Needs Category—Physiological integrity
 Client Needs Subcategory—Basic care and comfort

55. 2, 4, 5. Dumping syndrome is the rapid emptying of large amounts of concentrated dietary solids and liquids into the small intestine, resulting in a significant amount of glucose in intrajejunal contents and the consequential release of insulin that causes hypoglycemia. To prevent or manage the symptoms associated with this condition, the nurse teaches the client to limit the consumption of fluid and simple carbohydrates at mealtimes, eat at least six small meals a day, and lie down for 30 minutes after eating to slow gastric emptying.

 Cognitive Level—Analyzing
 Client Needs Category—Physiological integrity
 Client Needs Subcategory—Reduction of risk potential

56. 1. Diagnostic tests provide information on the functioning of the body. Absence of free hydrochloric acid in the stomach is associated with stomach cancer. This finding distinguishes the etiology of the symptoms from other causes such as peptic ulcer. Gastrin is a hormone secreted by the mucosa of the pylorus and stomach that causes hypersecretion of gastric acid. Gastric irritation, or gastritis, and a decrease in hemoglobin and hematocrit are common findings with multiple etiologies; they are not usually related to stomach cancer.

 Cognitive Level—Applying
 Client Needs Category—Physiological integrity
 Client Needs Subcategory—Reduction of risk potential

57. 2. Clients with nasogastric (NG) tubes that are connected to suction are generally placed on NPO (nothing by mouth) status. Providing a few ice chips helps moisten the mouth and quench the thirst. Giving larger amounts of water or other fluids would result in their removal from the stomach because of the suction. Removal of fluids also results in the removal of essential electrolytes.

 Cognitive Level—Applying
 Client Needs Category—Physiological integrity
 Client Needs Subcategory—Basic care and comfort

58. 1 mL.
Convert 1,000 micrograms to its equivalent in milligrams, which is 1 mg. Use the formula:

$$\frac{\text{Desired dose}}{\text{Dose on hand}} \times \text{Quantity} = \text{Amount to administer}$$

$$\frac{1 \text{ mg} \,(1,000 \text{ mcg})}{1 \text{ mg}} \times 1 \text{ mL} = 1 \text{ mL}$$

 Cognitive Level—Applying
 Client Needs Category—Physiological integrity
 Client Needs Subcategory—Pharmacological therapies

59. 2. I.M. injections are given at a 90-degree angle. The vastus lateralis muscle (the site for this injection) is located on the outer aspect of the thigh. The deltoid muscle is in the upper arm. The rectus femoris muscle is located on the anterior thigh, and the dorsogluteal muscle is in the upper outer quadrant of the buttock.

 Cognitive Level—Applying
 Client Needs Category—Physiological integrity
 Client Needs Subcategory—Pharmacological therapies

Nursing Care of Clients with Disorders of the Small Intestine

60. 4. Stool specimens that may contain ova and parasites should be examined when the feces are fresh and warm, so it is important for the specimen to be directly taken to the laboratory. Ova and parasites will not survive for long if the feces are kept below body temperature. Drying and cooling destroy the organisms and result in invalid findings. The client can use a bedpan or toilet for bowel elimination and specimen collection. Holding the container under the client's anus would be inappropriate. Using a tongue blade, the nurse can transfer a portion of stool to a waxed, covered container. The specimen container need not be sterile.

> *Cognitive Level—Understanding*
> *Client Needs Category—Physiological integrity*
> *Client Needs Subcategory—Reduction of risk potential*

61. 2. The nurse is correct to schedule the medications four times per day and space the medications 6 hours apart. The abbreviation q.i.d. means that the drug is to be administered four times a day. Scheduled hours may differ depending on the predetermined timetable set by the health agency. The other choices contain too few or too many hours. Military time is based on a 24-hour clock. Each hour is numbered in continuous sequence.

> *Cognitive Level—Applying*
> *Client Needs Category—Physiological integrity*
> *Client Needs Subcategory—Pharmacological therapies*

62. 1, 2, 3. A clear liquid diet includes bouillon, tea or coffee, flavored gelatin, fruit ices, clear carbonated beverages such as ginger ale, and some clear fruit juices such as apple or grape. Coffee and tea are clear liquids, but they are gastrointestinal stimulants and, therefore, should be limited in clients who have diarrhea. Milk or milk products may cause further diarrhea and are not permitted on this type of diet.

> *Cognitive Level—Understanding*
> *Client Needs Category—Physiological integrity*
> *Client Needs Subcategory—Basic care and comfort*

63. 4. A dark yellow color indicates that the client's urine is concentrated, a sign of dehydration. Pink mucous membranes are a normal finding. An elevated blood pressure and irregular heart rate are abnormal findings, but these signs are not associated with fluid volume deficit or dehydration.

> *Cognitive Level—Analyzing*
> *Client Needs Category—Physiological integrity*
> *Client Needs Subcategory—Physiological adaptation*

64. 3. Polyethylene glycol/electrolytes is given as a colonic lavage. Within 30 minutes of ingesting the first volume of the solution, the client should experience the first of many bowel movements. The bowel must be clear of feces for the colonoscopy to be effective. This solution is preferable to other forms of bowel cleansing because it is less likely to deplete electrolytes or cause water intoxication. The other choices are expected outcomes of administering an oral electrolyte solution, but they are not the main reason for administering a solution for the purpose of colonic lavage.

> *Cognitive Level—Applying*
> *Client Needs Category—Physiological integrity*
> *Client Needs Subcategory—Pharmacological therapies*

65. 1, 2, 3. Sodium is the most abundant cation in the blood and functions in the body to maintain osmotic pressure and acid–base balance and to transmit nerve impulses. Very low values can result in seizures and neurologic symptoms. The normal adult range is between 135 and 146 mEq/L (135 to 146 mmol/L). Potassium is essential for maintaining proper fluid balance, nerve impulse function, muscle function, and cardiac (heart muscle) function. Very low values can cause cardiac arrhythmias. The normal range of potassium is between 3.5 and 5.5 mEq/L (3.5 and 5.5 mmol/L). Chloride is influenced by the extracellular fluid balance and acid–base balance. Chloride passively follows water and sodium. The normal adult range is 95 to 112 mEq/L (95 to 112 mmol/L). Calcium is involved in bone metabolism, protein absorption, fat transfer, muscular contraction, transmission of nerve impulses, blood clotting, and cardiac function. It is regulated by parathyroid hormone. The normal adult range is 8.5 to 10.3 mEq/dL (2.13 to 2.58 mmol/L). Phosphorus is generally inverse with calcium. The normal adult range is 2.5 to 4.5 mEq/dL (0.81 to 1.45 mmol/L). Blood urea nitrogen (BUN) increases can be caused by excessive protein intake, kidney damage, certain drugs, low fluid intake, intestinal bleeding, exercise, or heart failure. Decreased levels may be due to a poor diet, malabsorption, liver damage, or low nitrogen intake. The normal adult range is 7 to 25 mg/dL (2.50 to 8.92 mmol/L). BUN is not considered an electrolyte but an indicator of renal function.

> *Cognitive Level—Analyzing*
> *Client Needs Category—Physiological integrity*
> *Client Needs Subcategory—Reduction of risk potential*

66. 3. Respiratory depression is a potential side effect when midazolam is administered. This drug allows the client to communicate and cooperate during the procedure, but afterward, the client will have no memory of doing so. The client does not lose consciousness. Although many drugs can cause unstable blood pressure and cardiac arrhythmias, these complications are not commonly associated with midazolam.

> *Cognitive Level—Applying*
> *Client Needs Category—Physiological integrity*
> *Client Needs Subcategory—Pharmacological therapies*

67. 4. It is important to assess the client's understanding of the fiber-controlled diet by discussing the client's knowledge. Fiber is the undigested portion of fruits, vegetables, grains, and nuts that is not broken down and absorbed during the digestive process. Animal products are not a source of dietary fiber. Food that requires chewing is too limited a definition for fiber, and some foods do not contain fiber. The semisolid mass of food in the stomach is called chyme.

> *Cognitive Level*—*Applying*
> *Client Needs Category*—*Health promotion and maintenance*
> *Client Needs Subcategory*—*None*

68. **2.** Ileal drainage contains enzymes and bile salts that are very damaging to the skin. Therefore, preserving skin integrity is most important at this time. Intact skin is the first line of defense against microorganisms. The nurse should monitor for fluid and electrolyte imbalances related to wound drainage. Pain management may need to be addressed, especially if dressings are necessary, but this is not as important as maintaining skin integrity. Clients with draining wounds sometimes experience foul-smelling odors, but odor containment also is not the priority at this time. Body image changes are also a complication, especially if the wound is foul smelling and slow to heal; however, body image is a psychological issue and does not take priority over physiologic issues such as skin integrity.

> *Cognitive Level*—*Applying*
> *Client Needs Category*—*Safe and effective care environment*
> *Client Needs Subcategory*—*Coordinated care*

Nursing Care of Clients with Disorders of the Large Intestine

69. **2.** The client's statement indicates a failure to understand the procedure; therefore, the consent to undergo the procedure is not valid. In this case, the nurse needs to inform the health care provider, who is responsible for providing an explanation of the surgery and its risks and complications, and then obtaining informed consent. The nurse should never allow a client to sign a consent form that is not fully understood. The nurse is responsible for witnessing the client's signature and ensuring that the legal aspects of the consent form are upheld. If the client's misinformation is clarified and corrected, the surgery need not be canceled. The nurse does not proceed with skin preparation until the discrepancy is settled.

> *Cognitive Level*—*Applying*
> *Client Needs Category*—*Safe and effective care environment*
> *Client Needs Subcategory*—*Coordinated care*

70.

3.	The nurse reviews the surgical consent, noting the correct procedure and site.
2.	The surgeon verifies the surgical site with the client, initialing the correct site with an appropriate marking pen.
5.	Before positioning the client on the operating room table, the nurse identifies the client using the client's name and birth date on the identification band.
1.	Time-out is done immediately before starting the procedure in the location where the procedure will be performed.
6.	All staff stops what they are doing and participates in the final verification, answering verbally when verifying the surgical site.
4.	The procedure begins after the time-out when staff is confident the correct procedure is being performed on the correct client.

Before any surgery, a surgical consent must be obtained. It is the nurse's responsibility to review the surgical consent for completeness, noting the correct client, procedure, and site. The surgeon or person performing the procedure is responsible for marking the site; the site marking should occur with the client awake, aware, and free of any narcotics or anesthetics. When the client enters the surgical suite itself, before positioning on the surgery table, the circulating nurse identifies the client by name and date of birth (identifiers may vary from institution to institution) and compares the surgical consent form with the client's identification bracelet. Just before the surgery, time-out is called; all staff in the operating room should stop what they are doing and participate in the final verification of the correct client, site, and procedure. They must answer verbally. The procedure is then begun after the time-out process.

> *Cognitive Level*—*Applying*
> *Client Needs Category*—*Safe and effective care environment*
> *Client Needs Subcategory*—*Safety and infection control*

71. **4.** To help prevent headaches after spinal anesthesia, it is customary to keep the client's head flat for several hours postoperatively. Therefore, the nurse should question a prescription to place the client in Fowler's position. The remaining prescriptions in this item are appropriate and should be implemented.

> *Cognitive Level*—*Analyzing*
> *Client Needs Category*—*Safe and effective care environment*
> *Client Needs Subcategory*—*Safety and infection control*

72. **1.** Although pain is important to assess, the client's safety and welfare are jeopardized if the client experiences undetected urine retention. Coughing is contraindicated after this type of surgery. When spinal anesthesia is administered, the client remains alert.

> *Cognitive Level*—*Applying*
> *Client Needs Category*—*Physiological integrity*
> *Client Needs Subcategory*—*Reduction of risk potential*

73. **2.** A suspensory is used on a male client after a herniorrhaphy to help prevent scrotal swelling. This device will not prevent impotence, strain on the incision, or wound contamination.

> *Cognitive Level*—*Applying*
> *Client Needs Category*—*Physiological integrity*
> *Client Needs Subcategory*—*Reduction of risk potential*

74. **0.5 mL.**

The prescription reads to give the client 50 mg of meperidine. The ampule contains 100 mg/mL.

$$\frac{\text{Desired dose}}{\text{Dose on hand}} \times \text{Quantity} = \text{Amount to administer}$$

$$\frac{50 \text{ mg}}{100 \text{ mg}} \times 1 \text{ mL} = 0.5 \text{ mL}$$

> *Cognitive Level*—*Applying*
> *Client Needs Category*—*Physiological integrity*
> *Client Needs Subcategory*—*Pharmacological therapies*

75. **2.** The federal government mandates that the manufacturing, distribution, and dispensing of addictive drugs such as meperidine hydrochloride must be controlled. Therefore, an accurate accounting of its administration should be kept in an opioid control log, also known as a *narcotics record*. Some health care facilities may use computerized record keeping or other forms to internally track the use of opioids, but these types of medications still need to be recorded to ensure that the drugs have not been stolen or mishandled. Neither a drug enforcement form nor a pharmacy access book is used when documenting the administration of narcotics.

> *Cognitive Level*—*Applying*
> *Client Needs Category*—*Physiological integrity*
> *Client Needs Subcategory*—*Pharmacological therapies*

76. **1, 5, 6.** Ulcerative colitis is a chronic inflammation of the colon and rectum with an unknown cause and has exacerbations and remissions. It is most commonly seen in young adults. Clients with ulcerative colitis may have 12 to 20 diarrheal stools per day that contain blood and mucus along with fecal material. In addition, clients experience cramping and lower left abdominal pain, dehydration, fatigue, and weight loss; the urge to defecate is so urgent that the client is usually incontinent. Bowel sounds are most likely to be hyperactive related to the frequency of the stools. Striae are red or white streaks on the skin due to stretching. Because the client with ulcerative colitis suffers from weight loss and emaciation, striae do not typically

occur. Ulcerated lesions in this disease are confined to the colon, not the mouth.

> *Cognitive Level*—*Applying*
> *Client Needs Category*—*Physiological integrity*
> *Client Needs Subcategory*—*Physiological adaptation*

77.

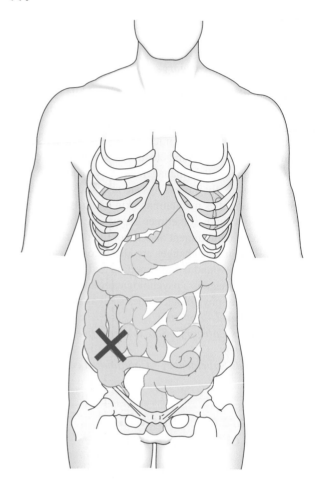

The nurse is correct to use a sequential systems approach to assess for bowel sounds. The nurse first assesses the right lower quadrant to listen to bowel sounds in the area of the ascending colon. The right and left upper quadrants of the abdomen are the locations of the transverse colon. The left lower quadrant is the area of the descending colon.

> *Cognitive Level*—*Applying*
> *Client Needs Category*—*Health promotion and*
>   *maintenance*
> *Client Needs Subcategory*—*None*

78. **1.** According to the scenario, the client is 31 years old. Keeping the commode next to the bedside is the most appropriate intervention because the client will probably be able to get in and out of bed with minimal assistance. This intervention would be less appropriate if the client was an older adult or too weak to get up. Answering the client's call light is always appropriate, but may be unnecessary if the client can get up alone. Providing a disposable brief for an able-bodied person with fecal incontinence is usually emotionally devastating. It is done only as a last resort, preferably with the client's permission. Assisting the client to the bathroom frequently may or may not be appropriate, depending on the client's last bowel movement.

Cognitive Level—*Applying*
Client Needs Category—*Physiological integrity*
Client Needs Subcategory—*Basic care and comfort*

79. 1. Reflecting is a response that lets the client know that both the content and the feelings are understood. Offering to contact the health care provider avoids the chance to provide emotional support and, therefore, is inappropriate. Giving advice and disagreeing with a client are blocks to therapeutic communication.

Cognitive Level—*Applying*
Client Needs Category—*Psychosocial integrity*
Client Needs Subcategory—*None*

80. 1. After giving the preoperative medication, the nurse should raise the bed side rails and instruct the client to remain in bed because meperidine and hydroxyzine depress the central nervous system, making it difficult for the client to remain alert. Elimination is accomplished before giving the preanesthetic drugs. One of atropine sulfate's anticipated side effects is a dry mouth; however, this is not a priority nursing concern. Likewise, nausea is one of the side effects of meperidine, but placing an emesis basin at the bedside is not as important as ensuring the client's safety.

Cognitive Level—*Applying*
Client Needs Category—*Safe and effective care environment*
Client Needs Subcategory—*Safety and infection control*

81. 3. Dropping blood pressure is a common indicator that a client is going into shock. A systolic pressure of 90 to 100 mm Hg indicates impending shock; below 80 mm Hg, shock is present. Other signs of shock include a rapid, thready pulse; pale, cold, and clammy skin; rapid respirations; a falling body temperature; restlessness; and a decreased level of consciousness. None of the other choices are associated with the signs or symptoms of shock.

Cognitive Level—*Applying*
Client Needs Category—*Physiological integrity*
Client Needs Subcategory—*Physiological adaptation*

82. 2, 6. When caring for an ileostomy, the nurse should observe the characteristics of the stoma on a daily basis, making sure to check its size, color, and general condition. A skin protection barrier, such as karaya, should be applied to any excoriated skin. The faceplate of the ileostomy is generally left in place for 3 to 5 days, unless it becomes loose or causes skin discomfort. The pouch is emptied, rinsed, or detached and replaced on an as-needed basis. It is unnecessary to empty the pouch as soon as stool is expelled, but the pouch should be emptied when it is one third to one half full to avoid pulling the faceplate from the skin due to the excessive weight of semiliquid stool. The

stoma and peristomal area are cleaned with mild soap and water, not alcohol or acetone, which can dry and irritate the tissue. The faceplate should not fit snugly around the stoma; it should be trimmed to allow room for the stoma plus an extra 0.125 to 0.25 in (3 to 6 mm) to avoid compromising blood flow to the stoma site.

Cognitive Level—*Applying*
Client Needs Category—*Physiological integrity*
Client Needs Subcategory—*Physiological adaptation*

83. 1. The best time for changing an appliance and providing stomal care is when the bowel is somewhat inactive. This is usually in the morning before any food has been eaten. Exercise and eating tend to increase bowel activity, making it likely that intestinal contents will spill onto the skin if the procedure is done afterward.

Cognitive Level—*Applying*
Client Needs Category—*Physiological integrity*
Client Needs Subcategory—*Basic care and comfort*

84. 2. A normal healthy stoma is bright red or pink because of its rich blood supply and has a shiny appearance. When cleaning, a healthy stoma may bleed slightly. If the stoma is light pink or dusky blue, the blood supply to the tissue is compromised. A tan stoma is atypical even in those with a darker complexion; bleeding would be a reassuring finding. A normal stoma is elevated above the surrounding tissue.

Cognitive Level—*Applying*
Client Needs Category—*Physiological integrity*
Client Needs Subcategory—*Physiological adaptation*

85. 3. Mild soap and tepid water are most often recommended for cleaning the skin around the stoma. Povidone-iodine is not recommended because it may irritate the skin. Alcohol is also drying and irritating to the skin. Scrubbing should be avoided because friction is likely to impair the skin integrity.

Cognitive Level—*Applying*
Client Needs Category—*Physiological integrity*
Client Needs Subcategory—*Basic care and comfort*

86. 2. The appliance opening must be large enough to avoid impairing circulation to the stoma but small enough that ileal drainage will not damage the skin. There should be only about a 0.125 to 0.25 in (3 to 6 mm) margin of skin exposed around the stoma. This allows room to attach the faceplate to the skin rather than to the stoma. The faceplate needs to cover an adequate amount of skin to prevent excoriation due to contact with enzymes and bile salts in ileal drainage. The stomal opening must not be obstructed, or stool will not pass. Because defecation cannot be controlled and the feces are liquid, it is inappropriate to allow the skin to air-dry for 30 minutes. The appliance must cover the stoma; the appliance may or may not be directly at the waist or belt line.

Cognitive Level—*Applying*
Client Needs Category—*Physiological integrity*
Client Needs Subcategory—*Reduction of risk potential*

87. 4. Because there is no sphincter to control the watery discharge from a conventional ileostomy, it is difficult for most clients to gain control of bowel elimination. It is realistic for people with an ileostomy to jog, swim, have sexual relations, get pregnant, and generally pursue careers and enjoy all manner of social activities.
Cognitive Level—Applying
Client Needs Category—Physiological integrity
Client Needs Subcategory—Physiological adaptation

88. 4. Appendicitis, which is inflammation of the appendix, is often accompanied by infection. The white blood cell (leukocyte) count increases when infection or inflammation is present; it is expected to rise in this case. These cells fight infection by walling off, destroying, or removing damaged tissues or pathogens. The bilirubin level is typically monitored closely in a client with liver or gallbladder disease. The serum potassium level would be important if the client has anorexia, vomiting, or diarrhea. The prothrombin time is generally monitored when a client is receiving the anticoagulant warfarin sodium.
Cognitive Level—Applying
Client Needs Category—Physiological integrity
Client Needs Subcategory—Reduction of risk potential

89.

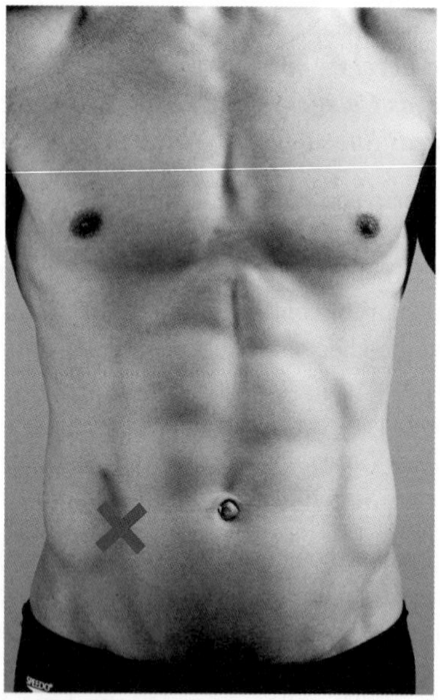

Appendicitis is characterized by pain and tenderness in the lower right quadrant, midway between the umbilicus and the crest of the ilium.
Cognitive Level—Applying
Client Needs Category—Physiological integrity
Client Needs Subcategory—Physiological adaptation

90. 1, 3. A shorter recovery period is only one of the many advantages of laparoscopic surgery. However, some form of anesthesia is used. There is a smaller than usual surgical scar, but activity restrictions are still in place; these include no lifting, straining, or sexual intercourse for a minimum of 10 to 15 days postoperatively. After discharge from the hospital, the client may resume a diet as tolerated.
Cognitive Level—Applying
Client Needs Category—Physiological integrity
Client Needs Subcategory—Reduction of risk potential

91. 3. Heat applications should be avoided whenever there is a possibility that abdominal discomfort is due to appendicitis. Heat dilates blood vessels, increases swelling, and promotes rupture of the vermiform appendix. Withholding food and fluid is advantageous if the symptoms are due to gastroenteritis or if emergency surgery is necessary. Pain, nausea, and fever generally limit usual activity and dietary intake. Acetaminophen is a nonsalicylate that lowers a fever and relieves discomfort but does not predispose to rupturing the appendix.
Cognitive Level—Analyzing
Client Needs Category—Physiological integrity
Client Needs Subcategory—Physiological adaptation

92. 2. An open drain relies on gravity to remove secretions absorbed by the dressing. Therefore, Fowler's position is most appropriate for promoting wound drainage. None of the other positions promote the collection of wound drainage near the drain.
Cognitive Level—Applying
Client Needs Category—Physiological integrity
Client Needs Subcategory—Physiological adaptation

93. 3. Soiled dressings are enclosed in a receptacle or container, such as the nurse's glove, to prevent the transmission of infectious microorganisms. A clean glove is used to remove soiled dressings. Tape is pulled toward the wound to prevent separating the healing edges. Wound cleaning should always carry microorganisms and debris away from, not toward, the incision.
Cognitive Level—Applying
Client Needs Category—Safe and effective care environment
Client Needs Subcategory—Safety and infection control

94. 1.2 mL.
Use the formula:

$$\frac{\text{Desired dose}}{\text{Dose on hand}} \times \text{Quantity} = \text{Amount to administer}$$

$$\frac{50\text{ mg}}{100\text{ mg}} \times 1\text{ mL} = 0.2\text{ mL}$$

Cognitive Level—Applying
Client Needs Category—Physiological integrity
Client Needs Subcategory—Pharmacological therapies

95. 1, 5. A change in bowel habits is one of the seven danger signals for cancer. Bowel movements alternate between diarrhea and constipation. Other signs and symptoms of colorectal cancer include dull abdominal pain (pain is a late sign of cancer), melena (black, tarry stools), abdominal distention, rectal pain, and narrowing of the diameter of the feces. Jaundice related to hepatitis is not closely related to colorectal cancer but is related to diseases affecting the liver. Chronic indigestion is more closely related to stomach cancer than colorectal cancer. Having insulin-dependent diabetes is not a risk factor related to cancer. However, diabetes can cause complications related to healing and recovery. There is no correlation between a drug use disorder and colorectal cancer, although lifestyle choices affect healing and recovery.

Cognitive Level—*Applying*
Client Needs Category—*Physiological integrity*
Client Needs Subcategory—*Physiological adaptation*

96. 1. Unless there are complications, a client who has a sigmoidoscopy as an outpatient will be able to return home the same day. The client may eat lightly the evening before a sigmoidoscopy. A flexible scope is more commonly used than a rigid one. Medications are taken before the test and do not interfere with the test findings.

Cognitive Level—*Applying*
Client Needs Category—*Physiological integrity*
Client Needs Subcategory—*Reduction of risk potential*

97. 2. Sims position, which is a left lateral side-lying position, is commonly preferred when a flexible sigmoidoscope is used. A knee-chest position is used with a rigid sigmoidoscope. A lithotomy position is used for cystoscopy and vaginal examinations. The prone position would not allow access to insert the sigmoidoscope. Fowler's position is used for many reasons, including improving ventilation, but not for a sigmoidoscopy.

Cognitive Level—*Applying*
Client Needs Category—*Physiological integrity*
Client Needs Subcategory—*Reduction of risk potential*

98. 2. A low-residue diet is composed of foods that the body can absorb completely so that there is little residue to form feces. A low-residue diet contains no foods containing fiber (such as bran cereal), fruits, vegetables, or whole grain breads. Fruit and vegetable juices, with the exception of prune juice, are allowed in minimal amounts. Tender or ground meat and refined carbohydrates such as pasta can be eaten.

Cognitive Level—*Analyzing*
Client Needs Category—*Physiological integrity*
Client Needs Subcategory—*Basic care and comfort*

99. **2 tablets**.
There are 1,000 mg in 1 g. The nurse gives the client two 500-mg tablets to administer 1 g of neomycin. Use the ratio and proportion method to solve for *X*.

$$\frac{50 \text{ mg}}{1,000 \text{ mg}} = \frac{1 \text{ tablet}}{X \text{ tablet}}$$
$$500 X = 1,000$$
$$X = 2$$

Cognitive Level—*Applying*
Client Needs Category—*Physiological integrity*
Client Needs Subcategory—*Pharmacological therapies*

100. 2. During the operative procedure, the bowel is opened, and some contents can leak within the peritoneum. Neomycin sulfate destroys intestinal bacteria and reduces the risk of a postoperative infection. Antibiotics commonly cause, rather than prevent, diarrhea. Surgery usually is not performed if the client has an ongoing infection.

Cognitive Level—*Applying*
Client Needs Category—*Physiological integrity*
Client Needs Subcategory—*Pharmacological therapies*

101. 3. Evisceration is the protrusion of the intestines through the abdominal wall. It usually occurs in a wound that is not healing because of an infection, excessive coughing or straining, abdominal distention, obesity, or poor wound healing due to malnutrition or corticosteroid therapy. The first action to take in the case of evisceration is to cover the bowel with sterile gauze moistened with sterile normal saline solution or povidone-iodine and a self-adhering plastic drape. This prevents the bowel from drying or becoming colonized with bacteria until it can be surgically repaired. The health care provider would be notified, and vital signs taken only after taking emergency action. The bowel should not be manipulated, except by the health care provider. Evisceration is considered a medical emergency.

Cognitive Level—*Analyzing*
Client Needs Category—*Physiological integrity*
Client Needs Subcategory—*Physiological adaptation*

102. 3. When an obstruction interferes with the movement of intestinal contents toward the rectum for elimination, the client begins to experience distention and vomiting. At first, the emesis contains gastric contents. As time passes, the vomitus may contain fecal matter and have a foul odor. The other questions are appropriate to ask, but they do not necessarily provide information associated with an intestinal obstruction.

Cognitive Level—*Applying*
Client Needs Category—*Physiological integrity*
Client Needs Subcategory—*Physiological adaptation*

103. 3. The nurse should always question any written prescription that is unclear or potentially unsafe. This includes a drug dosage that is higher or lower than the dosages given in approved references. The nurse should never administer a different dosage until consulting a health care provider about the discrepancy. Written prescriptions for combined preoperative medications indicate that they are given together. Therefore, giving meperidine hydrochloride alone is inappropriate. The pharmacist is a reliable source for obtaining drug information; however, the only person who can revise the prescription is the health care provider.

Cognitive Level—*Analyzing*
Client Needs Category—*Safe and effective care environment*
Client Needs Subcategory—*Coordinated care*

104.

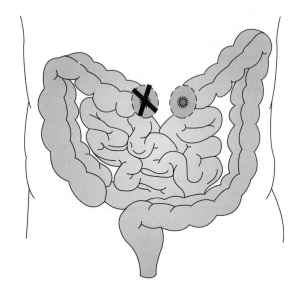

A double-barrel colostomy is created as a temporary measure; the two portions of the large intestine will be reconnected in the future. The proximal stoma eliminates fecal material; the distal stoma releases mucus.

> *Cognitive Level*—*Applying*
> *Client Needs Category*—*Physiological integrity*
> *Client Needs Subcategory*—*Physiological adaptation*

105. 2. The best position for performing colostomy irrigation is sitting on the toilet. This position and the environment simulate normal bowel elimination. The toilet is also convenient for hanging the distal end of the irrigating sleeve. The stool is easily flushed away along with the drained irrigating solution. Because it takes some time for the bowel evacuation to be complete, clients often appreciate the privacy of the bathroom. If sitting on the toilet is impossible or impractical for the client, ensure privacy by allowing the client to sit in bed with the end of the sleeve placed in a bedpan. Kneeling in the bathtub is not safe. Standing at the sink may be effective, but disposal of the feces and the irrigating solution in the sink would be a problem.

> *Cognitive Level*—*Applying*
> *Client Needs Category*—*Physiological integrity*
> *Client Needs Subcategory*—*Reduction of risk potential*

106. 2. Silence, when used appropriately, is a powerful means of communicating without verbalizing. Among other things, silence conveys acceptance, provides the client time to collect thoughts, allows relief from emotionally charged content, and gives the client the opportunity to proceed when ready. Changing the subject is nontherapeutic. It indicates that the nurse cannot handle the topic of conversation. Switching the discussion to physical care is a form of changing the subject. Active listening, rather than psychological counseling, is sufficient based on the data in the situation.

> *Cognitive Level*—*Applying*
> *Client Needs Category*—*Psychosocial integrity*
> *Client Needs Subcategory*—*None*

107. 1. Encouraging the expression of concerns provides the client with an opportunity to ventilate feelings without fear of retaliation. An open discussion can effectively lower the client's frustration level. Reassurance, in this case, is somewhat premature. The client needs to verbalize and clarify the specific perceived problems. With the assistance of the nurse and other health care professionals, the client ought to achieve the ability to accomplish self-care. Maintaining the client's independence is preferable to institutionalized care. Saying nothing indicates to the client that the nurse prefers to be uninvolved with emotional problems. Quoting a client, however, is always appropriate when documenting information.

> *Cognitive Level*—*Applying*
> *Client Needs Category*—*Psychosocial integrity*
> *Client Needs Subcategory*—*None*

108. 2, 3. One of the most widespread and potentially serious of all health care–acquired illnesses is *Clostridium difficile*. *C. difficile* is a gram-positive, spore-forming anaerobic bacillus. Its spores are located in soil, air, water, human and animal feces, and on most surfaces. The bacteria do not typically create problems until they grow in abnormally large numbers in the intestinal tract of people taking antibiotics or other antimicrobial drugs. Then, because the normal flora of the body is interrupted, *C. difficile* bacteria take over and can cause symptoms ranging from diarrhea to life-threatening inflammation of the colon. To prevent the spread of the bacteria, clients must be placed in contact isolation and meticulous hand antisepsis performed by washing the hands with soap and water when entering and exiting the room. Gowns and gloves must be donned when coming in contact with feces. Generally, masks are not worn. Alcohol foam cleaner is not used because its use does not kill the spores of the *C. difficile* bacteria. Clients with tuberculosis (not *C. difficile*) require a negative pressure room. Cohorting all clients with diarrhea to the same general location in the hospital is not appropriate because *C. difficile* may not be the cause of every client's diarrhea.

> *Cognitive Level*—*Applying*
> *Client Needs Category*—*Safe and effective care environment*
> *Client Needs Subcategory*—*Safety and infection control*

Nursing Care of Clients with Disorders of the Rectum and Anus

109. 1, 2, 3. Drugs that commonly cause constipation include the opioids such as morphine, meperidine, fentanyl, and codeine. These slow the peristalsis of the bowel. Iron preparations also cause constipation, causing the feces to become hard and dry. Antacids that contain calcium carbonate are known to cause constipation because of the calcium salts that are an active ingredient. Antibiotics can cause diarrhea. Antihypertensives and nonsteroidal anti-inflammatory drugs (NSAIDs) are not known to cause constipation.

> **Cognitive Level**—*Analyzing*
> **Client Needs Category**—*Physiological integrity*
> **Client Needs Subcategory**—*Pharmacological therapies*

110. 1. Long-term use of laxatives causes the bowel to become sluggish because it is repeatedly subjected to artificial stimulation. Stool softeners are less harsh than laxatives. However, it is best to determine the cause of the constipation and treat the etiology with lifestyle changes rather than continue to rely on pharmaceutical interventions. Daily enemas are just as habituating as laxative abuse. Dilating the anal sphincter is not usually an acceptable technique for promoting bowel elimination.

> **Cognitive Level**—*Applying*
> **Client Needs Category**—*Physiological integrity*
> **Client Needs Subcategory**—*Pharmacological therapies*

111. 1. A fecal impaction is stool that is so hard and dry that it cannot be expelled. A client with a fecal impaction tends to expel liquid stool around the hardened mass that is located in the rectum. Common causes of a fecal impaction include immobility, paralysis, dehydration, and history of chronic bowel problems. Foul-smelling stools are not associated with fecal impactions. A stomachache may be associated with constipation or other conditions, but this is not the main assessment finding associated with fecal impaction. Loss of appetite may be either the cause or the effect of impaired bowel elimination. Its presence is not necessarily an indication of a fecal impaction.

> **Cognitive Level**—*Understanding*
> **Client Needs Category**—*Physiological integrity*
> **Client Needs Subcategory**—*Basic care and comfort*

112. 1, 2, 3, 6. Clients who have had cardiac surgery should not have manual removal of the fecal impaction because digital manipulation can cause stimulation of the vagus nerve, causing bradycardia or arrhythmias. Furthermore, manual removal of fecal impactions is contraindicated in clients with a history of reproductive surgery or radiation to the abdomen because this method could further damage weakened tissue. Prolonged bleeding could occur in clients who routinely receive anticoagulants such as heparin, enoxaparin, or warfarin. The presence of hemorrhoids is not a contraindication when removing fecal impactions; however, caution should be used. If the client is dependent on laxatives, it is unlikely that the client will have a fecal impaction.

> **Cognitive Level**—*Analyzing*
> **Client Needs Category**—*Physiological integrity*
> **Client Needs Subcategory**—*Physiological adaptation*

113. 2. By inserting a lubricated, gloved finger within the rectum, it is possible to confirm the presence of a hard mass of stool. An x-ray may confirm the presence of a mass in the rectum but is expensive and relatively

unnecessary. An oil-retention enema is a method for relieving the impaction after its presence is confirmed. Monitoring bowel sounds causes unnecessary delay in treating the problem.

> **Cognitive Level**—*Analyzing*
> **Client Needs Category**—*Physiological integrity*
> **Client Needs Subcategory**—*Physiological adaptation*

114. 1. Activity promotes the movement of gas toward the anal sphincter, where it can be released. Restricting food may prevent additional gas from forming, but it will not help eliminate any gas that is already present. Opioid analgesics tend to slow peristalsis and contribute to constipation, stool retention, and intestinal gas.

> **Cognitive Level**—*Applying*
> **Client Needs Category**—*Physiological integrity*
> **Client Needs Subcategory**—*Basic care and comfort*

115. 2. A rectal tube should remain in place only approximately 20 to 30 minutes at one time to help relieve distention from accumulating gas. Placement for only 15 minutes is unlikely to achieve an optimum effect, yet longer than 30 minutes is unnecessary. The tube is removed and replaced again in 1 to 2 hours if gas continues to accumulate.

> **Cognitive Level**—*Remembering*
> **Client Needs Category**—*Safe and effective care environment*
> **Client Needs Subcategory**—*Safety and infection control*

116. 3. Interrupting the instillation of enema solution allows time for the bowel to adjust to the distention. Rapidly instilling the remaining solution may cause the client to lose bowel control and fluid retention. Taking deep breaths or panting rather than holding the breath relieves some discomfort. Placing the client supine will not help the client's cramping or the sudden urge to defecate.

> **Cognitive Level**—*Applying*
> **Client Needs Category**—*Physiological integrity*
> **Client Needs Subcategory**—*Basic care and comfort*

117. 3. A rectal suppository is inserted approximately 2 to 4 in (5 to 10 cm). For the best effect, the suppository must be inserted beyond the internal sphincter. A clean glove, not a sterile one, is used to avoid contact with organisms in the rectum, stool, or blood. A right lateral position is not the correct anatomic position for suppository placement. Instead, the client should be positioned on the left side. Retaining the suppository until the client feels an urge to defecate ensures its effectiveness. Suppositories should be retained for at least 15 to 30 minutes.

> **Cognitive Level**—*Applying*
> **Client Needs Category**—*Physiological integrity*
> **Client Needs Subcategory**—*Pharmacological therapies*

118. 2. Bowel elimination tends to occur in a cyclic pattern. Assessing the bowel elimination pattern precedes other interventions. Limiting activity impairs rather than promotes bowel elimination. The diet should have adequate amounts of water and bulk-forming foods to help the client form soft, rather than dry, hard stool. The regular administration of enemas eventually may help to regulate bowel elimination, but it is not the first step in a bowel-retraining program.

> *Cognitive Level*—*Analyzing*
> *Client Needs Category*—*Physiological integrity*
> *Client Needs Subcategory*—*Basic care and comfort*

119. **3.** Chronic constipation, hereditary factors, and conditions that increase venous pressure in the abdomen and pelvic area, such as pregnancy, ascites, and liver disease, foster the development of hemorrhoids. Clients who take daily stool softeners are not usually prone to constipation. Clients diagnosed with ulcerative colitis have diarrhea, not constipation. Sedentary jobs, such as computer programming, may predispose the client to constipation but not necessarily hemorrhoids.

> *Cognitive Level*—*Analyzing*
> *Client Needs Category*—*Physiological integrity*
> *Client Needs Subcategory*—*Physiological adaptation*

120. **2.** The cellulose that remains after eating high-fiber foods absorbs water in the bowel, increases bulk, and stimulates peristalsis. This prevents constipation, which can lead to hemorrhoids. Lack of adequate fluid makes constipation more severe. Therefore, drinking eight glasses of fluid daily will keep the fecal bulk moist and easier to expel. Although taking a daily laxative may help with constipation and the client's hemorrhoids, it can result in dependence on the drug, making it an inappropriate choice. Neither of the other recommendations aids in preventing or eliminating constipation.

> *Cognitive Level*—*Applying*
> *Client Needs Category*—*Health promotion and maintenance*
> *Client Needs Subcategory*—*None*

121. **2.** A sitz bath keeps the incisional area clean and promotes healing. This provides objective evidence the sitz bath is effective. Secondly, a sitz bath provides a comfort measure because the warm water soothes the discomfort and pain in the surgical area. Pain is subjective; therefore, a report of a less painful incision is less reliable than objective evidence. Because only the buttocks are submerged in water, evidence of personal hygiene is not an appropriate criterion for effectiveness. The presence or absence of a hematoma has no bearing on the effectiveness of the sitz bath.

> *Cognitive Level*—*Analyzing*
> *Client Needs Category*—*Physiological integrity*
> *Client Needs Subcategory*—*Basic care and comfort*

122. **1.** Docusate sodium is a stool softener. Retaining water in the stool softens the mass and makes the stool easier and less painful to pass. Some categories of laxatives, including castor oil, stimulate bowel evacuation by irritating the intestinal mucosa. Bulk-forming laxatives containing psyllium stimulate peristalsis by adding bulk and water to the stool. Drugs that reduce intestinal activity promote constipation rather than stool elimination.

> *Cognitive Level*—*Applying*
> *Client Needs Category*—*Physiological integrity*
> *Client Needs Subcategory*—*Pharmacological therapies*

123. **2, 5.** The word *pilonidal* means a nest of hair. The growth of stiff body hair in the anorectal area at puberty commonly precipitates irritation within the sinus tract. A pilonidal cyst is actually a sinus with one or more openings onto the skin. Once the integrity of the skin is impaired, microorganisms enter and cause subsequent infection near the coccyx, as evidenced by purulent drainage. Pain and swelling at the base of the spine are common findings. Pilonidal cysts are not related to rectal bleeding; frothy, foul-smelling stool; or diarrhea.

> *Cognitive Level*—*Analyzing*
> *Client Needs Category*—*Physiological integrity*
> *Client Needs Subcategory*—*Physiological adaptation*

124. **4.** Cleaning the area before applying a topical medication ensures that the drug is located directly on the skin and can be maximally absorbed. The client will wear gloves for aesthetic and aseptic reasons, but their use will not affect the medication's action. For comfort, an ointment applied to a sensitive area is generally kept at room temperature unless otherwise directed by the manufacturer. It is more appropriate to apply this type of medication immediately after a bowel movement because pain is greater at that time. This drug can also be routinely applied in the morning and evening.

> *Cognitive Level*—*Analyzing*
> *Client Needs Category*—*Physiological integrity*
> *Client Needs Subcategory*—*Pharmacological therapies*

The Nursing Care of Clients with Disorders of Gastrointestinal Accessory Organs

- ■ Nursing Care of Clients with Disorders of the Gallbladder
- ■ Nursing Care of Clients with Disorders of the Liver
- ■ Nursing Care of Clients with Disorders of the Pancreas
- ■ Test Taking Strategies
- ■ Correct Answers and Rationales

Directions: *With a pencil, blacken the space in front of the option you have chosen for your correct answer.*

Nursing Care of Clients with Disorders of the Gallbladder

A client is admitted to the hospital with signs and symptoms suggesting cholecystitis. As the nurse takes the client's admission history, dietary preferences are discussed.

1. The client requests Kosher meals. When the food tray is delivered, it is not marked as Kosher. Which foods would the nurse remove from the dietary tray? Select all that apply.
[ ] **1.** Pork chops
[ ] **2.** Shrimp
[ ] **3.** Coffee
[ ] **4.** Iced tea
[ ] **5.** Ham and cheese pizza
[ ] **6.** Strawberries

2. When the nurse performs a pain assessment, if the client's symptoms are due to gallbladder disease, where is the client likely to report experiencing referred pain?
[ ] **1.** In the left lower abdomen
[ ] **2.** Between the shoulders
[ ] **3.** In the center of the chest
[ ] **4.** On the left side of the neck

A 45-year-old client is suspected of having cholecystitis.

3. When obtaining a history from a client with cholelithiasis, when can the nurse expect the client to report experiencing pain?
[ ] **1.** While ingesting food
[ ] **2.** After eating a fatty meal
[ ] **3.** When the stomach is empty
[ ] **4.** Soon after drinking alcohol

4. If the cause of the client's inflamed gallbladder is gallstones, the nurse would anticipate the laboratory data to indicate which finding?
[ ] **1.** Low red blood cell count
[ ] **2.** Low hemoglobin level
[ ] **3.** Elevated cholesterol level
[ ] **4.** Elevated serum albumin level

5. If gallstones obstruct the flow of bile, how would the nurse expect the client's stools to appear?
[ ] **1.** Black and tarry
[ ] **2.** Light clay–colored
[ ] **3.** Brown with bloody mucus
[ ] **4.** Greenish yellow

6. When the dietitian has finished instructing the client about a low-fat diet, the nurse knows that the client requires additional teaching based on which statement?
[ ] **1.** "I can eat chicken that has been broiled."
[ ] **2.** "Because fish is good for me, I will still get to eat baked fish."
[ ] **3.** "I can have a beef hot dog and fries when I go out with friends."
[ ] **4.** "I guess I will eat more roasted turkey for dinner."

Because the client's gallbladder was unable to concentrate and excrete bile, it could not be visualized by cholecystography. An ultrasound of the gallbladder is prescribed. The nurse explains the scheduled procedure to the client.

7. What comment indicates that the client has an accurate understanding of the preparation necessary for the ultrasound procedure?
[ ] **1.** "Preparation involves withholding food for approximately 8 to 12 hours."
[ ] **2.** "I will need to drink a container of barium just before the x-ray."
[ ] **3.** "I will be allowed to eat a large test meal the night before the x-ray."
[ ] **4.** "Just before the test, they will insert a large needle into one of my arm veins."

Ultrasound of the client's gallbladder reveals several stones in the gallbladder. Two treatment options are discussed by the health care provider: lithotripsy or a laparoscopic cholecystectomy.

8. The client with cholelithiasis asks the nurse to review the key points of the lithotripsy procedure. What is the **best** nursing explanation to clarify how gallbladder stones are treated?
[ ] **1.** The stones are chemically dissolved.
[ ] **2.** The stones are fragmented with shock waves.
[ ] **3.** The stones are removed with an endoscope.
[ ] **4.** The stones are suctioned from a tube.

The client then asks the nurse to contrast the lithotripsy procedure with the laparoscopic procedure.

9. What statements made by the nurse provide the key points of a laparoscopic cholecystectomy, clarifying the procedure? Select all that apply.
[ ] **1.** "The procedure will require moderate sedation."
[ ] **2.** "The surgery will require a long period of gastric decompression."
[ ] **3.** "The abdomen will be inflated with carbon dioxide to provide a maximum view."
[ ] **4.** "There will be four small puncture sites."
[ ] **5.** "Most clients return home the evening after the procedure."
[ ] **6.** "A T-tube is inserted to drain bile until the surgical wound heals."

A client presents to the clinic with signs and symptoms of gallbladder disease caused by a large stone in the common bile duct. An open cholecystectomy is scheduled.

10. The nurse uses a diagram to explain the location of the client's stones. Place an *X* on the stone in the common bile duct.

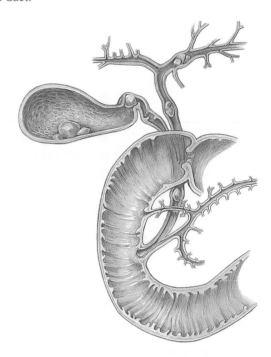

The client returns from surgery with an infusing I.V., nasogastric tube, a T-tube for bile drainage, and a Jackson-Pratt tube for wound drainage in place.

11. When the nurse changes the container of I.V. solution of 1,000 mL of normal saline postoperatively to infuse in 8 hours, at what rate should the solution infuse by gravity if the tubing's drop factor is 20 gtt/mL? Record your answer in the nearest whole number.

_____ gtt/minute

12. Immediately after surgery, the nurse assesses the drainage from the T-tube. What assessment finding **best** indicates that the drainage color is normal at this time?
[ ] **1.** The drainage is dark red or pale pink.
[ ] **2.** The drainage is clear or transparent.
[ ] **3.** The drainage is bright red or orange.
[ ] **4.** The drainage is greenish-yellow or brown.

13. When the nurse assesses the T-tube in the early postoperative period, what finding requires **immediate** action?
[ ] **1.** The drainage bag is hanging below the abdomen.
[ ] **2.** The drainage tubing is currently clamped.
[ ] **3.** The drainage tube is taped to the client's right side.
[ ] **4.** The drainage volume was 125 mL in the past 6 hours.

14. When the nurse cares for the client who had an open cholecystectomy, what nursing action promotes the patency of the T-tube?

[ ] **1.** Provide a liberal fluid intake.
[ ] **2.** Connect the tube to suction.
[ ] **3.** Keep the tube below the incision.
[ ] **4.** Put the client in a lateral position.

15. The nurse should anticipate implementing which interventions when managing the client's T-tube? Select all that apply.

[ ] **1.** Record the amount of drainage from the T-tube.
[ ] **2.** Unclamp the T-tube at hourly intervals.
[ ] **3.** Keep the T-tube drainage bag parallel with the incision.
[ ] **4.** Inspect the skin around the tube for irritation.
[ ] **5.** Maintain the client in Fowler's position.
[ ] **6.** Report changes in the color of T-tube drainage.

16. What nursing actions should the nurse take when emptying the drainage receptacle of the client's Jackson-Pratt closed wound drain? Select all that apply.

[ ] **1.** Empty the drainage into a measuring container.
[ ] **2.** Adjust the suction setting to low continuous suction.
[ ] **3.** Squeeze the receptacle to expel air.
[ ] **4.** Release the roller clamp.
[ ] **5.** Cover the vent.
[ ] **6.** Stabilize the drainage tube.

17. The nurse contacts a client's health care provider by telephone because prescribed pain medication has not been providing the client with sufficient relief. What is the best **initial** action when obtaining a phone prescription?

[ ] **1.** Write the medication prescription on the health care provider's prescription sheet.
[ ] **2.** Repeat the prescription back to the health care provider while the health care provider is on the phone call.
[ ] **3.** Request the newly prescribed medication from the pharmacy.
[ ] **4.** Inform the client about the new pain medication prescription.

18. When the client who had an open cholecystectomy begins to consume food again, what routine for clamping and unclamping the T-tube should the nurse plan to follow?

[ ] **1.** Unclamp the tube during the day.
[ ] **2.** Unclamp the tube during the night.
[ ] **3.** Unclamp the tube for 2 hours after eating.
[ ] **4.** Unclamp the tube for 2 hours before eating.

19. How would the nurse reestablish negative pressure within the Jackson-Pratt tube when emptying the drainage bulb reservoir?

[ ] **1.** By compressing the bulb reservoir and closing the drainage valve
[ ] **2.** By opening the drainage valve, allowing the bulb to fill with air
[ ] **3.** By filling the bulb reservoir with sterile normal saline solution
[ ] **4.** By securing the bulb reservoir to the skin near the wound

The client who had an open cholecystectomy develops postoperative nausea and vomiting. Metoclopramide 10 mg is prescribed.

20. What adverse effect associated with metoclopramide should the nurse report **immediately**?

[ ] **1.** Itchy red rash
[ ] **2.** Leukopenia
[ ] **3.** Involuntary facial tics
[ ] **4.** Impaired swallowing

21. When the nurse assists the client out of bed to ambulate after a cholecystectomy. What is the **best** nursing action?

[ ] **1.** Use a transfer belt.
[ ] **2.** Provide a walker.
[ ] **3.** Request a mechanical lift.
[ ] **4.** Have the client use a trapeze.

The client requires a unit of packed blood cells to replace the surgical blood loss.

22. The nurse retrieves a unit of packed cells from the blood bank. If the client's blood type is A, Rh−, what compatible unit of packed cells would the nurse obtain?

1.

2.

3.

4.

Nursing Care of Clients with Disorders of the Liver

A client presents to the clinic with abdominal pain. The nurse performs a cultural assessment and learns that the client has a strong belief in the hot-cold theory of diseases.

23. If the nurse understands the client's beliefs regarding the hot-cold theory and its effect on health and illness, what statement describes those beliefs **most accurately**?
[ ] **1.** When healthy, the human body displays a balanced blending of hot and cold characteristics. Sickness results if an excess of hot or cold foods is ingested.
[ ] **2.** The terms *hot* and *cold* refer to the temperature of foods or remedies used to treat illness.
[ ] **3.** The medical prescriptions should include treatments similar to the nature of a person's illness.
[ ] **4.** The concept of hot and cold as it relates to health and illness is practiced widely in France, Russia, and Spain, and among Native Americans.

A 20-year-old college student goes to the university health service after developing a sudden onset of flu-like symptoms.

24. When the health nurse reviews the client's laboratory test results, what elevated level would strongly suggest a possible liver disorder?
[ ] **1.** B-type natriuretic peptide (BNP)
[ ] **2.** Creatine kinase MB
[ ] **3.** Blood urea nitrogen (BUN)
[ ] **4.** Alanine aminotransferase (ALT)

The college student is diagnosed with hepatitis A.

25. When the client asks the nurse how the hepatitis A was acquired, what is the **best** answer?
[ ] **1.** Fecal-oral route
[ ] **2.** Insect carriers
[ ] **3.** Infected blood
[ ] **4.** Wound drainage

An infection control nurse is consulted on measures for reducing the potential transmission of the hepatitis A virus to others.

26. On the basis of the routes of transmission for this disease, what infection control measure is **essential** to include in the client's care plan?
[ ] **1.** Wear gloves whenever entering the client's room.
[ ] **2.** Don a mask and gown when providing direct care.
[ ] **3.** Maintain the client in a private room at all times.
[ ] **4.** Perform vigorous handwashing after leaving the room.

Several of the college student's friends call the health service because they are concerned about their own risks for acquiring hepatitis A.

27. To prevent the spread of hepatitis A, the nurse correctly advises that close contacts receive which medication?
[ ] **1.** An antibiotic
[ ] **2.** Serum immunoglobulin
[ ] **3.** Hepatitis vaccine
[ ] **4.** An anti-inflammatory drug

A 33-year-old develops jaundice and presents to the public health department. Testing reveals that the cause of the client's jaundice is hepatitis B. The nurse gathers information regarding the client's social history.

28. What information from the client's history indicates a predisposition for acquiring hepatitis B? Select all that apply.
[ ] **1.** The client moved from Europe.
[ ] **2.** The client is a sexually active homosexual.
[ ] **3.** The client suffers from alcohol use disorder.
[ ] **4.** The client works in a restaurant.
[ ] **5.** The client has had a blood transfusion.
[ ] **6.** The client was cut with a carving knife.

29. What measure is **most appropriate** if a nurse who has not received a series of vaccinations for hepatitis B experiences a needlestick injury while caring for an infected client?
[ ] **1.** Obtain immediate immunization with hepatitis B vaccine.
[ ] **2.** Receive hepatitis B immunoglobulin within 1 week.
[ ] **3.** Take oral penicillin for a minimum of 10 days.
[ ] **4.** Scrub the puncture site with diluted household bleach.

30. The nurse informs the client that because of the disease, it is **essential** to avoid which activity for life?
[ ] **1.** Sexual activity
[ ] **2.** Donating blood
[ ] **3.** Drinking alcohol
[ ] **4.** Foreign travel

31. The client asks the nurse about treatment for hepatitis B. What nursing response is **most accurate**?
[ ] **1.** Oral drugs can cure hepatitis B.
[ ] **2.** Hepatitis B can be cured with a vaccine.
[ ] **3.** A liver transplant is the only option.
[ ] **4.** Drug therapy can manage hepatitis B.

32. Clients who have hepatitis B or C infections are prone to what type of cancer?
[ ] **1.** Colorectal cancer
[ ] **2.** Pancreatic cancer
[ ] **3.** Brain cancer
[ ] **4.** Liver cancer

A 60-year-old client seeks medical attention with symptoms of vomiting blood and passing bloody stools. The tentative diagnosis is cirrhosis of the liver.

33. What information in the client's health history **most** likely relates to the development of cirrhosis? Select all that apply.
[ ] **1.** The client drinks a fifth of whiskey daily.
[ ] **2.** The client smokes two packs of cigarettes per day.
[ ] **3.** The client has a history of pancreatitis.
[ ] **4.** The client has been taking antihypertensive medications for the past 15 years.
[ ] **5.** The client eats poorly as a consequence of being homeless for 5 years.
[ ] **6.** The client has been exposed to asbestos.

The nurse performs a physical assessment and observes the following appearance in the client's abdomen.

34. Based on the appearance of the client's abdomen, what complication should the nurse prepare to expect?

[ ] **1.** Acute hemorrhage
[ ] **2.** Pulmonary edema
[ ] **3.** Fecal impaction
[ ] **4.** Heart failure

35. What will the nurse **most** likely find during the initial health assessment of the client who has cirrhosis of the liver? Select all that apply.
[ ] **1.** Red appearance to sclera
[ ] **2.** Edema of the feet and legs
[ ] **3.** Enlarged abdomen
[ ] **4.** Multiple skin lesions
[ ] **5.** Skin that is jaundiced
[ ] **6.** Brownish-colored urine

36. What assessment finding indicates that the client is bleeding from somewhere in the upper gastrointestinal tract?
[ ] **1.** The client has midepigastric pain.
[ ] **2.** The client states, "I feel nauseated."
[ ] **3.** The client's stools are black and sticky.
[ ] **4.** The client's abdomen is distended and board-like.

A liver biopsy is performed to confirm a diagnosis of cirrhosis.

37. When the liver biopsy is performed, the nurse must monitor the client immediately after the procedure for what potential complication?
[ ] **1.** Hemorrhage
[ ] **2.** Infection
[ ] **3.** Blood clots
[ ] **4.** Collapsed lung

38. After a liver biopsy, what nursing action is **most appropriate** to add to the client's care plan?
[ ] **1.** Ambulate the client twice each shift.
[ ] **2.** Keep the client in high Fowler's position.
[ ] **3.** Position the client on the right side.
[ ] **4.** Elevate the client's legs on two pillows.

39. The client with cirrhosis has developed pruritus. What nursing measure is **most beneficial** to implement?
[ ] **1.** Apply alcohol-based lotion.
[ ] **2.** Trim the client's fingernails.
[ ] **3.** Withhold client bathing.
[ ] **4.** Use nonallergenic bed linens.

The care plan indicates that the nurse should monitor the client with cirrhosis each day for ascites.

40. To implement this nursing prescription, what nursing action is **most appropriate**?
[ ] **1.** Reviewing the client's serum bilirubin levels
[ ] **2.** Monitoring the client for vomiting and diarrhea
[ ] **3.** Pressing on the client's abdomen for pitting edema
[ ] **4.** Measuring the client's abdominal circumference

The client with cirrhosis is placed on a low-sodium diet.

41. If the client understands the sodium-restricted diet, what food item is accurately identified as one to avoid?
[ ] **1.** Flour tortillas
[ ] **2.** Canned sauerkraut
[ ] **3.** Oil-packed tuna
[ ] **4.** Mozzarella cheese

Magnetic resonance imaging (MRI) reveals a large amount of fluid in the peritoneal cavity of the client with cirrhosis. A paracentesis is planned.

42. What nursing action is **most appropriate** before assisting with the paracentesis?
[ ] **1.** Asking the client to void
[ ] **2.** Withholding food and water
[ ] **3.** Clipping hair from the client's abdomen
[ ] **4.** Placing the crash cart outside the client's room

43. After the paracentesis has been performed, what nursing responsibility is **essential**?
[ ] 1. Increasing the client's oral fluid intake
[ ] 2. Recording the volume of withdrawn fluid
[ ] 3. Administering a prescribed analgesic
[ ] 4. Encouraging the client to deep breathe

44. The health care provider prescribes spironolactone for a client with cirrhosis of the liver. What effect can the nurse expect after administering this medication?
[ ] 1. Increased blood clotting
[ ] 2. Reduced serum ammonia
[ ] 3. Increased urine output
[ ] 4. Reduced pruritus

While the nurse is assisting with a bed bath, a large erythemic area that does not blanch with pressure relief is noted on the client's right buttock. Further nursing assessment reveals that the impaired skin is shallowly abraded with the appearance of a ruptured blister in the center.

45. At what stage would the nurse document this client's wound?
[ ] 1. Stage I
[ ] 2. Stage II
[ ] 3. Stage III
[ ] 4. Stage IV

The client's I.V. line has infiltrated and needs to be removed and restarted in a new site. The licensed practical/vocational nurse (LPN/LVN) collaborates with the registered nurse (RN) as part of the health care team.

46. Once the new I.V. site is infusing, what nursing action is **most appropriately** delegated to the LPN?
[ ] 1. Re-evaluate the I.V. site every shift.
[ ] 2. Flush the I.V. line with no more than 1 mL at any given time.
[ ] 3. Obtain a vial of vitamin K to keep at the bedside.
[ ] 4. Apply pressure to the old insertion site after I.V. removal.

47. What laboratory result, if elevated, is **most** indicative that the client with cirrhosis may develop hepatic encephalopathy?
[ ] 1. Serum creatinine
[ ] 2. Serum bilirubin
[ ] 3. Blood ammonia
[ ] 4. Blood urea nitrogen

48. What dietary substance, if limited, could help control hepatic encephalopathy in a client with cirrhosis of the liver?
[ ] 1. Carbohydrates
[ ] 2. Saturated fat
[ ] 3. Multivitamins
[ ] 4. Protein

The nurse is evaluating serum arterial ammonia levels of 211 mg/dL (124 mmol/L) in the client with cirrhosis of the liver.

49. The nurse is preparing the 0900 medications for the client. Which medication is prescribed to address the outcome of reducing serum ammonia levels?

MAR

| Add New MAR Order | Acknowledge Pending Orders |

Medication Name	Time Given
Spironolactone 100 mg Oral (PO) daily	0900
Cholestyramine one pouch to be mixed with 8 ounces of water daily	0900
Lactulose 30 mL Oral (PO) four times daily	0900
Atenolol 50 mg Oral (PO) daily	0900
Furosemide 20 mg Oral (PO) twice daily	0900

[ ] 1. Spironolactone
[ ] 2. Cholestyramine
[ ] 3. Lactulose
[ ] 4. Atenolol

50. What type of tube should the nurse have ready in the event that a client with portal hypertension secondary to cirrhosis begins bleeding profusely from the mouth?
[ ] 1. Salem sump tube
[ ] 2. Ewald orogastric tube
[ ] 3. Blakemore-Sengstaken tube
[ ] 4. Gastrostomy tube

51. Octreotide 150 mcg has been prescribed by the subcutaneous route for a client with portal hypertension. The drug is supplied in a multidose vial that is labeled 0.2 mg/mL. How much should the nurse administer? Record your answer to two decimal points.

_____ mL

52. What assessment finding **best** indicates that the client's cirrhosis is worsening?
[ ] 1. The client is difficult to arouse.
[ ] 2. The client's urine output is 100 mL/hour.
[ ] 3. The client develops pancreatitis.
[ ] 4. The client's breathing is rapid.

The seriousness of the client's condition is explained to the client's spouse. The spouse is prepared for the possibility of the client's death.

53. When the client's spouse begins crying while recalling various significant events they shared together, what nursing action is **most therapeutic** at this time?
[ ] 1. Offer to call a close family member.
[ ] 2. Listen to the spouse's expressions of thoughts.
[ ] 3. Suggest calling a member of the clergy from the client's church.
[ ] 4. Ask about the spouse's future plans.

Nursing Care of Clients with Disorders of the Pancreas

A 48-year-old client presents to the emergency department because of severe upper abdominal pain. The client reports that the pain came on suddenly a few hours ago and nothing so far has relieved it. The nurse observes that the client is curled in a fetal position and is rocking back and forth. A diagnosis of acute pancreatitis is made.

54. What action would **best** assist the nurse in further assessing the client's pain?
[ ] **1.** Determining if the client can stop moving
[ ] **2.** Asking the client to rate the pain from 0 to 10
[ ] **3.** Observing whether the client is breathing heavily
[ ] **4.** Giving the client a prescribed pain-relieving drug

55. What laboratory test result, if elevated, provides the **best** indication that the client's pain is caused by pancreatitis?
[ ] **1.** Serum bilirubin
[ ] **2.** Serum amylase
[ ] **3.** Lactose tolerance
[ ] **4.** Glucose tolerance

56. The nurse closely watches the client for complications related to acute pancreatitis. What complications pose the greatest risk for the client? Select all that apply.
[ ] **1.** Hyperglycemia
[ ] **2.** Necrosis of the pancreas
[ ] **3.** Peritonitis
[ ] **4.** Development of jaundice
[ ] **5.** Portal hypertension
[ ] **6.** Thrombocytopenia

A nasogastric sump tube is inserted and the client's fluid and nutritional needs are temporarily met by I.V. fluid.

57. While assessing the client's nasogastric (NG) sump tube, the nurse notes that the tube has become unfixed to the bridge of the nose with the insertion mark moved away from the naris. Which action is completed **next**?
[ ] **1.** Advance the tube to correct placement and verify placement.
[ ] **2.** Secure the tube with more adhesive tape at the current location.
[ ] **3.** Remove the tube and notify the health care provider.
[ ] **4.** Advance the tube slightly and flush the tube with 30 mL of water.

After the client has been maintained on NPO (nothing by mouth) status for several days, the nasogastric (NG) tube is removed and the client is placed on a bland, low-fat diet.

58. What food should the nurse remove from the client's breakfast tray?
[ ] **1.** Stewed prunes
[ ] **2.** Skim milk
[ ] **3.** Scrambled eggs
[ ] **4.** Whole wheat toast

59. Before the client with acute pancreatitis is discharged from the hospital, what information is **essential** for the client to receive?
[ ] **1.** The client must avoid donating blood again.
[ ] **2.** The client must avoid lifting heavy objects.
[ ] **3.** The client must not drink alcohol in any form.
[ ] **4.** The client must forego taking strong laxatives.

A 69-year-old client is admitted with a diagnosis of cancer of the pancreas.

60. If this client is typical of individuals who develop pancreatic cancer, the nurse would expect that the client previously sought treatment for which early-onset symptom?
[ ] **1.** Sharp pain
[ ] **2.** Weight loss
[ ] **3.** Bleeding
[ ] **4.** Fainting

The client is informed that the pancreatic cancer has metastasized, making aggressive treatment unrealistic. The client's condition is terminal.

61. The client asks the nurse, "Am I dying?" What is the **best response** from the nurse?
[ ] **1.** "Yes, you have little time left."
[ ] **2.** "No, you are not going to die."
[ ] **3.** "Tell me about how you are feeling."
[ ] **4.** "Is there someone you would like me to call?"

The client has an advance directive that requests no aggressive treatment. The client is referred for hospice care.

62. If the client has pain medication prescribed every 3 to 4 hours as necessary, what action by the hospice nurse is **most appropriate** to promote maximum comfort at this time?
[ ] **1.** Give the medication immediately on request.
[ ] **2.** Administer the medication every 3 hours.
[ ] **3.** Seek a prescription for a higher dose of analgesic.
[ ] **4.** Give the medication when the pain is severe.

Test Taking Strategies

Nursing Care of Clients with Disorders of the Gallbladder

1. Read all the choices carefully. Use the process of information to select options that comply with Kosher dietary practices. Recall that pork products and seafood except those with fins and scales are forbidden. Meat may not be eaten with dairy products.

2. Note the key words "referred pain" indicating that the pain is perceived in a location other than where the organ is located. Use the process of elimination to exclude anatomic regions where pain is experienced by other disorders. Recall that a diseased gallbladder can cause referred pain in the subscapular (shoulder) region on the left and even between the shoulder blades.

3. Use the process of elimination to select the option that correlates with the pattern of pain among clients with cholecystitis and cholelithiasis. Recall that cholecystokinin, a hormone secreted by cells in the duodenum, causes the gallbladder to contract to release bile for the purpose of digesting dietary fat. The contraction of the gallbladder causes pain when the gallbladder is inflamed and there are stones within the biliary system.

4. Use the process of elimination to select the option that correlates with the laboratory test finding associated with cholecystitis. Recall that gallstones are composed of cholesterol.

5. Use the process of elimination to select the option that correlates with the color of the stool when bile pigments are absent or exclude options that describe color characteristics caused by other factors. Recall that bilirubin and bile cause stool to become the characteristic brown color.

6. Use the process of elimination to select the option that correlates with the statement indicating a client's misunderstanding about a low-fat diet that requires clarification. Recall that a beef hot dog and French fries are high in fat and will contribute to symptoms for the client with cholecystitis. Broiled, baked, and roasted chicken, fish, and turkey are allowed on a low-fat diet.

7. Use the process of elimination to select the option that correlates with correct information regarding the preparation for an ultrasound of the gallbladder. Recall that temporarily withholding food facilitates a better image during an ultrasound because the sound waves will not be distorted by gas and remnants of digested contents within the intestinal tract.

8. Note the key words "best nursing explanation" in reference to the manner in which lithotripsy is used to treat stones in the gallbladder. Use the process of elimination to select the option that is more accurate than any other. Recall that lithotripsy is sometimes referred to as "shock wave" lithotripsy. The procedure has for the most part been replaced by laparoscopic cholecystectomy.

9. Read all the choices carefully. Use the process of elimination to select the options that correlate with accurate statements about laparoscopic cholecystectomy. Recall the differences between a laparoscopic procedure and an open cholecystectomy, including that a laparoscopic procedure is performed through small abdominal incisions, whereas an open cholecystectomy is performed using a surgically created skin incision.

10. Examine the diagram carefully. Identify the structures in the anatomical drawing focusing on the location and names of the ducts involved in carrying bile to the small intestine. Recall that the term "common" bile duct is a clue that the duct is a combination of the hepatic and cystic ducts.

11. Use a standard formula to calculate the answer, determine the number of milliliters per hour, and then calculate the number of minutes and the drop factor for the infusion.

12. Note the key word "best" indicating one option is better than any other. Use the process of elimination to select the option that provides the description of normal drainage from a T-tube. Once the cystic duct is removed, the T-tube drains bile coming from the hepatic duct. Recall that the color of bile is greenish yellow or brown.

13. Note the key words "immediate action" indicating something must be done to prevent a complication. Use the process of elimination to select the option that correlates with a T-tube assessment finding that requires prompt attention. Recall that if the T-tube is clamped, there will be a backflow of bile toward the hepatic duct and the liver that makes bile.

14. Use the process of elimination to select the option that correlates with the nursing action that promotes patency of a T-tube. Recall that a T-tube is inserted at the time of an open cholecystectomy. Its crossbars are within the common bile duct. The stem of the T-tube exits the skin and the drainage from the tube collects within an external container. The tube must remain patent to avoid a buildup of internal pressure.

15. Read all the choices carefully. Use the process of elimination to select options that correlate with the nursing management of a T-tube. Visualize the nursing care that is involved, with consideration for pertinent assessments. Recall that leakage of bile can impair the skin, that the volume of drainage from the T-tube is recorded, that posture and gravity have an effect on T-tube drainage, and that any color of T-tube drainage from the expected greenish-brown appearance should be reported.

16. Read all the choices carefully. Use the process of elimination to select the options that correlate with nursing actions when emptying a Jackson-Pratt closed wound drainage system. Recall that a Jackson-Pratt drain uses negative pressure, a vacuum, to pull fluid into the drainage receptacle. Consequently, after emptying the container, the drain is compressed, the vent is closed to prevent losing the negative pressure, and the drainage tube is stabilized to prevent pulling it from its insertion area.

17. Note the key word "initial" indicating an action that takes precedence over others. Use the process of elimination to select the option that correlates with the first action the nurse should take upon receiving a telephone prescription. Recall that repeating the prescription back to the health care provider aids in validating that all the information has been received accurately.

18. Use the process of elimination to select the option that correlates with the usual schedule for clamping and unclamping a T-tube. Recall that bile facilitates the digestion of fat. Unclamping the T-tube after a meal allows bile to enter the small intestine and mix with consumed fatty substances.

19. Use the process of elimination to select the option that correlates with the method for reestablishing negative pressure with a Jackson-Pratt wound drain. Recall that a vacuum is created by squeezing the bulb and recapping the vent.

20. Note the key word "immediately" meaning reporting of the observation should not be delayed. Use the process of elimination to select the option that corresponds with a serious side effect that occurs among persons who are prescribed metoclopramide. Recall that 50% to 60% of individuals are affected; those who are 65 years old and older are at higher risk.

21. Note the key word "best" indicating one nursing action is better than any other. Use the process of elimination to select the assistive device that provides the most safety for the client as well as the nurse. Recall that a transfer belt helps stabilize a client in the event that there is a loss of balance. A gait belt does not replace the need for good body mechanics.

22. Use the process of elimination to select the option that correlates with a compatible blood type for a person who is type A, Rh−. Recall that it is always appropriate to transfuse the same blood type of donor and recipient. Type O blood can be given to anyone because it is considered the universal donor. However, the Rh factor must also be compatible. Those who are Rh+ can receive Rh− blood because the Rh− blood does not contain an incompatible protein. The reverse is not true.

Nursing Care of Clients with Disorders of the Liver

23. Note the key words "most accurately" indicating one answer is better than any other. Use the process of elimination to select the statement that is most representative of the hot-cold cultural theory. Recall that the hot and cold theory applies to balancing hot and cold substances in the internal and external environment to preserve or restore health.

24. Use the process of elimination to select the option that correlates with a laboratory test finding that indicates liver dysfunction. Recall that alanine aminotransferase (ALT) is an enzyme found in various organs, but especially the liver. Measuring ALT is helpful in diagnosing and monitoring liver diseases.

25. Note the key word "best" in reference to the explanation for the method by which hepatitis A is acquired. Use the process of elimination to select the option that identifies an accurate explanation for the manner in which hepatitis A is transmitted. Recall that hepatitis A is a viral infectious disease that is transmitted by contact with an infected person who does not perform appropriate handwashing and by ingesting virus-contaminated food or water. It may also be transmitted through sexual contact with an infected person.

26. Note the key word "essential" indicating an action that cannot be overlooked. Use the process of elimination to select the infection control measure to prevent the transmission of hepatitis A. Recall that hepatitis A is transmitted via the fecal-oral route, making handwashing an essential method of infection control even after removing gloves during the client's care.

27. Use the process of elimination to select the option identifying how an infection with hepatitis A is prevented. Recall that passive immunity with serum immunoglobulin is used when there is a high risk of infection and insufficient time for persons to develop their own immune response.

28. Read all the choices carefully. Use the process of elimination to select the options that correspond with risk factors for hepatitis B transmission. Recall that hepatitis B is a blood-borne infection that can be transmitted sexually as well as from a blood transfusion that contains the hepatitis B virus. Currently, donor blood is tested before joining the pool of donated blood. However, there may be a low level of antibodies that escapes detection during the early period of an infection with hepatitis B.

29. Note the key words "most appropriate" in reference to a postexposure intervention after a needlestick injury. Immunoglobulin therapy provides passive immunity. It is the best prophylaxis following a needlestick injury because immunoglobulin contains multiple antibodies against a variety of diseases.

30. Note the key word "essential" in reference to a lifelong action once having contracted hepatitis B. Recall that hepatitis B is a blood-borne viral infection, thus forever prohibiting blood donations.

31. Note the key words "most accurate" in reference to the treatment for hepatitis B. Use the process of elimination to select the option that correlates with the current treatment of hepatitis B. Recall that hepatitis B is a viral infection; the acute stage of the infection may progress to a chronic stage that can cause liver cirrhosis and cancer. Drug therapy is used to manage and control a chronic infection to reduce the potential for organ damage and death.

32. Use the process of elimination to select the option that corresponds to the development of primary liver cancer. Recall that hepatitis B and C viral infections are etiological factors in the development of primary liver cancer. Primary liver cancer occurs when a single tumor is confined to the liver. As the tumor grows, it can spread to other organs.

33. Read all the choices carefully. Use the process of elimination to select the options that correspond with causative factors in the development of cirrhosis. Recall that a health history consists of biographical data, chief complaint, history of present illness, past history, family history, and social history. About 10% to 15% of those who suffer from alcohol use disorder develop cirrhosis of the liver. Individuals who have a deficit of calories and protein are at increased risk of cirrhosis. The combination of the two increases morbidity and mortality.

34. Examine the image carefully. Note the presence of caput medusae, engorged periumbilical veins that accompany portal hypertension. Recall that internal blood vessels in the stomach and esophagus may rupture as vascular pressure increases leading to hemorrhage.

35. Read all the choices carefully. Use the process of elimination to select the options that correlate with assessment data that are characteristic of cirrhosis. Recall that clients with cirrhosis have an enlarged abdomen from ascites, increased size of the liver and spleen. The feet and legs become edematous because the liver does not produce sufficient albumin to create colloidal osmotic pressure within blood vessels. The skin is jaundiced due to an excess of bilirubin. Urine appears brown due to the urinary excretion of bilirubin.

36. Use the process of elimination to select the option that corresponds with an assessment that indicates upper gastrointestinal bleeding. Recall that blood loss in the upper gastrointestinal tract remains in the tract and travels through the small and large intestines, causing the stool to appear black.

37. Use the process of elimination to select the option that corresponds with a complication that may occur immediately after a liver biopsy. Recall that a client with cirrhosis is prone to bleeding, especially from a percutaneous puncture, due to a decreased production of prothrombin.

38. Look at the key words "most appropriate" in reference to a nursing action that is essential when planning the care of a client following a liver biopsy. Because bleeding is a significant potential problem, positioning the client on the right side prevents or limits bleeding and should be added to the care plan.

39. Note the key words "most beneficial" in reference to a nursing measure when a client scratches his or her skin. Use the process of elimination to select the option that is better than any other. Recall that scratching may impair skin integrity. Trimming the fingernails short will reduce the potential for injuring the skin. In severe cases, cotton gloves may be applied.

40. Note the key words "most appropriate" in reference to a nursing assessment that relates to ascites. Recall that ascites is the result of fluid accumulation in the peritoneal cavity. Measuring the abdominal circumference facilitates evaluating the progression or regression of ascites.

41. Use the process of elimination to select the option that correlates with a food item that is high in sodium. Although sauerkraut is low in fat and is a good source of vitamins, one cup of sauerkraut contains 1,560 mg of sodium. Both the American and Canadian Heart Associations recommend that salt should be restricted to 1,500 mg/day.

42. Note the key words "most appropriate" in reference to preparing a client for a paracentesis. Consider the location and manner in which the procedure is performed. To ensure the safety of the client, have the client void to reduce the risk of puncturing a bladder that is filled with urine.

43. Note the key word "essential" indicating a nursing action that should not be omitted. Use the process of elimination to select the option that the nurse must perform after a paracentesis. Recall that it is the nurse's responsibility to record the total volume of ascitic fluid that was removed.

44. Use the process of elimination to select the option that correlates with the expected action of spironolactone. Recall that aldosterone is an adrenal cortical hormone that acts on the kidneys to conserve sodium and retain water. Consequently, spironolactone, which is an aldosterone antagonist, does just the opposite. The nurse, therefore, would expect an increase in urine output.

45. Use the process of elimination to select the option that correlates with the stage of the described pressure injury. Recall pressure injuries are staged from a reddened area through necrotic tissue extending to the bone. Based on the description of the pressure injury as a red superficially abraded area but no further impairment, it is characteristic of a stage II pressure injury.

46. Note the key words "most appropriately" in reference to an action that is most helpful and delegated to a the licensed practical/vocational nurse (LPN/LVN) who is assisting with I.V. therapy and client care. Consider a need of care within the LPN/LVN scope of practice.

47. Note the key word "most" in reference to a laboratory finding that suggests developing hepatic encephalopathy. Recall that ammonia levels increase in clients with hepatic encephalopathy.

48. Use the process of elimination to select the option that is most likely to reduce hepatic encephalopathy. Recall that ammonia is NH_3, a nitrogen compound. Dietary protein contains carbon, hydrogen, oxygen, and nitrogen. The other nutrients do not contain nitrogen. Limiting protein thereby limits the production of ammonia.

49. Use the process of elimination to exclude drugs that are used for purposes other than reducing the level of ammonia in the blood. Recall that lactulose is a nonabsorbable sugar that acidifies the ammonia in the intestine and inhibits coliform bacteria from breaking down protein to form ammonia.

50. Use the process of elimination to select the option that correlates with a type of tube used to control upper gastrointestinal bleeding. Recall that a Blakemore-Sengstaken tube is a nasogastric tube with multiple lumens and inflatable balloons. The inflated balloons exert mechanical pressure on bleeding esophageal varices.

51. Convert measurements to similar metric equivalents. Use a standard dosage calculation formula.

52. Use the process of elimination to select the option that provides the best indication of worsening of the client's condition. Recall that having difficulty arousing a person with cirrhosis is a significant finding suggesting the development of hepatic coma.

53. Note the key words "most therapeutic" in reference to a response when the client's spouse cries. Recall that being silent and listening are therapeutic, especially in relation to the grieving process.

Nursing Care of Clients with Disorders of the Pancreas

54. Use the process of elimination to select the option that is best for helping to assess the pain of a client with pancreatitis. Recall that a nursing standard is to assess pain intensity using a standard numeric 0 to 10 pain scale.

55. Note the key word "best" indicating one answer is better than any other. Use the process of elimination to select the option that correlates with a laboratory test that suggests pancreatitis. Recall that amylase, an enzyme that converts starches to sugars, is produced by the pancreas and salivary glands. An elevation of serum amylase is a biochemical marker for pancreatitis.

56. Read all the choices carefully. Use the process of elimination to select the options that identify complications that a client with pancreatitis is at greatest risk for developing. Recall that the pancreas is both an endocrine and an exocrine gland. Complications from pancreatitis can result from dual impairment of the organ's functions. When the cells in the pancreas that secrete insulin are destroyed, blood sugar levels become elevated, as they would in type 1 diabetes. The pancreatic digestive enzymes include trypsin, chymotrypsin, lipase, and amylase. If release of enzymes from the pancreas into the small intestine is impaired such as from a stone in the common bile duct, the enzymes can "digest" pancreatic tissue leading to necrosis of the gland. Sometimes, pseudocysts form and rupture, causing peritonitis.

57. The key word is "next" when there is a change in location of nasogastric tube. Recall that with any nursing action, a verification of correct placement would be needed.

58. Use the process of elimination to select the option that correlates with a food that is not included on a bland, low-fat diet. Consider both the spiciness and fat content of the items in the options. In this case, the scrambled eggs should be removed from the client's dietary tray.

59. Note the key word "essential" in reference to information that must be included in discharge instructions for a client who is recovering from pancreatitis. Recall the relationship between exacerbations of pancreatitis when alcohol is consumed.

60. Use the process of elimination to select the option that corresponds with the sign or symptom that commonly causes clients with undiagnosed pancreatic cancer to consult a health care provider. Recall that cancer of any kind generally begins with vague symptoms, such as unexplained weight loss.

61. Note the key words "best response" in reference to a client's question about his or her terminal status. Apply the principles of therapeutic communication when eliminating possible options. Recall that a response that provides an opportunity for the client to express feelings is a therapeutic response.

62. Look at the key words "most appropriate" in reference to a nursing action that will provide maximum comfort for a client receiving hospice care. Recall that giving narcotic analgesics on a scheduled basis, rather than p.r.n., is most likely to provide sustained levels of comfort.

Correct Answers and Rationales

Nursing Care of Clients with Disorders of the Gallbladder

1. 1, 2, 5. Clients requesting a Kosher diet are following the dietary laws called kashrut, which include avoiding pork and pork products (ham), shellfish (shrimp, crab, lobster, escargot), and scavenger fish such as catfish. In addition, mixing dairy products and meat dishes (ham and cheese pizza) in the same meal is prohibited. Jewish law requires that foods must be properly supervised by a rabbi, making them "kosher," or "fitting," to eat. According to these dietary laws, practitioner of the faith must also avoid the flesh, organs, eggs, and milk of forbidden animals. All the birds and mammals must be killed in accordance with Jewish law; that is, all blood must be drained from the meat or boiled out of it before it is eaten. Fish, eggs, fruits, vegetables, and grains can be eaten with either meat or dairy; utensils that have come into contact with meat must be kept separate from those used with dairy food; and utensils that have come into contact with non-Kosher food may not be used with Kosher food. Grape products are prohibited if made by people who are not Jewish. Coffee, tea, and strawberries are permitted in the Kosher diet.
Cognitive Level—Applying
Client Needs Category—Psychosocial integrity
Client Needs Subcategory—None

2. 2. Although the classic pain associated with gallbladder disease is in the right upper quadrant of the abdomen, it may also be referred to other anatomical locations such as between the shoulder blades, in the midback, or the right shoulder. Pain in the midepigastrium is more likely due to gastritis or peptic ulcer disease. Referred pain from gallbladder disease is more often on the right rather than the left because the gallbladder is underneath the liver, which occupies a large area on the right side of the abdomen. Pain in the neck may be referred cardiac pain.
Cognitive Level—Applying
Client Needs Category—Physiological integrity
Client Needs Subcategory—Physiological Adaptation

3. 2. Pain associated with cholecystitis, sometimes referred to as biliary colic, occurs postprandially; that is, within 1 hour after eating a meal that is high in fat. Pain from peptic ulcer disease occurs when the stomach is empty such as before meals or at night. Peptic ulcer pain is relieved by eating a meal. Consuming alcohol may irritate the stomach and cause pain in the upper abdomen.
Cognitive Level—Applying
Client Needs Category—Physiological integrity
Client Needs Subcategory—Physiological Adaptation

4. 3. Evidence suggests that an elevated cholesterol level predisposes certain clients to gallstone formation. The majority of gallstones are thought to form when bile in the gallbladder is thick, high in cholesterol, and low in bile acids. A low red blood cell count or hemoglobin level is commonly found in people with bleeding disorders, nutritional deficiencies, and bone marrow disorders. An elevated serum albumin level is not generally associated with cholecystitis.
Cognitive Level—Applying
Client Needs Category—Physiological integrity
Client Needs Subcategory—Reduction of risk potential

5. 2. Bile pigments cause the normal brown appearance of stool. If bile is prevented from entering the small intestine, the stool is likely to appear light clay–colored. Black, tarry stools indicate bleeding high in the gastrointestinal tract; such stools also result from the administration of oral iron therapy. Dark brown stool is normal; the shade may vary depending on the food eaten. Bloody mucus associated with brown stools may indicate hemorrhoids. Greenish-yellow stool is more commonly associated with diarrhea.
Cognitive Level—Applying
Client Needs Category—Physiological integrity
Client Needs Subcategory—Physiological adaptation

6. 3. Greasy fried foods and fatty meats are not allowed on a low-fat diet. Baked or broiled fish, poultry, and lean meat are permitted. Leaner cuts of beef, such as round steak, could be ground and used in recipes. Beef hot dogs are high in fat and sodium. French fries are typically deep fried. Hard cheese, cream, gravies, salad oil, rich desserts, and nuts are restricted. Whole milk, butter or margarine, and sometimes eggs can be eaten in limited amounts.
Cognitive Level—Analyzing
Client Needs Category—Physiological integrity
Client Needs Subcategory—Basic care and comfort

7. 1. The person undergoing an ultrasound of the gallbladder must not eat food for approximately 8 to 12 hours before the test. Restricting food helps to eliminate the presence of gas. Intestinal gas interferes with the transmission of sound waves toward the gallbladder and the scan of the structure's image. Water is permitted. Barium is used as a contrast medium for upper and lower gastrointestinal x-rays, not a gallbladder ultrasound. Applying a water-soluble lubricant to a handheld transducer and passing it across the abdomen during ultrasonography produces an image of the gallbladder. Insertion of needles is not part of the procedure.
Cognitive Level—Applying
Client Needs Category—Physiological integrity
Client Needs Subcategory—Reduction of risk potential

8. 2. Lithotripsy is a noninvasive procedure that is described as being "extracorporeal" (outside the body). It uses shock waves projected by stones in the gallbladder that are identified with fluoroscopy. The shock waves break up stones into smaller particles that are then dissolved with oral bile acid (ursodeoxycholic acid or ursodiol). Although the bile acid chemically dissolves the cholesterol that makes up the stones in the gallbladder, it is not the correct explanation for lithotripsy. A laparoscopic cholecystectomy is a procedure that uses an endoscope to remove stones in the gallbladder. Stones in the gallbladder are not removed with suction.

> *Cognitive Level—Applying*
> *Client Needs Category—Physiological integrity*
> *Client Needs Subcategory—Reduction of risk potential*

9. 3, 4, 5. Laparoscopic cholecystectomy is the preferred surgical procedure for gallbladder removal in about 80% of cases. The procedure involves general (not moderate) sedation and is performed using an endoscope inserted into one of four small sites in the abdomen. Carbon dioxide is used to inflate the abdomen to displace the abdominal structures and make visualization easier. Most clients return home the same evening after the procedure. Long periods of gastric decompression and the insertion of a T-tube are used when the client has an open cholecystectomy.

> *Cognitive Level—Applying*
> *Client Needs Category—Physiological integrity*
> *Client Needs Subcategory—Reduction of risk potential*

10.

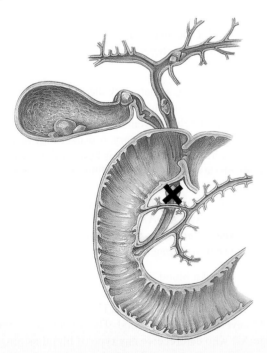

The common bile duct is formed by the union of the hepatic duct from the liver and the cystic duct from the gallbladder. The pancreatic duct joins the common bile duct distally where it delivers bile and pancreatic enzymes into the small intestine.

> *Cognitive Level—Applying*
> *Client Needs Category—Physiological integrity*
> *Client Needs Subcategory—Physiological adaptation*

11. **42 gtt/minute**

$$\text{Step 1}: \frac{1,000 \text{ mL}}{8 \text{ hr}} = 125 \text{ mL/hr}$$

$$\text{Step 2}: \text{Use the formula } \frac{\text{Volume (per hour)}}{\text{Time (minutes/hour)}}$$
$$\times \text{Calibration (drop factor)}$$

$$\frac{125 \text{ mL}}{60 \text{ min}} \times 20 = \frac{2,500}{60} = 41.6 \frac{\text{gtt}}{\text{min}}; \text{ rounded to 42 gtt/min}$$

> *Cognitive Level—Analyzing*
> *Client Needs Category—Physiological integrity*
> *Client Needs Subcategory—Pharmacological therapies*

12. 4. The pigment found in bile is derived from hemoglobin. Depending on the concentration of pigment, the normal appearance of bile drainage is green-yellow to orange-brown. Bile is generally clear, but clear is not a color. Dark red drainage indicates that venous blood is mixed with the biliary drainage. Bright red drainage is a sign of fresh or arterial bleeding.

> *Cognitive Level—Applying*
> *Client Needs Category—Physiological integrity*
> *Client Needs Subcategory—Physiological adaptation*

13. 2. The client's T-tube should remain unclamped until beginning to resume oral feedings. Clamping the tube would cause reflux of bile toward the liver; immediate action is necessary if the nurse finds the tube clamped in the early postoperative period. It would be appropriate to support the tubing to prevent kinking or dislodgement. Placing the drainage bag in a dependent position facilitates drainage by gravity. A volume of up to 500 mL in 24 hours is not unusual.

> *Cognitive Level—Applying*
> *Client Needs Category—Physiological integrity*
> *Client Needs Subcategory—Physiological adaptation*

14. 3. A T-tube drains by gravity. Keeping the client in a Fowler's position and the tube below the level of the surgical wound facilitates gravity drainage. Occasionally, the tube may need to be irrigated if drainage is slow or stops before the expected time of healing. Maintaining a liberal fluid intake keeps all body fluids dilute, but dilution is not the primary method for promoting patency of a T-tube.

> *Cognitive Level—Applying*
> *Client Needs Category—Physiological integrity*
> *Client Needs Subcategory—Reduction of risk potential*

15. 1, 4, 5, 6. A T-tube is inserted to drain bile that is continuously formed by the liver and cannot be stored and concentrated in the gallbladder, which has been surgically removed. The tube is kept unclamped in the immediate postoperative period. The nurse connects the tube to a collection bag and facilitates drainage by keeping the client in Fowler's position with the drainage bag below the site of insertion. The nurse inspects the skin around the tube because bile may leak around the tube insertion site and irritate the skin. The nurse measures and records the volume of drainage from the T-tube. The color of the drainage may be blood-tinged initially, but it should eventually appear greenish brown.

> **Cognitive Level**—*Applying*
> **Client Needs Category**—*Physiological integrity*
> **Client Needs Subcategory**—*Reduction of risk potential*

16. 1, 3, 5, 6. A Jackson-Pratt closed wound drain removes blood and exudates without using a suction machine. A vacuum or negative pressure is created by expelling air from the receptacle and replacing the cap that covers the vent while still compressing the receptacle. When emptying the receptacle, the cap that covers the vent is opened, the contents of the receptacle are emptied from the open vent and measured, air is expelled from the emptied receptacle, the vent is covered, and the tubing is stabilized to the client's gown or dressing to keep it from tugging at the insertion site. The tubing is kept unclamped at all times to allow fluid to enter the drainage receptacle. Jackson-Pratt drains do not have roller clamps.

> **Cognitive Level**—*Applying*
> **Client Needs Category**—*Physiological integrity*
> **Client Needs Subcategory**—*Reduction of risk potential*

17. 2. There is always a risk for errors when prescriptions are obtained via the telephone. To reduce the potential for an error, the nurse repeats the information, perhaps spelling the name of the drug and validating the dosage and route. The prescription may be written directly on the prescription sheet, but only after verifying the phone information. The request for the new medication and sharing the information with the client occur after the prescription has been received.

> **Cognitive Level**—*Applying*
> **Client Needs Category**—*Safe and effective care environment*
> **Client Needs Subcategory**—*Coordinated care*

18. 3. Because bile is essential to digestion, the T-tube is generally unclamped for up to 2 hours after a meal is consumed. As healing takes place and edema is reduced, some bile begins draining into the small intestine even when the tubing is clamped. The tubing is not unclamped during the day, night, or before eating.

> **Cognitive Level**—*Applying*
> **Client Needs Category**—*Physiological integrity*
> **Client Needs Subcategory**—*Physiological adaptation*

19. 1. To establish negative pressure, the vent is uncovered and the bulb is squeezed. Air and drainage are eliminated from the bulb reservoir. After the bulb is squeezed, the bulb is recapped. The Jackson-Pratt drain is an example of a closed drainage device. The device could drain by gravity, not negative pressure, if the drainage valve was left open. The bulb reservoir is never filled with normal saline solution. The reservoir is secured to the skin with tape. However, this is done to prevent tension on the tubing and possible dislodgement from the insertion site, not to reestablish negative pressure in the drainage system.

> **Cognitive Level**—*Applying*
> **Client Needs Category**—*Physiological integrity*
> **Client Needs Subcategory**—*Physiological adaptation*

20. 3. Metoclopramide is a prokinetic drug that speeds the emptying of the stomach. However, it is associated with serious movement disorders such as uncontrollable muscle movements of the lips, tongue, eyes, and face. Manifestations include lip smacking, chewing, or puckering of the mouth, sticking out the tongue, blinking, and moving the eyes, frowning, or scowling. Hypersensitivity reactions are uncommon. There is no definite relationship with leukopenia. Swallowing may become impaired, but it is not a commonly manifested side effect.

> **Cognitive Level**—*Applying*
> **Client Needs Category**—*Physiological integrity*
> **Client Needs Subcategory**—*Pharmacological therapies*

21. 1. A transfer belt, sometimes called a gait belt, is an assistive device that should be used when helping someone out of bed. It helps prevent the client from falling and protects the nurse from injury. A walker may be used with a gait belt. A mechanical lift is best for those who are extremely obese or have impaired ability to support their weight. A trapeze is helpful for clients who can lift their lower body and change position in bed.

> **Cognitive Level**—*Applying*
> **Client Needs Category**—*Physiological integrity*
> **Client Needs Subcategory**—*Basic care and comfort*

22. 2. To avoid a blood incompatibility reaction, clients with type A blood can receive a transfusion of type A or O, the universal donor, blood. Those who are Rh− should never receive Rh+ blood. The universal recipient is type AB who can receive any type of blood as long as the Rh factor is compatible. Individuals with type B blood should be transfused with type B or O blood; Rh+ blood should never be administered to someone who is Rh−.

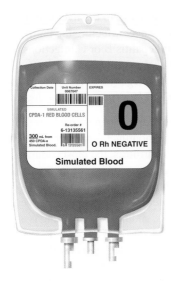

Cognitive Level—*Applying*
Client Needs Category—*Safe and effective care environment*
Client Needs Subcategory—*Safety and infection control*

Nursing Care of Clients with Disorders of the Liver

23. 1. The concept of hot and cold as it relates to health and illness is also known as the humoral theory; it is based on the idea that four major fluids dominate the body: blood, phlegm, choler (yellow bile), and melancholy (black bile). An imbalance in the body's fluids (humors) is thought to lead to illness; likewise, when the body is in a state of health, the fluids are said to be balanced. Furthermore, it is believed that each food that is eaten has a dominant characteristic that promotes a particular fluid in the body. The classification of foods as hot or cold has nothing to do with the actual temperature of the food or to any other observable or taste-related factor. To achieve balance between health and illness, the health care provider should prescribe treatments that are opposite to the nature of a person's illness (i.e., diseases caused by exertion should be treated by rest). The hot-cold concept of disease ranks among the most popular systems of contemporary folk medicine in the United States, especially in metropolitan areas with high populations of Asians. This concept is widely practiced in Chinese, Indian, Hong Kong, Filipino, and Latin American cultures.

Cognitive Level—*Applying*
Client Needs Category—*Psychosocial integrity*
Client Needs Subcategory—*None*

24. 4. Alanine and aspartate aminotransferase, previously called *transaminase,* are blood tests performed to assess liver function. Liver and other organ diseases result in elevated levels of these particular enzymes. The tests are repeated periodically to evaluate the client's response to treatment. A B-type natriuretic peptide (BNP) test is used

to assess and confirm or rule out heart failure. A creatine kinase MB is a test that is used to confirm or rule out a myocardial infarction. A blood urea nitrogen (BUN) test is performed to monitor kidney, not liver, function.

Cognitive Level—*Understanding*
Client Needs Category—*Physiological integrity*
Client Needs Subcategory—*Reduction of risk potential*

25. 1. Infectious hepatitis A is generally spread by the fecal-oral route. In other words, the stool contains the virus, and the pathogen is spread to the mouth of a susceptible individual. Transmission is direct after contact with the excrement of an infected person or indirect by ingesting fecally contaminated food or water or food handled by an individual with the virus. This virus is also present in the blood and saliva of infected individuals; however, transmission through these routes is rarer.

Cognitive Level—*Understanding*
Client Needs Category—*Safe and effective care environment*
Client Needs Subcategory—*Safety and infection control*

26. 4. Conscientious handwashing is the best defense against the transmission of hepatitis A. Gloves are worn when nursing care involves direct contact with the client, any excrement, or other body fluids. Wearing gloves, though, does not eliminate the need for handwashing. A gown is used if soiling is possible, but a mask is not necessary. Only individuals who cannot be relied on to practice good handwashing are placed in a private room.

Cognitive Level—*Applying*
Client Needs Category—*Safe and effective care environment*
Client Needs Subcategory—*Safety and infection control*

27. 2. Immunoglobulin, formerly known as *gamma globulin,* is made from pooled donor serum containing ready-made antibodies; it is recommended for postexposure to a person with hepatitis A. It is most effective if administered from 48 hours to 2 weeks of exposure. Antibiotic therapy is ineffective in preventing or eliminating hepatitis A, which is a viral infection. Hepatitis vaccinations are usually given to clients at risk for contracting hepatitis B. Anti-inflammatory drugs, such as salicylates, nonsalicylates, and steroids, are ineffective in preventing the spread of hepatitis A.

Cognitive Level—*Applying*
Client Needs Category—*Safe and effective care environment*
Client Needs Subcategory—*Safety and infection control*

28. 2, 5. Sexually active homosexual men are at particularly high risk for acquiring blood-borne infections. The source of the hepatitis B virus is the blood of infected people or carriers. The virus is present in semen, saliva, and blood. It is transmitted by sexual contact, contaminated blood products, or accidental or intentional puncture with objects or needles that contain traces of infected blood. The client having lived in Europe has no bearing on the disease. Alcohol use disorder compounds, but does not cause, liver damage concurrent with hepatitis. Working in a fast-food restaurant is more of a factor in acquiring hepatitis A than hepatitis B.

Cognitive Level—*Applying*
Client Needs Category—*Health promotion and maintenance*
Client Needs Subcategory—*None*

29. 2. For anyone who has not been vaccinated for hepatitis B, the best action after exposure to the blood of someone with hepatitis B is to receive hepatitis B immunoglobulin within 24 hours but no later than 7 days of exposure. Vaccination immediately after exposure does not provide sufficient antibody protection. Viruses are unaffected by antibiotics such as penicillin. Bleach is an effective antiseptic, but it is not the best prophylaxis to counter exposure to the hepatitis B virus.

Cognitive Level—*Applying*
Client Needs Category—*Health promotion and maintenance*
Client Needs Subcategory—*None*

30. 2. Donating blood is not recommended for people who have had hepatitis. The virus remains in the blood years after the person has had the acute illness and can be passed to others. Blood collection personnel are taught to screen and reject any potential donor who indicates having had jaundice. Safe sex may be practiced, which would include using a condom. Convalescence is prolonged after the acute phase of hepatitis, but eventually, there are no permanent physical restrictions. Alcohol use has negative effects on the liver, but its use is not necessarily restricted. Individuals with hepatitis antibodies are not barred from foreign travel.

Cognitive Level—*Applying*
Client Needs Category—*Health promotion and maintenance*
Client Needs Subcategory—*None*

31. 4. Drug therapy with antivirals such as nucleoside reverse transcriptase inhibitors (NRTIs) and interferon are used to manage and control chronic hepatitis B. The antivirals suppress the viral load and slow the ability of the virus to damage the liver; interferon boosts the immune response. A liver transplant offers an option for cure, but it would not be the first line of treatment. Hepatitis B can be prevented with a series of three immunizations. Oral drug therapy is available to cure hepatitis C.

Cognitive Level—*Applying*
Client Needs Category—*Physiological integrity*
Client Needs Subcategory—*Physiological adaptation*

32. 4. Cancer of the liver is associated with both hepatitis B and C viral infections. Chronic hepatitis B causes 80% of primary liver cancers; 20% of those with hepatitis C develop primary liver cancer. Cancer cells from the liver can spread to other organs through the blood and lymph such as the lungs or bones. Colorectal and pancreatic cancer often metastasize to the liver causing a secondary form of cancer. Cancer affecting the brain is not a typical consequence of hepatitis B or C infections.

Cognitive Level—*Applying*
Client Needs Category—*Physiological integrity*
Client Needs Subcategory—*Physiological adaptation*

33. 1, 5. Cirrhosis is a degenerative liver disease characterized by damaged, nonfunctional liver cells. The etiology of Laënnec's portal cirrhosis, the most common form of cirrhosis in the United States, is chronic malnutrition and alcohol use disorder. Chronic malnutrition is often a consequence of alcohol use disorder and is evidenced by weight loss, muscle wasting, hair loss, and fatigue. Smoking is associated with lung cancer, not cirrhosis of the liver. Pancreatitis can cause jaundice as the gland autodigests itself and disrupts the flow of secretions through the adjacent ducts, but this is not a complication of cirrhosis of the liver. The client's hypertension could be secondary to alcohol use disorder. Asbestos exposure is associated with lung cancer.

Cognitive Level—*Applying*
Client Needs Category—*Physiological integrity*
Client Needs Subcategory—*Physiological adaptation*

34. 1. The drawing illustrates *caput medusae*, a condition in which periumbilical veins become swollen and engorged with blood. The condition is associated with portal hypertension. Portal hypertension refers to an increase in blood pressure within the portal venous system through which blood from the stomach, intestine, spleen, and pancreas circulates to the heart. The increased pressure can cause retrograde engorgement of the veins, called varices, within the esophagus, stomach, and rectum. Varices can rupture and bleed, resulting in a potentially life-threatening hemorrhage. Caput medusae are not related to pulmonary edema, fecal impaction, or heart failure.

Cognitive Level—*Applying*
Client Needs Category—*Physiological integrity*
Client Needs Subcategory—*Physiological adaptation*

35. 2, 3, 5, 6. Clients who have cirrhosis typically experience chronic fatigue, nausea, vomiting, diarrhea, weight loss, jaundice, and a low-grade fever. The client also has an enlarged liver and spleen, edema of the legs, feet, and abdomen, bruising, and vein engorgement around the umbilicus known as caput medusae. The skin of a person with cirrhosis usually manifests multiple vascular lesions with a central red body and radiating branches. These are known as *spider angiomas*. They are also referred to as *telangiectasia*, *spider nevi*, or *vascular spiders*. Clients with cirrhosis also usually have scant body hair. Elevated serum cholesterol levels and hyperglycemia are not usually associated with cirrhosis.

Cognitive Level—*Applying*
Client Needs Category—*Physiological integrity*
Client Needs Subcategory—*Physiological adaptation*

36. 3. In the absence of the client taking an oral iron supplement, black or tarry stools indicate that a significant amount of blood is being lost from the stomach or somewhere in the proximal end of the intestine. If the bleeding

were from the rectal or anal area, the blood would be bright red. Pain, nausea, and abdominal distention usually do not accompany gastric hemorrhage.
Cognitive Level—Understanding
Client Needs Category—Physiological integrity
Client Needs Subcategory—Physiological adaptation

37. 1. After a liver biopsy, the client is monitored closely for signs of hemorrhage. A person with cirrhosis is at especially high risk for bleeding or hemorrhage because liver disease results in diminished prothrombin. Prothrombinemia causes a prolonged delay in the time it takes for blood to clot; therefore, blood clots are not usually a problem. Although the client may acquire an infection from the biopsy, an invasive procedure, infection does not usually occur immediately after the procedure. A collapsed lung is not typically an issue unless extremely poor technique was used in the procedure.
Cognitive Level—Understanding
Client Needs Category—Physiological integrity
Client Needs Subcategory—Reduction of risk potential

38. 3. By positioning the client on the right side, the weight of the body tends to put pressure on the puncture site. This compression helps to reduce or prevent bleeding. Ambulation is contraindicated because it promotes bleeding. Neither high Fowler's position nor elevating the legs is appropriate for controlling bleeding.
Cognitive Level—Applying
Client Needs Category—Physiological integrity
Client Needs Subcategory—Reduction of risk potential

39. 2. The first nursing action is to prevent skin impairment from scratching. Cutting the client's fingernails short can be done initially. Thereafter, the nurse can decrease the frequency of bathing, thoroughly rinse soap from the skin, pat the skin dry rather than rubbing the skin, and apply an emollient containing lanolin several times a day. Alcohol-based lotion should be avoided because it has a drying effect. Nonallergenic bed linen may help because it is most likely laundered without strong detergents; however, this is not the most beneficial nursing action.
Cognitive Level—Applying
Client Needs Category—Physiological integrity
Client Needs Subcategory—Basic care and comfort

40. 4. Ascites is the collection of fluid within the peritoneal cavity and is a consequence of cirrhosis. It is caused by portal hypertension. Signs of ascites include visible and massive abdominal swelling that can be assessed by measuring the circumference of the abdomen. Dyspnea is secondary to the swelling. Vomiting and diarrhea are not associated with ascites. Serum bilirubin levels are assessed with jaundice, not ascites. Assessing for rebound tenderness is related to appendicitis, not ascites.
Cognitive Level—Applying
Client Needs Category—Physiological integrity
Client Needs Subcategory—Physiological adaptation

41. 2. Sauerkraut is cabbage that is fermented with salt and some sugar. Salt is high in sodium and should be avoided by anyone on a low-sodium diet. Flour tortillas, oil-packed tuna, and mozzarella cheese are considered low in sodium.
Cognitive Level—Applying
Client Needs Category—Health promotion and maintenance
Client Needs Subcategory—None

42. 1. An abdominal paracentesis is performed to aspirate abdominal fluid caused by ascites. The bladder is emptied just before a paracentesis. A full bladder may be punctured as the needle is inserted through the abdominal wall. The client can eat and drink before the test. The skin is prepared with an antiseptic such as povidone-iodine; therefore, hair removal is not indicated. There is no need for the crash cart to be outside the client's door because cardiac arrest is not a common occurrence when this procedure is performed.
Cognitive Level—Applying
Client Needs Category—Physiological integrity
Client Needs Subcategory—Reduction of risk potential

43. 2. Documentation of the total volume of aspirated fluid is essential. Fluid replacement is determined more by the client's urine output and vital signs than by the volume of aspirated fluid. As a rule, clients do not require pain relief after a paracentesis. Ventilation is usually improved after ascitic fluid has been removed; clients generally do not need additional encouragement to deep breathe.
Cognitive Level—Applying
Client Needs Category—Physiological integrity
Client Needs Subcategory—Physiological adaptation

44. 3. Spironolactone is an aldosterone antagonist. It blocks sodium reabsorption and promotes sodium excretion. Doing so causes a diuretic effect. The action of spironolactone is beneficial in reducing edema in clients with cirrhosis. Spironolactone does not increase blood clotting, reduce serum ammonia, or relieve pruritus.
Cognitive Level—Applying
Client Needs Category—Physiological integrity
Client Needs Subcategory—Pharmacological therapies

45. 2. Stage II pressure injuries are red, similar to stage I, but also include broken or blistered skin that may have ruptured with evidence of serum. Stage III pressure injuries involve a deeper crater extending into subcutaneous tissue. Stage IV pressure injuries result in tissue necrosis that extends to muscle or bone.
Cognitive Level—Applying
Client Needs Category—Physiological integrity
Client Need Subcategory—Physiological adaptation

46. 4. Because of the tendency for the client with cirrhosis to bleed, the licensed practical/vocational nurse (LPN/LVN) should apply sustained pressure for a longer period to prevent hematoma formation and bruising. Placing a vial of vitamin K at the bedside is unnecessary, even though vitamin K helps with clotting. Assessment of the newly initiated I.V. site follows facility policy, which is typically every 1 to 2 hours. Flushing the I.V. site does not require 1 mL or less bactericidal solution.

Cognitive Level—*Applying*
Client Needs Category—*Safe and effective care environment*
Client Needs Subcategory—*Coordinated care*

47. 3. Rising levels of ammonia in the blood are toxic to the central nervous system and can cause alterations in consciousness. Serum bilirubin is monitored to assess the liver's ability to form bile and transport it to the gallbladder for concentration. Bilirubin is not associated with hepatic encephalopathy but is seen in clients with cirrhosis. Serum creatinine and blood urea nitrogen levels are tests used to monitor renal function.

Cognitive Level—*Applying*
Client Needs Category—*Physiological integrity*
Client Needs Subcategory—*Reduction of risk potential*

48. 4. Hepatic encephalopathy, a complication of advanced cirrhosis, is manifested by an altered level of consciousness and atypical behaviors. It suggests a worsening prognosis. Ammonia that is derived from dietary protein is a key factor in hepatic encephalopathy. Restricting dietary protein reduces the production of ammonia. Restricting carbohydrates, saturated fat, and multivitamins has no effect on reducing hepatic encephalopathy.

Cognitive Level—*Applying*
Client Needs Category—*Physiological integrity*
Client Needs Subcategory—*Reduction of risk potential*

49. 3. Lactulose decreases the production of ammonia, which cannot be detoxified by the diseased liver. It changes the intestinal ammonia (NH_3) to ammonium (NH_4), which is not easily absorbed. Spironolactone increases urine production to manage edema. Cholestyramine lowers cholesterol. Atenolol is a beta blocker that slows the heart rate.

Cognitive Level—*Applying*
Client Needs Category—*Physiological integrity*
Client Needs Subcategory—*Pharmacological therapies*

50. 3. A Blakemore-Sengstaken tube or a Minnesota tube is inserted through the nose into the stomach. Both are used to control hemorrhage from esophageal varices. Each has multiple lumens that allow the inflation of a balloon that puts pressure on the veins in the esophagus and one that inflates a balloon in the stomach to keep the tube anchored. The distal tip facilitates suctioning stomach contents. A Salem sump tube is used for gastric decompression. An Ewald tube is an orogastric tube that is used primarily for gastric lavage when medication or other toxins have been ingested. A gastrostomy tube is inserted through the abdomen to provide liquid nutrition and medication administration.

Cognitive Level—*Applying*
Client Needs Category—*Physiological integrity*
Client Needs Subcategory—*Physiological adaptation*

51. 0.75 mL

Step 1: Convert 0.2 mg to mcg

$$0.2 \times 1{,}000 = 200 \text{ mcg}$$

Step 2: Use the formula $\dfrac{D \times Q}{H}$

$$\frac{150 \text{ mcg} \times 1 \text{ mL}}{200 \text{ mcg}} = 0.75 \text{ mL}$$

Cognitive Level—*Applying*
Client Needs Category—*Physiological integrity*
Client Needs Subcategory—*Pharmacological therapies*

52. 1. Difficulty in arousing the client with cirrhosis indicates a significant neurologic change. It is typically a sign that the client is progressing into hepatic coma. The client's physiologic and safety needs become even more important at this time. Jaundice is usually present in clients diagnosed with cirrhosis. Seizures may occur. The urine output is within normal limits. Pancreatitis is not associated with worsening cirrhosis. Fruity breath is related to diabetic ketoacidosis, not worsening cirrhosis.

Cognitive Level—*Applying*
Client Needs Category—*Physiological integrity*
Client Needs Subcategory—*Physiological adaptation*

53. 2. Working through grief involves dealing with a loss. Reviewing one's life is often a task that takes place in anticipatory grieving. This is therapeutic and should not be suppressed. Therefore, active listening is the most appropriate nursing measure. Suggesting that a close family member be called is a way of avoiding the situation. Calling the clergy at the church may or may not be appropriate, depending on the client's religious beliefs; however, the nurse can always take this step after listening to the client. It would be unrealistic to expect the client's spouse to think about future plans before dealing with the reality of the impending loss.

Cognitive Level—*Applying*
Client Needs Category—*Psychosocial integrity*
Client Needs Subcategory—*None*

Nursing Care of Clients with Disorders of the Pancreas

54. 2. Pain is a subjective experience. Asking the client to rate the pain helps to assess its intensity. A numeric rating scale can be used later to evaluate the effectiveness of the pain-relief techniques used. Noting whether the client is able to stop moving is an invalid assessment technique. A cooperative client may make an effort to stop moving despite the continuation of severe pain. Perspiration is a physiologic sign that may accompany pain; however, because many factors can cause perspiration, noting its presence or absence is not the best assessment technique.

Administering an analgesic is a nursing intervention, not a form of assessment.

Cognitive Level—Applying
Client Needs Category—Physiological integrity
Client Needs Subcategory—Basic care and comfort

55. 2. An elevated serum amylase level is the most reliable evidence of pancreatitis. The bilirubin level becomes elevated if the pancreatitis is due to an obstruction of the common bile duct or pancreatic duct. Glucose tolerance test abnormalities indicate dysfunction of the endocrine functions of the pancreas, which is secondary to pancreatitis. Elevated bilirubin and abnormal glucose tolerance tests are not the best indicators of pancreatitis. Lactose tolerance test results have no relationship to pancreatitis.

Cognitive Level—Applying
Client Needs Category—Physiological integrity
Client Needs Subcategory—Reduction of risk potential

56. 1, 2, 3. Pancreatitis is the inflammation of the pancreas and can be acute or chronic. Causes of pancreatitis are structural abnormalities, abdominal trauma, metabolic disorders, infections, inflammatory bowel disease, alcohol use disorder, and vascular disorders. One serious complication of acute pancreatitis includes hyperglycemia, in which there is an imbalance of glucagon, insulin, and somatostatin. This is why it is crucial for the nurse to get frequent blood sugar measurements. Another serious complication includes necrosis and hemorrhage of the pancreas. Peritonitis is another serious complication. Development of jaundice and portal hypertension is a complication seen in clients with cirrhosis, not pancreatitis. Thrombocytopenia (low platelets) is a complication of many diseases but is not typically associated with pancreatitis.

Cognitive Level—Analyzing
Client Needs Category—Physiological integrity
Client Needs Subcategory—Physiological adaptation

57. 1. Occasionally, nasogastric (NG) sump tubes can be displaced from its verified position. The next action when assessing that the NG sump tube has moved from the tube's verified position is to readvance the tube to the predetermined location marked on the tube and then verify placement. The NG sump tube would not be removed unless it is severely compromised. The tube would not be left in the same position and taped nor advanced and only documented.

Cognitive Level—Applying
Client Needs Category—Physiological integrity
Client Needs Subcategory—Physiological adaptation

58. 3. The nurse would be correct to remove scrambled eggs from the dietary tray of a client on a bland, low-fat diet. One scrambled egg made with milk and butter has approximately 8 g of fat. One cup of cooked, unsweetened prunes has only a trace of fat. One cup of nonfat skim milk has a trace of fat. One slice of unbuttered whole wheat toast has only 1 g of fat.

Cognitive Level—Applying
Client Needs Category—Physiological integrity
Client Needs Subcategory—Basic care and comfort

59. 3. There is an established relationship between the chronic consumption of alcohol and the incidence of pancreatitis. Once an acute attack of pancreatitis has occurred, the client is at risk for chronic pancreatitis. Use of alcohol leads to continued inflammation of the pancreas. It is essential to protect the pancreas from further irritation because serious complications (including destruction of the organ itself, peritonitis, shock, and even death) can occur. Having had pancreatitis does not disqualify a client from donating blood, doing heavy lifting, or taking laxatives.

Cognitive Level—Applying
Client Needs Category—Physiological integrity
Client Needs Subcategory—Physiological adaptation

60. 2. Anorexia and weight loss appear early in the onset of cancer of the pancreas. Pancreatic cancer, like most other forms of cancer, does not usually cause acute pain in the early stages. If the client with pancreatic cancer experiences pain early on, it is usually dull and more apparent at night. In addition, bleeding is not typically a problem unless the cancer has also affected the liver. Fainting, unless from weight and fluid loss, is not a common sign of pancreatic cancer.

Cognitive Level—Applying
Client Needs Category—Physiological integrity
Client Needs Subcategory—Physiological adaptation

61. 3. The most therapeutic response in this situation is to encourage the client to talk about thoughts and feelings. People who are dying often know without being told that they are terminal. It is more important to support a client than to bluntly confirm suspicions. It would be unethical to say that the terminal client's condition will improve. The nurse would be appropriate in acting as a liaison in contacting someone who can help the client take care of unfinished business; however, this would not be the first or best nursing response in this case.

Cognitive Level—Applying
Client Needs Category—Psychosocial integrity
Client Needs Subcategory—None

62. 2. It is better to control pain before it escalates. When pain is intense, relief is more difficult to achieve. Peaks and valleys of pain are reduced by administering pain-relieving drugs on a routine schedule throughout the 24-hour period rather than just when it becomes absolutely necessary to do so. The goal is to keep the client free from pain yet not dull consciousness or the ability to communicate. Obtaining a prescription for a high dose initially is premature. Tolerance is likely to develop later. It would be more appropriate to seek a change in the medication prescription when the client's condition warrants it.

Cognitive Level—Applying
Client Needs Category—Physiological integrity
Client Needs Subcategory—Pharmacological therapies

TEST
10
The Nursing Care of Clients with Urologic Disorders

- Nursing Care of Clients with Urinary Incontinence
- Nursing Care of Clients with Infectious and Inflammatory Urologic Disorders
- Nursing Care of Clients with Renal Failure
- Nursing Care of Clients with Urologic Obstructions
- Nursing Care of Clients with Urologic Tumors
- Nursing Care of Clients with Urinary Diversions
- Test Taking Strategies
- Correct Answers and Rationales

Directions: *With a pencil, blacken the space in front of the option you have chosen for your correct answer.*

Nursing Care of Clients with Urinary Incontinence

A stroke victim is admitted to a long-term care facility. The male client has a history of urinary incontinence.

1. A nurse applies an external condom catheter to the client. What nursing action is **best** for preventing irritation of the urinary meatus?
[ ] **1.** Lubricate the penis well.
[ ] **2.** Roll the sheath upward.
[ ] **3.** Leave space below the urethra.
[ ] **4.** Keep the penis downward.

While at the nurses' station, a patient care technician (PCT) states in a loud, irritated voice, "He's wet again. Why can't he ever stay dry?" in reference to the client who has urinary incontinence.

2. On the basis of the nurse's knowledge of client rights, which federal law has the PCT violated?
[ ] **1.** Good Samaritan Act/Good Samaritan doctrines
[ ] **2.** Hippocratic Oath
[ ] **3.** Health Insurance Portability and Accountability Act (HIPAA)/Personal Information Protection and Electronic Documents Act (PIPEDA)
[ ] **4.** Emergency Medical Treatment and Liability Act (EMTALA)

The nurse plans to initiate a bladder retraining program for the incontinent client.

3. What nursing assessment is **most important** before beginning bladder retraining?
[ ] **1.** Recording the times at which the client is incontinent
[ ] **2.** Checking the specific gravity of the urine
[ ] **3.** Monitoring the extent of bladder distention
[ ] **4.** Weighing the client's incontinence pad

During bladder retraining, the client tells the nurse about intending to restrict fluid intake to remain dry for longer periods of time.

4. What response by the nurse is **best**?
[ ] **1.** Encourage the client to restrict fluid intake because it shows evidence of client cooperation.
[ ] **2.** Encourage the client to restrict fluid intake because it leads to accomplishing the goal.
[ ] **3.** Discourage the client from restricting fluid intake because it contributes to constipation.
[ ] **4.** Discourage the client from restricting fluid intake because it potentiates fluid imbalance.

The client with urinary incontinence says to the nurse, "What's the sense in living? I'm just a baby nowadays."

5. What comment is the **best** response the nurse can offer?
[ ] **1.** "You are a very nice person."
[ ] **2.** "Cheer up. You cannot be serious."
[ ] **3.** "You should expect this at your age."
[ ] **4.** "You are discouraged right now."

Bladder retraining is progressing slower than expected due to the client's mental and physical limitations. An indwelling catheter is inserted.

6. After inserting an indwelling catheter into a male client, what technique is **most appropriate** for stabilizing the catheter to avoid damage to the penis?
[ ] **1.** Tape the catheter to the abdomen.
[ ] **2.** Pass the catheter under the client's leg.
[ ] **3.** Fasten the drainage tubing to the bed with a safety pin.
[ ] **4.** Connect the catheter end with the tubing of a collection bag.

7. When the nurse cares for the client with an indwelling retention catheter, what action(s) is helpful for preventing catheter-associated urinary tract infections (CAUTIs)? Select all that apply.
[ ] **1.** Use the smallest-size catheter that avoids urine leakage.
[ ] **2.** Keep the drainage bag below the level of the bladder.
[ ] **3.** Empty the drainage bag when it becomes full.
[ ] **4.** Prevent kinks in the catheter and tubing.
[ ] **5.** Wash the junction at the meatus and catheter.

8. A nurse must collect a sterile urine specimen from a client with an indwelling catheter. What nursing action is appropriate?
[ ] **1.** Separate the catheter from the drainage tubing.
[ ] **2.** Aspirate urine from a port on the drainage tubing.
[ ] **3.** Remove a sample from the drainage bag.
[ ] **4.** Pierce the catheter with a sterile syringe.

Nursing Care of Clients with Infectious and Inflammatory Urologic Disorders

A client with type 1 diabetes mellitus reports having urinary problems.

9. When the nurse interviews the client, what symptom(s) will the client **most likely** report if a bladder infection has been acquired? Select all that apply.
[ ] **1.** Sharp flank pain
[ ] **2.** Urethral discharge
[ ] **3.** Strong-smelling urine
[ ] **4.** Burning on urination
[ ] **5.** Urgency
[ ] **6.** Frequency

10. The health care provider prescribes a clean-catch mid-stream urine specimen for routine analysis. The nurse collects a cup and wipes for urine collection. What statement(s) should be included when the nurse instructs a female client about the technique for urine collection? Select all that apply.
[ ] **1.** Clean the inner folds of the labia and urethra with a wipe.
[ ] **2.** Void into the plastic liner under the toilet seat.
[ ] **3.** Void a small amount, and then collect a sample of urine.
[ ] **4.** Mix the antiseptic solution with the collected urine specimen.
[ ] **5.** Collect the urine specimen in the nonsterile cup.

11. What nursing information **best** explains to a client with diabetes the reason why the client is at higher risk for acquiring a bladder infection?
[ ] **1.** Glucose in urine supports bacterial growth.
[ ] **2.** Diabetes suppresses white blood cell activity.
[ ] **3.** Clients with diabetes urinate more frequently.
[ ] **4.** The urine is more concentrated in clients with diabetes.

12. When the nurse reviews the results of the client's urinalysis, what substance in the urine is **most suggestive** of a bladder infection?
[ ] **1.** Glucose
[ ] **2.** Blood
[ ] **3.** Bilirubin
[ ] **4.** Protein

To relieve the client's urinary symptoms, phenazopyridine is prescribed. The nurse prepares information for client discussion.

13. When instructing on changes in the urine characteristics when taking the new medication, which instruction is **most appropriate**?
[ ] **1.** The urine will look cloudy.
[ ] **2.** The urine will appear orange.
[ ] **3.** The urine will become scant.
[ ] **4.** The urine will have a strong odor.

14. What change in urine elimination provides the **best** nursing evidence that the phenazopyridine is achieving its intended therapeutic effect?
[ ] **1.** Urinary frequency is decreased.
[ ] **2.** Urinary urgency is decreased.
[ ] **3.** Urinary burning is decreased.
[ ] **4.** Urine output is increased.

15. What nursing recommendation(s) is **most** effective in reducing the potential for bacterial growth in a female client's bladder? Select all that apply.
[ ] **1.** Drink a large quantity of fluids.
[ ] **2.** Change underclothing each day.
[ ] **3.** Avoid the use of public restrooms.
[ ] **4.** Urinate after having sexual intercourse.
[ ] **5.** Drink fluids that are highly acidic.
[ ] **6.** Wipe from the urethra to the rectum after passing stool.

16. When teaching a client with an overactive bladder about urinary tract irritants, what common beverage(s) does the nurse correctly identify as item(s) that cause urinary symptoms? Select all that apply.

[ ] **1.** Alcohol
[ ] **2.** Milk
[ ] **3.** Tea
[ ] **4.** Hot chocolate
[ ] **5.** Coffee

17. A health care provider diagnoses the client with cystitis secondary to chemotherapeutic medications. Place an *X* on the diagram over the area where inflammation has occurred.

18. A nurse in the community health center is assessing a female client who presents with vague symptoms. The client states nausea, fatigue, and chills and has a fever of 100.2°F (38.4°C). What additional client statement is the **best** evidence that the source of the illness may be a kidney infection?

[ ] **1.** "I have pain in my back."
[ ] **2.** "It burns when I urinate."
[ ] **3.** "I urinate very frequently."
[ ] **4.** "I periodically leak urine."

A female client becomes acutely ill with flank pain, fever, and chills. A tentative diagnosis of acute pyelonephritis is made. A catheterized urine specimen for culture is prescribed.

19. When the nurse mistakenly inserts the catheter into the client's vagina rather than the urinary meatus, what action is best to take **next**?

[ ] **1.** Wipe the catheter tip with an alcohol swab and reinsert.
[ ] **2.** Clean the catheter tip with povidone-iodine solution.
[ ] **3.** Discard the catheter and use another sterile one.
[ ] **4.** Withdraw the catheter and insert it in the urethra.

A combination urinary anti-infective medication, trimethoprim/sulfamethoxazole, is prescribed twice a day for the client who is diagnosed with pyelonephritis.

20. What nursing instruction is **most appropriate** for preventing crystal formation in this client's urine?

[ ] **1.** Eat more acidic citrus fruits.
[ ] **2.** Avoid carbonated soft drinks.
[ ] **3.** Drink 3 qt (3 L) of water daily.
[ ] **4.** Take the medication with food.

The client is scheduled for intravenous pyelography (IVP). The nurse prepares to administer a laxative to the client.

21. When the client questions the reason for the laxative, what nursing explanation is accurate?

[ ] **1.** Emptying the bowel aids in examining the lower gastrointestinal tract.
[ ] **2.** Emptying the bowel prevents accidental stool incontinence during the x-ray.
[ ] **3.** Emptying the bowel reduces the potential for constipation or impaction.
[ ] **4.** Emptying the bowel improves the ability to visualize the urinary structures.

22. If the client makes the following statements, what information is **most important** to report before the client undergoes an intravenous pyelography (IVP)?

[ ] **1.** "The barium they give me to drink causes me to have constipation."
[ ] **2.** "I have a low tolerance for pain during procedures."
[ ] **3.** "I had a reaction when my gallbladder was x-rayed before."
[ ] **4.** "I get claustrophobic when I am put into that big round machine."

A middle-aged client presents to the clinic with vague symptoms of malaise and headache. Even though these symptoms are rather unremarkable, the client is diagnosed with acute glomerulonephritis.

23. When the nurse interviews the client, what event **most likely** precipitated glomerulonephritis?

[ ] **1.** An earlier urinary tract infection
[ ] **2.** A recent severe sore throat
[ ] **3.** Current treatment with a diuretic
[ ] **4.** A reported sensitivity to sulfonamides

24. If this client is typical of others with glomerulonephritis, what finding would the nurse expect to observe when conducting a head-to-toe physical assessment?

[ ] **1.** Skin hemorrhages
[ ] **2.** Absence of body hair
[ ] **3.** Flushed appearance
[ ] **4.** Peripheral edema

25. Of the following laboratory tests, which one is **most important** for the nurse to monitor when caring for the client with glomerulonephritis?
[ ] **1.** Serum amylase
[ ] **2.** Blood glucose
[ ] **3.** Blood urea nitrogen (BUN)
[ ] **4.** Complete blood count (CBC)

26. Considering the client's diagnosis, what nursing intervention is the appropriate at this time?
[ ] **1.** Ambulating the client twice daily
[ ] **2.** Instructing the client how to self-catheterize
[ ] **3.** Monitoring the client's daily weight
[ ] **4.** Encouraging the client to increase fluid intake

27. When the client with glomerulonephritis reports having a headache that is rated a 7 on a scale of 0 to 10, with 10 being the most pain, what nursing action should be performed **next**?
[ ] **1.** Administer a prescribed analgesic.
[ ] **2.** Assess the client's blood pressure.
[ ] **3.** Reduce environmental stimuli.
[ ] **4.** Change the client's position.

The nurse caring for the client with glomerulonephritis is told during the shift handoff that a 24-hour urine collection for creatinine clearance is to begin at 0800.

28. What nursing action is **most appropriate** in relation to collecting the client's urine specimen?
[ ] **1.** Have the client void at 8 A.M. (0800), and refrigerate the specimen.
[ ] **2.** Have the client void at 8 A.M. (0800), and dispose of the specimen.
[ ] **3.** Have the client void at 8 A.M. (0800), and send the specimen to the laboratory.
[ ] **4.** Have the client void at 8 A.M. (0800), and place the specimen in a preservative.

29. The client states that urine was inadvertently discarded at 0200. Which nursing instruction is **most appropriate**?
[ ] **1.** Continue with the urine collection but document the discarded urine.
[ ] **2.** Stop the urine collection and send all urine to the laboratory.
[ ] **3.** Count the discarded urine as the first void and begin collection with the next.
[ ] **4.** Have the client void and discard the urine, then restart the 24-hour urine clock.

The nurse uses a color reagent strip (dipstick) to test a voided urine specimen.

30. If the reagent strip can detect the following substances, which one would the nurse expect to be present in the urine of a client with glomerulonephritis?
[ ] **1.** Glucose
[ ] **2.** Bilirubin
[ ] **3.** Albumin
[ ] **4.** Acetone

31. When the nurse inspects the client's urine specimen, what finding **best** indicates that the urine contains red blood cells?
[ ] **1.** The urine appears cloudy.
[ ] **2.** The urine appears smoky.
[ ] **3.** The urine appears bright orange.
[ ] **4.** The urine appears dark yellow.

The client is started on a low-sodium diet.

32. What menu choice is **best** for the client to select?
[ ] **1.** Hot dog with potato salad
[ ] **2.** Beef bouillon and crackers
[ ] **3.** Chicken breast on lettuce
[ ] **4.** Cheese pizza with thin crust

The steroids methylprednisolone and prednisone are both prescribed on alternate days by oral administration to treat the client's inflammatory process.

33. When the client questions why both drugs are not taken daily, what response by the nurse is **most appropriate**?
[ ] **1.** The medications are too toxic if taken on a daily basis.
[ ] **2.** This alternating schedule maintains adrenal function.
[ ] **3.** Each medication has a prolonged period of action.
[ ] **4.** Most people cannot tolerate the medications' daily side effects.

Nursing Care of Clients with Renal Failure

A client who has chronic glomerulonephritis has deteriorated to the early stages of renal failure.

34. When receiving shift handoff from the nurse, what client data correlate with renal failure?
[ ] **1.** Red blood count: $3.6 \times 10^6/\mu L$ ($3.6 \times 10^{12}/L$)
[ ] **2.** Blood pressure: 90/56 mm Hg
[ ] **3.** Weight loss of 8 lb (3.6 kg) over 2 weeks
[ ] **4.** Temperature: 102°F (38.8°C)

35. The health care provider documented in the medical record that the client has entered the oliguric phase of renal failure. The nurse is **most** correct to develop nursing interventions to impact a urine production of which amount?
[ ] **1.** Less than 100 mL/hour
[ ] **2.** Between 100 to 150 mL/hour
[ ] **3.** 500 to 1,000 mL/day
[ ] **4.** 100 to 500 mL/day

The nursing team meets to address the care plan of the client in early renal failure.

36. What diagnostic test, considered a sensitive indicator of advanced kidney disease, will need to be closely monitored by the nursing team?

[ ] **1.** Serum creatinine level
[ ] **2.** Serum sodium level
[ ] **3.** Uric acid level
[ ] **4.** Urine specific gravity

A fluid challenge of 500 mL of I.V. fluid infused at a rapid rate is prescribed, followed by the administration of a loop diuretic to sustain or improve renal function.

37. While the fluid challenge is being administered, what nursing assessment is **most important**?

[ ] **1.** Checking for pedal edema
[ ] **2.** Assessing for rapid weight gain
[ ] **3.** Monitoring specific gravity
[ ] **4.** Auscultating breath sounds

38. Because of the client's impaired renal function, what potential skin problem will require additional team planning?

[ ] **1.** Reduced perspiration
[ ] **2.** Extreme oiliness
[ ] **3.** Loss of skin turgor
[ ] **4.** Pronounced itching

The client in early renal failure is placed on a sodium-restricted diet.

39. When the client expresses dissatisfaction about the bland taste of the food, the nurse appropriately recommends substituting salt with what condiment?

[ ] **1.** Catsup
[ ] **2.** Mustard
[ ] **3.** Soy sauce
[ ] **4.** Lemon juice

40. What nursing action is **most appropriate** when the client states being thirsty because of the fluid restrictions?

[ ] **1.** Giving the client hard candy to suck
[ ] **2.** Providing the client with ice chips
[ ] **3.** Offering the client an ice cream bar
[ ] **4.** Supplying the client with fresh fruit

When it becomes evident that the client will require long-term hemodialysis, an internal arteriovenous fistula is created.

41. What nursing assessment is **most important** to perform regularly when a client has an arteriovenous fistula?

[ ] **1.** Checking the color and temperature of the client's hand
[ ] **2.** Monitoring the client's wrist and finger range of motion
[ ] **3.** Observing the tone and coordination of arm muscles
[ ] **4.** Inspecting the client's forearm skin turgor and sensation

42. When performing a physical assessment, what sensation would the nurse expect to detect when palpating the site of the arteriovenous fistula?

[ ] **1.** A pulse
[ ] **2.** A bruit
[ ] **3.** A thrill
[ ] **4.** A click

43. What nursing intervention is **most helpful** in assisting the client undergoing hemodialysis to cope with the chronic health condition?

[ ] **1.** Giving the client literature to read about renal failure
[ ] **2.** Advising the client's spouse to cook the client's favorite dishes
[ ] **3.** Keeping the client informed of the latest research findings
[ ] **4.** Exploring with the client how this disorder has affected life

The nurse is caring for another client with renal failure who is being treated with peritoneal dialysis.

44. What nursing assessment before and after peritoneal dialysis is **most valuable** in evaluating the outcome of treatment?

[ ] **1.** Pulse rate
[ ] **2.** Body weight
[ ] **3.** Abdominal girth
[ ] **4.** Urine output

45. Immediately after the dialysate solution has been instilled, what action should the nurse perform **next**?

[ ] **1.** Clamping the tubing from the infusion
[ ] **2.** Draining the infused dialysate solution
[ ] **3.** Restricting the client's movement
[ ] **4.** Encouraging the client to turn side to side

46. What is the **most significant** information for the nurse to report when caring for a client undergoing peritoneal dialysis?

[ ] **1.** Loss of body weight
[ ] **2.** Decreased serum creatinine
[ ] **3.** Elevated body temperature
[ ] **4.** Output that exceeds intake

47. What finding provides the nurse with the **best evidence** that peritoneal dialysis is achieving a therapeutic effect?

[ ] **1.** Urine output increases.
[ ] **2.** Appetite improves.
[ ] **3.** Potassium level falls.
[ ] **4.** Facial edema decreases.

48. When the nurse monitors the client, what complication has the **greatest** potential for developing in those undergoing peritoneal dialysis?

[ ] **1.** Pulmonary edema
[ ] **2.** Abdominal peritonitis
[ ] **3.** Abdominal hernia
[ ] **4.** Ruptured aorta

A client with renal failure is just informed about being a potential candidate to receive a kidney transplant.

49. What postoperative complication is the nurse's **immediate** concern after kidney transplant surgery?
[ ] **1.** Hypovolemic shock caused by postoperative bleeding
[ ] **2.** Abdominal distention secondary to delayed peristalsis
[ ] **3.** Postoperative paralytic ileus due to colon manipulation
[ ] **4.** Pneumonia secondary to ineffective breathing patterns

Nursing Care of Clients with Urologic Obstructions

A male client is expressing frustration with urination at his health care provider's appointment. The client states, "I am coming to that age where I am having difficulty with urination. I suppose that it has to do with my enlarged prostate gland."

50. What assessment finding strongly suggests that a client with an enlarged prostate gland is experiencing urinary retention?
[ ] **1.** The client feels a continued need to void.
[ ] **2.** The client's urine appears dark amber.
[ ] **3.** The client's bladder is below the pubis.
[ ] **4.** The client experiences abdominal cramps.

51. When a suprapubic cystostomy tube is inserted to drain the accumulating urine, the nurse should assess the characteristics of urine from a catheter that exits from what location?
[ ] **1.** Urethra
[ ] **2.** Abdomen
[ ] **3.** Ureter
[ ] **4.** Flank

52. What nursing intervention is **essential** for evaluating the patency of the suprapubic catheter?
[ ] **1.** Inspecting the client's skin around the insertion site daily
[ ] **2.** Monitoring the client's urine output every 2 hours
[ ] **3.** Attaching the catheter to a leg bag when the client ambulates
[ ] **4.** Encouraging the client to consume 100 mL of oral fluid hourly

A client presents to the emergency department for relief from severe, stabbing, colicky flank pain. A tentative diagnosis of urolithiasis is made.

53. During the nurse's client rounds, the nurse assesses blood-tinged urine in the client's urinal. What nursing action should the nurse take **next**?
[ ] **1.** Collect a specimen for laboratory analysis.
[ ] **2.** Increase the client's intake of oral fluids.
[ ] **3.** Apply an external condom catheter and leg bag.
[ ] **4.** Palpate the client's bladder for tenderness.

54. What nursing action(s) is essential when caring for the client with urolithiasis? Select all that apply.
[ ] **1.** Administer prescribed opioids or nonsteroidal anti-inflammatory drugs (NSAIDs) for pain.
[ ] **2.** Strain all the urine for evidence of crystals.
[ ] **3.** Use a dipstick to identify the presence of protein.
[ ] **4.** Keep the client confined to bed in supine position.
[ ] **5.** Weigh the client at least once per day.
[ ] **6.** Restrict the client's intake of calcium-rich foods.

A cystoscopy is scheduled to help diagnose the client's suspected condition of urolithiasis.

55. After the purpose and method for performing a cystoscopy are explained, what statement(s) is evidence that the client has an accurate understanding? Select all that apply.
[ ] **1.** "A cystoscopy examines the internal structure of the kidney."
[ ] **2.** "A cystoscopy helps identify the cause of hematuria, incontinence, and urine retention."
[ ] **3.** "A cystoscopy allows for collection of tissue samples, cells, and urine samples."
[ ] **4.** "A cystoscopy requires no sedation because it is painless."
[ ] **5.** "A cystoscopy uses a light source to visualize the internal aspect of the bladder."
[ ] **6.** "A cystoscopy requires no surgical incision because the scope is introduced into the urethra."

56. After the cystoscopy, what urinary symptom should the nurse inform the client to expect to experience?
[ ] **1.** Polyuria
[ ] **2.** Dysuria
[ ] **3.** Anuria
[ ] **4.** Pyuria

57. While the client with urolithiasis is awaiting further treatment options, what nursing intervention is appropriate?
[ ] **1.** Increase the client's fluid intake to promote the passage of stone(s).
[ ] **2.** Interrupt the voiding pattern to strengthen the bladder muscles.
[ ] **3.** Limit the client's voiding to allow for releasing a larger stream of urine.
[ ] **4.** Increase the client's protein intake to facilitate tissue repair.

The client with urolithiasis is scheduled for extracorporeal shock wave lithotripsy (ESWL) to pulverize the stone.

58. After the ESWL procedure is explained, what statements provide the **best** evidence that the client understands the scheduled procedure? Select all that apply.
[ ] **1.** "I will be placed on a fluid-filled pillow."
[ ] **2.** "Radiation will be focused on my bladder."
[ ] **3.** "A laser beam will be aimed at my kidneys."
[ ] **4.** "I will experience a tingling sensation."
[ ] **5.** "I cannot eat or drink anything before the test."
[ ] **6.** "I will have general anesthesia for the test."

After being referred from a family health care provider following a digital evaluation of the prostate gland, a male client has his initial appointment with a urologist.

59. When the nurse obtains the male client's history, what statement(s) correlates with the possibility that the client's symptoms may be caused by benign prostatic hypertrophy (BPH)? Select all that apply.

[ ] 1. "There is some burning when I urinate."
[ ] 2. "I wake up each night needing to urinate."
[ ] 3. "I feel pressure in my back before voiding."
[ ] 4. "My urine is almost colorless, like water."
[ ] 5. "My urine stream is really thin and narrow."
[ ] 6. "I dribble for several minutes after I urinate."

60. To gather more information about symptoms associated with benign prostatic hypertrophy (BPH), what question is most important for the nurse to ask **next**?

[ ] 1. "Have you noticed any changes in sexual function?"
[ ] 2. "Have you felt any lumps in your scrotum recently?"
[ ] 3. "Do you have difficulty starting to void?"
[ ] 4. "Do you have problems controlling urination?"

Another client, who has a history of benign prostatic hypertrophy (BPH), tells the nurse that he has been unable to urinate for 18 hours. It becomes necessary to insert a retention catheter.

61. When evaluating the following types of catheters for use, what catheter is the **best** choice for the nurse to use when catheterizing the client with BPH?

[ ] 1. A coudé catheter
[ ] 2. A silicone catheter
[ ] 3. A rubber catheter
[ ] 4. A flexible catheter

62. What nursing technique is **best** for helping insert the tip of a straight catheter past an enlarged prostate gland?

[ ] 1. Angle the penis in the direction of the toes.
[ ] 2. Massage the tissue below the base of the penis.
[ ] 3. Push the catheter with additional force.
[ ] 4. Grasp the penis firmly within the hand.

The client with benign prostatic hypertrophy (BPH) is scheduled to undergo a transurethral resection of the prostate (TURP).

63. After the TURP, what assessment finding should the nurse expect to observe during the **immediate** postoperative period?

[ ] 1. Light pink to clear urine
[ ] 2. Mucoid sediments in urine
[ ] 3. Decreased volume of urine
[ ] 4. Grossly bloody urine

64. As the nurse instructs the client about a postoperative bladder irrigation following transurethral resection of the prostate (TURP) surgery, what information should the nurse provide? Select all that apply.

[ ] 1. "You may feel the urge to urinate even though the bladder is empty."
[ ] 2. "Trying to urinate around the catheter may cause bladder spasms."
[ ] 3. "You need to limit your fluids to four glasses per day."
[ ] 4. "The bladder irrigation will be discontinued in a day or two."
[ ] 5. "By the time of discharge, your urine should be clear yellow."

The unlicensed assistive personnel (UAP) is assigned to care for a client who has returned from having a transurethral resection of the prostate (TURP) with a three-way catheter in place.

65. The UAP reports extremely bloody drainage from the client's catheter. What nursing action is **most appropriate** at this time?

[ ] 1. Reassign the client's care to another team member.
[ ] 2. Reassure the UAP that the assessment is normal.
[ ] 3. Assess the client personally.
[ ] 4. Contact the client's health care provider.

Postoperatively, the client reports having a great deal of discomfort in the bladder area. There are several analgesic drug prescriptions for the client in anticipation of the pain associated with transurethral resection of the prostate (TURP).

66. Before administering an analgesic to the client, what information is **most important** for the nurse to assess?

[ ] 1. Whether the urine is bloody
[ ] 2. Whether the client has been up walking in the room
[ ] 3. Whether the catheter is draining urine
[ ] 4. Whether the client has been drinking adequate fluids

67. What medication is **most appropriate** to administer to the client who is having bladder spasms?

[ ] 1. Aspirin by mouth
[ ] 2. Acetaminophen by mouth
[ ] 3. Morphine sulfate intramuscularly
[ ] 4. Belladonna and opium rectal suppository

A nurse is assigned to care for a client who has undergone a suprapubic prostatectomy. The client has one catheter in the urethra and another in an abdominal incision.

68. When documenting the client's urine output in the medical record, what measurement is correct for the nurse to record?
[ ] **1.** Only the output from the urethral catheter
[ ] **2.** Only the output from the wound catheter
[ ] **3.** The outputs from each catheter separately
[ ] **4.** The combined output from both catheters

Several days after the client's procedure, the catheter from the abdominal incision is removed.

69. What nursing intervention is **most important** to add to the client's care plan after removal of the suprapubic catheter?
[ ] **1.** Check the urine specific gravity every shift.
[ ] **2.** Measure the client's abdominal girth daily.
[ ] **3.** Change wet abdominal dressings as needed.
[ ] **4.** Perform a Credé maneuver every 4 hours.

70. A nurse caring for a client who is recovering from having a penile implant frequently exposes his genitalia to nursing staff. What nursing statement is appropriate?
[ ] **1.** "I may have to assign your care to male nurses."
[ ] **2.** "Why are you exposing yourself to the staff?"
[ ] **3.** "You are impressed with your new appearance."
[ ] **4.** "Exposing yourself is unacceptable behavior."

Nursing Care of Clients with Urologic Tumors

A series of examinations and diagnostic tests are prescribed to determine whether a client has cancer of the prostate gland.

71. The nurse is arranging diagnostic testing for the client. Which testing procedure would the nurse schedule to be completed **first**?
[ ] **1.** Kidneys, ureters, bladder x-ray
[ ] **2.** Needle biopsy of the prostate gland
[ ] **3.** Prostate-specific antigen (PSA) test
[ ] **4.** Transrectal ultrasound examination

The client is diagnosed with advanced prostate cancer and undergoes a radical perineal prostatectomy. Postoperatively, the client has an indwelling (Foley) catheter in place.

72. When managing catheter care, what nursing action is **most important** for promoting wound healing?
[ ] **1.** Avoid tension on the catheter.
[ ] **2.** Encourage oral fluid intake.
[ ] **3.** Clean the urethral meatus daily.
[ ] **4.** Clamp and release the catheter every 2 hours.

Leuprolide is prescribed for the client after the prostatectomy.

73. What statement(s) by the client provides the **best** evidence that he understands the benefits associated with this type of hormonal therapy? Select all that apply.
[ ] **1.** "This treatment is a cure for my prostate cancer."
[ ] **2.** "I will not need to have my testicles removed."
[ ] **3.** "My testosterone level will decrease."
[ ] **4.** "I will have strong sexual urges."
[ ] **5.** "My testis will enlarge."

A nephrectomy is performed on a client with a kidney tumor.

74. Postoperatively, what assessment finding is **most suggestive** that the client is hemorrhaging following the nephrectomy?
[ ] **1.** Acute flank pain
[ ] **2.** Abdominal distention
[ ] **3.** Flushed, warm skin
[ ] **4.** Nausea and vomiting

Following the nephrectomy, the client has been receiving morphine sulfate regularly for pain.

75. Based on the client's need for opioid analgesia, what assessment is **most important** for the nurse to monitor each shift?
[ ] **1.** Bowel elimination
[ ] **2.** Heart rate
[ ] **3.** Urine output
[ ] **4.** Blood pressure

76. During a nurse's shift on the urology unit, the nursing supervisor notifies the nursing personnel that a tornado warning has been issued. What action is appropriate at this time?
[ ] **1.** Prepare to evacuate the clients.
[ ] **2.** Move clients to a designated shelter.
[ ] **3.** Relocate clients to the hallway.
[ ] **4.** Contact emergency services.

A nurse is caring for a client with early-stage bladder cancer.

77. If this client is typical of others who acquire bladder cancer, what symptom will the client **most likely** report to the nurse?
[ ] **1.** Persistent oliguria
[ ] **2.** Painless hematuria
[ ] **3.** Painful urination
[ ] **4.** Postvoid dribbling

The client's bladder cancer will be treated conservatively by instilling an antineoplastic drug within the bladder.

78. Following the instillation of the antineoplastic drug, what safety precaution is important for the nurse to take when disposing of the client's urine?
[ ] **1.** Wear two pairs of latex gloves.
[ ] **2.** Don an air-purifying respirator.
[ ] **3.** Avoid wearing long sleeves.
[ ] **4.** Place urine in a biohazard container.

Nursing Care of Clients with Urinary Diversions

79. A nurse is assigned to care for a client with a cutaneous ureterostomy. What image correlates with the client's urinary diversion?

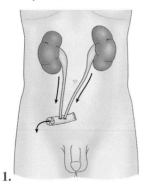
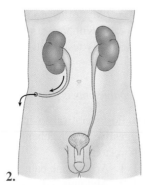
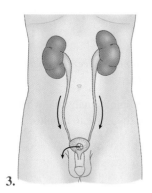
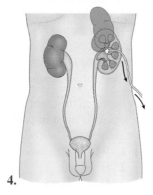

1.   2.

3.   4.

80. When a nurse cares for the client with a cutaneous ureterostomy, what nursing measure helps to prevent skin breakdown?
[ ] **1.** Apply lotion around the stoma.
[ ] **2.** Empty the drainage bag frequently.
[ ] **3.** Provide substantial oral fluid intake.
[ ] **4.** Change the urinary appliance daily.

The night nurse reports that the preoperative client scheduled for the cystectomy and ileal conduit was awake much of the night and that, when sleeping, the client was restless.

81. What assessment supports the nurse's assumption that the client's sleep disturbance was **likely** due to anxiety?
[ ] **1.** The client's face is pale.
[ ] **2.** Blood pressure is 132/88 mm Hg.
[ ] **3.** Pulse rate is 106 beats/minute at rest.
[ ] **4.** The client requests a midnight snack.

82. To facilitate the client's coping, what statement by the nurse is **most therapeutic** at this time?
[ ] **1.** "It must be difficult facing this type of surgery."
[ ] **2.** "You have one of the best surgeons at this hospital."
[ ] **3.** "You will see; everything will turn out okay for you."
[ ] **4.** "Others with your diagnosis have done just fine."

On the morning of surgery, the client tells the nurse, "I do not think I can go through with this surgery. Just the thought of peeing into a bag repulses me."

83. What response by the nurse is **most therapeutic**?
[ ] **1.** "Tell me what that means to you."
[ ] **2.** "I know just how you are feeling."
[ ] **3.** "Well, it is not quite as bad as that."
[ ] **4.** "You need to think more positively."

After the cystectomy and ileal conduit procedure, the client wears an appliance that collects the urine. The client tells the nurse that the skin feels raw and irritated near the stoma.

84. What nursing action is **most appropriate** at this time?
[ ] **1.** Increase the client's oral fluids to dilute the urine.
[ ] **2.** Remove the appliance and inspect the skin.
[ ] **3.** Empty the appliance at more frequent intervals.
[ ] **4.** Leave the appliance off for 1 or 2 days.

85. What postoperative information regarding client care is **most important** for the nurse to relate to the assigned unlicensed assistive personnel during a shift report?
[ ] **1.** The client independently empties the urine collection device.
[ ] **2.** The client is receiving ostomy care instructions from the enterostomal nurse.
[ ] **3.** The client had a cystectomy and ileal conduit performed 3 days ago.
[ ] **4.** The client's ileal conduit is patent and draining dark urine.

The nurse teaches the client how to change the ostomy appliance before being discharged.

86. What suggestion is **most helpful** to control leaking urine during the time the appliance is being changed?
[ ] **1.** "When you remove the appliance, let the urine drip into the toilet."
[ ] **2.** "When you remove the appliance, insert a tampon into the stoma."
[ ] **3.** "When you remove the appliance, press a gloved finger over the stoma."
[ ] **4.** "When you remove the appliance, pinch the stoma with two fingers."

Test Taking Strategies

Nursing Care of Clients with Urinary Incontinence

1. Note the key word "best" indicating one answer is better than any other. Use the process of elimination to select the option that avoids irritation of the meatus. Recall that leaving a 1- to 2-in (2.5- to 5-cm) space beneath the penis keeps the urinary meatus free from contact with the distal components of the condom catheter.

2. Analyze to determine what information the question asks, which is the law that protects the confidentiality of client information. Recall that Health Insurance Portability and Accountability Act (HIPAA)/Personal Information Protection and Electronic Documents Act (PIPEDA) legislation applies to spoken and written health information.

3. Note the key words "most important" in reference to the nursing assessment needed before bladder retraining. Recall that it is essential to determine the client's individual pattern of elimination if possible to coordinate retraining efforts.

4. Note the key word "best" in reference to a response to a client whose intent is to restrict fluid intake as a strategy for remaining continent. Use the process of elimination to select the option that supports the principle that restricting fluid intake affects fluid balance. Recall that a fluid intake of 1,500 to 3,000 mL/day helps balance sufficient fluid loss through urination and other mechanisms. A comparable urine output facilitates excreting waste products. Limiting fluids after 6:00 P.M. may reduce nocturia, but the total daily fluid intake should not be restricted.

5. Note the key word and modifier "best" indicating a need to apply principles of therapeutic communication. Recall that reflecting is a therapeutic communication method because it identifies the emotional component of the client's statement. The other options are examples of nontherapeutic communication techniques involving disagreeing, belittling, and advising.

6. Note the key words "most appropriate" used in reference to preventing penile injury when stabilizing an indwelling catheter. Recall that tension and torsion on the penis can be eliminated by anchoring the catheter to the abdomen.

7. Read all the choices carefully. Use the process of elimination to select the options that reduce the potential for causing catheter-associated urinary tract infections (CAUTIs). Recall that using proper management of clients with a catheter reduces the potential for infections. Keeping the drainage bag below the bladder, but not resting on the floor, maintaining an unobstructed flow of urine, and performing hygiene practices that keep the junction of the urinary meatus and catheter clean on a daily basis are methods for preventing urinary infections.

8. Use the process of elimination to select the option that supports obtaining the urine specimen in an aseptic fashion. Recall that most indwelling catheters have a port near the proximal end of the drainage tube above the area where the catheter and drainage tubing are connected. After clamping the drainage tube temporarily, the port is cleansed with an alcohol swab, the port is pierced, and the specimen of urine is aspirated.

Nursing Care of Clients with Infectious and Inflammatory Urologic Disorders

9. Read all the choices carefully. Use the process of elimination to select options that correlate with symptoms experienced by a person with a bladder infection. Recall that bladder infections are commonly caused by bacteria that enter the urethra and ascend into the bladder. The symptoms are generally localized to the bladder and subsequently cause discomfort and changes in patterns of urination.

10. Read all the choices carefully. Use the process of elimination that correspond with instructions for collecting a clean-catch urine specimen from a female client. Recall that the method for cleaning the meatus is different in women than in men because of anatomic differences. The term midstream indicates that the specimen is collected from urine that is eliminated after the first urine is released into the toilet.

11. Note the key word "best" in reference to which explanation conveys the reason a client with diabetes is at higher risk for acquiring a urinary tract infection. Use the process of elimination to select the option that correlates with the pathophysiologic factor that promotes the proliferation of bacteria. Recall that the presence of glucose in the urine of treated and untreated diabetic clients promotes microbial growth.

12. Note the key words "most suggestive" in reference to a laboratory finding in urine that indicates a bladder infection. Recall that normal urine should not contain any of the substances listed, but blood in the urine often accompanies a bladder infection.

13. Note the key words "most appropriate" in reference to health teaching about the drug phenazopyridine. Recall that phenazopyridine, a urinary analgesic that soothes the lining of the urinary tract, contains an orange dye. Clients who are unaware of the color change in urine may become distressed by its appearance.

14. Note the key word "best" in reference to the nursing evidence supporting the desired outcome of administering phenazopyridine. When the word best is used, it indicates that one option is better than any other. Because the drug is classified as a urinary analgesic it results in relief from the discomfort associated with urination. Other options describe secondary effects.

15. Read all the choices carefully. Use the process of elimination to select nursing instructions to a female client that help reduce bacterial growth in the bladder. Recall that urination is a natural method for flushing bacteria from the bladder before they have an opportunity to multiply and colonize. During sexual intercourse, bacteria may be introduced into the urethra, which is anatomically close to the vagina; urinating after sex promotes their elimination. Wiping away from the urethra following elimination prevents introducing localized pathogens.

16. Read all the choices carefully. Use the process of elimination to select items that heighten the urge to urinate. Recall that common irritants such as coffee, tea, caffeinated colas, alcohol, and hot chocolate can cause urinary frequency and urgency resulting in insufficient time to reach the toilet.

17. Analyze to determine what information the question asks for, which is the anatomic structure affected by cystitis secondary to medication use. Recall that the prefix "cysto" refers to the bladder.

18. Use the process of elimination to select the option that corresponds anatomically with the location where a person with a kidney infection would experience symptoms. Recall that the kidneys are located retroperitoneally, in the back at about waist level.

19. Note the key words "best" and "next" indicating a preferred action that should be performed before any other. Use the process of elimination to select the option that is appropriate after mistakenly inserting a catheter intended for urinary insertion in the vagina. Recall that a urinary catheter should remain sterile and the vagina is essentially unsterile.

20. Note the key words "most appropriate" in reference to health teaching that helps a client avoid crystalluria secondary to sulfonamide drug therapy. Recall that keeping the urine dilute, which subsequently leads to more frequent urination, reduces the accumulation of a concentrated amount of the drug in the urine.

21. Use the process of elimination to select the option that correlates with the rationale for cleansing the bowel before an intravenous pyelography (IVP). Recall that to image the urinary structures the radiation must pass through organs in the abdominal cavity such as the large intestine. Anything that increases the density in the large intestine, such as stool, may obscure a crisp image of the kidneys, ureters, and bladder.

22. Note the key words "most important" in reference to reportable information before an intravenous pyelography (IVP). Recall that an allergic reaction to contrast dye can be life threatening and needs to be reported before the client undergoes any procedure that uses contrast medium.

23. Note the key words "most likely" in reference to a factor that may have precipitated acute glomerulonephritis. Recall that acute glomerulonephritis is often preceded by an infection such as pharyngitis, caused by beta-hemolytic streptococci.

24. Use the process of elimination to select the option that correlates with a typical finding when physically assessing a client with acute glomerulonephritis. Recall that because this disorder affects renal function and the ability to excrete excess fluid in urine, the client is likely to present with evidence of fluid retention such as peripheral edema.

25. Note the key words "most important" in reference to a laboratory test result that is significant when monitoring the care of a client with acute glomerulonephritis. Recall that one of the kidneys' functions is to excrete nitrogen wastes. When affected by this disorder, nitrogen wastes accumulate in the blood. Elevations in blood urea nitrogen (BUN) can lead to seizures if they are not controlled.

26. Analyze the options to identify the nursing intervention that is appropriate to perform for this client. Recall that a significant weight gain or loss in a short period is an assessment that generally reflects fluid volume status, which is a particular problem of concern when caring for this client.

27. Note the key word "next" indicating an action that should be performed before others. Use the process of elimination to select the option that corresponds with the nursing action that is indicated immediately after the client with acute glomerulonephritis reports a severe headache. Recall that assessing the client's blood pressure helps to confirm or rule out that the headache is a consequence of hypertension secondary to fluid volume excess. If the blood pressure is significantly elevated, the client may need antihypertensive and diuretic medications, more than an analgesic, to prevent complications from occurring.

28. Note the key words "most appropriate" in reference to collecting a 24-hour urine specimen. Recall that the client voids at the time the collection begins, but because that urine has been produced earlier, it is discarded. All subsequent voided urine is collected for 24 hours. The test ends with the collection of one last voided urination at the same time the test began the previous day.

29. Use the standards of care to select the best nursing action which will produce the most accurate laboratory result. Follow the steps as identified without taking shortcuts by reducing time frames or sending urine that was not properly obtained.

30. Use the process of elimination to select the option that corresponds with an expected assessment finding when testing the urine of a client with glomerulonephritis using a reagent strip. Recall that when the kidneys are affected by this disorder, it is common to detect proteinuria. Albumin is the smallest of the plasma proteins and is the one most likely to escape glomerular filtration.

31. Use the process of elimination to select the option that identifies the urine characteristic that correlates with the presence of hematuria. Recall that red blood cells when present in urine cause the urine to appear smoky or what some describe as "cola colored." The remaining options, although abnormal, are more indicative of other causative factors.

32. Use the process of elimination to select the menu choice that is lowest in sodium from among the options. Recall that bouillon, processed meats, and cheese contain hidden salt. Excluding those options results in breast of chicken and lettuce as the best answers because they are lower in sodium than the other options.

33. Note the key words "most appropriate" as they relate to a nursing explanation for every other day administration of corticosteroid medications. Recall that daily exogenous sources of steroids can eliminate the adrenal cortex's production of endogenous corticosteroids; administering exogenous steroids on alternate days preserves the endogenous production of steroids.

Nursing Care of Clients with Renal Failure

34. Analyze what information the question asks, which is a pathophysiologic finding associated with renal failure. Recall that bone marrow requires erythropoietin, which is produced by the kidneys to produce and replace red blood cells.

35. Use the process of elimination to select the option that correlates with the volume of urine output that is the standard for classifying oliguria. Recall that urine output does not cease but diminishes significantly to between 100 to 500 mL/day.

36. Use the process of elimination to select a laboratory test result that, depending on the extent of its abnormal value, provides information about the status of renal function. Recall that creatinine is a nitrogen waste that is excreted by the kidneys; its accumulation in the blood indicates glomerular dysfunction.

37. Use the process of elimination to select the option that identifies the most important assessment when I.V. fluid is infused rapidly to someone with impaired renal function. Recall that auscultating breath sounds provides evidence that the rapid infusion may be causing circulatory overload and pulmonary edema, a life-threatening consequence.

38. Analyze the information the question asks, which is the skin problem characteristically experienced by clients in renal failure. Recall that the skin becomes the organ for excreting nitrogen waste products when the kidneys are not capable of doing so. Those byproducts cause the skin to itch.

39. Use the process of elimination to select the option that corresponds with an appropriate salt substitute for someone on a sodium-restricted diet. Recall that lemon juice contains 0 mg of sodium, whereas yellow mustard contains 190 mg/tbsp, catsup contains 175 mg/tbsp, and soy sauce contains 914 mg/tbsp.

40. Use the process of elimination to select the option that correlates with a nursing action for relieving thirst experienced by a fluid-restricted client with glomerulonephritis. Recall that hard candy does not have any water content, but can stimulate the production of saliva, which could diminish a client's thirst.

41. Note the key words "most important" in reference to a critical nursing assessment when managing the care of a client with an arteriovenous fistula. Recall that joining an artery with a vein may lead to circulatory complications that are best evidenced by pale color and coldness in the hand.

42. Use the process of elimination to select the option that correlates with the expected assessment finding when palpating the skin over the site of the arteriovenous fistula. Recall that arterial blood flowing through the fistula causes turbulence in the blood flow, which creates a vibratory sensation or thrill. A regular pulse, or click, is not consistent with the continuous vibratory sensation. A bruit is heard, not felt.

43. Note the key words "most helpful" in reference to a method for assisting a client cope with a chronic health condition. Recall that assessment is the first step in the nursing process and that verbalizing feelings is therapeutic.

44. Note the key words "most valuable" indicating one option is better than any other. Use the process of elimination to select the option that is the best indication for determining the effectiveness of peritoneal dialysis. Recall that there should be an expected weight loss after dialysis due to the change in fluid volume.

45. Note the key word "next," which indicates a sequential nursing action that follows the instillation of dialysate. Recall that the dialysate must dwell in the peritoneal cavity for a period of time to optimally facilitate osmosis and diffusion. Clamping the tubing contains the infused solution.

46. Note the key words "most significant" in relation to critical information to report when a client is receiving peritoneal dialysis. Recall that clients who undergo peritoneal dialysis are susceptible to infection at the site of catheter insertion, which can lead to life-threatening peritonitis. An elevation in temperature correlates with an infection. The earlier an infection is managed, the better the prognosis.

47. Note the key words "best evidence" in reference to an indication of the therapeutic benefit of peritoneal dialysis. Recall the kidneys play a vital role in regulating and maintaining electrolyte balance. The level of potassium has a narrow range; if excess potassium is not excreted it can have a lethal cardiac effect. Lowering the serum potassium level is a significant validation that peritoneal dialysis is having a therapeutic effect.

48. Use the process of elimination to select the option that identifies the complication that can occur when a client elects to undergo peritoneal dialysis. Recall that peritoneal dialysis involves inserting a catheter through the abdomen until it is located above the peritoneum. Perforation of the bowel during catheter placement causes enteric bacteria to infect the abdominal tissue, causing peritonitis. Pathogens entering the impaired skin and spreading distally can also cause an infection.

49. Note the key words "immediate concern" indicating a postoperative problem following kidney transplant surgery that would occur earlier than others. Although postoperative complications are low, clients undergoing major surgery involving anastomosis of the donor renal artery and vein to the recipient's iliac artery and vein must be monitored for hemorrhage around the transplanted kidney, peritoneal, and retroperitoneal spaces.

Nursing Care of Clients with Urologic Obstructions

50. Use the process of elimination to select the option that correlates with a urinary obstruction such as that caused by an enlarged prostate gland. Recall that the prostate gland encircles the male urethra; when enlarged, it interferes with completely emptying the bladder.

51. Use the process of elimination to select the option that corresponds with the location of suprapubic cystostomy tube placement. Recall that the prefix "cysto" refers to the bladder and that the bladder is located in the lower abdomen. The word "suprapubic" indicates an area above the pubis.

52. Analyze to determine what information the question asks for, which is an essential nursing assessment to determine the patency of a suprapubic catheter. Recall that drainage from this catheter is not controlled by a sphincter muscle; therefore, the nurse can expect that if the catheter is patent, there will be a continuous flow of urine into a collection device.

53. Note the key word "next" indicating a nursing action that should take place before any others. Use the process of elimination to select the option that correlates with an action when there is the appearance of blood-tinged urine from a client who is passing a kidney stone. Because stones cause trauma to the urinary tract as the travel from the kidney to ureters and the bladder, blood-tinged urine is expected. Increasing fluid intake promotes the excretion of blood and the passage of the stone(s).

54. Read all the choices carefully. Use the process of elimination to select or exclude nursing actions that correspond with caring for a client who is experiencing renal colic while attempting to pass a kidney stone. Recall that clients experience severe pain as the stone causes the structures in the stone's path to spasm. The pain is generally confined to the flank area and radiates from that location; it is sometimes accompanied by nausea and vomiting.

55. Read all the choices carefully. Use the process of elimination to select options that correlate with a cystoscopy that can be performed for any reason—not just in the case of a client with kidney stones. Recall that a cystoscopy is primarily a diagnostic procedure that uses direct inspection to detect pathology where the ureters enter the bladder. Samples of contents within the bladder may be obtained for laboratory analysis. The procedure is done without an incision, but the client may receive conscious sedation or general anesthesia.

56. Use the process of elimination to select the option that correlates with the symptom that is most likely to occur after a cystoscopy. Recall that a cystoscope is inserted through the urethra to visualize the interior of the bladder. Consequently, there is likely to be discomfort during urination.

57. Use the process of elimination to select the option that corresponds to a nursing intervention that is standard when caring for a client with urolithiasis. Recall that the goal is to promote the expulsion of the stone, which can be done by increasing the client's fluid intake.

58. Read all the choices carefully. Use the process of elimination to select or exclude accurate statements about extracorporeal shock wave lithotripsy (ESWL). Recall that ESWL is generally an outpatient procedure. A water-filled cushion is placed behind the affected kidney. Mild sedation allows the client to cough, shift, or move his or her body position to facilitate the direction of the shock wave. Lithotripsy is not always successful. If the stone cannot be fragmented to a size that can be passed naturally, endoscopic or surgical removal may be necessary.

59. Read all the choices carefully. Use the process of elimination to exclude incorrect options or correctly select statements that represent signs and symptoms of benign prostatic hypertrophy (BPH). Recall that those with BPH experience nocturia, when they urinate—which may be frequently—they may have difficulty initiating a stream of urine, and the volume of that stream is generally less than normal. Pressure on the urethra from the enlarged prostate gland may cause dribbling of urine following incomplete bladder emptying.

60. Note the key word "next" in reference to a question the nurse should ask when a client with benign prostatic hypertrophy (BPH) describes urinary symptoms he is experiencing. Recall that to obtain a comprehensive verbal assessment the nurse asks in words the client can understand to suggest hesitancy, a common experience among men with an enlarged prostate that narrows the lumen of the urethra.

61. Use the process of elimination to select the option that identifies the best choice of catheter to use if a client has benign prostatic hypertrophy (BPH). Recall that a coudé catheter has a bend at its tip. When the catheter is inserted into the penis with the tip upward, it is able to pass through the area where the enlarged prostate narrows the lumen of the urethra.

62. Note the key word "best" in reference to the nursing technique to use when inserting a straight urinary catheter beyond an enlarged prostate gland. Use the process of elimination to select a catheter insertion method that is better than any other when caring for a male with benign prostatic hypertrophy (BPH). Recall that pointing the penis toward the toes alters the anatomic direction through which the catheter must pass.

63. Note the key word "immediate" in reference to an expected assessment in the postoperative period after a transurethral resection of the prostate (TURP). Recall that although there is no incision, a great deal of blood is lost through the catheter.

64. Read all the choices carefully. Use the process of elimination to exclude or select options that correlate with client teaching after transurethral resection of the prostate (TURP). Recall that a bladder instillation uses solution instilled through a three-way catheter. The presence of the catheter and instillation of fluid within the bladder may create a sensation of needing to void, but an attempt to do so may cause bladder spasms. The bladder irrigation will be discontinued in a day or two. The urine may be pink with some clots at the time of discharge.

65. Note the key words "most appropriate" indicating some options may be appropriate, but one is more so than the others. Use the process of elimination to select the option that corresponds with the nurse's responsibility when informed about a client's condition. Recall that a nurse uses critical thinking skills to make decisions that promote positive outcomes for a client.

66. Note the key words "most important" in reference to assessment data that should precede the administration of an analgesic. Recall that determining that the catheter is patent is the most important fact to confirm or rule out because ensuring that the catheter drains may be the better nursing response.

67. Note the key words "most appropriate" in reference to the selection of an analgesic for relieving bladder spasms. Although all of the drugs listed are analgesics, the combination of belladonna with opium in a rectal suppository has a unique ability to relieve bladder spasms that cause pain.

68. Analyze what the question asks, which is the correct method for documenting urine output involving two catheters. Recall that it is important to identify urine output separately from each catheter.

69. Use the process of elimination to help select the option that identifies the most important nursing intervention after a suprapubic catheter is removed. Recall that changing wet dressings supports principles of asepsis.

70. Use the process of elimination to select the option that correlates with a nursing statement that is appropriate for the situation. Recall that setting limits promotes positive changes in behavior and helps facilitate acceptable choices.

Nursing Care of Clients with Urologic Tumors

71. Use the process of elimination to select the option that corresponds with the diagnostic test that should be performed before a digital examination of the prostate gland. The prostate-specific antigen (PSA) level can be elevated up to 12 days after digital rectal examination or other tests, including cystoscopy. To avoid a falsely elevated PSA test finding, the PSA test should be scheduled and performed before the prostate gland is examined digitally.

72. Note the key words "most important" indicating one nursing action is better than any other. Use the process of elimination to select the option that correlates with an action that promotes wound healing when providing catheter care after a radical prostatectomy. Avoiding tension on the catheter promotes wound healing because it avoids traumatizing tissue and delaying wound repair.

73. Read all the choices carefully. Use the process of elimination to select the benefits of hormonal therapy for prostate cancer. Recall that this medication is called a luteinizing hormone–releasing hormone agonist with the effects of the medication sometimes called "chemical castration."

74. Note the key words "most suggestive" in reference to an assessment that corresponds with hemorrhaging following a nephrectomy. Because a nephrectomy is performed through a flank incision, it can be accompanied by retroperitoneal discomfort as blood accumulates, causing pressure and pain in the area.

75. Note the key words "most important" in reference to a nursing assessment that requires frequent monitoring. Use the process of elimination to consider how the information in each item is affected by opioids. Recall that all opioids cause constipation.

76. Use the process of elimination to select the option that identifies the safest method for protecting clients during the short term when there is a tornado warning. Because tornadoes typically injure people by flying projectiles, relocating clients from their rooms to a windowless hallway is the most appropriate action nursing personnel can implement.

77. Use the process of elimination to select the option that correlates with an early manifestation of bladder cancer. Pain is not usually associated with any type of cancer. Unusual bleeding is a warning sign of various types of cancer, including bladder cancer.

78. Use the process of elimination to select the option that correlates with a safety precaution that is required when disposing of urine that contains an excreted antineoplastic medication. Recall that antineoplastic drugs can be absorbed through the skin. Wearing two pair of gloves reduces the potential for skin absorption.

Nursing Care of Clients with Urinary Diversions

79. Examine the structures in the illustrations carefully. Note that the term "cutaneous" refers to the skin, and ureterostomy indicates that there is an opening of the ureter that is brought to the skin.

80. Use the process of elimination to select the option that corresponds with a nursing measure for preventing skin breakdown around the stoma of a client who has a cutaneous ureterostomy. Recall that as a urine collecting device fills with urine, it pulls on the peristomal skin and potentiates skin breakdown.

81. Note the key words "most likely" as they refer to evidence that anxiety is the etiology for a client's preoperative sleep disturbance. Recall that stimulation of the sympathetic nervous system increases the rate and force of heart contraction as well as many other physiologic changes caused by the fight-or-flight response.

82. Note the key words "most therapeutic" in reference to a verbal response. Use principles of therapeutic communication to select a statement that promotes further interaction between the client and the nurse. Sharing a perception about the client's experience provides a verbal opening for the client to expand on his or her feelings or concerns.

83. Use principles of therapeutic communication to select a statement that demonstrates that the nurse has an interest in the impact of the client's statement and is willing to listen.

84. Note the key words "most appropriate" in reference to the nursing action for addressing the client's discomfort around the stoma. Recall that assessment is the first step in the nursing process. Therefore, inspecting the skin around the stoma should precede any interventions that may follow.

85. Note the key words "most important" in reference to the postoperative information regarding client care that is pertinent for the unlicensed assistive personnel to know. Identifying how the client has assumed some aspects of self-care affects the direct care that the unlicensed assistive personnel is required to provide.

86. Note the key words "most helpful" in reference to controlling leakage from the ileal conduit stoma. Recall that the skin around the stoma must be dry for the replacement appliance to adhere securely. A tampon absorbs urine temporarily when the ostomy appliance is changed.

Correct Answers and Rationales

Nursing Care of Clients with Urinary Incontinence

1. 3. To prevent irritation of the urethral meatus, a 1- to 2-in (2.5- to 5-cm) space should be left between the tip of the penis and the bulb end of the catheter where the drainage system connects. Lubricating the penis interferes with adhesion of the catheter to the penis; in some cases, a substance that creates a tacky surface may be applied to the penis to facilitate adherence. The catheter sheath is rolled upward over the penis, but the purpose is not to prevent meatal irritation. The penis normally is in a downward position when the client is standing or sitting.

> *Cognitive Level*—*Applying*
> *Client Needs Category*—*Physiological integrity*
> *Client Needs Subcategory*—*Basic care and comfort*

2. 3. The Health Insurance Portability and Accountability Act (HIPAA) is a federal law that protects a client's health information. The Personal Information Protection and Electronic Documents Act (PIPEDA) is a similar federal law in Canada. It ensures that information regarding the client's age; birth date; Social Security number; address; and past, present, and future medical diagnoses, care, and treatment remains private. Commenting at the nurses' station, where others can hear, that the client has been repeatedly incontinent violates HIPAA regulations. The Hippocratic Oath is a pledge that physicians take when they enter into practice to do no harm to their clients. The Good Samaritan Act as well as Canada's Good Samaritan doctrines protects health care providers who provide emergency care and first aid from any liability should something go wrong. The Emergency Medical Treatment and Liability Act (EMTALA) provides a medical screening if the client presents to the emergency department regardless of the client's ability to pay or insurance status. This law also has strict guidelines regarding transfers to different facilities and treatment that occurs within 250 yards of the facility's main entrance.

> *Cognitive Level*—*Applying*
> *Client Needs Category*—*Safe and effective care environment*
> *Client Needs Subcategory*—*Coordinated care*

3. 1. Keeping an incontinence log helps the nurse identify patterns in the frequency of urination. The data are then used to schedule toilet activities to correspond to the filling and emptying patterns demonstrated by the client. Checking the urine's specific gravity, monitoring bladder distention, and weighing incontinence pads are all appropriate assessments when caring for clients having problems with urinary elimination. However, these assessments are not as pertinent to planning a successful bladder-retraining program as identifying urinary elimination patterns.

> *Cognitive Level*—*Applying*
> *Client Needs Category*—*Physiological integrity*
> *Client Needs Subcategory*—*Basic care and comfort*

4. 4. The nurse should discourage the client from restricting fluid intake because it can lead to fluid imbalance. In general, maintaining an adequate fluid intake is important because fluids flush toxins and organisms from the body and maintain a state of homeostasis. Restricting fluid leads to more concentrated urine, which is more likely to foster stone formation. Inadequate fluid intake does contribute to constipation, but that is not the main reason for discouraging the client from limiting fluid intake. Although the client is determined to meet the goal, it is unsafe to encourage a plan to restrict fluid intake.

> *Cognitive Level*—*Analyzing*
> *Client Needs Category*—*Health promotion and maintenance*
> *Client Needs Subcategory*—*None*

5. 4. Reflecting feelings is a useful therapeutic communication technique that demonstrates empathy. It lets the client know that the nurse has recognized the emotion underlying the spoken words in the verbal statement. Disagreeing with the client may block further communication. Belittling the client's feelings by challenging the seriousness of the statement also interferes with communication. Advising the client to cheer up or to anticipate physical setbacks because of age are inappropriate, nontherapeutic forms of interaction.

> *Cognitive Level*—*Applying*
> *Client Needs Category*—*Psychosocial integrity*
> *Client Needs Subcategory*—*None*

6. 1. Anchoring the indwelling catheter to the abdomen and allowing for slack before taping eliminates pressure and irritation at the penoscrotal angle. Pressure in this area predisposes to fistula formation. The catheter and tubing are passed over a client's leg to prevent obstruction of drainage from body weight. It is appropriate to fasten the drainage tubing to the bed to ensure a straight line from the bed to the collection bag and to insert the catheter into the tubing of the collection bag. However, neither of these nursing actions will prevent damage to the penis and a penoscrotal fistula from forming.

> *Cognitive Level*—*Applying*
> *Client Needs Category*—*Physiological integrity*
> *Client Needs Subcategory*—*Reduction of risk potential*

7. 2, 4, 5. Preventing catheter-associated urinary tract infections (CAUTIs) is best when catheters are used only when necessary and for the shortest amount of time. Stasis of urine within the bladder when there are kinks in the tubing preventing flow, backfilling collected urine into the bladder when the bag is elevated, and the collection of bacteria near the meatus have the potential for bacteria ascending into the bladder leading to infections when a catheter is used. Avoiding urine leakage and emptying the drainage bag are good nursing measures, but they do not directly prevent urinary tract infections.

Cognitive Level—*Applying*
Client Needs Category—*Safe and effective care environment*
Client Needs Subcategory—*Safety and infection control*

8. **2.** Maintaining a closed system requires that the catheter and drainage tube are not disconnected. To obtain a sterile urine specimen, the port on the drainage system is penetrated with a needle attached to a syringe. A sufficient volume of urine is then aspirated, placed in a sterile container, and sent for laboratory analysis. Separating the catheter from the drainage tubing creates an open system. Obtaining a specimen from the drainage bag has the potential for collecting urine that has been standing and growing bacteria. A port, not the catheter itself, is punctured when obtaining a specimen.

Cognitive Level—*Applying*
Client Needs Category—*Safe and effective care environment*
Client Needs Subcategory—*Safety and infection control*

Nursing Care of Clients with Infectious and Inflammatory Urologic Disorders

9. **4, 5, 6.** One of the classic symptoms of a urinary tract infection (cystitis) is pain or burning on urination. Other symptoms include urinary frequency and urgency. People who have pyelonephritis more commonly experience flank pain. The client's urine may contain white blood cells, causing it to appear cloudy, but urethral discharge is not a common characteristic. Concentrated urine has a strong odor, but this usually does not occur among those with cystitis. Although the urine may develop an odor depending on bacterial growth and amount of urine retained, clients do not commonly report this finding.

Cognitive Level—*Applying*
Client Needs Category—*Physiological integrity*
Client Needs Subcategory—*Physiological adaptation*

10. **1, 3.** When collecting a clean-catch midstream urine specimen, women are instructed to clean the labia and urethral area from front to back with a provided wipe; men clean the penis using a circular motion. The initial voided stream is discarded and a portion of what follows is collected as the specimen. The specimen is collected in a sterile container. The substance used for cleaning is not mixed with the urine specimen.

Cognitive Level—*Applying*
Client Needs Category—*Physiological integrity*
Client Needs Subcategory—*Reduction of risk potential*

11. **1.** Many chronic health states, such as diabetes mellitus, multiple sclerosis, and spinal cord injuries, predispose affected clients to urinary tract infections (UTIs). Glucose in the urine provides a supportive environment for bacterial growth. Diabetes mellitus does not suppress white blood cell activity. Polyuria is a finding in clients with diabetes who have not yet been diagnosed. Once clients with diabetes are diagnosed and treated, however, they do not void more frequently than clients without diabetes, nor is their urine more concentrated.

Cognitive Level—*Applying*
Client Needs Category—*Physiological integrity*
Client Needs Subcategory—*Physiological adaptation*

12. **2.** Infectious and inflammatory conditions affecting the urinary tract are accompanied by blood and pus in the urine, which may be grossly visible or microscopic. Glucose in the urine may be caused by a metabolic problem such as diabetes mellitus. Liver and gallbladder disorders are evidenced by the presence of bilirubin in the urine. Protein in the urine suggests pathology within the nephrons of the kidneys.

Cognitive Level—*Applying*
Client Needs Category—*Physiological integrity*
Client Needs Subcategory—*Physiological adaptation*

13. **2.** Phenazopyridine changes the color of the urine to orange. This is an important teaching point so that the client is not startled in the change in urine characteristic. It will not cause the urine to look cloudy, decrease in volume, or smell strong. This drug will also cause orange staining of the underwear.

Cognitive Level—*Applying*
Client Needs Category—*Physiological integrity*
Client Needs Subcategory—*Pharmacological therapies*

14. **3.** Phenazopyridine is a urinary analgesic that rapidly decreases the burning associated with urinary tract infections (UTIs). Reducing discomfort eventually results in less frequent and urgent urination, but these are secondary effects. Emptying the bladder at less frequent intervals may increase the volume eliminated, but this is also a secondary effect of drug therapy.

Cognitive Level—*Applying*
Client Needs Category—*Physiological integrity*
Client Needs Subcategory—*Pharmacological therapies*

15. **1, 4, 6.** A large intake of fluids promotes frequent urinary elimination, which causes pathogens to pass out of the bladder with the urine. Decreasing the number of pathogens present in the urinary tract reduces their growth rate. Voiding after intercourse is important to flush the bacteria out of the urethra that may have entered during intercourse. Because most urinary tract infections are caused by intestinal bacteria, wiping in a direction from the urethra toward the rectum after urination avoids transferring coliform bacteria into the urinary system. Drinking acidic fluids will not necessarily decrease bacterial growth. Changing underclothing regularly is an appropriate hygiene measure; however, it is not the most effective measure for reducing bacteria in the bladder. Personal hygiene measures are more important than the sanitary condition of restrooms in reducing the incidence of bladder infections.

Cognitive Level—Applying
Client Needs Category—Health promotion and maintenance
Client Needs Subcategory—None

16. 1, 3, 4, 5. Individuals with an overactive bladder experience an urge to urinate that is difficult or impossible to control. It is important for the nurse to assess for the use of urinary irritants in the client's diet. Various beverages can contribute to an overactive bladder. Examples of urinary irritants include alcohol, tea, hot chocolate, and coffee. Possible beverage substitutes for urinary irritants include flavored or plain water, noncitrus fruit juices, herbal tea, and hot carob, an ingredient that can be substituted for chocolate. Milk is not a urinary irritant and can be liberally consumed.

Cognitive Level—Analyzing
Client Needs Category—Health promotion and maintenance
Client Needs Subcategory—None

17.

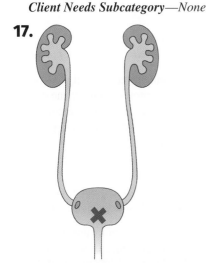

Cystitis is common in clients with cancer. It occurs when certain chemotherapy medications are broken down into substances that irritate the bladder lining. An *X* over the bladder identifies the location of the inflammation.

Cognitive Level—Applying
Client Needs Category—Physiological integrity
Client Needs Subcategory—Physiological adaptation

18. 1. Subjective findings of back discomfort are the best evidence of a kidney infection. The kidneys are retroperitoneal structures, meaning they are located at the rear of the abdominal cavity. They are positioned between the 12th thoracic vertebrae and 3rd lumbar vertebrae. Consequently, a person who has a kidney infection experiences back pain, which is sometimes referred to as flank pain. The descriptions in the distracting options are abnormal, but they are not typical of someone with a kidney infection that is more specifically may be classified as glomerulonephritis or pyelonephritis.

Cognitive Level—Applying
Client Needs Category—Physiological integrity
Client Needs Subcategory—Physiological adaptation

19. 3. The urinary tract is a sterile environment; therefore, a contaminated catheter should be discarded and a new one obtained before proceeding with the catheterization. Wiping the contaminated catheter with an alcohol swab or cleaning it with povidone-iodine solution will not ensure sterility. If the contaminated catheter is reinserted into the urethra, pathogens may be transferred to the urinary tract.

Cognitive Level—Applying
Client Needs Category—Safe and effective care environment
Client Needs Subcategory—Safety and infection control

20. 3. Clients who take sulfonamides such as trimethoprim and sulfamethoxazole can reduce the risk of developing crystalluria by consuming 3 to 4 qt (3 to 4 L) of fluid per day. Water is preferred for a client with diabetes because it is calorie free. Sulfonamides are best taken on an empty stomach unless gastric irritation occurs. Carbonated drinks and citrus fruits will not reduce the risk of crystalluria.

Cognitive Level—Applying
Client Needs Category—Physiological integrity
Client Needs Subcategory—Pharmacological therapies

21. 4. An intravenous pyelogram (IVP) is an x-ray examination of the kidneys, ureters, and urinary bladder that uses contrast material. The client should be instructed not to eat or drink after midnight on the night before the examination and to take a mild laxative (in either pill or liquid form) the evening before the procedure. A laxative is taken to empty the bowel of gas and stool, which, if present, could obstruct the view of the urinary structures during the x-ray. IVP is not used to examine the lower gastrointestinal tract. Stool incontinence is not generally a problem with IVP. Laxatives are generally given to treat, not prevent, constipation.

Cognitive Level—Applying
Client Needs Category—Physiological integrity
Client Needs Subcategory—Reduction of risk potential

22. 3. A history of a previous allergic reaction to radiopaque dye indicates the client is at risk for a similar episode. The health care provider may prescribe a corticosteroid or antihistamine before the test to reduce the potential for an allergic reaction. Other than inserting the I.V. to inject the dye, the procedure is painless; the client lies flat on an x-ray table or is asked to turn to the side as the x-ray is adjusted over the client's lower abdomen. With intravenous pyelography (IVP), iodine dye injected through a vein in the arm collects in the kidneys, ureters, and bladder, giving these areas a bright white and sharply defined appearance on the x-ray images. Barium is not used in this procedure but in those involving upper and lower gastrointestinal studies.

Cognitive Level—Applying
Client Needs Category—Physiological integrity
Client Needs Subcategory—Reduction of risk potential

23. 2. Although definite evidence linking a streptococcal infection with glomerulonephritis has not been established, many people recall that they experienced a sore throat or an upper respiratory infection 2 to 3 weeks before the onset of glomerulonephritis. There is no correlation between acute glomerulonephritis and an earlier urinary tract infection, treatment with a diuretic, or sensitivity to a sulfonamide.

Cognitive Level—Applying
Client Needs Category—Physiological integrity
Client Needs Subcategory—Physiological adaptation

24. 4. A common sign associated with glomerulonephritis is peripheral edema that ranges from slight ankle edema in the evening to generalized fluid retention that may compromise cardiac function. The skin is pale, not flushed. Skin hemorrhages are a common finding in liver disease and blood dyscrasias. The distribution of body hair is not directly related to glomerulonephritis.

Cognitive Level—Applying
Client Needs Category—Physiological integrity
Client Needs Subcategory—Physiological adaptation

25. 3. The blood urea nitrogen (BUN) test is primarily used, along with the creatinine level, to evaluate kidney function and to monitor clients with acute or chronic kidney dysfunction or failure. The results of BUN testing indicate how efficiently the glomeruli are removing nitrogen wastes from the blood. An elevation indicates glomerular dysfunction. Serum amylase levels aid in diagnosing and monitoring pancreatitis. A blood glucose test is used for monitoring diabetes mellitus. A complete blood count (CBC) is helpful for baseline information, but it is not as essential in evaluating the course of glomerulonephritis as BUN testing.

Cognitive Level—Applying
Client Needs Category—Physiological integrity
Client Needs Subcategory—Reduction of risk potential

26. 3. Because glomerulonephritis impairs renal function, monitoring weight on a daily basis is essential for evaluating how much fluid the person is retaining. Ambulation is not usually impaired; however, if the client is hypertensive or has other circulatory complications, activity may be restricted. Many clients with glomerulonephritis are on fluid restriction; therefore, encouraging fluid intake is an inappropriate nursing action. Self-catheterization is not indicated in clients with acute glomerulonephritis.

Cognitive Level—Analyzing
Client Needs Category—Physiological integrity
Client Needs Subcategory—Physiological adaptation

27. 2. After assessing the severity of the client's pain on the pain scale, it is important for the nurse to assess the client's blood pressure. People with glomerulonephritis are typically hypertensive; hypertension can be accompanied by a headache. Hypertension is also an indication of increased intracranial pressure. If the headache is caused by hypertension, a priority intervention is to reduce the blood pressure and treat the cause. Implementing comfort measures such as reducing environmental stimuli, administering a prescribed analgesic, and changing the client's position are appropriate; however, assessing the client is the nurse's priority in this situation.

Cognitive Level—Analyzing
Client Needs Category—Physiological integrity
Client Needs Subcategory—Physiological adaptation

28. 2. Urine that formed before a 24-hour urine collection starts should not be included with the collected urine. Valid results require that the urine collected be produced within the 24-hour period. Properly collected urine is refrigerated in a large container or kept in the container in a basin of ice. After all the urine from the 24-hour period is collected, the entire specimen is sent to the laboratory. The nurse should consult laboratory policy about whether to mix the urine from a 24-hour collection with a preservative or to refrigerate the sample.

Cognitive Level—Applying
Client Needs Category—Physiological integrity
Client Needs Subcategory—Reduction of risk potential

29. 4. When urine is inadvertently discarded instead of being added to the urine in the collection container, the 24-hour urine collection is stopped and the urine that was collected is discarded. The 24-hour urine collection is restarted using the same methodology, which is to have the client void, begin the 24-hour clock, and then begin urine collection with the next void.

Cognitive Level—Applying
Client Needs Category—Physiological integrity
Client Needs Subcategory—Reduction of risk potential

30. 3. People with glomerulonephritis generally test positive for albuminuria. Albumin is present in the urine due to the increased permeability of the glomerular membrane. Glucose and acetone are expected in the urine of a person with uncontrolled diabetes mellitus. Bilirubin is present in the urine of a person with liver or gallbladder disease.

Cognitive Level—Applying
Client Needs Category—Physiological integrity
Client Needs Subcategory—Physiological adaptation

31. 2. The presence of blood gives a smoky appearance to urine. Cloudy urine suggests the presence of white blood cells. If the urine appears bright orange, the nurse might investigate whether the client has ingested a substance containing a water-soluble dye or has taken a urinary analgesic such as phenazopyridine for a urinary tract infection (UTI). Concentrated urine is likely to appear dark yellow.

Cognitive Level—Applying
Client Needs Category—Physiological integrity
Client Needs Subcategory—Physiological adaptation

32. 3. Chicken breast on lettuce is the menu item that contains the least amount of sodium among the options provided. Processed meats such as hot dogs are highly salted. Bouillon and other canned soups also generally contain a great deal of salt. Dairy products such as cheese are high in sodium. Baked goods, such as crackers and pizza crust, also contain sodium bicarbonate or salt.

Cognitive Level—Applying
Client Needs Category—Health promotion and maintenance
Client Needs Subcategory—None

33. 2. Steroids are prescribed to treat the inflammatory response caused by the disease process. Alternate-day therapy is used when administering glucocorticoid drugs to prevent adrenal suppression. Alternating oral hormone therapy allows the adrenal cortex to produce natural hormones as the blood level drops the day the hormone replacement is not given. Steroids have many undesirable side effects, but most are tolerable. Steroids can be and are administered on a daily basis when clients require short-term therapy. The duration of action is generally 24 hours.

Cognitive Level—Applying
Client Needs Category—Physiological integrity
Client Needs Subcategory—Pharmacological therapies

Nursing Care of Clients with Renal Failure

34. 1. Anemia with a low red blood cell count is common in clients with renal failure. The kidneys produce erythropoietin, which stimulates the production of red blood cells (RBCs). If kidney function is diminished, anemia occurs from the decreased RBC production. Clients with renal failure typically have weight gain, not weight loss, related to fluid retention and hypertension, not hypotension. Renal failure does not generally produce a fever.

Cognitive Level—Analyzing
Client Needs Category—Physiological integrity
Client Needs Subcategory—Physiological adaptation

35. 4. Normal urine output is between 1,000 and 2,000 mL/day. The first stage of renal failure is generally characterized by oliguria—that is, a urine output of less than 500 mL in 24 hours. Nursing interventions are developed to reflect and improve the client's decline in urine production. The nurse would expect to note a diuretic phase following a period of oliguria or anuria as the client's condition improves. Anuria is characterized by urine output of 100 mL or less.

Cognitive Level—Applying
Client Needs Category—Physiological integrity
Client Needs Subcategory—Physiological adaptation

36. 1. The client's serum creatinine levels should be closely monitored because they are helpful in determining kidney functioning. High serum creatinine levels are commonly noted in conjunction with glomerular damage. Altered levels of serum sodium, uric acid, and blood urea nitrogen may also be seen, but these are not the best indicators of kidney functioning. Specific gravity relates to the concentration of the urine, not necessarily impaired kidney function.

Cognitive Level—Applying
Client Needs Category—Physiological integrity
Client Needs Subcategory—Reduction of risk potential

37. 4. It is necessary to assess the client's breath sounds in this situation because administering fluid to someone with oliguria or anuria may lead to heart failure and pulmonary edema. Fluid overload is manifested by pedal edema, but this is not a life-threatening consequence. It is not likely that the nurse will perform frequent weights while the fluids are infusing. Monitoring specific gravity is not a priority during fluid administration. It is assumed that with increased urine output, the concentration of the urine (specific gravity) would decrease.

Cognitive Level—Applying
Client Needs Category—Physiological integrity
Client Needs Subcategory—Pharmacological therapies

38. 4. The skin of a client in renal failure becomes dry and intensely itchy due to the excretion and evaporation of nitrogenous wastes through the skin (uremic frost). Skin care involves frequent cleaning with plain, warm water, then patting the skin dry. The client may have increased perspiration due to the excretion process. The skin typically becomes dry, not oily. The nurse may choose to apply a lubricating skin cream or lotion. Edema causes taut, puffy skin, not loss of turgor.

Cognitive Level—Analyzing
Client Needs Category—Physiological integrity
Client Needs Subcategory—Physiological adaptation

39. 4. Lemon juice is used to enhance the flavor of seafood, fish, eggs, and some vegetables. Other recommended seasonings include fresh herbs, such as parsley, dill, and oregano. Fresh onion is also acceptable. Catsup, prepared mustard, and soy sauce are high in sodium and should be avoided.

Cognitive Level—Applying
Client Needs Category—Physiological integrity
Client Needs Subcategory—Basic care and comfort

40. 1. Hard candy, especially if sour or tart flavored, increases salivation and reduces the sensation of thirst without increasing fluid intake. Clients in renal failure, unless they have diabetes, are not generally restricted in the amount of carbohydrates they may consume. Ice chips, ice cream, and fresh fruit all contain fluid that must be considered in the fluid restriction. Fruit contains potassium, which is also contraindicated for clients with renal failure.

Cognitive Level—Applying
Client Needs Category—Physiological integrity
Client Needs Subcategory—Basic care and comfort

41. 1. An arteriovenous fistula is a surgical procedure connecting an artery and vein located in the forearm. When dialysis is needed, two venipunctures are performed at either end of the fistula. The color and temperature of the hands are assessed regularly for signs of inadequate circulation. Blood clots may form in the joined vessels and occlude tissue perfusion. Joint range of motion, muscle tone and coordination, and skin turgor and sensation are not likely to be affected.

Cognitive Level—Applying
Client Needs Category—Physiological integrity
Client Needs Subcategory—Reduction of risk potential

42. 3. While assessing the arteriovenous fistula, the nurse palpates a thrill, or vibration, over the vascular access. The nurse should also expect to hear a bruit—a loud sound caused by turbulent blood flow—at the connection site, but a bruit is not detected by palpating the fistula. Both the thrill (vibration) and bruit (sound) must be present. If they are absent, the nurse should postpone further use of the device and notify the health care provider. The nurse would not expect to note a pulse or a clicking sound in the assessment.

    Cognitive Level—Applying
    Client Needs Category—Physiological integrity
    Client Needs Subcategory—Physiological adaptation

43. 4. Discussing an actual or potential stressor helps to place the event in more realistic perspective. Giving a client an opportunity for discussion empowers the client to confront the issues and acquire support in the process. Having the spouse cook the client's favorite dishes may not be advisable, especially taking into account the sodium, protein, and fluid restrictions. Although the other two options may be explored later, the nurse should focus on the client's feelings about the disorder.

    Cognitive Level—Applying
    Client Needs Category—Psychosocial integrity
    Client Needs Subcategory—None

44. 2. Peritoneal dialysis is a method of filtering fluid, wastes, and chemicals from the body using the peritoneum, the semipermeable lining of the abdomen. Along with measuring the volume of infused and drained dialysis solution, comparing the client's weight before and after the procedure provides the best objective data for evaluating the outcome of peritoneal dialysis. Most clients requiring peritoneal dialysis do not excrete urine. Typically, the abdominal girth measurements will fluctuate based on the addition or withdrawal of fluids. Pulse rate should not vary and therefore will not affect the outcome of the treatment.

    Cognitive Level—Analyzing
    Client Needs Category—Physiological integrity
    Client Needs Subcategory—Physiological adaptation

45. 1. The dialysate infusion tubing is clamped, usually for 15 to 45 minutes, to allow osmosis and diffusion to take place between the dialysate and the peritoneum. The peritoneal cavity is then drained after the dwell time. The client is free to ambulate, change positions, or remain in bed during peritoneal dialysis. The amount of activity depends on the client's safety needs.

    Cognitive Level—Analyzing
    Client Needs Category—Physiological integrity
    Client Needs Subcategory—Reduction of risk potential

46. 3. An elevated temperature is unexpected. Its presence indicates that an infection is occurring, and the nurse should suspect peritonitis. It is expected that a client undergoing peritoneal dialysis will lose weight and have an output that exceeds intake. Clients who require dialysis typically do not have a normal serum creatinine level (1.2 mg/dL; 106.08 µmol/L).

    Cognitive Level—Analyzing
    Client Needs Category—Physiological integrity
    Client Needs Subcategory—Physiological adaptation

47. 3. One beneficial effect of dialysis is the lowering of the serum potassium level. A goal of dialysis therapy is to maintain a safe concentration of serum electrolytes. Peritoneal dialysis is not expected to improve urine output or edema. Any improvement in renal function is probably due to accompanying therapy or healing at the cellular level. An improved appetite is far too subjective to be used as an indicator of a therapeutic response to peritoneal dialysis.

    Cognitive Level—Analyzing
    Client Needs Category—Physiological integrity
    Client Needs Subcategory—Reduction of risk potential

48. 2. Peritonitis is the most serious and common complication in 60% to 80% of clients on long-term peritoneal dialysis. Pulmonary edema is not a common complication. Although cardiovascular disease commonly occurs due to hypertriglyceridemia, a ruptured aorta is not common. An abdominal hernia is common in clients undergoing long-term peritoneal dialysis because of the continuous increased intra-abdominal pressure; however, a hernia is not as common or as serious as peritonitis.

    Cognitive Level—Applying
    Client Needs Category—Physiological integrity
    Client Needs Subcategory—Reduction of risk potential

49. 1. Because the kidney is a highly vascular organ, hemorrhage and shock are the most immediate complications of kidney transplant surgery. Fluid and blood component replacements are often necessary in the immediate postoperative period. Abdominal distention, paralytic ileus, and pneumonia also are potential complications during the postoperative period, but they are not likely to occur immediately after surgery.

    Cognitive Level—Analyzing
    Client Needs Category—Physiological integrity
    Client Needs Subcategory—Reduction of risk potential

Nursing Care of Clients with Urologic Obstructions

50. 1. Subjective data that are associated with obstructive urinary disorders include a persistent feeling of needing to void and dull flank pain. Feeling the urge to void is related to urine accumulating in the bladder secondary to incomplete emptying. A palpable bladder above the pubis is an objective sign that urine is being retained. Dark urine is associated with fluid volume deficit. Abdominal cramping is associated with a problem with the bowel.

    Cognitive Level—Applying
    Client Needs Category—Physiological integrity
    Client Needs Subcategory—Physiological adaptation

51. 2. A cystostomy tube is surgically inserted directly into the bladder through the abdominal wall. A ureterostomy tube is inserted into one of the ureters through a flank incision. A retention catheter, such as a Foley catheter, is inserted through the urethra.

> *Cognitive Level*—*Applying*
> *Client Needs Category*—*Physiological integrity*
> *Client Needs Subcategory*—*Physiological adaptation*

52. 2. Ensuring that there is adequate urine output from the suprapubic catheter is the best nursing intervention for evaluating patency of the catheter. Inspecting the skin is essential for detecting breakdown or infection. Attaching the catheter to a leg bag promotes the client's ability to move. Encouraging oral intake promotes urine formation, but increased fluid intake is not a measure of catheter patency.

> *Cognitive Level*—*Applying*
> *Client Needs Category*—*Physiological integrity*
> *Client Needs Subcategory*—*Reduction of risk potential*

53. 2. *Urolithiasis* refers to stones that form in the kidneys or urinary tract. Stones are usually made of mineral salts that typically are dissolved in the urine. Increasing fluid intake promotes excretion of stones and limits trauma to urinary structures. Stones may be smooth, jagged, or staghorn shaped. Gross or microscopic hematuria (blood-tinged urine) is more characteristic of trauma from a moving urinary stone than cloudy, light yellow, or strong-smelling urine. There is no need for laboratory analysis, a condom catheter or palpating/assessing the bladder.

> *Cognitive Level*—*Applying*
> *Client Needs Category*—*Physiological integrity*
> *Client Needs Subcategory*—*Reduction of risk potential*

54. 1, 2. Clients who are in the process of passing a kidney stone are in severe pain. The nurse should liberally administer a prescribed opioid or nonsteroidal anti-inflammatory drugs (NSAIDs). All urine is strained because the stones may be easily identifiable or they may appear like grains of sand. Any debris that collects on a strainer is collected and sent to the laboratory for identification of its composition. Although there may be blood, which is protein in nature, in the urine, it is not usually identified using a dipstick. The client may move about without any restrictions. Calcium-rich foods may be restricted but only after the composition of the stone is determined. There should be no significant changes in weight that would require weighing the client daily.

> *Cognitive Level*—*Applying*
> *Client Needs Category*—*Physiological integrity*
> *Client Needs Subcategory*—*Reduction of risk potential*

55. 2, 3, 5, 6. A cystoscopy is the visual examination of the inside of the bladder, not the kidneys. The cystoscope consists of a lighted tube with a telescopic lens. It is used to help identify the cause of painless hematuria, urinary incontinence, and urine retention. It also helps to evaluate structural and functional changes of the bladder.

The cystoscope is introduced through the urethra while the client is under local, spinal, or general anesthesia; no surgical incision is required. Biopsy samples of tissue, cell washing, and a urine sample may be obtained during the procedure.

> *Cognitive Level*—*Applying*
> *Client Needs Category*—*Physiological integrity*
> *Client Needs Subcategory*—*Physiological adaptation*

56. 2. Because of the instrumentation and dilation of the urethra, many clients report burning when urinating after a cystoscopy. The nurse can reduce or relieve the discomfort by promoting a liberal fluid intake, providing sitz baths, and administering a prescribed mild analgesic. Polyuria, anuria, and pyuria indicate other complications or conditions affecting the renal system, but these are not directly related to having a cystoscopy.

> *Cognitive Level*—*Applying*
> *Client Needs Category*—*Physiological integrity*
> *Client Needs Subcategory*—*Reduction of risk potential*

57. 1. Increasing fluid intake helps to move the stone so it may be spontaneously eliminated. The nurse should also encourage the client to increase fluids following stone removal to dilute the urine, prevent further stone production, and flush bacteria from the urinary system. Strengthening the bladder muscles, voiding a larger stream, and increasing protein in the diet are not related to urolithiasis.

> *Cognitive Level*—*Applying*
> *Client Needs Category*—*Physiological integrity*
> *Client Needs Subcategory*—*Reduction of risk potential*

58. 1, 5. Extracorporeal shock wave lithotripsy (ESWL) is a minimally invasive procedure that is performed while the client lays on a fluid-filled pillow. When the procedure was first developed, the client was placed in a tank of water. The client is not allowed to eat or drink anything several hours before the procedure. Ultrasound, not radiation or a laser beam, is the mechanism used to pulverize the stone. Clients are mildly sedated and given preprocedural analgesic medication to reduce the discomfort, which is commonly described as a "blow to the body" rather than a tingling sensation. It is common for bruises to appear as a consequence of the ultrasonic energy. The procedure generally takes from 45 to 60 minutes. Pregnant women should not undergo ESWL.

> *Cognitive Level*—*Analyzing*
> *Client Needs Category*—*Physiological integrity*
> *Client Needs Subcategory*—*Reduction of risk potential*

59. 2, 5, 6. Benign prostatic hypertrophy (BPH) is the enlargement of the prostate. The prostate gland encircles the male urethra like a donut. As the gland enlarges, the client notices that it takes more effort to void, and the urinary stream becomes narrower. Dribbling often occurs. Nocturia, being awakened by a need to urinate, is a common finding among clients with BPH. Burning on urination is more likely a sign of a bladder infection, which could be secondary to BPH. Feeling pressure in the back is more indicative of pathology involving the kidneys. Colorless or very light yellow urine indicates that the urine is dilute. This could be caused by an endocrine disturbance, such as diabetes insipidus, or some other dysfunction affecting renal tubular reabsorption.

> *Cognitive Level—Analyzing*
> *Client Needs Category—Physiological integrity*
> *Client Needs Subcategory—Physiological adaptation*

60. 3. Because of obstruction of the urethra from an enlarging prostate gland, men with benign prostatic hypertrophy (BPH) often describe hesitancy when initiating urination. In other words, they feel the need to urinate but it takes some time before urine is released. The stream of urine is also diminished. BPH usually does not cause sexual dysfunction or incontinence. The prostate gland is not located in the scrotum; it encircles the urethra and can be palpated by rectal examination.

> *Cognitive Level—Applying*
> *Client Needs Category—Physiological integrity*
> *Client Needs Subcategory—Physiological adaptation*

61. 1. The nurse must evaluate the characteristics of different catheter types to identify which is best for a client with benign prostatic hypertrophy (BPH). The best catheter choice is the coudé catheter. Coudé is a French word that means "elbow." A coudé catheter has a slight bend at the tip. It is best when catheterizing a client with BPH because the curved tip is able to move through the narrowed urethra. An anesthetic lubricant that can be instilled is commonly used to facilitate the procedure. Silicone, rubber, and flexible catheters typically meet the resistance of the prostate gland and cannot be advanced.

> *Cognitive Level—Analysis*
> *Client Needs Category—Physiological integrity*
> *Client Needs Subcategory—Reduction of risk potential*

62. 1. Lowering the penis from an upright position to one in which the penis is pointed in the direction of the toes sometimes helps to pass a straight catheter beyond the narrowing caused by an enlarged prostate gland. The penis is grasped firmly whenever a catheter is inserted. A catheter is never forced if resistance is met during insertion. Massaging the tissue below the base of the penis does not facilitate the catheter's passage past an enlarged prostate gland.

> *Cognitive Level—Applying*
> *Client Needs Category—Physiological integrity*
> *Client Needs Subcategory—Reduction of risk potential*

63. 4. Transurethral resection of the prostate (TURP) is a procedure frequently performed on older men to treat benign prostatic hypertrophy (BPH). Historically it was one of the most common major surgeries performed on men aged 65 years and older but is rapidly being replaced by laser prostatectomy and other less invasive procedures. Hematuria is generally present for at least 24 hours after a TURP. Vital signs are monitored to evaluate if the volume

of blood loss is causing shock. It may take 24 to 48 hours for the urine to become light pink and transparent. After the procedure, the volume of urine is usually within the normal range unless complications, such as hypovolemic shock or obstruction of the catheter, occur. Sediment, if present, is due to the remnants of prostatic tissue; however, the blood that is mixed with the urine initially obscures the nurse's ability to identify the presence of tissue or mucoid debris.

> *Cognitive Level—Analyzing*
> *Client Needs Category—Physiological integrity*
> *Client Needs Subcategory—Reduction of risk potential*

64. 1, 2, 4. Bladder irrigation is the process of flushing the bladder to prevent or remove blood clots and tissue after a transurethral resection of the prostate (TURP). Bladder irrigation instills normal saline solution hung from an I.V. pole through one lumen of the urinary catheter. The solution flows into the bladder, dilutes the urine and sediment, and drains out the catheter into a gravity drainage bag. Instructing the client that it is normal to feel the urge to urinate even though the bladder is empty is an appropriate nursing action. This is due to feeling the presence of the catheter and balloon. It is also important for the nurse to instruct the client not to try to urinate around the catheter because this will cause bladder muscles to contract, leading to painful bladder spasms requiring medication. The client also needs to know that it is normal for the urine to be bloody at first. This should clear up gradually and change from bright red, to pink, to dark amber, to clear yellow, usually within 24 hours. The urine will clear faster if the client increases the intake of fluids, so limiting fluid amounts is not an appropriate nursing instruction. By the time the client is discharged 2 or 3 days after surgery, he should be voiding naturally; but the urine will be pink and may still contain small blood clots. The color should become clear yellow, as healing progresses and fluid intake is adequate.

> *Cognitive Level—Analyzing*
> *Client Needs Category—Physiological integrity*
> *Client Needs Subcategory—Reduction of risk potential*

65. 3. It is the nurse's responsibility to assess the client who the UAP reports is manifesting a sign or symptom that is unusual. Although extremely bloody drainage is expected, it could also be caused by postoperative hemorrhage. The nurse has more knowledge and experience to gather additional information to differentiate between the two possibilities. Reassigning the care of the client is unnecessary. Providing reassurance to the UAP is premature without more data. The health care provider should not be contacted unless the assessments indicate an unexpected complication.

> *Cognitive Level—Analyzing*
> *Client Needs Category—Safe and effective care environment*
> *Client Needs Subcategory—Coordinated care*

66. 3. The nurse should assess whether the catheter is draining well before administering an analgesic for bladder discomfort. Obstruction of the catheter causes bladder spasms. Restoring patency is more appropriate in the case of catheter obstruction than administering an analgesic. Initially, the urine will be bloody with some clot formation; although this is important to note, it is not the cause of the client's bladder spasms. The nurse may need to know about the client's most recent activities, such as walking in the room or drinking fluids, but the patency of the catheter is more important at this time.

> *Cognitive Level—Applying*
> *Client Needs Category—Physiological integrity*
> *Client Needs Subcategory—Physiological adaptation*

67. 4. Belladonna and opium rectal suppositories are considered the most effective treatments for relieving bladder spasms after transurethral resection of the prostate (TURP). The belladonna component relaxes smooth muscles in the bladder, and the opium is a centrally acting analgesic. Aspirin is avoided because it increases the tendency to bleed. Morphine sulfate is an opioid. Opioids alone do not lessen the spasms but may decrease the pain. Acetaminophen is better for mild pain.

> *Cognitive Level—Applying*
> *Client Needs Category—Physiological integrity*
> *Client Needs Subcategory—Pharmacological therapies*

68. 3. The best method for recording urine output when a client has more than one catheter is to record the volumes drained from each catheter as separate entries in the medical record. Recording only the output from the urethral catheter or the output from the wound catheter does not provide accurate data on total output. If the two volumes are added and recorded as a single entry, it is difficult to evaluate the status of urine drainage from each catheter.

> *Cognitive Level—Applying*
> *Client Needs Category—Physiological integrity*
> *Client Needs Subcategory—Basic care and comfort*

69. 3. After a suprapubic catheter is removed, urine may leak from the incisional area and saturate the sterile dressing. A wet dressing provides a wicking action by which microorganisms are attracted in the direction of the impaired tissue. A dressing saturated with urine also leads to skin breakdown. Checking the specific gravity is important only if fluid status is a concern but is not related to removal of the suprapubic catheter. Measuring the client's abdominal girth is an activity related to ascites and cirrhosis of the liver, not the removal of the suprapubic catheter. The Credé maneuver is a technique in which the nurse presses inward and downward over the bladder to increase the abdominal pressure to facilitate bladder emptying. This technique is not needed after removal of the client's suprapubic catheter because the client will either have normal bladder function or the urine will leak out of the catheter insertion site.

> *Cognitive Level—Applying*
> *Client Needs Category—Physiological integrity*
> *Client Needs Subcategory—Reduction of risk potential*

70. 4. Setting limits is a therapeutic measure that enhances a positive outcome while preserving the therapeutic relationship. Limit setting communicates that there are expected standards of behavior. Limit setting does not include a threat. Asking a "why" question is nontherapeutic because the client's response may or may not be truthful. Stating that the client is impressed with his anatomic change does not help the client to modify his behavior. As long as the client feels his behavior is acceptable, it may lead to negative relationships with staff, who may avoid interacting with the client and providing care.

> *Cognitive Level—Applying*
> *Client Needs Category—Psychosocial integrity*
> *Client Needs Subcategory—None*

Nursing Care of Clients with Urologic Tumors

71. 3. Prostate-specific antigen (PSA) is believed to be a tumor marker for malignancies involving the prostate gland. At this time, the evidence that detecting an increased level improves healthy outcomes is mixed and incomplete. However, clients who are at high risk for prostate cancer or who prefer to have the test performed after being advised of its advantages and disadvantages may be tested. To avoid a falsely elevated finding, the test should be performed before a digital rectal examination or instrumentation around the prostate gland, such as occurs during a cystoscopy. The other examinations and tests are not influenced by physical manipulation of the prostate gland.

> *Cognitive Level—Applying*
> *Client Needs Category—Physiological integrity*
> *Client Needs Subcategory—Reduction of risk potential*

72. 1. Tension on the catheter may disrupt healing where the bladder and the urethra have been surgically reconnected after removal of the prostate gland and its capsule. Encouraging oral fluids and cleaning the urinary meatus are appropriate postoperative nursing measures, but they are not likely to have as significant an effect on wound healing. Clients who undergo a radical prostatectomy have a high potential for urinary incontinence as a consequence of the surgical procedure. Clamping and releasing the catheter is not likely to promote wound healing.

> *Cognitive Level—Applying*
> *Client Needs Category—Physiological integrity*
> *Client Needs Subcategory—Reduction of risk potential*

73. 2, 3. Men with advanced prostate cancer are candidates for hormone therapy with the goal of lowering androgen levels. Hormone therapy includes an orchiectomy or several medications for treatment. Leuprolide is a luteinizing hormone-releasing hormone (LHRH) agonist (also called *LHRH analog* or *GnRH agonist*). This drug lowers the amount of testosterone made by the testicles. Many males choose this type of treatment as it does not include removing the testis, although the testicles will shrink in size. This treatment is not a cure for the existing cancer and does not affect sexual urges.

> *Cognitive Level—Applying*
> *Client Needs Category—Physiological integrity*
> *Client Needs Subcategory—Pharmacological therapies*

74. 1. The sudden onset of flank pain along with other signs of shock, such as hypotension, restlessness, and tachycardia, are suggestive of hemorrhage. With shock, the skin is generally pale and cool. A distended abdomen is usually caused by the accumulation of intestinal gas. Pain sometimes causes nausea and vomiting, but these signs and symptoms may be due to multiple etiologies.

    Cognitive Level—Analyzing
    Client Needs Category—Physiological integrity
    Client Needs Subcategory—Reduction of risk potential

75. 1. Although opioids are known for their potential to slow respirations, one of the more common effects is opioid-induced constipation (OIC). Opioids affect the same receptors in the gastrointestinal tract as those for mediating pain. Consequently, when opioids are administered, they inhibit gastric emptying, reduce intestinal mucous secretions, and decrease peristalsis. Nurses must monitor the frequency of bowel movements among clients receiving opioids for pain. Heart rate may be increased if respiratory depression occurs, but that would most likely occur if a client received an overdose. Blood pressure may be somewhat lower due to sedation and inactivity, but impaired bowel elimination is one of the most common consequences that occurs when opioids are administered.

    Cognitive Level—Applying
    Client Needs Category—Physiological integrity
    Client Needs Subcategory—Basic care and comfort

76. 3. In the event of a tornado warning, which means a tornado has been sighted in the geographical vicinity of the health care agency, clients should be moved to a protected space in the innermost part of the building. This is often in the hallway where there are no windows that could injure clients with broken glass. Evacuating and moving clients to a shelter are too time consuming and can result in unnecessary injuries or death. Emergency services are involved in managing casualties; they may only become involved if clients within the building become trapped or injured.

    Cognitive Level—Applying
    Client Needs Category—Safe and effective care environment
    Client Needs Subcategory—Safety and infection control

77. 2. The most common symptom of early-stage bladder cancer is painless hematuria. Dysuria, if present, is generally due to a concurrent urinary tract infection secondary to obstruction of urine. Oliguria occurs later as the disease becomes more advanced and obstruction occurs. Postvoid dribbling is associated with an enlarged prostate gland.

    Cognitive Level—Applying
    Client Needs Category—Physiological integrity
    Client Needs Subcategory—Physiological adaptation

78. 1. Recommendations for safe handling of toxic chemotherapeutic agents include wearing two pairs of surgical latex gloves, which are less permeable than polyvinyl gloves. A gown with cuffs and a mask or goggles may also be worn to prevent direct contact with the drug. An air-purifying respirator, also known as an N95 respirator, is used when caring for clients with known or suspected pulmonary tuberculosis or severe acute respiratory syndrome (SARS). Urine can be flushed in the toilet; it is not necessary to place it in a biohazard container.

    Cognitive Level—Applying
    Client Needs Category—Safe and effective care environment
    Client Needs Subcategory—Safety and infection control

Nursing Care of Clients with Urinary Diversions

79.

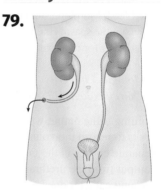

2. When a cutaneous ureterostomy is created, a ureter is detached from the bladder and brought through the abdominal wall. This type of urinary diversion requires the application of an ostomy appliance that collects urine from the diverted ureter. The remaining options illustrate an ileal conduit, vesicostomy, and nephrostomy.

    Cognitive Level—Understanding
    Client Needs Category—Physiological integrity
    Client Needs Subcategory—Physiological adaptation

80. 2. There is an abdominal stoma that delivers urine to an external collecting drainage device when a cutaneous ureterostomy is performed. As the collection device fills with urine, its weight pulls at the peristomal skin. Consequently, the client is at risk for skin breakdown. By emptying the drainage device at frequent intervals, the integrity of the skin can be preserved. Skin-protecting substances like karya or products that absorb moisture like Coloplast can be applied to promote the adhesive quality of the appliance and protect the skin, but lotion is not a satisfactory substitute. Oral fluid intake promotes urine elimination and keeps the urinary diversion more patent by removing mucus, but that is not the best method for preventing skin breakdown. Urinary appliances are not changed daily; they are changed when they become loose or when the skin is excoriated and painful.

    Cognitive Level—Applying
    Client Needs Category—Physiological integrity
    Client Needs Subcategory—Basic care and comfort

81. 3. A pulse rate of more than 100 beats/minute in the absence of activity or some accompanying pathology suggests that the sympathetic nervous system is stimulated. The sympathetic nervous system responds when a person is experiencing a real or perceived threat to his or her well-being. Usually a client's face is red or pink when anxious, related to the increase in pulse and blood pressure. Requesting a midnight snack is not a true indicator of anxiety, although some individuals eat when stressed. Because the client is scheduled for surgery, it is likely that the client will be NPO after midnight.

> *Cognitive Level—Analyzing*
> *Client Needs Category—Psychosocial integrity*
> *Client Needs Subcategory—None*

82. 1. Sharing perceptions with the client by stating that it must be difficult shows empathy and allows the client an opportunity to discuss concerns. Telling the client that one of the best surgeons will be doing the procedure does not encourage further verbalization because it is unlikely to stimulate discussion. The cliché that everything will turn out okay offers false reassurance. It also communicates that the nurse is uncomfortable discussing the client's feelings. Saying that others have done just fine minimizes and belittles the uniqueness of the situation from the client's perspective.

> *Cognitive Level—Applying*
> *Client Needs Category—Psychosocial integrity*
> *Client Needs Subcategory—None*

83. 1. Encouraging the client to verbalize more and express feelings is an effective therapeutic communication technique. Because it is impossible for a nurse to know how a client is feeling, stating so diminishes the nurse's credibility. The client may lose faith in the ability of the nurse to be truly empathetic. Minimizing the client's despair by saying, "It is not as bad as that," is likely to interfere with any further discussion. Advising the client to think more positively is likely to be interpreted as disapproval of the way the client currently feels.

> *Cognitive Level—Applying*
> *Client Needs Category—Psychosocial integrity*
> *Client Needs Subcategory—None*

84. 2. It is important for the nurse to assess the skin's condition to plan appropriate interventions. If the skin is excoriated, it probably will take more than just diluting the urine or emptying the appliance more frequently to restore skin integrity. It would be impossible to leave the appliance off because urine is released constantly.

> *Cognitive Level—Applying*
> *Client Needs Category—Physiological integrity*
> *Client Needs Subcategory—Physiological adaptation*

85. 1. Unlicensed assistive personnel provide clients with personal care, including toileting, so it is of most importance to know that the client is emptying the urine collection device independently. Information about the client's teaching, the type of surgery the client has undergone, and the character of the urine are not as important.

> *Cognitive Level—Applying*
> *Client Needs Category—Safe and effective care environment*
> *Client Needs Subcategory—Coordinated care*

86. 2. Inserting a tampon or gauze square into the stoma momentarily absorbs the urine and keeps the skin dry. Leaning over the toilet puts the client in an awkward position while the appliance is being changed. It generally takes two hands to manipulate the appliance during its application; therefore, pressing a finger over the stoma or pinching the stoma interferes with the coordination needed.

> *Cognitive Level—Applying*
> *Client Needs Category—Physiological integrity*
> *Client Needs Subcategory—Physiological adaptation*

TEST

11

The Nursing Care of Clients with Disorders of the Reproductive System

- Nursing Care of Clients with Breast Disorders
- Nursing Care of Clients with Disturbances in Menstruation
- Nursing Care of Clients with Infectious and Inflammatory Disorders of the Female Reproductive System
- Nursing Care of Clients with Benign and Malignant Disorders of the Uterus and Ovaries
- Nursing Care of Clients with Miscellaneous Disorders of the Female Reproductive System
- Nursing Care of Clients with Inflammatory Disorders of the Male Reproductive System
- Nursing Care of Clients with Structural Disorders of the Male Reproductive System
- Nursing Care of Clients with Benign and Malignant Disorders of the Male Reproductive System
- Nursing Care of Clients with Sexually Transmitted Infections
- Nursing Care of Clients Practicing Family Planning
- Test Taking Strategies
- Correct Answers and Rationales

Directions: *With a pencil, blacken the space in front of the option you have chosen for your correct answer.*

Nursing Care of Clients with Breast Disorders

A 30-year-old woman has an appointment for a routine pelvic examination. The client asks the office nurse when to begin undergoing routine mammography.

1. The client states that she is asymptomatic and has no first-degree relatives who have breast cancer. The nurse advises that general consensus is a baseline mammogram is acceptable to begin:
[ ] **1.** this year.
[ ] **2.** in 5 years.
[ ] **3.** in 10 years.
[ ] **4.** in 20 years.

Despite the fact that breast self-examination (BSE) does not show a clear benefit, the client intends to continue the practice to develop breast self-awareness.

2. The client states that she examines her breasts in the shower and while lying down. The nurse recommends that the client should also inspect her breasts from what position?
[ ] **1.** Bending from the waist
[ ] **2.** Standing before a mirror
[ ] **3.** Arching the back
[ ] **4.** Leaning from side to side

3. The client demonstrates the breast palpation technique used for breast self-examination. The nurse confirms correct technique as the client palpates the breast using the:
[ ] **1.** heel of the hand.
[ ] **2.** index finger only.
[ ] **3.** index finger and thumb.
[ ] **4.** pads of the fingertips.

4. What statement demonstrates to the nurse the client's understanding of when breast self-examination should be performed?
[ ] **1.** "I will perform a BSE on a weekly basis."
[ ] **2.** "I will perform a BSE every 6 months."
[ ] **3.** "I will perform a BSE on a specific date each month."
[ ] **4.** "I will perform a BSE 3 to 7 days after my period ends."

A 35-year-old woman makes an appointment because she has felt several lumps in her right breast. She is scheduled for a mammogram.

5. When the office nurse gives the client instructions on how to prepare for the mammogram, what statement(s) is accurate? Select all that apply.
[ ] **1.** "You will need to shave your underarm hair the morning of the test."
[ ] **2.** "Do not wear any underarm deodorant the day of the test."
[ ] **3.** "Wipe each breast with an antiseptic pad before the test."
[ ] **4.** "Do not wear constricting clothing on the day of to the test."
[ ] **5.** "Avoid wearing body powder on the day of the test."
[ ] **6.** "Refrain from applying lotion to the breasts or axillae."

The nurse collects the woman's health history before the mammogram.

6. What nursing assessment finding(s) indicates a high-risk factor for developing breast cancer? Select all that apply.
[ ] **1.** The client began menstruating before age 12.
[ ] **2.** The client had three full-term pregnancies.
[ ] **3.** The client has a sister diagnosed with breast cancer.
[ ] **4.** The client has very large breasts.
[ ] **5.** The client has had radiation treatment to the chest.
[ ] **6.** The client has had breast implants.

The radiologist interprets the findings on the mammogram as benign fibrocystic disease. The client reads the report on her online health care portal.

7. Upon the client's next office visit, the client questions the nurse regarding the diagnosis. The nurse instructs the client about when she may be able to feel and palpate the fibrocystic changes. What time period is most accurate for the nurse to provide?
[ ] **1.** After the menstrual cycle
[ ] **2.** After sexual intercourse
[ ] **3.** Nearer to beginning menopause
[ ] **4.** Just before menstruation

8. The nurse explains that some women with fibrocystic disease get relief from their symptoms by eliminating what substance from their diet?
[ ] **1.** Alcohol
[ ] **2.** Caffeine
[ ] **3.** Saturated fat
[ ] **4.** Refined sugar

At a mandatory staff meeting, several documents containing a client's name, medical record number, mammogram results, and diagnosis are found unattended on the table.

9. What nursing action(s) is appropriate in this situation? Select all that apply.
[ ] **1.** Notify housekeeping to come and dispose of the papers.
[ ] **2.** Remove the papers by disposing of them in the trash.
[ ] **3.** Place the papers into the shredder bin for disposing.
[ ] **4.** Return the papers to the person who left them on the table.
[ ] **5.** Stack the papers neatly, placing them off to the side.
[ ] **6.** Discuss the potential breach in client confidentiality.

During a presurgical assessment, a 67-year-old woman tells the nurse that she has felt a lump in her left breast for the past 6 months.

10. What characteristic of the breast anomaly suggests to the nurse that the lump may be cancerous?
[ ] **1.** The lump can be easily moved about.
[ ] **2.** The lump is about 0.5 in (1.25 cm) in size.
[ ] **3.** The lump is irregularly shaped.
[ ] **4.** The lump is near the areola.

11. The nurse is assessing the breast area to identify the lump. Indicate which common area for lumps the nurse would identify and thus assess **first**?

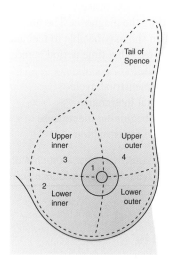

An excisional biopsy is recommended followed by an immediate modified radical mastectomy if the biopsy shows malignant cells.

12. If the client tells the nurse that she would prefer to postpone the mastectomy until the biopsy has been more thoroughly examined, what nursing action is **most appropriate**?
[ ] **1.** Explain that most biopsies are accurate.
[ ] **2.** Advocate for her choice of treatment.
[ ] **3.** Discourage her from opposing the plan.
[ ] **4.** Recommend that she seek a second opinion.

The client's breast tumor is confirmed as malignant, and she undergoes a left modified radical mastectomy.

13. What nursing intervention(s) is appropriate to add to the client's immediate postoperative care plan? Select all that apply.
[ ] **1.** Maintain the client in a dorsal recumbent position.
[ ] **2.** Limit oral fluid intake to no more than 2,000 mL/day.
[ ] **3.** Use the right arm when assessing blood pressure.
[ ] **4.** Inspect the incision at least once each shift.
[ ] **5.** Advise the client to avoid sleeping on the affected side.
[ ] **6.** Ask the client to report numbness or tingling in the chest wall.

14. On the basis of the location and extent of this client's surgery, what postoperative complication(s) can the nurse anticipate the client may develop? Select all that apply.
[ ] **1.** Shallow breathing
[ ] **2.** Inadequate nutrition
[ ] **3.** Decreased bowel motility
[ ] **4.** Altered ambulation
[ ] **5.** Impaired self-care

15. Tamoxifen 10 mg P.O. b.i.d. is prescribed for a client who underwent a modified radical mastectomy to treat her estrogen-sensitive breast cancer. The drug label indicates that there are 20 mg in each tablet. How many tablets should the nurse administer to the client per dose? Record your answer rounded to the nearest tenth.

_____ tablet(s)

16. The client underwent a left modified radical mastectomy. What activity of daily living is **most therapeutic** for the nurse to recommend for preserving the hospitalized client's muscle strength and joint flexibility in the arm on the operative side?
[ ] **1.** Feeding herself
[ ] **2.** Brushing her hair
[ ] **3.** Writing letters
[ ] **4.** Washing her chest

17. When ambulating a client recovering after a modified radical mastectomy, what action is **best** for reducing the client's potential for postural instability and falling?
[ ] **1.** Putting a sling on the operative arm
[ ] **2.** Having the client use a walker
[ ] **3.** Providing nonskid slippers
[ ] **4.** Avoiding narcotic analgesics

18. When modifying the postoperative care plan for the client who underwent a modified radical mastectomy, what nursing measure should the nurse plan to include to prevent swelling of the arm on the client's operative side?
[ ] **1.** Applying an ice pack to the site
[ ] **2.** Applying warm compresses to the site
[ ] **3.** Keeping the arm elevated
[ ] **4.** Ambulating the client frequently

Before the client's discharge, the nurse provides specific mastectomy instructions regarding home care.

19. What instruction(s) should the nurse include in the client's discharge plan? Select all that apply.
[ ] **1.** Continue arm exercises three times per day.
[ ] **2.** Avoid carrying heavy items with the operative arm.
[ ] **3.** Use gloves while doing yard or house work.
[ ] **4.** Get at least 8 hours of sleep per night.
[ ] **5.** Avoid drinking caffeinated or alcoholic beverages.
[ ] **6.** Postpone getting a prosthesis for at least 6 months.

Upon being discharged, the client says to the nurse, "I sure hope the cancer has not spread. The health care provider has not told me the results of the sentinel node biopsy."

20. Identify with an *X* the area where breast cancer is most likely to metastasize **initially**.

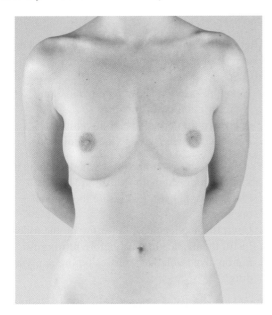

Nursing Care of Clients with Disturbances in Menstruation

A nurse has been asked to teach ovulation and menstruation to a class of secondary school students.

21. When teaching the cycle function, the nurse states the following factors. Place the events listed in the order in which they occur in the menstrual cycle after menstrual flow ends. Use all options.

1. Ovum is released.
2. Progesterone decreases.
3. Endometrium begins to thicken.
4. Ovarian follicle matures.
5. Endometrium is shed.
6. Corpus luteum forms.

A nurse obtains a history from a 20-year-old client who says she does not menstruate.

22. What question is **most important** for the nurse to ask next?
[ ] **1.** "Have you ever had any menstrual periods?"
[ ] **2.** "Do you have any pubic hair growth?"
[ ] **3.** "Have you ever been sexually attracted to males?"
[ ] **4.** "Are there any siblings with a similar problem?"

A 16-year-old client confides to the school nurse that she has cramps that accompany the onset of menstruation.

23. The school nurse meets with a student who has a pattern of missing multiple days each month. If the nurse determines that the absenteeism is related to dysmenorrhea, what suggestion(s) is beneficial for symptomatic relief? Select all that apply.
[ ] **1.** Switch from menstrual pads to tampons.
[ ] **2.** Take an over-the-counter analgesic.
[ ] **3.** Limit the consumption of caffeine.
[ ] **4.** Apply moist heat to the abdomen.
[ ] **5.** Assume a knee-chest position.
[ ] **6.** Decrease sources of dietary fiber.

24. The nurse assesses a client who has self-diagnosed herself as having premenstrual syndrome (PMS). If the client is correct, when is the client **most likely** to report having symptoms?
[ ] **1.** The day preceding menstruation
[ ] **2.** The day after menses ceases
[ ] **3.** Midpoint in the menstrual cycle
[ ] **4.** A week prior to menstruation

25. The client with possible premenstrual syndrome (PMS) tells the nurse, "I become an irritable witch each month." What nursing response is **most therapeutic**?
[ ] **1.** "You are saying you become easily provoked."
[ ] **2.** "I understand exactly how you feel."
[ ] **3.** "Why do you think you become emotional?"
[ ] **4.** "Other people also experience mood swings."

26. What nursing recommendation is **best** for initially validating that the client is experiencing premenstrual syndrome (PMS)?
[ ] **1.** Keep a monthly record of daily physical and psychological symptoms.
[ ] **2.** Make an appointment as soon as possible with a gynecologist.
[ ] **3.** Consult with a therapist for advice on possible coping strategies.
[ ] **4.** Schedule an appointment for a complete physical examination.

27. What activity is **best** for the nurse to recommend to the client who believes she is experiencing premenstrual syndrome (PMS)?
[ ] **1.** Volleyball
[ ] **2.** Yoga
[ ] **3.** Tennis
[ ] **4.** Hiking

28. When interacting with the client with potential premenstrual syndrome (PMS), what nursing action is **most beneficial** for reducing the client's feelings of being a victim of her cyclical symptoms?
[ ] **1.** Make a list of various coping strategies.
[ ] **2.** Ask the client to suggest possible changes.
[ ] **3.** Recommend a meeting with the spouse.
[ ] **4.** Discuss the option of part-time employment.

A 34-year-old woman makes an appointment concerning the pattern of heavy menstrual bleeding. A pelvic examination is scheduled.

29. What instruction is **most appropriate** if a Papanicolaou (Pap) test will be obtained at the time of the pelvic examination?

[ ] **1.** Avoid douching for several days before your appointment.

[ ] **2.** Stop using any and all forms of contraception temporarily.

[ ] **3.** Drink at least 1 quart of liquid an hour before your appointment.

[ ] **4.** Avoid having sexual intercourse for a week before the test.

30. Before taking the client to the room where the pelvic examination will be performed, what nursing action is **most appropriate**?

[ ] **1.** Ask the client to sign a consent form.

[ ] **2.** Give the client an opportunity to void.

[ ] **3.** Offer the client a mild analgesic.

[ ] **4.** Help the client instill a vaginal lubricant.

31. What question is **most important** for the nurse to ask to ensure valid analysis of the vaginal specimen?

[ ] **1.** "When did you last have sexual intercourse?"

[ ] **2.** "How old were you when you had your first pregnancy?"

[ ] **3.** "What was the date of your last menstrual period?"

[ ] **4.** "Have you ever used oral contraceptives?"

A 20-year-old college student reports to the nurse that she is bleeding vaginally at a time other than her expected menses.

32. If the client reports all these data, what factor is **most likely** contributing to the bleeding?

[ ] **1.** The client has been taking an oral contraceptive for 2 months.

[ ] **2.** The client has just changed employment and is under unusual stress.

[ ] **3.** The client's sexual partner has a sexually transmitted infection.

[ ] **4.** The client has been using a vibrator to elicit sexual arousal.

When the client is brought from the waiting room to the examination room, another female follows the client into the room. The client says to the nurse, "It is OK, we are married."

33. What action by the nurse is **most appropriate**?

[ ] **1.** Allow the client's partner to stay in the examination room.

[ ] **2.** Ask the client's partner to remain in the waiting room.

[ ] **3.** Ask the health care provider to make the decision in this situation.

[ ] **4.** Suggest that the partner wait outside the examination room door.

Nursing Care of Clients with Infectious and Inflammatory Disorders of the Female Reproductive System

A 25-year-old woman has repeated vaginal infections. The symptoms suggest that the client has candidiasis caused by the yeast-like microorganism Candida albicans (C. albicans).

34. After *C. albicans* is identified as the causative organism, what type of treatment can the nurse expect will be prescribed?

[ ] **1.** A nonprescription antifungal medication

[ ] **2.** A prescription oral penicillin

[ ] **3.** A prescription broad-spectrum antibiotic

[ ] **4.** A vaginal douche with a vinegar solution

35. What nursing instruction is **best** when teaching the client about inserting vaginal medication?

[ ] **1.** Place the applicator just inside the vaginal opening.

[ ] **2.** Insert the applicator while sitting on the toilet.

[ ] **3.** Instill the medication just before retiring for sleep.

[ ] **4.** Put on disposable latex gloves before applying the drug.

36. What health practice is **most appropriate** for the nurse to teach this client to avoid a repeated vaginal yeast infection?

[ ] **1.** Take showers rather than tub baths if possible.

[ ] **2.** Wipe away from the vagina after a bowel movement.

[ ] **3.** Use a lanolin-based soap for genital cleansing.

[ ] **4.** Avoid having sexual intercourse more than once a week.

A 21-year-old client is recovering from acute pelvic inflammatory disease (PID).

37. If the client asks about long-term consequences that are associated with this disorder, the nurse accurately identifies what reproductive sequela?

[ ] **1.** Cancer of the cervix

[ ] **2.** Premature labors

[ ] **3.** Spontaneous abortions

[ ] **4.** Difficulty getting pregnant

A 24-year-old woman is being treated for endometriosis. A laparoscope will be used to remove ectopic tissue.

38. When discussing the surgical incision sites, at which location will the nurse focus the nursing instruction?

[ ] **1.** Abdomen

[ ] **2.** Vagina

[ ] **3.** Uterine cervix

[ ] **4.** Uterine fundus

39. If the client experiences all of the following symptoms after the laparoscopy, which would the nurse attribute directly to the endoscopic procedure?
[ ] **1.** Nausea and vomiting
[ ] **2.** Shoulder discomfort
[ ] **3.** Urinary frequency
[ ] **4.** Leg cramps

A 65-year-old woman experiences painful intercourse and is concerned about possible reproductive disease.

40. On the basis of this client's age, what statement by the nurse is the **best explanation** for the client's discomfort?
[ ] **1.** The pelvic muscles are more sensitive to pressure after menopause.
[ ] **2.** The clitoris is unable to respond to sexual foreplay as women age.
[ ] **3.** The vagina hypertrophies if intercourse is infrequent.
[ ] **4.** The mucus-producing glands decrease with aging.

Nursing Care of Clients with Benign and Malignant Disorders of the Uterus and Ovaries

41. When obtaining subjective client data from a client with polycystic ovarian syndrome (PCOS), what statement indicates the client's greatest concern?
[ ] **1.** "I have profuse menstrual bleeding."
[ ] **2.** "I have difficulty getting pregnant."
[ ] **3.** "I have had multiple spontaneous abortions."
[ ] **4.** "I have painful cramping during my period."

A 42-year-old woman is suspected of having fibroid tumors (myomas).

42. In addition to pressure in the pelvic region, what symptom is the client **most likely** to reveal during a nursing history?
[ ] **1.** Heavy menstrual bleeding
[ ] **2.** Frequent hot flashes
[ ] **3.** Abdominal pain at the time of ovulation
[ ] **4.** Breast tenderness during menstruation

A pelvic ultrasound (sonogram) using a transabdominal approach is scheduled for the client.

43. When preparing the client for the sonogram, what instruction is **most important** for the nurse to emphasize?
[ ] **1.** Do not void for several hours before the test.
[ ] **2.** Begin fasting at midnight before the test.
[ ] **3.** Take a mild analgesic such as aspirin before the test.
[ ] **4.** Use an antiseptic soap when showering before the test.

After the diagnosis of fibroid tumors is confirmed, the client is scheduled for a dilation and curettage in the ambulatory surgery department.

44. Before the client is discharged, what nursing observation is **most important** for the nurse to document?
[ ] **1.** The client can eat without nausea.
[ ] **2.** The client can empty the bladder.
[ ] **3.** The client's pelvic pain is relieved.
[ ] **4.** The client's perineal pad has been changed.

A client with an abnormal Papanicolaou (Pap) test has a colposcopy performed as an office procedure.

45. Before the client leaves the office, the nurse correctly instructs her to report what unusual problem associated with this procedure?
[ ] **1.** Excessive bleeding
[ ] **2.** Inability to void
[ ] **3.** Pressure during bowel elimination
[ ] **4.** Pain in the right lower quadrant

The client is scheduled to undergo electrocauterization after the diagnostic tests confirm that she has an early stage of cervical cancer.

46. After the electrocauterization procedure, what discharge instruction is **most appropriate**?
[ ] **1.** "Douche in 24 hours to remove debris and blood clots."
[ ] **2.** "Avoid heavy lifting until you have had a follow-up examination."
[ ] **3.** "Remain in bed as much as possible over the next 5 days."
[ ] **4.** "Avoid any sexual activity for 2 weeks."

The nurse reviews the medical records of several clients looking for risk factors associated with cervical cancer.

47. What finding in a client profile indicates the **highest risk** for cervical cancer?
[ ] **1.** Onset of menstruation at age 14 years
[ ] **2.** Spontaneous abortion at age 35 years
[ ] **3.** Human papillomavirus infection at age 28 years
[ ] **4.** Maternal history of breast cancer

A client makes an appointment with her gynecologist because she has been having vaginal bleeding between her regular menstrual periods. On the basis of the client's history and physical examination, further tests are prescribed to confirm or rule out cervical cancer.

48. To determine the significance of the client's symptomatic bleeding, what question(s) is important for the nurse to ask? Select all that apply.
[ ] 1. "Has your energy level changed remarkably?"
[ ] 2. "Do you have intercourse more than once a week?"
[ ] 3. "How many sanitary pads do you use daily?"
[ ] 4. "Is the bleeding a light red/pink or bright red color?"
[ ] 5. "Do you have itching and swelling of the labia?"
[ ] 6. "Have you lost weight in the past few months?"

Internal radiation therapy is used to treat the client who has been diagnosed with advanced cervical cancer. An applicator containing radioactive material is inserted into the client's vagina.

49. Because the client is receiving this type of radiation therapy, what nursing intervention(s) should the nurse include in the care plan? Select all that apply.
[ ] 1. Elevate the head of the bed to 90 degrees.
[ ] 2. Maintain the client on strict bed rest.
[ ] 3. Place urine and feces in a closed container.
[ ] 4. Weigh the client daily before breakfast.
[ ] 5. Stand at a distance and talk with the client from the doorway.
[ ] 6. Limit the amount of time in direct contact with the client.

50. If the nurse finds the radioactive insert in the client's bed, what nursing action is **most appropriate**?
[ ] 1. Return it to the nuclear medicine department.
[ ] 2. Discard it in the infectious waste receptacle.
[ ] 3. Reinsert it immediately.
[ ] 4. Place it in a lead container.

51. If the nurse must handle the radioactive implant, what action provides the **best protection** for the nurse?
[ ] 1. Putting on sterile vinyl gloves before client contact
[ ] 2. Washing hands before putting on gloves
[ ] 3. Using long-handled forceps to handle the implant
[ ] 4. Enclosing the implant in a glass jar

52. What staff nurse is **best** suited to care for a client with a radioactive implant?
[ ] 1. A male nurse with oncology nursing experience
[ ] 2. A female nurse who has had a hysterectomy
[ ] 3. A female nurse who has survived cancer herself
[ ] 4. A male nurse whose mother died of cancer

A 64-year-old client with uterine cancer is scheduled to undergo an abdominal hysterectomy under general anesthesia. Postoperative prescriptions include applying antiembolism stockings to the client's legs after the hysterectomy.

53. What nursing intervention is **most appropriate** to include in the client's care plan for applying antiembolism stockings?
[ ] 1. Wear the stockings continuously but remove and reapply them at least twice a day.
[ ] 2. Wear the stockings continuously during the day hours and remove them at night.
[ ] 3. Wear them when getting up to ambulate.
[ ] 4. Wear them while in bed at night.

54. When the nurse observes the unlicensed assistive personnel caring for the client on the second postoperative day, what action(s) indicates a need for further instruction? Select all that apply.
[ ] 1. Offering the client caffeinated coffee
[ ] 2. Helping the client ambulate in the hall
[ ] 3. Raising the knees on the hospital bed
[ ] 4. Encouraging a mild analgesic rather than an opioid
[ ] 5. Massaging the legs with lotion
[ ] 6. Disposing the soiled perineal pad in the lined waste basket

55. The client's urinary catheter can be removed. What nursing action is performed **first**?
[ ] 1. Clean the client's labia with soap and water.
[ ] 2. Measure the urine in the drainage bag.
[ ] 3. Remove the fluid from the balloon.
[ ] 4. Disconnect the client's catheter and drainage bag.

The client's bladder is distended after the catheter is removed even though she is urinating approximately 100 mL with each voiding. There is a prescription to recatheterize the client and measure the residual urine.

56. What nursing action is **most appropriate** when checking a client's residual urine?
[ ] 1. Catheterize the client as soon as possible.
[ ] 2. Catheterize the client after her next voiding.
[ ] 3. Connect the catheter to gravity drainage.
[ ] 4. Use a small-gauge catheter to drain the bladder.

A 59-year-old client with ovarian cancer is receiving antineoplastic chemotherapy after undergoing a total hysterectomy.

57. Because many antineoplastic drugs affect bone marrow function, what laboratory test is **most important** to monitor for client safety?
[ ] 1. Hemoglobin and hematocrit
[ ] 2. Alanine aminotransferase
[ ] 3. Creatinine clearance
[ ] 4. Complete blood count

58. The nurse adds the priority of anxiety due to recent cancer diagnosis and the inability to complete routine activities to list of client concerns. What client outcome, if met, **best** reflects improvement in client status?
[ ] **1.** The client will manage personal affairs.
[ ] **2.** The client will attend a cancer support group.
[ ] **3.** The client will interact with family and friends.
[ ] **4.** The client will collaborate in health care decisions.

The client experiences almost total hair loss as antineoplastic drug therapy progresses.

59. What statement is **most accurate** when the nurse discusses hair loss with the client?
[ ] **1.** The hair loss is permanent, but attractive wigs are available.
[ ] **2.** The hair loss is permanent, but hair transplantation is a possible solution.
[ ] **3.** The hair loss is temporary; hair may grow back in several years.
[ ] **4.** The hair loss is temporary; hair will regrow after chemotherapy is finished.

Nursing Care of Clients with Miscellaneous Disorders of the Female Reproductive System

The transfer form for a 72-year-old client being admitted to a nursing home indicates that she has a prolapsed uterus.

60. After the nurse instructs the client to assume a position for a physical assessment, what technique is **best** for determining the extent of the prolapse?
[ ] **1.** Have the client roll from side to side.
[ ] **2.** Have the client stand and bear down.
[ ] **3.** Have the client in a dorsal recumbent position.
[ ] **4.** Have a lubricated speculum and flashlight.

A 53-year-old woman becomes symptomatic as a result of a cystocele.

61. During the client's care, when is the **most likely** time that the nurse can anticipate the client will experience urinary incontinence?
[ ] **1.** When she awakens
[ ] **2.** As she walks
[ ] **3.** During sleep
[ ] **4.** Upon sneezing

62. If the client's cystocele is not severe, what nursing action is **best**?
[ ] **1.** Recommend wearing absorbent underwear.
[ ] **2.** Show her how to apply an external catheter.
[ ] **3.** Teach her to exercise her perineal muscles.
[ ] **4.** Instruct her to limit her fluid intake.

Because of her persistent symptoms, the client chooses to undergo surgery to correct the cystocele. She is instructed to catheterize herself for approximately 1 week after being discharged.

63. What outcome **best** demonstrates that the client is performing self-catheterization appropriately?
[ ] **1.** She empties 50 mL of urine from her bladder each time.
[ ] **2.** She is free of signs of a urinary tract infection.
[ ] **3.** She inserts the catheter for 30 minutes each time.
[ ] **4.** She maintains a urinary record of time and amount.

64. A postmenopausal woman receives a prescription for alendronate. What health teaching information should the nurse provide? Select all that apply.
[ ] **1.** Take the medication with a full glass of water.
[ ] **2.** Refrain from eating for 30 minutes after taking the medication.
[ ] **3.** Understand that this medication relieves hot flashes and irritability.
[ ] **4.** Take the medication upon awakening.
[ ] **5.** Do not lie down after taking the medication.
[ ] **6.** Take the medication with food or a glass of milk.

Nursing Care of Clients with Inflammatory Disorders of the Male Reproductive System

An oral antibiotic is prescribed for a client with prostatitis.

65. What nursing instruction about the client's antibiotic use is a **priority**?
[ ] **1.** Drink a glass of milk when taking the medication.
[ ] **2.** Report if your urine becomes a lighter color.
[ ] **3.** Take the medication until it is completely gone.
[ ] **4.** Monitor your body temperature on a daily basis.

In addition to a mild analgesic, sitz baths are recommended as a comfort measure for the prostatitis.

66. What nursing instruction is correct concerning the sitz bath regimen?
[ ] **1.** Use cool tepid water.
[ ] **2.** Soak for 20 minutes.
[ ] **3.** Add mild liquid soap to the water.
[ ] **4.** Massage the scrotum while bathing.

A 22-year-old client has a swollen, painful scrotum. Epididymitis is suspected. A clean-catch urine specimen for a culture and sensitivity test is prescribed.

67. When the nurse asks the client to repeat the instructions for collecting a clean-catch urine specimen, what statement indicates that the client needs further clarification?
[ ] **1.** "I must clean my penis."
[ ] **2.** "I must collect all the urine."
[ ] **3.** "I must retract the foreskin."
[ ] **4.** "I must use a sterile container."

68. What suggestion by the nurse is **best** for promoting comfort for the client with epididymitis?

[ ] **1.** Use a scrotal support.
[ ] **2.** Wear cotton briefs.
[ ] **3.** Buy larger underwear.
[ ] **4.** Apply hot compresses.

A middle-aged client with orchitis is being seen at a local clinic.

69. When the nurse gathers the client data, what information is **most suggestive** as the cause of the client's condition?

[ ] **1.** The client has multiple sexual partners.
[ ] **2.** The client is a sexually active homosexual.
[ ] **3.** The client never received varicella vaccine.
[ ] **4.** The client had a previous sports-related scrotal injury.

During a subsequent visit, when the client has recovered from the orchitis, the nurse uses the opportunity to teach him how to perform testicular self-examination.

70. What statement by the nurse accurately explains the technique for testicular self-examination?

[ ] **1.** Observe for a size difference in either scrotal sac.
[ ] **2.** Roll each testicle between the thumb and fingers.
[ ] **3.** Examine your testicles at least every 6 months.
[ ] **4.** Note if the quantity of semen is unusually low.

Nursing Care of Clients with Structural Disorders of the Male Reproductive System

During a routine sports physical, the nurse notes that a 15-year-old client has an undescended testicle.

71. When the client asks how this condition will affect him sexually, what response by the nurse is accurate?

[ ] **1.** "It most likely will have little effect on your masculinity."
[ ] **2.** "It means that you will probably be impotent."
[ ] **3.** "You may notice that your breasts will enlarge later."
[ ] **4.** "Your sex drive will not be like that of other boys."

A 56-year-old client has had difficulty retracting the foreskin over the glans penis. He is scheduled for a circumcision.

72. Besides assessing the dressing for signs of bleeding, what other postoperative nursing assessment is a **priority** after this surgical procedure?

[ ] **1.** Checking the client's deep-breathing efforts
[ ] **2.** Assessing the client's ability to achieve an erection
[ ] **3.** Monitoring the volume of urine output
[ ] **4.** Monitoring the infusion of I.V. antibiotics

A client with a hydrocele has the fluid aspirated from his scrotum with cold applications to the area afterward.

73. When carrying out this intervention, what nursing action is **most appropriate**?

[ ] **1.** Apply ice to the site in a sealed plastic bag.
[ ] **2.** Place a covered ice pack to the scrotum.
[ ] **3.** Position the client on a hypothermia blanket.
[ ] **4.** Seat the client on an ice-filled ring.

Nursing Care of Clients with Benign and Malignant Disorders of the Male Reproductive System

A 65-year-old client makes an appointment for a routine physical examination.

74. When the nurse prepares the client for a prostate examination, what position is preferred?

[ ] **1.** Lithotomy
[ ] **2.** Modified standing
[ ] **3.** Dorsal recumbent
[ ] **4.** Fowler's

75. The nurse provides health teaching to the client about the prostate before the examination. Place an *X* where the prostate gland is located.

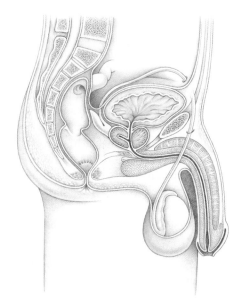

A 72-year-old client with a history of benign prostatic hypertrophy (BPH) tells the nurse that he has not been able to urinate in the past 16 hours.

76. Because an enlarged prostate gland may be the cause for the client's urine retention, which catheter would be **best** for the nurse to use with the client?

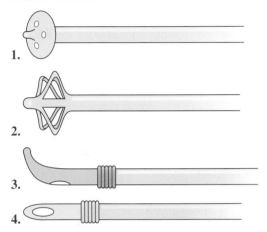

1.

2.

3.

4.

77. During catheterization, at what urine quantity is the nurse **most** correct to clamp the catheter?

[ ] **1.** 500 mL
[ ] **2.** 1,000 mL
[ ] **3.** 1,500 mL
[ ] **4.** 2,000 mL

The client is scheduled for a sonogram of the prostate.

78. When reviewing pretest instructions with the client, which statement indicates that the teaching has been successful?

[ ] **1.** "You will need to fast from midnight the night before the test."
[ ] **2.** "You will need to empty your bladder just before the test begins."
[ ] **3.** "You will need to consume at least a quart of water an hour before the test."
[ ] **4.** "You will need to self-administer an enema 1 hour before the test."

79. When the nurse is discussing the procedure on the client's signed preoperative permit and identifies a discrepancy on the surgery schedule, what action should the nurse take at this time?

[ ] **1.** Update the name of the procedure from the surgical schedule on the permit.
[ ] **2.** Clarify the type of procedure and have the operating room initial the change.
[ ] **3.** Obtain the client's signature and report the difference to the surgical personnel.
[ ] **4.** Ask the surgeon to revisit and explain the intended procedure to the client.

80. A client in a teaching hospital is scheduled for a radical prostatectomy. What action supports the client's right to privacy?

[ ] **1.** The client is informed of persons who will observe his surgery.
[ ] **2.** The nurse shields the diagnosis of cancer from the client.
[ ] **3.** The nurse treats all assigned clients without discrimination.
[ ] **4.** The client is advised of his right to create an advance directive.

The client undergoes a transurethral resection of the prostate (TURP) and is returned to the nursing unit with a three-way catheter for administering intermittent bladder irrigations.

81. The nurse instills 550 mL of irrigant in 4 hours. Calculate the urine output if there is 1,275 mL in the drainage collection bag. Record your answer in a whole number.

_____ mL

82. When a client with a transurethral resection of the prostate (TURP) reports bladder discomfort and a feeling of urgency to void, what nursing action is best to take **first**?

[ ] **1.** Check that the urinary drainage catheter is patent.
[ ] **2.** Administer a prescribed analgesic as soon as possible.
[ ] **3.** Change the client to semi-Fowler position.
[ ] **4.** Get the client out of bed to ambulate for a while.

A 68-year-old client with prostate cancer undergoes a suprapubic prostatectomy. He returns to the nursing unit with an indwelling catheter in his urethra and a cystostomy tube in his abdomen.

83. What nursing prescription is **most appropriate** to add to the client's initial postoperative care plan?

[ ] **1.** Connect the cystostomy tube to a leg bag for drainage.
[ ] **2.** Secure the cystostomy tube to the client's thigh.
[ ] **3.** Ensure that the cystostomy tube is unclamped at all times.
[ ] **4.** Clamp the indwelling catheter when the cystostomy tube is irrigated.

84. What is the **most common** complication of a suprapubic prostatectomy the nurse should monitor to detect?

[ ] **1.** Urinary retention
[ ] **2.** Flank pain
[ ] **3.** Urinary bleeding
[ ] **4.** Flatus

A unilateral orchiectomy is performed on a 22-year-old client with testicular cancer.

85. What comment by the client indicates that he has misinterpreted the consequences of his surgery?
[ ] **1.** "My beard will continue to grow."
[ ] **2.** "My voice will sound the same."
[ ] **3.** "My sperm count will be unchanged."
[ ] **4.** "My sex drive will be unaffected."

Nursing Care of Clients with Sexually Transmitted Infections

A male adolescent thinks he may have a sexually transmitted infection.

86. When obtaining a sexual history from this client, what question is **most important** for the nurse to ask?
[ ] **1.** "Have you ever had a painless sore on your penis?"
[ ] **2.** "Does any sex partner have similar symptoms?"
[ ] **3.** "At what age did you first have sexual intercourse?"
[ ] **4.** "When did you last have sexual intercourse?"

After obtaining a health and sexual history, the nurse suspects that the client may have acquired gonorrhea.

87. If the client is typical of others with gonorrhea, what statement(s) to the nurse corresponds with signs and symptoms of the gonorrhea? Select all that apply.
[ ] **1.** "I have burning when I urinate."
[ ] **2.** "I have a yellow drainage from my penis."
[ ] **3.** "My last sexual encounter was 5 days ago."
[ ] **4.** "I have a painless ulceration on my penis."
[ ] **5.** "I have little blisters on my penis and scrotum."
[ ] **6.** "I have extra skin growing around my penis."

88. If a culture is prescribed to detect the causative organism, what body substance will the nurse most likely collect?
[ ] **1.** Venous blood
[ ] **2.** Sterile urine
[ ] **3.** Ejaculated semen
[ ] **4.** Urethral drainage

89. When collecting a specimen from the client who may have gonorrhea, what nursing action is correct?
[ ] **1.** Wearing latex gloves
[ ] **2.** Using a disinfectant
[ ] **3.** Asking the client to provide the specimen
[ ] **4.** Refrigerating the specimen immediately

90. When counseling a female client with a new diagnosis of genital herpes, what nursing statement is accurate?
[ ] **1.** "Have regular Papanicolaou (Pap) test during your lifetime."
[ ] **2.** "Avoid having vaginal intercourse for at least 6 months."
[ ] **3.** "If you take your medicine, you will not infect anyone else."
[ ] **4.** "Your infection provides immunity for any future children."

91. During shift handoff, the nurse states that a client's symptoms have progressed and are now in the tertiary stage of syphilis. Which additional symptom is now evident?
[ ] **1.** Stabbing leg pain
[ ] **2.** Red, raised rash
[ ] **3.** Penile ulcer
[ ] **4.** Patchy hair loss

92. What client statement indicates that the client lacks a clear understanding of syphilis?
[ ] **1.** "I can be cured using antibiotic therapy."
[ ] **2.** "My sex partner should be tested for the disease."
[ ] **3.** "Syphilitic lesions may be present in my partner's vagina."
[ ] **4.** "One infection provides lifelong immunity."

A culture indicates that a client has nonspecific urethritis from Chlamydia trachomatis, a nongonococcal organism. Doxycycline 100 mg b.i.d. is prescribed with a sufficient number of capsules for 7 days of treatment.

93. What nursing information is **most appropriate** to provide to the client?
[ ] **1.** Take the medication until the symptoms clear.
[ ] **2.** Refill the prescription if symptoms persist.
[ ] **3.** Take the medication for the full amount of time.
[ ] **4.** Treatment of the infection is likely to be lifelong.

94. To prevent a recurrence of the chlamydia infection, what nursing instruction is **best** to provide?
[ ] **1.** Shower or bathe after intercourse.
[ ] **2.** Wash your hands well using an antiseptic soap.
[ ] **3.** Encourage your sexual partners to be tested and treated.
[ ] **4.** Make sure you receive adequate nutrition and fluid intake.

95. What gynecologic symptom reported to a nurse is **most suggestive** of trichomoniasis?
[ ] **1.** The client has a series of fluid-filled vesicles on the vagina.
[ ] **2.** The client has vaginal drainage that causes intense itching.
[ ] **3.** The client has vaginal drainage that resembles milk curds.
[ ] **4.** The client has tenderness and pressure in the lower abdomen.

96. Before a client begins antiretroviral therapy to treat an infection with human immunodeficiency virus (HIV), what nursing instruction is **most important** to review?

[ ] **1.** Drug resistance can develop if drug doses are missed.

[ ] **2.** Maintaining body weight improves treatment outcomes.

[ ] **3.** Absence of drug side effects is evidence of disease control.

[ ] **4.** Pharmacy refill information will be used to track compliance.

Nursing Care of Clients Practicing Family Planning

97. What nursing recommendation is **most appropriate** to reduce the risk of blood clots while taking hormonal contraceptives?

[ ] **1.** Stop smoking while taking hormonal contraceptives.

[ ] **2.** Drink a high volume of fluid to dilute the blood.

[ ] **3.** Keep the legs elevated while sitting in a chair.

[ ] **4.** Take a baby aspirin daily with the oral contraceptive.

A pregnant client is considering a tubal ligation after the birth of her child.

98. What statement indicates that the client is misinformed?

[ ] **1.** "I will have a small abdominal incision."

[ ] **2.** "This procedure is not easily reversed."

[ ] **3.** "I will no longer menstruate afterward."

[ ] **4.** "Recovery should occur in a brief time."

99. If a female client with an intrauterine device (IUD) describes the following symptoms to the nurse, which one(s) is **most likely** related to her birth control device? Select all that apply.

[ ] **1.** Breast tenderness

[ ] **2.** Heavy menstrual flow

[ ] **3.** Steady weight gain

[ ] **4.** Chronic acne

[ ] **5.** Irregular menstrual periods

[ ] **6.** Painful menstrual cramping

100. A client who is considering a vasectomy asks the nurse when he can have unprotected intercourse after the procedure. What nursing response is **most accurate**?

[ ] **1.** You can have unprotected sex as soon as you feel comfortable.

[ ] **2.** To avoid pregnancy, sex should be delayed for about 6 months.

[ ] **3.** When the scrotal areas are no longer swollen, you can resume sex.

[ ] **4.** Sex can occur almost immediately; use contraception for up to 12 weeks.

101. When teaching a male client about how to use a condom, what instruction(s) is correct? Select all that apply.

[ ] **1.** "Wait until your penis becomes limp before removing it from the vagina."

[ ] **2.** "You can reuse a condom as long as it is made of silicone."

[ ] **3.** "Leave a small space between the end of the condom and the penis."

[ ] **4.** "Apply spermicide to the penis before applying the condom."

[ ] **5.** "Unroll the condom over an erect penis."

[ ] **6.** "Store condoms in a cool, dry place."

102. Medroxyprogesterone acetate 150 mg I.M. is prescribed for contraception for a 28-year-old woman. What nursing action(s) is appropriate when administering this medication? Select all that apply.

[ ] **1.** Confirm that the client is not pregnant.

[ ] **2.** Give the injection deeply into the muscular site.

[ ] **3.** Schedule administration of the first injection to coincide with the time of ovulation.

[ ] **4.** Remind the client to return every 3 months for another injection.

[ ] **5.** Inform the client to use an additional form of contraception for the first week after an injection.

[ ] **6.** Apply ice to the injection site for 2 to 3 minutes before administering the drug.

A 16-year-old student comes to the local public health department requesting information about birth control. She tells the nurse that she "wants something" so that she does not get pregnant.

103. What information should be gathered before the nurse can advise the student appropriately regarding methods of birth control? Select all that apply.

[ ] **1.** The adolescent's lifestyle

[ ] **2.** Whether she is currently sexually active

[ ] **3.** Whether she has had a Papanicolaou (Pap) test in the last year

[ ] **4.** The date of her last menstrual period

[ ] **5.** Whether she has ever had a sexually transmitted infection

After discussing various birth control methods with the client, the nurse advises her about safer sex practices.

104. What information regarding safer sex practices should the nurse include in the client's teaching plan? Select all that apply.

[ ] **1.** Limit intercourse to only one sexual partner.

[ ] **2.** Do not share vibrators or other sexual equipment.

[ ] **3.** Consider oral sex as an alternative to vaginal sex.

[ ] **4.** Urinate after having intercourse.

[ ] **5.** Douche before and after intercourse.

[ ] **6.** Keep birth control patches in the refrigerator.

The nurse is assigned to discuss family planning and various methods of contraception with a group of women who have expressed an interest in this topic. One participant asks the nurse, "How do oral contraceptives prevent pregnancy?"

105. What is an accurate nursing response to the participant's question?
[ ] **1.** Oral contraceptives prevent release of ova.
[ ] **2.** Oral contraceptives slow sperm motility.
[ ] **3.** Oral contraceptives inhibit embryo implantation.
[ ] **4.** Oral contraceptives thicken the uterine lining.

Another participant asks the nurse to explain the difference between oral contraceptive packages that have 21 pills and those that have 28 pills.

106. The nurse obtains a sample package of 28 pills for instruction and states that packages containing 28 pills:
[ ] **1.** are biphasic and release a constant amount of estrogen and an increasing amount of progesterone throughout the cycle.
[ ] **2.** have 7 placebo pills and allow a woman to maintain a routine of taking a pill a day without missing a dose.
[ ] **3.** have 21 pills that contain estrogen and 7 pills that contain progesterone and are called "combination oral contraceptives."
[ ] **4.** are prescribed for women who have a 28-day menstrual cycle instead of a 21-day menstrual cycle.

A participant asks the nurse about the use of the birth control patch. The nurse explains about the use of the contraceptive patch and reviews the side effects of this type of birth control.

107. What side effect(s) should the nurse address in the explanation? Select all that apply.
[ ] **1.** Localized skin irritation
[ ] **2.** Irregular vaginal bleeding
[ ] **3.** Significant weight gain
[ ] **4.** Increased blood pressure
[ ] **5.** Nausea and vomiting
[ ] **6.** Occasional dizziness

108. A nurse is working at a women's health clinic. Due to a high client volume, the nurse intends to delegate client instruction on an oral contraceptive method to a second nurse. Prior to delegation, what consideration is **most important**?
[ ] **1.** The second nurse's moral beliefs
[ ] **2.** Information receptiveness of client
[ ] **3.** Presence of a significant other in the room
[ ] **4.** The second nurse's medication knowledge

Test Taking Strategies

Nursing Care of Clients with Breast Disorders

1. Use the process of elimination to select the option that correlates with the age at which routine mammography screening should begin. Use the client's age previously stated to determine the appropriate timeframe. Recall that there is an ongoing age-related controversy on this subject, with some experts recommending that screening should begin at age 40 while others say age 50. As women approach 40 years of age, it is important to discuss the issue with one's health care provider. Women who are at high risk for breast cancer should begin having mammographies at age 30.

2. Use the process of elimination to select the option that correlates with a position, other than standing in the shower and lying down, that is recommended when performing breast self-examination. Recall that looking at the breasts while standing in front of a mirror helps identify significant differences in breast and nipple symmetry and changes in the skin of the breasts.

3. Read the descriptions in each option. Select the option that corresponds to the technique that is recommended for palpating breast tissue. Recall that the pads of the fingers are best for identifying characteristics of the tissue beneath the skin.

4. Use the process of elimination to select the option that corresponds with the best time for performing breast self-examination. Recall that breast tissue changes would be at their minimum after menstruation and before ovulation.

5. Read the choices carefully. Use the process of elimination to exclude or select options that correlate with instructions before a mammogram. Choose the options that, if performed, promote clear imaging of the breast tissue. Items to avoid include applying baby powder, lotion to the breast or axillary tissue, or deodorant—especially any that contain aluminum.

6. Read all the choices carefully. Use the process of elimination to exclude or select risk factors for breast cancer. Recall that there is a genetic link to breast cancer. Mutated BRCA1 and BRCA2 genes that fail to suppress breast tumors are inherited and can be identified before cancer develops. Early menstruation and late menopause are additional risk factors for developing cancer.

7. Use the process of elimination to select the option that correlates with the time period when cysts within the breast are likely to become larger and feel tender to the touch. Recall that estrogen rises premenstrually and peaks at ovulation to prepare the uterus and breasts for fertilization of an ovum.

8. Use the process of elimination to select the option that corresponds with a dietary change that may relieve the symptoms of fibrocystic breast disease. Although all four items listed in the options should be consumed in moderation, eliminating caffeine has reduced or eliminated the discomfort associated with fibrocystic breast disease for some women.

9. Read the choices carefully. Use the process of elimination to include or exclude actions that apply to Health Insurance Portability and Accountability Act (HIPAA) Personal Information Protection and Electronic Documents Act (PIPEDA) regulations. Recall that HIPAA/PIPEDA regulations provide for protecting and maintaining client confidentiality. Violations of HIPAA/PIPEDA result in large fines.

10. Use the process of elimination to select the option that correlates with a characteristic of a cancerous tumor within the breast. Recall that malignant breast tumors feel irregular in contrast to their benign counterparts, which feel more like a pellet or marble that can be easily moved about. Although a malignant breast tumor can be located anywhere in the breast, less than 20% are located near the nipple.

11. Note the key words "common area" and "first." Recall that the upper outer quadrant is the most common area where lumps are found and a good place to begin assessment.

12. Note the key words "most appropriate." Recall that a client has the right to make his or her decision about treatment after considering the benefits and risks that are involved. It is the nurse's responsibility to assume the role of client advocate.

13. Read the choices carefully. Use the process of elimination to exclude or select options that are common components of the postoperative care of a client with a modified radical mastectomy. Recall that all of the breast tissue and most of the axillary lymph nodes are removed. The pectoralis major chest muscle is spared.

14. Read all the choices carefully. Use the process of elimination to include or exclude potential complications that may develop following a modified radical mastectomy. Recall that the surgical incision and wound dressing are located in the chest area. Therefore, shallow breathing is likely to occur. Despite having the pectoralis major spared, muscles that facilitate arm movement on the operative side may be weaker due to nerve changes. The client is likely to have numbness and a significant reduction in shoulder movement that compromises attending to self-care until range of motion improves.

15. Use a standard formula such as ratio and proportion or desired dose divided by the dose on hand times the quantity for computing the dosage.

16. Use the process of elimination to select the option that correlates with an activity that will preserve muscle strength and joint flexibility in the arm on the operative side. Recall that muscles that are attached to the humerus are used to flex and rotate the arm. Based on this knowledge, hair brushing trains other muscles to maintain arm function.

17. Note the key word "best," in reference to an action that reduces a potential for postural instability. Use the process of elimination and select the option that describes a method for compensating for a client's tendency to lean toward the operative side. Recall that a sling maintains the arm on the operative side close to the client's center of gravity.

18. Use the process of elimination to select the option that corresponds with a nursing measure that will relieve swelling in the client's arm. Recall that blood and lymphatic vessels in the arm are altered when this type of surgery is performed. Gravity can be overcome by keeping the arm elevated.

19. Read all the options carefully. Use the process of elimination to exclude or select options that correlate with general discharge instructions following a mastectomy. Focus on the client's safety and rehabilitation.

20. Examine the figure that has been provided. Recall that when a breast tumor is removed, the surgeon removes various lymph nodes in the axilla to determine if malignant cells are present in that area. Once malignant cells are in lymph nodes, they may travel via lymphatic circulation to other locations in the body.

Nursing Care of Clients with Disturbances in Menstruation

21. Read each option and place the events in the physiologic sequence in which they occur during the menstrual cycle. Recall that after menstruation ends, hormones prepare for the release and implantation of a fertilized ovum. When the ovum is not fertilized, menstruation occurs.

22. Note the key words "most important" in reference to a question the nurse should ask when a client reports the absence of menstruation. Recall that amenorrhea may be primary, meaning menstruation has never occurred, or it may be secondary, meaning it is a new or recent condition after menses have been occurring.

23. Read all the choices carefully. Use the process of elimination to exclude or select options that correlate with therapeutic interventions to relieve dysmenorrhea. Recall that localized heat to the abdomen, mild analgesics, limiting sources of caffeine, increasing dietary fiber, and assuming a knee-chest position reduce the temporary discomfort experienced during menstruation.

24. Note the key words "most likely," in reference to the cyclic appearance of symptoms associated with premenstrual syndrome (PMS). Recall that PMS is "premenstrual"; it occurs prior to menstruation. If the condition is truly PMS, the symptoms should subside or disappear as menstruation begins.

25. Note the key words "most therapeutic" in reference to a statement that is more helpful than any other. Recall that restating or paraphrasing is a technique that promotes further communication. Agreeing with the client, asking a "why" question, and belittling act as barriers to therapeutic communication.

26. Note the key term "best," in relation to a method for validating a client's symptoms. The term "best" indicates one option is better than any other. Use the process of elimination to select the option that corresponds with the first step in the nursing process, which is assessment that correlates with keeping a record of days during which symptoms are experienced.

27. Note the key term "best," in reference to an activity that is better than any other. Analyze the time and appropriateness involved in all the optional activities. Recall that yoga, unlike team sport activities or hiking, can be done independently several times a day.

28. Note the key words "most beneficial," in reference to a nursing suggestion for relieving the client's perception of being victimized. Use the process of elimination to select the option that empowers the client. Recall that allowing a client to suggest changes that can be made promotes assertiveness rather than a feeling of being controlled.

29. Note the key words "most appropriate" and apply them to the instructions listed. Select the option that identifies accurate information. Recall that the purpose for obtaining a Pap test is to obtain cervical secretions to identify atypical cells that may be cancerous. If the client douches, the diagnostic cells may be reduced or eliminated.

30. Apply the key words "most appropriate" to the statements listed. Select the nursing action that should be carried out before a pelvic examination. Recall that a full bladder interferes with the best outcome of a pelvic examination.

31. Apply the key words "most important" to each of the four options. Select the option that correlates with a question that helps to ensure valid vaginal specimen findings. Recall that characteristics of the cells may be different depending on the changes in the endometrium at different times in a woman's menstrual cycle, which supports asking the date of the client's last menstrual period as being more appropriate than any other.

32. Note the key words "most likely," and apply them to the statement in each of the four options. Select the option that is the most probable cause for vaginal bleeding between menses for this client. Recall that a potential side effect of low-dose contraceptives is breakthrough bleeding.

33. Note the key words "most appropriate" as they apply to the four options. Analyze which nursing response is ethically and legally appropriate for the described situation. Recall that the courts and health care agencies are becoming increasingly aware that services cannot be different for those with different sexual orientations. The Joint Commission requires health care agencies to have a nondiscrimination policy.

Nursing Care of Clients with Infectious and Inflammatory Disorders of the Female Reproductive System

34. Use the process of elimination to select the option that correlates with a treatment for *Candida albicans*. Recall that vaginal fungal infections may be treated with over-the-counter medications. Although douching with vinegar and water may acidify the vaginal pH, using antifungal medication is more efficient at treating this type of vaginitis.

35. Note the key word "best" in reference to an instruction about inserting vaginal medication. The term "best" indicates one option is better than any other. Recall that there is no sphincter muscle within the vagina that can help retain topical medication. Therefore, instilling the medication at a time when it will not leak from the vagina due to gravity is the best answer.

36. Note the key words "most appropriate" when asking about a health practice. Select the option that corresponds with a method for preventing a fungal/yeast infection in the vagina. Recall the close proximity of the vagina to the rectum, where there is an abundance of fungi and yeasts present in stool. Teaching the client to wipe away from the vagina after having a bowel movement is a recommended health measure.

37. Use the process of elimination to select the option that correlates with a potential reproductive sequela of pelvic inflammatory disease. Recall that this infectious disorder involves an inflammatory process and possible healing with scar tissue. Scar tissue may narrow the lumen of fallopian tubes, leading to infertility.

38. Use the process of elimination to select the option that corresponds with the structure into which a laparoscope will be inserted. Recall that a laparoscope is used to visualize intra-abdominal pelvic structures. To do so requires inserting the instrument through the abdomen.

39. Use the process of elimination to select the option that corresponds with a sign or symptom associated with the laparoscopic procedure itself. Recall that gas is instilled within the abdomen to promote visualization. The gas, which is retained, rises to upper levels of the body, potentially causing shoulder or abdominal discomfort.

40. Note the key words "best explanation," in relation to a cause for discomfort during intercourse. Recall that a reduction in mucus contributes to sexual discomfort because it is a component of lubrication allowing the penis to enter easily within the vagina.

Nursing Care of Clients with Benign and Malignant Disorders of the Uterus and Ovaries

41. Use the process of elimination to select the option that causes most women who are eventually diagnosed with polycystic ovarian syndrome (PCOS) to seek a diagnosis. Recall that women with PCOS may have irregular menstrual cycles and question why they are not able to get pregnant when they desire to do so. When the cause for the irregular periods can be attributed to hormonal imbalances, then treated with oral contraceptives that regulate menstruation and increase female hormones and medication to control blood sugar because high insulin levels promote increased testosterone, the client may successfully become pregnant.

42. Apply the key words "most likely" to the statements in each option. Select the option that correlates with a symptom that occurs among women who have fibroid tumors. Myomas form on the muscle tissue inside or outside the uterus and respond similarly to the endometrium's response to estrogen levels. This means that when the endometrium is shed during menstruation, the myomas also bleed, adding to the volume of menstrual blood loss.

43. Note the key words "most important" in reference to the preparation for a sonogram. Recall that fluid within the bladder intensifies the sound waves, creating a clearer image of pelvic organs.

44. Note the key words "most important" in reference to documentation that is essential to record in the medical record before discharging a client who has undergone a dilation and curettage procedure. Recall that discharge criteria after any ambulatory surgery procedure includes that the client's discomfort has been managed, the client has tolerated oral fluids or a light diet, and most of all that the client has voided. If the client is discharged without evidence of voiding, the client may need to return to an emergency department later for help to empty the bladder.

45. Use the process of elimination to select the option that corresponds with a postprocedural problem following a colposcopy. Recall that a significant amount of vaginal bleeding is a cause for concern.

46. Note the key words "most appropriate" in reference to an instruction at the time of discharge that ensures the safety and well-being of the client after undergoing electrocauterization. Recall that activities such as heavy lifting increases intra-abdominal pressure that may contribute to excessive bleeding.

47. Note the key words "highest risk," in relation to the etiology for developing cervical cancer. Recall that the human papillomavirus virus, if not destroyed by the immune system, survives and slowly over several years converts cells on the surface of the cervix to cancer.

48. Read all the choices carefully. Use the process of elimination to exclude or select options that correlate vaginal bleeding and its possible connection to cervical cancer. Recall that vaginal bleeding may be a consequence of blood loss or it could be one of the cardinal warning signs of cancer. The number of sanitary pads indicates the significance of the blood loss. Unexplained weight loss often accompanies many types of cancer.

49. Read all the choices carefully. Use the process of elimination to exclude or select components of a nursing care plan for a client receiving internal radiation therapy. Recall that limiting *time* with someone with an implanted radiation substance, *maintaining distance* from the radioactive substance, and using some form of *shielding* like lead protects nursing personnel from accumulating an unsafe level of radiation. Bed rest facilitates the retention of the radioactive substance.

50. Note the key words "most appropriate," in reference to a nursing action that should be taken upon finding a displaced radioactive substance. Recall that lead interferes with gamma radiation.

51. Note the key words "best protection" in reference to an action that minimizes radiation exposure to the nurse who must retrieve or move a radioactive substance. Always consider measures that reduce exposure to radiation, which leads to using long-handled forceps in lieu of the nurse's hands.

52. Use the process of elimination to select the option that identifies the nurse who is best suited to care for the client with a device delivering internal radiation. Because radiation exposure has the potential for damaging sperm and ova, a nurse who has had a hysterectomy is unable to become pregnant with an ovum that has been damaged by radiation.

53. Note the key words "most appropriate." Select the option that describes a standard of care involving the use of antiembolism stockings. Recall that pooling of venous blood can occur throughout the client's period of inactivity, which indicates that the stockings should be removed only briefly and then reapplied.

54. Read all the choices carefully. Select options that are appropriate for an unlicensed assistive personnel caring for a postoperative client who has had a hysterectomy. Recall clients who have had abdominal surgery tend to lay still to avoid pain. Inactivity and compression of veins in the lower legs promote thromboses. Massaging the legs can change a thrombus to an embolus.

55. Note the key word "first" in reference to removing the urinary catheter. Recall that the balloon that was inflated with fluid must be emptied to avoid injury to the client. The actions in the remaining options are components of removing the urinary catheter, but they are completed after the balloon is deflated and the catheter is removed.

56. Note the key words "most appropriate" when evaluating the statements in each option. Select the option that describes the correct plan to follow when obtaining and measuring residual urine. By catheterizing the client shortly after voiding, a decision can be made to replace the catheter, depending on the presence of urine remaining in the bladder and its quantity. The urinary residual should normally measure less than 100 mL.

57. Note the key words "most important," in reference to the laboratory test that is sufficiently comprehensive for monitoring bone marrow function. Recall that all blood cells are formed in the bone marrow. Monitoring the complete blood count will determine whether it is safe to continue administering the antineoplastic medication, administer blood or a drug like a colony-stimulating factor to increase blood cell production, or temporarily delay chemotherapy.

58. Use the process of elimination to select the option that identifies the best evidence of problem reduction or resolution as it relates to the nursing diagnostic statement. The ability to attend to personal affairs indicates the client has the cognitive ability to concentrate effectively and manage priorities of daily living without distracting thoughts or emotions.

59. Note the key words "most accurate" and select the option that correlates with correct information regarding hair loss associated with antineoplastic chemotherapy. Note that there are two pairs of opposite options—two that identify that the hair loss is permanent and two that identify that hair loss is temporary. Decide first if the hair loss is temporary or permanent, which reduces the selection to two remaining options. Recall that hair loss is temporary and hair growth resumes after antineoplastic medication is discontinued.

Nursing Care of Clients with Miscellaneous Disorders of the Female Reproductive System

60. Use the process of elimination to select the option that describes the best method for assessing the extent of a prolapsed uterus. Note that all of the options describe methods for examining the perineum, but only one method is the best choice. Recall that a prolapse is more obvious under the influence of gravity when the client stands.

61. Note the key words "most likely," and select the option that correlates with the circumstance when a client with a cystocele typically experiences urinary incontinence. Recall that the levator ani muscles elevate the bladder neck and support the urethra. When these become weakened, the urethra is stretched, resulting in leakage of urine, especially when there is an increase in abdominal pressure such as when sneezing.

62. Use the process of elimination to select the option that correlates with the best intervention for promoting a client's control over leaking urine. Recall that strengthening the pubococcygeal muscles by performing Kegel exercises promotes the ability to retain urine within the bladder; it also facilitates reaching orgasm during sexual intercourse.

63. Use the process of elimination to select the option that describes the best evidence that a client is performing self-catheterization correctly. Recall that if self-catheterization is being performed correctly, the client should be free of a urinary tract infection.

64. Read all the choices carefully. Select options that correspond with health teaching for a client who will self-administer alendronate. Choose options that contain information a client must know to avoid the risk of side effects, such as taking the medication on an empty stomach and remaining upright afterward.

Nursing Care of Clients with Inflammatory Disorders of the Male Reproductive System

65. Use the process of elimination to select the option that correlates with a priority for health teaching when a client is about to begin antibiotic therapy for managing prostatitis. Recall that to destroy all the urinary pathogens, the client must take the full amount of the medication for the prescribed amount of time.

66. Use the process of elimination to select the option that correlates with a nursing instruction for using a sitz bath. Recall that a sitz bath in this case promotes comfort as a result of the warm temperature of the water and the length of time the client's perineum is immersed.

67. Use the process of elimination to select the option that corresponds with an inaccurate client statement about collecting a clean-catch urine specimen. Recall that a urine culture can be performed with as little as 10 to 15 mL of urine. Therefore, clarification must take place because the amount of urine in a full voiding exceeds that amount.

68. Use the process of elimination to select the option describing the best method for providing comfort for the client with a swollen scrotum. Recall that scrotal movement intensifies pain. Using a scrotal support reduces scrotal movement.

69. Note the key words "most suggestive" in reference to a cause of orchitis. Read the options looking for one that correlates with an etiology for this condition. Recall that the virus that causes mumps can cause orchitis in prepubertal to middle-aged adult males who have not received the childhood immunization.

70. Use the process of elimination to select the option that accurately explains how a male should perform testicular self-examination. Recall that the testes lie within the scrotum and that they can be felt when the scrotal tissue is rolled between the thumb and fingers.

Nursing Care of Clients with Structural Disorders of the Male Reproductive System

71. Select the option that accurately identifies the effect that having one undescended testicle will have on a male's sexuality. Recall that having one functioning testicle can sustain normal hormone levels for achieving and maintaining secondary sex characteristics and potential fertility.

72. Use the process of elimination to select a priority postoperative nursing assessment after an adult male's circumcision. Based on the surgical procedure, localized swelling around the urethra may interfere with the client's ability to void.

73. Note the key words "most appropriate" and select the option that describes the best method for a cold application to the scrotum. Recall that the scrotum must be protected from an extreme difference in temperature. Enclosing an ice pack within a cover prevents direct contact between the scrotal skin and the cold device.

Nursing Care of Clients with Benign and Malignant Disorders of the Male Reproductive System

74. Use the process of elimination to select the preferred position for a prostate examination. Recall that when the prostate is manually examined, a lubricated finger is inserted into the rectum while the male bends from the waist while standing.

75. Examine the figure carefully. Identify the anatomic location of the prostate gland. Recall that when the prostate gland is enlarged, it may obstruct the flow of urine when the client attempts to void.

76. Examine the figures closely. Determine which catheter is the most appropriate for a client with a urethral obstruction. Recall that Coudé catheters have a unique curved tip that enables them to pass through a small urethral opening.

77. Use the process of elimination to select the option that correlates with the volume of urine that should be removed with a catheter at any one time. Recall that the standard of care is to remove no more than 1,000 mL of urine at any one time for whatever reason.

78. Select the option that correctly identifies a preparation for a sonogram. Recall that a sonogram uses high frequency waves to create an image. Consider what preparation option would best enhance the image.

79. Use the process of elimination to select the option that the nurse must take if the procedures on the preoperative permit and the surgery schedule are inconsistent. Recall that avoiding wrong site, wrong procedure, and wrong person errors requires a team effort.

80. Use the process of elimination to select the option that corresponds to an action that supports a client's right to privacy. Recall that clients have the right to control the extent, timing, and circumstances of sharing themselves with others.

81. Analyze what information the question asks, which is the portion of urine contained in the drainage collection bag. Recall that the collection bag has a combination of irrigant and urine. Subtracting the volume of irrigant from the total volume leads to the correct answer.

82. Note the key word "first," indicating one action precedes others. Recall that assessment is the first step in the nursing process. Recall that urine drains continuously when a retention catheter is in place. Therefore, the first action the nurse should take is to check that the catheter is not obstructed.

83. Note the key words "most appropriate," and apply them when considering the choice in each option. Look for the option that supports the purpose of the cystostomy tube in the immediate postoperative period, which is to provide continuous urinary drainage.

84. Note the key words "most common" in reference to the care of complications for a client recovering from a suprapubic prostatectomy. Recall that irrigation of the bladder helps to ensure that blood clots do not obstruct the urinary catheter, making "bleeding" the best answer.

85. Use the process of elimination to select the option that correlates with a mistaken consequence of an orchiectomy. Recall that the remaining testis can produce sufficient sex-related hormones, but the number and characteristics of sperm will be altered.

Nursing Care of Clients with Sexually Transmitted Infections

86. Note the key words "most important," which indicates that the correct answer is one that represents a priority. Because sexually transmitted infections are infectious, it is most important to determine if there are similar symptoms among the client's sex partner(s).

87. Read the choices carefully. Use the process of elimination to exclude and then select options that correspond with symptoms of gonorrhea. Recall that one street name for gonorrhea is "the drip," which correlates with drainage from the penis. Pain on urination can be attributed to a variety of urinary tract infections, but when the symptoms are clustered and include a recent sexual contact, they suggest the client has gonorrhea.

88. Use the process of elimination to select the option that correlates with the usual source of a culture to detect gonorrhea. Discriminate between ejaculated semen and urethral drainage because the bacteria may be present in either of them, but urethral drainage is the better choice because it is fairly easy to collect.

89. Use the process of elimination to select the option that corresponds with the nursing action that is used when collecting a specimen of urethral drainage. Recall that wearing latex gloves is always correct when the hands may be exposed to potentially infectious body substances. Latex-free gloves are used if the nurse has a latex allergy.

90. Analyze the option that identifies accurate information the nurse should tell a female who has acquired genital herpes (HSV-2). Recall that acquiring a genital herpes infection increases the risk for cervical cancer in a female, which warrants regular Papanicolaou (Pap) tests.

91. Analyze the four options and select the option that correlates with a finding that occurs during the tertiary stage of syphilis. Recall that the tertiary stage is the last stage of syphilitic infection, during which a client may develop tabes dorsalis, a degeneration of myelin around peripheral nerves that causes episodic leg pain, an unsteady gait, and loss of coordination and sensation.

92. Analyze to determine what information the question asks for, which is an inaccurate statement. Recall that unlike some infectious diseases, acquiring syphilis and being successfully treated does not provide immunity from future infections.

93. Note the key words "most appropriate," and select the option that contains accurate information about antibiotic therapy. Recall that organisms can become antibiotic resistant if the client fails to take the medication for the specified time period.

94. Use the process of elimination to select the option that is best for preventing a recurrence of a chlamydial infection. Focus on an option that relates to the potential for reinfection with a sexually transmitted infection. Because chlamydia is sexually transmitted, infected sexual partner(s) also must be treated to interrupt the cycle of infection and reinfection.

95. The key words are "most suggestive," indicating that the answer reflects a common clinical manifestation of an infection caused by *Trichomonas vaginalis*. Recall that this type of infection causes vaginal itching among various signs and symptoms.

96. Note the key words "most important" indicating a nursing instruction that has a high priority in teaching clients who are beginning antiretroviral therapy. Recall that drug compliance is essential for preventing drug resistance and extending the life of a person who has been diagnosed with HIV.

Nursing Care of Clients Practicing Family Planning

97. Note the key words "most appropriate" and apply them when analyzing each option. Recall that one side effect of oral contraceptives is the formation of thrombi. The risk for this complication is increased in women who smoke. Perhaps the underlying mechanism is that nicotine causes vasoconstriction, which reduces blood flow.

98. Analyze the options to select the one that corresponds with an inaccurate statement regarding tubal ligation. Recall that the ovaries, which secrete estrogen and progesterone, remain intact and functioning when the fallopian tubes are ligated. Consequently, menstruation will continue because endocrine hormones do not require passage through a duct to achieve their effects.

99. Read the choices carefully. Recall that side effects associated with an intrauterine device (IUD) depend on the type of inserted IUD, but may include menstrual cramps that are more uncomfortable than before having the IUD, heavier menstrual flow, and irregular periods and spotting for several months after the insertion of the IUD.

100. Note the key words "most accurate," in reference to when unprotected sex can occur following a vasectomy to avoid an unwanted pregnancy. Recall that a persistent small number of sperm may remain in ejaculated semen for 3 months. Prior to validating that no sperm remain, an alternative form of birth control should be used.

101. Read all the choices carefully. Use the process of elimination to exclude or include in your answer. Recall that a condom is rolled over an erect penis leaving a space at the tip of the penis. Unused condoms deteriorate when stored in warm temperatures.

102. Read all the choices carefully. Use the process of elimination to exclude or include in your choice of options. Recall that a client who is a candidate for medroxyprogesterone as a form of birth control is not pregnant. The injection is given deeply into a muscle such as the ventrogluteal site and repeated every 3 months, the equivalent of four times a year.

103. Read the choices carefully. Analyze to determine baseline information the nurse should obtain before advising a client on methods for birth control. Recall that any type of birth control is only appropriate for a person who is not currently pregnant. Obtaining information about the client's lifestyle helps to narrow the choices for birth control to those in which the client does not have to be actively involved in their use. The client's current sexual activity may help to provide information about a method of birth control that also protects the client from acquiring a sexually transmitted infection.

104. Read all the choices carefully. Analyze the options to those recommendations for safer sex practices. Recall monogamous relationships with a noninfected partner prevent the transmission of a sexually transmitted infection. Avoiding any devices that are used internally with another person whose infectious status is unknown is a safe practice. Urinating after intercourse tends to help eliminate infectious pathogens with fluid.

105. Use the process of elimination to select the option that correlates with the method by which oral contraceptives prevent pregnancy. Recall that the hormones in oral contraceptives change menstrual cycle physiology to resemble a pseudopregnancy, thus inhibiting ovulation and making the endometrium unsuited for implantation.

106. Use the process of elimination to select the option that correlates with an explanation of oral contraceptive packages that contain 28 tablets rather than 21. Recall that only 21 of the 28 tablets actually contain contraceptive hormones. The remaining 7 are placebos. A package with 28 tablets facilitates the continual habit of taking one pill each day or night. Menstruation, which is generally light and referred to as a "pill period," should begin within the time of the placebo pills. After day 28, the client begins taking a new supply of pills.

107. Read all the choices carefully. Choose options that correlate with potential side effects involving the application of the patch to the skin as well as the medications within the patch, which are similar to those associated with oral hormonal contraceptives.

108. Use the process of elimination to select the option that is a priority when delegating a task to another person. Recall the five steps of delegation: right task, right circumstance, to the right person, with the right directions and communication, and right supervision/evaluation. Validating knowledge meets the criterion for ensuring the right person can carry out the delegated task.

Correct Answers and Rationales

Nursing Care of Clients with Breast Disorders

1. 3. The American College of Obstetricians and Gynecologists indicates that the initial mammogram should be done at as early as 40. The client's current age is 30 and adding 10 years brings the client's age to 40 years. The American Cancer Society recommends that all women have an initial baseline mammogram beginning at age 45, but an initial mammogram at 40 is appropriate if they wish to do so. The U.S. Preventive Services Task Force recently indicated that routine mammograms can be delayed until age 50. The recommendation is based on statistics that indicate the risk for breast cancer between ages 40 and 50 is quite low. Several studies suggest that screening for high-risk women with a family history of breast cancer should begin approximately 10 years before the age of diagnosis of the family member with breast cancer.

    Cognitive Level—Applying
    Client Needs Category—Health promotion and maintenance
    Client Needs Subcategory—None

2. 2. Although the American Cancer Society states that monthly breast self-examinations (BSEs) are optional, they are an important way for women to discover early breast changes. When conducting BSE, the client should inspect her breasts during a shower, when lying down, and while standing before a mirror. Ominous signs include a change in the size of one breast, dimpling of the skin, or an altered nipple appearance. Bending from the waist, arching the back, and leaning from side to side are not methods used for BSE.

    Cognitive Level—Applying
    Client Needs Category—Health promotion and maintenance
    Client Needs Subcategory—None

3. 4. The pads of the four fingertips are used to feel for breast abnormalities during breast self-examination (BSE). The pads of the fingers are especially sensitive and can note lumps or changes in breast tissue. The heel of the hand, the index finger, finger and thumb are not as sensitive in detecting breast changes and the pads of fingers.

    Cognitive Level—Applying
    Client Needs Category—Health promotion and maintenance
    Client Needs Subcategory—None

4. 4. It is important to note the client's age or menstrual cycle status to provide accurate instruction. Hormonal levels fluctuate each month during the menstrual cycle, which causes changes in the breast tissue. Swelling begins to decrease when the menstrual cycle starts. Premenopausal women should perform breast self-examination (BSE) every month, 3 to 7 days after the period ends. When a client is past menopause, a BSE should be performed on a selected date each month, for example, the first day of the month.

    Cognitive Level—Applying
    Client Needs Category—Health promotion and maintenance
    Client Needs Subcategory—None

5. 2, 5, 6. Underarm deodorant, body powder, lotion, or ointments on the breast can produce artifacts on the mammogram film. The artifacts may be misinterpreted as pathologic findings. The client may wear constricting clothing and a bra before and after the test, but during the mammogram, the clothing is removed from the upper part of the body and a gown is put on. Shaving underarm hair is a cultural choice; it is not a test requirement. Normal hygiene measures are appropriate, but wiping the breasts with an antiseptic before the test is unnecessary.

    Cognitive Level—Applying
    Client Needs Category—Health promotion and maintenance
    Client Needs Subcategory—None

6. 1, 3, 5. Having a close blood relative with breast cancer places the client at high risk for developing this disease. The risk factor increases twofold if the relative is a first-degree female, such as a sister, mother, or daughter. Menstruating before age 12 and not having children are additional predisposing factors. Women who have had radiation therapy to the chest as treatment for cancer (such as Hodgkin disease or non-Hodgkin lymphoma) are at significant risk for breast cancer. According to recent research, breast implants are not found to increase the risk of breast cancer, although silicone breast implants can cause scar tissue to form in the breast. Implants make it harder to visualize breast tissue on standard mammograms. The size of the breast is not a risk factor for developing breast cancer; however, dense breast tissue that has more nonfatty tissue is a risk factor. Breast density is now identified on mammogram reports.

    Cognitive Level—Applying
    Client Needs Category—Health promotion and maintenance
    Client Needs Subcategory—None

7. 4. Fibrocystic lesions cause more discomfort before menstruation because the lesions are affected by increasing levels of estrogen. Estrogen appears to be a factor because cysts usually disappear after menopause.

Many women experience relief of symptoms when menstruation occurs. Symptoms do not commonly increase with aging. Fibrocystic lesions are not affected by sexual activity.

> **Cognitive Level**—*Applying*
> **Client Needs Category**—*Health promotion and maintenance*
> **Client Needs Subcategory**—*None*

8. **2.** Some women report that eliminating caffeine in coffee, tea, cola, and chocolate reduces their breast discomfort. Limiting sodium intake, taking a warm bath, or taking an anti-inflammatory such as ibuprofen also helps. Objectively, however, there is no evidence that the fibrocystic lesions become smaller or disappear with any particular diet modification. Consuming a high-fat diet seems to have a relationship to developing breast cancer. Refined sugar and alcohol are not linked to breast disease.

> **Cognitive Level**—*Applying*
> **Client Needs Category**—*Health promotion and maintenance*
> **Client Needs Subcategory**—*None*

9. **4, 6.** The Health Insurance Portability and Accountability Act (HIPAA) Personal Information Protection and Electronic Documents Act (PIPEDA) protect the client's health information. This includes information such as name, address, Social Security number, phone number, medical records number, diagnosis, admission and discharge dates, and all information from past, present, and future treatments. Leaving this information unattended is considered a major HIPAA/PIPEDA violation. The nurse who finds these violations should discuss the incident with a supervisor or the ethics and compliance officer of the institution. Because the documents are the client's medical records and are legal documents, throwing them away or putting them into the shredder are not appropriate actions. Instead, the nurse should find out who brought the documents to the location of the meeting and remind that person that a HIPAA/PIPEDA violation has occurred. Neatly stacking the documents to the side is immaterial at this time because potentially confidentiality has already been violated.

> **Cognitive Level**—*Applying*
> **Client Needs Category**—*Safe and effective care environment*
> **Client Needs Subcategory**—*Coordinated care*

10. **3.** Cancerous tumors tend to be irregularly shaped and attached firmly to surrounding tissue. Benign breast tumors tend to have a well-defined border and be freely movable. Neither the lump's size nor the location can necessarily predict if the lump is benign or malignant. However, cancerous tumors in nulliparous women or those who have not breastfed infants are more commonly located in the upper outer quadrant of the breast.

> **Cognitive Level**—*Applying*
> **Client Needs Category**—*Physiological integrity*
> **Client Needs Subcategory**—*Physiological adaptation*

11.

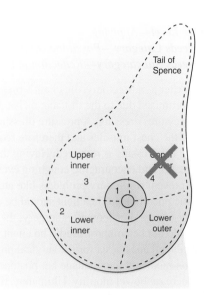

Begin palpation of the breast with the most common site for lumps. This site is the upper outer quadrant and then extends into the tail of Spence. While beginning in this area, all areas of the breast should be fully palpated.

> **Cognitive Level**—*Applying*
> **Client Needs Category**—*Physiological integrity*
> **Client Needs Subcategory**—*Physiological adaptation*

12. **2.** Competent adult clients have the right to self-determination once they have all the pertinent information to make a decision. When that occurs, nurses have a duty to facilitate whatever choices clients make. Discouraging the client from opposing the proposed plan for care promotes passivity. Even if most biopsies are accurate, some are not. Even though a second opinion may eventually prove to be appropriate, the nurse should try to facilitate further communication; in most cases, the treatment plan can be modified to suit the client's wishes.

> **Cognitive Level**—*Applying*
> **Client Needs Category**—*Safe and effective care environment*
> **Client Needs Subcategory**—*Coordinated care*

13. **3, 5, 6.** Because a modified radical mastectomy compromises the client's vascular and lymphatic circulation, blood pressures and any other invasive procedures involving an arm (I.V. sticks, blood draws, injections) are performed on the opposite upper extremity. Postmastectomy clients generally are restricted from turning or sleeping on the affected side initially so that blood and lymph circulation is not impaired. A sitting position tends to promote incisional drainage. Numbness and tingling of the chest wall or the inside aspect of the arm should be reported because these findings could indicate neurologic damage. These findings may last for a year or so. Fluids usually are not restricted. It is appropriate to assess the dressing and drainage, but the incisional wound is inspected only at the

time of a dressing change, which may take place several days later.
Cognitive Level—Applying
Client Needs Category—Physiological integrity
Client Needs Subcategory—Reduction of risk potential

14. 1, 3, 5. After a mastectomy, the client's breathing may be compromised due to the thoracic incision and a restrictive (pressure) dressing. A pressure dressing prevents movement of the chest muscles and therefore reduces lung capacity until the dressing is removed. Having the client take deep breaths and encouraging coughing every 2 hours is critical to prevent respiratory problems like atelectasis and hypostatic pneumonia. The client should be encouraged to assume her regular diet soon after surgery; therefore, her nutrition should not be compromised. The client will most likely have general anesthesia for the surgical procedure and will be on medication to manage her postoperative pain; both decrease bowel motility. Ultimately, the client should begin ambulating while decreasing her pain medication, thereby helping to increase bowel motility. Self-care may be impaired temporarily as the client's use of the arm on the side of the mastectomy may be self-restricted.
Cognitive Level—Analyzing
Client Needs Category—Physiological integrity
Client Needs Subcategory—Reduction of risk potential

15. **0.5 tablet.**
To calculate the drug dosage, use the formula:

$$\frac{\text{Desired dose}}{\text{Dose on hand}} \times \text{Quantity} = \text{Does to adminster}$$

$$\frac{10 \text{ mg}}{20 \text{ mg}} \times 1 \text{ tablet} = 0.5 \text{ tablet}$$

Cognitive Level—Applying
Client Needs Category—Physiological integrity
Client Needs Subcategory—Pharmacological therapies

16. 2. Most mastectomy clients tend to avoid raising the arm on the operative side after surgery. If this practice is prolonged, they tend to lose their full range of motion. Using the affected arm for hair brushing requires using muscles that elevate the arm and extend the chest muscles. Although self-feeding, writing, and washing the chest are good activities, they are not as likely to exercise the muscle groups to the same extent as brushing the hair.
Cognitive Level—Applying
Client Needs Category—Physiological integrity
Client Needs Subcategory—Reduction of risk potential

17. 1. An arm sling may be beneficial to reduce postural instability from an altered center of gravity. The client may have a tendency to lean toward the unoperative side affecting balance. A secondary benefit is that an arm sling elevates the arm and reduces dependent edema. Use of a walker requires similar strength in both arms. Nonskid slippers are appropriate for safety, but they do not help compensate for the client's postural instability or change in

center of gravity. Opioids are likely to cause drowsiness—a risk factor for falls, but they may be necessary in appropriate doses to relieve pain.
Cognitive Level—Applying
Client Needs Category—Physiological integrity
Client Needs Subcategory—Reduction of risk potential

18. 3. In postmastectomy clients, the standard practice is to elevate the affected arm on pillows while the client is in bed, to raise the client's arm and exercise the hand muscles, and to support the client's arm in a sling while ambulating. Applying ice reduces swelling, and warm compresses dilate blood vessels; however, because this surgery tends to compromise the client's circulation and sensory perception, these two measures are not the most appropriate to use. Frequent ambulation of the client would not prevent the arm from swelling.
Cognitive Level—Applying
Client Needs Category—Physiological integrity
Client Needs Subcategory—Reduction of risk potential

19. 1, 2, 3. Because most mastectomy clients are discharged fairly quickly after surgery, it is imperative that detailed discharge instructions be given to the client and that the client understands them. Arm exercises that are begun postoperatively in the hospital should be continued at home to regain full range of motion, prevent contractures, and promote blood and lymph circulation. The client should avoid lifting or carrying heavy objects and should use gloves to prevent injuries that could result in infection. It is important for the client to have assistance when selecting a breast prosthesis, but most women do not postpone getting a prosthetic device and are fitted soon after surgery when healing has occurred. Although getting adequate sleep and avoiding alcohol and caffeine promote a healthy lifestyle, they do not have a bearing on the client's postoperative mastectomy home care.
Cognitive Level—Applying
Client Needs Category—Safe and effective care environment
Client Needs Subcategory—Coordinated care

20.

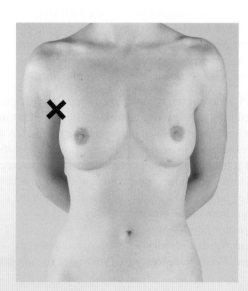

The sentinel node biopsy is used to determine whether the cancer has spread beyond a primary tumor site and into the lymphatic system. Breast cancer usually spreads first to the axillary lymph nodes, the structures closest to the primary site. Distant metastasis in advanced stages of breast cancer may be found in the bones, liver, lungs, and brain.

Cognitive Level—Applying
Client Needs Category—Physiological integrity
Client Needs Subcategory—Physiological adaptation

Nursing Care of Clients with Disturbances in Menstruation

21.

4. Ovarian follicle matures.
3. Endometrium begins to thicken.
1. Ovum is released.
6. Corpus luteum forms.
2. Progesterone decreases.
5. Endometrium is shed.

The ovarian follicle matures when the anterior pituitary gland secretes follicle-stimulating hormone. This is accompanied by an increase in estrogen, which promotes thickening of the endometrium. At about midcycle, the anterior pituitary gland releases luteinizing hormone, which causes the follicle to rupture and release an ovum. The ruptured follicle is transformed into the corpus luteum and secretes progesterone. If fertilization fails to occur, the progesterone level decreases and the endometrium is shed.

Cognitive Level—Analyzing
Client Needs Category—Health promotion and maintenance
Client Needs Subcategory—None

22. 1. It is important to differentiate between primary amenorrhea, a condition in which a female has never menstruated, and secondary amenorrhea, in which menstruation has occurred but has been absent for more than 3 months. This differentiation can provide important diagnostic information. Although the other questions may be pertinent, they are not as important to know at this time.

Cognitive Level—Applying
Client Needs Category—Health promotion and maintenance
Client Needs Subcategory—None

23. 2, 3, 4, 5. Local applications of heat and mild analgesics are the first line of treatment for minor symptoms of dysmenorrhea. Limiting caffeine in coffee, tea, and soft drinks or temporarily avoiding their use may avoid constriction of blood vessels, which increases congestion of blood within the uterus. Assuming a knee-chest position at various times during the day stretches uterine muscles around pelvic ligaments, relieving pain due to a

uterus that is tipped backward toward the pelvis. The use of menstrual pads or tampons is a personal choice; neither is believed to affect dysmenorrhea. Fiber is believed to absorb estrogen from the blood; lowering estrogen reduces dysmenorrhea.

Cognitive Level—Applying
Client Needs Category—Health promotion and maintenance
Client Needs Subcategory—None

24. 4. Symptoms associated with premenstrual syndrome (PMS) occur 5 to 10 days before menstruation. Symptoms, such as mood swings, depression, feeling tired, and trouble concentrating, are relieved when menstruation begins and for 2 to 3 weeks afterward.

Cognitive Level—Understanding
Client Needs Category—Health promotion and maintenance
Client Needs Subcategory—None

25. 1. Using a therapeutic communication technique like restating, also known as paraphrasing, lets a client know that the original statement was heard without using the client's exact same words. It provides the client with an opportunity to explore or expand on the original statement. The examples in the other options are nontherapeutic examples of agreeing, asking a "why" question, and belittling.

Cognitive Level—Applying
Client Needs Category—Psychosocial integrity
Client Needs Subcategory—None

26. 1. Keeping what some call a menstrual diary helps to track symptoms a client experiences during specific times during the client's monthly cycle. Noting when symptoms occur in relation to premenstrual time helps support the cyclical nature of the disorder. Consulting a gynecologist is somewhat premature because evidence of the client's cyclical symptoms has yet to be identified. A therapist may be helpful, but it should come after the client's symptoms can be analyzed. A physical examination is a helpful first step after collecting data, to determine if there are other reasons for the client's symptoms.

Cognitive Level—Applying
Client Needs Category—Physiological integrity
Client Needs Subcategory—Physiological adaptation

27. 2. Yoga calms the central nervous system and eases stress. It encourages deep relaxation. It can be performed alone and whenever it is convenient. Although active exercise, such as occurs in volleyball and tennis, releases endorphins, natural pain-relieving chemicals, and promotes the release of dopamine, a pleasure-producing neurotransmitter, and serotonin, a neurotransmitter that improves mood, it is not always easy or convenient to participate in these activities on a daily basis. Hiking is also an activity that is limited to occasions when a woman is not working or involved in other household responsibilities.

Cognitive Level—Applying
Client Needs Category—Physiological integrity
Client Needs Subcategory—Basic care and comfort

28. 2. Encouraging the client to independently suggest changes empowers a person to take charge in overcoming a condition that seems to play a dominant role. Discussing coping strategies helps a client realize there are alternative options. Meeting with the spouse may help promote his understanding of the condition, but it will not relieve the client's feeling of being victimized. Part-time employment may or may not be therapeutic. It may add an additional stressor to the client's already stressful situation.

> *Cognitive Level*—*Applying*
> *Client Needs Category*—*Psychosocial integrity*
> *Client Needs Subcategory*—*None*

29. 1. Douching in the days preceding a Papanicolaou test interferes with accurate test results because it removes exfoliated cells. None of the other instructions is necessary when preparing a client for a pelvic examination.

> *Cognitive Level*—*Applying*
> *Client Needs Category*—*Health promotion and maintenance*
> *Client Needs Subcategory*—*None*

30. 2. If the bladder is empty, pelvic organs are more easily palpated and the client experiences less discomfort. It is inappropriate to instill a vaginal lubricant before the examination. Analgesia is generally unnecessary. No special consent form is required for the examination.

> *Cognitive Level*—*Applying*
> *Client Needs Category*—*Physiological integrity*
> *Client Needs Subcategory*—*Reduction of risk potential*

31. 3. The vaginal specimen obtained for a Papanicolaou (Pap) test contains exfoliated cells from the uterus. They are examined microscopically to identify precancerous, cancerous, inflammatory, typical, and atypical cells. It is best to document the date of a client's last menstrual period to assist the pathologist in determining if the microscopic cells are appropriate for the current stage in the menstrual cycle. The presence of atypical cells can sometimes be correlated with having the Pap test performed toward the end of menses. Identifying the date of the last menstrual period may eliminate a need for additional testing. Answers to the other questions are immaterial to the results of the Pap smear.

> *Cognitive Level*—*Applying*
> *Client Needs Category*—*Health promotion and maintenance*
> *Client Needs Subcategory*—*None*

32. 1. Breakthrough bleeding or spotting may occur in clients who take oral contraceptives with low dosages of estrogen or progesterone. Stress has been implicated in delaying menses or causing irregularity in a previously regular cycle, but it is uncommon for stress to cause midcycle bleeding. Having sexual intercourse with a partner who has a sexually transmitted infection is not a common cause of vaginal bleeding. Using a vibrator to elicit sexual arousal typically is not the cause of bleeding or spotting. However, care must be taken not to damage genital tissue.

> *Cognitive Level*—*Analyzing*
> *Client Needs Category*—*Health promotion and maintenance*
> *Client Needs Subcategory*—*None*

33. 1. Regardless of sexual preference, the client's request to be accompanied by her partner should be respected. The Affordable Care Act bans discrimination on the basis of the gender of domestic partners. Asking the client's partner to wait in the waiting room or outside the examination door disregards the client's need for support. Leaving the decision to the health care provider shows passivity and deference to the health care provider's traditional hierarchical role in health care.

> *Cognitive Level*—*Applying*
> *Client Needs Category*—*Safe and effective care environment*
> *Client Needs Subcategory*—*Coordinated care*

Nursing Care of Clients with Infectious and Inflammatory Disorders of the Female Reproductive System

34. 1. *Candida albicans*, a common cause of vaginitis, is usually treated with an antifungal medication. Several former prescription antifungal drugs are now available without a prescription. Over-the-counter drugs, such as miconazole and clotrimazole, are available in various forms, including vaginal tablets, creams, and suppositories. Oral antibiotics are not used to treat *C. albicans* and, in fact, are frequently the cause of the vaginitis. Irritating vaginal douches are not recommended for treatment.

> *Cognitive Level*—*Understanding*
> *Client Needs Category*—*Physiological integrity*
> *Client Needs Subcategory*—*Pharmacological therapies*

35. 3. Instilling the drug before bedtime aids in retaining the medication within the vagina for a substantial period of time. When this is not possible, the client is instructed to recline for 10 to 30 minutes after insertion. The applicator is inserted approximately 2 to 4 in (5 to 10 cm) within the vagina. The best position to be in when instilling the drug is reclining in a dorsal recumbent position. Latex gloves are a matter of personal choice when self-administering vaginal medication; however, they are required when instilling the drug into someone else. Good hand washing is important in either case.

> *Cognitive Level*—*Applying*
> *Client Needs Category*—*Physiological integrity*
> *Client Needs Subcategory*—*Pharmacological therapies*

36. 2. Yeasts are present in the intestinal tract and are introduced into the vagina if stool is wiped across rather than away from the vaginal opening. This is often a common etiologic factor in urinary tract infections as well. Showers versus tub baths are a matter of personal preference as long as the tub is cleaned on a routine basis. Some types of vaginal infections are spread from infected sex partners, but limiting intercourse to once a week is not likely to prevent them. Lanolin soap is not effective for reducing microorganism growth.

> *Cognitive Level*—*Applying*
> *Client Needs Category*—*Health promotion and maintenance*
> *Client Needs Subcategory*—*None*

37. 4. Pelvic inflammatory disease (PID) can damage the fallopian tubes and tissues in and near the uterus and ovaries. PID can lead to serious consequences, including ectopic pregnancy, abscess formation, chronic pelvic pain, and infertility. Infertility results from the scarring of fallopian tubes, which subsequently blocks passage for both sperm and ovum. With early and aggressive treatment, the sequelae may be prevented or minimized. Cancer of the cervix, premature labor, and spontaneous abortion are not directly related to a prior incidence of PID.

> *Cognitive Level*—*Applying*
> *Client Needs Category*—*Physiological integrity*
> *Client Needs Subcategory*—*Physiological adaptation*

38. 1. The endometrium is the inside lining of the uterus. Endometriosis is tissue growth by cells that look and act like endometrial cells. However, these cells grow outside the uterus in other areas, including on or under the ovaries, behind the uterus, or on the tissues that hold the uterus in place. A laparoscope is inserted through the abdominal wall. Once inserted, the instrument is used to visualize the intra-abdominal and pelvic organs, obtain biopsies of tissue, and perform therapeutic procedures. Nursing interventions should focus on the incisions located on the abdomen. There is no need to have interventions focused on the other areas.

> *Cognitive Level*—*Applying*
> *Client Needs Category*—*Physiological integrity*
> *Client Needs Subcategory*—*Reduction of risk potential*

39. 2. Shoulder or abdominal discomfort may be experienced for 1 to 2 days after a laparoscopy. The discomfort is caused by the bolus of carbon dioxide instilled to distend the abdominal cavity. Nausea and leg cramps are unrelated to the laparoscopic procedure. Urinary urgency may occur after removal of the retention catheter used to keep the bladder empty during the laparoscopy, but it is not a direct effect of the procedure.

> *Cognitive Level*—*Applying*
> *Client Needs Category*—*Physiological integrity*
> *Client Needs Subcategory*—*Reduction of risk potential*

40. 4. Decreased estrogen production after menopause reduces the potential for vaginal lubrication. A dry vaginal mucous membrane is a common etiologic factor in painful intercourse after menopause. Pelvic muscles usually do not become more pressure sensitive with age. The amount

of foreplay, if prolonged, can stimulate the clitoris. The vagina atrophies as a result of age-related changes.

> *Cognitive Level*—*Applying*
> *Client Needs Category*—*Physiological integrity*
> *Client Needs Subcategory*—*Physiological adaptation*

Nursing Care of Clients with Benign and Malignant Disorders of the Uterus and Ovaries

41. 2. Women who have polycystic ovarian syndrome have difficulty becoming pregnant because the ovarian follicles contain fluid-filled cysts. Infertility is caused by an excess production of androgen, a male hormone, that causes irregular or absent ovulation. Menstrual periods may be irregular, but not generally accompanied by heavy bleeding. Some degree of cramping during menstruation is common. Because ovulation does not occur, the client does not have a history of multiple spontaneous abortions.

> *Cognitive Level*—*Analyzing*
> *Client Needs Category*—*Physiological integrity*
> *Client Needs Subcategory*—*Physiological adaptation*

42. 1. Fibroid tumors (myomas) respond to estrogen stimulation. Heavy menstrual bleeding is a common report of clients with myomas. Myomas arise from muscle tissue in the uterus and are usually benign. If pain occurs, it usually accompanies menstruation. Hot flashes and breast tenderness, if present, are not associated with fibroid tumors.

> *Cognitive Level*—*Applying*
> *Client Needs Category*—*Physiological integrity*
> *Client Needs Subcategory*—*Physiological adaptation*

43. 1. A full bladder is essential when performing a pelvic sonogram. Clients must consume at least a quart of water 1 hour before the examination and refrain from urinating until the examination is completed. Fasting is unnecessary. The examination is not painful, so an analgesic is unnecessary. No special skin preparation is required before the examination.

> *Cognitive Level*—*Applying*
> *Client Needs Category*—*Physiological integrity*
> *Client Needs Subcategory*—*Reduction of risk potential*

44. 2. All the data described are valid facts to document; however, documenting that this client has voided a sufficient amount to empty the bladder is most pertinent to the client's safety after discharge.

> *Cognitive Level*—*Applying*
> *Client Needs Category*—*Physiological integrity*
> *Client Needs Subcategory*—*Reduction of risk potential*

45. 1. A colposcopy is a diagnostic procedure that is performed if the woman has an abnormal Papanicolaou (Pap) test. The colposcopy examines the cervix and the tissues of the vagina and vulva by illuminating and magnifying these tissues. It is common to have slight vaginal bleeding after a colposcopy; however, excessive bleeding is unusual and should be reported. None of the other options describes a common problem following colposcopy.

Cognitive Level—*Applying*
Client Needs Category—*Physiological integrity*
Client Needs Subcategory—*Reduction of risk potential*

46. 2. After electrocauterization, the client is told to avoid straining and heavy lifting because these activities may cause bleeding from the cauterized site. The client is usually reexamined in 2 to 4 weeks. Absolute bed rest is unnecessary, but the client should rest more than usual. Neither douching nor sexual intercourse is permitted until it is safe to do so, but avoiding sexual intercourse for 2 weeks is an unusually long time.

Cognitive Level—*Applying*
Client Needs Category—*Physiological integrity*
Client Needs Subcategory—*Reduction of risk potential*

47. 3. Like other sexually transmitted infections such as genital herpes, certain strains of human papillomavirus (HPV) are a risk factor for cervical cancer. HPV causes cervical dysplasia (abnormal cells), a precursor of cancer, which validates the necessity for regular Papanicolaou (Pap) tests. Other risk factors include sexual intercourse before age 16, multiple sex partners, and multiple pregnancies. Menstruation beginning at age 14 years is normal. Spontaneous abortion and history of maternal breast cancer are not risk factors for cervical cancer. A vaccination for HPV is available.

Cognitive Level—*Analyzing*
Client Needs Category—*Physiological integrity*
Client Needs Subcategory—*Reduction of risk potential*

48. 1, 3, 6. Cervical cancer is a malignancy involving the cervix (the lower portion of the uterus) or the cervical structures. The early stages of cervical cancer may be completely asymptomatic. Vaginal bleeding occurs in the advanced stages. Identifying the number of sanitary pads used helps quantify the extent of bleeding. Other symptoms of advanced cervical cancer may include anorexia; weight loss due to poor nutrition or as a consequence of the cancer; fatigue due to nutritional deficiencies or chronic vaginal bleeding; pelvic, back, or leg pain; a single swollen leg; and bone fractures. The color of the blood provides a characteristic of the blood loss, but it does not indicate the extent of bleeding. Sexual frequency does not provide clinical data that can be used to make a diagnosis. Itching and swelling of the labia are not related to cervical cancer but to sexually transmitted infections.

Cognitive Level—*Analyzing*
Client Needs Category—*Physiological integrity*
Client Needs Subcategory—*Physiological adaptation*

49. 2, 5, 6. There are several methods used to treat cervical cancer depending on the progression of the disease. A hysterectomy may be done in the earlier stages; chemotherapy or radiation therapy or a combination of the two may be used in addition to the hysterectomy in the later stages. Internal radiation therapy is a form of treatment in which a source of radiation is put inside the client's body. Bed rest must be maintained to retain the applicator within the vagina. In fact, the head of the bed should not be raised more than 45 degrees while the radioactive applicator is in place. To provide safety for the nurse and avoid excessive exposure to radiation, the nurse should stand at a distance and talk with the client from the doorway, spending as little time in direct contact as possible. The client should be instructed about radiation safety precautions before the placement of the implant. Weighing the client is postponed while the radioactive applicator is in place. It is not necessary to place urine or feces in a container.

Cognitive Level—*Applying*
Client Needs Category—*Safe and effective care environment*
Client Needs Subcategory—*Safety and infection control*

50. 4. Displaced radioactive materials are placed in a lead container as soon as they are discovered. The nurse should avoid contact with the radioactive materials if at all possible and should call the radiation safety department or nuclear medicine department. The lead container blocks the transmission of radioactivity. The nuclear medicine department then manages the substance appropriately. Radioactive substances are never discarded. The health care provider, not the nurse, is responsible for reinserting the implant.

Cognitive Level—*Applying*
Client Needs Category—*Safe and effective care environment*
Client Needs Subcategory—*Safety and infection control*

51. 3. Distance is one measure used to reduce exposure to radiation. Therefore, radioactive substances are never held with the hands. A long-handled forceps and lead container should be in the room of a client who has a radioactive implant in a body orifice. Neither washing the hands nor using a glass jar will control exposure to radiation. Rubber gloves rather than vinyl gloves provide some protection, but the radioactive substance should never be touched with the hands.

Cognitive Level—*Applying*
Client Needs Category—*Safe and effective care environment*
Client Needs Subcategory—*Safety and infection control*

52. 2. All the described nurses have strengths that may be helpful to this client. However, because exposure to radiation can affect male and female gametes (sex cells), it is best that a nurse for whom pregnancy is unlikely or a male nurse who has had a vasectomy should care for the client.

Cognitive Level—*Applying*
Client Needs Category—*Safe and effective care environment*
Client Needs Subcategory—*Coordinated care*

53. 1. Antiembolism stockings are frequently prescribed for postoperative clients and those unable to ambulate to circulate venous blood to the heart. These clients are at high risk for developing a blood clot. Antiembolism stockings are used to reduce stasis of venous blood in the

extremities that could cause a thrombus and embolus to occur. Antiembolism stockings should be worn continuously except when removed for assessment and hygiene.
Cognitive Level—Applying
Client Needs Category—Physiological integrity
Client Needs Subcategory—Basic care and comfort

54. 3, 4, 5. Clients who have had abdominal surgery are prone to developing blood clots in their lower extremities. Therefore, the knees should not be raised because doing so results in knee flexion and stasis of blood flow. In addition, the client's legs should never be massaged because it may dislodge a clot in a leg vein. The decision to administer a prescribed mild analgesic or opioid is a nursing decision. Gloves must be worn when dealing with blood and body fluids; the soiled perineal pad can be enclosed in something that is water resistant, like a waxed bag or the nurse's glove, and placed in a lined waste container. All the other activities are appropriate when caring for a client recovering from a hysterectomy.
Cognitive Level—Applying
Client Needs Category—Safe and effective care environment
Client Needs Subcategory—Coordinated care

55. 3. It is important to deflate the balloon first so that the catheter can be removed from the urethra. Not deflating the balloon can lead to urethral trauma and damage. Cleaning the client's perineum and measuring her urine output are essential actions, but they can be postponed until after the catheter has been removed. It is unnecessary to separate the catheter from the drainage bag. After the bag is emptied, both can be disposed of in an appropriate waste receptacle.
Cognitive Level—Applying
Client Needs Category—Physiological integrity
Client Needs Subcategory—Basic care and comfort

56. 2. To measure the volume of urine retained in the bladder, it is important to catheterize the client within 10 minutes of voiding. The size of the catheter is relative to the size of the client; however, the size is not pertinent to the purpose of the procedure. The catheter is connected to gravity drainage only if there is a prescription to insert a retention catheter based on a certain retained urine volume.
Cognitive Level—Applying
Client Needs Category—Physiological integrity
Client Needs Subcategory—Reduction of risk potential

57. 4. Antineoplastic medications can affect the function of bone marrow, which produces the blood cells. A complete blood count provides information about all the cells that the bone marrow produces. The other laboratory tests monitor oxygen carrying capacity and liver and kidney function.
Cognitive Level—Applying
Client Needs Category—Physiological integrity
Client Needs Subcategory—Reduction of risk potential

58. 1. The nurse identifies a priority concern of anxiety evidenced by an inability to manage routine activities. Clients frequently are overwhelmed with a cancer diagnosis. The best evidence of improvement would be the client's ability to successfully manage personal affairs. Attending support groups, maintaining family/friend relationships, and participating in health care decisions are positive actions related to accepting the diagnosis.
Cognitive Level—Analyzing
Client Needs Category—Psychosocial integrity
Client Needs Subcategory—None

59. 4. The hair lost with some antineoplastic drugs returns after chemotherapy is terminated. The return of hair growth varies from client to client, but in all cases, it is restored in less than 2 years. However, the new hair growth may be different in color or texture from the past hair type of the individual.
Cognitive Level—Applying
Client Needs Category—Physiological integrity
Client Needs Subcategory—Pharmacological therapies

Nursing Care of Clients with Miscellaneous Disorders of the Female Reproductive System

60. 2. A prolapsed uterus is a condition in which the uterus descends or changes position with the surrounding structures in the pelvis. When the supporting structures become stretched or weak, they cannot support the uterus and the uterus falls. Standing and bearing down is the best technique for determining the extent of uterine prolapse. Using this technique, the nurse can evaluate the effect of gravity in relation to the relaxed pelvic muscles. The other assessment techniques are frequently used if the client is unable to stand.
Cognitive Level—Applying
Client Needs Category—Physiological integrity
Client Needs Subcategory—Physiological adaptation

61. 4. A cystocele occurs when the wall between the bladder and vagina weakens and allows the bladder to fall into the vagina. This condition may cause problems with emptying the bladder. The majority of clients with a cystocele experience stress incontinence. Stress incontinence is manifested by a slight loss of urine when abdominal pressure increases, as with sneezing, coughing, laughing, and lifting heavy objects. Awakening in the morning, walking, and sleeping do not promote stress incontinence.
Cognitive Level—Understanding
Client Needs Category—Physiological integrity
Client Needs Subcategory—Physiological adaptation

62. 3. Perineal exercises, also known as Kegel exercises, strengthen the pubococcygeal muscles, components of the levator ani group of muscles, which help suspend the bladder. Purchasing absorbent underwear is an option if the cystocele is more serious or if the client chooses not to proceed with a surgical repair. Applying an external catheter is an option but not a very effective or popular one. It is inappropriate to limit oral fluid intake as a means of controlling adult incontinence.

Cognitive Level—Applying
Client Needs Category—Health promotion and maintenance
Client Needs Subcategory—None

63. **2.** Absence of a urinary tract infection is the best indication that the client is following appropriate aseptic principles when performing self-catheterization. The volume of urine should be more than 50 mL if the bladder is being emptied completely. The catheter should be removed immediately after the bladder is emptied. The frequency of catheterization depends on the client's rate of urine formation and sensation of a need to void. Frequency of catheterization is not an indication of appropriate technique.

Cognitive Level—Analyzing
Client Needs Category—Physiological integrity
Client Needs Subcategory—Reduction of risk potential

64. **1, 2, 4, 5.** Alendronate may be prescribed to help increase bone mass when bone resorption exceeds bone formation—a condition that occurs among women as they age, especially during the postmenopausal years when estrogen levels decrease significantly. Alendronate may cause esophageal irritation; therefore, measures to promote gastric emptying are encouraged. This includes taking the medication on awakening with 6 to 8 ounces of water (not food or milk) and remaining upright for at least 30 minutes. Alendronate neither relieves hot flashes or irritability nor eases any other discomforts commonly associated with menopause.

Cognitive Level—Applying
Client Needs Category—Physiological integrity
Client Needs Subcategory—Pharmacological therapies

Nursing Care of Clients with Inflammatory Disorders of the Male Reproductive System

65. **3.** Inadequate treatment leads to the development of a chronic condition. Whenever an antibiotic is prescribed, it is important to stress that the client take all the medication. Taking only a portion of the medication may not be sufficient to destroy the infectious microorganism; it can also contribute to the development of resistant strains. Drinking milk, reporting significant information, and monitoring body temperature may be important in some cases. The latter recommendations are based more on such factors as the side effects of the drug, the condition for which the drug is prescribed, and the client's physical condition.

Cognitive Level—Applying
Client Needs Category—Physiological integrity
Client Needs Subcategory—Pharmacological therapies

66. **2.** The prostate surrounds the urethra and when enlarged can induce discomfort and difficulty passing urine due to a stricture. A sitz bath soothes the area, relieving pain and possible inflammation. It is more effective if it lasts approximately 20 minutes. The water should be about 100°F (37.8°C), which is considered warm, not tepid. Soap is omitted with a sitz bath; the bath's purpose is to apply heat and relieve discomfort, not clean the area. Massaging the scrotum has no direct benefit in relieving the client's symptoms.

Cognitive Level—Applying
Client Needs Category—Physiological integrity
Client Needs Subcategory—Basic care and comfort

67. **2.** The epididymis is a tightly coiled tube in the scrotum that is used to transport sperm. An inflammation of this structure is called *epididymitis*. Only a small portion of urine voided in midstream (after the first release of urine is wasted) is collected in a clean-catch specimen. The procedure does require cleaning the penis, retracting the foreskin if the client is uncircumcised, and depositing the urine directly into a sterile container.

Cognitive Level—Analyzing
Client Needs Category—Physiological integrity
Client Needs Subcategory—Reduction of risk potential

68. **1.** Elevating and supporting the scrotum helps to relieve the discomfort of epididymitis. Analgesics are also prescribed. Wearing larger underwear or cotton briefs is a personal choice and does not inherently relieve the client's symptoms. Heat is contraindicated because it can damage sperm.

Cognitive Level—Applying
Client Needs Category—Physiological integrity
Client Needs Subcategory—Basic care and comfort

69. **3.** Orchitis is a painful condition of the testicles involving inflammation, swelling, and, frequently, infection. Often, it is the result of epididymitis that has spread to the testes. The mumps virus can infect the testes of males who have not been given the varicella vaccine before puberty. A sexually transmitted infection, possibly from multiple sex partners, would be likely if the client's testes and epididymis are coinfected, but that is not the case in this situation. Orchitis is not commonly reported in clients who have had sports-related scrotal injuries or in males who participate in homosexual activity.

Cognitive Level—Applying
Client Needs Category—Physiological integrity
Client Needs Subcategory—Physiological adaptation

70. **2.** When performing a testicular self-examination, the client should examine each testicle separately, rolling it between the thumb and fingers. It is easier to palpate the testes when the scrotum is warm, such as during or after a shower. Testicular self-examination should be performed monthly. Testicles are normally different in size. A change in the quantity of semen is not done during a testicular self-examination.

Cognitive Level—Applying
Client Needs Category—Health promotion and maintenance
Client Needs Subcategory—None

Nursing Care of Clients with Structural Disorders of the Male Reproductive System

71. 1. As long as one testicle is descended, the testicle will most likely produce sufficient testosterone for normal secondary sexual characteristics, adequate sperm for conception, and a healthy sex drive. Impotence, the inability to achieve an erection, is not generally compromised.

> *Cognitive Level—Applying*
> *Client Needs Category—Physiological integrity*
> *Client Needs Subcategory—Physiological adaptation*

72. 3. The priority nursing assessments after a circumcision include checking the amount of local bleeding and the client's ability to void. Swelling can obstruct the urethra and interfere with urination. Deep breathing is a routine assessment for surgical clients who have received general anesthesia. It would be inappropriate to assess the client's erectile function at this time. I.V. antibiotics are not usually prescribed for this type of surgery.

> *Cognitive Level—Applying*
> *Client Needs Category—Physiological integrity*
> *Client Needs Subcategory—Reduction of risk potential*

73. 2. Whenever a cold or warm device is placed on a client's body, the device is placed within some type of fabric cover. A plastic bag is not an appropriate cover. A hypothermia blanket is too large for the desired local effect. An ice-filled ring would not cover the area sufficiently to produce a local effect.

> *Cognitive Level—Applying*
> *Client Needs Category—Safe and effective care environment*
> *Client Needs Subcategory—Safety and infection control*

Nursing Care of Clients with Benign and Malignant Disorders of the Male Reproductive System

74. 2. The best position for assessing the characteristics of the prostate gland is one in which the client leans forward from the waist while standing, bracing his body against the examination table for support. The rectum can be examined with the client in the lithotomy and dorsal recumbent positions, but these are not the preferred positions. Fowler position does not facilitate a rectal examination.

> *Cognitive Level—Applying*
> *Client Needs Category—Health promotion and maintenance*
> *Client Needs Subcategory—None*

75.

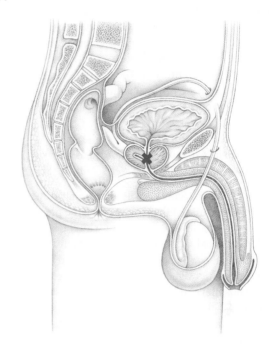

The prostate gland is a walnut-sized structure that surrounds the male urethra just beneath the bladder.

> *Cognitive Level—Applying*
> *Client Needs Category—Physiological integrity*
> *Client Needs Subcategory—Physiological adaptation*

76.

3. A Coudé catheter is used in lieu of a flexible catheter to overcome urethral obstructions because it has a stiffer and pointed tip. Image 1 is a mushroom-shaped de Pezzer catheter, and image 2 is a wing-tipped Malecot catheter; both of these are inserted by a health care provider and require a stylet. Image 4 is a common catheter used for straight catheterization or connected to a leg bag or collection bag.

> *Cognitive Level—Applying*
> *Client Needs Category—Physiological integrity*
> *Client Needs Subcategory—Reduction of risk potential*

77. 2. After draining 700 mL of urine, the client should feel relief. Draining any more than 1,000 mL in a short amount of time can contribute to bladder spasms or loss of bladder tone. More urine can be removed after waiting a period of time. This rule of thumb may be overridden in special circumstances. Follow medical prescriptions or standards of care. The normal capacity of the bladder usually does not exceed 600 mL.

> *Cognitive Level—Applying*
> *Client Needs Category—Physiological integrity*
> *Client Needs Subcategory—Reduction of risk potential*

78. 4. When a prostate sonogram is performed, a rectal probe is inserted. The presence of stool can interfere with imaging the prostate as well as contribute to discomfort. Therefore, it is important to empty the rectum completely. The client may wish to empty his bladder as well, but that is not necessary with this test. The test does not require fasting. Water may be instilled within the sheath surrounding the rectal probe; the client is not required to consume a large volume of water.

> *Cognitive Level—Analyzing*
> *Client Needs Category—Physiological integrity*
> *Client Needs Subcategory—Reduction of risk potential*

79. 2. In its Patient Safety Goals, The Joint Commission requires that the title of the procedure on the preoperative consent form must be consistent with the scheduled procedure to avoid *wrong procedure* errors. If they are not compatible, clarification must be obtained before the operative permit is signed. The client may sue the surgeon and hospital claiming that informed consent was not obtained if there was a difference between the names of two procedures. The nurse cannot assume the name on the surgical permit is more accurate than the name on the surgery schedule. The client's signature should not be obtained and followed by giving a verbal report. The surgeon may need to explain the surgical procedure to obtain informed consent if the procedure will be different than the one on the consent form.

> *Cognitive Level—Applying*
> *Client Needs Category—Safe and effective care environment*
> *Client Needs Subcategory—Coordinated care*

80. 1. To protect a client's right to privacy, the client must be informed when any person who is not a required participant in a surgical procedure, like a student or other unauthorized observer, will be present. Shielding a diagnosis from the client violates the ethical principle of truth-telling. Caring for all clients without discrimination supports clients' civil rights regarding care without regard to race, color, religion, creed, ethnic affiliation, national origin, sex, sexual orientation, gender identity, age, or handicap. Advising a client regarding an advance directive supports the client's right to self-determination.

> *Cognitive Level—Applying*
> *Client Needs Category—Safe and effective care environment*
> *Client Needs Subcategory—Coordinated care*

81. 725 mL. The irrigation solution is a part of the volume that collects in the drainage bag. Therefore, to find the true urine output, the amount of instilled irrigant is subtracted from the volume in the drainage bag.

> *Cognitive Level—Applying*
> *Client Needs Category—Physiological integrity*
> *Client Needs Subcategory—Basic care and comfort*

82. 1. An obstruction in the drainage catheter is the chief cause of bladder discomfort after transurethral resection of the prostate (TURP). Therefore, the nurse should check for patency of the drainage catheter. A belladonna and opium suppository may be helpful, but this option is not the first course of action. Sitting can increase intra-abdominal pressure and contribute to more bleeding. Ambulating may or may not improve drainage through the catheter, but it is not the first choice of actions.

> *Cognitive Level—Applying*
> *Client Needs Category—Physiological integrity*
> *Client Needs Subcategory—Reduction of risk potential*

83. 3. In the immediate postoperative period, all urinary drainage catheters, including the cystostomy tube, are unclamped to facilitate drainage. The suprapubic cystostomy tube is clamped later when bladder retraining is begun. A cystostomy catheter is too short to attach directly to the thigh or a leg bag; it would require a separate drainage tube and urine collection bag.

> *Cognitive Level—Applying*
> *Client Needs Category—Physiological integrity*
> *Client Needs Subcategory—Physiological adaptation*

84. 3. When caring for a client following a suprapubic prostatectomy, the nurse must assess for the common complication of urinary bleeding. The nurse monitors the color and amount of urine. Urinary retention is not a complication as a catheter drains all urine. Flank pain and flatus are not common complications.

> *Cognitive Level—Applying*
> *Client Needs Category—Physiological integrity*
> *Client Needs Subcategory—Reduction of risk potential*

85. 3. One functioning testis ought to produce enough testosterone to sustain all of a man's secondary sex characteristics and his libido. However, after this surgery, the sperm count is reduced and the motility of the sperm is impaired.

> *Cognitive Level—Analyzing*
> *Client Needs Category—Physiological integrity*
> *Client Needs Subcategory—Physiological adaptation*

Nursing Care of Clients with Sexually Transmitted Infections

86. 2. Asking a person if any sex partner has similar symptoms helps to determine if the cause of the client's symptoms is a sexually transmitted infection. A painless sore is a symptom of syphilis, which is not the most common sexually transmitted infection, but may be asked about if the client reports having a lesion on the penis, rectal area, mouth, or nose. The age at which a person first had sexual intercourse is unrelated to the present symptoms. Incubation periods vary among sexually transmitted infections; identifying the most recent date of sexual intercourse will not identify the time at which the infection was transmitted.

> *Cognitive Level—Applying*
> *Client Needs Category—Physiological integrity*
> *Client Needs Subcategory—Physiological adaptation*

87. **1, 2, 3.** Gonorrhea is a common sexually transmitted infection with the highest incidence among 14- to 15-year-old adolescents. It is caused by bacteria, making it easy to treat. The bacteria enter the urethra, vagina, rectum, or throat, depending on the manner of sexual contact. Most females are asymptomatic. Males, if symptomatic, usually experience symptoms 2 to 6 days after exposure and have burning on urination; yellow, white, or green drainage from the penis; and soreness in the scrotum. Painless ulcers (chancres) on the penis are more common with syphilis. Blisters on the penis are common in herpes infections; extra skin (soft, fleshy growths) growing around the penis is common with venereal warts.

Cognitive Level—*Applying*
Client Needs Category—*Physiological integrity*
Client Needs Subcategory—*Physiological adaptation*

88. **4.** The most likely substance to be cultured if a client has gonorrhea is urethral drainage. However, the organism might also be cultured from swabs taken from other areas, including the rectum, pharynx, and vagina (in women). The organism causing gonorrhea is not generally found in blood or urine. It is found in semen; however, collection of semen is complicated because producing the specimen requires masturbation and ejaculation.

Cognitive Level—*Applying*
Client Needs Category—*Physiological integrity*
Client Needs Subcategory—*Reduction of risk potential*

89. **1.** Gloves are worn as a standard precaution when collecting body substances from any client regardless of the tentative diagnosis. The hands should also be washed after glove removal. Using a disinfectant is not appropriate for any specimen collection. As long as gloves are worn, the nurse can touch the client. Cultures for the gonorrhea organism are inoculated onto a culture medium as soon as possible; therefore, refrigeration is undesirable.

Cognitive Level—*Applying*
Client Needs Category—*Safe and effective care environment*
Client Needs Subcategory—*Safety and infection control*

90. **1.** A herpes simplex virus type 2 (HSV-2) infection may be a cofactor in developing cervical cancer. Therefore, regular Papanicolaou (Pap) tests are recommended. Men infected with the virus are at greater risk for developing prostatic cancer. Clients may have vaginal intercourse, but a condom should be used and all sex partners should be informed of the potential for infection. Drugs may decrease the frequency of outbreaks and reduce the length of time when symptoms are manifested. However, taking medication does not provide protection for others. Spontaneous abortions increase among infected pregnant women. Infants can acquire the herpes virus at the time of vaginal birth.

Cognitive Level—*Applying*
Client Needs Category—*Health promotion and maintenance*
Client Needs Subcategory—*None*

91. **1.** Tertiary syphilis is the final stage in the course of untreated disease. It occurs about 25 to 30 years after the initial untreated infection. In this stage, syphilis presents as a slow, progressive, inflammatory disease. One of the manifestations of tertiary syphilis is sharp, stabbing leg pains. The client may also have other system damage involving the heart, brain, liver, bones, and eyes. A painless ulcer is a characteristic of primary-stage syphilis. The secondary stage of syphilis is accompanied by a red rash and patchy hair loss.

Cognitive Level—*Applying*
Client Needs Category—*Physiological integrity*
Client Needs Subcategory—*Physiological adaptation*

92. **4.** There is no lifelong immunity to syphilis. Each new incident is treated with antibiotic therapy. Antibiotic therapy destroys the microorganism and prevents further consequences from the disease. Sex partners are tested and treated if they are infected. Syphilitic lesions can appear on the penis, outside and inside the vagina, around the mouth, and even on the nipple.

Cognitive Level—*Analyzing*
Client Needs Category—*Physiological integrity*
Client Needs Subcategory—*Physiological adaptation*

93. **3.** To ensure adequate treatment, the client with a sexually transmitted infection is told to continue taking the prescribed medication for the full amount of time. Symptoms may clear in a short time after initial treatment, but the organisms might not be totally destroyed. The infection may persist without adequate treatment. The need for a refill is at the discretion of the health care professional. Long-term or repeated use of an antibiotic can cause an organism to develop resistance. Aggressive and appropriate short-term treatment is adequate for the present infection. Further treatment is not required unless reinfection occurs.

Cognitive Level—*Applying*
Client Needs Category—*Physiological integrity*
Client Needs Subcategory—*Pharmacological therapies*

94. **3.** Although all of the measures listed are important health practices for preventing infections, the most important method for preventing the recurrence of a sexually transmitted infection is to eliminate the infection in other sex partners. Unless this occurs, the pathogenic organism can be retransmitted.

Cognitive Level—*Applying*
Client Needs Category—*Health promotion and maintenance*
Client Needs Subcategory—*None*

95. **2.** Vaginal pruritus (itching) is a common problem experienced by women infected with *Trichomonas vaginalis*. Other clinical manifestations include yellow-brown malodorous vaginal discharge and thin vaginal secretions. Fluid-filled vesicles are associated with herpetic lesions. Vaginal drainage that seems to contain flecks of milk is characteristic of candidiasis (moniliasis). Women with gonorrhea or chlamydial infections commonly experience abdominal discomfort among other symptoms.

Cognitive Level—Applying
Client Needs Category—Physiological integrity
Client Needs Subcategory—Physiological adaptation

96. 1. Drug resistance develops when antiretroviral medications are not taken every day as prescribed. If drug resistance develops, there may be cross-resistance for other antiretrovirals, which limits the ability to control viral replication in the future. Maintaining body weight is a healthy goal, but it is not the most important instruction to provide. The absence of antiretroviral side effects does not correlate with control of HIV. Drug effectiveness is inferred by measuring the client's viral load and CD4 lymphocyte counts. Compliance is not traced through pharmacy refill records, which are protected under Health Insurance Portability and Accountability Act (HIPAA) Personal Information Protection and Electronic Documents Act (PIPEDA) laws.

Cognitive Level—Applying
Client Needs Category—Physiological integrity
Client Needs Subcategory—Physiological adaptation

Nursing Care of Clients Practicing Family Planning

97. 1. Smoking increases the risk of developing blood clots in women who take hormonal contraceptives. Maintaining a high fluid volume and elevating the legs are ways of preventing venous stasis, but they are not directly related to the cause-and-effect nature of this question. Taking a small dose of aspirin may prevent blood clots because of its anticoagulant properties, but before taking aspirin, the client should thoroughly discuss over-the-counter medication with the health provider.

Cognitive Level—Applying
Client Needs Category—Physiological integrity
Client Needs Subcategory—Pharmacological therapies

98. 3. Menstruation continues because the ovarian hormones are circulated in the blood, not through the fallopian tubes. A tubal ligation performed through the abdomen leaves only a small incisional scar. Hospitalization is brief. Although tubal ligations have been reversed, they are still considered a permanent form of contraception.

Cognitive Level—Analyzing
Client Needs Category—Physiological integrity
Client Needs Subcategory—Reduction of risk potential

99. 2, 5, 6. After an intrauterine device (IUD) is inserted, many women experience menstrual cramps, an increase in blood loss, and longer duration of menstrual periods. These symptoms are related to the plastic or copper, and in some cases, progestin used in the IUD. Breast tenderness, weight gain, and acne are more common with birth control measures that contain estrogen.

Cognitive Level—Applying
Client Needs Category—Physiological integrity
Client Needs Subcategory—Reduction of risk potential

100. 4. Although a vasectomy is a very reliable method of birth control, having a vasectomy does not ensure immediate sterility. Guidelines typically recommend using an alternative form of birth control for up to 12 weeks after a vasectomy. A sperm count should be done to determine if viable sperm are present in sufficient numbers to cause pregnancy before discontinuing alternative birth control measures.

Cognitive Level—Applying
Client Needs Category—Health promotion and maintenance
Client Needs Subcategory—None

101. 3, 5, 6. Leaving a space between the tip of the condom and the penis allows an area where the ejaculate can be contained. Condoms are designed for one single use only, regardless of what they are made of. A new condom is applied with each new erection. To prevent semen leakage, the condom is grasped as the erect penis is withdrawn from the vagina. Condoms are applied as the penis becomes erect. Condoms should be stored in a cool, dry location to prevent deterioration. Spermicides are not applied directly to the penis, but are often part of the condom's lubricant.

Cognitive Level—Applying
Client Needs Category—Health promotion and maintenance
Client Needs Subcategory—None

102. 1, 2, 4. Medroxyprogesterone is a form of progesterone that prevents ovulation; changes cervical mucus and the uterine lining, impairing sperm from reaching the uterus; and makes implantation within the uterine wall difficult should fertilization occur. Before administering medroxyprogesterone, it should be determined that the client is not currently pregnant because the drug can cause birth defects in the fetus. Medroxyprogesterone is administered deeply into the gluteal or deltoid muscle within the first 7 days of the menstrual cycle and thereafter every 3 months. The injection is effective within 24 hours. Because ovulation is unlikely during days 1 through 7 of the menstrual cycle, any additional contraception is unnecessary. There is no reason to apply ice to the injection site before administration.

Cognitive Level—Applying
Client Needs Category—Physiological integrity
Client Needs Subcategory—Pharmacological therapies

103. 1, 2, 4. Before advising the client about methods of birth control, the nurse needs to gather more information. Knowing about the client's lifestyle is important because it can provide clues about the need to exclude certain types of birth control. For example, birth control pills may be inadvisable if the client does not like to take pills or cannot remember to take medicine. Also, some forms of birth control are contraindicated if the client is a smoker. The nurse needs to ascertain whether the client is currently sexually active and whether she is practicing safe sex. Both answers can provide additional teaching opportunities regarding the avoidance of pregnancy and sexually transmitted infections. The nurse also needs to explore when the client had her last menstrual period because this will help determine whether she is currently pregnant. Information about the client's last Papanicolaou (Pap) test is irrelevant to helping her choose an appropriate birth control method. Having had a previous sexually transmitted infection would not affect a choice of contraceptive.

> **Cognitive Level**—*Applying*
> **Client Needs Category**—*Health promotion and maintenance*
> **Client Needs Subcategory**—*None*

104. 1, 2, 4. Safer sex practices (protected sex) are precautions that prevent acquiring a sexually transmitted infection (STI) or giving one to a sex partner. They include being selective in choosing sex partners. Sex with a partner who has had numerous casual encounters with bisexual or same-sex partners or with someone who is an I.V. drug user increases the chance of acquiring a sexually transmitted infection. Sharing vibrators or other sexual equipment can lead to the transfer of infections and should be avoided. Urinating after intercourse can help prevent urinary tract infections; it also washes away contaminates on the labia. Oral sex and skin to skin contact can spread the transmission of STIs such as herpes simplex type 2 (HSV), gonorrhea, and syphilis. There are other less frequently oral methods of STI transmissions such as HIV, hepatitis, chlamydia, and genital warts. Douching does not eliminate the risk of developing an STI. Storing birth control patches in the refrigerator is inappropriate; they should be kept at room temperature.

> **Cognitive Level**—*Applying*
> **Client Needs Category**—*Health promotion and maintenance*
> **Client Needs Subcategory**—*None*

105. 1. Combination oral contraceptives contain estrogen and progesterone. The estrogen is thought to prevent follicle maturation and thereby prevent ovulation. The progesterone is thought to inhibit thickening of the uterine lining. The other two options do not reflect correct functions of the combination oral contraceptive.

> **Cognitive Level**—*Applying*
> **Client Needs Category**—*Physiological integrity*
> **Client Needs Subcategory**—*Pharmacological therapies*

106. 2. The 28-pill package has 7 placebo pills that allow the woman to maintain a routine of taking the pills daily. This reduces the possibility of the client forgetting to take a pill. The menstrual cycle's length has nothing to do with the number of pills dispensed in the package. Monophasic, biphasic, and triphasic are categories of combination pills that refer to how the estrogen and progesterone are released over the course of the menstrual cycle. All combination oral contraceptives have estrogen and progesterone in each pill.

> **Cognitive Level**—*Applying*
> **Client Needs Category**—*Physiological integrity*
> **Client Needs Subcategory**—*Pharmacological therapies*

107. 1, 2, 4, 5. Hormonal contraceptives such as the patch are used to prevent pregnancy. The patch transfers hormones through the skin and must stick securely to work properly. The patch is applied once a week for 3 weeks to the abdomen, buttocks, upper outer arm, or upper torso, but not on the breasts. Major side effects include skin irritation or rash at the site of application, irregular vaginal bleeding or spotting (which is temporary), fluid retention that causes edema of the fingers and ankles but not to the point of causing a significant gain in weight, a rise in blood pressure (due to fluid retention), and nausea and vomiting. Hepatitis is not a common side effect of the patch. Women with a history of hepatitis, smoking, breast cancer, or liver, gallbladder, kidney, or heart disease should refrain from using the patch. Dizziness is not a common side effect of a contraceptive patch.

> **Cognitive Level**—*Applying*
> **Client Needs Category**—*Physiological integrity*
> **Client Needs Subcategory**—*Pharmacological therapies*

108. 4. The nurse must consider the five rights in the delegation process. One criterion is to ensure that the right person has the knowledge base and skill to carry out the delegated assignment. All other options are considerations but not the most important.

> **Cognitive Level**—*Applying*
> **Client Needs Category**—*Safe and effective care environment*
> **Client Needs Subcategory**—*Coordinated care*

The Nursing Care of the Childbearing Family

The Nursing Care of Clients During the Antepartum Period

- Anatomy and Physiology of the Male and Female Reproductive Systems
- Signs and Symptoms of Pregnancy
- Assessing the Pregnant Client
- Nutritional Needs During Pregnancy
- Teaching the Pregnant Client
- Common Discomforts of Pregnancy
- High-Risk Factors and Pregnancy
- Complications of Pregnancy
- Elective Abortion
- Test Taking Strategies
- Correct Answers and Rationales

Directions: *With a pencil, blacken the space in front of the option you have chosen for your correct answer.*

Anatomy and Physiology of the Male and Female Reproductive Systems

A 30-year-old woman and her spouse present to an infertility clinic. They have no children and have had several appointments with the health care provider regarding their infertility problems.

1. If the client's medical treatment for infertility is successful, place an *X* where fertilization of an ovum **most** commonly occurs.

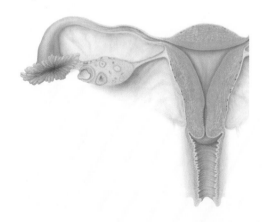

2. The client is instructed on use of an ovulation predictor test to maximize efforts of trying to conceive. If the client identifies today as a time when an ovum is available for fertilization, when should the nurse instruct that it is **best** for the male to attempt to fertilize?
[ ] **1.** By the end of the day
[ ] **2.** Within 24 hours
[ ] **3.** Within 48 hours
[ ] **4.** Within 72 hours

3. The client's husband states that he has been diagnosed with a low sperm count. To improve sperm production, the nurse should instruct the client's husband to avoid which activity(ies)? Select all that apply.
[ ] **1.** Swimming in chlorinated water
[ ] **2.** Sitting in hot tubs
[ ] **3.** Wearing boxer shorts
[ ] **4.** Wearing colored underwear
[ ] **5.** Smoking cigarettes
[ ] **6.** Avoid strenuous exercise

The client tells the nurse that despite desperately wanting to have a baby, the client is concerned about a vaginal birth because of small hips.

4. What response by the nurse is **most appropriate** when addressing the client's concerns?
[ ] **1.** "Your hips are measured to make an accurate determination of whether or not the baby can be birthed vaginally."
[ ] **2.** "The size of your true pelvis, not the size of your hips, determines whether or not you can birth a baby vaginally."
[ ] **3.** "It does not really matter whether you birth vaginally or by cesarean because the risk for both types of birth is the same."
[ ] **4.** "The size of the fetus's head is the only factor that determines whether the infant can be birthed vaginally."

After discussing various options regarding the correction of their infertility problems, there is a question regarding when the gender of the baby is determined.

5. The nurse accurately instructs that the gender of a baby is determined at which point?
[ ] **1.** During maturation of the ovum in the ovaries
[ ] **2.** During maturation of the sperm in the epididymis
[ ] **3.** When the fertilized ovum implants in the uterine lining
[ ] **4.** When the sperm fertilizes the ovum in the fallopian tube

The nurse is caring for a client in her 8th week of pregnancy who has had two previous miscarriages.

6. The client states, "I do not want to be invested in this pregnancy right now as it is too hard when I lose the baby." What statement by the nurse is **best**?
[ ] **1.** "I understand your feelings. Is there anything that would make you feel more comfortable?"
[ ] **2.** "It is only natural to feel that way given your history. I would feel that way too."
[ ] **3.** "I see your point, but I do not know how you will do that."
[ ] **4.** "Every pregnancy is different. This one may be fine."

During a discussion regarding menstruation, the client states, "I have a such a heavy menstrual flow."

7. When instructing on the area of sloughing during menstruation, which uterine layer is identified?
[ ] **1.** Endometrium
[ ] **2.** Perimetrium
[ ] **3.** Myometrium
[ ] **4.** Epimetrium

Signs and Symptoms of Pregnancy

A 22-year-old woman visits the prenatal clinic for the first time. During the health history assessment, the client reveals to the nurse a possibility of being 2 months' pregnant with her first child.

8. Based on the health history data, how should the nurse record the client's pregnancy status on the prenatal records?
[ ] **1.** Multipara
[ ] **2.** Primipara
[ ] **3.** Primigravida
[ ] **4.** Multigravida

The client informs the nurse that twins "run" in the family. The client asks the nurse why some women have identical twins and others have twins who do not look alike. The nurse provides instruction.

9. Which statement, made by the client, confirms an understanding of the occurrence of identical twins?
[ ] **1.** Two separate ova are fertilized by identical sperm.
[ ] **2.** The mother releases two identical ova.
[ ] **3.** One fertilized ovum divides into two identical halves.
[ ] **4.** Two identical ova are fertilized by two identical sperm.

10. If the client reports the following signs and symptoms, which one represents a probable sign of pregnancy?
[ ] **1.** Absence of monthly periods
[ ] **2.** Abdominal enlargement
[ ] **3.** Nausea and vomiting
[ ] **4.** Frequent urination

The health care provider examines the client and prescribes a pregnancy test.

11. The nurse correctly sends a requisition and specimen for what laboratory test?
[ ] **1.** Alpha-fetoprotein (AFP)
[ ] **2.** Corticotropin-releasing hormone (CRH)
[ ] **3.** Human chorionic gonadotropin (hCG)
[ ] **4.** Follicle-stimulating hormone (FSH)

The client asks the nurse if an ultrasound could confirm the pregnancy in the second month.

12. What statement by the nurse regarding an ultrasound is **most** accurate?
[ ] **1.** "Transvaginal ultrasound is used to diagnose pregnancy as early as 2½ to 3 weeks."
[ ] **2.** "Ultrasounds are not performed during the first trimester because of the risk to the fetus."
[ ] **3.** "An X-ray is just as reliable as an ultrasound and poses less of a risk to the fetus."
[ ] **4.** "Ultrasounds are not used until the uterus ascends out of the pelvis into the abdomen."

The health care provider informs the client that the pregnancy is confirmed based on the blood test and Chadwick sign, which was positive during the pelvic examination. After the health care provider leaves, the client asks the nurse to explain the significance of a positive Chadwick sign.

13. What response by the nurse about Chadwick sign is **most** accurate?

[ ] **1.** "It is the spontaneous occurrence of intermittent painless contractions that begin early in pregnancy and continue throughout the entire period of gestation."

[ ] **2.** "It is a bluish discoloration of the cervix, vagina, and vulva that occurs as a result of the presence of an increased number of blood vessels."

[ ] **3.** "It is a softening of the cervix that occurs because of an increased amount of blood flowing to the reproductive organs."

[ ] **4.** "It is a dark brown line extending from the umbilicus to the symphysis pubis that occurs as a result of hormonal changes."

When reviewing the client's medical record, the nurse notes that the health care provider documented the presence of ballottement.

14. Based on this finding, the nurse can assume that the client is at least how many months' pregnant?

[ ] **1.** 5 months

[ ] **2.** 6 months

[ ] **3.** 7 months

[ ] **4.** 8 months

The health care provider also documented that the client had a positive sign of pregnancy.

15. As the nurse is reviewing the health care provider's documentation, what client finding best represents a **positive** sign of pregnancy?

[ ] **1.** Palpable fetal outline

[ ] **2.** Blotchy tan facial skin

[ ] **3.** Positive pregnancy test

[ ] **4.** Fetal heartbeat

The client asks the nurse when it will be possible to feel the fetus move.

16. In the primigravid client, when is fetal movement typically felt for the **first** time?

[ ] **1.** Between 10 and 14 weeks' gestation

[ ] **2.** Between 16 and 20 weeks' gestation

[ ] **3.** Between 22 and 26 weeks' gestation

[ ] **4.** Between 28 and 32 weeks' gestation

During the prenatal clinic visit, a 15-year-old client verbalizes to the nurse that the father of the baby has been physically abusing her. Several suspicious bruises are noted on the abdomen and forearms. The client states that the father of the baby is in the waiting room and she is afraid.

17. Based on the client's statement, what would the nurse do **first**?

[ ] **1.** Notify her parents and call local law enforcement.

[ ] **2.** Arrange for her clothes to be delivered and call a shelter for victims of intimate partner violence.

[ ] **3.** Secure the client in the room and call child-protective services.

[ ] **4.** Consult the health care provider and document the client's statements.

Assessing the Pregnant Client

A 32-year-old multigravid client presents to the prenatal clinic for the first time during this pregnancy and states to the nurse, "I know I am pregnant; I have already felt the fetus move."

18. Based on the client's statement, what can the nurse conclude?

[ ] **1.** The client is excited about the pregnancy.

[ ] **2.** The client is between 14 and 18 weeks' gestation.

[ ] **3.** The client is in the first trimester.

[ ] **4.** The client's due date will be difficult to calculate.

During the interview, the client informs the nurse, "I have a son and twin daughters, no abortions, or stillbirths. All babies were born without complications."

19. According to the TPAL method, what accurately records the client's obstetric history?

[ ] **1.** T-3, P-0, A-0, L-3

[ ] **2.** T-3, P-3, A-0, L-0

[ ] **3.** T-3, P-2, A-0, L-2

[ ] **4.** T-2, P-0, A-0, L-3

The client informs the nurse that her last menstrual period began on March 13 and then asks the nurse when the baby is due.

20. Using Nägele rule, the nurse can assume the client's expected delivery date to be approximately which date?

[ ] **1.** November 13

[ ] **2.** November 23

[ ] **3.** December 3

[ ] **4.** December 20

The health care provider asks the nurse to prepare the client for a pelvic examination.

21. The nurse correctly assists the client into what position?
[ ] **1.** Lithotomy
[ ] **2.** Prone
[ ] **3.** Sims
[ ] **4.** Trendelenburg

22. When assessing a pregnant client's current medication list on her first prenatal visit, what medication is of concern?
[ ] **1.** Acetaminophen
[ ] **2.** Amoxicillin
[ ] **3.** Isotretinoin
[ ] **4.** Calcium carbonate

23. Before the pelvic examination, what intervention by the nurse is **most appropriate**?
[ ] **1.** Give the client an enema.
[ ] **2.** Instruct the client to urinate.
[ ] **3.** Shave the client's perineum.
[ ] **4.** Give the client a mild sedative.

24. What method **best** promotes client comfort during the pelvic examination?
[ ] **1.** Having the client lift her head off the table
[ ] **2.** Having the client press her back into the examination table
[ ] **3.** Having the client tighten her buttocks
[ ] **4.** Telling the client to let her knees fall outward

25. What action by the nurse **best** ensures that an accurate fetal heart rate is obtained?
[ ] **1.** Assess the fetal heart rate when the client is lying on her right side.
[ ] **2.** Assess the fetal heart rate when the client reports fetal movement.
[ ] **3.** Assess the fetal heart rate between Braxton Hicks contractions.
[ ] **4.** Assess the maternal pulse and fetal heart rate and compare the two.

26. What fetal heart rate must the nurse report immediately to the health care provider?
[ ] **1.** 100 beats/minute
[ ] **2.** 120 beats/minute
[ ] **3.** 140 beats/minute
[ ] **4.** 160 beats/minute

The client tells the nurse that a cousin's baby was born with spina bifida. The client asks if it is possible to detect the presence of this condition during her pregnancy.

27. What response by the nurse is **most accurate**?
[ ] **1.** Fluorescent treponemal antibody absorption (FTA-ABS) test can detect this defect.
[ ] **2.** Hepatitis B surface antigen (HBsAg) test can detect this defect.
[ ] **3.** Maternal serum alpha-fetoprotein (AFP) test can detect this defect.
[ ] **4.** Venereal Disease Research Laboratory (VDRL) test can detect this defect.

Before leaving the clinic, the client asks the nurse about the schedule for the next few perinatal visits.

28. The nurse responds that for clients with uncomplicated pregnancies, it is usually best to plan monthly visits for the first 28 weeks and then more frequent visits following what schedule?
[ ] **1.** Weekly for the remainder of the pregnancy
[ ] **2.** Every 2 weeks for the remainder of the pregnancy
[ ] **3.** Every 2 weeks up to 36 weeks and then weekly for the last month
[ ] **4.** Weekly up to 36 weeks and then twice weekly for the last month

The client also asks the nurse whether it is safe to continue to exercise routinely throughout the pregnancy.

29. What nursing instruction(s) concerning exercise during pregnancy are accurate? Select all that apply.
[ ] **1.** Avoid exercising during hot, humid weather.
[ ] **2.** Avoid any jerking, bouncing, or jumping movements.
[ ] **3.** Drink plenty of fluids before and after exercising.
[ ] **4.** Limit strenuous activity to no more than 60 minutes a session.
[ ] **5.** Perform exercises only in the supine position.
[ ] **6.** Limit exercising to once per week.

The client returns for follow-up visits on a regular basis, following the prearranged schedule. According to the most recent examination, the client is estimated to be at 20 weeks' gestation.

30. Where can the nurse expect to palpate the fundus at this time?
[ ] **1.** Just above the symphysis pubis
[ ] **2.** Just below the xiphoid process
[ ] **3.** Near the level of the umbilicus
[ ] **4.** Just below the symphysis pubis

31. When the nurse discusses the tasks to be accomplished during the client's visit at 24 weeks' gestation, what test will be performed?
[ ] **1.** Coombs test
[ ] **2.** Glucose tolerance test
[ ] **3.** Papanicolaou (Pap) test
[ ] **4.** Rubella titer

The client has progressed to the last month of pregnancy. The health care provider prescribes a nonstress test.

32. When planning for this test, what item should the nurse have available?
[ ] **1.** A pulse oximeter
[ ] **2.** A cardiac monitor
[ ] **3.** Intravenous oxytocin
[ ] **4.** A fetal monitor

A health care provider recommends amniocentesis for a pregnant woman whose first child has Down syndrome.

33. The nurse advises the client that this test is typically performed at what time during the pregnancy?
[ ] **1.** Just after the pregnancy is confirmed
[ ] **2.** Early in the second trimester
[ ] **3.** At 6 to 7 months' gestation
[ ] **4.** Just after the first fetal movements

Nutritional Needs During Pregnancy

During a routine prenatal visit, the health care provider determines that a client in the 4th month of pregnancy is not eating an appropriate diet and asks whether she has been taking the prenatal vitamins, folic acid, and iron supplements that were previously prescribed. The health care provider asks the nurse to instruct the client about nutritional needs during pregnancy.

34. Before teaching the client about the nutritional needs during pregnancy, what nursing intervention is **most appropriate**?
[ ] **1.** Determine if the client needs to gain or lose weight.
[ ] **2.** Assess the client's current eating pattern and preferences.
[ ] **3.** Determine if the client knows how to accurately count calories.
[ ] **4.** Develop a sample menu that includes the required nutrients.

While discussing prepregnancy eating habits with the nurse, the client asks, "What's the normal weight gain during pregnancy?"

35. What explanation by the nurse accurately identifies the recommended weight gain for a pregnant client who has a normal prepregnancy weight?
[ ] **1.** Less than 15 lb (<6.8 kg)
[ ] **2.** 15 to 20 lb (6.8 to 9 kg)
[ ] **3.** 25 to 35 lb (11.3 to 15.8 kg)
[ ] **4.** No more than 40 lb (≤18.1 kg)

After interviewing the pregnant client, the nurse determines that the client does not have an adequate intake of calcium.

36. The nurse instructs the client to drink how many glasses of nonfat or low-fat milk per day to meet calcium requirements?
[ ] **1.** 1 to 2 cups (0.25 to 0.5 L)
[ ] **2.** 3 to 4 cups (0.75 to 1 L)
[ ] **3.** 5 to 6 cups (1.25 to 1.5 L)
[ ] **4.** 7 to 8 cups (1.75 to 2 L)

The client tells the nurse that it is hard to get the required amount of calcium because of a dislike for milk.

37. What food provides the **best** alternative source of calcium?
[ ] **1.** Organ meats
[ ] **2.** White bread
[ ] **3.** Leafy green vegetables
[ ] **4.** Dark turkey meat

The nurse asks whether the pregnant client is taking the prescribed daily iron supplement. The client states, "I have not been taking the iron routinely because it causes constipation."

38. When providing information about iron supplements, what instruction by the nurse is **most appropriate**?
[ ] **1.** "Take the supplement with meals."
[ ] **2.** "Be aware that iron can cause abdominal pain."
[ ] **3.** "Make sure you drink plenty of fluids."
[ ] **4.** "You can substitute dietary sources of iron for this medication."

39. To best enhance absorption of the iron supplement, what food(s) should the nurse recommend the client to consume more of in the diet? Select all that apply.
[ ] **1.** Oranges
[ ] **2.** Cantaloupe
[ ] **3.** Bananas
[ ] **4.** Broccoli
[ ] **5.** Whole milk
[ ] **6.** Carrots

40. What information should the nurse also include about the side effects of iron tablet supplementation?
[ ] **1.** "You may notice that your stools will be black."
[ ] **2.** "Your teeth will become stained."
[ ] **3.** "Vomiting is likely to occur."
[ ] **4.** "You may have diarrhea several times per day."

During the visit, the nurse also asks if the pregnant client has been taking the prescribed folic acid.

41. When the client asks why folic acid is important, what response by the nurse is **most accurate**?
[ ] **1.** "Folic acid helps prevent neural tube defects such as spina bifida."
[ ] **2.** "Folic acid helps build strong bones for your fetus."
[ ] **3.** "Folic acid helps your fetus become resistant to infections."
[ ] **4.** "Folic acid prevents your fetus from becoming anemic."

A 17-year-old primigravid client is seen at the health clinic for the first time. The nurse assesses the adolescent's nutritional status and provides nutritional guidance.

42. What dietary adjustment is **most appropriate** for a pregnant adolescent?
[ ] **1.** Increase caloric intake to 2,500 calories per day.
[ ] **2.** Drink presweetened beverages instead of carbonated ones.
[ ] **3.** Eat foods that are low in carbohydrates and fats.
[ ] **4.** Choose nonspicy, easy-to-digest foods.

After interviewing the 17-year-old pregnant client, the nurse determines that the client lives with her boyfriend and works several hours per week. She frequently skips meals or eats at fast food restaurants. The client drinks beer or wine when with friends and is constantly concerned about weight gain and appearance.

43. How many factors in this scenario place the client at risk for nutritional deficiencies and the need for dietary guidance and counseling?
[ ] **1.** Three
[ ] **2.** Four
[ ] **3.** Five
[ ] **4.** Six

During a subsequent visit, the nurse notes that the 17-year-old pregnant client is eating a bag of potato chips and drinking a diet cola. The nurse revises the client's care plan accordingly.

44. What expected outcome should the nurse include based on the client's eating habits?
[ ] **1.** The client will eat three balanced meals and two snacks daily while pregnant.
[ ] **2.** The client will gain a total of 50 lb (22.7 kg) during the pregnancy.
[ ] **3.** The client will double daily prenatal vitamin consumption.
[ ] **4.** The client will report eating about 2,000 calories per day.

During the visit, the client expresses concern that increased weight gain over the past month is causing unwanted obesity.

45. What response by the nurse is **most appropriate**?
[ ] **1.** "A weight gain of about 10 lb (4.5 kg) is recommended during pregnancy."
[ ] **2.** "Your weight gain depends on the amount of food that you eat."
[ ] **3.** "It is normal for adolescent girls to be worried about weight gain."
[ ] **4.** "The average weight gain during pregnancy is between 25 and 35 lb (11.3 and 15.9 kg)."

The nurse helps the client compile lists of healthy and unhealthy foods as a guide for the remainder of the pregnancy.

46. What beverage(s) should be included in the list of unhealthy drinks to limit or avoid? Select all that apply.
[ ] **1.** Alcohol
[ ] **2.** Coffee
[ ] **3.** Tea
[ ] **4.** Cola beverages
[ ] **5.** Sports drinks
[ ] **6.** Orange juice

At a subsequent prenatal visit, the 17-year-old pregnant client reports edema in the lower extremities.

47. After gathering further information about the edema, the nurse advises the client to limit the intake of which substance?
[ ] **1.** Sodium
[ ] **2.** Potassium
[ ] **3.** Vitamin C
[ ] **4.** Magnesium

A nurse conducts a nutrition class at a local public health department for a group of clients who are newly pregnant. During the class, the nurse collects information about each person's nutritional status and assesses the group for nutritional risk factors during pregnancy.

48. What client(s) is at risk for nutritional problems during pregnancy? Select all that apply.
[ ] **1.** A 17-year-old primigravid client who works part-time
[ ] **2.** A 25-year-old client who weighs 250 pounds (113.4 kg) at conception
[ ] **3.** A 19-year-old client who admits that she smokes cigarettes and drinks alcohol
[ ] **4.** A 30-year-old client who is unemployed and uses food stamps
[ ] **5.** A 25-year-old client whose prepregnancy hemoglobin level is 13 g/dL (130 g/L)
[ ] **6.** A 30-year-old client who drinks four glasses of milk per day

Teaching the Pregnant Client

A 26-year-old primigravid client visits the obstetrician for the first prenatal visit. The health care provider confirms that the client is in the 9th week of pregnancy. The nurse and client discuss general health needs during pregnancy.

49. What client statement regarding bathing indicates a need for additional teaching?
[ ] **1.** "I should avoid taking tub baths if my membranes rupture."
[ ] **2.** "I should avoid taking tub baths during my pregnancy."
[ ] **3.** "I should not sit in a hot tub because the heat could affect my fetus."
[ ] **4.** "I should use warm water when I bathe."

The client asks the nurse if sexual intercourse is safe during pregnancy.

50. The nurse correctly explains that sexual intercourse should be avoided at what time?
[ ] **1.** Throughout pregnancy
[ ] **2.** Until the fetus is fully developed
[ ] **3.** Once the abdomen starts to enlarge
[ ] **4.** Once the membranes rupture

The client informs the nurse about planning a vacation next month before the pregnancy is too "far along." The client asks if there are any special instructions regarding traveling at the 13th week of pregnancy.

51. What response(s) by the nurse regarding travel is **most appropriate**? Select all that apply.
[ ] **1.** "Carry a copy of your medical record with you when traveling."
[ ] **2.** "Refrain from traveling until after the baby is born."
[ ] **3.** "Pack a scale and weigh yourself every day."
[ ] **4.** "Avoid using a seatbelt for extended periods of time."
[ ] **5.** "Eat foods that you are normally accustomed to eating."
[ ] **6.** "If you travel to a foreign country, make sure to get vaccinated."

The client informs the nurse about some spotting during the first weeks of pregnancy. The client asks if it should be reported to the health care provider.

52. The nurse documents the information to be shared with the health care provider and then instructs that spotting can be normal and the result of what occurrence?
[ ] **1.** The embryo implanting in the lining of the uterus
[ ] **2.** Increased blood circulation to the vaginal area
[ ] **3.** Hormonal changes that occur during pregnancy
[ ] **4.** The cervical opening enlarging and thinning out

At 9 weeks' gestation, the client asks the nurse, "What does my baby look like now?"

53. The nurse explains that between 8 and 12 weeks' gestation, what characteristics have developed?
[ ] **1.** The zygote looks like a lumpy ball.
[ ] **2.** The embryo has a well-defined head.
[ ] **3.** The embryo's gender is distinguishable.
[ ] **4.** The fetus has fully formed arms and legs.

In a discussion regarding fetal development, the nurse informs the client that as growth increases, the amount of amniotic fluid increases. The client asks the nurse to explain the purpose of the amniotic fluid.

54. What response given by the nurse is **most appropriate** regarding the purpose of amniotic fluid?
[ ] **1.** It generates fetal antibodies from the mother.
[ ] **2.** It helps protect the fetus from external injury.
[ ] **3.** It provides oxygen for the developing fetus.
[ ] **4.** It helps support the enlarging maternal uterus.

Common Discomforts of Pregnancy

The nurse conducts a prenatal class on common discomforts of pregnancy. One person attending the class states, "I have been having trouble with constipation."

55. What response(s) by the nurse regarding prevention of constipation is **most appropriate**? Select all that apply.
[ ] **1.** "Resting helps to relieve constipation."
[ ] **2.** "Exercising can help relieve constipation."
[ ] **3.** "A low-fat diet helps to relieve constipation."
[ ] **4.** "Prenatal vitamins help to relieve constipation."
[ ] **5.** "Drink 8 glasses of water per day to add moisture to stool."
[ ] **6.** "Take an over-the-counter laxative to maintain bowel elimination."

During a prenatal class, participants ask about varicose veins and how to relieve the discomfort associated with them.

56. In addition to teaching about how increased blood volume causes varicose veins, the nurse also states interventions to overcome:
[ ] **1.** impaired venous return.
[ ] **2.** decreased cardiac output.
[ ] **3.** altered center of gravity.
[ ] **4.** impaired kidney function.

57. The nurse correctly instructs the group that the discomfort associated with varicose veins is **best** relieved by what activity?
[ ] **1.** Resting with the feet in a dependent position
[ ] **2.** Sitting for periods of time when possible
[ ] **3.** Putting on calf-length, elastic-top hose
[ ] **4.** Moving around after standing in one position

58. When teaching the class about varicose veins, what symptom should the nurse instruct clients to report **immediately**?
[ ] **1.** The appearance of additional varicose veins
[ ] **2.** Varicose veins that are purple in color
[ ] **3.** Legs that begin to ache and feel heavy
[ ] **4.** Calves that become red, tender, and warm

One of the participants in the prenatal class tells the nurse, "My skin itches so much. What can I do about it?"

59. What nursing instruction is **most appropriate** regarding the relief of itchy skin during pregnancy?
[ ] **1.** Take a hot bath daily.
[ ] **2.** Increase fluid intake.
[ ] **3.** Add a daily vitamin C tablet to the diet.
[ ] **4.** Take diphenhydramine twice per day.

One participant who is in the third trimester says, "I have started to experience shortness of breath and I am concerned about the fetus."

60. What information about shortness of breath during pregnancy is correct?
[ ] **1.** It is not common during pregnancy and may indicate a blood clot in the lungs.
[ ] **2.** It is probably the result of anxiety about the impending birth.
[ ] **3.** It is probably caused by the enlarged uterus pressing against the diaphragm.
[ ] **4.** It is probably caused by decreased oxygen secondary to slow venous circulation.

61. What nursing instruction given to the pregnant client reporting shortness of breath is **most appropriate**?
[ ] **1.** "Contact your health care provider immediately."
[ ] **2.** "Decrease your activity level to conserve oxygen."
[ ] **3.** "Ask your health care provider for a mild sedative."
[ ] **4.** "Sleep with your upper body elevated on pillows."

Several participants in the prenatal class report frequent urination.

62. The nurse instructs the group that frequent urination during early pregnancy usually subsides at what time?
[ ] **1.** When the placenta is fully developed
[ ] **2.** When fetal kidneys begin to function
[ ] **3.** When the uterus rises into the abdominal cavity
[ ] **4.** When the hormonal balance is reestablished

63. The nurse correctly explains to the group that the most probable cause of frequent urination late in pregnancy is related to what factor?
[ ] **1.** Loss of bladder tone in the mother
[ ] **2.** The presence of a urinary tract infection
[ ] **3.** The enlarging uterus exerting pressure on the bladder
[ ] **4.** The growing fetus excreting increased amounts of waste

64. What statement made by a participant indicates the need for additional teaching regarding management of urinary frequency?
[ ] **1.** "Limiting fluid intake will help control this problem."
[ ] **2.** "I should report a burning sensation during urination."
[ ] **3.** "Urinating before going to bed may help control the problem."
[ ] **4.** "Avoiding caffeinated beverages may help control the problem."

One participant in the prenatal class who is 5 months' pregnant reports annoying backaches.

65. What advice can the nurse give to relieve the client's backache? Select all that apply.
[ ] **1.** Avoid clothing that fits tightly around the waist.
[ ] **2.** Sleep on a heating pad.
[ ] **3.** Take a nonopioid pain reliever regularly.
[ ] **4.** Wear low-heeled shoes.
[ ] **5.** Carry objects close to your body.
[ ] **6.** Squat when picking objects off the floor.

A client in the prenatal class reports having intermittent episodes of nausea, especially in the morning. The nurse advises the class about ways to minimize the occurrence of heartburn and nausea.

66. What statement made by a participant regarding remedies for heartburn and nausea indicates that teaching has been effective?
[ ] **1.** "I should eat frequent, small meals."
[ ] **2.** "I should take an antacid after eating."
[ ] **3.** "I should eat my largest meal in the evening."
[ ] **4.** "I should drink extra water with my meals."

67. When one participant of the prenatal class asks the nurse what can be done to relieve leg cramps while working, what instruction by the nurse is correct?
[ ] **1.** Increase protein intake to 5 to 6 servings per day.
[ ] **2.** Wear elastic stockings when at work.
[ ] **3.** Point the toes frequently toward the head.
[ ] **4.** Massage the leg when a cramp occurs.

68. What response by the nurse is **most relevant** when another prenatal class participant talks about having recurrent mood swings?
[ ] **1.** "Try to avoid fatigue and decrease your stress."
[ ] **2.** "Avoid interactions with people who upset you."
[ ] **3.** "You need to be assessed for a possible mood disorder."
[ ] **4.** "Are you ambivalent about the pregnancy?"

It is confirmed that a nurse who works in a busy health care provider office is 12 weeks' pregnant. The nurse has been working long hours and is experiencing fatigue.

69. If this nurse is experiencing an otherwise normal pregnancy, what guideline(s) for pregnant working women should be implemented? Select all that apply.
[ ] 1. Use break and lunch periods for resting.
[ ] 2. Void every 2 hours.
[ ] 3. Eat foods high in carbohydrates.
[ ] 4. Schedule workdays close together.
[ ] 5. Refrain from working overtime.
[ ] 6. Get at least 12 hours of sleep per night.

The nurse leads a discussion with the group about distinguishing between danger signs and the common discomforts of pregnancy.

70. The nurse considers prenatal teaching successful when the class correctly identifies what as a danger sign of pregnancy?
[ ] 1. Headache and swelling of the face and fingers
[ ] 2. Constipation and flatulence on a regular basis
[ ] 3. Lower extremity muscle cramping and varicosities
[ ] 4. Large amounts of odorless, colorless vaginal secretions

High-Risk Factors and Pregnancy

A nurse discusses high-risk complications with a group of women at a prenatal clinic.

71. What client would the nurse identify as being at highest risk for developing complications during pregnancy?
[ ] 1. A 25-year-old gravida 1 client
[ ] 2. A client with the placenta implanted on the fundus of the uterus
[ ] 3. A client who has nausea and vomiting during the first trimester
[ ] 4. A 35-year-old gravida 5 client

One participant tells the nurse about drinking a beer every night before going to bed. The participant asks the nurse if occasional alcohol consumption will harm the unborn baby.

72. What response by the nurse is **best**?
[ ] 1. "Any alcohol consumption during pregnancy will cause the child to have complications later in life."
[ ] 2. "The minimal safe amount of alcohol consumption during pregnancy has not yet been determined."
[ ] 3. "Alcohol consumption has a harmful effect on the baby only if consumed during the first trimester of pregnancy."
[ ] 4. "Occasional intake of a small amount of alcohol during pregnancy will not adversely affect the unborn baby."

Another participant informs the nurse about smoking about one pack of cigarettes per day.

73. The nurse informs the participants that women who smoke during pregnancy have a greater risk of what problem?
[ ] 1. Having a premature delivery
[ ] 2. Having a cesarean birth
[ ] 3. Having a large, overweight baby
[ ] 4. Developing a prenatal infection

A 40-year-old participant, a gravida 5, para 1 in the 10th week of pregnancy, tells the nurse of concerns that her age may affect the health of the fetus. The participant asks the nurse if there is a test that can identify any genetic disorders that the fetus may have.

74. At this point in the client's pregnancy, what test is typically used to detect genetic disorders?
[ ] 1. Amniocentesis
[ ] 2. Chorionic villi sampling
[ ] 3. Rapid plasma reagin
[ ] 4. Ultrasound

At the clinic, an 18-year-old primigravid client is seen for the first time. The health care provider determines that the client is 3 months' pregnant and diagnoses chlamydia, a sexually transmitted infection.

75. What assessment finding **best** indicates the presence of this condition?
[ ] 1. Painful blisters on the labia
[ ] 2. Heavy, grayish white discharge
[ ] 3. Milky white discharge that smells like fish
[ ] 4. Thick, white, curd-like vaginal discharge

76. What statement by the client indicates a need for additional teaching regarding chlamydial infection?
[ ] 1. "My sex partner(s) will require treatment as well."
[ ] 2. "I will have to have a cesarean birth to protect my baby."
[ ] 3. "The health care provider will treat the infection with an antibiotic."
[ ] 4. "My Papanicolaou (Pap) test results may show abnormal cells."

Before leaving the clinic, the nurse teaches the client about danger signs that should be reported immediately to the health care provider.

77. The nurse correctly instructs the client to contact the health care provider immediately under what circumstance?
[ ] 1. When the first fetal movement is felt
[ ] 2. If the breasts become tender
[ ] 3. If vaginal bleeding occurs
[ ] 4. When experiencing frequent urination

A 30-year-old client presents to the clinic reporting episodes of severe nausea and frequent vomiting. The nurse learns that the client has had these symptoms for the past 7 days. The health care provider determines that the client has hyperemesis gravidarum and is moderately dehydrated. The client is admitted to the hospital.

78. What should the nurse plan to have available when providing nursing care to this client? Select all that apply.
[ ] **1.** I.V. start kit
[ ] **2.** An intake and output record
[ ] **3.** Oxygen and face mask
[ ] **4.** Cardiac monitor
[ ] **5.** A consent for a blood transfusion
[ ] **6.** A suction machine

Complications of Pregnancy

A nurse on the obstetrics unit cares for several high-risk pregnant clients.

79. What client(s) is **most likely** to be identified as being at high risk for pregnancy complications? Select all that apply.
[ ] **1.** A client who is pregnant for the fifth time
[ ] **2.** A client who has gained 30 lb (13.6 kg) during the pregnancy
[ ] **3.** A client who has a history of twins in the family
[ ] **4.** A client who has primary hypertensive disease
[ ] **5.** A client who works 40 hours per week in a factory
[ ] **6.** A client who reports spotting in the first trimester

The nurse applies a fetal heart monitor to assess the heart rate of a fetus in the cephalic position.

80. Place an *X* at the location where the nurse should place the Doppler transducer to auscultate fetal heart tones.

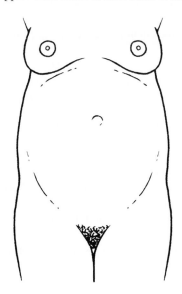

A 31 year old client arrives for the first trimester obstetric appointment. When sharing a health history, the client tells the nurse that the last pregnancy ended in a spontaneous abortion because of an incompetent cervix. The client asks, "What can be done to prevent the loss of my fetus again?"

81. When developing nursing interventions for the plan of care, what intervention is **most helpful**?
[ ] **1.** Have forceps ready for the birth.
[ ] **2.** Prepare the client for a cervical suture.
[ ] **3.** Position the client on the left side.
[ ] **4.** Maintain bedrest with bathroom privileges.

At the end of the first trimester, the health care provider puts a cerclage in the client's cervix. The client asks the nurse how long the cerclage will remain in place.

82. The nurse correctly explains to the client that the health care provider will probably leave the cerclage in place until what occurs?
[ ] **1.** The client is close to going into labor/term (37th week or later).
[ ] **2.** The client's baby and placenta are birthed.
[ ] **3.** The client reaches the end of the second trimester.
[ ] **4.** The client is to the point of viability.

A client presents to the emergency department stating sharp, left-sided abdominal pain with intermittent vaginal bleeding. The client is nauseated. Her last menstrual period was 8 weeks ago. An ectopic pregnancy is suspected.

83. What nursing intervention is a **priority**?
[ ] **1.** Medicating for pain
[ ] **2.** Assessing of vital signs
[ ] **3.** Moving the client to the obstetric unit
[ ] **4.** Positioning the client on the right side

A 29-year-old primigravid client is in the 22nd week of pregnancy. The health care provider determines that the client has gestational hypertension.

84. When assessing a client with a history of gestational hypertension, the nurse should thoroughly explore what finding at each visit?
[ ] **1.** A decrease in urine protein level
[ ] **2.** An increase in urine output
[ ] **3.** A decrease in pulse rate
[ ] **4.** An unexpected weight gain

85. Which assessment finding is **most indicative** of mild gestational hypertension?
[ ] **1.** A 15 mm Hg rise in the baseline systolic blood pressure
[ ] **2.** A weight gain of 1 lb (2.2 kg) per week in the second trimester
[ ] **3.** A +1 protein measured with a urine reagent test strip
[ ] **4.** The presence of frequent ankle edema

The health care provider decides that the client can manage her gestational hypertension at home and requests that the nurse provide instructions for home care.

86. What instruction regarding the home care of gestational hypertension is **most appropriate**?
[ ] **1.** Decrease fluid intake.
[ ] **2.** Return for bimonthly checkups.
[ ] **3.** Eat high-protein foods.
[ ] **4.** Limit activity to light housework.

The client with gestational hypertension's condition worsens and requires admission to the hospital. The health care provider prescribes magnesium sulfate.

87. While the client is receiving magnesium sulfate, besides monitoring the client's vital signs, what other nursing assessment is essential to include?
[ ] **1.** Urine for glucose
[ ] **2.** Deep tendon reflexes
[ ] **3.** Stool for blood
[ ] **4.** Pupils for constriction

88. What medication should the nurse have on hand when the client is receiving magnesium sulfate?
[ ] **1.** Hydralazine
[ ] **2.** Oxytocin
[ ] **3.** Methylergonovine
[ ] **4.** Calcium gluconate

89. What assessment finding is the **best** indication that magnesium sulfate toxicity is developing?
[ ] **1.** Manifesting brisk deep tendon reflexes
[ ] **2.** Taking less than 12 breaths/minute
[ ] **3.** Excreting protein in the urine
[ ] **4.** Having a magnesium level of 5 mg/dL (2 mmol/L)

The nurse frequently assesses the client and finds that gestational hypertension has progressed to eclampsia.

90. The nurse notifies the health care provider immediately when detecting which assessment finding?
[ ] **1.** Seizures
[ ] **2.** Drowsiness
[ ] **3.** Bradycardia
[ ] **4.** Vomiting

91. The nurse is collecting assessment data from a client who is at 32 weeks' gestation. What finding is **most** important to report to the health care provider?
[ ] **1.** A serum blood sugar of 70 mg/dL (3.9 mmol/L)
[ ] **2.** White blood cells on a urinalysis of 3/hpf
[ ] **3.** A blood pressure of 148/80 mm Hg
[ ] **4.** A urine dipstick protein result of 3 plus

92. A client at 36 weeks' gestation has been instructed to document via a cell phone application the fetus's kick counts in a 4-hour period daily. The client states that she counted 28 kicks. Which action would the nurse complete?
[ ] **1.** Reassure the client that the kick counts fall with normal range.
[ ] **2.** Document and notify the health care provider immediately.
[ ] **3.** Schedule the client for an appointment for a nonstress test.
[ ] **4.** Have the client change position and count the kicks for 1 hour.

A 28-year-old multipara client is admitted to the hospital for observation during the 10th week of pregnancy. The client has a history of habitual spontaneous abortions.

93. What finding(s) reported by the client at this time suggests there is a threat of aborting the fetus? Select all that apply.
[ ] **1.** Cold, clammy skin
[ ] **2.** Severe headache
[ ] **3.** Persistent tachycardia
[ ] **4.** Mild irregular uterine cramping
[ ] **5.** Discomfort in the lower back
[ ] **6.** Vaginal bleeding or spotting

The health care provider examines the client and determines that the cervix is dilated but the fetus and placenta are still in the uterus.

94. What nursing intervention is **most appropriate** when a spontaneous abortion is inevitable?
[ ] **1.** Prepare the client for fetal birth or a dilation and curettage (D&C).
[ ] **2.** Place the client in Trendelenburg position.
[ ] **3.** Prepare the client for placement of a purse-string stitch.
[ ] **4.** Place the client in the side-lying position.

The client comments to the nurse, "This is like a recurring nightmare. This same thing happened during my last two pregnancies. I do not want to lose another fetus."

95. What response by the nurse is **most appropriate** at this time?
[ ] **1.** "I know this is disappointing. Would you like to talk about how you are feeling?"
[ ] **2.** "Be positive. You are young enough to have additional pregnancies."
[ ] **3.** "I know you are scared, but stress will only make the situation worse."
[ ] **4.** "Trust me; everything will work out for the best in the end."

A 22-year-old gravida 1, para 0, has type 1 diabetes melli-tus and is being seen by the obstetrician for the first time. The client was diagnosed with diabetes at age 6. The dia-betes has been well controlled since the initial diagnosis. While waiting to see the health care provider, the client asks the nurse if the pregnancy will increase the need for insulin.

96. Concerning the client's need for insulin during pregnancy, insulin requirement will most likely:
[ ] **1.** increase.
[ ] **2.** decrease.
[ ] **3.** fluctuate.
[ ] **4.** not change.

The client also asks the nurse what kinds of diabetes-related complications can be expected during pregnancy.

97. The nurse correctly informs the client that clients with diabetes are at risk for developing what condition?
[ ] **1.** Hyperemesis gravidarum
[ ] **2.** Gestational hypertension
[ ] **3.** Placenta previa
[ ] **4.** Toxoplasmosis

In the last trimester of pregnancy, the client's diabetes has been well controlled. The client tells the nurse about being excited but also scared that something could be wrong with the baby because of the client's diabetes.

98. What response by the nurse is **most accurate**?
[ ] **1.** "Your baby may be large and may initially need glucose monitoring."
[ ] **2.** "Your baby may be small but otherwise will be healthy."
[ ] **3.** "Your baby will most likely be insulin dependent during adulthood."
[ ] **4.** "Your baby will have difficulty metabolizing simple sugars."

A 21-year-old multigravid client who is 8 months' preg-nant is admitted to the obstetric unit for observation. The client's partner verbalizes concern about how placenta previa is treated.

99. The nurse correctly states that the health care provider is **most likely** to do what if the client's condition remains stable?
[ ] **1.** Induce labor prematurely.
[ ] **2.** Perform an emergency cesarean birth.
[ ] **3.** Place the client on bed rest until full term.
[ ] **4.** Start the client on ritodrine.

After a short observation period, the client with placenta previa is sent home. One week later, the client reports to the hospital with profuse vaginal bleeding.

100. Based on the client's clinical presentation, what information is **priority** to obtain at this time? Select all that apply.
[ ] **1.** Height and weight
[ ] **2.** Blood pressure and pulse rate
[ ] **3.** Pregnancy and prior delivery history
[ ] **4.** General health and drug history
[ ] **5.** Urinalysis and beta-streptococcal test results
[ ] **6.** Phone number of the client's obstetrician

A 30-year-old multigravid client who is in the last trimes-ter of pregnancy is diagnosed with abruptio placentae.

101. What assessment finding(s) is considered a predis-posing factor for the development of abruptio placentae? Select all that apply.
[ ] **1.** Gestational diabetes
[ ] **2.** Hyperemesis gravidarum
[ ] **3.** Oligohydramnios
[ ] **4.** Gestational hypertension
[ ] **5.** History of placenta previa
[ ] **6.** Reports of crack cocaine use

102. What finding(s) is most indicative of abruptio pla-centae and should be reported to the health care provider **immediately**? Select all that apply.
[ ] **1.** Rigid, board-like, tender abdomen
[ ] **2.** Severe nausea and vomiting
[ ] **3.** Fetal heart rate of 160 beats/minute
[ ] **4.** Painless vaginal bleeding
[ ] **5.** Dark red vaginal bleeding
[ ] **6.** A seizure lasting several seconds

103. If the client develops a complete abruption, what nursing action is **most appropriate**?
[ ] **1.** Obtain a written consent for an immediate cesar-ean birth.
[ ] **2.** Give the client an enema and prepare the abdomen.
[ ] **3.** Place the client in Trendelenburg position.
[ ] **4.** Prepare the client for a contraction stress test.

A client presents to the clinic in the last month of pregnancy. The client has significant anxiety regarding invasive procedures such as an I.V. line and internal fetal monitoring that may be required during labor and birth. The health care provider, nurses, and client prepare a plan limiting invasive procedures yet maintaining appropriate fetal monitoring and an acceptable pain level for the client.

104. In the labor and delivery suite, the health care provider prescribes meperidine 100 mg intramuscularly. The nurse chooses to inject the meperidine via the Z-track (zigzag) method. What muscle is **best** for the nurse to select when administering the meperidine to the client?
[ ] **1.** Deltoid
[ ] **2.** Trapezius
[ ] **3.** Gluteus medius
[ ] **4.** Latissimus dorsi

105. Just before inserting the needle into the muscle for a Z-track injection, the nurse appropriately pulls the tissue at the injection site in what direction?
[ ] **1.** Laterally
[ ] **2.** Obliquely
[ ] **3.** Proximally
[ ] **4.** Superiorly

A client, gravida 1, para 0, recently immigrated to the United States and presents to the obstetric (OB) clinic. During the pregnancy history, the client indicates that she believes she is about 12 weeks' pregnant. The client also reports having had rubella (German measles) 2 months ago.

106. What possible complication should the nurse discuss with the client?
[ ] **1.** Premature labor
[ ] **2.** Fetal abnormalities
[ ] **3.** Severe preeclampsia
[ ] **4.** Hydatidiform mole formation

107. The licensed practical/vocational nurse (LPN/LVN) is working in the labor and delivery unit with a registered nurse (RN). The following clients present to the unit. When assessing client needs, to what client will the licensed practical nurse **most likely** be assigned?
[ ] **1.** A 16-year-old client who is at 37 weeks' gestation experiencing leg cramps, increased pelvic pressure, and a bloody show
[ ] **2.** A 22-year-old client who is at 37 weeks' gestation with a passage of clear, odorless fluid from the vagina
[ ] **3.** A 25-year-old client who is at 38 weeks' gestation with the passage of yellow-green fluid from the vagina
[ ] **4.** A 30-year-old client who is at 24 weeks' gestation having contractions in the abdomen and groin every 5 minutes

108. What finding is **most indicative** of the presence of hydatidiform mole?
[ ] **1.** A blotchy brown discoloration on the face
[ ] **2.** A positive Chadwick sign
[ ] **3.** The presence of ballottement
[ ] **4.** A uterus that is larger than expected

109. What pregnant client should the nurse encourage to undergo hepatitis B virus testing?
[ ] **1.** A client with a history of cigarette smoking
[ ] **2.** A client who is single and pregnant for the first time
[ ] **3.** A client who emigrated from a poverty-stricken country
[ ] **4.** A client who was recently exposed to *Haemophilus influenzae*

Elective Abortion

An 18-year-old primigravid client is having difficulty deciding whether to keep or terminate her pregnancy. The client asks the nurse, "At what point during pregnancy can a baby live outside the mother?"

110. What response by the nurse is correct concerning the threshold of viability?
[ ] **1.** It is usually estimated to be 36 to 40 weeks.
[ ] **2.** It is usually estimated to be 30 to 35 weeks.
[ ] **3.** It is usually estimated to be 20 to 24 weeks.
[ ] **4.** It is usually estimated to be 10 to 15 weeks.

Test Taking Strategies

Anatomy and Physiology of the Male and Female Reproductive Systems

1. Analyze the picture to identify the location of fertilization. Recall that fertilization is different than implantation. First, consider that the fertilized ovum is implanted in the uterus, thus making the location of fertilization in one of the two fallopian tubes. Next, recall that fertilization occurs in the outer one-third of the tube narrowing the location of the *X*.

2. Use knowledge of physiology to identify the viability of an ovum released from an ovary. Recall the time-sensitive nature of the ovum being under 1 day or it will deteriorate.

3. Note the key words "improving sperm production." Recall that activities that raise the temperature around the scrotum may decrease the sperm count.

4. Note the key words "most appropriate" in reference to the impact of "small hips" on a vaginal birth. Recall that the true pelvis consists of the pelvic inlet, pelvic cavity, and pelvic outlet; this is what dictates the bony limits of the birth canal.

5. Analyze what information the question asks, which is when gender determination occurs. Recall that chromosomes determine gender, placing determination at the point of fertilization.

6. Use the process of elimination to identify the best response. In therapeutic communication, think "open-ended question" to allow the client to verbalize feelings. Next, consider the nurse's role in communication being to support the client and clarify any misconceptions.

7. Use the process of elimination to identify the source of vaginal bleeding during menstruation. Recall that if fertilization does not occur, the resulting decrease in estrogen and progesterone levels causes the endometrium to slough, resulting in menstruation.

Signs and Symptoms of Pregnancy

8. Use the process of elimination to identify the term used to describe the obstetric history of a client who is pregnant for the first time. Recall that the term "gravid" refers to being pregnant and the prefix "primi" indicates a first pregnancy.

9. Use your knowledge of the physiologic event resulting in the development of identical twins. Consider same ovum, thus same characteristics, versus two separate ova resulting in differences.

10. Use the process of elimination to select a probable sign of pregnancy. Eliminate options 1, 3, and 4, which occur earliest after conception, but could also be caused by other reasons. Option 2 remains as the correct answer because abdominal enlargement occurs most of the time with a pregnancy but is not totally exclusive to pregnancy.

11. Use the process of elimination to identify the laboratory test used to confirm pregnancy. Recall that human chorionic gonadotropin (hCG) is a hormone that is produced by the placenta during pregnancy, which can be confirmed by a blood test.

12. Look at the key words "most accurate" to confirm pregnancy. Consider the general ability of the test to identify details in very early pregnancy.

13. Look at the key words "most accurate" in reference to the nurse's explanation of the symptom known as Chadwick sign. Knowledge of the probable signs of pregnancy, such as the bluish discoloration of the reproductive organs known as Chadwick sign, facilitates answering this question correctly.

14. Select an option which relates ballottement to the length of gestation. Recall that ballottement, a term derived from a French word that means "to rise like a ball," is a technique for detecting or examining a floating object, in this case the fetus in the body. During midpregnancy (option 1), the fetus will rise and quickly rebound to the original position when the cervix is tapped by the examiner's finger.

15. Note the key word "positive" sign of pregnancy. Recall that an actual heartbeat is conclusive for pregnancy.

16. Analyze the information the question asks, which is the time when fetal movement is first felt in the primigravid client. Consider that the primigravid client notes quickening a bit later than the multigravida.

17. The key word is "first." No action would be completed without the notification and direction of the health care provider.

Assessing the Pregnant Client

18. Use the process of elimination to determine the significance of detecting fetal movement reported by the mother on the first prenatal visit. Relate your knowledge of gestational development to narrow the options.

19. Use the process of elimination to identify the correct application of the TPAL method. Use the acronym and match the client history.

20. Use your knowledge of the formula for calculating a client's expected delivery date using Nägele rule. Break down the formula into small parts to be able to remember (LMP plus 7, back 3).

21. Analyze the information the question asks, which is the client position used during a pelvic examination. Use your knowledge of positioning to select the lithotomy position, which facilitates an examination of the structures in the female reproductive tract.

22. Use the process of elimination to identify a medication that causes a concern (thus making it unsafe to take) during pregnancy. Consider the action and side effects of each medication and the impact that the medication may have on the developing fetus. Isotretinoin is one of those medications that you should know as potentially causing birth defects.

23. The key word is "before" a pelvic examination. Recall the anatomy of the female genitourinary tract and the close proximity of the urinary bladder to the uterus, indicating that pressure from the pelvic examination may cause discomfort and interfere with the assessment.

24. Use the process of elimination to select the option that identifies the best method for promoting the client's comfort during a pelvic examination. Recall that relaxing the muscles facilitates a more comfortable examination for the client and increases the ease of assessment.

25. Use the process of elimination to select the option that best ensures an accurate assessment of the fetal heart rate. Option 4 remains as the best answer because differentiating between the maternal pulse rate and the fetal heartbeat ensures an accurate assessment.

26. Note the key word "immediate" with regard to what should be reported. To narrow the selection, recall that fetal heart rates tend to be rapid. The lowest heart rate, which is 100 beats/minute (option 1), is the correct answer because it is a significantly low heart rate.

27. The key words "most accurate" can be used to select the option that correctly identifies a test for detecting spina bifida during pregnancy. The prefix feto-, used in fetoprotein, shows some relationship to the word fetal, which may lead to selecting option 1 as the correct answer.

28. Use the process of elimination to select the option that identifies the best plan for a prenatal visit schedule after 28 weeks. Consider that the purpose for prenatal visits is to monitor fetal status and maternal cervical dilation, the latter of which occurs near the end of gestation. Analyze the options for a schedule that ends with weekly examinations.

29. Select the option that identifies components of client teaching about exercise during pregnancy. Consider each option and evaluate the benefits and risks of the instruction.

30. Use the standards of care to palpate the fundus at 20 weeks' gestation (midway through the pregnancy). Consider the standard of fundal placement midway through the pregnancy as at the level of the umbilicus.

31. Identify the standard test that is routinely performed at 24 weeks' gestation. If unsure, consider either the purpose for the test or actions that will be taken after the test results are obtained when discriminating among the options.

32. Use the standards of practice to identify an item the nurse should have available when a nonstress test is performed. Because this test poses no expected complications, options 1, 2, and 3 can be eliminated. A fetal monitor (option 4) should be available to record the data from the test.

33. Use your knowledge of prenatal testing to identify when an amniocentesis is typically performed. When analyzing the options, consider factors that would make the amniocentesis procedure unsafe for the fetus or provide inaccurate results. Note that options 1 and 4 are early in the pregnancy, making it difficult to withdraw sufficient amniotic fluid; thus, both can be eliminated. Eliminate option 3 because delivery is close at hand.

Nutritional Needs During Pregnancy

34. Note the key words "most appropriate," which indicate that one option is better than the others. Recall that when instructing clients, assessment is the first step before providing information. Option 2 is the only option that addresses this priority.

35. Select the option that identifies the normal weight gain for a client of normal height/weight proportions. Recall that weight gain during pregnancy results from weight of the fetus, placenta, amniotic fluid, breast tissue, blood supply, additional fat stores, and increase in uterine size. Considering all sources that contribute to the total weight leads to selecting option 3 as the correct answer.

36. Analyze the information the question asks, which is the daily recommended servings of milk during pregnancy. Recall that 3 servings a day from the dairy group is a typical recommendation on the food pyramid. Increasing to 4 servings per day (option 2) provides additional calcium and allows for the fetus to obtain calcium without depleting it from the mother.

37. Use the process of elimination to select the option that identifies the best source of calcium other than milk and dairy products. Knowledge of nutrients in foods is helpful in answering the question. If unsure, recall that green leafy vegetables are high in a variety of dietary nutrients.

38. Note the key words "most appropriate" when selecting an option regarding an iron supplement and constipation. Analyze options for teaching that would decrease symptoms of constipation and increase medication compliance. Option 3 is correct because increasing fluid intake moistens stool, making it easier to eliminate.

39. Analyze the information the question asks, which is foods that increase the absorption of an iron supplement. Review the link between ascorbic acid (vitamin C) and foods that are high in that vitamin, as well as the absorption of iron.

40. Analyze the information the question asks, which is teaching about the side effects of iron supplements. Recall that iron that is not absorbed is eliminated in the stool, causing it to appear black.

41. Note the key words "most accurate," and a correct statement that identifies the reason folic acid is especially important during pregnancy. Correlate neural tube defects and folic acid administration.

42. Note the words "dietary adjustment," indicating a needed dietary change. Consider the personal growth of a pregnant adolescent and that of the developing fetus, which increase caloric and nutritional needs.

43. Scrutinize the scenario to identify facts that could affect the nutrition of the pregnant adolescent. Be careful not to include other areas of concern such as social or economic information when answering the question; as a result, four factors (option 2) can be identified.

44. Use the process of elimination to identify an expected outcome based on the client's current dietary habits. Eliminate option 2 as beyond acceptable standards and option 3 as the nurse does not adjust prescription medication. Eliminate option 4 because focusing on calories, rather than eating nutritious food, is not better than option 1, a goal that will ensure nutrition and provide the best outcome for the pregnant adolescent.

45. The key words are "most appropriate," indicating that one answer is best. Note that option 4 provides factual information for the adolescent to compare her status with that which has been scientifically established.

46. Use your knowledge of unhealthy drinks for your client to avoid. In evaluating each option, consider the nutritional value and effect on the pregnant adolescent.

47. Select the option that identifies a substance the nurse should advise the client with edema to limit. Recall that sodium causes retention of body fluid and limiting table salt and foods that are high in sodium could relieve the client's current edema.

48. Analyze the information the question asks, which requires identifying pregnant clients at risk for nutritional problems. Use clinical reasoning to associate client characteristics that may interfere with good nutritional practices, or client characteristics that indicate poor nutritional status.

Teaching the Pregnant Client

49. Use the process of elimination to identify an incorrect client statement that indicates a need for additional teaching. Narrow the selection by eliminating any correct statement regarding bathing. Because option 2 does not qualify when a tub bath may be inappropriate, but rather indicates that tub baths in general should be avoided, it is a statement that requires clarification.

50. Analyze the information the question asks, which is the time during pregnancy when sexual intercourse should be avoided. Also note key word "avoided." Recall that sexual intercourse throughout pregnancy is a personal decision as long as the client does not feel uncomfortable, but it should be avoided if the membranes have ruptured or if atypical vaginal drainage such as blood is present.

51. Select the options for considerations regarding travel during pregnancy. To narrow the selection, consider physiological changes in the body and guidelines for travel during a normal pregnancy.

52. Select the option which causes spotting during the first week of pregnancy. Recall that spotting may coincide with implantation (option 1), which occurs between 6 and 10 days after fertilization when the zygote attaches to the lining of the uterus. However, if spotting or bleeding is accompanied by cramping, the health care provider could be consulted because it may indicate a miscarriage.

53. Use the process of elimination to identify characteristics of the fetus late in the first trimester. Knowledge of fetal development is helpful in answering the question. Recall that a full fetal skeleton (option 4) is developed by the 12th week of pregnancy; the feet measure almost 0.5 in (1.25 cm), and fingernails and toenails are present.

54. Note the key words "most appropriate," which indicates one answer is better than any of the others. Select the option that accurately identifies the purpose of amniotic fluid. Recall that the amniotic fluid that surrounds the fetus simply provides a buoyant environment that cushions it from blows or jarring movements to the maternal abdomen (option 2).

Common Discomforts of Pregnancy

55. Select options that prevent constipation during pregnancy. Choose options that provide information about maintaining normal bowel elimination.

56. Use the process of elimination to identify the cause of varicose veins during pregnancy. Note that the stem of the question identifies increased blood volume as one component that contributes to varicose veins during pregnancy. Recall that venous blood must move against gravity in the lower areas of the body as it travels toward the heart and that an enlarging fetus may impede return circulation (option 1).

57. Select the action that relieves the discomfort associated with varicose veins. Recall that muscle contraction is the means by which venous blood moves toward the heart. Moving about (option 4) supports this physiological process, whereas the other options contribute to the accumulation and stagnation of venous blood.

58. Note the word "immediately," indicating a serious complication related to varicose veins. Recall that impaired venous circulation predisposes to the formation of thrombi, the symptoms of which are described in option 4. The other options describe the expected appearance and symptoms of varicose veins not accompanied by thrombosis.

59. Note the key words "most appropriate," which indicate that one option is better than the others. Select the option that identifies the best information for relieving itchy skin during pregnancy. Recall that increasing fluid intake (option 2) contributes to a greater volume of water in all the cells and tissues of the body and would relieve dry skin due to its hydrating effect.

60. Use the process of elimination to select the option that identifies correct information about shortness of breath that occurs during the third trimester of pregnancy. Recall that all woman experience shortness of breath, thus look for a correct answer that offers a physiological rationale for compromised breathing.

61. Note the key words "most appropriate," indicating that more than one option may have some hint of accuracy, but one option is best. Option 4 requires no pharmacologic therapy and limited lifestyle change, making it the most appropriate early intervention.

62. Analyze the information the question asks for, which is the time when frequent urination during early pregnancy is likely to subside. Consider changes throughout the course of pregnancy that allow the symptoms to be diminished. However, urinary frequency is likely to become bothersome again in the last trimester when the room for expansion is limited and the mass of the uterus presses on the bladder.

63. Select the factor later in pregnancy that contributes to frequent urination. Option 3 directly relates to the enlarging uterus (a changing factor of pregnancy) and pressure on the bladder causing the frequent urination.

64. Evaluate the options, eliminating the correct statements and identifying the incorrect one. The statement regarding limiting fluids (option 1) requires more teaching because fluid volume, which is increased during pregnancy, must be compensated by having a liberal fluid intake.

65. Analyze what information the question asks regarding measures to relieve backaches during pregnancy. Choose options that include factors that contribute to backaches during pregnancy and nursing instructions that can provide relief. Options 2 and 3 are unsafe or contraindicated and should be eliminated for those reasons.

66. The key words are "effective teaching" regarding a method for relieving nausea during pregnancy. Recall that eating small meals frequently (option 1) will meet a client's caloric and nutritional needs without distending the stomach.

67. Use the process of elimination to select the correct nursing response to the client's question about a measure to relieve leg cramps. Although ingesting a sufficient calcium may prevent muscle spasms, recall that stretching the muscle will temporarily terminate the cramp if one develops.

68. Note the key words "most relevant," which indicate that one option is better than the others when responding to information about mood swings during pregnancy. Evaluate each option for its therapeutic benefit. Recall that stress is a crucial factor in mood swings, which is exacerbated by fatigue (option 1) and the hormonal and psychological changes occurring during pregnancy.

69. Analyze the information the question asks, which is measures to take regarding working and pregnancy. When evaluating each option, consider the physical effects of pregnancy and methods that can maintain or promote health and well-being.

70. Use the process of elimination to identify evidence of a danger sign during pregnancy. Consider the implications of each option and their significance. Recall that gestational hypertension, a complication that can affect the well-being of the mother and fetus, is accompanied by headaches and peripheral edema (option 1).

High-Risk Factors and Pregnancy

71. Use the process of elimination to select the option that identifies the client who is at highest risk for complications during pregnancy. Consider that more than one client profile may be a person who is predisposed to risks, but one is at higher risk than the others. Note that options 1, 2, and 3 are normal or low-risk factors and can be immediately eliminated.

72. Use the process of elimination to select the option that identifies the best response to the client's question concerning the fetal effect of alcohol consumption during pregnancy. Although the responses in options 1, 3, and 4 are potentially good responses, the information is without substantial scientific validation. Option 2 is the best answer because standards of care prescribed by most reputable authorities of obstetrics advise pregnant women to abstain from drinking alcohol.

73. Analyze to determine what information the question asks, which is a consequence that may occur from smoking during pregnancy. Consider the effects of inhaling nicotine, carbon monoxide, and tar on the fetus. These chemicals can lessen the amount of oxygen that gets to the fetus.

74. Use your knowledge of diagnostic testing of the mother and fetus is helpful in to successfully answering the question. Option 2 is the only option that directly relates to the defined situation.

75. Use the process of elimination to select the option that provides the best evidence of a chlamydial infection. Knowledge of key characteristics leads you to the correct answer.

76. Use the process of elimination to identify an incorrect statement that indicates a need for additional teaching regarding chlamydial infection. Knowledge of sexually transmitted infections, chlamydia in particular, and their effects on birth, the fetus, the newborn, and sexual partners is essential in answering the question. Recall that treatment of a chlamydial infection is relatively simple and effective and does not necessitate a cesarean birth (option 2).

77. Evaluate each option for symptoms that correlate with a complication of pregnancy. Bleeding any time during pregnancy indicates a potentially serious condition (option 3) that should be evaluated as soon as it develops.

78. Evaluate the options with reference to the primary problems, which are nausea, vomiting, and dehydration. Eliminate those that do not directly relate to the fluid and electrolyte status.

Complications of Pregnancy

79. Evaluate each option, identifying if the condition fits high-risk pregnancy criteria, which place the mother or fetus at risk for obstetric complications. Consider obstetric norms and the impact of an identified abnormal status.

80. Analyze the information the question asks regarding the best location for placing a transducer to auscultate fetal heart tones of a fetus in the cephalic position. Consider the relation of the fetal head to its feet with the best location for obtaining heart tones being between the two.

81. Use the process of elimination to select the nursing intervention which prevents fetal loss from an incompetent cervix. Consider the source of the problem. Choose the nursing intervention which will best prevent the loss.

82. Recall that the purpose for the cerclage is to keep the cervix closed and prevent premature labor and birth. The best timeframe for removing the cerclage is near the client's expected date of birth before labor has begun.

83. Note the key word "priority" in situations where an ectopic pregnancy is confirmed. Assess all data and rate interventions on importance. Anticipate potential complications and the nursing care needed until surgery or the advised treatment is completed.

84. The key words are "thoroughly explore" indicating an assessment area of concern. Consider the physiology of gestational hypertension and recall that an unexpected weight gain (option 4) correlates with fluid retention and an elevation in blood pressure.

85. Note the key words "most indicative," indicating one option is better than any of the others in describing an indication of gestational hypertension that is mild in nature. Recall that proteinuria (option 3) accompanies gestational hypertension, whereas the assessment findings in the other options are either unrelated or normal.

86. Note the key words "most appropriate." Select the option that provides accurate information about how the client with gestational hypertension should proceed with home care. Even though this client's gestational hypertension is considered mild, it is nevertheless dangerous requiring weekly follow-up appointments.

87. Use the process of elimination to identify the assessment finding that is essential to monitor when a client receives magnesium sulfate for gestational hypertension. Magnesium toxicity is manifested by a loss of patellar tendon reflexes, an assessment that must be checked every 4 hours during administration of magnesium sulfate.

88. Use the process of elimination to identify the medication to have on hand when administering magnesium sulfate. Understanding the action of the medication is essential when determining the antidote for reversing the effect.

89. Use the process of elimination to select the option that identifies the best indication that magnesium sulfate toxicity is developing. Eliminate options 1 and 4 because these are assessment findings that are essentially normal. Although finding protein in the urine is abnormal, it can be eliminated as a possible correct answer because it is a manifestation of gestational hypertension rather than magnesium toxicity.

90. Use the process of elimination to identify an assessment finding that must be reported immediately because it indicates that gestational hypertension has progressed to eclampsia. Evaluate each option against symptoms that would occur if the blood pressure continues to rise. If unsure, consider the rationale for administering magnesium sulfate, which is to prevent seizures.

91. Use the process of elimination to eliminate the normal laboratory results. Analyze each piece of data and consider any abnormalities and the effect of pregnancy. Determine if the positive presence of protein in the urine is normal.

92. Evaluate each option for the nursing action related to 28 kick counts/4 hours. Recall the standard of 10 to 15 kick counts within a 2-hour timeframe.

93. Use the process of elimination to identify the signs that suggest an impending spontaneous abortion. If unsure, consider that the symptoms of labor are similar to those when a spontaneous abortion is threatened.

94. Note the key words "most appropriate," which indicates that one answer is better than the others. Recall that the word "inevitable" means that the client's condition has progressed to the point that there is no hope for the pregnancy continuing. Nursing interventions are adjusted from measures to save the pregnancy to care of the mother. Option 1 is the correct answer because the products of conception must be removed, generally with a D&C.

95. Use the process of elimination to identify the most therapeutic response to a client experiencing a spontaneous abortion. Option 1 is the best answer because encouraging a client to verbalize her feelings openly while the nurse actively listens relieves some of the emotional distress the client is feeling.

96. Use the process of elimination to identify the insulin level during pregnancy. It is incorrect to indicate that insulin requirements will be consistently increased, decreased, or stay the same. In fact, the requirements fluctuate (option 3) with the changes in reproductive hormone levels.

97. Select the option which identifies complications during pregnancy secondary to diabetes. Obesity and vascular changes that are often components of diabetes increase the risk for developing gestational hypertension (option 2).

98. Apply the key words "most accurate" when considering the choice in each option and validated by evidence-based information. Recall that infants born to mothers with diabetes generally have higher birth weights and require temporary monitoring of blood glucose because their blood glucose level falls precipitously when separated from the maternal source of glucose.

99. Note the key words "most likely" in reference to the course of action the health care provider may take after detecting placenta previa. Recall that if the placenta remains attached the fetus will survive. Recall that supporting the pregnancy as long as possible (option 3) eliminates the need to induce labor prematurely, inhibit the progress of labor, or perform an emergency cesarean birth if hemorrhage occurs.

100. Note the key word "priority" related to the vaginal bleeding. Consider the emergency and that concise information is needed to quickly attend to client needs.

101. The key words are "predisposing factors." Select options that affect a client's vasculature.

102. Use the process of elimination to identify findings indicative of an abruptio placentae. Select options that correlate with internal bleeding.

103. Note the key words "most appropriate," indicating that one answer is better than the others. Consider which option identifies the nursing action that is most important when a client is hemorrhaging and the fetus is in jeopardy of hypoxemia. Recall that abruptio placentae is an obstetric emergency requiring a cesarean birth to preserve the lives of the fetus and mother. Relate surgery to informed consent.

104. Use the process of elimination to select the option that identifies the proper site to administer an I.M. injection using the Z-track technique. The gluteus medius muscle is the correct answer because it is large enough to insert a needle deeply within the muscle.

105. Analyze to determine what information the question asks, which is the direction in which the tissue is pulled when preparing to administer an I.M. injection using the Z-track technique. Visualize the letter Z or the term "zig-zag" for which the injection technique is named. Recall that the nondominant hand displaces the tissue laterally before the injection.

106. Analyze to determine what information the question asks, which is a complication from a possible rubella infection. Although rubella does not cause symptoms as severe as rubeola, rubella that occurs during pregnancy is dangerous to a fetus because it causes many congenital defects (option 2).

107. Use the process of elimination to identify the client best suited to the LPN/LVN scope of practice. Analyze the four client options to determine those that would require advanced assessment skills. Note the routine labor and delivery client with no immediate complications.

108. Note the key words "most indicative" in reference to a characteristic finding of a hydatidiform mole. Consider that the hydatidiform mole is a mass or growth that forms in the uterus at the beginning of pregnancy made of placental tissue, atypical fetal or even malignant cells.

109. Use the process of elimination to identify the pregnant client at most risk for hepatitis B virus (HBV). Recall that HBV is transmitted through contact with blood or body fluids of an infected person, similarly to human immunodeficiency virus (HIV). Note that emigrating from a poverty-stricken country with poor health care places a pregnant client at high risk for HBV (option 3).

Elective Abortion

110. The key word is "viability," meaning the fetus's ability to survive outside the uterus, which depends on its stage of embryonic development. If unsure, divide a pregnancy into trimesters and recall that a common timeframe for viability is just before 6 months (option 3).

Correct Answers and Rationales

Anatomy and Physiology of the Male and Female Reproductive Systems

1.

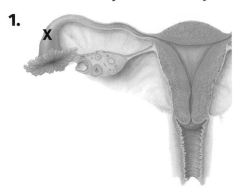

Medical treatment for infertility can be focused on the male or female and result in a successful fertilization of an ovum. The ovum is released from the ovary and enters the outer third of the fallopian tube, where the sperm fertilizes it. After fertilization, the fertilized ovum travels through the remainder of the fallopian tube and enters the uterus, where it implants and remains throughout pregnancy.

> *Cognitive Level—Applying*
> *Client Needs Category—Health promotion and maintenance*
> *Client Needs Subcategory—None*

2. 2. Ovulation tests detect a surge in luteinizing hormone helpful in identifying ovulation. Once the ovum has been released from the ovary, the ovum remains viable for 24 hours. If fertilization does not occur within this time frame, conception cannot take place. The client has more opportunity to fertilize the ovum beyond 12 hours. Forty-eight to 72 hours is typically too long.

> *Cognitive Level—Applying*
> *Client Needs Category—Health promotion and maintenance*
> *Client Needs Subcategory—None*

3. 2, 5, 6. Because heat can damage or kill sperm, men should avoid hot tubs or taking hot baths if attempting to prevent infertility. Tight-fitting clothing, such as jeans or briefs, may also have the same effect by trapping body heat and elevating the temperature of the testes. Strenuous exercise can also change the temperature of the testes. Testosterone production is changed during strenuous exercise, which may cause a decrease in sperm formation. Smoking is associated with low sperm counts (decreased by 23%) and decreased motility. Swimming does not affect the viability of sperm.

> *Cognitive Level—Applying*
> *Client Needs Category—Health promotion and maintenance*
> *Client Needs Subcategory—None*

4. 2. The true pelvis is the part of the pelvis that influences the woman's ability to birth vaginally. The false pelvis, which is formed by the iliac portion of the innominate bone, is what accounts for hip measurements. The fetus must be in an appropriate position and small enough to pass through the true pelvis for a successful vaginal birth. While there are risk factors in both delivery methods, it is inaccurate to say they are the same.

> *Cognitive Level—Applying*
> *Client Needs Category—Health promotion and maintenance*
> *Client Needs Subcategory—None*

5. 4. The gender of the baby is determined at fertilization, which occurs in the outer third of the fallopian tube. Each parent contributes one sex chromosome. The mother always contributes an X chromosome. The father contributes an X or a Y chromosome. If a sperm containing an X chromosome fertilizes the ovum, the offspring is a female. If a sperm containing a Y chromosome fertilizes the ovum, the offspring is a male.

> *Cognitive Level—Applying*
> *Client Needs Category—Health promotion and maintenance*
> *Client Needs Subcategory—None*

6. 1. It is not uncommon for the client who has experienced the loss of a child to be fearful of experiencing the pain of another loss. It is best for the nurse to support the client and ask open-ended questions to gather more data and feelings. Interjecting the nurse's feelings into the conversation is inappropriate. Making a negative statement of "I do not know how you will do that" relays to the client that she is doing something wrong. Saying that this pregnancy may be fine negates the client's feelings and closes the conversation.

> *Cognitive Level—Analyzing*
> *Client Needs Category—Psychosocial integrity*
> *Client Needs Subcategory—None*

7. 1. Vaginal discharge during a woman's monthly period, often called *menstrual flow* or *menses*, consists of endometrial cells sloughed from the thickened uterine lining formed to prepare for pregnancy. When fertilization does not occur, the lining is sloughed. The discharge contains mucus, tissue, and blood. The first day of blood flow is considered the first day of the monthly cycle, which lasts about 28 days. The bleeding continues for 3 to 7 days and may be dark red, bright red, or rust-colored. The perimetrium is the thin outer layer of the uterus. The myometrium is the muscle layer of the uterus. The epimetrium is part of the peritoneum.

> *Cognitive Level—Applying*
> *Client Needs Category—Health promotion and maintenance*
> *Client Needs Subcategory—None*

Signs and Symptoms of Pregnancy

8. 3. Primigravida describes a woman who is pregnant for the first time. Multipara describes a woman who has delivered more than one viable infant. A primipara is a woman who has delivered her first viable infant. Multigravida describes a woman who has been pregnant more than once.
Cognitive Level—*Understanding*
Client Needs Category—*Health promotion and maintenance*
Client Needs Subcategory—*None*

9. 3. Identical twins result when one fertilized ovum divides into two identical halves that develop into two individuals with the same appearance and same gender. Fraternal twins are the result of two separate ova fertilized by two different sperm at the same time. They may or may not resemble each other and may or may not be of the same gender.
Cognitive Level—*Applying*
Client Needs Category—*Health promotion and maintenance*
Client Needs Subcategory—*None*

10. 2. Abdominal enlargement is considered a probable sign of pregnancy. Amenorrhea (absence of monthly periods), nausea, vomiting, and frequent urination are all considered to be presumptive signs of pregnancy because they can also be indications of conditions other than pregnancy. Positive signs are those that cannot be mistaken for any other condition, such as hearing fetal heart sounds or detecting the presence of the fetus during an ultrasound examination.
Cognitive Level—*Analyzing*
Client Needs Category—*Health promotion and maintenance*
Client Needs Subcategory—*None*

11. 3. Levels of human chorionic gonadotropin (hCG) rise significantly shortly after implantation of the ovum. Blood and urine testing for hCG is the basis for most pregnancy tests because hCG can be measured as early as 8 to 11 days after ovulation. The level of hCG doubles every 2 to 3 days and can be used to validate that the pregnancy is continuing and that a miscarriage has not occurred. The alpha-fetoprotein (AFP) test is performed during pregnancy to determine the presence of neural tube defects such as spina bifida. Follicle-stimulating hormone (FSH) is not associated with pregnancy but is related to the maturation of the ovum before ovulation. Corticotropin-releasing hormone (CRH) is a neurotransmitter involved in the stress response.
Cognitive Level—*Applying*
Client Needs Category—*Health promotion and maintenance*
Client Needs Subcategory—*None*

12. 1. A transvaginal ultrasound can detect pregnancy as early as 2½ to 3 weeks. The thin transvaginal ultrasound probe can provide a visual image of the fetus, detect its beating heart, identify structural problems in reproductive organs or the placenta, and provide evidence of more than one fetus. An abdominal ultrasound can detect pregnancy as early as 5 to 6 weeks, well before the uterus ascends out of the pelvis. The ultrasound has replaced the X-ray as a diagnostic tool for pregnancy, eliminating the risks associated with fetal radiation exposure.
Cognitive Level—*Analyzing*
Client Needs Category—*Health promotion and maintenance*
Client Needs Subcategory—*None*

13. 2. Chadwick sign is a bluish discoloration of the cervix, vagina, and vulva caused by increased vascularization of the reproductive organs. Braxton Hicks contractions are spontaneous intermittent contractions that occur during pregnancy. Goodell sign is the softening of the cervix, and linea nigra is the dark brown line extending from the umbilicus to the symphysis pubis that appears on the skin of many pregnant women.
Cognitive Level—*Analyzing*
Client Needs Category—*Health promotion and maintenance*
Client Needs Subcategory—*None*

14. 1. Ballottement is observed when the fetus rises (or bounces) in the amniotic fluid and then returns to its normal position after a gentle push or tapping of the lower portion of the uterus by the examiner. Ballottement is usually first observed during the 4th or 5th month of pregnancy.
Cognitive Level—*Applying*
Client Needs Category—*Health promotion and maintenance*
Client Needs Subcategory—*None*

15. 4. The health care provider's detection of the fetal heartbeat confirms pregnancy. A palpable fetal outline and positive pregnancy test are probable signs of pregnancy but are not conclusive evidence. A blotchy tan discoloration of the face known as *chloasma* is a presumptive sign of pregnancy.
Cognitive Level—*Applying*
Client Needs Category—*Health promotion and maintenance*
Client Needs Subcategory—*None*

16. 2. The first fetal movement felt by the mother is referred to as *quickening*. If this is the woman's first pregnancy, quickening is usually experienced between 16 and 20 weeks' gestation.
Cognitive Level—*Applying*
Client Needs Category—*Health promotion and maintenance*
Client Needs Subcategory—*None*

17. 4. The nurse is correct to contact the health care provider immediately. Next, the nurse's role is to objectively document what the client has said and the physical bruises. The nurse will assist the health care provider in completing the next course of action. Since the client is pregnant, she may be considered an emancipated minor. The client will determine who is to pick her up. The nurse can facilitate once the decision is made. The local shelter for victims of intimate partner violence may offer helpful services. It is up to the authorities to determine if any criminal activity has occurred.

> *Cognitive Level*—*Analyzing*
> *Client Needs Category*—*Safe and effective care environment*
> *Client Needs Subcategory*—*Coordinated care*

Assessing the Pregnant Client

18. 2. Quickening, the term attributed to the mother's first feeling of fetal movement, is often described as a fluttering sensation. In a primigravid client, quickening usually occurs in the second trimester, between the 16th and 20th weeks of gestation. In a multipara client, it typically occurs earlier, at about 14 to 18 weeks' gestation. Due dates are calculated based on the first day of the last menstrual period, not on fetal movement. Although the client is talking about the pregnancy, her true feelings about the pregnancy cannot be determined.

> *Cognitive Level*—*Applying*
> *Client Needs Category*—*Health promotion and maintenance*
> *Client Needs Subcategory*—*None*

19. 4. Gravidity is the number of confirmed pregnancies; a pregnant woman is a gravida. Parity is the number of deliveries after 20 weeks. TPAL is an acronym used when documenting the client's obstetric history. *T* represents the number of term pregnancies, *P* represents the number of premature infants delivered, *A* represents the number of abortions or miscarriages, and *L* represents the number of living children. The client in this situation has had two term pregnancies, no premature deliveries, no abortions, and has three living children. Therefore, the correct TPAL is T-2, P-0, A-0, L-3.

> *Cognitive Level*—*Applying*
> *Client Needs Category*—*Health promotion and maintenance*
> *Client Needs Subcategory*—*None*

20. 4. Nägele rule is one method of determining the estimated date of delivery. When using Nägele rule, add 7 days to the first day of the last menstrual period (LMP), and count back 3 months. In this situation, the estimated delivery date is December 20.

> *Cognitive Level*—*Applying*
> *Client Needs Category*—*Health promotion and maintenance*

Client Needs Subcategory—*None*

21. 1. When preparing the client for a pelvic examination, the nurse assists her into the lithotomy position. In this position, the client lies on her back with the knees bent and feet resting flat on the table or placed in stirrups. Her buttocks should extend slightly beyond the edge of the examination table. Prone, Sims, and Trendelenburg positions do not accommodate this type of examination.

> *Cognitive Level*—*Applying*
> *Client Needs Category*—*Health promotion and maintenance*
> *Client Needs Subcategory*—*None*

22. 3. It is essential to assess a client's current medication list to ascertain that the medications are compatible with pregnancy and do not cause birth defects. Isotretinoin, an acne medication, increases the risk for birth defects. While the health care provider should advise the pregnant client on all medications able to be administered while pregnant, acetaminophen, amoxicillin, and calcium carbonate all are typically noted as safe for pregnancy.

> *Cognitive Level*—*Applying*
> *Client Needs Category*—*Physiological integrity*
> *Client Needs Subcategory*—*Pharmacological therapies*

23. 2. Before the pelvic examination, the client should be encouraged to empty her bladder. This action increases the client's comfort during the examination and facilitates a more accurate assessment of the pelvic structures. It is not necessary nor is it routine for the client to receive an enema, sedative, or shave and prep before having a pelvic examination.

> *Cognitive Level*—*Applying*
> *Client Needs Category*—*Health promotion and maintenance*
> *Client Needs Subcategory*—*None*

24. 4. The nurse instructs the client to let her knees fall outward and to relax during the examination; this increases the client's comfort level. The client should have a pillow under her head and should not lift her head off the pillow during the examination. Raising the head tightens the abdominal muscles, making the examination more difficult. Having the client press her back into the examination table and tighten her buttocks will not promote relaxation because these actions cause increased tension in the muscles of the perineum.

> *Cognitive Level*—*Applying*
> *Client Needs Category*—*Health promotion and maintenance*
> *Client Needs Subcategory*—*None*

25. 4. When auscultating for the fetal heart rate, the nurse may also hear the uterine soufflé (a soft whirling sound produced by the maternal blood moving through the uterine vessels). To differentiate between fetal heart tones and the uterine soufflé, the nurse should count the maternal pulse rate and compare it to the rate obtained when listening for the fetal heart tones. Placing the client on her right side, counting during fetal movement, and counting between Braxton Hicks contractions will not ensure an accurate fetal heart rate.

Cognitive Level—*Applying*
Client Needs Category—*Health promotion and maintenance*
Client Needs Subcategory—*None*

26. 1. The fetal heart rate is normally between 120 and 160 beats/minute. A fetal heart rate less than 120 beats/minute or greater than 160 beats/minute may indicate fetal distress and should be immediately reported.

Cognitive Level—*Applying*
Client Needs Category—*Physiological integrity*
Client Needs Subcategory—*Physiological adaptation*

27. 3. The maternal serum alpha-fetoprotein (AFP) test is used to screen for neural tube defects such as spina bifida. AFP is a substance made in the liver of an unborn fetus. The amount of AFP in the blood of a pregnant woman can be used to detect neural tube defects, but it can also identify other congenital disorders, such as Down syndrome and abdominal wall defects. This test should be performed between 14 and 16 weeks' gestation. The HBsAg test is used to detect hepatitis B. The VDRL (Venereal Disease Research Laboratory) and FTA-ABS (fluorescent treponemal antibody absorption) tests are used to screen for syphilis.

Cognitive Level—*Applying*
Client Needs Category—*Health promotion and maintenance*
Client Needs Subcategory—*None*

28. 3. A pregnant woman who is experiencing no complications usually visits the health care provider every 4 weeks for the first 28 weeks of pregnancy, every 2 weeks from 28 to 36 weeks' gestation, and then weekly from the 37th week to delivery.

Cognitive Level—*Applying*
Client Needs Category—*Health promotion and maintenance*
Client Needs Subcategory—*None*

29. 1, 2, 3. Exercise raises body temperature and speeds the metabolism and heart rate. For these reasons, exercising during pregnancy should be carefully monitored so that no harm comes to the mother or fetus. The nurse should advise the client to avoid exercising in hot, humid weather to ensure that her core body temperature does not rise and possibly affect the fetus. Likewise, she should avoid any jerking, bouncing, or jumping movements that could harm the growing fetus. It is important for the client to drink plenty of fluids before and after exercising to prevent dehydration, which can alter her electrolyte balance and temperature as well as those of the fetus. She should

also exercise only during the cooler part of the day or in an air-conditioned environment. Although the client should be able to tolerate exercising at least three times per week (not just once weekly), she should limit any strenuous workouts to no more than 15 minutes per session. Exercises should never be done in the supine position, especially after the 4th month of pregnancy, to avoid supine hypotension and insufficient blood flow to the fetus.

Cognitive Level—*Applying*
Client Needs Category—*Health promotion and maintenance*
Client Needs Subcategory—*None*

30. 3. The fundal height is measured from the top of the pubic bone to the top of the uterus as a reference point for analyzing maternal progress. At 20 weeks' gestation, the fundus of the uterus can be palpated near the level of the umbilicus. At 16 weeks' gestation, the fundus is located halfway between the top of the symphysis pubis and the umbilicus. Close to term (38 to 40 weeks), the uterus can be palpated just below the xiphoid process.

Cognitive Level—*Applying*
Client Needs Category—*Health promotion and maintenance*
Client Needs Subcategory—*None*

31. 2. The glucose tolerance test is a routine test performed between 24 and 28 weeks' gestation as a screening tool for gestational diabetes. The screening also requires additional teaching and diabetes monitoring to avoid complications. A Pap test and rubella titer are usually performed at the first prenatal visit. Coombs test is not routinely performed during pregnancy; it is used to determine the possibility of Rh incompatibility between the mother and fetus or neonate.

Cognitive Level—*Applying*
Client Needs Category—*Health promotion and maintenance*
Client Needs Subcategory—*None*

32. 4. A nonstress test is a simple, noninvasive test performed in pregnancies beyond 28 weeks' gestation. To perform the nonstress test, the nurse attaches a fetal monitor to the client's abdomen and monitors the response of the fetal heart rate to fetal movement. The nonstress test is noninvasive and poses little risk to the mother; therefore, pulse oximetry is not necessary. Intravenous oxytocin may be given for several reasons, including augmentation of labor and control of postpartum hemorrhage. A cardiac monitor is not used during a nonstress test.

Cognitive Level—*Applying*
Client Needs Category—*Health promotion and maintenance*
Client Needs Subcategory—*None*

33. 2. Amniocentesis is an invasive procedure in which a sterile needle is inserted through the uterine wall and a small sample of amniotic fluid is withdrawn and used for analysis. This test is usually performed early in the second trimester to rule out congenital abnormalities, such as Down syndrome or spinal cord defects. It may also be used during the third trimester to assess fetal lung maturity, postmaturity of the fetus, or fetal death. An amniocentesis is usually performed after the 14th week of gestation, when there is enough fluid to sample.

> **Cognitive Level**—*Applying*
> **Client Needs Category**—*Health promotion and maintenance*
> **Client Needs Subcategory**—*None*

Nutritional Needs During Pregnancy

34. 2. The client's current eating pattern and preferences should be assessed before a teaching plan can be formulated and implemented. Once this information is obtained, the nurse can show the client what foods to add or delete to ensure a balanced, nutritious diet. The nurse should include the client in the planning process to ensure her cooperation with the choices made and to advise her on calorie recommendations, nutritional requirements, and food equivalencies (such as 1 cup of milk equaling 10 mg of calcium). After initiating this teaching, the nurse can work with the client to develop sample menus to meet her nutritional needs during the pregnancy. Regardless of her prepregnancy weight, a pregnant client should gain sufficient weight to meet the needs of the fetus.

> **Cognitive Level**—*Applying*
> **Client Needs Category**—*Health promotion and maintenance*
> **Client Needs Subcategory**—*None*

35. 3. The weight gain recommended during pregnancy is individualized, and the client's prepregnancy weight must be taken into consideration. Being small for gestational age is associated with detrimental outcomes for newborns, but not mothers. Being large for gestational age predisposes to harmful consequences for both newborns and mothers. The guidelines for weight gain for the client with a normal prepregnancy weight is between 25 and 35 lb (11.3 and 15.9 kg). A weight gain of 28 to 40 lb (12.7 to 18.1 kg) is generally recommended for a client who is underweight. Clients who are moderately overweight can gain between 15 and 25 lb (6.8 and 11.3 kg). Clients who are very overweight (obese) can gain no weight at all up to 20 lb (9 kg).

> **Cognitive Level**—*Applying*
> **Client Needs Category**—*Health promotion and maintenance*
> **Client Needs Subcategory**—*None*

36. 2. During pregnancy, the recommended intake of milk is 3 to 4 servings (3 to 4 cups; 0.75 to 1 L) daily. Milk is an excellent source of calcium and protein, both of which

are essential for the proper development of strong bones, healthy teeth, healthy nerves and muscles, and normal blood clotting for the client and her fetus. Calcium is also present in prenatal vitamins.

> **Cognitive Level**—*Applying*
> **Client Needs Category**—*Health promotion and maintenance*
> **Client Needs Subcategory**—*None*

37. 3. Of the foods listed, leafy green vegetables such as broccoli, Brussels sprouts, collards, kale, and Swiss chard contain the greatest amount of highly absorbable calcium from among the nondairy sources. Eating four slices of bread provides 31% of the daily need for calcium. One cup of turkey provides 4% of the daily requirement for calcium, and organ meats such as liver and heart provide even less.

> **Cognitive Level**—*Applying*
> **Client Needs Category**—*Health promotion and maintenance*
> **Client Needs Subcategory**—*None*

38. 3. A client receiving iron supplements may report constipation or an upset stomach. The nurse should encourage the client to increase fiber and fluids to help prevent or control this problem. Iron requirements double during pregnancy, and the demand for iron usually exceeds the amount that can be provided from dietary sources. Therefore, if the health care provider prescribes an iron supplement, the client should not attempt to substitute dietary sources of iron for the prescribed iron supplement. Iron supplements are best absorbed when taken between meals on an empty stomach. Iron usually does not cause abdominal pain unless it is associated with constipation.

> **Cognitive Level**—*Analyzing*
> **Client Needs Category**—*Physiological integrity*
> **Client Needs Subcategory**—*Pharmacological therapies*

39. 1, 2, 4. Increasing the client's daily amounts of ascorbic acid (vitamin C) will enhance the absorption of iron. Vitamin C is found in citrus foods, such as oranges, grapefruit, lemons, and limes. It is also found in other fruits, such as kiwi, strawberries, and cantaloupe, and in vegetables such as broccoli and Brussels sprouts. Vitamin C is not found in bananas, milk, or carrots.

> **Cognitive Level**—*Applying*
> **Client Needs Category**—*Physiological integrity*
> **Client Needs Subcategory**—*Pharmacological therapies*

40. 1. Because the client's iron requirements will increase during pregnancy, constipation may become a problem. The nurse should advise the client that her stools may become greenish black, hard, and dry and offer instructions on how to prevent constipation. Diarrhea is not a side effect of iron supplements and vomiting is unlikely to occur, although gastric upset is possible. The teeth are not likely to become stained unless the iron preparation is in liquid form. Most prenatal iron supplements, however, come in tablet form.

Cognitive Level—*Analyzing*
Client Needs Category—*Physiological integrity*
Client Needs Subcategory—*Pharmacological therapies*

41. 1. Folic acid, a B vitamin, is thought to prevent neural tube defects. Neural tube defects occur in embryonic development when the spinal column fails to close. In general, good sources of folic acid and B vitamins include eggs, beans, whole grains, and dark, leafy green vegetables. The recommended amount of folic acid for pregnant women is 0.4 mg/day. Calcium is needed for fetal bone formation. Vitamin A helps build fetal resistance to infection. Iron is needed to build the fetus's hemoglobin and blood supply.

Cognitive Level—*Analyzing*
Client Needs Category—*Health promotion and maintenance*
Client Needs Subcategory—*None*

42. 1. To meet the pregnant adolescent's energy needs, a diet of 2,500 calories per day is necessary. Adequate nutrition is a problem for the pregnant adolescent because of her own growth coupled with the demands of pregnancy. Pregnant adolescents are often deficient in calcium, iron, folic acid, and calories. In their search for independence and identity, pregnant adolescents often refuse to eat foods suggested by their parents; instead, they eat fast food and snack on junk food that is not highly nutritious throughout the day. Eating centers on social gatherings and peer pressure. Presweetened beverages contain sugar and empty calories, so substituting them in place of soft drinks is not appropriate. Milk is a better choice. Carbohydrates and fats are needed every day to meet the adolescent's energy needs. Limiting them does not ensure adequate nutrition. Digestion is not affected in the pregnant adolescent, so limiting spicy foods is a personal choice.

Cognitive Level—*Analyzing*
Client Needs Category—*Health promotion and maintenance*
Client Needs Subcategory—*None*

43. 2. Adolescent girls frequently exhibit poor food choices and irregular eating habits due to their active schedules and busy lifestyles. Risk factors related to poor nutritional intake include frequently omitting meals, eating fast food, and consuming alcoholic beverages during a pregnancy, as well as being concerned about body weight and appearance, which may lead to limiting consumption of food. Fast food, which is easily accessible, is high in fat and sodium and low in nutrition. This age group is usually social and spends large amounts of time with peers. Living with a boyfriend is not necessarily a risk factor for nutritional deficiencies.

Cognitive Level—*Analyzing*
Client Needs Category—*Health promotion and maintenance*
Client Needs Subcategory—*None*

44. 1. An acceptable expected outcome for a pregnant adolescent client is that she will eat three balanced meals and two nutritious snacks each day. Normal weight gain during pregnancy is between 25 and 35 lb (11.3 and 15.9 kg). Therefore, a total weight gain of 50 lb (22.7 kg) is an inappropriate outcome. Only one prenatal vitamin is required per day. Normal caloric intake should increase to about 2,300 to 2,500 calories during pregnancy to support fetal growth.

Cognitive Level—*Analyzing*
Client Needs Category—*Safe and effective care environment*
Client Needs Subcategory—*Coordinated care*

45. 4. The average recommended weight gain during pregnancy is between 25 and 35 pounds (11.3 and 15.9 kg). Therefore, a weight gain of 10 pounds (4.5 kg) is inadequate to maintain fetal growth. Although weight gain is affected by food intake, this is not the most appropriate response. The nurse needs to point out the normalcy of gaining weight during pregnancy. Likewise, even though it may be normal for adolescents to be concerned about body image and appearances, pregnant adolescents need to be counseled and carefully monitored to ensure they gain adequate weight.

Cognitive Level—*Applying*
Client Needs Category—*Health promotion and maintenance*
Client Needs Subcategory—*None*

46. 1, 2, 3, 4, 5. Alcohol should be avoided during pregnancy because of the numerous documented psychophysiologic effects it has on the developing fetus. Coffee, tea, and cola beverages contain caffeine, a central nervous system stimulant that increases the heart rate of both the mother and fetus. Sports drinks should be limited because the effects on the fetus are not yet known. Orange juice is recommended because it is a good source of vitamin C, an essential vitamin that also helps with iron absorption.

Cognitive Level—*Applying*
Client Needs Category—*Health promotion and maintenance*
Client Needs Subcategory—*None*

47. 1. Edema is affected by sodium retention. Therefore, omitting or limiting salt from the diet will help alleviate lower extremity edema. Some edema is normal during the latter stages of pregnancy. However, a client with edema of the hands and face may have pregnancy-induced hypertension, a serious complication. Vitamin C, magnesium, and potassium are not associated with fluid retention and edema.

Cognitive Level—*Applying*
Client Needs Category—*Health promotion and maintenance*
Client Needs Subcategory—*None*

48. 1, 2, 3, 4. Because of their rapid growth and development, there are several nutritional concerns for pregnant adolescents related to their need for additional calories and increased levels of vitamins and minerals. Women who are overweight or underweight at the time of conception are at risk for nutritional deficits based on their prepregnancy eating patterns. Women who consume alcohol or smoke cigarettes during pregnancy are robbing their bodies and their growing fetuses of valuable nutritional intake; they are also placing their fetus at risk for fetal alcohol spectrum disorder. Those with a low income are at risk for nutritional problems because they may not have the financial resources to eat well-balanced meals or buy prenatal vitamins. Women who have a prepregnancy hemoglobin level of 13 g/dL (130 g/L) are within normal limits and are not at risk for nutritional problems such as anemia. Drinking four glasses of milk is the recommended daily requirement for pregnant women.

> **Cognitive Level**—*Analyzing*
> **Client Needs Category**—*Health promotion and maintenance*
> **Client Needs Subcategory**—*None*

Teaching the Pregnant Client

49. 2. Daily tub baths or showers are recommended for the client during pregnancy because women usually perspire more heavily and have a heavier vaginal discharge at this time. However, tub baths during the latter part of pregnancy increase the risk for falls because the protruding abdomen shifts the client's center of gravity. Safety mats, handgrips, and other safety precautions are recommended to prevent falls. Hot tubs and hot water used for bathing should be avoided because an elevated maternal core body temperature can produce harmful effects on the fetus. Warm water is acceptable for bathing or showering. Once the membranes rupture, tub baths should be avoided because of the increased risk of developing an infection.

> **Cognitive Level**—*Applying*
> **Client Needs Category**—*Physiological integrity*
> **Client Needs Subcategory**—*Basic care and comfort*

50. 4. If the client has a healthy pregnancy, no restrictions are placed on sexual intercourse. However, sexual intercourse is contraindicated if the client experiences vaginal bleeding, if the health care provider has diagnosed placenta previa, or if the membranes have ruptured. Also, a client with a history of premature labor should be cautioned about the danger of premature labor when experiencing orgasms after 32 weeks' gestation.

> **Cognitive Level**—*Applying*
> **Client Needs Category**—*Health promotion and maintenance*
> **Client Needs Subcategory**—*None*

51. 1, 4. Travel restrictions during pregnancy are indicated only when the client is unhealthy or experiencing complications. The optimal time for travel is during the second trimester of pregnancy, when the client is typically most comfortable. The client should be encouraged to carry a copy of her medical record whenever traveling. Wearing a seatbelt is the law in all states, but the pregnant woman should avoid wearing it for extended periods of time, meaning frequent breaks are required. When traveling, the pregnant woman should avoid sitting for prolonged periods and should walk every couple of hours to avoid complications related to venous stasis. It is permissible for pregnant women to eat different foods during travel. Typically, vaccinations are not given to pregnant women because of the risk to the developing fetus. Daily weights are not necessary when at home or during traveling.

> **Cognitive Level**—*Analyzing*
> **Client Needs Category**—*Health promotion and maintenance*
> **Client Needs Subcategory**—*None*

52. 1. Once fertilized, the ovum travels through the fallopian tube to the uterus, where it will be implanted, usually within 7 days. At the time of implantation there may be a small amount of bleeding similar to menstrual spotting. Such spotting is unrelated to increased circulation to the vagina or to hormonal changes. Dilation and effacement (enlargement and thinning of the cervix) occur during labor; they are not associated with spotting during the early stages of pregnancy.

> **Cognitive Level**—*Applying*
> **Client Needs Category**—*Health promotion and maintenance*
> **Client Needs Subcategory**—*None*

53. 4. By the 8th week of gestation, the embryo has developed enough to be called a fetus. The fetal stage of development, which lasts from the 8th week until term (40 weeks), mostly involves growth and maturation of structures begun during the embryonic stage. At 8 weeks, the extremities are developed; by the 12th week, the fetus not only has arms and legs, but also has fingers and toes. A *zygote* is the term used to identify the newly formed cell that develops when the sperm penetrates the ovum and fertilization occurs. During this stage, which lasts from fertilization to implantation in the uterus (usually 3 to 4 days), the zygote cell divides and grows, resembling a lumpy ball. During the embryonic stage, which marks the time from implantation to about 8 weeks' gestation, the body begins forming and the gender becomes distinguishable.

> **Cognitive Level**—*Applying*
> **Client Needs Category**—*Health promotion and maintenance*
> **Client Needs Subcategory**—*None*

54. 2. The amniotic fluid primarily serves as a medium to protect the fetus. It allows the fetus to move while keeping the fetal environment at a constant temperature. It also prevents the amnion from adhering to the fetus. It helps to maintain a consistent temperature within the uterine environment. The amniotic fluid does not provide the fetus with antibodies or oxygen. The broad and round ligaments support the uterus.

> **Cognitive Level**—*Applying*
> **Client Needs Category**—*Health promotion and maintenance*
> **Client Needs Subcategory**—*None*

Common Discomforts of Pregnancy

55. **2, 5.** Constipation may occur because of hormonal changes, increased uterine size, and decreased peristalsis later in pregnancy. Exercise, not rest, may assist with the control or relief of this discomfort. Also, a diet containing fresh fruit and vegetables, whole grains, and increased fluids will assist with controlling or relieving constipation. In addition, increasing fluids will help prevent constipation. Prenatal vitamins will not relieve constipation and may even contribute to it if each tablet contains minerals such as iron. A low-fat diet is not associated with constipation or its relief. Over-the-counter laxatives and other medications that stimulate bowel elimination are contraindicated unless prescribed by the health care provider. This includes enemas, use of mineral oil, and suppositories.

> **Cognitive Level**—*Applying*
> **Client Needs Category**—*Health promotion and maintenance*
> **Client Needs Subcategory**—*None*

56. **1.** During pregnancy, the client may develop varicose veins, especially in the lower extremities and rectal area (hemorrhoids). Varicose veins occur during pregnancy primarily because of impaired venous return, which is caused by the pressure of the enlarged uterus on venous circulation and the increased blood volume normally associated with pregnancy. Decreased cardiac output and changes in the body's center of gravity are not associated with the occurrence of varicose veins. Kidney function is not normally impaired during pregnancy.

> **Cognitive Level**—*Applying*
> **Client Needs Category**—*Health promotion and maintenance*
> **Client Needs Subcategory**—*None*

57. **4.** It is recommended that pregnant women with varicose veins move around after standing for extended time periods. This prevents stasis of blood in the lower extremities. Clients with varicose veins should be instructed to rest with their feet elevated, not in a dependent position. They should avoid wearing garters or knee-length or calf-length elastic-top hose because of the risk of impaired circulation.

> **Cognitive Level**—*Applying*
> **Client Needs Category**—*Health promotion and maintenance*
> **Client Needs Subcategory**—*None*

58. **4.** A client with varicose veins whose calves are red, tender, or warm to the touch should report this finding immediately because it could signal thrombophlebitis, a more serious problem. The presence of additional varicose veins is not a condition that needs immediate attention from the health care provider but should be addressed at the next routine visit. Varicose veins are normally purple in color. The client with varicose veins may report her legs feeling achy, tired, and heavy.

> **Cognitive Level**—*Applying*
> **Client Needs Category**—*Physiological integrity*
> **Client Needs Subcategory**—*Reduction of risk potential*

59. **2.** Itching of the skin is a common and annoying discomfort of pregnancy. It may occur during pregnancy because the enlarging uterus causes the abdominal skin to stretch. Drying agents, such as soaps and alcohol, as well as hot baths may also increase itching. Increasing fluid intake may improve skin elasticity and decrease the occurrence of itching. There is no correlation between vitamin C intake and decreased itching. Diphenhydramine is used for itching, but it is contraindicated for use during pregnancy because of the risk of fetal damage.

> **Cognitive Level**—*Applying*
> **Client Needs Category**—*Physiological integrity*
> **Client Needs Subcategory**—*Basic care and comfort*

60. **3.** The uterus rising in the abdomen exerts pressure on the diaphragm, thereby decreasing the client's lung capacity and causing her to feel short of breath. This problem is common during the third trimester of pregnancy and is considered normal. Shortness of breath during the third trimester is not related to anxiety about the impending birth, nor is it associated with a decreased oxygen supply secondary to slow venous circulation or clots in the lungs.

> **Cognitive Level**—*Analyzing*
> **Client Needs Category**—*Health promotion and maintenance*
> **Client Needs Subcategory**—*None*

61. **4.** Elevating the upper body on pillows while resting may help to relieve shortness of breath. Maintaining an erect posture when sitting or standing may also help to relieve this problem by increasing oxygen intake. It is unnecessary for the client to notify the health care provider immediately, but the health care provider should be made aware of any difficulty in breathing to rule out the presence of a serious problem. A mild sedative is not indicated for clients who exhibit shortness of breath. Decreasing activity may reduce the shortness of breath, but only temporarily.

> **Cognitive Level**—*Applying*
> **Client Needs Category**—*Physiological integrity*
> **Client Needs Subcategory**—*Basic care and comfort*

62. **3.** Frequent urination is common early in pregnancy because the enlarging uterus causes pressure on the urinary bladder. Also, urination is increased during pregnancy because the maternal blood volume increases and requires greater fluid elimination through increased urination. Although this is a continuing factor during pregnancy, many women get some relief as the uterus expands in the direction of the abdominal cavity and there is less secondary pressure on the bladder itself. When the uterus rises into the abdominal cavity, urinary frequency subsides. Placental maturity, fetal kidney function, and hormonal balance do not usually cause urinary frequency during early pregnancy.

> *Cognitive Level*—*Applying*
> *Client Needs Category*—*Health promotion and maintenance*
> *Client Needs Subcategory*—*None*

63. 3. Frequent urination is common in late pregnancy because the enlarged uterus descends into the pelvis, causing pressure on the urinary bladder. Frequency is unrelated to increased fetal waste. A urinary tract infection could cause increased frequency, but this is not the most probable cause late in pregnancy. A urinary tract infection is likely to cause additional symptoms, such as burning and painful urination. During the late stages of pregnancy, loss of bladder tone resulting in urinary frequency does not commonly occur.

> *Cognitive Level*—*Applying*
> *Client Needs Category*—*Health promotion and maintenance*
> *Client Needs Subcategory*—*None*

64. 1. Although limiting fluid intake before going to bed at night may help to manage nighttime urinary frequency, the client should be advised to maintain adequate intake during the day to help prevent dehydration. Reducing the intake of high-caffeine fluids and voiding before going to bed are both acceptable means of controlling urinary frequency. The client should also be taught to recognize and report signs of a urinary tract infection.

> *Cognitive Level*—*Analyzing*
> *Client Needs Category*—*Health promotion and maintenance*
> *Client Needs Subcategory*—*None*

65. 4, 5, 6. Wearing low-heeled shoes helps maintain the back in a more proper alignment and may relieve backaches associated with pregnancy. In addition, carrying objects close to the body and squatting when picking objects up from the floor will prevent back strain and backaches. A firm mattress may also help to relieve backaches by providing increased support to the lower back. Sleeping on a heating pad is likely to cause burns and may increase the maternal core temperature, which could harm the fetus. Regular use of pain relievers is contraindicated during pregnancy. Tight-fitting clothes do not usually cause backaches in pregnancy.

> *Cognitive Level*—*Applying*
> *Client Needs Category*—*Physiological integrity*
> *Client Needs Subcategory*—*Basic care and comfort*

66. 1. Nausea and heartburn, which are common discomforts during pregnancy, are believed to occur because of hormonal changes, decreased gastric motility, and displacement of the stomach and duodenum by the enlarging uterus. Eating frequent small meals, avoiding liquids during meals, and avoiding lying down after meals can prevent or limit nausea and heartburn. Antacid preparations may relieve these discomforts, but they should be taken only under a health care provider direction because they can affect iron absorption, cause fluid and electrolyte imbalance, and cause additional constipation. Eating the largest meal at night will add to heartburn, not help prevent it.

> *Cognitive Level*—*Analyzing*
> *Client Needs Category*—*Physiological integrity*
> *Client Needs Subcategory*—*Basic care and comfort*

67. 3. Decreased calcium levels and normal tension on muscles and tendons cause leg cramps during pregnancy. Pointing the toes toward the head (rather than the floor) may help to relieve leg cramps. Increasing milk intake rather than recommending generic protein intake will increase calcium levels. The client should be instructed not to massage her legs because of the danger of dislodging clots. Wearing support stockings will help prevent varicosities, not muscle cramps.

> *Cognitive Level*—*Applying*
> *Client Needs Category*—*Physiological integrity*
> *Client Needs Subcategory*—*Basic care and comfort*

68. 1. Mood swings are common during pregnancy and are related to the hormonal and psychological changes that accompany pregnancy. Mood changes are often unpredictable and can cause tension with the client's partner and within the family. Fatigue and stress decrease normal coping defenses and may cause or contribute to unpredictable behavior. The nurse should advise the client to avoid becoming fatigued and stressed and to get plenty of sleep. Mood swings produce erratic behavior; a situation that may appear acceptable 1 minute may be unacceptable the next. Therefore, it is unrealistic to advise the client to avoid interactions as a means of controlling her mood. Suggesting that the client be assessed for a mood disorder suggests prematurely that emotional instability is pathologic in this case. Asking the client if she has discussed mood swings with her health care provider and stating concern about her emotional liability implies that there is something abnormal or wrong with the client; therefore, these responses are inappropriate.

> *Cognitive Level*—*Analyzing*
> *Client Needs Category*—*Psychosocial integrity*
> *Client Needs Subcategory*—*None*

69. 1, 2, 5. Pregnant women who work should use breaks and lunch periods to rest. (This means that breaks and lunch periods must be taken.) Elevating the feet and legs on a chair during breaks and at lunch will help with fatigue, edema, backaches, and varicosities. To avoid urinary tract infections, the pregnant working woman should void every 2 hours or so. Avoiding excessive overtime will help with fatigue, and spacing work schedules out will also allow rest during days off. The pregnant working woman should get extra rest on her days off and on the weekends and may require extra sleep at night, but requiring 12 hours of sleep per night may not be feasible. Eating foods high in carbohydrates is not appropriate and will lead to weight gain. A well-balanced diet is important while working and when at home.

> *Cognitive Level—Analyzing*
> *Client Needs Category—Health promotion and maintenance*
> *Client Needs Subcategory—None*

70. 1. The nurse is responsible for teaching pregnant clients about signs and symptoms of potentially serious problems or complications associated with pregnancy or delivery. Headache and swelling of the face and fingers are signs of gestational hypertension and need to be reported immediately. Constipation, flatulence, muscle cramping, varicosities, and an increase in colorless, odorless vaginal secretions are all discomforts experienced during pregnancy; however, they are not generally considered causes for alarm.

> *Cognitive Level—Applying*
> *Client Needs Category—Physiological integrity*
> *Client Needs Subcategory—Reduction of risk potential*

High-Risk Factors and Pregnancy

71. 4. A client who is older than age 35 or younger than age 18 is considered at the highest risk for complications during pregnancy. A client who has had more than four pregnancies is also considered at risk for complications. A 25-year-old client experiencing her first pregnancy is not typically at an increased risk for complications. Nausea and vomiting are common in the first trimester, and placental attachment to the fundus is normal.

> *Cognitive Level—Analyzing*
> *Client Needs Category—Physiological integrity*
> *Client Needs Subcategory—Physiological adaptation*

72. 2. There is no known safe amount of alcohol that can be consumed by the mother during pregnancy. The effects of a mother's occasional alcohol consumption on the fetus are unknown. Because the fetus is unable to eliminate the byproducts of maternal alcohol consumption, which can lead to vitamin deficiencies and neurologic damage, the pregnant woman is encouraged to stop drinking all alcoholic beverages during pregnancy. Harmful effects of alcohol use disorder can occur throughout pregnancy, not just in the first trimester. Pregnant women with alcohol use disorder are referred to rehabilitation programs.

> *Cognitive Level—Analyzing*
> *Client Needs Category—Health promotion and maintenance*
> *Client Needs Subcategory—None*

73. 1. A woman who smokes during pregnancy increases the risk of complications for herself and her unborn child. Smoking constricts the blood vessels; during pregnancy, it is linked to premature births, low-birth-weight infants (not overweight ones), spontaneous abortions, and delayed mental and physical development of the child. In addition, there is a higher incidence of sudden infant death syndrome among infants who are exposed to second-hand smoke after birth. There is no known association between cigarette smoking and prenatal infections or increased incidence of cesarean births.

> *Cognitive Level—Applying*
> *Client Needs Category—Health promotion and maintenance*
> *Client Needs Subcategory—None*

74. 2. Chorionic villi sampling (CVS) involves removal of a small portion of placental tissue by inserting a plastic tube through the cervix or using a transabdominal needle. Ultrasound images assist in guiding the placement of the sampling tube. CVS is the preferred procedure for the client because it can be done as early as 8 to 11 weeks' gestation. An additional advantage of CVS is that the results, which can identify fetal DNA and chromosomes that may be abnormal, are obtained within 1 to 7 days of the procedure. Amniocentesis cannot be performed until the client is between 14 and 20 weeks' gestation, and the results usually are not available for 1½ to 4 weeks. Ultrasound can detect some congenital anomalies, but it is more useful as an adjunct to other tests such as amniocentesis. The rapid plasma reagin test is designed to screen for syphilis and does not detect genetic defects in the fetus.

> *Cognitive Level—Analyzing*
> *Client Needs Category—Physiological integrity*
> *Client Needs Subcategory—Reduction of risk potential*

75. 2. Chlamydia is a sexually transmitted infection caused by the bacterium *Chlamydia trachomatis*. A female client with this infection usually presents with a heavy, grayish white discharge and reports intense itching. Pain during urination and intercourse also occurs. Diagnosis is made by culture of the organism. Painful blisters are associated with herpes simplex type 2 virus infection. A white, curd-like vaginal discharge is associated with candidiasis (yeast infection), and a milky discharge that smells like fish is characteristic of bacterial vaginosis.

> *Cognitive Level—Applying*
> *Client Needs Category—Physiological integrity*
> *Client Needs Subcategory—Physiological adaptation*

76. 2. Chlamydia is the most common sexually transmitted infection in the United States, and all pregnant women should be tested as soon as antepartum visits begin. The pregnant woman with a chlamydial infection requires further teaching if she states that she will need to have a cesarean birth. This procedure is unnecessary because antibiotics can eradicate the infection before labor and delivery. Azithromycin given orally in a single dose is the drug of choice for pregnant clients, whereas either tetracycline or doxycycline is used for nonpregnant clients (tetracycline is harmful to the fetus). Sex partners of the client with *Chlamydia trachomatis* infection should be treated because this is a sexually transmitted infection, meaning that if infected sex partners are untreated, reinfection can occur. Also, males who are infected can develop urethritis, epididymitis, and orchitis. Newborns of untreated mothers are at risk for pneumonia and conjunctivitis. Atypical cells may show up on the Papanicolaou (Pap) test results.

> ***Cognitive Level****—Applying*
> ***Client Needs Category****—Physiological integrity*
> ***Client Needs Subcategory****—Reduction of risk potential*

77. 3. Bleeding from the vagina may indicate a complication of pregnancy, such as abruptio placentae, spontaneous abortion, or placenta previa. This problem must be brought to the health care provider's attention immediately. Breast tenderness, fetal movement, and frequent urination are usually normal occurrences during pregnancy and can be discussed with the health care provider during a routine visit.

> ***Cognitive Level****—Applying*
> ***Client Needs Category****—Physiological integrity*
> ***Client Needs Subcategory****—Reduction of risk potential*

78. 1, 2. Hyperemesis gravidarum is a serious condition characterized by persistent vomiting. It can result in dehydration and electrolyte imbalances. Severe cases of hyperemesis gravidarum require hospitalization for I.V. therapy to correct the dehydration and electrolyte imbalances. Because of frequent vomiting, it is imperative that the nurse record the amount and frequency of emesis. Therefore, an intake and output record is important when providing care for this client. Oxygen and face mask, cardiac monitor, a consent for a blood transfusion, and a suction machine may be ordered for various other reasons but are not routinely used in the care of the client hospitalized for hyperemesis gravidarum.

> ***Cognitive Level****—Analyzing*
> ***Client Needs Category****—Physiological integrity*
> ***Client Needs Subcategory****—Physiological adaptation*

Complications of Pregnancy

79. 1, 4. Pregnant clients with a preexisting disease such as hypertensive disease have an increased risk of developing complications during pregnancy. Pregnant clients who have had more than four pregnancies are also considered to be at increased risk for complications. A family history of twins does not increase the client's risk of complications. Normal weight gain during pregnancy is between 25 and 35 lb (11.3 and 15.9 kg). Women who work 40 hours per week in a factory or elsewhere are not necessarily at high risk. Spotting is relatively normal in the first trimester as the fertilized egg attaches to the uterine wall.

> ***Cognitive Level****—Analyzing*
> ***Client Needs Category****—Physiological integrity*
> ***Client Needs Subcategory****—Reduction of risk potential*

80.

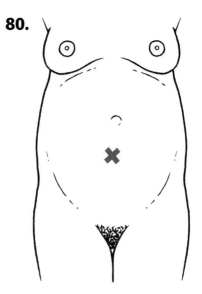

The cephalic position is the term used to indicate that the fetus's head lies in the direction of the mother's cervix. When the fetus is in this position, fetal heart tones are best auscultated midway between the mother's symphysis pubis and umbilicus.

> ***Cognitive Level****—Analyzing*
> ***Client Needs Category****—Health promotion and maintenance*
> ***Client Needs Subcategory****—None*

81. 2. The cervix is the lower portion of the uterus that dilates and thins during labor. An incompetent cervix dilates prematurely because it is unable to support the weight of the growing fetus. This complication occurs without labor, is painless, and usually occurs during the second trimester of pregnancy. If untreated, an incompetent cervix may result in a spontaneous abortion or premature birth if the baby is viable. The best nursing intervention is to prepare the client for a cervical suture or cerclage. This will support the fetus until removed, close to the due date. Forceps may be used for the birth but that does not prevent fetal loss from an incompetent cervix. Positioning the client on the left side and maintaining bedrest with bathroom privileges may be helpful but not as important as preparing the client for a cervical suture or cerclage.

> ***Cognitive Level****—Analyzing*
> ***Client Needs Category****—Health promotion and maintenance*
> ***Client Needs Subcategory****—None*

82. 1. The treatment of choice for a client with an incompetent cervix who is not experiencing labor contractions is the placement of a purse-string suture (cerclage) in the cervix to close the cervical opening. The suture is left in place until the client is near term (approximately the 37th week), when the client may go into labor spontaneously or be a candidate for a cesarean birth. The cerclage must be removed before delivery. Removing the cerclage at the end of the second trimester or at the point of viability is too early and may precipitate preterm labor and delivery.

Cognitive Level—*Applying*
Client Needs Category—*Physiological integrity*
Client Needs Subcategory—*Reduction of risk potential*

83. 2. It is a priority that the client is assessed for internal bleeding from a potential rupture of the ectopic pregnancy. Internal bleeding signs are an increased pulse rate and falling blood pressure. Other signs include dizziness and shortness of breath. The client would not be medicated as surgery may be required. Moving the client to the obstetric unit is not a priority. The positioning of the client is related to client comfort.

Cognitive Level—*Analyzing*
Client Needs Category—*Physiological integrity*
Client Needs Subcategory—*Physiological adaptation*

84. 4. The nurse should suspect gestational hypertension when a client has any unexpected weight gain. Other signs include proteinuria, decreased urine output, and a rise in blood pressure (higher than 140/90 mm Hg).

Cognitive Level—*Applying*
Client Needs Category—*Physiological integrity*
Client Needs Subcategory—*Physiological adaptation*

85. 3. Clients experiencing mild gestational hypertension will have proteinuria, with a +1 or +2 measurement using a urine reagent test strip. Other findings include a 30 mm Hg rise in the baseline systolic blood pressure or a 15 mm Hg rise in the baseline diastolic blood pressure, and a weight gain of 2 or more pounds (0.9 or more kilograms) per week during the second trimester. Edema may be present, but it is usually noted in the face and hands. Ankle edema may be present during pregnancy for a variety of reasons.

Cognitive Level—*Analyzing*
Client Needs Category—*Physiological integrity*
Client Needs Subcategory—*Reduction of risk potential*

86. 3. The care of the client with mild gestational hypertension can usually be managed at home; however, it is important for the client to return to the health care provider on a weekly basis. The client also needs to eat a diet high in protein and ensure that she is consuming adequate fluids because of protein loss during urination. She should also be instructed to remain on bed rest. The nurse should teach the client about danger signs, such as seizures, that must be reported to the health care provider immediately.

Cognitive Level—*Applying*
Client Needs Category—*Physiological integrity*
Client Needs Subcategory—*Reduction of risk potential*

87. 2. Magnesium sulfate is the drug of choice for seizure prophylaxis in women who have severe gestational hypertension. Magnesium sulfate prevents calcium ion transport, dilates cerebral blood vessels, and prevents platelet aggregation. In addition to assessing the vital signs, the nurse should check the client's deep tendon reflexes, urine output, fetal heart tones, oxygen saturation, respiratory rate, and serum magnesium blood level. Close monitoring of these findings

is necessary to detect the presence of or potential for magnesium toxicity. Glucose in the urine, blood in the stool, and constricted pupils are unrelated to magnesium toxicity.

Cognitive Level—*Applying*
Client Needs Category—*Physiological integrity*
Client Needs Subcategory—*Pharmacological therapies*

88. 4. The antidote for magnesium toxicity is a 10% solution of calcium gluconate. Recall that magnesium sulfate prevents calcium ion transport. For a muscle to contract, calcium ions must enter calcium channels on the membrane of motor neurons. If magnesium sulfate inhibits the flow of calcium ions, contraction of muscles—including the diaphragm, which is necessary for breathing—is impaired. Calcium gluconate is usually given I.V. and is instilled over 3 or more minutes to prevent the occurrence of ventricular fibrillation. Hydralazine is an antihypertensive; methylergonovine is usually given to control postpartum bleeding; and oxytocin is used to augment labor and to control postpartum bleeding.

Cognitive Level—*Applying*
Client Needs Category—*Physiological integrity*
Client Needs Subcategory—*Pharmacological therapies*

89. 2. A respiratory rate of less than 12 breaths/minute is associated with magnesium toxicity due to the inhibition of calcium interfering with skeletal muscle contraction, which includes contraction of the diaphragm. Additional indications of magnesium toxicity include diminished deep tendon reflexes, urine output of less than 100 mL in 4 hours, signs of fetal distress, and a magnesium serum level above 10 mg/dL (4 mmol/L). If any of these occur, magnesium sulfate should be discontinued and the health care provider notified immediately.

Cognitive Level—*Analyzing*
Client Needs Category—*Physiological integrity*
Client Needs Subcategory—*Pharmacological therapies*

90. 1. The client with gestational hypertension is said to have developed eclampsia if she begins to have seizures. The onset of seizures due to cerebral edema indicates the development of eclampsia. Eclampsia can lead to a comatose state and maternal as well as fetal mortality. Severe headache, abdominal pain, muscle hyperirritability, apprehension, and twitching often precede seizures associated with eclampsia. Drowsiness, bradycardia, and vomiting are not manifestations of eclampsia.

Cognitive Level—*Applying*
Client Needs Category—*Physiological integrity*
Client Needs Subcategory—*Physiological adaptation*

91. 4. A urine dipstick reading of +3 for protein is the most important finding that the nurse should report the health care provider. A urine dipstick is a common prenatal test typically completed on the first prenatal visit and then periodically throughout the pregnancy. Results of the test can indicate potential problems, such as hyperglycemia, preeclampsia, and kidney problems. A 3 plus protein result is abnormal and needs to be reported. The blood glucose and blood pressure results will be documented and trended to note any changes from baseline. A urinalysis documenting a white blood cell count of 3/hpf is within normal limits.

Cognitive Level—*Analyzing*
Client Needs Category—*Safe and effective care environment*
Client Needs Subcategory—*Coordinated care*

92. 1. Clients are asked to determine fetal movement (kicks, rolls, swishes) to determine fetal well-being. The standard kick count is 10 to 15 within 2 hours. A kick count of 28 kicks/4 hours falls within normal limits. The results are communicated to the client.

Cognitive Level—*Analyzing*
Client Needs Category—*Health promotion and maintenance*
Client Needs Subcategory—*None*

93. 4, 5, 6. Vaginal bleeding, abdominal cramping, and backaches are typical symptoms that clients report with the occurrence of a threatened abortion. These signs and symptoms may resolve without losing the fetus, but the opposite may occur as well. Severe headaches and persistent tachycardia are not normal and should be reported to the health care provider, but someone experiencing a spontaneous abortion does not usually manifest these symptoms. Cold, clammy skin also is not associated with spontaneous abortion.

Cognitive Level—*Analyzing*
Client Needs Category—*Physiological integrity*
Client Needs Subcategory—*Reduction of risk potential*

94. 1. When the cervix is dilated but the fetus and placenta remain in the uterus, spontaneous abortion is inevitable and the client will require birth of the fetus and placenta or a dilation and curettage (D&C) to remove the remaining products of conception. The client should be prepared physically and emotionally for the procedure. Placing the client in Trendelenburg position, preparing the client for placement of a purse-string stitch, and placing the client in the side-lying position are not usually included in the care of the client experiencing an inevitable spontaneous abortion.

Cognitive Level—*Applying*
Client Needs Category—*Physiological integrity*
Client Needs Subcategory—*Physiological adaptation*

95. 1. An inevitable abortion means that there is no hope of saving the fetus. The nurse must provide much-needed emotional support. The client and family members are encouraged to verbalize their feelings to facilitate their abilities to cope with the situation. Telling the client that there are opportunities for additional pregnancies in the future disregards the significance of the mother's present loss. Suggesting that the client avoid stress does not facilitate expression of her feelings and hinders her ability to cope with the situation. Telling the client that things will work out for the best does not acknowledge the justifiable sorrow that the client is experiencing. It also does not show much-needed emotional support.

Cognitive Level—*Applying*
Client Needs Category—*Psychosocial integrity*
Client Needs Subcategory—*None*

96. 3. The insulin requirement for the pregnant client with type 1 diabetes will fluctuate during pregnancy. During implantation, progesterone levels rise, counteracting the effect of insulin and causing a temporary increased need for insulin. After the 5th and 6th weeks of pregnancy, the need for insulin decreases because the mother is transporting increased amounts of glucose to the growing fetus. Later in pregnancy, the need for insulin usually increases because of increasing amounts of the hormones estrogen and progesterone, which cause insulin resistance in the client. During the postpartum period, the hormone levels are lower, which decreases the requirements for insulin.

Cognitive Level—*Applying*
Client Needs Category—*Physiological integrity*
Client Needs Subcategory—*Pharmacological therapies*

97. 2. A pregnant client who has diabetes is predisposed to higher risks for complications than the pregnant clients without diabetes. The pregnant client with diabetes has an increased risk of developing gestational hypertension, especially if vascular changes secondary to diabetes have already developed. Some other complications that may occur secondary to diabetes include infection due to elevated blood glucose levels that support pathogenic growth; hydramnios, an increase in the volume of amniotic fluid, thought to be caused by increased urination by the fetus in utero from fetal hyperglycemia; dystocia, difficult labor, due to a large-birth-weight infant; possible birth trauma related to the large size of the fetus; and postpartum hemorrhage. Hyperemesis gravidarum, placenta previa, and toxoplasmosis are not associated with diabetes during pregnancy.

Cognitive Level—*Applying*
Client Needs Category—*Physiological integrity*
Client Needs Subcategory—*Physiological adaptation*

98. 1. The pregnant client with diabetes is at greatest risk for having a baby that is larger than average in both size and weight. During pregnancy, the fetus stores glycogen from the mother's elevated blood glucose. After birth, the infant's supply of insulin metabolizes the glucose, predisposing the infant to hypoglycemia. Because hypoglycemia is a complication, the baby will require frequent blood glucose testing for the first several hours. Other fetal effects of diabetes include congenital deformities, prematurity, and respiratory distress syndrome. However, the fetus of a client whose diabetes is well controlled during pregnancy rarely experiences other fetal effects such as low birth weight, insulin dependency, and difficulty metabolizing simple sugars.

Cognitive Level—*Applying*
Client Needs Category—*Physiological integrity*
Client Needs Subcategory—*Physiological adaptation*

99. 3. The preferred course of treatment is to maintain the pregnancy as close to term as possible. If the client is stable, the health care provider usually prescribes bed rest and continuous client observation. With marginal or partial placenta previa, vaginal birth is possible. Uncontrolled hemorrhaging, fetal distress, or complete placenta previa requires immediate delivery of the fetus, usually by cesarean birth. Ritodrine is indicated for premature labor; however, this medication is not routinely used for clients with placenta previa.

> *Cognitive Level—Applying*
> *Client Needs Category—Physiological integrity*
> *Client Needs Subcategory—Physiological adaptation*

100. 2, 6. The client with placenta previa is at risk for shock due to hemorrhaging. Therefore, a baseline blood pressure measurement and a pulse rate should be obtained so that those involved in the client's care can evaluate further changes. Significant findings must also be reported to the health care provider immediately because this is a condition that is a medical emergency. When a client is admitted to the hospital, the client's height and weight as well as her obstetric, general health, and drug histories are obtained. In this situation, obtaining the client's blood pressure and pulse takes priority over admittance information. The urinalysis and beta-streptococcal laboratory results are not priorities at this point.

> *Cognitive Level—Analyzing*
> *Client Needs Category—Physiological integrity*
> *Client Needs Subcategory—Physiological adaptation*

101. 4, 5, 6. Abruptio placentae is a separation of the placenta from its site of implantation. It differs from placenta previa in that the client experiences painful bleeding rather than painless bleeding. The bleeding is accompanied by uterine contractions and fetal distress. The client with gestation hypertension is at risk for developing abruptio placentae. Other factors associated with the occurrence of abruptio placentae include essential hypertension, previous history of placenta previa, dietary deficiencies, trauma to the abdomen, multiparity, and a history of alcohol or cocaine use disorder, the latter of which may be responsible for vasospasm of uterine blood vessels. Gestational diabetes, hyperemesis gravidarum, and oligohydramnios are not associated with abruptio placentae.

> *Cognitive Level—Analyzing*
> *Client Needs Category—Physiological integrity*
> *Client Needs Subcategory—Physiological adaptation*

102. 1, 5. The bleeding associated with abruptio placentae may be obvious or concealed. A rigid, board-like abdomen is commonly observed in clients with concealed hemorrhaging. Other signs and symptoms of abruptio placentae include severe abdominal pain, dark red vaginal bleeding, maternal shock, and fetal distress with a heart rate less than 100 beats/minute. Severe nausea and vomiting, painless vaginal bleeding, and seizures are not manifestations of abruptio placentae.

> *Cognitive Level—Analyzing*
> *Client Needs Category—Physiological integrity*
> *Client Needs Subcategory—Physiological adaptation*

103. 1. Abruptio placentae requires an emergency cesarean birth because without an intact, functioning placenta, the fetus will not receive adequate oxygenation or nutrients to survive. Written consent should be obtained immediately from the client or a family member. A client with vaginal bleeding is not given an enema. A client with a complete abruption is not usually placed in Trendelenburg position (where the feet are higher than the head) because of the pooling of blood in the uterus. A contraction stress test is inappropriate for a client with any type of abruption.

> *Cognitive Level—Applying*
> *Client Needs Category—Physiological integrity*
> *Client Needs Subcategory—Physiological adaptation*

104. 3. Any I.M. injection can be administered using the Z-track method, but there are certain medications for which this method is mandatory. Z-track injections are given deeply into a large muscle. The ventrogluteal site, which includes the gluteus medius and gluteus minimus muscles, is the preferred site for administering an injection by the Z-track technique. The deltoid muscle is used for I.M. injections; however, it is a smaller muscle in comparison to other I.M. injection sites and cannot accommodate large amounts of medication. Neither the trapezius muscle (located in the back and the shoulder) nor the latissimus dorsi (the widest muscle in the back) is used for I.M. injections.

> *Cognitive Level—Applying*
> *Client Needs Category—Safe and effective care*
>   *environment*
> *Client Needs Subcategory—Safety and infection*
>   *control*

105. 1. Using the Z-track technique allows the nurse to deposit a medication deeply into the muscle so that the tissue will self-seal, thereby keeping the medication from leaking into the subcutaneous tissues. It also reduces pain during the injection. It is especially important to use this method when injecting medication that irritates or stains tissue, such as iron preparations, and medications that require absorption over a long period of time, such as those the pharmaceutical company advocates be given as a depot injection. When giving a medication by Z-track technique, the nurse pulls the tissue laterally (to the side) about 1 to 1.5 in (2.5 to 3.75 cm) until it is taut and holds the tissue in position during the actual injection, releasing it only after the needle is withdrawn. It is inappropriate to pull the tissue superiorly, proximally, or obliquely when using this technique.

> *Cognitive Level—Applying*
> *Client Needs Category—Safe and effective care*
>   *environment*
> *Client Needs Subcategory—Safety and infection*
>   *control*

106. 2. Exposure to rubella (German measles) during the first trimester of pregnancy increases the risk of the fetus developing congenital rubella syndrome. Major manifestations of this congenital condition include blindness, deafness, heart defects, cognitive impairment, cleft lip, and cleft palate. Premature labor, severe preeclampsia, and hydatidiform moles are not associated with rubella exposure.

> *Cognitive Level*—*Applying*
> *Client Needs Category*—*Health promotion and maintenance*
> *Client Needs Subcategory*—*None*

107. 2. The LPN/LVN is co-assigned duties with the registered nurse. The LPN/LVN is best assigned routine to intrapartum clients. The best assignment is the 22-year-old client who is close to term pregnancy. The other options are clients experiencing potential complications.

> *Cognitive Level*—*Analyzing*
> *Client Needs Category*—*Safe and effective care environment*
> *Client Needs Subcategory*—*Coordinated care*

108. 4. A hydatidiform mole is a mass of tissue that forms within the uterus as the result of a genetic error during the fertilization process, when a nonviable, fertilized egg implants in the uterus. A grape-like mass composed of numerous clear vesicles develops as the tissue deteriorates. A malignancy called *choriocarcinoma* may develop from a hydatidiform mole. A hydatidiform mole is suspected when there is abnormally rapid uterine growth resulting in a uterus that is larger than expected for the woman's gestational dates. This condition is also suspected when fetal heart tones and fetal movement are not detected, when there is excessive or persistent nausea and vomiting, and when gestational hypertension develops before 20 to 24 weeks' gestation. Vaginal bleeding may be continuous or intermittent, and the human chorionic gonadotropin level is greatly elevated. A blotchy brown discoloration to the face (chloasma) is not associated with this condition. A positive Chadwick sign refers to the purple coloring of

the vulva and vagina early in pregnancy; this is a normal finding. Ballottement is a normal indication of pregnancy occurring between the 16th and 20th weeks of gestation; it is elicited when the examiner taps the uterus and the fetus floats to the top of the uterus, then back down.

> *Cognitive Level*—*Applying*
> *Client Needs Category*—*Physiological integrity*
> *Client Needs Subcategory*—*Reduction of risk potential*

109. 3. The U.S. Centers for Disease Control and Prevention recommends that pregnant women who are at risk for hepatitis B virus (HBV) be tested during pregnancy. High-risk groups include women who emigrated from a poverty-stricken country; recipients of repeated blood transfusions; I.V. drug users or partners of I.V. drug users; women who have been exposed to HBV; and women who have multiple sex partners. HBV infection is not linked to clients who smoke, who are single and pregnant for the first time, or who have been exposed to *Haemophilus influenzae.*

> *Cognitive Level*—*Applying*
> *Client Needs Category*—*Health promotion and maintenance*
> *Client Needs Subcategory*—*None*

Elective Abortion

110. 3. When counseling a client who is unsure of the future of her pregnancy, it is best to provide the information that is asked. Fetal viability is the ability of the neonate to live outside of the mother. Due to technological advances, viability is considered to be after at least 22 weeks' gestation.

> *Cognitive Level*—*Applying*
> *Client Needs Category*—*Health promotion and maintenance*
> *Client Needs Subcategory*—*None*

The Nursing Care of Intrapartum, Postpartum, and Newborn Clients

- Admission of the Client to a Labor and Delivery Facility
- Nursing Care of Clients During the First Stage of Labor
- Nursing Care of Clients During the Second Stage of Labor
- Nursing Care of Clients During the Third Stage of Labor
- Nursing Care of Clients During the Fourth Stage of Labor
- Nursing Care of Clients Having a Cesarean Birth
- Nursing Care of Clients Having an Emergency Birth
- Nursing Care of Clients Having a Stillborn Baby
- Nursing Care of Clients During the Postpartum Period
- Nursing Care of the Newborn Client
- Nursing Care of Newborns with Complications
- Test Taking Strategies
- Correct Answers and Rationales

Directions: *With a pencil, blacken the space in front of the option you have chosen for your correct answer.*

Admission of the Client to a Labor and Delivery Facility

A 25-year-old primigravid client in the last trimester of pregnancy calls the health care provider's office and tells the nurse, "I think I'm in labor."

1. What findings warrant instructing the client to notify the health care provider and report to the hospital's labor and delivery unit **immediately**? Select all that apply.
[ ] 1. The client is having contractions every 5 minutes.
[ ] 2. The client feels a burst of energy.
[ ] 3. The client experiences a sudden gush of fluid from the vagina.
[ ] 4. The client experiences urinary frequency.
[ ] 5. The client notices blood-tinged mucus from the vagina.
[ ] 6. The client reports that she has felt the baby "drop."

The client arrives at the hospital and is admitted to the labor, delivery, recovery, and postpartum (LDRP) unit. The nurse obtains the client's health and pregnancy history.

2. When obtaining a client's admission history, which data are most pertinent? Select all that apply.
[ ] 1. "When did you last eat?"
[ ] 2. "Have you ever had an enema?"
[ ] 3. "When did the contractions start?"
[ ] 4. "When is your baby due?"
[ ] 5. "When was the last time you felt the baby move?"

3. The registered nurse asked the LPN/LVN to place the client on the fetal monitor to assess the contractions. At which location on the fetal monitor strip will the nurse begin timing uterine contractions?

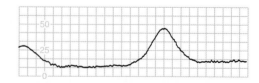

The client informs the nurse about a previous admission to the unit 3 days ago with "false labor."

4. What statement made by the client indicates a characteristic of Braxton Hicks contractions?
[ ] **1.** "The contractions are less strong when I walk."
[ ] **2.** "The contractions are regular, and I can time them."
[ ] **3.** "The contractions get stronger no matter what I am doing."
[ ] **4.** "The contractions start in my lower back."

During the admission process, the nurse obtains the client's vital signs.

5. When is the **most appropriate** time to take the client's blood pressure?
[ ] **1.** After a contraction before the next one begins
[ ] **2.** At the end of a contraction before it is complete
[ ] **3.** At the onset of the contraction before its peak intensity
[ ] **4.** Midway in the contraction when it is at its greatest intensity

The nurse palpates the uterus to measure the fundal height of a pregnant woman at 40 weeks' gestation.

6. Identify with an *X* the area on the abdomen where the nurse should feel the uterine fundus.

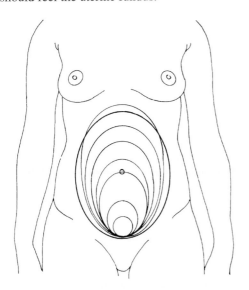

7. A client with preterm contractions at 32 weeks' gestation has an amniocentesis to assess fetal lung maturity. What laboratory test would the nurse monitor?
[ ] **1.** Alpha-fetoprotein test (AFP)
[ ] **2.** TORCH panel
[ ] **3.** Chorionic villus sampling
[ ] **4.** Phosphatidylglycerol (PG)

Nursing Care of Clients During the First Stage of Labor

A 30-year-old primigravid client is admitted to the labor, delivery, recovery, and postpartum (LDRP) unit of a local hospital. The health care provider plans to perform a vaginal examination to determine the status of labor.

8. How can the nurse **best** prepare to assist with the vaginal examination?
[ ] **1.** By having sterile gloves available for the health care provider
[ ] **2.** By placing the client in the left side-lying position
[ ] **3.** By instructing the client to halt breathing during the examination
[ ] **4.** By giving the client an enema before the examination

After the vaginal examination, the health care provider indicates that the client is in the latent phase of the first stage of labor. A progress note is written in the client's admission records.

9. When the nurse reviews the client's admission records, what assessment finding is the **most reliable** indicator that the client is in true labor?
[ ] **1.** Contractions are regular and increasing in duration and intensity.
[ ] **2.** Contractions radiate from the lower back to the lower abdomen.
[ ] **3.** Bloody show is present.
[ ] **4.** The cervix is dilating.

10. During the latent phase, what findings can the nurse expect to notice when assessing the client? Select all that apply.
[ ] **1.** Contractions occurring every 10 to 15 minutes
[ ] **2.** Fetal heart rate of 120 to 160 bpm
[ ] **3.** Bulging perineum
[ ] **4.** Early decelerations
[ ] **5.** Irritable mood in the client
[ ] **6.** Client reports, "I feel my bowels may move"

11. What nursing instructions are appropriate to make to the client during the latent phase of labor? Select all that apply.
[ ] **1.** "As long as your membranes are intact, you may walk around the unit."
[ ] **2.** "You may have clear liquids or ice chips as needed."
[ ] **3.** "Pant when you experience a contraction."
[ ] **4.** "Avoid bathing until after the birth."
[ ] **5.** "Put on your call light when you feel a contraction coming on."
[ ] **6.** "You may have pain medication when your contractions are 2 minutes apart."

12. During the latent phase of the first stage of labor, how often should the nurse plan to assess the fetal heart rate?
[ ] **1.** Every 5 to 15 minutes
[ ] **2.** Every 15 to 30 minutes
[ ] **3.** Every 30 to 60 minutes
[ ] **4.** Every 60 to 90 minutes

The primigravid client tells the nurse, "I plan to have an epidural for pain management," and asks the nurse, "When can I expect to receive it?"

13. An epidural is best performed when the client is how many centimeters dilated?
[ ] **1.** 3 to 4
[ ] **2.** 5 to 6
[ ] **3.** 7 to 8
[ ] **4.** 9 to 10

The registered nurse performs a vaginal examination of the client. The nurse determines that the labor is progressing and the cervix is dilated 6 cm.

14. When assessing the frequency and duration of the client's contractions during this phase of labor, the nurse expects to find that the contractions are occurring every 3 to 5 minutes and lasting up to how many seconds?
[ ] **1.** 30
[ ] **2.** 40
[ ] **3.** 60
[ ] **4.** 90

Labor has progressed, and the primagravid client enters the transition phase of the first stage of labor.

15. What assessment finding will the nurse expect to observe during this phase?
[ ] **1.** Cervix dilated to 10 cm
[ ] **2.** Crowning of the presenting part
[ ] **3.** Increased bloody show
[ ] **4.** Contractions lasting up to 60 seconds

16. What nursing action is **best** for meeting the client's needs during the transition phase?
[ ] **1.** Encouraging the client to ambulate
[ ] **2.** Praising the client frequently
[ ] **3.** Instructing the client to push with each contraction
[ ] **4.** Massaging the client's back between contractions

A 29-year-old multiparous client who has had an uneventful, healthy pregnancy is admitted to the hospital. The health care provider informs the client that the active phase of the first stage of labor is in progress. The records also show that the full-term fetus is in the left occipitoposterior (LOP) position.

17. When the fetus is in the left occipitoposterior (LOP) position, what nursing intervention is **most appropriate**?
[ ] **1.** Assisting the client to the knee-chest position to relieve back pain
[ ] **2.** Placing the client in Trendelenburg position to prevent cord prolapse
[ ] **3.** Assisting with preparation of equipment for a precipitous birth
[ ] **4.** Having the client void frequently to minimize displacement of the uterus

18. To prevent distention of the client's bladder during the active phase of labor, what nursing intervention is **most** appropriate?
[ ] **1.** Instructing the client to limit fluid intake
[ ] **2.** Decreasing the rate of the I.V. infusion
[ ] **3.** Offering solid foods instead of liquids
[ ] **4.** Encouraging the client to void every 2 hours

19. The nurse places an external fetal monitor on the client and observes this monitoring strip:

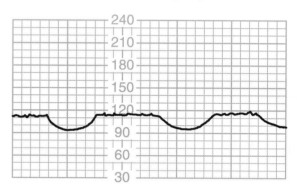
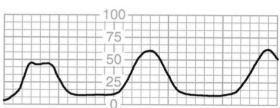

After analyzing the monitoring strip, into what position should the nurse assist the client?
[ ] **1.** Left lateral
[ ] **2.** Right lateral
[ ] **3.** Supine
[ ] **4.** Prone

20. To correctly assess the duration of a contraction, the nurse counts the time between which intervals?
[ ] **1.** The beginning of one contraction and the end of the same contraction
[ ] **2.** The end of one contraction and the beginning of the next contraction
[ ] **3.** The beginning of one contraction and the end of the next contraction
[ ] **4.** The beginning of one contraction and the beginning of the next contraction

21. What method represents the **most accurate** technique to use when assessing the client's contractions?
[ ] **1.** Place the hand over the fundus of the uterus, which is located just above the umbilicus.
[ ] **2.** Place the hand over the inferior portion of the uterus, which is located just above the umbilicus.
[ ] **3.** Place the hand over the fundus of the uterus, which is located midway between the umbilicus and the symphysis pubis.
[ ] **4.** Place the hand over the inferior portion of the uterus, which is located midway between the umbilicus and the symphysis pubis.

The client tells the nurse, "I think my water broke." The nurse performs a nitrazine test and confirms that the membranes have ruptured.

22. What color does the test strip turn if the membranes have ruptured?
[ ] **1.** Blue
[ ] **2.** Yellow
[ ] **3.** Red
[ ] **4.** Green

23. What actions should the nurse perform **immediately** after the membranes are ruptured? Select all that apply.
[ ] **1.** Check the client's pulse.
[ ] **2.** Insert an indwelling catheter.
[ ] **3.** Perform a vaginal examination.
[ ] **4.** Check the fetal heart rate.
[ ] **5.** Inspect the fluid for meconium.
[ ] **6.** Prepare the room for imminent birth.

Because the nitrazine test results indicate that the membranes have ruptured, the health care provider prescribes internal electronic fetal monitoring. The client asks the nurse, "Is there any danger of this procedure causing harm to my baby?"

24. What response by the nurse provides the **best** explanation of the procedure and potential risks, if any, associated with internal electronic fetal monitoring?
[ ] **1.** "The procedure requires attachment of a small spiral electrode to the fetal scalp and poses a slight risk of soft tissue injury and infection."
[ ] **2.** "The procedure requires insertion of a soft, water-filled catheter into the uterus and poses no risk of injury to you or your baby."
[ ] **3.** "The procedure requires placement of an ultrasound transducer over your abdomen and poses no risk to you or your baby."
[ ] **4.** "The procedure requires application of a suction cup to the fetal scalp and poses a slight risk for the development of a hematoma."

25. What assessment finding is **most indicative** of fetal distress?
[ ] **1.** Fetal heart rate of 140 bpm
[ ] **2.** Presence of fetal heart rate accelerations
[ ] **3.** Presence of green amniotic fluid
[ ] **4.** Increased amount of bloody show

The multiparous client continues in active labor and tells the nurse, "I haven't had anything to eat for 24 hours. Can I have something to eat now?"

26. What response by the nurse is the **best** explanation for why solid food is not given at this time?
[ ] **1.** "It may alter the absorption of regional anesthetics."
[ ] **2.** "It may alter the duration and frequency of contractions."
[ ] **3.** "It may cause fetal distress."
[ ] **4.** "It may cause nausea and vomiting."

After a sterile vaginal examination is performed, the client tells the nurse, "I overheard the health care provider say that the baby is in the vertex position. What does that mean?"

27. What response by the nurse provides the **best** explanation regarding vertex positioning?
[ ] **1.** "The head is entering the birth canal first."
[ ] **2.** "The feet are entering the birth canal first."
[ ] **3.** "The buttocks are entering the birth canal first."
[ ] **4.** "The shoulder is entering the birth canal first."

28. During evaluation of the client's contractions during the active phase of the first stage of labor, when is it most important for the nurse to notify the health care provider?
[ ] **1.** When the contractions occur every 3 to 5 minutes
[ ] **2.** When the contractions last longer than 45 seconds
[ ] **3.** When the uterus relaxes between contractions
[ ] **4.** When the fetal heart rate drops after the acme of a contraction

The nurse is caring for a client in preterm labor. The health care provider writes a prescription for terbutaline sulfate.

29. The nurse should carefully monitor the client for what adverse reactions to terbutaline sulfate? Select all that apply.
[ ] **1.** Anxiety
[ ] **2.** Tremors
[ ] **3.** Nervousness
[ ] **4.** Hypoglycemia
[ ] **5.** Oliguria
[ ] **6.** Rash

30. When is it necessary for the nurse to withhold the terbutaline sulfate and notify the health care provider?
[ ] **1.** When the electronic monitor reveals that the client is having mild contractions
[ ] **2.** When the cervix is dilated 4 cm or greater or is effaced 50% or more
[ ] **3.** When the electronic monitor reveals the presence of fetal heart rate variability
[ ] **4.** When the client states that the contractions are milder and occurring less frequently

Nursing Care of Clients During the Second Stage of Labor

The nurse cares for a 30-year-old multiparous client who is in the transition phase of the first stage of labor.

31. What assessment finding is the **best** indication that the client has entered the second stage of labor?
[ ] **1.** The perineum is bulging.
[ ] **2.** Contractions are lasting 30 to 60 seconds.
[ ] **3.** The cervix is dilated to 8 cm.
[ ] **4.** The client becomes agitated with her spouse.

32. When should the nurse begin preparing this client for birth?
[ ] **1.** When the client is about 7 cm dilated
[ ] **2.** When the fetal head begins to crown
[ ] **3.** When the health care provider arrives
[ ] **4.** When the client is completely dilated

The client tells the nurse, "I feel like I need to push."

33. What action should the nurse take **first**?
[ ] **1.** Instruct the client to push with the next contraction.
[ ] **2.** Place the client in a semi-Fowler position.
[ ] **3.** Check that the client's cervix is fully dilated.
[ ] **4.** Advise taking a cleansing breath before pushing.

The client reports pain and asks the nurse, "Can I have some more pain medication? I think that the last nurse gave me a narcotic."

34. The nurse correctly explains that opioid narcotics are not given at this time because opioid analgesics during this stage of labor may have what effect?
[ ] **1.** Decrease the effectiveness of the contractions
[ ] **2.** Cause the uterus to rupture
[ ] **3.** Result in respiratory depression in the newborn
[ ] **4.** Cause increased fetal activity

The health care provider arrives for birth and requests that the client be prepared for epidural anesthesia.

35. The nurse is aware that the epidural anesthetic will take how long to become effective?
[ ] **1.** Immediately
[ ] **2.** In 10 to 20 minutes
[ ] **3.** In 30 to 40 minutes
[ ] **4.** In approximately 1 hour

36. For which complication should the nurse assess the client immediately after the administration of the epidural anesthetic?
[ ] **1.** Maternal hypotension
[ ] **2.** Fetal tachycardia
[ ] **3.** Spinal headache
[ ] **4.** Lower extremity paralysis

37. What modification to the client's care plan is required after the client has undergone the epidural?
[ ] **1.** Oxygen is administered to prevent hypoxia.
[ ] **2.** The nurse instructs the client when to push.
[ ] **3.** Oxytocin is administered to augment labor.
[ ] **4.** The client is catheterized to prevent incontinence.

38. What sequence should the nurse follow when cleaning the client's perineum in preparation for birth of the newborn?
[ ] **1.** Pubic bone to lower abdomen, both inner thighs, right and left labia, vagina to anus
[ ] **2.** Vagina to anus, right and left labia, both inner thighs, pubic bone to lower abdomen
[ ] **3.** Both inner thighs, right and left labia, vagina to anus, pubic bone to lower abdomen
[ ] **4.** Left and right labia, vagina to anus, both inner thighs, pubic bone to lower abdomen

The health care provider informs the client that she needs to have an episiotomy. The client begins to cry and asks the nurse, "Why do I have to have an episiotomy?"

39. What response by the nurse **best** explains the need for an episiotomy?
[ ] **1.** "An episiotomy is necessary to prevent uterine rupture."
[ ] **2.** "An episiotomy is necessary to prevent postpartum infection."
[ ] **3.** "An episiotomy is necessary to prevent perineal laceration."
[ ] **4.** "An episiotomy is necessary to prevent rectal trauma."

Nursing Care of Clients During the Third Stage of Labor

A 31-year-old client has just delivered a healthy baby girl. While waiting for the expulsion of the placenta, the nurse's attention is focused on caring for the newborn.

40. What item should the nurse have available to meet the infant's priority need immediately after birth?
[ ] **1.** Cord clamp
[ ] **2.** Warm blanket
[ ] **3.** Bulb syringe
[ ] **4.** Oxygen supply

The newborn is assigned an Apgar score of 7 at 5 minutes.

41. The nurse recognizes that the newborn is in what condition based on the Apgar score?
[ ] **1.** Severely distressed
[ ] **2.** Moderately distressed
[ ] **3.** Stable but requiring close monitoring
[ ] **4.** Vigorous with no signs of distress

42. What should the nurse do **initially** to facilitate mother-infant attachment and prevent the healthy newborn from developing distress?

[ ] **1.** Give the newborn to the mother immediately after initial care is given in the delivery room.

[ ] **2.** Immediately dry the newborn and then place the newborn skin to skin on the mother's abdomen.

[ ] **3.** Place the newborn in a radiant warmer for 5 minutes, then wrap the newborn and give the infant to the mother.

[ ] **4.** Place the newborn in the radiant warmer and position the warmer so the mother can see the newborn.

The nurse tells the parents that the newborn will receive an injection of vitamin K and erythromycin eye ointment.

43. When preparing to administer vitamin K to the infant, the nurse chooses what site for injection? Place an *X* on the appropriate site:

44. When the newborn's parent asks what the purpose of vitamin K is, the nurse correctly explains that vitamin K is given for what reason?

[ ] **1.** To stimulate respirations

[ ] **2.** To promote peristalsis

[ ] **3.** To decrease the risk for hemorrhage

[ ] **4.** To increase calcium absorption

The newborn's parents also want to know about the ointment that is being placed in the newborn's eyes.

45. The nurse explains to the parents that erythromycin is given to protect the newborn from neonatal blindness, which can occur if the newborn develops an eye infection caused by what organisms?

[ ] **1.** Gonococcal and chlamydial organisms

[ ] **2.** Gonococcal and streptococcal organisms

[ ] **3.** Gonococcal organisms and *Candida albicans*

[ ] **4.** Gonococcal organisms and *Pneumocystis carinii*

The unlicensed assistive personnel (UAP) weighs the newborn.

46. What action indicates a need for additional teaching regarding accurate and safe assessment of the newborn's weight?

[ ] **1.** The UAP undresses the newborn before obtaining the weight.

[ ] **2.** The UAP places a diaper or paper barrier on the scale before balancing it.

[ ] **3.** The UAP keeps one hand on the newborn while obtaining the weight.

[ ] **4.** The UAP cleans the scale with an antiseptic before using it.

47. What intervention is **most** important for the nurse to implement before transporting the newborn from the delivery area to the nursery?

[ ] **1.** Placing matching identification bracelets on mother and newborn

[ ] **2.** Administering prophylactic eye medication

[ ] **3.** Giving I.M. vitamin K

[ ] **4.** Obtaining a blood sample for phenylketonuria (PKU) testing

The nurse observes the client for signs of impending birth of the placenta.

48. To facilitate birth of the placenta, what should the nurse instruct the client to do?

[ ] **1.** Turn on the right or left side.

[ ] **2.** Breathe slowly and deeply.

[ ] **3.** Tighten and relax the perineum intermittently.

[ ] **4.** Push when feeling a contraction occurring.

49. What nursing observation suggests an impending separation of the placenta from the uterine lining?

[ ] **1.** Bulging perineum

[ ] **2.** Shortening of the umbilical cord

[ ] **3.** Rise of the fundus in the abdomen

[ ] **4.** Decreased vaginal discharge

Nursing Care of Clients During the Fourth Stage of Labor

Just after the birth of the placenta, the client reports of uncontrollable shaking and of being cold.

50. What actions by the nurse are **most appropriate** at this time? Select all that apply.
[ ] 1. Explain that the shaking is normal.
[ ] 2. Place a warmed blanket over the client.
[ ] 3. Suggest the client try to ignore the shaking.
[ ] 4. Notify the health care provider or nurse-midwife.
[ ] 5. Take the client's temperature.
[ ] 6. Provide a warm beverage.

After the placenta is delivered, the health care provider sutures the episiotomy and instructs the nurse to add oxytocin to the client's I.V. fluids. The client asks the nurse, "Why do I need this drug?"

51. The nurse explains that oxytocin is given after birth of the newborn and placenta for what purpose?
[ ] 1. To increase the blood pressure
[ ] 2. To prevent the uterus from inverting
[ ] 3. To decrease the likelihood of hemorrhage
[ ] 4. To prevent rupture of the uterus

52. When performing postpartum checks just after birth, what assessment findings should the nurse report **immediately**? Select all that apply.
[ ] 1. A pulse rate between 120 and 130 bpm
[ ] 2. Presence of dark red, fleshy-smelling lochia
[ ] 3. Saturation of one perineal pad per hour
[ ] 4. A systolic blood pressure less than 90 mm Hg
[ ] 5. A respiratory rate of 24 breaths/minute
[ ] 6. Cool, clammy skin

Nursing Care of Clients Having a Cesarean Birth

A 26-year-old gravida 1 client is admitted to the hospital in active labor. During the health care provider's examination, it is determined that the client has cephalopelvic disproportion. A cesarean birth using epidural anesthesia is scheduled. The health care provider prescribes the insertion of an indwelling urinary catheter before surgery.

53. The client asks the nurse, "Why do I need a urinary catheter?" What response by the nurse regarding the placement of the indwelling catheter is **most accurate**?
[ ] 1. "It prevents the development of postpartum hemorrhaging."
[ ] 2. "It keeps the bladder empty during the surgical procedure."
[ ] 3. "It is used as a landmark for the health care provider during surgery."
[ ] 4. "It is inserted to provide a safe way of collecting urine specimens."

The client asks the nurse if she will feel any pain while the surgery is performed.

54. What response by the nurse regarding the client's pain is **most appropriate**?
[ ] 1. "You may experience pressure, but you will not feel any pain during the procedure."
[ ] 2. "You may experience a brief sting when the first incision is made."
[ ] 3. "You will not remember anything about the procedure because you will be asleep."
[ ] 4. "You will not feel any pain once the anesthesia takes effect."

The client's spouse asks the nurse if the spouse can remain with mother during the cesarean birth.

55. What statement by the nurse is **most appropriate** in response to the spouse's request?
[ ] 1. "Only your spouse and surgical personnel are allowed in the operating room to maintain a sterile environment."
[ ] 2. "You can join your spouse in the operating room after the newborn has been born and the mother and newborn are stable."
[ ] 3. "You can join your spouse in the operating room after you change into the appropriate attire."
[ ] 4. "You can join your spouse at the time of transfer to the recovery area and the effects of the anesthesia have worn off."

The client is transferred to the operating room. The health care provider plans to perform a lower-segment transverse incision and requests that the nurse perform the surgical skin preparation.

56. The nurse will cleanse the entire abdomen. What method of cleansing the abdomen is **most** appropriate?
[ ] 1. Beginning at the level of the incisional area
[ ] 2. Beginning at the top of the uterine fundus
[ ] 3. Beginning at the level of the umbilicus
[ ] 4. Beginning 6 in (15 cm) above the mons pubis

The cesarean birth is performed without complications. About 1½ hours after surgery, the client is transferred in stable condition to the postpartum unit. The abdominal dressing is dry and intact, the indwelling catheter is patent and draining clear yellow urine, and I.V. fluids are infusing at the prescribed rate. The client also has a continuous infusion of epidural morphine sulfate.

57. While the client is receiving an epidural of morphine sulfate, the nurse closely monitors the client for what adverse reaction?
[ ] 1. Urinary incontinence
[ ] 2. Pupil dilation
[ ] 3. Respiratory depression
[ ] 4. Elevated blood pressure

58. What medication should the nurse plan to have readily available while the client is receiving an epidural of morphine sulfate?
[ ] **1.** Buprenorphine hydrochloride
[ ] **2.** Calcium gluconate
[ ] **3.** Atropine sulfate
[ ] **4.** Naloxone hydrochloride

Twenty-four hours after surgery, the health care provider writes prescriptions to discontinue the morphine epidural, I.V. therapy, and indwelling catheter, and to administer the combination drug oxycodone and acetaminophen two tablets P.O. every 3 to 4 hours p.r.n. for pain. The health care provider also removes the abdominal dressing and says the client may shower and ambulate as tolerated.

59. What assessment finding is the **best** indication that an infection is present in the abdominal incision line?
[ ] **1.** The client states that the incision line feels numb.
[ ] **2.** The client's oral temperature is 99°F (37.2°C).
[ ] **3.** The incision line is approximated.
[ ] **4.** The incision line is red and swollen.

The day after surgery, the client reports abdominal pain and bloating. The nurse notes that the client's abdomen is distended.

60. What intervention should the nurse perform **initially** to relieve the client's discomfort?
[ ] **1.** Assist the client to ambulate in the hall.
[ ] **2.** Insert a rectal tube to monitor bowel function.
[ ] **3.** Administer the prescribed pain medication.
[ ] **4.** Instruct the client to use a straw when drinking fluids.

The client tells the nurse, "I'm disappointed that it was necessary to have a cesarean birth," then asks the nurse, "If I have another baby, will I have to have another cesarean birth?"

61. What response by the nurse is **most accurate** regarding a vaginal birth after a cesarean birth (VBAC)?
[ ] **1.** "It may be possible to have a VBAC if the previous cesarean was done with other than a vertical incision."
[ ] **2.** "A vaginal birth is not recommended after a cesarean birth because of the danger of uterine rupture."
[ ] **3.** "A vaginal birth is just as painful as a cesarean birth because an episiotomy has to be performed."
[ ] **4.** "A VBAC may be possible if there is no history of medical conditions that prohibit it."

Nursing Care of Clients Having an Emergency Birth

A 25-year-old primigravid client is in the active phase of the first stage of labor when her membranes rupture. The nurse notes a decrease in the fetal heart rate on the electronic monitor. Upon inspection of the perineum, the nurse observes that the umbilical cord is protruding through the vagina.

62. What action is most appropriate for the nurse to take **initially**?
[ ] **1.** Turn the client on the left side.
[ ] **2.** Notify the health care provider of the findings.
[ ] **3.** Place the client in Trendelenburg position.
[ ] **4.** Prepare a sterile field for birth of the newborn.

A 32-year-old client with a history of precipitous labor is admitted to the hospital. She states that contractions are occurring every 2 to 3 minutes. When observing the client's perineum, the nurse notes that the head is crowning. The nurse is alone with the client and unable to obtain assistance.

63. At this point, what is **most appropriate** for the nurse to do after putting on sterile gloves?
[ ] **1.** Gently place one hand on the crowning head and allow the head to emerge slowly between contractions.
[ ] **2.** Push back firmly on the head, and place pressure on the vaginal meatus until the health care provider arrives.
[ ] **3.** Place a sterile towel over the perineal area, and have the client bring the legs close together.
[ ] **4.** Slide a finger into the vagina and enlarge its exit while delivering the head during a contraction.

Nursing Care of Clients Having a Stillborn Baby

A 26-year-old primigravid client at 40 weeks' gestation is admitted to the hospital after contacting the health care provider about not having felt the baby move for 24 hours. The nurse is unable to detect a fetal heartbeat using the external fetal monitor. The health care provider examines the client and determines that there has been intrauterine fetal demise (the fetus is dead). An infusion of oxytocin is prescribed for induction of labor. The client is crying and tells the nurse, "This cannot be true. You must have made a mistake."

64. What nursing intervention is **most appropriate**?
[ ] **1.** Recheck the fetal heart tones with the electronic external fetal monitor so that the client can listen.
[ ] **2.** Express sorrow about the client's loss and encourage the client to express feelings.
[ ] **3.** Redirect the client's attention to the laboring process and the correct use of breathing techniques.
[ ] **4.** Explain that the infant probably would have been born with severe long-term health problems.

The baby is delivered stillborn. After the client is stabilized, she is transferred to a private room on a wing adjacent to the labor, delivery, recovery, and postpartum (LDRP) unit. The client's spouse is present. The client asks the nurse about seeing the newborn.

65. What action is **most appropriate** for the nurse to take?

[ ] **1.** Substitute a memory packet with a picture of the newborn and footprints.

[ ] **2.** Bring the newborn and allow the couple to view the newborn privately.

[ ] **3.** Suggest postponing the viewing until seeing the hospital chaplain.

[ ] **4.** Bring the newborn, but do not allow the parents to hold or touch the newborn.

Nursing Care of Clients During the Postpartum Period

66. What finding would the nurse consider abnormal for the postpartum client who gave birth within the past 24 hours?

[ ] **1.** The client has passed a couple of nickel-sized clots.

[ ] **2.** The client has calf pain when a foot is dorsiflexed.

[ ] **3.** The client has abdominal cramping while breastfeeding.

[ ] **4.** The client's vaginal discharge is dark red.

67. What clients are at highest risk for developing postpartum hemorrhage? Select all that apply.

[ ] **1.** A client with placenta previa

[ ] **2.** A client who just gave birth to triplets

[ ] **3.** A client who gave birth to her sixth newborn

[ ] **4.** A client whose fetus had late decelerations

[ ] **5.** A client with a history of hypertension

[ ] **6.** A client who had a precipitous birth

68. To prevent hemorrhage, when should the nurse massage the fundus during the postpartum period?

[ ] **1.** When the fundus is firm and hard

[ ] **2.** When the fundus is at the umbilicus

[ ] **3.** When the amount of lochia decreases

[ ] **4.** When the fundus is soft and boggy

69. Fundal massage is indicated. The nurse correctly massages the fundus by placing one hand on the fundus and the other hand:

[ ] **1.** just above the symphysis pubis.

[ ] **2.** to the right side of the abdomen.

[ ] **3.** just below the xiphoid process.

[ ] **4.** to the left side of the abdomen.

A 33-year-old client gave birth to a healthy newborn vaginally 6 hours ago. During the birth, the health care provider performed a right mediolateral episiotomy. Although in stable condition, the client experiences incisional discomfort.

70. On the illustration below, identify with an *X* the area where the incision would have been made:

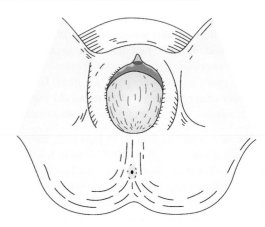

71. How should the nurse position the client when assessing the perineum after an episiotomy?

[ ] **1.** Prone

[ ] **2.** Supine

[ ] **3.** Sims position

[ ] **4.** Lithotomy position

72. What nursing intervention is **most** appropriate for initially relieving discomfort associated with an episiotomy?

[ ] **1.** Sitz bath

[ ] **2.** Ice pack

[ ] **3.** Heat lamp

[ ] **4.** Topical cortisone

73. What assessment finding by the nurse is the **best** indication that a perineal hematoma is present?

[ ] **1.** The client reports of a feeling of fullness in the vagina.

[ ] **2.** Lochia rubra is heavy and foul smelling.

[ ] **3.** There is separation and purulent drainage from the episiotomy.

[ ] **4.** The client reports of severe pain in the perineal area.

During the initial assessment of a postpartum client, the nurse notes that the client's fundus is firm and left of midline.

74. What nursing action is warranted at this time?

[ ] **1.** Massage the uterus vigorously.

[ ] **2.** Have the client empty her bladder.

[ ] **3.** Reassess the client in 4 hours.

[ ] **4.** No action is presently required.

The unlicensed assistive personnel helps the client with perineal hygiene.

75. What observation by the nurse indicates that the unlicensed assistive personnel needs additional instruction?
[ ] **1.** Applies the peri-pad from back to front.
[ ] **2.** Wears gloves while providing perineal care.
[ ] **3.** Fills the peri bottle with warm tap water.
[ ] **4.** Places the sitz bath on the toilet.

The client tells the nurse about feeling the urge to urinate but being unsuccessful.

76. What nursing action is most appropriate to implement **initially**?
[ ] **1.** Catheterize the client with a straight catheter.
[ ] **2.** Assist the client with ambulation.
[ ] **3.** Have the client drink more fluids.
[ ] **4.** Assist the client with a warm sitz bath.

When reviewing the client's medical records, the nurse notes that the client's rubella titer is low (<1:10) and the client is scheduled to receive the rubella vaccine before discharge.

77. Before giving the vaccine, the nurse should determine if the client is allergic to what medication?
[ ] **1.** Neomycin sulfate
[ ] **2.** Erythromycin estolate
[ ] **3.** Tetracycline
[ ] **4.** Doxycycline

78. When administering Rho(D) immune globulin to an Rh-negative mother who gave birth to an Rh-positive newborn, what is the maximum length of time the nurse has to give the medication?
[ ] **1.** 48 hours after birth
[ ] **2.** 72 hours after birth
[ ] **3.** At the 6 weeks' postpartum checkup
[ ] **4.** Within the first 24 hours of birth

79. While the postpartum nurse was providing shift hand-off to the oncoming nurse, all of the nurse's postpartum clients called the nurse's station with concerns. What client will receive **priority** attention?
[ ] **1.** A client who reports a gush of blood when rising to a standing position
[ ] **2.** A client who states uterine cramping while breastfeeding
[ ] **3.** A client who noted two nickel-sized blood clots on her perineal pad
[ ] **4.** A client who feels faint on the toilet and needs assistance back to bed

80. What finding by the nurse is **most suggestive** of cystitis in the postpartum client?
[ ] **1.** Boggy uterus displaced to the right of the abdominal midline
[ ] **2.** Report of increased thirst and voiding large amounts of urine
[ ] **3.** Urine retention and swelling of the lower extremities
[ ] **4.** Report of painful urination and presence of blood in the urine

Twenty-four hours after the client gives birth to a newborn, the health care provider writes discharge a prescription. The nurse reviews home care instructions with the client in anticipation of discharge.

81. After the nurse instructs the client about ways to avoid constipation, what statement made by the client indicates a need for additional teaching?
[ ] **1.** "I should drink at least 2 to 3 quarts of fluid daily."
[ ] **2.** "I will need to take a stool softener every other day."
[ ] **3.** "I should include raw fruits and vegetables in my diet."
[ ] **4.** "I will need to continue taking daily walks."

82. The nurse correctly instructs the client to notify the health care provider if what occurs?
[ ] **1.** The client experiences difficulty urinating.
[ ] **2.** The lochia becomes creamy yellow after the first postpartum week.
[ ] **3.** The client experiences unexplained feelings of tearfulness and sadness.
[ ] **4.** The client's breasts become slightly firm after 48 hours.

The client informs the nurse about plans to continue breastfeeding after being discharged and asks what should be done about breast engorgement if it occurs at home.

83. What nursing instruction is **most appropriate** regarding breast engorgement?
[ ] **1.** "Pump your breasts between breastfeedings."
[ ] **2.** "Limit your fluid intake for 24 hours."
[ ] **3.** "Feed your baby every 2 to 3 hours."
[ ] **4.** "Apply ice packs to your full breasts."

84. What instruction should the nurse plan to include in the discharge teaching plan for the client who is at risk for developing mastitis?
[ ] **1.** Wear a breast binder between breastfeedings.
[ ] **2.** Apply petroleum jelly to the nipples before breastfeeding.
[ ] **3.** Clean the nipples with soap and water after breastfeeding.
[ ] **4.** Wash both hands before handling the breasts.

The client asks the nurse how long after discharge should sexual intercourse be delayed.

85. The **best** nursing response is that sexual intercourse may be resumed at what time?
[ ] **1.** As soon as the lochia has ceased and the perineum is healed
[ ] **2.** As soon as an acceptable birth control method is selected
[ ] **3.** After the postpartum checkup in 4 to 6 weeks
[ ] **4.** After the uterus has returned to its normal position

86. When the client tells the nurse, "I'm nervous about going home with the newborn," what nursing action is **most appropriate**?
[ ] **1.** Suggest that the client ask the health care provider to postpone discharge.
[ ] **2.** Tell the client that this is a normal feeling that will go away in time.
[ ] **3.** Make sure the client has written instructions on newborn care before discharge.
[ ] **4.** Provide the facility's telephone number with encouragement to call as needed.

The client is readmitted to the hospital on the fifth post-partum day with a tentative diagnosis of puerperal infection.

87. If this client is typical of other women with a puer-peral infection, what assessment findings are **most** charac-teristic? Select all that apply.
[ ] **1.** Pulse rate over 100 bpm
[ ] **2.** Report of abdominal tenderness
[ ] **3.** A decrease in the size of the uterus
[ ] **4.** Presence of lochia serosa
[ ] **5.** Hematoma on the perineum
[ ] **6.** Continuous trickle of blood from the vagina

Nursing Care of the Newborn Client

Two hours after a female newborn is delivered at 39 weeks' gestation, the newborn is admitted to the well-baby nursery. The nurse performs a newborn physical assess-ment and observes normal variations to the skin.

88. What skin variations are considered normal and re-quire no further intervention? Select all that apply.
[ ] **1.** Mongolian spot
[ ] **2.** Milia
[ ] **3.** Epstein pearls
[ ] **4.** Erythema toxicum
[ ] **5.** Molding
[ ] **6.** Cephalohematoma

89. When the nurse documents the following newborn profile information on the flow sheet, what data require notifying the health care provider **immediately**? Select all that apply.
[ ] **1.** Head circumference of 20 in (50.8 cm)
[ ] **2.** Chest circumference of 13 in (33 cm)
[ ] **3.** Length of 19.5 in (49.5 cm)
[ ] **4.** Heart rate of 100 bpm
[ ] **5.** Weight of 11 lb (5 kg)
[ ] **6.** Abdominal circumference of 11.5 in (29.2 cm)

The nurse proceeds with the assessment, observing the newborn's reflexes.

90. What reflexes would the nurse expect to find in a new-born of this gestational age? Select all that apply.
[ ] **1.** Rooting reflex
[ ] **2.** Moro reflex
[ ] **3.** Tonic neck reflex
[ ] **4.** Extrusion reflex
[ ] **5.** Barlow reflex
[ ] **6.** Ortolani reflex

After the newborn's temperature has stabilized, the nurse gives the first bath.

91. What findings noted by the nurse bathing the newborn should be reported **immediately**? Select all that apply.
[ ] **1.** The hands and feet are bluish in color.
[ ] **2.** The pulse rate is 140 bpm.
[ ] **3.** The skin has a yellowish discoloration.
[ ] **4.** The labia are slightly swollen.
[ ] **5.** There is nasal flaring.
[ ] **6.** Substernal and intercostal retractions are noted.

After the bath is completed, the nurse rechecks the newborn's axillary temperature and records it as 97°F (36.1°C).

92. What nursing intervention is **most appropriate** at this time?
[ ] **1.** Dress and wrap the newborn in a blanket, place in an open crib, and recheck the temperature every 4 to 8 hours.
[ ] **2.** Place the newborn on a preheated radiant warmer, and gradually rewarm over a period of 2 or more hours.
[ ] **3.** Dress the newborn, wrap in double blankets, place in an open crib, and recheck the temperature in 30 to 60 minutes.
[ ] **4.** Place the newborn on a preheated radiant warmer and rewarm over a period of 15 to 30 minutes.

Four hours after admission to the nursery, the newborn's condition is stable and there are no signs of distress. The newborn is taken to the mother's room for a visit.

93. When the nurse begins gathering data for a discussion about methods to keep the newborn safe while in the hospital, what information should be included in the teaching plan? Select all that apply.

[ ] **1.** Identification bands must be kept on the newborn at all times.

[ ] **2.** When the client is showering, the crib should be placed outside the bathroom door.

[ ] **3.** Hospital staff assigned to the obstetric department should check the newborn's name bands when entering the room.

[ ] **4.** Hospital staff assigned to the obstetric department must wear a visible, valid hospital ID.

[ ] **5.** The newborn can sleep in bed with the mother.

[ ] **6.** Visitors coming to the hospital must wash their hands before holding or caring for the infant.

94. What observations by the nurse indicate that an appropriate mother-infant bond is occurring? Select all that apply.

[ ] **1.** The mother holds her newborn away from her body.

[ ] **2.** The mother makes eye contact with her newborn.

[ ] **3.** The mother talks or sings to her newborn.

[ ] **4.** The mother discusses the newborn's physical attributes.

[ ] **5.** The mother becomes upset because the newborn has spit up.

[ ] **6.** The mother repeatedly asks the nurse if the newborn is going to live.

The nurse instructs the mother about initial breastfeeding. The client says to the nurse, "My breasts are small. Will I be able to breastfeed my newborn?"

95. What response by the nurse is **most appropriate**?

[ ] **1.** "The size of your breasts does not affect your ability to breastfeed."

[ ] **2.** "You should attempt to breastfeed and give supplemental formula."

[ ] **3.** "Bottle-feeding is just as nutritious as breastfeeding."

[ ] **4.** "You can do exercises to increase the size of your breasts."

The client thinks it is best to give the baby formula until breast milk comes in. She tells the nurse, "I started to breastfeed my first child, but changed to bottle-feeding because the newborn lost lots of weight before being discharged from the hospital."

96. What response by the nurse is **most appropriate** regarding neonatal weight loss?

[ ] **1.** "It is normal for both bottle-fed and breastfed newborns to lose up to 10% of their birth weight during the first few days after birth."

[ ] **2.** "If your newborn begins bottle-feeding, the newborn will not be successful breastfeeding because of a preference for the bottle nipple."

[ ] **3.** "A newborn is more prone to lose weight with bottle-feeding than breastfeeding because formula is more difficult to digest."

[ ] **4.** "Until the newborn is ready to begin breastfeeding, you should pump your breasts to promote the letdown reflex."

97. The nurse also explains that during the first few days after the newborn's birth, the breasts will secrete colostrum. What colostrum component is most beneficial to the newborn?

[ ] **1.** Estrogen, which will prevent the newborn from developing breakthrough bleeding

[ ] **2.** Antibodies, which provide protection against certain types of infections

[ ] **3.** Predigested fats, which increase the newborn's ability to absorb fat-soluble vitamins

[ ] **4.** Digestive enzymes, which increase the newborn's ability to absorb nutrients

The nurse gives the mother verbal instructions about how to breastfeed correctly. The nurse then remains in the room to assist the mother.

98. What action by the client indicates a need for additional teaching regarding proper breastfeeding technique?

[ ] **1.** The mother uses the thumb of the free hand to gently press the breast away from the newborn's nose.

[ ] **2.** The mother gently strokes the newborn's lips with the nipple when ready to breastfeed.

[ ] **3.** The mother places a breast shield over the nipple before placing the nipple in the newborn's mouth.

[ ] **4.** The mother gently pulls down on the newborn's chin before removing the nipple from the newborn's mouth.

Before leaving the newborn with the parents, the nurse hands the mother a bulb syringe and provides instructions on its use.

99. What statement made by the client indicates a need for additional teaching regarding proper use of the bulb syringe?

[ ] **1.** The mother states that the newborn's mouth should be suctioned before the nose is suctioned.

[ ] **2.** The mother states that the bulb syringe should be compressed before it is placed in the newborn's mouth or nose.

[ ] **3.** The mother states that, when suctioning the mouth, the bulb syringe should not touch the back of the newborn's throat.

[ ] **4.** The mother states that the bulb syringe should remain compressed until it is removed from the newborn's nose or mouth.

The newborn's parent asks about positioning the baby in the crib after being fed.

100. The nurse correctly explains that it is **best** to place the newborn in what position in the crib after feeding?

[ ] **1.** Right side-lying

[ ] **2.** Left side-lying

[ ] **3.** Prone

[ ] **4.** Supine

The client asks the nurse, "How will I know that my newborn is getting enough to eat?"

101. What finding suggests the newborn's nutritional needs are not being adequately met?

[ ] **1.** The newborn awakens during the night for a feeding.

[ ] **2.** The newborn has fewer than six wet diapers per day.

[ ] **3.** The newborn has loose, pale-yellow stools.

[ ] **4.** The newborn is breastfed every 2 to 3 hours.

The client tells the nurse about plans to continue breastfeeding after returning to work and to pump both breasts when unable to breastfeed. The client asks the nurse, "How long can I store pumped breast milk?"

102. The nurse correctly responds that breast milk can be safely stored in the refrigerator for how long after pumping?

[ ] **1.** Up to 8 hours

[ ] **2.** 2 to 3 days

[ ] **3.** 5 to 8 days

[ ] **4.** Up to 2 weeks

A postterm male newborn in no apparent distress is admitted to the nursery after an uneventful planned cesarean birth.

103. During an initial assessment, the nurse would expect to note what finding that is characteristic of a postterm newborn?

[ ] **1.** Few sole creases

[ ] **2.** Flat, shapeless ears

[ ] **3.** Legs in a frog-like position

[ ] **4.** Dry, cracked, peeling skin

104. What assessment finding would the nurse consider abnormal for this newborn?

[ ] **1.** A scrotal sac that has numerous rugae

[ ] **2.** An umbilical cord that has one vein and one artery

[ ] **3.** Minimal vernix caseosa with remnants in skin creases

[ ] **4.** Bluish discoloration of the hands and feet

105. What assessment finding would the nurse consider **most indicative** of congenital hip dysplasia in a newborn?

[ ] **1.** Asymmetry of the gluteal skin folds

[ ] **2.** Limited adduction of the affected hip

[ ] **3.** No spontaneous movement of the affected leg

[ ] **4.** Exaggerated curvature of the lumbar spine

Six hours after admission to the nursery, the newborn is taken to the mother for the first feeding. The mother wants to bottle-feed the newborn. The nurse reviews basic principles of bottle-feeding with the mother.

106. When the nurse observes the mother, what action by the mother is incorrect, indicating that the mother needs a review of the technique for bottle-feeding the infant?

[ ] **1.** The mother places the nipple of the bottle on top of the newborn's tongue.

[ ] **2.** During feeding, the mother places the newborn in the supine position.

[ ] **3.** The mother burps the newborn after the newborn takes each ounce of formula.

[ ] **4.** The mother places the newborn in the right side-lying position after feeding.

The mother asks the nurse why it is important to keep the bottle nipple full of formula.

107. Holding the bottle so that the nipple is always full of formula helps prevent what consequence in the newborn?

[ ] **1.** Damaging the gums

[ ] **2.** Getting tired while feeding

[ ] **3.** Gulping the formula

[ ] **4.** Swallowing air when sucking

The mother tells the nurse of a plan to use concentrated liquid infant formula at home. The nurse gathers information about formula preparations and reviews this with the parents.

108. What statement made by the mother indicates a need for additional teaching?
[ ] **1.** "I can wash the bottles in a dishwasher."
[ ] **2.** "I can use tap water to dilute the concentrate."
[ ] **3.** "The formula should be used immediately after it is prepared."
[ ] **4.** "The lid of the can of formula must be wiped before it is opened."

109. After assessing the skin color (yellow tone) of a 2-day-old newborn, what nursing intervention is **most** important in the plan of care?
[ ] **1.** Instruct the mother to feed more often.
[ ] **2.** Prepare for a blood transfusion.
[ ] **3.** Encourage a soy-based formula.
[ ] **4.** Document the number of stools.

The newborn's total bilirubin level is 11 mg/dL (188.1 mmol/L). The health care provider prescribes conventional phototherapy using lights suspended above the newborn rather than a bili-blanket that is placed directly on the skin.

110. When providing care for a newborn receiving phototherapy, what nursing intervention is **most appropriate**?
[ ] **1.** Cover the newborn's eyes when providing treatment.
[ ] **2.** Dress the newborn in a diaper and lightweight nightshirt.
[ ] **3.** Apply a cream with a sun protection factor (SPF) of 15.
[ ] **4.** Place a nonreflective pad on the surface of the bassinette.

After 2 days of therapy, the newborn's total bilirubin level decreases to 9 mg/dL (153.9 mmol/L), and phototherapy is discontinued. The health care provider prepares for a circumcision using the Plastibell technique.

111. After the circumcision, what nursing action is **most appropriate**?
[ ] **1.** Maintain a petroleum gauze dressing over the penis.
[ ] **2.** Monitor vital signs every 15 minutes for the first hour.
[ ] **3.** Observe the penis every 30 minutes for swelling and bleeding.
[ ] **4.** Place the infant in a prone position after the circumcision is completed.

The health care provider writes prescriptions for the newborn to be discharged if no complications occur within 4 hours of the circumcision. Before discharge, the nurse reviews home care of the circumcision.

112. What statement by the parents indicates that teaching has been effective?
[ ] **1.** "We will notify the health care provider if we see red drainage from the newborn's penis."
[ ] **2.** "We will clean the newborn's penis three times a day with alcohol."
[ ] **3.** "We will remove the Plastibell ring in 1 week if it has not fallen off by then."
[ ] **4.** "We will apply petroleum jelly to the newborn's penis with each diaper change."

Before discharge, the nurse prepares to perform a phenyl-ketonuria (PKU) test.

113. What information is **most important** for the nurse to obtain before performing the PKU test?
[ ] **1.** Whether the newborn has been feeding for at least 2 to 3 days
[ ] **2.** Whether the newborn was large for gestational age at birth
[ ] **3.** Whether the mother had gestational diabetes during the pregnancy
[ ] **4.** Whether there is a family history of intellectual disability

114. What area of the infant's foot should the nurse puncture to obtain the phenylketonuria (PKU) test? Place an *X* on the appropriate area on the photo:

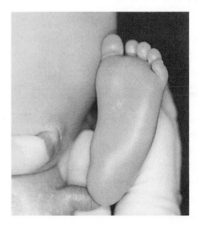

115. When obtaining the blood specimen for the phenylketonuria (PKU) test, which actions by the nurse are correct? Select all that apply?
[ ] **1.** Warming the site for the puncture for 5 to 10 minutes
[ ] **2.** Appling pressure to obtain a large drop of blood
[ ] **3.** Filling each circle on the collection card completely
[ ] **4.** Ensuring the newborn has eaten and is at least 24 hours old
[ ] **5.** Allowing the blood on the collection card to dry before sending to laboratory

A nurse educator teaches the staff about how to prevent newborn abduction from the hospital. A drill is conducted to test the staff's knowledge.

116. What actions by the hospital staff indicate that they have a good understanding of what to do in case a newborn is abducted from the nursery? Select all that apply.

[ ] **1.** Question any person carrying a box or bag.
[ ] **2.** Call the Federal Bureau of Investigation (FBI) immediately.
[ ] **3.** Report suspicious persons to security STAT.
[ ] **4.** Search closets and stairwells where a newborn can be hidden.
[ ] **5.** Thoroughly question all visitors in the hospital.
[ ] **6.** Ask the mother why the newborn was left unattended.

Nursing Care of Newborns with Complications

A 38-year-old multiparous client gave birth 1 day ago to a full-term newborn with a myelomeningocele.

117. What assessment finding is the **best** indication that the client is grieving over the loss of a "perfect baby"?

[ ] **1.** The client has not selected a name for the newborn.
[ ] **2.** The client visits the nursery frequently but only stays for a few minutes.
[ ] **3.** The client asks the health care provider to postpone discharge from the hospital.
[ ] **4.** The client leaves the nursery when the newborn receives treatments.

118. What nursing action is **best** for facilitating the client's acceptance and care of the newborn with a myelomeningocele?

[ ] **1.** Show the client "before" and "after" pictures of other infants born with myelomeningocele.
[ ] **2.** Feed, hold, and change the newborn in the client's presence.
[ ] **3.** Explain to the client that surgery will most probably eliminate the defect and its consequences.
[ ] **4.** Assure the client that social agencies will most likely assume responsibility for full care of the newborn.

An infant who is born at 27 weeks' gestation is taken to the neonatal intensive care unit (NICU) at a nearby hospital in respiratory distress.

119. What nursing intervention is **essential** for preventing retinopathy of prematurity (ROP) in the preterm newborn?

[ ] **1.** Monitor the oxygen concentration level.
[ ] **2.** Monitor the bilirubin level.
[ ] **3.** Check the hemoglobin level.
[ ] **4.** Check the pupil response.

After the newborn's respiratory condition stabilizes and the infant is weaned from the ventilator, the neonatologist writes a prescription to begin feedings.

120. When feeding the preterm newborn, what method is **most** appropriate?

[ ] **1.** Feed the newborn every hour around the clock.
[ ] **2.** Give the newborn no more than 3 to 4 ounces (88 to 118 mL) per feeding.
[ ] **3.** Feed the newborn with a nasogastric tube.
[ ] **4.** Give the newborn glucose solution for the first month.

The parents of a preterm newborn ask the nurse why their newborn is being monitored for signs of infection.

121. The nurse correctly instructs that preterm newborns are at risk for developing infections primarily for what reason?

[ ] **1.** Their fragile skin may tear.
[ ] **2.** They lack maternal antibody protection.
[ ] **3.** They are exposed to numerous bacterial organisms.
[ ] **4.** They need to undergo many invasive procedures.

122. What nursing action is **best** to ensure that the thermoregulation needs of the preterm newborn are being met?

[ ] **1.** The newborn is wrapped in a cotton blanket.
[ ] **2.** The nursery is maintained at 75°F (23.9°C).
[ ] **3.** The newborn is in an isolette or radiant warmer.
[ ] **4.** The crib is located away from sources of drafts.

A gravida 2, para 1 client in the 38th week of pregnancy presents to the emergency department in active labor. An Rh-positive newborn is born with congenital hemolytic disease caused by Rh incompatibility.

123. What assessment finding is **most** indicative of the presence of Rh incompatibility?

[ ] **1.** A slow and irregular respiratory rate
[ ] **2.** Absence of newborn reflexes
[ ] **3.** Limited movement in the lower extremities
[ ] **4.** Jaundice within 24 to 36 hours of birth

A direct Coombs test is prescribed to confirm the diagnosis of hemolytic disease.

124. The nurse should be prepared to assist with the collection of a blood specimen from what source?

[ ] **1.** The newborn's father
[ ] **2.** The newborn's mother
[ ] **3.** The newborn's sibling
[ ] **4.** The newborn's umbilical cord

A newborn is delivered at 32 weeks' gestation to a gravida 1, para 1 client with human immunodeficiency virus (HIV) infection.

125. When providing care for this newborn, the nurse should follow what precautions?
[ ] **1.** Standard precautions
[ ] **2.** Airborne precautions
[ ] **3.** Droplet precautions
[ ] **4.** Contact precautions

The mother asks the nurse when the newborn will be tested for HIV, and how long it usually takes before HIV-positive newborns develop acquired immunodeficiency syndrome (AIDS).

126. What statement by the nurse about HIV testing is **most appropriate**?
[ ] **1.** "Your newborn will not be tested because newborns of HIV-positive mothers are already HIV positive."
[ ] **2.** "Your newborn will be tested within 24 hours for HIV antibodies to facilitate early treatment."
[ ] **3.** "Your newborn will not be tested for HIV antibodies until age 3 months."
[ ] **4.** "Your newborn will be tested for HIV antibodies yearly until test results are positive."

127. It would be correct for the nurse to explain that most untreated infants who contract HIV in utero typically develop AIDS symptoms at what age?
[ ] **1.** By age 4 weeks
[ ] **2.** By age 2 to 6 months
[ ] **3.** By age 6 to 12 months
[ ] **4.** By age 1 to 2 years

The client asks the nurse about breastfeeding the baby.

128. What explanation by the nurse is **most appropriate** regarding breastfeeding this newborn?
[ ] **1.** "It is OK to breastfeed the newborn if the anti-HIV test results are positive."
[ ] **2.** "It is OK to breastfeed the newborn as long as the newborn is symptom-free."
[ ] **3.** "You cannot breastfeed the newborn because you are HIV positive."
[ ] **4.** "You cannot breastfeed the newborn because you have developed symptoms of AIDS."

The mother states, "I feel like such a bad mother because I cannot breastfeed and may have passed HIV on to my child."

129. When in a therapeutic discussion with the mother, what statement, made by the nurse, reinforces the mother's positive maternal skills?
[ ] **1.** "Do not focus on the things that you cannot do, let's talk about what you can do for the newborn."
[ ] **2.** "That is just a small part of your newborn's life; there are lots more to being a mother."
[ ] **3.** "Let's create a plan through which you can learn to care for your newborn."
[ ] **4.** "I see you hold and cuddle your newborn when bottle-feeding. That is meeting the newborn's needs."

The parent of a toddler brings the child to the hospital to see the newborn sibling. The toddler acts out and throws the newborn's pacifier onto the floor. The parents are embarrassed about the toddler's behavior.

130. What parental advice regarding sibling rivalry is **most appropriate** at this time?
[ ] **1.** After going home, each parent should spend time with the toddler doing activities the toddler enjoys.
[ ] **2.** The toddler should be sent to a grandparent's home for the first week until a routine can be established with the newborn.
[ ] **3.** Set firm limits on the toddler's behavior providing appropriate discipline and punishment.
[ ] **4.** Keep the toddler and the newborn separated for the first few days until the toddler can adjust to the new sibling.

131. A nurse is caring for five newborns in the nursery when an admission arrives at the change of shift. A new obstetric licensed practical nurse (LPN) informs the charge nurse that documentation on his or her assignment will not be completed at the end of the shift. What statement by the LPN mentor is **best**?
[ ] **1.** "I will assist you in your documentation to get you finished in time."
[ ] **2.** "Why do you not have it done? We will reduce your client load next time."
[ ] **3.** "I will grant you overtime to complete your documentation."
[ ] **4.** "By not having your documentation done, it will be on your personal record."

132. The nurse is returning from lunch in the cafeteria when a Code Pink infant alert sounds over the intercom. What is the nurse's **first** action?
[ ] **1.** Report to the front desk of the hospital to see if this is a real emergency.
[ ] **2.** Assess for any suspicious movement, oversized clothing, or large bags in the area.
[ ] **3.** Call the security office to see if they need assistance at any area of the hospital.
[ ] **4.** Report to the obstetric unit and offer support to the staff while awaiting directions.

Test Taking Strategies

Admission of the Client to a Labor and Delivery Facility

1. Note the key word "immediately" emphasizing the need for care. Choose options that correlate with signs and symptoms of true labor or indications of potential complications of labor.

2. Use the process of elimination to select the options that do not correlate with essential information needed on admission to the labor and delivery unit. Consider the standard or key information that is routinely collected to provide care during this time.

3. Use your knowledge of the meaning of a contraction to identify the area noting a rise in pressure of the uterine muscle. This will take the waveform away from the baseline and the nurse would begin the timing of the uterine contractions.

4. Use the process of elimination and knowledge of Braxton Hicks contractions. Recall that Braxton Hicks contractions occur throughout a pregnancy and may be misinterpreted as the onset of labor, especially when they occur late in the third trimester.

5. Note the key words "most appropriate" in reference to the best time to obtain the blood pressure of a client who is in labor. Recall how the size of the uterus, uterine contractions, and the client's position affect the circulation of arterial blood.

6. Recall the anatomical location of the uterine fundus at 40 weeks. Consider the maximum point of expansion and then that the neonate will drop into the pelvis.

7. Knowledge of laboratory tests to assess fetal lung maturity is needed. If unsure, look for clues in the name of the test to figure out the rationale for the test. Also, identify the phospholipid portion of PG and its relationship with lung maturity.

Nursing Care of Clients During the First Stage of Labor

8. Use the standards of practice to identify the best method to prepare the client for a vaginal examination. Options 2, 3, and 4 are not part of a vaginal examination. Option 1 is always a standard because wearing sterile gloves is an aseptic practice that prevents transmitting pathogens to tissues that have an abundant supply of blood.

9. Note the key words "most reliable," which indicate that the sign in more than one option may be present during labor, although one option identifies the best sign of true labor. Recall that options 2, 3, and 4 may occur in both true and false labor, but option 1 occurs only in true labor and therefore is the best answer.

10. Use your knowledge of the labor process to identify signs and symptoms in the latent (early) phase of labor. Consider which signs and symptoms typically occur at home.

11. Use your knowledge of the labor process to identify appropriate instructions for the latent (early) phase of labor. Recall that this phase may last 4 to 6 hours, amniotic membranes may be intact, and clear liquids may be offered to prevent dehydration.

12. Review norms for fetal heart rates during the active phase of labor. Recall that the need to assess the fetal heart rate increases in frequency as labor progresses.

13. Use knowledge of pain level and progression to identify when epidural anesthesia is administered to a primigravid client. Option 2 remains as the best answer because an epidural is administered when active labor is progressing as evidenced by a dilation of 5 to 6 cm.

14. Use your knowledge of the active stage of labor. Recall the general guide of 30 seconds for early labor, 60 seconds for active labor, and 90 seconds in the transitional phase of labor.

15. Use the process of elimination to identify an assessment finding, which correlates with the transition phase of labor. Consider that at this time there is a marked increase in the bloody show due to rupture of capillary blood vessels in the cervix and lower uterus.

16. Use the process of elimination to identify the best nursing action for meeting the needs of a client during the transition phase of the first stage of labor. Recall that the client has difficulty coping with the increasing discomfort and benefits from words of encouragement from the nurse to persevere as labor progresses.

17. Note the use of the key words "most appropriate" indicating that one option is better than the others for facilitating normal progression. Recall that the anterior position is the most favorable for normal labor as the knee-chest position helps relieve back pressure and pain.

18. Identify the nursing intervention that will best prevent bladder distention during the active phase of labor. Option 4 prevents bladder distention by promoting frequent emptying of the bladder.

19. Analyze the fetal heart rate monitoring strip considering that the fetal heart rate pattern should mirror uterine contractions; if it does not, an abnormality is present. Based on that premise, the abnormality, which is decelerations, can be relieved if the nurse places the client in a left lateral position to improve placental perfusion.

20. Use the standard method of practice to assess the duration of contractions. Recall that the duration of a contraction is measured from the beginning of one contraction until the same contraction ends.

21. Use your knowledge of a woman's abdomen at full term to assess where and how to palpate contractions. Recall that fundal height increases approximately 1 cm per week of pregnancy; therefore, a full-term client's fundus would be above the umbilicus.

22. Consider that the nitrazine strip determines the difference in pH indicating amniotic fluid, urine, or vaginal secretions. The reagent used on the nitrazine paper turns blue in an alkaline environment and yellow in an acidic environment.

23. Identify the nursing role and nursing assessment needed immediately after the membranes rupture. Correlate the nursing actions necessary to detect risks to the infant when the membranes rupture.

24. Use the process of elimination to identify the option that provides an accurate explanation of internal electronic fetal monitoring and potential risks involved in its use. Recall that placing an electrode on the infant's scalp provides a route for the entry of pathogens and trauma from the scalp-implanted electrode.

25. Look at the key words "most indicative" in reference to evidence of fetal distress. Recall that normal amniotic fluid is colorless; green amniotic fluid indicates fetal distress.

26. Use the process of elimination to identify contraindications to eating solid food during active labor. Consider the physiological changes related to the gastrointestinal system, which may cause nausea and vomiting.

27. Use the process of elimination to identify the vertex position. Note options 2, 3, and 4 can be eliminated because they describe atypical positions that involve the presentation of body parts other than the head.

28. Use your knowledge of assessment to select a finding of concern. Recall that a drop in fetal heart rate after the peak of contraction indicates a decrease in blood flow to the infant. If late decelerations are repetitive and do not respond to remediation, a cesarean birth is indicated to rescue the compromised fetus.

29. Use the process of elimination to identify all of the adverse reactions to terbutaline. Recall that terbutaline sulfate is a sympathomimetic, thus mimicking the actions of the central nervous system. For adverse reactions, consider taking those reactions too far, such as with anxiety, restlessness, hypertension, etc.

30. Identify indications for withholding the administration of terbutaline and notifying the health care provider derived from the situation provided. Look to the action of the medication (relaxing bronchial, vascular, and uterine smooth muscle; the latter inhibits preterm contractions) while correlating with the situation.

Nursing Care of Clients During the Second Stage of Labor

31. Use the process of elimination to identify evidence (bulging perineum) that indicates that the second stage of labor, where the fetus is delivered, is imminent. Options 2, 3, and 4 can be eliminated because they are characteristics of the first stage of labor.

32. Use your assessment knowledge for evidence that birth is imminent. Recall that the multiparous client has given birth to more than one child, and her progression through the first and second stages of labor is generally expected to be quicker. Delaying preparation of the client until the events described in options 2, 3, and 4 may result in a precipitous birth rather than one occurring in the delivery room.

33. Look at the key word "first," which indicates that one action described is a priority that should be completed before any of the others when the client feels the need to push. Recall that until the cervix is fully dilated, the client may experience fatigue or cervical or vaginal trauma.

34. Identify the reason an opioid narcotic is not warranted during the second stage of labor, before birth. Consider the actions and side effects (respiratory depression primarily) of opioid narcotics on the mother and fetus.

35. Select the option that best represents the length of time required for the onset of analgesia with an epidural anesthetic. Consider location of catheter in the epidural space and ability of the medication to achieve therapeutic effects by ascending the spinal column impacting the brain.

36. Use the process of elimination to select a complication that may occur immediately after the administration of an epidural block and for which the nurse must monitor. Use your knowledge of the action of the medication to identify adverse effects.

37. Analyze the information the question asks, which is the nursing management of the client who has received an epidural block. Recall that an epidural block elicits both analgesic and anesthetic effects; consequently, the nurse manually palpates the client's abdomen and indicates when the client should push when a contraction occurs.

38. Consider standards of care when determining the sequence used to prepare the perineum for birth. Recall that secretions and dried blood are removed to prevent contamination of the urethral and vaginal areas following medically aseptic principles.

39. Use the process of elimination to select the option that identifies the best reason for performing an episiotomy. Recall that an episiotomy is performed to control the location and extent of vaginal enlargement as well as create a cleanly incised margin of tissue that will heal more efficiently than one that is torn irregularly.

Nursing Care of Clients During the Third Stage of Labor

40. Select the item that should be available to meet the newborn infant's priority need. Recall that breathing is a priority need that depends on ensuring a patent airway; having a bulb syringe available to remove fluid from the infant's nose and oral pharynx helps to meet that need by providing a tool to keep the airway clear.

41. Analyze to determine what information the question asks for regarding interpretation of an Apgar score. Recall the Apgar score range of 0 to 10 places the score of a 7 at 5 minutes as an expected assessment finding in a newborn with no signs of distress.

42. Note the key word "initially" in reference to the nursing action that should be performed first to facilitate mother-infant bonding and, at the same time, promote physiologic stability of the newborn. Consider the option that meets both objectives.

43. Use the standards of practice to identify the proper site for administering vitamin K to a newborn. Recall that the vastus lateralis muscle is an ideal and recommended I.M. injection site because it has few nerves and blood vessels, will hold a reasonable amount of injected volume, and is the largest muscle mass in this age group.

44. Use the process of elimination to identify the rationale for administering vitamin K to a newborn. Recall that newborns need vitamin K to assist in blood clotting, and the intestinal flora necessary to naturally produce vitamin K are absent.

45. Identify a pathogen that, if left untreated, may cause neonatal blindness. Recall that chlamydial infections are the most common sexually transmitted infection and that those caused by *Neisseria gonorrhoeae* rank second.

46. Identify an incorrect technique for weighing a newborn that indicates a need for additional teaching. Think safety and accuracy first! Option 3 is the best answer because the newborn's weight will be inaccurate if the measurement includes weight from a source other than the newborn.

47. Use the process of elimination to identify the most important nursing intervention "before" the newborn leaves the delivery area. Focus on an immediate consideration. Eliminate options 2, 3, and 4 as they may be performed in the delivery room or the nursery. Option 1 remains as the correct answer because immediate care must be taken that infants and mothers are not mismatched.

48. Note the term "facilitates" the birth of the placenta. Recall that during the third stage of labor, uterine contractions shear the placenta from its site of attachment. Pushing while experiencing the contraction facilitates expulsion of the placenta.

49. Identify the assessment finding that suggests placental separation. Recall that when the placenta separates, the uterine fundus moves in an upward direction and becomes firmer and more globular in shape after placental detachment.

Nursing Care of Clients During the Fourth Stage of Labor

50. Note the key words "most appropriate," which indicate a need to discriminate among the options, and correlate answers that are more pertinent in this clinical situation directly after giving birth. Recall shaking as normal following birth due to fluid shifts, thus choosing education and comfort measures for the mother.

51. Identify the medication action, which includes the rationale for administering oxytocin during the fourth stage of labor. Recall that firm contraction of the uterus, kept at the consistency of a tightened thigh muscle, with supplemental oxytocin prevents excessive blood loss after the infant is born.

52. Note the key word "immediately." Choose options that correlate with abnormal postpartum assessment findings that are noted immediately after birth.

Nursing Care of Clients Having a Cesarean Birth

53. Note the key words "most accurate" indicating that one option is more correct than the others related to urinary catheter insertion before a cesarean birth. Think structural placement recalling the close proximity of the urinary bladder to the uterus, which correlates with the need to keep the bladder empty and out of harm's way during the cesarean birth.

54. Note the use of the key words "most appropriate," and select the option that provides the best explanation regarding the expected effects of an epidural anesthesia. Recall that during epidural anesthesia, the client is awake and aware of the surroundings. Consider that the client does not experience pain but will comment on pressure, especially at the time of birth.

55. Apply the key words "most appropriate" in reference to the spouse's request to be present during the cesarean birth. Consider safety and sterility considerations with the value of bonding; thus, persons designated by the birthing mother may be present, but surgical standards must be followed to maintain an aseptic and safe environment.

56. Look at the key words "most appropriate" in reference to the technique for completing the surgical skin preparation of the client scheduled for a lower-segment transverse incision. Recall that the entire abdomen is prepared both vertically and horizontally to achieve a reduction in skin bacterial counts.

57. Select the option, which identifies adverse effect from the administration of epidural morphine sulfate. Recall that morphine sulfate is an opioid narcotic and has a greater potential for causing central respiratory depression when given by the epidural route.

58. Select the medication or antidote that should be readily available during opioid administration should an emergency occur. Recall that naloxone is the antidote for managing the side effects or overdose of morphine sulfate.

59. Use the process of elimination to select the option that identifies the best indication of an incisional infection. Recall the acronym REEDA (Redness, Edema, Ecchymosis, Drainage, and Approximation), which highlights the signs of infection. Redness and swelling are indications that the incision is infected.

60. Note the key word "initially," which indicates the answer is an action that should be performed before others. Consider strategies that would assist in eliminating gas from the intestinal system, either by the rectal or oral route. Recall that a rectal tube, which ordinarily may be helpful, is not the best choice initially because of the close proximity of the bowel and its organisms to the vagina and uterus, which has been incised.

61. Look at the key words "most accurate" in reference to the potential for a vaginal birth after a cesarean birth (VBAC). Recall that there is a high success rate for VBAC as a result of the recent type of incision performed for the initial cesarean birth.

Nursing Care of Clients Having an Emergency Birth

62. The key words are "most appropriate" and "initially," meaning there is one priority nursing action at the current time that should be performed before any of the others when the umbilical cord protrudes from the vagina during the active phase of labor. Recall that immediate relief of compression on the umbilical vessels is necessary to maintain oxygenation of the fetus.

63. Look at the key words "most appropriate" in reference to an action that is best when the head is crowning and the nurse is alone. Think safety! Recall that contractions occurring every 2 to 3 minutes and crowning are characteristics of the second stage of labor and indicate imminent birth.

Nursing Care of Clients Having a Stillborn Baby

64. Look at the key words "most appropriate." Choose the option that facilitates a therapeutic outcome. Recall that it is always therapeutic to acknowledge the client's loss and facilitate the grieving process by listening to the client express feelings about the death of the newborn.

65. Use your knowledge of grief to select the option that describes the nursing action that is best for promoting a therapeutic outcome for the grieving parents. Recall that touching and seeing the newborn begin acceptance of the death.

Nursing Care of Clients During the Postpartum Period

66. Use knowledge of abnormal assessment findings in the client who gave birth within the past 24 hours. Recall that the physiologic changes occurring postpartum include increased clotting factors, which predispose the postpartum client to develop thrombosis evidenced by calf pain.

67. Choose options that correlate with conditions that predispose a client to developing postpartum hemorrhage. Recall physiological changes associated with each unique condition during pregnancy and relate to complications from bleeding in the postpartum period.

68. Identify the standard of care of when fundal massage is indicated. Recall that bleeding from large uterine blood vessels at the site where the placenta was located is controlled by compression of the contracted uterine muscle. Massaging the fundus stimulates the uterine muscle to contract.

69. Identify correct hand placement during fundal massage. Recall that this procedure requires two hands to accomplish successfully.

70. Use the anatomic terms to determine the location of the perineal incision, right lateral episiotomy. Note that the right buttock of the client is on the left in the diagram, coinciding with a traditional anatomic position.

71. Apply the standard of care to position the client for assessment of an episiotomy incision. Recall that the episiotomy incision is performed on the obstetrical perineum, which lies between the vaginal opening and the anus.

72. Note the key words "most appropriate" and "initially" in reference to the nursing intervention for relieving discomfort. Consider measures such as cleanliness, improving circulation, decreasing swelling, and the time frame since the episiotomy to discriminate among the options. Due to the time frame, an ice pack is the most appropriate selection.

73. Use the process of elimination to help select the option that provides the best indication of the presence of a perineal hematoma. Eliminate options 1, 2, and 3 because they are not characteristic of a hematoma.

74. Identify the standard of care when a fundus deviates from midline and what anatomically may be the cause of the deviation. Having the client empty her bladder and then rechecking the fundus is the best nursing action.

75. Identify an incorrect action within the standards of care of providing perineal hygiene. Recall the principles of asepsis in which cleaning takes place from clean to dirty areas to reduce the transfer of microorganisms into tissues where healing and avoiding an infection are imperative.

76. The key words are "most appropriate" and "initially," suggesting that the nursing action at the current time may be different from one that may be necessary later or may be utilized if the initial measure is unsuccessful. Recall that initial nursing measures to promote complete emptying of the bladder should use the least invasive means possible, such as assisting with a sitz bath.

77. Analyze what the question asks, which is an aspect of the client's allergy history that relates to a component of the rubella vaccine. Recall that neomycin sulfate is an additive used to prevent contamination of the vaccine.

78. Select the time frame during which Rho(D) immune globulin can be administered after birth. Recall that an Rh-negative mother who delivers an Rh-positive newborn can produce antibodies within 72 hours to fetal cells that enter the maternal bloodstream after the placenta separates.

79. Note the key word "priority" indicating an order in which the nurse will need to provide attention to the client concerns. Arrange the nursing assessment and care according to the hierarchy of needs. In this case, divide the options into those with potential complications and those with expected findings on the postpartum unit.

80. Look at the key words "most suggestive" in reference to signs and symptoms of cystitis in any client, not just the postpartum client. Recall common urinary reports.

81. Identify the option that provides a statement reflecting a client misconception. Consider focusing on prevention instead of medication regimen.

82. Use the process of elimination to identify a symptom that indicates a postpartum complication or deviation in the normal recovery process. Recall that an inability to void is significantly abnormal.

83. Note the key words "most appropriate" in reference to a suggestion for relieving breast engorgement. Note that one answer is better than the others, some of which may contain accurate information but are not the best answer. Recall that the term "engorgement" means that the breasts are full of breast milk; nursing the infant reduces the volume within the breast.

84. Recall infection control standards and principles of asepsis. Hand hygiene is the best method for preventing infections.

85. Use the process of elimination to select the option that provides the best answer to the client's question about resuming sexual intercourse. Consider factors such as pain from an episiotomy, fatigue, or the presence of lochia.

86. Note the key words "most appropriate" indicating that one response is better than the others. Providing a means of contacting nursing personnel after discharge provides not only a source for reinforcing information on infant care but also maternal support and reassurance, which written information does not.

87. Select all options compatible with assessment findings of a puerperal infection. Consider typical signs of infection assessed in other systems.

Nursing Care of the Newborn Client

88. Select all options of normal skin conditions of the newborn. Eliminate nonskin conditions to narrow the focus.

89. Note the key words indicating health care provider notification. Choose all options that correlate with abnormal, rather than normal, physical assessment findings of the newborn.

90. The key word is "expect" meaning normal reflexes of the full-term newborn. Identify newborn reflexes assessed in the nursery.

91. The key word is "immediately," indicating a concern. Choose options that correlate with abnormalities in the newborn.

92. Use the key words "most appropriate" to select the option that is better than the others based on an evaluation of the newborn's temperature. Note that the newborn's temperature is below normal and indicates that warming measures are necessary. Consider nursing actions, such as skin-to-skin contact with the mother, applying a knitted cap, and placing the newborn in a radiant warmer, until body temperature increases.

93. Choose all options that correlate with safe care and protection of the newborn. While selecting, consider how each option will promote safety.

94. Select all the options that correlate with maternal actions that indicate mother-infant bonding. Note a curiousness and closeness exhibited by the mother.

95. Apply the key words "most appropriate" when analyzing the options. Recall that the structures that produce breast milk are normally present regardless of the breast's physical size.

96. Note the key words "most appropriate" as some options may be true depending on unique situations and personal experiences, but the best answer is option 1 because it offers the mother factual information that applies to the weight pattern of almost all newborns.

97. Analyze the information the question asks for regarding the beneficial substance contained in colostrum. Recall that colostrum contains maternal antibodies that are not present in commercial formula.

98. Use the process of elimination to identify an action by the new mother in reference to breastfeeding that indicates the mother needs additional teaching. Read the options carefully because the correct answer must correlate with an incorrect action. Because a breast shield is unnecessary in most circumstances, a client who routinely incorporates its use requires more information.

99. Select the option that describes an incorrect statement concerning the technique for removing secretions from the newborn's nose and mouth. Proper use of the bulb syringe dictates that secretions cannot be removed if the bulb syringe remains compressed.

100. Use the process of elimination to select the option that identifies the best position to place a newborn when putting the newborn in a crib. Recall that the American Academy of Pediatrics and the American Public Health Association advise that newborns be placed in a supine position when in a crib.

101. Evaluate each option for nutritional and gastrointestinal characteristics that are typical among newborns. Recall that fluid volume is regulated primarily by urine excretion. Hence, if the intake of breast milk is low, the number of wet diapers will decrease.

102. Use knowledge of proper storage guidelines for breast milk. Recall that breast milk that has been properly refrigerated can be safely used up to 8 days after its collection.

103. Identify a characteristic of a postterm newborn that differs from one that is preterm or full term. Recall that infants born after 41 weeks have floated longer in amniotic fluid with little remaining vernix caseosa, a substance rich in sebum. Consequently, the skin is dry, cracked, wrinkled, peeling, and whiter than a newborn at or near full term.

104. Use the process of elimination to identify an abnormal assessment finding in the newborn. Recall that having a single umbilical artery may be associated with other physical defects and should prompt the nurse to examine the newborn for evidence of other abnormalities.

105. Note the key words are "most indicative" when analyzing the options, looking for one that describes an assessment finding of a newborn with congenital hip dysplasia. Recall that one of the characteristic signs of this defect is that the folds of the buttocks are not symmetrical, with more creases being on the side of the dysplastic hip.

106. Use knowledge of bottle-feeding techniques to identify one that is potentially unsafe. Recall that some women prefer to position the newborn on a feeding pillow or wedge that facilitates elevating the newborn's body while being fed to avoid a supine position.

107. Use your knowledge of standards of practice when feeding a newborn. Swallowing air from a partially filled nipple can lead to the newborn experiencing gas pains, especially if burping is not effective or sufficient to expel the air orally.

108. The key words are "need for additional teaching" indicating an incorrect statement. Consider that appropriate teaching about bottle-feeding addresses equipment such as the bottles as well as formula preparation. Recall that like breast milk, a supply of reconstituted commercial formula can be stored for a period of time, making option 3 an incorrect statement.

109. The key is to identify the yellow tone as jaundice. Recall the treatment goal is removal of the bilirubin. Use the process of elimination to identify what processes excrete the jaundice in a 2-day-old newborn.

110. The key words "most appropriate" may indicate that more than one option may have some valid information, but one answer is better than the others. Consider the nature of phototherapy and its inherent risks to the newborn. Protecting the newborn's eyes is a priority.

111. The key words "most appropriate" may indicate that more than one option contains information with some validity, but one option is better than the others. Recall that bleeding and swelling are likely to occur after the foreskin of the penis is removed.

112. Select the option that provides evidence that the nursing instructions on the care of the circumcised newborn have been effective. Recall that penile skin and tissue have been impaired, creating a potential for infection. Therefore, consulting the health care provider if unusual penile drainage is observed indicates that the parents have understood the teaching the nurse has provided concerning a potential complication.

113. Note the key words "most important" in reference to information that is essential to obtain before the phenylketonuria (PKU) test. Phenylalanine is present in milk and other protein food sources. If there has been an insufficient intake of milk, the test will be unable to detect an accumulation of phenylalanine in the newborn's blood and will be of no benefit in diagnosing the genetic disorder at this time.

114. Use knowledge of anatomy to select a location for obtaining a sample of blood for a phenylketonuria (PKU) test. The anatomic location where the heel is punctured is an area of least sensitivity for the newborn.

115. Use standards of practice to identify the correct nursing action when performing a phenylketonuria (PKU) test. Visualize the procedure for specimen collection. Consider any action that may compromise the specimen results.

116. Use knowledge of standard procedures in an emergency to identify priority actions to take if a newborn is abducted from a hospital nursery. Choose options that prevent a newborn's abduction.

Nursing Care of Newborns with Complications

117. Use the process of elimination to select the option that identifies the best indication that a mother is disappointed with having given birth to a newborn with physical abnormalities. Although all of the options describe behaviors that are atypical for most new mothers, option 1 is the most pathological because not giving the child a name indicates that the mother has not fully accepted the reality of the newborn's identity and is avoiding a personal relationship with the newborn who is less than ideal.

118. Use the process of elimination to select the best nursing action for promoting the mother's acceptance and care of the newborn with a myelomeningocele. Recall that by demonstrating nurturing care and acceptance of the newborn, the nurse is modeling behaviors that hopefully the mother will imitate.

119. The key word is "essential" indicating that the statement in one option is a priority for preventing the development of retinopathy of prematurity (ROP). Recall that excessive oxygen levels used to treat premature newborns can stimulate abnormal growth of blood vessels in the retina.

120. Select the option that identifies the best method for safely feeding a preterm newborn by understanding the newborn's difficulty with sucking. Gavage feeding safely provides nutrition and causes less fatigue, allowing the newborn to conserve energy and gain weight.

121. Use your knowledge of the immune system to identify the primary risk factor that predisposes the preterm newborn to acquiring an infection. Recall that a preterm newborn is exposed to life support systems involving ventilators and various types of catheters, which compromise an already poorly developed immune system.

122. The key word is "preterm." Options 1, 2, and 4 are appropriate for newborns who are born at term but not for preterm newborns. Option 3 is the best answer because an isolette or radiant warmer provides a direct source of heat to the newborn.

123. The key words are "Rh incompatibility." First consider the nature of the incompatibility and then identify the mother's white blood cells attacking the newborn's blood cells causing jaundice.

124. Analyze what information the question asks, which is the source of the blood specimen for performing a direct Coombs test. Recall "direct" coming from the newborn and "indirect" coming from the mother.

125. Use knowledge of infection control precautions when caring for an infant born to an HIV-positive mother. Recall that when the infectious status of a client, even a newborn, is unknown, standard precautions are always used.

126. Note the key words "most appropriate," and select the option that identifies the earliest timeframe for detecting the newborn's HIV status. Recall that HIV antibody testing with an enzyme-linked immunosorbent assay (ELISA) or Western blot test is not as useful as an HIV DNA polymerase chain reaction (PCR) test in the early neonatal period.

127. Use process of elimination to identify the age at which most untreated infants infected with HIV become symptomatic. Recall that symptoms develop as the immune system deteriorates.

128. Note the key words "most appropriate," and analyze the options, looking for one that is factual in reference to whether the HIV-positive mother can breastfeed the newborn. Recall that the virus is transmitted through breast milk, and the infant may become infected through this mode.

129. The key word is "reinforcement" meaning providing positive feedback. Analyze each option for positive reinforcement techniques and ways to improve client bonding and self-confidence in the maternal role.

130. The key words are "most appropriate" and "at this time" in reference to managing the toddler's behavior. Recall that the acting out displayed by the toddler provides attention even if it is for unacceptable behavior. However, by giving the child attention at other times especially when the child is behaving well, the toddler may act out less and less.

131. Use the process of elimination to determine the best statement by the LPN mentor. Recall nursing standards regarding nursing documentation that includes documentation completed by the nurse completing care, and if it is not documented, it was not done. Documentation is essential as an important step in nursing care.

132. Identify that Code Pink is commonly an infant abduction. Consider the number of employees in the hospital and what action would benefit locating an adult with an average 8 to 9 lb (17,600 to 19,800 g) newborn.

Correct Answers and Rationales

Admission of the Client to a Labor and Delivery Facility

1. 1, 3. The client should present to the hospital or health care facility when contractions are 5 minutes apart. A sudden gush of fluid from the vagina indicates that the membranes have ruptured. Once the membranes rupture, there is an increased risk for intrauterine infection and umbilical cord prolapse if the fetal head has not engaged. A sudden burst of energy, also known as the nesting instinct, is a preliminary sign of approaching labor and may occur a few days before the beginning of labor; it does not require reporting to the health care facility. Urinary frequency may occur as the fetus settles into the pelvic outlet. The primigravid client may experience urinary frequency as early as 2 to 3 weeks before the beginning of labor. Having the baby descend into the pelvis may occur several weeks before birth and is not a sign of labor. Blood-tinged mucus is also known as bloody show and may be the start of labor as the cervix dilates and effaces, but it may be several hours or a day or two before labor begins. Therefore, it is too early to take the steps of notifying the health care provider and reporting to the labor and delivery unit.
> **Cognitive Level**—*Applying*
> **Client Needs Category**—*Health promotion and maintenance*
> **Client Needs Subcategory**—*None*

2. 1, 3, 4, 5. Obtaining admission obstetric data focuses on the status of the pregnancy. It is pertinent to ask whether the client's membranes have ruptured, when her contractions started, when she last felt the baby move and when she last ate. The timing of the last meal is especially important in case the client requires anesthesia for birth. The information that is least important is whether she has ever had an enema. Not every client requires an enema, so the best time to ask about this is shortly before administering one.
> **Cognitive Level**—*Analyzing*
> **Client Needs Category**—*Health promotion and maintenance*
> **Client Needs Subcategory**—*None*

3.

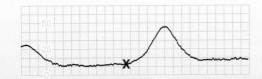

An *X* is placed at the beginning of the contraction where a rise is noted from the baseline. This indicates where the

contraction begins and where the nurse would begin timing the contraction. The contraction continues until it reaches the acme, then concludes decreasing in muscle contraction.
> **Cognitive Level**—*Applying*
> **Client Needs Category**—*Health promotion of maintenance*
> **Client Needs Subcategory**—*None*

4. 1. Braxton Hicks contractions are irregular, painless contractions that occur intermittently (in some cases, every 10 to 20 minutes). They tend to disappear with walking and sleeping and become more uncomfortable closer to birth. Because of their irregularity, Braxton Hicks contractions cannot be timed, and they do not increase in frequency or intensity. These contractions begin and remain in the abdomen, whereas true labor contractions begin in the lower back and progress to the abdomen. The main difference between true labor and false labor contractions, however, is that Braxton Hicks contractions do not dilate the cervix.
> **Cognitive Level**—*Applying*
> **Client Needs Category**—*Health promotion and maintenance*
> **Client Needs Subcategory**—*None*

5. 1. Blood pressure begins to rise several seconds before a contraction begins and returns to resting level when the contraction subsides. To obtain the most accurate blood pressure reading, it should be assessed between contractions. Taking the blood pressure when the contraction is over minimizes the possibility of obtaining an inaccurate measurement. Some believe that in addition to taking the blood pressure between contractions, the client should be in a left lateral position to relieve compression on the inferior vena cava, which can alter the blood pressure as well.
> **Cognitive Level**—*Applying*
> **Client Needs Category**—*Health promotion and maintenance*
> **Client Needs Subcategory**—*None*

6.

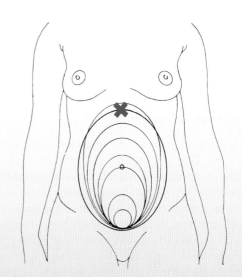

Uterine height is measured from the top of the maternal symphysis pubis to the top of the uterine fundus. By the 36th week, the uterine fundus should touch the xiphoid process. About 2 weeks before term (the 38th week), the fetal head settles into the pelvis to prepare for birth and the uterus returns to its height at 36 weeks.

> *Cognitive Level*—*Applying*
> *Client Needs Category*—*Health promotion and maintenance*
> *Client Needs Subcategory*—*None*

7. 4. Phosphatidylglycerol (PG) is a phospholipid of surfactant, which indicates fetal lung maturity. The alpha-fetoprotein test (AFP) detects the presence of certain congenital diseases such as spina bifida or Down syndrome. The TORCH panel checks for infections with toxoplasmosis. Chorionic villus sampling detects chromosomal disorders.

> *Cognitive Level*—*Applying*
> *Client Needs Category*—*Physiological integrity*
> *Client Needs Subcategory*—*Reduction of risk potential*

Nursing Care of Clients During the First Stage of Labor

8. 1. When performing a vaginal examination, the examiner wears a pair of sterile gloves to avoid the introduction of bacteria and the risk of infection. The client should be assisted to the dorsal recumbent (not side-lying) position and assisted to use breathing techniques (breathing slowly through an open mouth) to help her relax. An enema is not usually part of client preparation for a vaginal examination.

> *Cognitive Level*—*Applying*
> *Client Needs Category*—*Safe and effective care environment*
> *Client Needs Subcategory*—*Safety and infection control*

9. 4. Dilation and effacement of the cervix are the only definite, reliable indicators of true labor. Regular, progressing contractions and the presence of bloody show are also signs of labor, but they are not considered as reliable as dilation.

> *Cognitive Level*—*Analyzing*
> *Client Needs Category*—*Health promotion and maintenance*
> *Client Needs Subcategory*—*None*

10. 1, 2. The latent phase is the beginning of the first stage of labor. During the latent phase, also known as the early phase, the normal fetal heart rate ranges from 120 to 160 bpm. During the latent phase of the first stage of labor, contractions occur every 5 to 30 minutes. The perineum does not begin to bulge until the transition phase of the first stage of labor, and early decelerations usually occur late in labor as a result of head compression. Irritability is a sign exhibited during the transition stage, and feeling the need

to have a bowel movement is common as the client feels the need to push in the late stage of labor.

> *Cognitive Level*—*Applying*
> *Client Needs Category*—*Health promotion and maintenance*
> *Client Needs Subcategory*—*None*

11. 1, 2. If the client's membranes are intact and contractions are not very frequent or intense, the client may be allowed to ambulate and take a warm shower or Jacuzzi bath. During the latent phase of the first stage of labor, the client is encouraged to drink clear liquids or moisten the lips/mouth with ice chips. The client usually uses a panting breathing pattern during the transition phase of the first stage of labor. The client's contractions are monitored; therefore, the nurse will know when the contraction begins and ends. In the latent phase of labor, contractions are far apart. Pain medication is generally unnecessary during the latent phase of labor.

> *Cognitive Level*—*Applying*
> *Client Needs Category*—*Health promotion and maintenance*
> *Client Needs Subcategory*—*None*

12. 3. According to the Association of Women's Health, Obstetric and Neonatal Nurses (AWHONN), the American Academy of Pediatrics (AAP) and the Society of Obstetricians and Gynaecologists of Canada (SOGC) guidelines, the fetal heart rate is assessed every 15 to 30 minutes during the active phase of the first stage of labor, every 30 to 60 minutes during the latent phase of the first stage of labor, and every 5 to 15 minutes during the second stage of labor. However, the frequency of the assessment should not be rigidly set because it can vary depending on maternal and fetal risk factors.

> *Cognitive Level*—*Applying*
> *Client Needs Category*—*Health promotion and maintenance*
> *Client Needs Subcategory*—*None*

13. 2. Epidural anesthesia can be administered at any time, but it is usually administered to a primigravid client at 5 to 6 cm dilation. If the client is multigravid, an epidural is generally given at 3 to 4 cm dilation. The primigravid client's progression through labor is typically slower, and administration of the epidural anesthesia when the cervix is only dilated 3 to 4 cm may prolong labor. Administration of an epidural anesthesia during the transition stage of labor (cervical dilation 7 to 10 cm) does not provide therapeutic pain management when contraction frequency, duration, and intensity have increased.

> *Cognitive Level*—*Applying*
> *Client Needs Category*—*Physiological integrity*
> *Client Needs Subcategory*—*Pharmacological therapies*

14. 3. Contractions during the active phase of labor usually occur every 3 to 5 minutes and last between 45 and 60 seconds. Contractions last up to 30 seconds during the latent phase of the first stage of labor. They can last up to 90 seconds during the transition phase of the first stage of labor as well as during the second stage of labor.

> *Cognitive Level*—*Applying*
> *Client Needs Category*—*Health promotion and maintenance*
> *Client Needs Subcategory*—*None*

15. 3. During the transition phase of the first stage of labor, which ends when the cervix is completely dilated, the client usually has an increase in bloody show and the contractions last up to 90 seconds. Crowning of the presenting part does not occur until the cervix is completely dilated (10 cm), during the second stage of labor.

> *Cognitive Level*—*Applying*
> *Client Needs Category*—*Health promotion and maintenance*
> *Client Needs Subcategory*—*None*

16. 2. During the transition phase of the first stage of labor, the client is at risk for losing control because of intense discomfort, fatigue, and the frequency and length of the contractions. Praising the client's efforts frequently at this time can help her to maintain control of the situation. During the transition phase of labor, the membranes usually rupture if they have not already done so, and the client may receive an opioid analgesic or regional anesthetic; therefore, ambulation is not usually recommended. The client should not push until the cervix is completely dilated, which occurs during the second stage of labor. Application of sacral pressure can relieve back discomfort. Some women have a low tolerance to touch during this phase of labor; therefore, every client should be assessed individually to determine her preference.

> *Cognitive Level*—*Applying*
> *Client Needs Category*—*Health promotion and maintenance*
> *Client Needs Subcategory*—*None*

17. 1. When the fetus presents in the posterior instead of the anterior position, the client experiences back discomfort, and there is a danger of maternal laceration if the fetus does not rotate before birth. The posterior position usually prolongs labor, so preparing for a precipitous birth is not necessary. The client should be assisted to a more comfortable position. The knee-chest position is commonly recommended because it relieves discomfort associated with the posterior presentation of the head and facilitates rotation of the head. Trendelenburg position does not assist with rotation of the head to the anterior position. During this phase, the client should avoid lying on her back to avoid compression of the vena cava by the uterus. The uterus usually is not displaced with a posterior presentation, so having the client void is inappropriate.

> *Cognitive Level*—*Applying*
> *Client Needs Category*—*Physiological integrity*
> *Client Needs Subcategory*—*Basic care and comfort*

18. 4. The client should be encouraged to void every 2 hours to minimize bladder distention, which may prolong labor. The client should be encouraged to drink clear liquids at frequent intervals to prevent dehydration. The I.V. infusion rate is not decreased unless prescribed by the health care provider. Maintaining the prescribed I.V. infusion rate also prevents dehydration. No solid foods are given during labor because peristalsis is slowed during this time, and nausea and vomiting can occur.

> *Cognitive Level*—*Applying*
> *Client Needs Category*—*Physiological integrity*
> *Client Needs Subcategory*—*Reduction of risk potential*

19. 1. This fetal heart rate monitoring strip shows late decelerations, which indicate insufficient uteroplacental circulation, which can lead to fetal hypoxia and acidosis if the underlying cause is not corrected. The client should be assisted to her left side to increase placental perfusion and decrease the frequency of contractions. The right lateral, supine, and prone positions do not increase placental perfusion.

> *Cognitive Level*—*Analyzing*
> *Client Needs Category*—*Physiological integrity*
> *Client Needs Subcategory*—*Reduction of risk potential*

20. 1. The *contraction duration* is defined as the time interval between the beginning of a contraction and the end of the same contraction. The time interval between the end of one contraction and the beginning of the next contraction is called the *relaxation period*. The time interval between the beginning of one contraction and the end of the next contraction is insignificant when assessing the client's labor pattern and is not generally measured. The time interval between the beginning of one contraction and the beginning of the next contraction is defined as the *frequency of the contractions*.

> *Cognitive Level*—*Applying*
> *Client Needs Category*—*Health promotion and maintenance*
> *Client Needs Subcategory*—*None*

21. 1. The nurse should palpate the fundus of the uterus, which is usually located just above the umbilicus in the full-term client. The correct technique for contraction assessment using palpation is to place the entire hand lightly on the abdomen above the umbilicus and note the tightening of the fundus as the myometrium contracts in a downward direction. The fundus is palpated because muscular contractions are strongest and easiest to assess at this location.

> *Cognitive Level*—*Applying*
> *Client Needs Category*—*Health promotion and maintenance*
> *Client Needs Subcategory*—*None*

22. 1. When there is a question about whether the membranes have ruptured, a nitrazine test may be performed. The nitrazine test involves placing a drop or two of fluid onto a paper strip prepared with nitrazine dye. A chemical reaction occurs, and the strip changes color based on the pH of the fluid being tested. Amniotic fluid turns the nitrazine test strip blue because amniotic fluid (pH of 7 to 7.5) is alkaline. The nitrazine test remains yellow when exposed to vaginal secretions (pH of 4.5 to 5.5) and urine (pH of 5.5), which are usually acidic. Red and green are not colors associated with nitrazine testing.

Cognitive Level—Applying
Client Needs Category—Physiological integrity
Client Needs Subcategory—Reduction of risk potential

23. 4, 5. The fetal heart rate should be checked immediately after the membranes rupture. A drop in the fetal heart rate may indicate umbilical cord prolapse. Prolapse of the umbilical cord may occur because of the sudden gush of fluid from the vagina, especially if the presenting part is not engaged. Inspecting the fluid for meconium is important because meconium-stained amniotic fluid indicates fetal distress. Rupture of the membranes can happen at any time before or during labor. Therefore, preparing for imminent birth may be premature. The client's pulse is not affected by the rupturing of the membranes. The registered nurse usually performs vaginal examinations, and an indwelling catheter is not usually indicated when the membranes rupture.

Cognitive Level—Analyzing
Client Needs Category—Physiological integrity
Client Needs Subcategory—Reduction of risk potential

24. 1. Internal electronic fetal monitoring requires the application of an electrode to the fetal scalp. Infection and soft tissue injury can occur with the use of internal electronic fetal monitoring, but both are rare. A soft, water-filled catheter is inserted into the uterus for internal electronic monitoring of uterine contractions. A transducer is applied to the mother's abdomen when external electronic monitoring is used. A suction cup is applied to the fetal scalp when a vacuum extraction is being performed to assist with birth of the fetal head.

Cognitive Level—Applying
Client Needs Category—Health promotion and maintenance
Client Needs Subcategory—None

25. 3. The presence of green amniotic fluid indicates that the fetus has passed a meconium stool in utero. Passage of meconium in utero when the fetus is presenting in the vertex position is an indication of fetal distress and should be reported immediately. To avoid meconium aspiration, the mouth, nose, and throat should be suctioned before the birth of the baby. The normal range for the fetal heart rate is 120 to 140 bpm, which suggests a well-oxygenated fetus. It is normal for the fetal heart rate to accelerate. An increase in bloody show is normal and indicates that the second stage of labor is imminent.

Cognitive Level—Analyzing
Client Needs Category—Physiological integrity
Client Needs Subcategory—Physiological adaptation

26. 4. Although there is a trend toward more liberal food policies, the argument for avoiding solid food during active labor is that it may cause nausea and vomiting. The potential problem arises because gastric emptying is delayed during labor and there is decreased tone of the lower esophageal sphincter, both of which predispose the person to food passively entering the pharynx and lungs, causing aspiration. Eating solid food is not known to alter the absorption of regional anesthetics or to alter the duration and frequency of uterine contractions; it also does not cause fetal distress.

Cognitive Level—Applying
Client Needs Category—Health promotion and maintenance
Client Needs Subcategory—None

27. 1. When the fetus presents in the vertex position, the head descends into the birth canal first, making it the most favorable cephalic presentation because the smallest possible diameter enters the pelvis. If the feet or buttocks enter the birth canal first, the presentation is considered a *breech*. A shoulder presentation is when the shoulder enters the birth canal first. Both breech and shoulder presentations are considered malpresentations and make birth more difficult. Often these types of presentations result in a cesarean birth.

Cognitive Level—Understanding
Client Needs Category—Health promotion and maintenance
Client Needs Subcategory—None

28. 4. A drop in the fetal heart rate after the contraction acme is defined as a *late deceleration*. This is a priority for health care provider notification. The fetal heart requires a significant amount of oxygen; slowing of the heart rate is an ominous sign of fetal hypoxia that should be reported immediately. The other options describe processes that normally occur during the active phase of the first stage of labor.

Cognitive Level—Analyzing
Client Needs Category—Physiological integrity
Client Needs Subcategory—Physiological adaptation

29. 1, 2, 3. Drugs such as terbutaline sulfate are used to slow or prevent uterine contractions occurring before 34 weeks' gestation. It is used as a tocolytic for interrupting preterm labor, although it has not been approved by the U.S. Food and Drug Administration for that use and has a black box warning. Terbutaline provides short-term prolongation of the pregnancy, thereby increasing time to administer other drugs that can promote fetal maturity or to transfer the pregnant client to a facility that is equipped to handle premature births. Terbutaline guidelines do not recommend administration longer than 72 hours. Adverse reactions to terbutaline sulfate include anxiety, tremors, nervousness, headache, hypertension, palpitations, hypokalemia, pulmonary edema, and restlessness. Hypoglycemia, oliguria, and a rash are not common adverse reactions to terbutaline sulfate.

Cognitive Level—Applying
Client Needs Category—Physiological integrity
Client Needs Subcategory—Pharmacological therapies

30. 2. Tocolytic agents such as terbutaline sulfate should be withheld if the client's cervix is dilated 4 cm or more or is effaced 50% or more. Inhibiting uterine contractions during active labor could lead to prolonging labor by suppressing contractions that are strong enough to deliver the fetus. Tocolytic agents should also be withheld when the client is hemorrhaging or has severe gestational hypertension, or when fetal distress is evident. The presence of mild contractions indicates that the client continues to be in preterm labor, so it would be appropriate to give the client the tocolytic medication. Fetal heart rate variability is of no consequence as long as it does not differ more than 10 to 15 beats over any 1 minute. The client's perception that contractions are occurring less frequently is not substantial enough to withhold the medication; more objective data are necessary.

> *Cognitive Level—Analyzing*
> *Client Needs Category—Physiological integrity*
> *Client Needs Subcategory—Pharmacological therapies*

Nursing Care of Clients During the Second Stage of Labor

31. 1. The second stage of labor begins when the cervix is fully dilated to 10 cm and ends when the baby is born. The perineum usually begins to bulge and the presenting part begins to crown during the second stage of labor. The contractions usually last for 60 to 90 seconds, and the cervix is completely dilated (10 cm). During transition, when the cervix is dilating from 7 to 10 cm, the client is likely to become agitated and irritable, often times losing control.

> *Cognitive Level—Applying*
> *Client Needs Category—Health promotion and maintenance*
> *Client Needs Subcategory—None*

32. 1. Preparation for birth for a multiparous client should begin when she is 6 to 7 cm dilated. Preparation for a primiparous client is usually delayed until the client is completely dilated (10 cm) because it generally takes longer to achieve full dilation with a woman's first birth. The arrival time of the health care provider including midwife varies and usually is not used as an indicator for when to begin preparing for birth.

> *Cognitive Level—Applying*
> *Client Needs Category—Health promotion and maintenance*
> *Client Needs Subcategory—None*

33. 3. A vaginal examination should be performed to determine whether the cervix is 10 cm dilated and 100% effaced before the client begins to push. This precaution prevents edema or lacerations to the cervix that would prevent further dilation, prolong labor, and possibly require cesarean birth. The other options are appropriate if the nurse has already determined that the client is fully dilated.

> *Cognitive Level—Applying*
> *Client Needs Category—Health promotion and maintenance*
> *Client Needs Subcategory—None*

34. 3. If an opioid analgesic such as butorphanol tartrate is given too late during labor, the medication can cross the placental barrier and may be present after the newborn is delivered, resulting in respiratory depression. Conversely, giving an opioid analgesic too early in labor may interfere with labor progression and decrease the contractions' effectiveness. Administration of an opioid analgesic is not associated with uterine rupture or increased fetal activity.

> *Cognitive Level—Applying*
> *Client Needs Category—Physiological integrity*
> *Client Needs Subcategory—Pharmacological therapies*

35. 1. An epidural block is a type of local (regional) anesthetic delivered through a catheter placed in the space between the dura mater and the surface of the spinal cord. Epidural anesthesia provides pain relief during labor and birth by numbing and paralyzing muscles below the ribcage. Epidural anesthesia also is useful for clients who have preexisting conditions, such as heart disease, pulmonary disease, or diabetes. An epidural usually takes effect immediately and reaches its maximum potency within 3 to 5 minutes of administration. However, the procedure for placing the catheter requires additional time.

> *Cognitive Level—Applying*
> *Client Needs Category—Physiological integrity*
> *Client Needs Subcategory—Pharmacological therapies*

36. 1. During the period immediately after administering an epidural anesthetic, the client's blood pressure should be assessed and evaluated for the presence of hypotension. A drop in blood pressure occasionally occurs secondary to sympathetic blockade and may decrease the oxygen supply to the fetus, which is manifested by fetal bradycardia (not tachycardia). Paralysis of the lower extremities is an expected result. The client may experience a spinal headache within 24 to 72 hours of the procedure, but not immediately. Ensuring that the client is well hydrated (usually through I.V. infusion) before, during, and after the procedure minimizes both maternal hypotension and spinal headache.

> *Cognitive Level—Applying*
> *Client Needs Category—Physiological integrity*
> *Client Needs Subcategory—Pharmacological therapies*

37. 2. The client to whom an epidural anesthesia has been administered is instructed when to push because she is unable to feel contractions. Oxygen is not routinely required unless complications arise. The client is not usually catheterized after this type of anesthesia, and the epidural is usually given late in labor (second stage) or for cesarean birth; therefore, it usually does not slow the progress of labor, which would require the use of oxytocin.

> *Cognitive Level—Applying*
> *Client Needs Category—Physiological integrity*
> *Client Needs Subcategory—Pharmacological therapies*

38. 1. When cleaning the perineum in preparation for birth, the nurse should use the technique that poses the least possibility of infection and increases visibility of the area. The usual procedure of cleaning the area is as follows: pubic bone to lower abdomen, the inner thighs (both), the right and left labia, and the vagina to the anus. The vagina is always the last area cleaned.

> **Cognitive Level**—*Applying*
> **Client Needs Category**—*Safe and effective care environment*
> **Client Needs Subcategory**—*Safety and infection control*

39. 3. An episiotomy is an incision made into the perineum tissue to enlarge the vaginal opening. It is usually performed to prevent lacerations within the vagina and, in extreme cases, lacerations in the rectum. An episiotomy also diminishes the possibility of prolonged pressure on the fetal head and speeds the birth process. Episiotomies are not associated with uterine rupture or postpartum infection. The episiotomy in the perineum between the vagina and anus is not prophylactic for uterine rupture. A postpartum infection is a consequence of pathogens that invade local tissue. A rectal tear occurs less often than a vaginal tear, making option 3 a better answer.

> **Cognitive Level**—*Applying*
> **Client Needs Category**—*Health promotion and maintenance*
> **Client Needs Subcategory**—*None*

Nursing Care of Clients During the Third Stage of Labor

40. 3. The priority need of the newborn immediately after birth is establishment of a patent airway. This is best accomplished by suctioning the newborn's nose and mouth with a bulb syringe after the head is delivered but before complete birth of the body. Oxygen is not given before the airway is cleared; it is only administered if needed. Applying the cord clamp and warming the newborn do not take priority over establishment and maintenance of respirations.

> **Cognitive Level**—*Applying*
> **Client Needs Category**—*Health promotion and maintenance*
> **Client Needs Subcategory**—*None*

41. 4. The Apgar scoring system is a tool used to assess the infant at 1 minute of age and at 5 minutes. It assesses heart rate, respiratory effort, muscle tone, reflexes, and color. The maximum score an infant can achieve is 10 (2 points for each of the five categories). An Apgar score of 7 to 10 is considered good and does not require any intervention. A score between 4 and 6 indicates moderate distress, in which case the newborn requires close monitoring and possible intervention with oxygen. A score between 0 and 3 is considered poor and indicates a definite need for resuscitation efforts and medical intervention.

> **Cognitive Level**—*Applying*
> **Client Needs Category**—*Health promotion and maintenance*
> **Client Needs Subcategory**—*None*

42. 2. The newborn is dried first to prevent heat loss secondary to evaporation, placed on the mother's abdomen in skin-to-skin contact, and then covered with a warmed blanket. The mother's abdomen is usually warm, so direct newborn-mother contact does not pose a danger of heat loss. The other options either interfere with maintaining the newborn's warmth or do not promote mother-infant attachment.

> **Cognitive Level**—*Applying*
> **Client Needs Category**—*Health promotion and maintenance*
> **Client Needs Subcategory**—*None*

43.

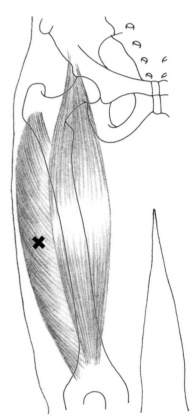

The preferred site for I.M. injections in a newborn and children up to age 3 years is the vastus lateralis muscle. This site is located on the outside aspect of the thigh between the greater trochanter and the knee. The ventrogluteal muscle and the gluteus maximus muscles are not used in newborns because of the risk of sciatic nerve damage. The deltoid muscle should not be used until a child is 3 years old. The rectus femoris muscle on the anterior thigh is not a recommended site for a newborn because what appears to be a bulky muscle is predominantly subcutaneous fat. In addition, there is a neurovascular bundle beneath the site.

> **Cognitive Level**—*Applying*
> **Client Needs Category**—*Safe and effective care environment*
> **Client Needs Subcategory**—*Safety and infection control*

44. 3. Bacteria normally found in the intestines synthesize vitamin K. The newborn is given vitamin K at birth because the intestines of the newborn are sterile and the newborn cannot synthesize vitamin K. Vitamin K is needed for the formation of prothrombin and other clotting factors that help prevent bleeding. One single dose is administered, usually within 1 hour of birth. Vitamin K does not stimulate respirations, promote peristalsis, or increase calcium absorption.

Cognitive Level—Understanding
Client Needs Category—Physiological integrity
Client Needs Subcategory—Pharmacological therapies

45. 1. Neonatal blindness can occur as a result of eye infections caused by gonococcal and chlamydial organisms. Erythromycin ophthalmic ointment is used prophylactically in the newborn, generally within an hour of birth, to prevent blindness that may result from exposure to these organisms during passage through the mother's birth canal. *Candida albicans* causes yeast infections, and *Pneumocystis carinii* is associated with acquired immunodeficiency syndrome.

Cognitive Level—Applying
Client Needs Category—Physiological integrity
Client Needs Subcategory—Pharmacological therapies

46. 3. The unlicensed assistive personnel or nurse should keep one hand next to the newborn while weighing it. Keeping a hand physically on the newborn will affect the weight's accuracy. Undressing the newborn before the weight is obtained, placing a diaper or paper barrier on the scale before balancing it, and cleaning the scale with an antiseptic before and after use are all correct techniques to implement when weighing a newborn.

Cognitive Level—Applying
Client Needs Category—Safe and effective care environment
Client Needs Subcategory—Safety and infection control

47. 1. To prevent the risk of the mother receiving the wrong newborn, matching identification bracelets should be placed on both the newborn and mother before the newborn leaves the delivery area. Eye prophylaxis and administration of vitamin K are usually delayed to facilitate early bonding between the mother and newborn but are completed in the delivery room or in the nursery. Phenylketonuria (PKU) testing should be performed when the newborn has begun to eat.

Cognitive Level—Applying
Client Needs Category—Safe and effective care environment
Client Needs Subcategory—Safety and infection control

48. 4. The placenta is delivered after it has separated from the wall of the uterus. This is usually accomplished by having the client bear down. In some cases, the attending health care provider may manually express the placenta. Breathing slowly and deeply, assuming a side-lying position, and tightening and relaxing the perineum will not facilitate birth of the placenta.

Cognitive Level—Applying
Client Needs Category—Health promotion and maintenance
Client Needs Subcategory—None

49. 3. A rise of the fundus in the abdomen, lengthening of the umbilical cord, and a sudden gush of blood from the vagina are signs of impending birth of the placenta. The perineum does not bulge with birth of the placenta.

Cognitive Level—Applying
Client Needs Category—Health promotion and maintenance
Client Needs Subcategory—None

Nursing Care of Clients During the Fourth Stage of Labor

50. 1, 2. The client's needs are best met by placing a warmed blanket over her. The nurse can also explain that the shaking is a normal response due to sudden physiological changes and fluid shifts; however, this will not relieve her shaking and coldness. Suggesting that the client try not to think about the shaking will not resolve the underlying cause; therefore, this does not adequately address the client's concern. Notifying the health care provider is unnecessary because this is a normal physiological process. Because the shaking and feelings of being cold are related to fluid shifts and sudden physiological changes, taking the client's temperature is not necessary. Providing a warm drink may provide warmth but will not control the shaking. Therefore, it is not necessary for this to be an immediate action.

Cognitive Level—Applying
Client Needs Category—Physiological integrity
Client Needs Subcategory—Basic care and comfort

51. 3. Oxytocin is a natural hormone released by the posterior pituitary gland. Massaging the fundus, breastfeeding the infant, and nipple stimulation can supplement its release after birth, but its biosynthesized form can be administered as a medication. When oxytocin is administered prophylactically after birth of the placenta, it is classified as a uterotonic medication because it causes the uterus to contract, which decreases the risk for postpartum hemorrhage. The client's blood pressure should be monitored closely because hypertension is a side effect of this medication. Also, uterine rupture may occur with the administration of oxytocin if hyperstimulation of the uterus secondary to a toxic dose of the medication occurs. Administering oxytocin will not prevent the uterus from inverting. When palpating the uterus, the nurse commonly supports it just above the symphysis pubis to prevent the uterus from inverting.

Cognitive Level—Applying
Client Needs Category—Physiological integrity
Client Needs Subcategory—Pharmacological therapies

52. 1, 4, 6. A systolic blood pressure of 100 mm Hg or less should be reported because it could indicate that the client is hemorrhaging. Signs of hypovolemic shock occur when about 400 to 500 mL of blood have been lost. Besides a drop in blood pressure, other signs of shock related to hemorrhage include increased pulse rate, increased respiratory rate, cold and clammy skin, decreased urine output, and dizziness. The normal pulse rate is slightly lower during the fourth stage of labor than during previous stages because of decreased cardiac strain. The pulse rate can range between 40 and 80 bpm and still be considered normal. During the fourth stage of labor, the lochia is usually dark red with a fleshy, not foul, odor. The client may saturate one perineal pad within 1 hour. Also, it is common for clients to exhibit a slightly elevated temperature (up to 100.4°F [38°C]) just after birth.

> *Cognitive Level—Analyzing*
> *Client Needs Category—Physiological integrity*
> *Client Needs Subcategory—Reduction of risk potential*

Nursing Care of Clients Having a Cesarean Birth

53. 2. The client is catheterized before abdominal surgery to prevent bladder trauma that may occur if the bladder becomes distended during surgery. Such catheterization is not performed to reduce postpartum hemorrhage, provide a landmark for the health care provider, or provide a safe way of collecting urine specimens.

> *Cognitive Level—Analyzing*
> *Client Needs Category—Safe and effective care environment*
> *Client Needs Subcategory—Safety and infection control*

54. 1. When a cesarean birth is performed using epidural anesthesia, the client may feel pressure but does not experience pain or stinging because the nerve roots (source of pain) are blocked. Clients are not asleep when this type of anesthesia is used.

> *Cognitive Level—Applying*
> *Client Needs Category—Physiological integrity*
> *Client Needs Subcategory—Pharmacological therapies*

55. 3. The client's spouse (or partner or coach, who is sometimes referred to as a *doula*) is usually allowed in the operating room during the cesarean birth. However, because of the sterile environment, whoever is observing the birth must change into the appropriate surgical attire and perform hand hygiene at the scrub sink before entering into the delivery area when the cesarean birth is ready to begin. The mother is aware during the procedure. The person is usually seated near the client's head.

> *Cognitive Level—Applying*
> *Client Needs Category—Safe and effective care environment*
> *Client Needs Subcategory—Safety and infection control*

56. 1. According to the World Health Organization, women who have cesarean births are five times more likely to develop a postpartum infection than women who have vaginal births. The majority of surgical site infections are caused by microorganisms on the client's own skin. Therefore, extensive skin preparation is required. Before a cesarean birth, the nurse follows the standard abdominal-perineal skin preparation. The area prepared begins at the

incisional area and works up to the nipple line, then side to side with the thighs and perineum last.

> *Cognitive Level—Applying*
> *Client Needs Category—Safe and effective care environment*
> *Client Needs Subcategory—Safety and infection control*

57. 3. When morphine is administered via the epidural route, it produces long duration pain relief. However, an ongoing risk is that severe respiratory depression may occur because of the slow circulation of cerebrospinal fluid to the brain. The client should be monitored closely for respiratory depression, evidenced by a slow respiratory rate and unusual drowsiness or sleepiness, when receiving morphine by the epidural route. The client may also experience urine retention, pinpoint pupils, and circulatory collapse.

> *Cognitive Level—Applying*
> *Client Needs Category—Physiological integrity*
> *Client Needs Subcategory—Pharmacological therapies*

58. 4. An opioid antagonist such as naloxone hydrochloride should be readily available in case respiratory depression occurs. If naloxone is used, the nurse should monitor the client for the onset of extreme pain because naloxone reverses both the analgesic and side effects of opioids. The medications identified in the other options are not required when the client is receiving epidural morphine sulfate.

> *Cognitive Level—Applying*
> *Client Needs Category—Physiological integrity*
> *Client Needs Subcategory—Pharmacological therapies*

59. 4. Redness and swelling around the incision usually indicate the presence of an infection. Other signs of infection include an elevated temperature (100.4°F [38°C] or greater orally) 2 to 3 days after birth, severe pain, and incisional drainage. It is normal for the incision line to feel numb for several months after a cesarean birth.

> *Cognitive Level—Applying*
> *Client Needs Category—Physiological integrity*
> *Client Needs Subcategory—Physiological adaptation*

60. 1. Ambulation improves intestinal motility and may relieve intestinal gas. Other interventions include a diet low in gas-forming foods, small enemas, and antiflatulence medications, which can be used to reduce abdominal discomfort experienced by the client who has had a cesarean birth. Pain medications, such as meperidine hydrochloride and morphine sulfate, can contribute to the abdominal discomfort instead of relieving it because they slow peristalsis. Rectal tubes are invasive and should only be used as a last resort after evaluating the outcome of other methods for relieving intestinal gas. Drinking from a straw is discouraged because it causes the client to swallow more air, which further aggravates the problem.

> *Cognitive Level—Applying*
> *Client Needs Category—Physiological integrity*
> *Client Needs Subcategory—Basic care and comfort*

61. 1. Vaginal birth after a cesarean birth (VBAC) is possible if the client has had a previous low transverse incision and wishes to attempt to have a vaginal birth. Although the client must have no history of medical conditions that prohibit a vaginal birth, that is not the major factor in qualifying for VBAC. The reason it was believed that "once a cesarean birth, always a cesarean birth" was based on the fear that the uterus would rupture if there was a subsequent vaginal birth. That fear was based on the earlier technique of performing vertical incisions. Currently, the uterus ruptures in only 1% of VBACs. More than 80% of women who have had a previous cesarean birth are now able to have a vaginal birth.

    Cognitive Level—Applying
    Client Needs Category—Health promotion and
       maintenance
    Client Needs Subcategory—None

Nursing Care of Clients Having an Emergency Birth

62. 3. If the nurse observes prolapse of the umbilical cord, the client should be placed in Trendelenburg position or knee-chest position. Both positions help to relieve the pressure of the presenting part on the umbilical cord. The nurse may also attempt to lift the presenting part off the cord with a gloved finger or hand until the health care provider or midwife arrives. Oxygen is usually administered, but the client is not positioned on the left side. The newborn is usually born by cesarean birth; however, preparation of the delivery area and notification of the health care provider do not take priority over relieving the cord compression.

    Cognitive Level—Applying
    Client Needs Category—Physiological integrity
    Client Needs Subcategory—Reduction of risk potential

63. 1. When birth is imminent and no help is available, the nurse should gently control the birth of the head, allow it to emerge, and birth the newborn between contractions. The nurse should not hold back the infant's head to prevent birth or attempt to enter or enlarge the vaginal opening.

    Cognitive Level—Applying
    Client Needs Category—Physiological integrity
    Client Needs Subcategory—Reduction of risk potential

Nursing Care of Clients Having a Stillborn Baby

64. 2. The nurse should encourage the client to express her feelings, including sorrow over her infant's loss. These actions allow the client to sort through her feelings and facilitate the establishment of a trusting relationship between the client and nurse. The fetal heart rate should be checked only once by an experienced nurse; any

rechecking may give the client false hope, which is inappropriate. Redirecting the client's attention to the laboring process does not allow the client the opportunity to sort through her feelings. Explaining that the newborn probably would have been born with severe long-term health problems is not necessarily an accurate statement and also does nothing to ease the client's sorrow.

    Cognitive Level—Applying
    Client Needs Category—Psychosocial integrity
    Client Needs Subcategory—None

65. 2. Allowing the parents to visit with their newborn affords them an opportunity to say their last goodbyes and helps them accept the newborn's death. The newborn is bathed and diapered, and the parents are allowed to hold and touch the newborn. Recall that seeing and holding the stillborn infant dispel any preconceived fears about the condition of the newborn and confirm the reality of the loss, yet allow the parents to bond and form memories about the identity of the newborn for whom they will always be parents. Although a memory packet may also be presented, it does not substitute for an actual visit if the parents desire one. Postponing the visit may interfere with the grieving process.

    Cognitive Level—Analyzing
    Client Needs Category—Psychosocial integrity
    Client Needs Subcategory—None

Nursing Care of Clients During the Postpartum Period

66. 2. Calf pain when the foot is dorsiflexed is a manifestation of thrombophlebitis. This response is also called a *positive Homan sign*. Thrombophlebitis, the inflammation of the lining of a blood vessel with clot formation, can involve superficial or deep veins. Clients at risk for developing thrombophlebitis include obese women, those with varicose veins, multiparas, and those older than age 30. It is normal for the client to pass a couple of nickel-sized clots during the first 24 hours after birth. The client may experience abdominal cramping similar to contraction pain during labor; these contractions, which accompany the involution of the uterus, can be caused by the release of oxytocin when the client is breastfeeding and are more common in multiparous clients. The vaginal discharge is normally dark red during this time.

    Cognitive Level—Applying
    Client Needs Category—Physiological integrity
    Client Needs Subcategory—Physiological adaptation

67. 1, 2, 3, 5, 6. Postpartum hemorrhage is a serious, life-threatening condition that can occur within the first 24 hours and up to the first 6 weeks' postpartum. The nurse must observe the client closely during the first 24 hours and recognize those clients who are at greatest risk for hemorrhaging. These clients include those who had placenta previa or abruptio placentae, clients who have just given birth to multiple newborns, clients with high parity, and those who have had a precipitous (rapid) birth. Other clients who are at risk for postpartum hemorrhage include those who have had a difficult or prolonged birth, hypertension, hydramnios, induction of labor using oxytocin, and a forceps birth. The presence of late decelerations of the fetal heart rate is not a risk factor for maternal postpartum hemorrhage.

> ***Cognitive Level***—*Analyzing*
> ***Client Needs Category***—*Physiological integrity*
> ***Client Needs Subcategory***—*Reduction of risk potential*

68. 4. Normally, the fundus is firm, hard, and located at, or just below, the level of the umbilicus. Thereafter, it decreases in size each day. Involution eventually returns the uterus to its prepregnant state or a near similar size. A soft and boggy fundus and an increase in lochia are characteristics of uterine bleeding. The first step in controlling uterine bleeding is massaging the fundus, but if bleeding is not reduced, the condition should also be reported to the health care provider. An oxytocic medication may be indicated to further stimulate uterine contraction.

> ***Cognitive Level***—*Applying*
> ***Client Needs Category***—*Physiological integrity*
> ***Client Needs Subcategory***—*Reduction of risk potential*

69. 1. Placing one hand on the fundus of the uterus and the other hand just above the symphysis pubis stabilizes the fundus and prevents the uterus from becoming inverted. The hand placement in the other options will not prevent the uterus from inverting.

> ***Cognitive Level***—*Applying*
> ***Client Needs Category***—*Health promotion and maintenance*
> ***Client Needs Subcategory***—*None*

70.

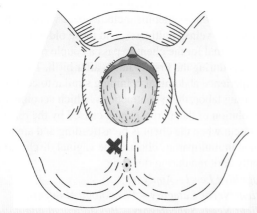

An episiotomy is a surgical enlargement of the vaginal opening that allows easier birth of the fetus and prevents tearing of the perineum. The incision in a right mediolateral episiotomy begins at the vaginal opening in the midline and then is directed toward the right buttocks at a 45-degree angle. Its main advantage over a midline episiotomy is that it is less likely to extend or tear into the anal sphincter and

rectum. However, it is more difficult to repair, and the client experiences more discomfort afterward.

> ***Cognitive Level***—*Applying*
> ***Client Needs Category***—*Health promotion and maintenance*
> ***Client Needs Subcategory***—*None*

71. 3. An episiotomy is the surgical incision made by the health care provider to avoid perineal tears during birth. When assessing the perineum of the client who received an episiotomy, the nurse should assist the client to the left side-lying position with the right leg flexed at the knee (Sims position). The upper buttock is lifted to expose the anus and perineum. This technique allows the best visualization of the perineal area. The positions identified in the other options do not allow for maximal visualization of this area.

> ***Cognitive Level***—*Applying*
> ***Client Needs Category***—*Health promotion and maintenance*
> ***Client Needs Subcategory***—*None*

72. 2. An episiotomy is a surgical incision into the perineum to widen the vaginal opening. If the client has an episiotomy, ice is applied to the perineum initially to reduce the swelling and subsequently decrease the discomfort that may occur from swelling. Sitz baths, heat lamp treatments, and topical cortisone are usually prescribed for use after the fourth stage of labor.

> ***Cognitive Level***—*Analyzing*
> ***Client Needs Category***—*Physiological integrity*
> ***Client Needs Subcategory***—*Basic care and comfort*

73. 4. A hematoma is the collection of blood in tissue that occurs when a vessel ruptures. A client who develops a perineal hematoma usually reports a great deal of pain in the perineal area, especially when sutures were needed to repair the episiotomy. The condition should be reported promptly. A hematoma is not associated with a feeling of fullness in the vagina, the presence of heavy and foul-smelling lochia rubra, or separation and purulent drainage from an episiotomy.

> ***Cognitive Level***—*Applying*
> ***Client Needs Category***—*Physiological integrity*
> ***Client Needs Subcategory***—*Reduction of risk potential*

74. 2. The fundus of the uterus should feel firm like a grapefruit and in midline when it is palpated after birth of the newborn and placenta. Recall that a full bladder may cause postpartum hemorrhage because it interferes with the uterus contracting appropriately. If the fundus deviates to either side, the nurse should suspect that it is caused by a full bladder. Massaging the uterus is unnecessary because the fundus is firm. Waiting to check the client again in 4 hours allows the bladder to fill with an even greater volume of urine. Action should be taken as soon as the nurse notes the fundal deviation.

> ***Cognitive Level***—*Applying*
> ***Client Needs Category***—*Health promotion and maintenance*
> ***Client Needs Subcategory***—*None*

75. 1. The peri-pad is always applied and removed from front to back to avoid contamination of the perineum. Peri-pads are changed frequently during the first few days because blood harbors microorganisms that can lead to infection. The unlicensed assistive personnel should perform hand hygiene before and after helping with perineal care and should wear gloves for the procedure. A peri bottle, if used, should be filled with warm water. A sitz bath is placed on the toilet under the seat and connected to a bag of warm water, which soothes the perineal area.

> ***Cognitive Level***—*Applying*
> ***Client Needs Category***—*Safe and effective care environment*
> ***Client Needs Subcategory***—*Safety and infection control*

76. 4. Clients typically have an increase in urine output within the first 24 hours of birth and void frequently during that time. If an ambulatory client cannot void, the nurse may try giving a warm sitz bath or having the client shower to help her void. If these techniques are unsuccessful, the client should be catheterized with a straight catheter to avoid bladder complications. If the client has to be catheterized more than once, the health care provider may prescribe the insertion of an indwelling catheter. Having the client drink more fluid usually makes the situation worse because it increases the bladder distention.

> ***Cognitive Level***—*Applying*
> ***Client Needs Category***—*Physiological integrity*
> ***Client Needs Subcategory***—*Basic care and comfort*

77. 1. Vaccines may contain small amounts of other components, and it is the nurse's responsibility to be aware of such components to identify potential allergic reactions. The client should be asked if she is allergic to neomycin sulfate because the rubella vaccine contains neomycin. Pregnant women should wait to get the vaccine until after they have given birth and avoid getting pregnant for 4 weeks after it has been administered. It is unnecessary to ask the client if she is allergic to any of the other medications listed because the rubella vaccine does not contain those drugs.

> ***Cognitive Level***—*Applying*
> ***Client Needs Category***—*Health promotion and maintenance*
> ***Client Needs Subcategory***—*Pharmacological therapies*

78. 2. Rho(D) immune globulin is an injectable immune globulin given to Rh-negative mothers whose fetus is Rh positive. During the postpartum period, Rho(D) immune globulin should be administered within 72 hours of birth of the newborn. If it is not administered within this timeframe, the mother is at increased risk for developing antibodies that can cause hemolytic disease in infants who are Rh positive in the future.

> ***Cognitive Level***—*Applying*
> ***Client Needs Category***—*Physiological integrity*
> ***Client Needs Subcategory***—*Pharmacological therapies*

79. 4. The nurse must prioritize the care needed by the clients. The nurse would first assess the client who feels faint and assist her back to bed as this is a safety concern. A frequently normal finding such as a gush of blood when standing would be assessed to ensure that this is not a complication of postpartum hemorrhage. Expected occurrences such as uterine cramping (afterpains) when breastfeeding and small blood clots on the perineal pad would be assessed by the oncoming nurse as this is expected in the postpartum period.

> ***Cognitive Level***—*Analyzing*
> ***Client Needs Category***—*Safe and effective care environment*
> ***Client Needs Subcategory***—*Coordinated care*

80. 4. Dysuria (painful urination) and hematuria (blood in the urine) are clinical manifestations of a urinary tract infection (cystitis). Recall that signs and symptoms of cystitis in any client—not just one who is postpartum—include dysuria and hematuria. A boggy, displaced uterus is usually associated with bladder distention. Urine retention and swelling of the lower extremities are associated with kidney or circulatory problems. Increased thirst (polydipsia) and voiding large amounts of urine (polyuria) are common symptoms of diabetes mellitus.

> ***Cognitive Level***—*Applying*
> ***Client Needs Category***—*Physiological integrity*
> ***Client Needs Subcategory***—*Physiological adaptation*

81. 2. Stool softeners should be used only when the client has difficulty passing stools. Drinking at least 2 to 3 quarts of fluids daily, including raw fruits and vegetables in the diet, and taking daily walks are effective ways of preventing constipation.

> ***Cognitive Level***—*Applying*
> ***Client Needs Category***—*Health promotion and maintenance*
> ***Client Needs Subcategory***—*None*

82. 1. Normal bladder function usually returns within a few days of birth. Therefore, the client should notify the health care provider of any difficulty with urination, including burning on urination and the inability to void. These are considered danger signs and may indicate infection or some other complication. Creamy or yellow lochia, *lochia alba*, may be evident at the end of the second or beginning of the third week after birth. It is composed of white blood cells, remnants of cells, mucus, fat, and other substances that are considered normal as long as it is not accompanied by a foul odor. Changes in lochia color, tearfulness, and breast engorgement are all considered normal findings during the postpartum period.

> ***Cognitive Level***—*Applying*
> ***Client Needs Category***—*Health promotion and maintenance*
> ***Client Needs Subcategory***—*None*

83. 3. The best method for alleviating breast engorgement is to breastfeed the newborn frequently. Pumping the breast usually increases the milk supply and further aggravates engorgement. Limiting fluid intake and applying cold compresses or ice packs will suppress lactation and interfere with the production of an adequate amount of milk for feeding. The client can try applying warmth to the breast area instead or wearing a support bra.

> *Cognitive Level*—*Applying*
> *Client Needs Category*—*Health promotion and maintenance*
> *Client Needs Subcategory*—*None*

84. 4. Mastitis is an infection of the breast tissue usually caused by *Staphylococcus aureus*. This infection usually occurs in the second or third postpartum week and is more common in primigravidas. To prevent contamination and inflammation of the breast (mastitis), it is important for the client to wash her hands thoroughly or use a hand sanitizer before handling her breasts. A client who is breastfeeding should not wear a breast binder, which may suppress milk production. The nipples should not be cleaned with soap because soap contributes to drying and cracking of the nipples, thereby causing a route for bacteria to enter the breast. Petroleum jelly should also not be applied to the nipples.

> *Cognitive Level*—*Applying*
> *Client Needs Category*—*Safe and effective care environment*
> *Client Needs Subcategory*—*Safety and infection control*

85. 1. The client may resume sexual intercourse when the perineum is healed and the lochia has ceased. This generally occurs by the third postpartum week, which may be before the postpartum checkup. It is unnecessary to wait for complete involution of the uterus before having sexual intercourse. Also, the client should decide about whether to use birth control before resuming intercourse, especially if she wants to avoid becoming pregnant so soon. Ovulation and the potential for becoming pregnant may occur around 6 weeks after birth. However, the choice of an appropriate method of birth control is not necessarily the most significant factor to consider when deciding when to resume sexual relations. Menses may occur by 9 weeks in a woman who does not breastfeed and around 30 to 36 weeks in one who is lactating. Breastfeeding and the absence of menstruation do not eliminate the potential for ovulation, which was once believed to be true.

> *Cognitive Level*—*Applying*
> *Client Needs Category*—*Health promotion and maintenance*
> *Client Needs Subcategory*—*None*

86. 4. The client who feels nervous about going home with a newborn will benefit most from knowing that she can contact the health care facility after her discharge if she has questions. Some facilities also make follow-up phone calls to check on the new mother. The client will probably have the same nervous feeling at the time of the rescheduled discharge if the discharge is postponed, so this action will only relieve the nervousness temporarily. Nervousness is not usually an acceptable reason for postponing the client's discharge. The nurse should acknowledge that the client's feelings are normal and provide her with written instructions on infant care, but these actions alone probably will not alleviate her nervousness.

> *Cognitive Level*—*Applying*
> *Client Needs Category*—*Psychosocial integrity*
> *Client Needs Subcategory*—*None*

87. 1, 2. A puerperal infection is an infection that most often occurs at the unhealed site of placental attachment. It can occur any time during the postpartum period. An elevated temperature, tachycardia over 100 bpm, abdominal tenderness, foul-smelling lochia, an abnormally large uterus, and chills are all manifestations of a puerperal infection. When infection is present, the pulse usually increases. The presence of lochia serosa on the fifth postpartum day is considered within normal limits. A continuous trickle of blood is a sign of postpartum hemorrhage, not a puerperal infection. A hematoma is the result of trauma to a blood vessel and is not a sign of a puerperal infection.

> *Cognitive Level*—*Applying*
> *Client Needs Category*—*Physiological integrity*
> *Client Needs Subcategory*—*Physiological adaptation*

Nursing Care of the Newborn Client

88. 1, 2, 4. A Mongolian spot is bluish gray pigmentation found on the sacrum, buttocks, or scrotum of children of Asian, southern European, and Black descent. This pigmentation fades by school age and is considered a normal variation of the skin. Milia are pinpoint papules on the nose and cheek that are filled with sebaceous material. They disappear after a couple of weeks and are also considered a normal variation of the skin. Epstein's pearls are small, hard, shiny white specks on the gums and hard palate, not on the skin. They disappear a few days after birth and are of no significance. Erythema toxicum, commonly called newborn rash, is found on the cheeks. It disappears by the third day and is a normal variation of the skin. Molding refers to the shape the newborn's head assumes and retains as it molds to the cervix during birth. Although a normal finding (especially in primiparous women), it is not associated with the skin. A cephalohematoma is a collection of blood between the periosteum and skull bones that occurs about 1 day after birth. Although a fairly common finding in newborns, cephalohematoma is not a normal variation of the skin.

> *Cognitive Level*—*Applying*
> *Client Needs Category*—*Health promotion and maintenance*
> *Client Needs Subcategory*—*None*

89. 1, 4, 5. The normal head circumference of a term newborn is 13 to 14.5 in (34 to 35 cm). Therefore, a head circumference of 20 in (50 cm) is quite large and should be reported immediately because it may be an indication of hydrocephalus resulting from a neural tube disorder. The heart rate of a normal newborn is between 140 and 160 bpm; consequently, a heart rate of 100 bpm indicates bradycardia and requires immediate attention. A weight of 11 lb (5 kg) is also considered abnormal and requires immediate notification. A newborn's weight is generally between 5 and 10 lb (2.5 and 4.7 kg); any weight above this range may be caused by gestational diabetes. Because newborns of mothers with diabetes are generally larger, these newborns are prone to low blood glucose levels and require frequent glucose level monitoring. A chest circumference of 13 in (33 cm) is within the normal range of 12.5 to 14 in (31.8 to 35.6 cm) for a newborn. Also, a length of 19.5 in (50 cm) is within the normal range of 19 to 21 in (48 to 53 cm). Generally, the chest and abdominal circumferences should be similar in measurement. An abdominal circumference of 11.5 in (30 cm) is within normal range for a term newborn.

> *Cognitive Level—Applying*
> *Client Needs Category—Physiological integrity*
> *Client Needs Subcategory—Reduction of risk potential*

90. 1, 2, 3, 4. The nurse should expect to find the rooting, Moro, tonic neck, and extrusion reflexes in a normal newborn. The rooting reflex serves to help the newborn find food. It is manifested when stroking the newborn's cheek or mouth causes him to turn his head toward the same direction. The rooting reflex disappears at about 2 months, when the newborn's eyesight improves. The Moro reflex, also called the *startle reflex*, is a protective mechanism that fades by the fourth to fifth month, when the infant can roll away from danger. The tonic neck reflex is described as a fencing position: When the newborn lies supine, the head is usually turned to the side, and the arm and leg on the same side are extended while the arm and leg on the opposite side are contracted. The tonic neck reflex does not appear to have a particular function, as the other reflexes do. The extrusion reflex is a protective mechanism that prevents the newborn from swallowing inedible substances. It is manifested by protrusion of the tongue when any substance is placed on its tip (the infant appears to spit out the substance). This reflex usually fades at about 4 months, at which time solid foods are usually introduced. Barlow and Ortolani are not reflexes. The terms are associated with the assessment of congenital hip dislocation.

> *Cognitive Level—Applying*
> *Client Needs Category—Health promotion and maintenance*
> *Client Needs Subcategory—None*

91. 3, 5, 6. Yellow skin discoloration within 24 hours of the newborn's birth indicates physiologic jaundice. This finding should be reported immediately so that the health care provider can prescribe the appropriate treatment. Nasal flaring and substernal and intercostal retractions are signs of respiratory distress and should be reported immediately. Respiratory distress may occur as a result of cold stress; therefore, if these findings are seen, the nurse should stop bathing the baby. Bluish discoloration of the hands and feet, a pulse rate of 140 bpm, and slightly swollen labia are all normal findings in a female newborn.

> *Cognitive Level—Applying*
> *Client Needs Category—Physiological integrity*
> *Client Needs Subcategory—Physiological adaptation*

92. 2. The axillary temperature of a normal newborn ranges from 97.7°F to 98.6°F (36.5°C to 37°C). Any lower temperature is associated with hypothermia. The hypothermic newborn should be placed on a prewarmed radiant warmer and rewarmed gradually over a period of approximately 2 hours. Warming the newborn too rapidly can result in apnea and acidosis. When the temperature is within the acceptable range, the newborn can be dressed, wrapped in a blanket, and placed in an open crib; the temperature should be rechecked again in 4 to 8 hours.

> *Cognitive Level—Applying*
> *Client Needs Category—Physiological integrity*
> *Client Needs Subcategory—Reduction of risk potential*

93. 1, 3, 4, 6. Newborn safety is a major focus in the hospital. Therefore, addressing this issue with the parents is the prudent thing to do. The nurse should instruct the parents to look at their newborn's ID band during each visit because these bracelets are prone to falling off and becoming lost when dressing and undressing the newborn. The mother (and, in some cases, the father or significant other) should also wear an ID bracelet throughout the stay. Hospital personnel should check the name bracelets of both the mother and newborn on entering the room. Because only authorized hospital personnel should be allowed in the mother's room, the nurse should instruct the mother to look for a valid hospital ID on anyone entering the room. To prevent infections, visitors who come to see the mother and newborn should be instructed to wash their hands or use an alcohol-based hand sanitizer before holding or caring for the newborn. In addition, the mother should be instructed to wash her hands before attending to the newborn's needs. The mother is instructed to never leave the newborn unattended when showering or, if leaving the room, ask that the newborn be taken back to the nursery. After birth, most mothers are extremely tired. Having the newborn sleep in bed with the mother is not considered safe practice. Mothers should also be advised not to breastfeed or bottle-feed their newborns in bed during the night after returning home.

> *Cognitive Level—Applying*
> *Client Needs Category—Safe and effective care environment*
> *Client Needs Subcategory—Safety and infection control*

94. 2, 3, 4. Mother-infant bonding is usually a natural occurrence after birth. To adequately assess bonding, the nurse should observe the mother's interactions with the newborn and listen to what she is saying. The nurse should also assess the mother's nonverbal cues, such as how she looks at the newborn during the first few hours after birth and while breastfeeding. The mother should be touching the newborn and making good eye contact. Talking or singing to the newborn and discussing the newborn's physical attributes are also good signs of mother-infant bonding. To facilitate bonding, the mother should hold her newborn close to her (not far away). Becoming upset because the newborn spits up should alert the nurse that further observation is warranted. Repeatedly asking if the newborn is going to live indicates an unwillingness to invest in the bonding process.

> *Cognitive Level*—*Applying*
> *Client Needs Category*—*Psychosocial integrity*
> *Client Needs Subcategory*—*None*

95. 1. Each breast consists of lobules that house the milk-secreting cells. The size of the breast is determined by the amount of adipose tissue, not the milk-secreting cells. Therefore, breast size has nothing to do with a woman's ability to breastfeed.

> *Cognitive Level*—*Applying*
> *Client Needs Category*—*Health promotion and maintenance*
> *Client Needs Subcategory*—*None*

96. 1. During the first few days after birth, all newborns normally lose up to 10% of their birth weight but gain approximately 4 to 7 ounces (113 to 198 g) per week in the first month after birth. It is not necessarily true that a newborn who bottle-feeds first will not successfully breastfeed because of a preference for a bottle nipple. The nurse should advise the client that it is preferable to breastfeed rather than pump the breast because the newborn's sucking stimulates production of an adequate amount of milk to meet the newborn's needs. Also, breastfed newborns benefit from the colostrum initially present in breast milk.

> *Cognitive Level*—*Analyzing*
> *Client Needs Category*—*Health promotion and maintenance*
> *Client Needs Subcategory*—*None*

97. 2. Newborns have very small digestive systems, and colostrum delivers its components in a very concentrated low-volume form. Colostrum is a thin, yellowish fluid that contains maternal antibodies known as immunoglobulins as well as other highly nutritional and protective substances. The maternal antibodies found in colostrum prevent infection and provide passive immunity for the newborn. Also, colostrum has a laxative effect and helps the newborn expel the thick meconium normally present in the intestinal tract at birth. Colostrum does not contain estrogen, predigested fats, or digestive enzymes.

> *Cognitive Level*—*Applying*
> *Client Needs Category*—*Health promotion and maintenance*
> *Client Needs Subcategory*—*None*

98. 3. A breast or nipple shield is not routinely used for breastfeeding. A breast shield is worn when the nipple is flat or inverted, occasionally when the nipple is sore and cracked, or when a premature newborn cannot latch on to the maternal nipple. Because the newborn has to rely on suction alone to transfer milk, nipple shields can drastically reduce milk production and milk intake, and possibly cause slow or inadequate weight gain. The other options identify correct breastfeeding techniques.

> *Cognitive Level*—*Applying*
> *Client Needs Category*—*Health promotion and maintenance*
> *Client Needs Subcategory*—*None*

99. 4. When suctioning the newborn with a bulb syringe, the bulb should be compressed before it is placed in the nose or mouth, and then decompressed once it is inserted so that mucus can be aspirated. The mouth should be suctioned before the nose to prevent aspiration during the gag response. Also, the back of the throat should not be touched when suctioning the mouth because the gag reflex may be stimulated.

> *Cognitive Level*—*Applying*
> *Client Needs Category*—*Health promotion and maintenance*
> *Client Needs Subcategory*—*None*

100. 4. The newborn should be placed supine (on the back) when positioned in the crib. If swaddled, the newborn's head must be exposed and the practice discontinued when the infant is able to roll over. Placing a newborn or infant in the prone position (on the stomach) is associated with sudden infant death syndrome (SIDS). Pillows, comforters, bumper pads, and soft toys should be avoided until the infant is at least 8 months old. The side-lying position may prevent aspiration, but does not facilitate gastric emptying, and an active infant could roll onto his or her stomach.

> *Cognitive Level*—*Applying*
> *Client Needs Category*—*Health promotion and maintenance*
> *Client Needs Subcategory*—*None*

101. 2. A newborn whose nutritional needs are not being met is at risk for developing dehydration. One indication of dehydration in a newborn is having fewer than six wet diapers per day. It is normal for a breastfed newborn to have loose, pale-yellow stools, sometimes after each feeding, to awaken during the night for a feeding, and to feed every 2 to 3 hours.

> *Cognitive Level*—*Analyzing*
> *Client Needs Category*—*Health promotion and maintenance*
> *Client Needs Subcategory*—*None*

102. 3. Breast milk should be refrigerated immediately after being pumped; it should not be allowed to sit at room temperature. Refrigerated breast milk can be stored for up to 5 days, according to the American Academy of Pediatrics and the Centers for Disease Control and Prevention. La Leche League International says that breast milk stored in the refrigerator is best used within 72 hours but will remain acceptable for up to 8 days. The breast milk should be stored in clear hard plastic bottles, glass containers with tight-fitting lids, or in breast milk bags (not disposable bottle liners) that are marked with the date. After collection, the breast milk should be placed in the back of the main body of the refrigerator to reduce the potential for warming when the door is opened. Breast milk can be stored in a freezer (one with separate refrigerator and freezer doors) for up to 3 months or in a deep-freezer for up to 12 months. However, the antibodies in frozen breast milk are not as well preserved as those in refrigerated breast milk.

Cognitive Level—*Understanding*
Client Needs Category—*Health promotion and maintenance*
Client Needs Subcategory—*None*

103. 4. Postterm newborns (delivered at 41 weeks' gestation or more) are at risk for such complications as meconium aspiration if the pregnancy is allowed to progress longer than 42 weeks. Usually, labor needs to be induced. Postterm newborns are usually lighter in weight because of placental insufficiency and have dry, cracked, leathery skin. They also lack vernix and have longer than normal fingernails. Premature babies tend to have flat, shapeless ears; legs in a frog-like position; and few sole creases.

Cognitive Level—*Applying*
Client Needs Category—*Health promotion and maintenance*
Client Needs Subcategory—*None*

104. 2. The umbilical cord normally has two arteries and one vein. The presence of one single umbilical artery (SUA) may occur because one artery stops growing or the embryonic umbilical artery does not divide properly. The anomaly occurs in 1 of 100 newborns and is not exclusive or predominantly seen among postterm newborns. Having an SUA is associated with congenital anomalies, particularly kidney defects. However, although SUA is one of the most common umbilical abnormalities, half to two thirds of newborns with SUA are born healthy with no chromosomal or congenital abnormalities. Normal findings in a postterm infant include a pendulous scrotum with numerous rugae, minimal vernix caseosa with remnants in body creases, and bluish discoloration of the hands and feet (acrocyanosis).

Cognitive Level—*Applying*
Client Needs Category—*Health promotion and maintenance*
Client Needs Subcategory—*None*

105. 1. Congenital hip dysplasia is a defect that occurs when the head of the femur is not located securely within the acetabulum or rides on its rim. Asymmetry of the gluteal skin folds, limited abduction of the affected hip, apparent shortening of the femur, and a clicking sound heard when abducting the hips are signs of congenital hip dysplasia. Early identification and treatment are essential for preventing a chronic deformity. To correct the deformity, the hip needs to be maintained in a position of flexion and abduction for 3 to 4 months. Absence of spontaneous leg movement may be associated with other musculoskeletal disorders but usually is not seen in a newborn with congenital hip dysplasia. An exaggerated curvature of the lumbar spine (lordosis) is unrelated to congenital hip dysplasia.

Cognitive Level—*Applying*
Client Needs Category—*Physiological integrity*
Client Needs Subcategory—*Physiological adaptation*

106. 2. The newborn should be positioned semi-upright rather than in the supine position during feeding. Newborns seem to bottle-feed best when held close and at a 45-degree angle, which keeps air bubbles from being swallowed. A supine position increases the risk for aspiration and the possibility for the newborn to develop otitis media if milk enters the eustachian tubes. The techniques stated in the other options are correct for bottle-feeding the newborn.

Cognitive Level—*Applying*
Client Needs Category—*Health promotion and maintenance*
Client Needs Subcategory—*None*

107. 4. Positioning the bottle so that the nipple remains full of formula throughout the feeding prevents the newborn from swallowing air. Keeping the nipple full of formula does not affect the newborn's gums, nor will it cause the newborn to gulp formula; gulping is generally due to nipple holes that are too large. This technique also does not appear to prevent the newborn from getting tired while feeding.

Cognitive Level—*Applying*
Client Needs Category—*Health promotion and maintenance*
Client Needs Subcategory—*None*

108. 3. Prepared formula can be refrigerated for up to 48 hours. However, any formula remaining in the bottle when the newborn has finished feeding should be discarded. Bottles can be washed in a dishwasher or with hot, soapy water or warm tap water. If the water source is questionable, tap water should be boiled first. Also, the lid of the can of formula concentrate should be wiped before being opened to prevent transferring microorganisms to the contents of the can.

Cognitive Level—*Applying*
Client Needs Category—*Health promotion and maintenance*
Client Needs Subcategory—*None*

109. 1. From the description, a yellow tone to the skin is noted. It is not unusual for neonates to exhibit signs of some jaundice after birth, which is called physiological jaundice. Typically, this type of jaundice resolves within 2 weeks. The most important nursing intervention is to feed the neonate more frequently to encourage bowel movements. Stool excretes the bilirubin. In severe jaundice, a blood transfusion may be indicated. Soy formulas are not indicated specifically to eliminate bilirubin from the newborn. It is important to document the newborn's stools but not as important as completing instruction, which may decrease the bilirubin level.

Cognitive Level—Applying
Client Needs Category—Physiological integrity
Client Needs Subcategory—Basic care and comfort

110. 1. Phototherapy is a noninvasive method for treating hyperbilirubinemia that involves exposing the newborn's skin to fluorescent light or bulbs in the blue-light spectrum. Phototherapy alters the structure of bilirubin to a soluble form that is easier to excrete. The nurse should apply protective eye shields to prevent retinopathy from exposure to ultraviolet lights used in the treatment. The newborn should be naked except for a diaper. Applying a topical SPF15 cream defeats the purpose of phototherapy. Reflective—not nonreflective—material, such as white linen, is used to cover the inside of the bassinet. The nurse should monitor the newborn's temperature frequently, assessing for hypothermia (from being unclothed) and hyperthermia (because of exposure to the light source). The newborn's position should be changed frequently to ensure exposure of all body surfaces to the ultraviolet light.

Cognitive Level—Applying
Client Needs Category—Physiological integrity
Client Needs Subcategory—Reduction of risk potential

111. 3. After circumcision, the newborn's penis should be frequently assessed for signs of swelling and bleeding, the most common complications associated with the circumcision procedure. If penile swelling occurs, the urinary meatus may be occluded, affecting urine output. Therefore, monitoring urine elimination is an appropriate nursing intervention. Petroleum gauze dressings are not required when a Plastibell is in place. In most cases, it is unnecessary to check the vital signs more frequently unless there are complications such as hemorrhage. Bacteriostatic ointments may be applied if a Gomco circumcision has been performed; otherwise, the health care provider should be consulted for further instructions when an infection is suspected. Placing the newborn on his abdomen is inappropriate because the nurse cannot assess the amount of bleeding if it occurs; also, newborns should not be positioned this way because of the risk of sudden infant death syndrome.

Cognitive Level—Applying
Client Needs Category—Physiological integrity
Client Needs Subcategory—Reduction of risk potential

112. 1. The health care provider should be notified if there is red drainage from the penis, if there are any blood spots larger than the size of a quarter, if the infant is not voiding, and if the Plastibell ring has not fallen off in 7 days. The Plastibell ring should not be removed manually. The penis should be gently cleaned with soap and water.

It is unnecessary to apply petroleum jelly to the penis if a Plastibell ring is in place.

Cognitive Level—Applying
Client Needs Category—Health promotion and maintenance
Client Needs Subcategory—None

113. 1. A phenylketonuria (PKU) test is done to check whether a newborn lacks an enzyme needed to metabolize phenylalanine, an essential amino acid that is needed for normal brain function. Intellectual disability occurs if the condition is untreated. The newborn should be drinking breast milk or formula for at least 2 to 3 days before a phenylketonuria (PKU) test is performed. If the newborn has not been receiving nutrition for the prescribed time, the result may be inaccurate. Newborns discharged before this time should have the test performed within the prescribed amount of time in an outpatient setting, such as the health care provider's office or a clinic. The data identified in the remaining options are not needed when performing the PKU test.

Cognitive Level—Applying
Client Needs Category—Physiological integrity
Client Needs Subcategory—Reduction of risk potential

114.

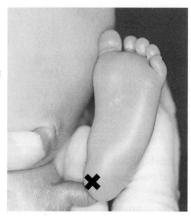

A sample of capillary blood from a newborn is obtained by performing a heelstick. The area that is punctured is located on the lateral aspect of the newborn's heel on either the left or right side.

Cognitive Level—Applying
Client Needs Category—Physiological integrity
Client Needs Subcategory—Reduction of risk potential

115. 1, 2, 3, 4, 5. Careful specimen collection is needed when obtaining blood for the phenylketonuria (PKU) test. The nurse is correct to warm the heel, apply pressure to the heel once it has been punctured to obtain a large drop of blood, and completely fill the circle with blood on the collection card when performing the PKU test. The blood that has been applied within the circles on the test collection card must dry at room temperature, out of heat and direct light for 3 to 4 hours, before closing the specimen card.

Cognitive Level—Applying
Client Needs Category—Physiological integrity
Client Needs Subcategory—Reduction of risk potential

116. 1, 3, 4. Safety of all clients is a priority for hospital employees. If a newborn is abducted from the nursery, each hospital employee should be observant of persons carrying boxes or bags where a newborn may be hidden. Making a thorough search of areas such as closets, stairwells, laundry bins, and other places where a newborn may be hidden is also appropriate. It is always prudent to report suspicious persons to security. Calling in the Federal Bureau of Investigation (FBI) before a thorough search is made is not timely. Typically, local law enforcement is called before notifying the FBI. Questioning every visitor in the building is time consuming and will take away valuable opportunity needed to search for the missing newborn. Questioning the mother about why she left the newborn unattended is accusatory, and this line of questioning will not help locate the missing newborn.

> *Cognitive Level*—*Applying*
> *Client Needs Category*—*Safe and effective care environment*
> *Client Needs Subcategory*—*Safety and infection control*

Nursing Care of Newborns with Complications

117. 1. A client who is experiencing grief may delay naming the newborn, be reluctant to visit the newborn in the nursery, or focus on equipment and treatments rather than the newborn when visiting. A grieving mother may distance herself from the newborn rather than visiting frequently. Postponing discharge may be a way of indicating a fear of being ultimately responsible for the newborn's care. The mother may be fearful or stressed when the newborn is undergoing procedures.

> *Cognitive Level*—*Analyzing*
> *Client Needs Category*—*Psychosocial integrity*
> *Client Needs Subcategory*—*None*

118. 2. A myelomeningocele is a neural tube defect that occurs during the embryonic development of the nervous system, when the spinal column fails to cover the spinal cord. This defect is evident by the presence of the meninges and spinal cord protruding outside the vertebral column. Because of the exposure of the meninges, meningitis is a realistic complication. Motor and sensory functions are affected beyond the point of the defect, resulting in paralysis of the lower extremities and loss of bowel and bladder function. Hydrocephalus and clubfoot are common findings in conjunction with this defect. To facilitate acceptance and care of the newborn with this defect, the nurse should act as a role model by demonstrating the proper way to feed, hold, and change the newborn. This will encourage the parents to interact with their newborn and promote early bonding. Although surgery will result in closure of the defect, it may not correct the neurologic deficit that accompanies this condition. Showing the parents "before" and "after" surgery

pictures is usually more effective when the surgical intervention results in correction of the deformity or disorder; however, this is not the case with myelomeningocele. Social agencies usually do not take custody or assume care of a newborn unless there is due cause, such as neglect or abuse.

> *Cognitive Level*—*Applying*
> *Client Needs Category*—*Psychosocial integrity*
> *Client Needs Subcategory*—*None*

119. 1. Retinopathy of prematurity (ROP) is abnormal blood vessel development in the retina of the eye. When oxygen is given in high concentrations to a premature newborn in respiratory distress, the newborn becomes especially vulnerable to developing blindness due to hemorrhage of blood vessels in the eyes followed by retinal detachment. Therefore, frequent monitoring of the oxygen concentration is necessary to ensure that excessive amounts are not given. Assessment of the bilirubin level, hemoglobin level, and pupillary response will not assist the nurse in preventing ROP.

> *Cognitive Level*—*Applying*
> *Client Needs Category*—*Safe and effective care environment*
> *Client Needs Subcategory*—*Safety and infection control*

120. 3. Preterm newborns may have weak or absent sucking and swallowing reflexes. These infants may require nasogastric formula or breast milk feeding or feedings of parenteral fluids (total parenteral nutrition [TPN] and lipids) by an umbilical catheter or peripheral vein. The normal interval between formula or breast milk feedings is 2 to 3 hours. The amount fed depends on the newborn's weight, but it may be as little as 1 to 5 mL for each feeding. If glucose is tolerated, the health care provider may prescribe a formula similar to that fed to normal-sized newborns.

> *Cognitive Level*—*Applying*
> *Client Needs Category*—*Health promotion and maintenance*
> *Client Needs Subcategory*—*None*

121. 2. The primary reason that a preterm newborn is at risk for developing infections is the lack of maternal antibodies normally supplied during the third trimester of pregnancy and the newborn's inability to produce antibodies independently. Care is taken to prevent exposure to bacterial and viral infections; procedures are done using strict asepsis. The preterm newborn does have fragile skin, but appropriate measures are taken to prevent skin breakdown.

> *Cognitive Level*—*Applying*
> *Client Needs Category*—*Physiological integrity*
> *Client Needs Subcategory*—*Physiological adaptation*

122. 3. The preterm newborn is kept in an isolette or radiant warmer because of the increased risk of cold stress due to the immaturity of the brain's temperature-regulating centers, the absence of subcutaneous fat, and the large surface area of the newborn's head. The other actions are appropriate to maintain thermoregulation in a full-term newborn but are inadequate for the preterm newborn's special needs.

Cognitive Level—*Applying*
Client Needs Category—*Physiological integrity*
Client Needs Subcategory—*Physiological adaptation*

123. 4. Congenital hemolytic disease of the newborn is also known as *erythroblastosis fetalis*. Erythroblastosis fetalis results from Rh incompatibility between a Rh-positive newborn and an Rh-negative mother who was previously sensitized by carrying an Rh-positive newborn and never received Rho(D) immune globulin. Jaundice within 24 to 36 hours of birth indicates erythroblastosis fetalis. Physiological jaundice, which occurs in some newborns, is seen 3 to 4 days after birth. Alterations in the respiratory rate, newborn reflexes, and movement of extremities are not usual manifestations associated with Rh incompatibility.

Cognitive Level—*Applying*
Client Needs Category—*Physiological integrity*
Client Needs Subcategory—*Physiological adaptation*

124. 4. The direct Coombs test requires a sample of the newborn's blood. The usual procedure is to obtain a specimen from the umbilical cord after the newborn is delivered and the cord is cut. Recall that if Rh-positive sensitization was suspected during the prenatal period, an indirect Coombs test on maternal blood would be done to confirm a previous exposure to Rh antigens. Without prior testing, a direct Coombs test can be performed postnatally on umbilical cord blood. Paternal blood and sibling blood are not used for a direct or indirect Coombs test.

Cognitive Level—*Understanding*
Client Needs Category—*Physiological integrity*
Client Needs Subcategory—**Reduction of risk** *potential*

125. 1. When the human immunodeficiency virus (HIV) infection status of any client is unknown, which includes a newborn with an HIV-positive mother, standard precautions are implemented. Standard precautions were developed by the U.S. Centers for Disease Control and Prevention in an effort to reduce the risk of transmitting blood-borne and body fluid pathogens when the infectious status of a person is unknown. Generally, if the HIV-positive status of the mother is known prenatally, antiretroviral therapy is begun before birth to significantly reduce mother-to-newborn transmission. In the absence of prophylactic treatment, the newborn is tested for HIV within the first 24 hours after birth. The mother may not breastfeed the newborn while awaiting the newborn's test results. The newborn will be given a nonnucleoside reverse transcriptase inhibitor, such as nevirapine, or a nucleoside reverse transcriptase inhibitor, such as zidovudine, within 48 to 72 hours of being born. Depending on the outcome of the test, the newborn will be monitored and treated by a pediatric infectious disease specialist, pediatrician, or another health care provider. The other forms of isolation

are not necessary unless additional protection is needed for a specific disorder.

Cognitive Level—*Applying*
Client Needs Category—*Safe and effective care environment*
Client Needs Subcategory—*Safety and infection control*

126. 2. In almost all cases of acquired immunodeficiency syndrome (AIDS) in infants and children, the disease was acquired through maternal transmission at the time of pregnancy or shortly thereafter. Newborns of HIV-positive mothers are tested within 24 hours of birth on other than cord blood. The preferred test is an HIV DNA polymerase chain reaction (PCR) test, which detects the genetic material in HIV, also known as the *viral load*. The test is repeated when the infant is 1 to 2 months old, and again at age 4 to 6 months. If the tests remain negative throughout the timetable for testing, the likelihood is greater than 95% that the infant has not acquired HIV.

Cognitive Level—*Applying*
Client Needs Category—*Physiological integrity*
Client Needs Subcategory—*Physiological adaptation*

127. 4. Newborns who are human immunodeficiency virus (HIV)-positive are typically asymptomatic at birth. About 20% develop symptoms suggestive of acquired immunodeficiency syndrome (AIDS) by age 1 to 2 years. The remaining 80% remain symptom-free until around age 3 years or even later. The first signs of HIV infection in children include slowed growth and development, recurring diarrhea, lung infections, or fungal infections within the mouth. During the first 15 months of life, it is not unusual for HIV-infected children who have been untreated to have at least one episode of *Pneumocystis* pneumonia.

Cognitive Level—*Applying*
Client Needs Category—*Physiological integrity*
Client Needs Subcategory—*Physiological adaptation*

128. 3. Human immunodeficiency virus (HIV) can be transmitted through breast milk; therefore, HIV-positive mothers in Western countries are instructed not to breast-feed their newborns because of the possibility of transmitting the disease. Commercial formulas are substituted because they are easily available, affordable, and safe. However, there is a dilemma for mothers who live in underdeveloped countries and are advised to substitute formula for breast milk. Because the water may be unsafe, newborns may be exposed to life-threatening conditions other than HIV. Reconstituting formula with water that is unsanitary or diluting it to such an extent that it results in malnutrition is just as potentially lethal as transmitting HIV through breastfeeding.

Cognitive Level—*Applying*
Client Needs Category—*Health promotion and maintenance*
Client Needs Subcategory—*None*

129. 4. When a client is in a therapeutic discussion, the nurse is obtaining data related to the client's feelings. From the interaction, the nurse can provide concrete observations to promote the positive maternal skills. By being specific in what the nurse has observed, this elevates the client's confidence level in caring for her newborn. Talking about the newborn and motherhood does not address the client's feelings and does not reinforce the mother's positive skills. It is important to allow the mother's input in developing a teaching plan but also the nurse must reinforce the positive skills the mother is displaying.

Cognitive Level—*Applying*
Client Needs Category—*Psychosocial integrity*
Client Needs Subcategory—*None*

130. 1. Toddlers have a difficult time accepting and adjusting to new siblings in the family. They often lose control, regress, and act out. Toddlers also have a difficult time sharing parental love. By having each parent spend time with the toddler, the toddler will adjust more quickly to the new sibling. The parents may also want to include the toddler in basic care of the newborn such as assisting with feeding, bathing, and diaper changing. Sending the child away reinforces the idea that the newborn is more important than the toddler, which may lead to resentment on the part of the toddler. The parents should expect that the toddler will be acting out and lose control at times. They should praise appropriate behavior and ignore regressive behavior. Instead of disciplining the toddler for loss of control, the parents should provide the toddler with simple commands and explanations that will help the child regain and maintain control. Separating the siblings for the first few days will not foster sibling bonding.

Cognitive Level—*Applying*
Client Needs Category—*Psychosocial integrity*
Client Needs Subcategory—*None*

131. 3. The LPN mentor is correct to identify that documentation of a client assignment must be completed by the nurse assigned, even if that means that overtime is required. A standard of care is that the nurse who performs the care documents the care. Neither scolding the nurse nor stating that this will be noted in a personal record is helpful in completing the required documentation. Mentoring the new nurse on time management can be completed at a later time.

Cognitive Level—*Analyzing*
Client Needs Category—*Safe and effective care environment*
Client Needs Subcategory—*Coordinated care*

132. 2. Hospitals practice drills on Code Pink or infant abductions. All hospital staff have a role in assessing the environment and observing behavior and appearance during this time. Because staff are throughout the hospital areas, all staff are to be observant at their location. Hospital security have a specific role in positioning themselves at the doors and high traffic areas. Obstetric unit staff have specific roles by securing and searching the unit. There is no need to ask if this is an emergency.

Cognitive Level—*Applying*
Client Needs Category—*Safe and effective care environment*
Client Needs Subcategory—*Coordinated care*

The Nursing Care of Children

The Nursing Care of Infants, Toddlers, and Preschool Children

■ Normal Growth and Development of Infants, Toddlers, and Pre-school Children
■ Nursing Care of an Infant with Myelomeningocele
■ Nursing Care of an Infant with Hydrocephalus
■ Nursing Care of an Infant with Cleft Lip
■ Nursing Care of an Infant with Pyloric Stenosis
■ Nursing Care of an Infant with Bilateral Clubfoot
■ Nursing Care of a Child with Otitis Media
■ Nursing Care of a Child with a Congenital Heart Defect
■ Nursing Care of a Child with an Infectious Disease
■ Nursing Care of a Child with Human Immunodeficiency Virus Infection
■ Nursing Care of a Child with Atopic Dermatitis
■ Nursing Care of a Toddler with Sickle Cell Crisis
■ Nursing Care of a Toddler with Cystic Fibrosis
■ Nursing Care of a Toddler with Asthma
■ Nursing Care of a Toddler Who Has Swallowed a Toxic Substance
■ Nursing Care of a Toddler with Croup
■ Nursing Care of a Toddler with Pneumonia
■ Nursing Care of a Preschooler with a Seizure Disorder
■ Nursing Care of a Preschooler with Leukemia
■ Nursing Care of a Preschooler with Strabismus
■ Nursing Care of a Preschooler Having a Tonsillectomy and Adenoidectomy
■ Test Taking Strategies
■ Correct Answers and Rationales

Directions: *With a pencil, blacken the space in front of the option you have chosen for your correct answer.*

Normal Growth and Development of Infants, Toddlers, and Preschool Children

The nurse in a well-baby clinic assesses the growth and development of healthy infants and toddlers and uses that information as a basis for teaching.

1. For what age-appropriate developmental milestone of a 3-month-old infant will the nurse develop parental teaching?
[ ] **1.** The infant is able to hold a bottle.
[ ] **2.** The infant is able to lift the head and shoulders.
[ ] **3.** The infant is able to roll from the back to the abdomen.
[ ] **4.** The infant is able to sit with support.

2. After a routine immunization for measles, mumps, and rubella (MMR), the nurse instructs on side effects. What should the nurse emphasize as a **priority** for the parents to report?
[ ] **1.** Fever that occurs within 7 to 10 days of the immunization
[ ] **2.** Rash that appears 2 to 4 days after the immunization
[ ] **3.** Crying for more than 3 hours, even after comfort measures are taken
[ ] **4.** Soreness, redness, and swelling at the injection site

3. During a home health visit to a family with a 20-month-old child, the nurse would expect to discuss childhood safety issues with the parent when noticing what finding?
[ ] **1.** There are no tablecloths on the table.
[ ] **2.** The child is ambulating while eating.
[ ] **3.** Furniture has rounded edges.
[ ] **4.** The child is building a tower with large blocks.

4. The nurse is caring for a 6-year-old client with a history of attention deficit hyperactivity disorder (ADHD). When providing discharge instructions following a tonsillectomy, which client activity should be encouraged to prevent a post-tonsillectomy bleed?
[ ] **1.** Put a puzzle together.
[ ] **2.** Play a game of Uno or Monopoly with family.
[ ] **3.** Have friends over.
[ ] **4.** Color a picture.

5. The nurse is caring for an Asian infant brought to the emergency department after a motor vehicle accident. When a cluster of family members are present, to whom should the nurse direct questions regarding the infant's health history?
[ ] **1.** The father
[ ] **2.** The mother
[ ] **3.** The entire family
[ ] **4.** The parents together

The nurse provides instructions about the proper administration of oral medications in liquid form to the parents of an infant.

6. What parental statement **best** confirms an understanding of instruction?
[ ] **1.** "We will add the medication to a 2-ounce bottle of formula."
[ ] **2.** "We should pinch the infant's nose when we are giving the medicine."
[ ] **3.** "We will use a rubber-tipped medicine dropper to give the medicine."
[ ] **4.** "We should give the medicine while the infant is lying down."

7. The licensed nurse is working with the unlicensed assistive personnel (UAP) in completing morning assessment and care quickly, yet accurately as the infant is beginning to become anxious. The UAP should count the respirations for:
[ ] **1.** 10 seconds and multiply by 6.
[ ] **2.** 15 seconds and multiply by 4.
[ ] **3.** 30 seconds and multiply by 2.
[ ] **4.** 60 seconds or 1 full minute.

8. The nurse is instructing on toddler clues for a readiness of toilet training. What parental statement indicates a need for further instruction?
[ ] **1.** "I will not start toilet training my toddler until age 18 months like most parents."
[ ] **2.** "I should begin bladder training my toddler before bowel training."
[ ] **3.** "I will wait until my toddler can communicate the need to go to the bathroom."
[ ] **4.** "I should wait to begin toilet training until my toddler can independently remove underwear."

9. The parents of a 3-year-old child report acting-out behaviors since the birth of a sibling. What is the **best** instruction for parents who are helping the child overcome the rivalry created by the birth?
[ ] **1.** Enroll the child in a full-day preschool program with friends.
[ ] **2.** Arrange for the child to have visits with grandparents.
[ ] **3.** Find ways that the child can assist with the infant's care.
[ ] **4.** Invite other similarly aged children to play with the child.

10. What teaching aid provided by the nurse is developmentally appropriate for a preschooler who is about to have a bone marrow puncture?
[ ] **1.** Dolls or puppets
[ ] **2.** Pamphlets or booklets
[ ] **3.** Colored diagrams
[ ] **4.** Commercially prepared videos

11. What action by parents of a 16-month-old child indicates to the nurse that they understand how to best minimize separation anxiety during their child's hospitalization?
[ ] **1.** Bring the child's favorite toy to the hospital.
[ ] **2.** Explain all procedures to the child.
[ ] **3.** Remain with the child during the hospital stay.
[ ] **4.** Bring the siblings to visit the child.

12. The nurse instructs the parents of a 6-month-old infant about the introduction of solid foods into the infant's diet. What response given by the parents indicates the need for further nursing instruction?
[ ] **1.** "We will begin with cereal made for infants that is fortified with iron."
[ ] **2.** "We will not breastfeed or bottle-feed until after solid food has been given."
[ ] **3.** "We will introduce one food at a time at an interval of every 4 to 5 days."
[ ] **4.** "We will postpone giving solid food if our infant pushes it out of the mouth with the tongue."

13. What developmental finding of an 18-month-old child would the nurse bring to the health care provider's attention for further assessment?

[ ] **1.** The child has a vocabulary of about six words.

[ ] **2.** The child uses a spoon when eating meals.

[ ] **3.** The child walks with additional support from others.

[ ] **4.** The child shows readiness for toilet training.

14. What observation by the nurse indicates that the parents of a toddler need additional teaching regarding household safety?

[ ] **1.** Household cleaners are in their original containers.

[ ] **2.** Medicines are stored on a shelf out of the child's reach.

[ ] **3.** The hot water heater thermostat is set at 120°F (48.8°C).

[ ] **4.** The number for the poison control center is stored on both parents' phones.

15. If the parent of a 4-year-old child tells the nurse about concerns that the child frequently talks about a make-believe playmate, what response by the nurse is **best**?

[ ] **1.** "This type of behavior is normal for a 4-year-old child."

[ ] **2.** "Can you identify any stressors that may be causing this regression?"

[ ] **3.** "You may need a referral to see a child psychologist."

[ ] **4.** "Give a time-out when this behavior occurs."

A young, first-time parent expresses concern regarding normal physical growth and development. The parent states, "I'm unsure when I need to childproof my home."

16. Prioritize the parent's actions for keeping the infant safe in relation to the normal progression of physical development. Sequence the list from birth through the infant's first year of life. Use all options.

1. Cover the electrical outlets.
2. Have straps on the changing table.
3. Turn pot handles inward when cooking.
4. Remove stuffed animals with small pieces from the infant's grasp.
5. Lower crib mattresses.
6. Maintain water temperature under 120°F (48.8°C).

Nursing Care of an Infant with Myelomeningocele

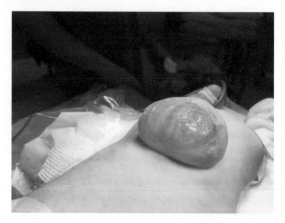

17. The nurse is assigned the pictured client prior to surgery. What nursing action is **most** important for the nurse to include during the preoperative period?

[ ] **1.** Keep the diaper area clean to prevent contamination of the myelomeningocele.

[ ] **2.** Position the infant so that there is no pressure on the myelomeningocele.

[ ] **3.** Keep the infant's myelomeningocele clean by washing it with antiseptic soap.

[ ] **4.** Encourage the parents to cuddle and hold the infant to promote bonding.

A surgical repair of the myelomeningocele is successfully completed.

18. Unless the health care provider prescribes otherwise, in what position should the nurse place the infant during the postoperative period?

[ ] **1.** Supine

[ ] **2.** Prone

[ ] **3.** Right or left side-lying

[ ] **4.** Whichever position is most comfortable for the infant

19. In planning the infant's home care, what orthopedic consideration is essential for the nurse to include to diminish musculoskeletal problems?

[ ] **1.** Instruct the parents on range-of-motion exercises to reduce joint contractures.

[ ] **2.** Arrange for specialized assistive devices within the home setting.

[ ] **3.** Place the infant in a position where all extremities are unrestricted.

[ ] **4.** Use lotions and ointments to massage large muscle groups twice daily.

20. What should the nurse plan to teach the parents as the child gets older to prepare them for managing their child's urinary incontinence at home?

[ ] **1.** How to care for a retention catheter

[ ] **2.** How to insert a straight catheter

[ ] **3.** How to reapply a ureterostomy appliance

[ ] **4.** How to attach an external catheter

The infant also has talipes equinovarus (clubfoot) and developmental dysplasia of the hip (DDH).

21. What is the **priority** nursing intervention to prevent contractures of the infant's lower extremities?
[ ] **1.** Massage the lower extremities.
[ ] **2.** Reposition the infant frequently.
[ ] **3.** Place sheepskin under the bony prominences.
[ ] **4.** Perform range-of-motion exercises.

Nursing Care of an Infant with Hydrocephalus

A 1-week-old newborn who was born with hydrocephalus is scheduled for surgery.

22. When assessing the client preoperatively, what finding is anticipated?
[ ] **1.** Increased head size with bulging fontanelles
[ ] **2.** Paralysis of the lower extremities and lack of muscle tone
[ ] **3.** Absence of the sucking reflex with weight loss
[ ] **4.** Depression of the anterior fontanel with a high-pitched cry

23. After feeding the infant with hydrocephalus, in what position should the infant be placed?
[ ] **1.** Sitting
[ ] **2.** Supine
[ ] **3.** Prone
[ ] **4.** Side-lying

24. What measure is **most appropriate** for the nurse to use to reduce the potential for a pressure injury developing on the head of an infant with hydrocephalus?
[ ] **1.** Place a sheepskin under the infant's head.
[ ] **2.** Massage the circumference of the infant's skull.
[ ] **3.** Support the infant's head on two pillows.
[ ] **4.** Apply a padded helmet to the infant's head.

A ventriculoperitoneal (V/P) shunt is placed on the right side of the infant's head.

25. What position is **most appropriate** for the nurse to use?
[ ] **1.** The right side, to increase absorption of cerebrospinal fluid
[ ] **2.** The abdomen, to prevent obstruction in the shunt catheter
[ ] **3.** The left side, to avoid pressure on the operative site
[ ] **4.** The back, to promote ventricular drainage

26. What sign is the **best** indication that the infant is developing increased intracranial pressure?
[ ] **1.** Depression of the fontanel
[ ] **2.** Decreased pulse and respiratory rates
[ ] **3.** Change in frequency of bowel movements
[ ] **4.** Sudden increase in weight

27. What nursing action is **most appropriate** if the nurse observes that the infant's anterior fontanel is sunken?
[ ] **1.** Document the finding and take no further action.
[ ] **2.** Place the infant in the supine position.
[ ] **3.** Elevate the infant's head.
[ ] **4.** Notify the charge nurse or health care provider immediately.

Nursing Care of an Infant with Cleft Lip

The nurse is caring for a newborn with an obvious cleft lip at birth.

28. During the initial data collection process in the nursery, the nurse palpates the roof of the newborn's mouth to assess for what finding?
[ ] **1.** The newborn's ability to suck
[ ] **2.** The presence of a gag reflex
[ ] **3.** An opening in the palate
[ ] **4.** Position of the uvula

29. When taking the newborn with a cleft lip to the parents for the first visit, what action is the nurse's **priority**?
[ ] **1.** Teaching the parents how to feed the newborn
[ ] **2.** Demonstrating open acceptance of the newborn
[ ] **3.** Discussing the plans for surgical repair of the defect
[ ] **4.** Showing the parents how to use a bulb syringe

30. What observation by the nurse indicates that the parents understand how to minimize the risk of aspiration for a newborn with cleft lip?
[ ] **1.** They burp the newborn frequently during feedings.
[ ] **2.** They position the newborn prone for feedings.
[ ] **3.** They feed the newborn formula thickened with rice cereal.
[ ] **4.** They feed the newborn only glucose water until after surgical repair of the defect.

31. Before surgery, what utensil is **best** for the nurse to use when feeding the newborn with a cleft lip that extends from the lip into the gum line?
[ ] **1.** Gavage tube
[ ] **2.** Bulb syringe
[ ] **3.** Nipple with enlarged hole
[ ] **4.** Nipple that is extra firm

The newborn is recovering postoperatively from surgical repair of a cleft lip when the nurse assesses frequent movement of the arms and legs.

32. What restraint is **best** for the nurse to obtain at this time?
[ ] **1.** Papoose board
[ ] **2.** Leg restraints
[ ] **3.** Elbow restraints
[ ] **4.** Posey belt or jacket

33. When developing a nursing intervention for a newborn who has undergone surgery to correct a cleft lip, how frequently should the nurse plan to remove and reapply the restraints?
[ ] **1.** Daily
[ ] **2.** Every 8 hours
[ ] **3.** Every 4 hours
[ ] **4.** Every 2 hours

Nursing Care of an Infant with Pyloric Stenosis

The nurse is caring for a 3-week-old newborn who has been admitted to the hospital for surgical correction of pyloric stenosis.

34. What assessment finding is **most significant** during the data collection process?
[ ] **1.** The newborn is eager to suck.
[ ] **2.** The anterior fontanel is flat.
[ ] **3.** The gastric peristaltic waves are visible.
[ ] **4.** The mucous membranes are dry.

The health care provider prescribes an I.V. infusion of dextrose 2.5% in normal saline solution.

35. What information regarding infant I.V. therapy is correct?
[ ] **1.** The I.V. catheter will be sutured to the scalp.
[ ] **2.** A calibrated chamber will be added to the infusion tubing.
[ ] **3.** The newborn may be restless during I.V. therapy.
[ ] **4.** The area around the I.V. site will swell slightly.

36. The nurse is assessing the intravenous site of the infant pictured. When assessing the lower extremity, which indicates an early sign of infiltration?

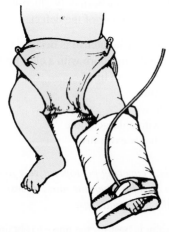

[ ] **1.** The toes are cool and have a capillary refill time of 2 seconds
[ ] **2.** Puffiness and coolness are noted on the dorsal aspect of the foot.
[ ] **3.** At the top of the gauze wrap just below the knee is pitting edema
[ ] **4.** Warmness with slight red streaks from the insertion site

37. After surgical correction of pyloric stenosis, in what position should the nurse instruct the parents to place the newborn after feeding?
[ ] **1.** On the abdomen
[ ] **2.** On the side
[ ] **3.** On the back
[ ] **4.** In a comfortable position

Nursing Care of an Infant with Bilateral Clubfoot

A 1-week-old newborn with bilateral talipes equinovarus (bilateral clubfoot) is being seen at the health care provider's office.

38. What information gathered by the nurse in the newborn's birth history is **most** indicative of a true clubfoot condition?
[ ] **1.** The newborn was born in the breech position.
[ ] **2.** The heels were drawn in and the feet turned inward.
[ ] **3.** The feet could not be corrected to a neutral position.
[ ] **4.** The bilateral defect was present at birth.

After nonsurgical treatment failed to correct the newborn's bilateral clubfoot, bilateral leg casts are applied.

39. When the parent asks why the ends of the cast have adhesive "petals," the nurse responds stating what protective factor?
[ ] **1.** "The adhesive petals ensure that nothing is placed between the cast and the skin."
[ ] **2.** "The adhesive petals allow air circulation between the cast and the skin."
[ ] **3.** "The adhesive petals prevent the plaster of the cast from irritating the skin."
[ ] **4.** "The adhesive petals allow for stronger bonding of the plaster cast materials."

40. What assessment finding noted by the nurse is the **best** indication that the newborn is experiencing a neurovascular complication?
[ ] **1.** The newborn cries 4 hours after the last feeding.
[ ] **2.** The newborn's toes are wiggling.
[ ] **3.** The newborn's toes are pale and cold.
[ ] **4.** The newborn's pulse is 110 bpm.

41. The nurse is planning care focused on the newborn's lower extremity swelling as a priority. What nursing intervention impacts tissue perfusion?
[ ] **1.** Elevate the legs and feet on a pillow as needed daily.
[ ] **2.** Assess pedal pushes every 4 hours.
[ ] **3.** Petal the edges of the cast upon application.
[ ] **4.** Apply ice packs over the cast twice daily.

42. The parents are worried about the newborn's fragile skin under the cast. In the initial postoperative period, at what frequency will the nurse be able to assess the skin integrity?
[ ] **1.** Every 3 to 7 days
[ ] **2.** Every 1 to 2 weeks
[ ] **3.** On a monthly basis
[ ] **4.** Every other month

At age 8 weeks, the infant is seen in the health care provider's office for a routine cast change. The nurse uses this opportunity to teach the parents ways to promote normal growth and development.

43. What age-appropriate developmental instruction can the nurse recommend to the parents during this visit?
[ ] **1.** Encourage the infant to crawl about in the crib.
[ ] **2.** Play peek-a-boo with the infant's favorite blanket.
[ ] **3.** Motivate the infant to reach for cuddly toys.
[ ] **4.** Place a brightly colored mobile over the crib.

The parents tell the nurse that they can barely feel the soft spot in the back of the 8-week-old infant's head and ask whether this is normal.

44. What statement by the nurse is **most** correct?
[ ] **1.** "Barely feeling the soft spot is normal because the posterior fontanel usually closes between 2 and 3 months."
[ ] **2.** "Barely feeling the soft spot is abnormal because the posterior fontanel usually closes between 9 and 18 months."
[ ] **3.** "Barely feeling the soft spot is abnormal because the posterior fontanel usually remains open longer in children."
[ ] **4.** "Barely feeling the soft spot is normal because the posterior fontanel usually closes earlier in children with congenital skeletal defects."

Nursing Care of a Child with Otitis Media

A 6-month-old infant is examined by the health care provider and found to have otitis media.

45. What nursing observation **best** indicates the presence of ear pain in an infant?
[ ] **1.** The infant refuses to suck a bottle.
[ ] **2.** The infant pulls on one ear.
[ ] **3.** The infant is kicking the legs.
[ ] **4.** The infant is sucking on the fist.

The health care provider prescribes amoxicillin 125 mg P.O. every 12 hours for 10 days. The office nurse gives the first dose to the infant.

46. When preparing to give medications, what action by the nurse **best** ensures that the prescribed dose of medication is a safe dose for the infant?
[ ] **1.** Reading the health care provider's prescriptions carefully
[ ] **2.** Checking the weight/dose range in a drug reference
[ ] **3.** Determining the infant's medication allergies
[ ] **4.** Reading the medication label carefully

47. When explaining the prescribed antibiotic treatment to the parents, what instruction should the nurse emphasize?
[ ] **1.** "Use a side-lying position after giving the antibiotic."
[ ] **2.** "Give the antibiotic with feedings."
[ ] **3.** "Store the antibiotic at room temperature."
[ ] **4.** "Give the antibiotic for the full 10 days."

48. The health care provider prescribes the combination drug erythromycin and sulfisoxazole 6 mL P.O. every 8 hours for a child with an ear infection. The child weighs 38 lb (17.2 kg). The combination drug contains erythromycin ethylsuccinate 200 mg and sulfisoxazole acetyl 600 mg in a 5-mL suspension. How many milligrams of erythromycin will the child receive in a 24-hour period? Record your answer using a whole number.

_____ mg

Nursing Care of a Child with a Congenital Heart Defect

A 2-week-old newborn with a diagnosis of coarctation of the aorta is being cared for in the high-risk nursery.

49. What admission data **best** correlates with the diagnosis?
[ ] **1.** Generalized cyanosis, especially when the newborn cries
[ ] **2.** Clubbing of the fingers and toes
[ ] **3.** Bounding brachial pulses and weak femoral pulses
[ ] **4.** Rapid and irregular apical heartbeat

50. When instructing the parents on the upcoming surgical time line as identified by the surgeon, when should the nurse prepare the parents for the upcoming cardiac surgery?

[ ] **1.** As soon as the newborn's condition stabilizes

[ ] **2.** When the newborn is 6 months old

[ ] **3.** Before the newborn is 2 years old

[ ] **4.** When the newborn is between ages 2 and 4 years

The newborn with coarctation of the aorta receives digoxin while in the nursery.

51. What nursing intervention is **most important** to perform before administering digoxin?

[ ] **1.** Check the apical pulse for 1 minute.

[ ] **2.** Position the newborn with the head slightly elevated.

[ ] **3.** Check the expiration date on the medication label.

[ ] **4.** Monitor the newborn's urine output.

52. The nurse is following the plan of care for the newborn's activity intolerance. Which nursing intervention can best facilitate a reduction of the infant's heart workload?

[ ] **1.** Limiting the amount of holding and cuddling by the newborn's parents

[ ] **2.** Organizing nursing care so that the newborn has longer rest periods

[ ] **3.** Feeding only by the nasogastric route

[ ] **4.** Keeping the infant mildly sedated at all times

The nurse provides discharge instructions regarding medication administration.

53. What statement by the parents indicates a need for additional teaching from the nurse about administering digoxin at home?

[ ] **1.** "If we miss giving a dose, we should give the next dose at the regularly scheduled time."

[ ] **2.** "We should notify the health care provider if the newborn is acting unusual."

[ ] **3.** "We should mix each dose of the medication in a small amount of formula."

[ ] **4.** "We should never increase or decrease the dose except if prescribed by the health care provider."

Nursing Care of a Child with an Infectious Disease

A 7-month-old infant with chickenpox is seen in the emergency department. The infant is admitted to the hospital because of moderate dehydration. An I.V. infusion is begun.

54. What transmission-based precautions category assigned by the nurse following hospital policy is **most appropriate** for an infant with chickenpox in the early stage of infection?

1.

2.

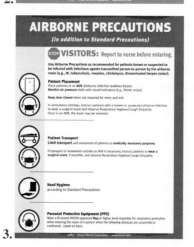

3.

55. What nursing action is correct when implementing the prescribed transmission-based precaution?
[ ] **1.** A supply of clean masks is placed in the infant's room.
[ ] **2.** Specimens are sent to the laboratory in a zip-closure biohazard bag.
[ ] **3.** The infant is assigned to a semiprivate room.
[ ] **4.** A thermometer is used and wiped with alcohol after use.

56. The nurse assesses the infant who has been admitted for chickenpox. After obtaining data, what is **most** important to report to the charge nurse?
[ ] **1.** The infant sleeps for short intervals during the day.
[ ] **2.** There is an increase in the frequency and amount of urine.
[ ] **3.** The infant occasionally cries when disturbed by noise.
[ ] **4.** There is an increase in the I.V. infusion drip rate.

57. A child weighing 18 lb (8.2 kg) is receiving maintenance I.V. fluids. Using the standard formula of 100 mL/kg/day for the first 10 kg of body weight, 50 mL/kg/day for the next 10 kg of body weight, then 20 mL/kg/day for each kilogram above 20 kg of body weight, what would be the daily I.V. fluid volume in milliliters for this child? Record your answer using a whole number.

_____ **mL**

Nursing Care of a Child with Human Immunodeficiency Virus Infection

A 2-month-old infant with human immunodeficiency virus (HIV) infection is discharged from the hospital. At age 4 months, the infant is seen in the health care provider's office for a routine checkup.

58. What assessment data documented by the nurse are considered a high-risk factor for developing acquired immunodeficiency syndrome (AIDS)?
[ ] **1.** The infant has pinpoint white spots on the nose.
[ ] **2.** The parent states that the infant has had thrush twice.
[ ] **3.** The infant's respirations have an irregular pattern.
[ ] **4.** The mother states that the infant wets six diapers per day.

59. While developing a care plan for a 2-year-old child with perinatally acquired human immunodeficiency virus (HIV) infection, what assessment findings would indicate that the child has clinical signs of acquired immunodeficiency syndrome (AIDS)? Select all that apply.
[ ] **1.** History of bacterial infections
[ ] **2.** Herpes simplex lesions around the mouth
[ ] **3.** White patches in the mouth area
[ ] **4.** Lung consolidation on a chest x-ray
[ ] **5.** Limited muscle tone
[ ] **6.** Increased blood pressure

Nursing Care of a Child with Atopic Dermatitis

A 2-year-old child in the clinic is diagnosed with atopic dermatitis. The parent asks what caused the child's skin condition and why the health care provider had many questions about the home environment.

60. The nurse is correct in correlating what factor as a probable cause of this child's atopic dermatitis?
[ ] **1.** Poor nutrition
[ ] **2.** Premature birth
[ ] **3.** Allergic reaction
[ ] **4.** Hormonal imbalance

61. What disease symptom is the nurse **most** likely to focus on when providing the parent with preventive care measures?
[ ] **1.** Nausea
[ ] **2.** Ecchymoses
[ ] **3.** Itching
[ ] **4.** Drowsiness

The health care provider prescribes hydrocortisone ointment for the child's skin lesions and instructs the parent to give colloid baths.

62. On a subsequent visit, what outcome demonstrates that the ointment has been effective?
[ ] **1.** The child's skin is no longer weeping.
[ ] **2.** There is no further spread of the skin lesions.
[ ] **3.** The skin inflammation has decreased.
[ ] **4.** The child's white blood cell count is increased.

63. When instructing the mother on how to give a colloid bath, the nurse correctly explains that a typical colloid bath consists of tepid water and what additive?
[ ] **1.** Cornstarch
[ ] **2.** Mineral oil
[ ] **3.** Liquid glycerin soap
[ ] **4.** Iodized salt

Nursing Care of a Toddler with Sickle Cell Crisis

An acutely ill 21-month-old child is admitted to the hospital with vaso-occlusive sickle cell crisis. The child has a 6-year-old sibling who also has sickle cell disease.

64. When admitting the child, what nursing assessment is an **initial priority**?
[ ] **1.** Pain
[ ] **2.** Dehydration
[ ] **3.** Hemorrhage
[ ] **4.** Bradycardia

65. What nursing action can the nurse anticipate will be involved in this child's care?
[ ] **1.** Administering an I.V. transfusion of plasma
[ ] **2.** Initiating measures to decrease the hemoglobin level
[ ] **3.** Beginning an administration of large doses of iron
[ ] **4.** Promoting measures to rehydrate the child

66. What statement indicates that the parent understands how sickle cell disease is transmitted?
[ ] **1.** "It is really sad, but all of our children will have sickle cell disease."
[ ] **2.** "With each pregnancy, there is a 50% chance that the baby will be born with sickle cell disease."
[ ] **3.** "If I conceive again, our baby will be born with sickle cell trait."
[ ] **4.** "With each pregnancy, there is a 75% chance that the baby will be born with sickle cell disease."

67. What instructions provided by the nurse are essential for preventing further sickle cell crises? Select all that apply.
[ ] **1.** Obtain plenty of rest.
[ ] **2.** Drink plenty of fluids.
[ ] **3.** Use routine pain medication.
[ ] **4.** Complete a full course of antibiotics.
[ ] **5.** Use proper handwashing techniques.
[ ] **6.** Avoid crowds.

Nursing Care of a Toddler with Cystic Fibrosis

An 18-month-old child with a diagnosis of cystic fibrosis is admitted to the hospital because of increasing respiratory difficulty and repeated respiratory infections.

68. When the nurse reads the child's health history, what documented information is important to incorporate in planning care? Select all that apply.
[ ] **1.** The child sleeps for brief periods of time.
[ ] **2.** The child has gained a lot of weight.
[ ] **3.** The child tastes salty when kissed.
[ ] **4.** The child has poor head control.
[ ] **5.** The child has periods of breathing difficulties.
[ ] **6.** The child lags in achieving developmental milestones.

69. What assessment finding should the nurse directly contribute to manifestations of the disease process of cystic fibrosis?
[ ] **1.** Poor appetite
[ ] **2.** Excessive perspiration
[ ] **3.** Low urine output
[ ] **4.** Bulky, foul-smelling stools

70. What is the **priority** nursing goal when managing the care of the child with cystic fibrosis?
[ ] **1.** The child will consume appropriate nutrients to meet body needs.
[ ] **2.** The child will maintain an effective breathing pattern.
[ ] **3.** The child will consume an adequate amount of fluids to meet body needs.
[ ] **4.** The child will demonstrate a decreased level of anxiety.

The health care provider prescribes an albuterol inhaler two puffs every 3 to 4 hours and a flutter mucus-clearing device for the child with cystic fibrosis.

71. The nurse determines that this type of therapy is successful if what is accomplished?
[ ] **1.** There is decreased mucus in the stools.
[ ] **2.** The serum sodium level decreases.
[ ] **3.** The breathing pattern improves.
[ ] **4.** Excess fat is excreted from the body.

After collecting additional data, the nurse determines that modifying the child's diet may be therapeutic.

72. What modifications would be **best** for the nurse to recommend for a child with cystic fibrosis?
[ ] **1.** Increasing dietary fat intake
[ ] **2.** Decreasing protein in the diet
[ ] **3.** Limiting the use of salt
[ ] **4.** Adding more calories to the diet

The parents ask the nurse whether the health care provider can prescribe a larger dosage of pancrelipase given twice daily instead of the current dosage, which is given with each meal.

73. The nurse correctly explains that a decrease in frequency of pancrelipase may contribute to what effect?
[ ] **1.** An increase in gastrointestinal upset
[ ] **2.** A decrease in nutrient absorption
[ ] **3.** An increase in salt depletion
[ ] **4.** An increase in the child's desire

74. The nurse further instructs that it is necessary to increase the child's fluid intake for what reason?
[ ] **1.** To prevent kidney failure
[ ] **2.** To increase cardiac function
[ ] **3.** To reduce pain and discomfort
[ ] **4.** To liquefy lung secretions

75. Which is it **most** important for the child with cystic fibrosis to avoid exposure to in order to reduce the potential for life-threatening complications?
[ ] **1.** Airborne pollen
[ ] **2.** Respiratory pathogens
[ ] **3.** Pet dander
[ ] **4.** Bright sunlight

Nursing Care of a Toddler with Asthma

The health care provider diagnoses a 3-year-old toddler with allergic (extrinsic) asthma triggered by an upper respiratory tract infection.

76. If the nurse collects the following data, what assessment finding is the **best** indication that the child is having an acute asthma attack?
[ ] **1.** Presence of expiratory wheezing
[ ] **2.** Respiratory rate between 20 and 30 breaths/minute
[ ] **3.** Thoracic breathing pattern
[ ] **4.** Clear, watery nasal drainage

77. What nursing action should the nurse **initially** begin for relieving the child's respiratory distress?
[ ] **1.** Provide oxygen at 2 L per nasal cannula.
[ ] **2.** Position a steam vaporizer at the bedside.
[ ] **3.** Give antibiotics as prescribed.
[ ] **4.** Place the child in semi-Fowler position.

The toddler responds to treatment and is scheduled to be discharged. The health care provider has prescribed breathing exercises for the toddler.

78. What nursing intervention **best** facilitates the toddler's performance of breathing exercises?
[ ] **1.** Promise to give the toddler a treat after the exercises.
[ ] **2.** Have the parents assist the toddler with the exercises.
[ ] **3.** Demonstrate the exercise, and then have the toddler do the exercise.
[ ] **4.** Instruct the parents to have the toddler blow bubbles.

79. What nursing instruction to the parents is **most appropriate** to include during discharge teaching for a toddler with asthma?
[ ] **1.** Give breathing treatments every 2 hours.
[ ] **2.** Eliminate all sugar from the toddler's diet.
[ ] **3.** Limit the toddler's activities to sedentary options.
[ ] **4.** Remove area rugs from the home.

Nursing Care of a Toddler Who Has Swallowed a Toxic Substance

The parent of a 15-month-old toddler calls the health care provider's office and reports that the toddler swallowed a lye-based cleaner.

80. What initial instruction by the nurse is **most appropriate** to give to the parent?
[ ] **1.** Begin cardiopulmonary resuscitation on the toddler immediately.
[ ] **2.** Induce vomiting with syrup of ipecac immediately.
[ ] **3.** Give the toddler water to drink to dilute the substance.
[ ] **4.** Take the toddler and substance to the nearest emergency department.

The toddler is taken to the emergency department. After examination, the health care provider decides to admit the toddler for further observation.

81. If the nurse documents the following data on admission, what finding is the **best** indication that the child needs to be monitored with a pulse oximeter?
[ ] **1.** Substernal and intercostal retractions
[ ] **2.** Red, swollen lips
[ ] **3.** Thin, clear mucus drooling from the lips
[ ] **4.** Pulse rate of 105 bpm

82. In addition to monitoring the child with a pulse oximeter, what intervention would the nurse expect to perform?
[ ] **1.** Administering gastric lavage
[ ] **2.** Implementing pain-relief measures
[ ] **3.** Maintaining the child on nothing-by-mouth status
[ ] **4.** Performing neurovascular checks

83. What statement by the parent is the **best** indication he or she understands how to prevent the child from ingesting poisonous substances in the future?
[ ] **1.** "I will remove all toxic substances from my home."
[ ] **2.** "I will never let my toddler out of my sight again."
[ ] **3.** "I will place all toxic substances out of my toddler's reach."
[ ] **4.** "I'll keep all toxic substances in a locked cabinet."

Nursing Care of a Toddler with Croup

84. The nurse enters a toddler's room to obtain vital signs when the nurse observes the client in the following position.

The licensed practical/vocational nurse is **most correct** to take which action?
[ ] **1.** Obtain the vital signs and listen to the lung fields.
[ ] **2.** Stay with the toddler and call for assistance.
[ ] **3.** Obtain the respiratory rate and call the health care provider.
[ ] **4.** Obtain oxygen tubing and administer at 2 L/minute.

A 2½-year-old toddler is seen in the health care provider's office because of coughing and difficulty breathing, which began the previous night. The health care provider makes a diagnosis of laryngotracheobronchitis (croup).

85. When the parents ask how croup occurs, the nurse correctly informs them about what etiology of the disorder?
[ ] **1.** Croup is primarily caused by various viruses.
[ ] **2.** Croup occurs in children with chronic asthma.
[ ] **3.** Croup is transmitted perinatally during birth.
[ ] **4.** Croup is a complication of underdeveloped lungs.

86. What characteristic of the croup cough is noted during the acute phase of illness?
[ ] **1.** A moist cough
[ ] **2.** A barky cough
[ ] **3.** A muffled cough
[ ] **4.** A wheezy cough

87. What nonpharmacological recommendation by the nurse commonly relieves the symptoms caused by croup?
[ ] **1.** Providing central heating throughout the house
[ ] **2.** Maintaining an air-conditioned environment
[ ] **3.** Placing a cool-mist humidifier in the toddler's room
[ ] **4.** Ensuring that the toddler's room is dust-free

88. The nurse acts correctly by instructing the parents to contact the health care provider immediately if the toddler with croup develops what condition that suggests a deterioration of the toddler's condition?
[ ] **1.** Fluctuating fever
[ ] **2.** Intense anxiety
[ ] **3.** Persistent coughing
[ ] **4.** Frequent napping

89. What statement by the parents of a toddler with croup indicates a need for further teaching?
[ ] **1.** "Our toddler may have recurrent episodes of croup for one or two more nights."
[ ] **2.** "We will give our toddler aspirin for a temperature greater than 101°F (38.3°C)."
[ ] **3.** "We will place a cool-mist humidifier at the head of our toddler's bed."
[ ] **4.** "We will offer our child small sips of clear liquids at frequent intervals."

The toddler develops acute respiratory distress during the night and is taken to the hospital's emergency department. The health care provider admits the toddler for further treatment.

90. What respiratory medication is a **priority** for the child with croup to receive as an emergency treatment?
[ ] **1.** Theophylline
[ ] **2.** Albuterol
[ ] **3.** Acetylcysteine
[ ] **4.** Racemic epinephrine

91. What beverage should the nurse avoid when offering liquids to a toddler with croup?
[ ] **1.** Ginger ale
[ ] **2.** Apple juice
[ ] **3.** Whole milk
[ ] **4.** Cold water

Nursing Care of a Toddler with Pneumonia

A 2½-year-old toddler is admitted to the hospital with a diagnosis of pneumococcal pneumonia. On admission, the toddler has an intermittent, productive cough. The parents report that the toddler has been lethargic and anorexic for several days.

92. In addition to the above manifestations, the nurse would expect to find what manifestation of the disease process?
[ ] **1.** Clubbing of the fingers
[ ] **2.** Synchronized chest movement
[ ] **3.** Slow pulse rate
[ ] **4.** Rapid and shallow respirations

93. When providing care for the toddler with pneumonia, what nursing assessment data are **most appropriate** for determining the toddler's hydration status?
[ ] **1.** Urine output
[ ] **2.** Urine pH
[ ] **3.** Blood pressure
[ ] **4.** Respiratory rate

94. Before beginning antibiotic therapy, what diagnostic test findings would the nurse check in the toddler with pneumonia?
[ ] **1.** Electrolyte panel
[ ] **2.** Pulse oximeter
[ ] **3.** Chest x-ray
[ ] **4.** Sputum culture

95. What medication does the nurse anticipate being **most** helpful in relieving symptoms for the toddler with pneumonia?
[ ] **1.** Phenylephrine
[ ] **2.** Albuterol
[ ] **3.** Guaifenesin
[ ] **4.** Dextromethorphan

The health care provider leaves a prescription to give the child a sponge bath for a temperature of 103°F (39.4°C) or more.

96. When the parents ask to participate, what nursing instruction is essential to meeting the goal of decreasing temperature?
[ ] **1.** The sponge bath should be given for at least 1 hour.
[ ] **2.** The water temperature of the bath should be cool.
[ ] **3.** The bath should be discontinued if the toddler begins to shiver.
[ ] **4.** The bath should be given until the temperature is below 101°F (38.3°C).

97. A toddler with pneumonia is prescribed cephalexin monohydrate 0.5 g P.O. every 8 hours. The pharmacy dispenses 500 mg per teaspoon. How many milliliters should the nurse administer? Record your answer using a whole number.

_____ mL

After 3 days of treatment, the child's condition improves significantly. The health care provider writes a discharge prescription that include instructions for home care. The parents speak some English, but their primary language is Spanish.

98. What action is **best** to ensure that the parents understand the discharge instructions?
[ ] **1.** Give the parents a copy of the instructions written in Spanish.
[ ] **2.** Have an interpreter present when instructions are given.
[ ] **3.** Have the health care provider give the instructions.
[ ] **4.** Instruct the parents to call if questions arise when they get home.

Nursing Care of a Preschooler with a Seizure Disorder

A 4½-year-old preschooler is admitted to the hospital with a tentative diagnosis of tonic-clonic seizures.

99. Of these history findings reported by the parents, what information given to the nurse **best indicates** that the preschooler had a tonic-clonic seizure?
[ ] **1.** The preschooler had a high fever with decreased alertness.
[ ] **2.** The preschooler periodically has tremors of the hand.
[ ] **3.** The preschooler suddenly dropped to the floor.
[ ] **4.** The preschooler's whole body was jerking.

100. What nursing action is **most appropriate** when preparing the hospital room for the preschooler's admission?
[ ] **1.** Padding the side rails on the bed
[ ] **2.** Keeping phenobarbital at the bedside
[ ] **3.** Placing the bed in Trendelenburg position
[ ] **4.** Posting a "Seizure Precautions" sign on the preschooler's door

101. What piece of equipment, if needed, could be removed from the preschooler's bedside?
[ ] **1.** Suction equipment
[ ] **2.** Oral airway
[ ] **3.** Oxygen sources
[ ] **4.** Cool-mist humidifier

The preschooler has a tonic-clonic seizure while the nurse is at the bedside.

102. What action should the nurse take **first**?
[ ] **1.** Calling for assistance
[ ] **2.** Placing the preschooler in a side-lying position
[ ] **3.** Calming the parents
[ ] **4.** Administering oxygen

The health care provider prescribes phenytoin. After several days on the medication, the preschooler has no further seizure activity. The health care provider writes a discharge prescription, which includes 0 administering phenytoin at home.

103. During the discharge process, what long-term adverse effect of phenytoin should the nurse include in the instructions to the parents?
[ ] **1.** Poor appetite
[ ] **2.** Urinary incontinence
[ ] **3.** Painful joints
[ ] **4.** Gum overgrowth

104. What statement by the parents indicates a correct understanding of the care and prognosis of their preschooler who has a seizure disorder?
[ ] **1.** "We will restrict activities requiring mental alertness."
[ ] **2.** "We will avoid restraining our preschooler during a seizure."
[ ] **3.** "Our preschooler will become developmentally disabled if seizures progress."
[ ] **4.** "We are aware that our preschooler will need to have a parent present at all times."

105. What is the **most** characteristic statement that reflects a preschooler's preconceived idea as to why he or she acquired a health-related problem?
[ ] **1.** "I have seizures because I am unlucky."
[ ] **2.** "I have seizures because I have been bad."
[ ] **3.** "I have seizures because I am a sickly child."
[ ] **4.** "I have seizures because I do not eat right."

Nursing Care of a Preschooler with Leukemia

A 5-year-old preschooler suspected of having leukemia is admitted to the hospital for diagnosis and treatment.

106. The nurse correctly prepares the child for what diagnostic test confirming diagnosis?
[ ] **1.** Complete blood count (CBC)
[ ] **2.** Spinal fluid examination
[ ] **3.** Bone marrow aspiration
[ ] **4.** X-ray of long bones

Tests confirm that the preschooler has acute lymphoblastic leukemia (ALL). Induction therapy is begun. The preschooler is started on vincristine sulfate, prednisone, and asparaginase. The health care provider also places the preschooler under protective isolation precautions.

107. What instructions should the nurse give to those visiting a preschooler on protective isolation? Select all that apply.
[ ] **1.** Only washable toys are allowed into the preschooler's room.
[ ] **2.** Children younger than age 12 are restricted from the room.
[ ] **3.** Fresh fruit that cannot be peeled is prohibited in the room.
[ ] **4.** Only immediate family members may visit in the room.
[ ] **5.** Avoid visiting if there is evidence of cold or flu symptoms.
[ ] **6.** Use an alcohol-based hand rub when entering and leaving the room.

108. What route of temperature assessment is contraindicated for a preschooler with leukemia?
[ ] **1.** Axillary
[ ] **2.** Oral
[ ] **3.** Rectal
[ ] **4.** Tympanic

109. In the case of an allergic reaction, what medication should the nurse have on hand when asparaginase is given?
[ ] **1.** Epinephrine
[ ] **2.** Calcium gluconate
[ ] **3.** Sodium bicarbonate
[ ] **4.** Furosemide

The preschooler receives a transfusion of packed red blood cells.

110. The licensed practical/vocational nurse (LPN/LVN) is monitoring the infusion. In what situation would the LPN/LVN obtain the registered nurse? Select all that apply.
[ ] **1.** The preschooler is thirsty.
[ ] **2.** The preschooler feels chilled.
[ ] **3.** The preschooler feels tired.
[ ] **4.** The preschooler feels hungry.
[ ] **5.** The preschooler experiences itching.
[ ] **6.** The preschooler feels nauseous.

111. What is the **most appropriate** initial nursing action if the preschooler experiences a transfusion reaction?
[ ] **1.** Administer oxygen, and be prepared to start cardiopulmonary resuscitation.
[ ] **2.** Check the preschooler's temperature, and give acetaminophen.
[ ] **3.** Stop the transfusion, and keep the I.V. line open with normal saline solution.
[ ] **4.** Notify the charge nurse, and return the blood to the blood bank for testing.

The preschooler asks the nurse, "Am I going to die?"

112. What is the **most appropriate** response by the nurse?
[ ] **1.** "Are you feeling especially bad today? Tell me more about how you feel."
[ ] **2.** "You should not worry about things like that. You are only a child."
[ ] **3.** "We are all going to die someday. Usually we die when we get old."
[ ] **4.** "Let's talk about something else. What is your favorite television program?"

The nurse is aware of the parents' strong Christian religious beliefs.

113. Based on their culture, which is believed to be **most helpful** in aiding their preschooler?
[ ] **1.** Energy can be restored by means of acupuncture.
[ ] **2.** We pray to God and light candles asking for healing.
[ ] **3.** We fast as a punishment for sins and to reverse illnesses.
[ ] **4.** We need to balance the yin and yang for healing.

114. Which statement by a parent of the child recently treated for acute lymphoblastic leukemia (ALL) indicates a need for additional teaching about the preschooler's condition?
[ ] **1.** "My preschooler should continue all immunizations as scheduled."
[ ] **2.** "My preschooler should avoid high-contact play activities."
[ ] **3.** "My preschooler should eat small but frequent high-protein meals."
[ ] **4.** "My preschooler shouldn't be around individuals with infections."

Nursing Care of a Preschooler with Strabismus

A 4-year-old preschooler is to be admitted to an ambulatory surgical center for the correction of strabismus. The day before the surgery, the preschooler and parents go to the surgical center for preoperative teaching.

115. What preoperative instruction is **most** important for the nurse to give the parents in preparation for the surgical procedure?
[ ] **1.** Clean the preschooler's eyelid with an antiseptic at bedtime.
[ ] **2.** Trim the preschooler's eyebrow in the mornings.
[ ] **3.** Withhold food and fluids from the preschooler after midnight.
[ ] **4.** Give the preschooler a dose of acetaminophen at bedtime.

The preschooler asks if the surgery will "hurt."

116. What response by the nurse to the child is **most appropriate**?
[ ] **1.** "Do not think about that now."
[ ] **2.** "No, you will not feel any pain."
[ ] **3.** "I do not know. Ask the health care provider."
[ ] **4.** "Your eye may be sore after surgery."

117. What type of game is the **best** preparation of the preschooler for the postoperative period?
[ ] **1.** Tic-Tac-Toe on a large piece of paper
[ ] **2.** Pretending the preschooler is a pirate with a patch
[ ] **3.** Hide-and-seek within the hospital room
[ ] **4.** Peek-a-boo with a member of the hospital staff

The child is admitted the following morning and undergoes surgery.

118. What statement by the parents indicates a need for additional teaching?
[ ] **1.** "Our preschooler can be up and about after the anesthesia wears off."
[ ] **2.** "Our preschooler can have a regular diet after nausea has ceased."
[ ] **3.** "Our preschooler cannot play with toys for at least 4 weeks."
[ ] **4.** "The restraints can be removed when we are holding our preschooler."

Nursing Care of a Preschooler Having a Tonsillectomy and Adenoidectomy

A 5-year-old preschooler who is scheduled for a tonsillectomy and adenoidectomy arrives in the outpatient department the morning of surgery. The nurse admitting the preschooler assesses the vital signs.

119. What assessment finding should be reported immediately to the charge nurse or health care provider?
[ ] **1.** Blood pressure of 96/60 mm Hg
[ ] **2.** Temperature of 101°F (38.3°C)
[ ] **3.** Respiratory rate of 20 breaths/minute
[ ] **4.** Pulse rate of 110 bpm

After surgery, the health care provider writes a prescription for pain medication and diet as the preschooler prepares to be discharged from the outpatient care department.

120. What food is **most appropriate** for the nurse to advise the parents to offer the preschooler after surgery?
[ ] **1.** Orange juice
[ ] **2.** Apple juice
[ ] **3.** Ice cream
[ ] **4.** Cream of chicken soup

121. If the nurse observes the following behaviors, which one is a concern in the **immediate** postoperative period?
[ ] **1.** The ice collar is removed from the preschooler's neck.
[ ] **2.** The preschooler sucks liquids through a straw.
[ ] **3.** The parents left the room to get coffee.
[ ] **4.** The preschooler uses a tissue to wipe blood from the lips.

122. If the nurse collects the following data, what observation indicates that the preschooler may have postoperative complications?
[ ] **1.** Small amount of dark red emesis
[ ] **2.** Respiratory rate of 30 breaths/minute
[ ] **3.** Report of throat pain
[ ] **4.** Frequent swallowing

123. What instruction is **most appropriate** to give to the parents during discharge teaching?
[ ] **1.** The preschooler should be kept quiet for a few days after discharge.
[ ] **2.** The preschooler's fluid intake should be limited for the next 48 hours.
[ ] **3.** The preschooler should be given aspirin for discomfort and fever.
[ ] **4.** The preschooler should resume a regular diet after nausea subsides.

Test Taking Strategies

Normal Growth and Development of Infants, Toddlers, and Preschool Children

1. Analyze what information the question asks, which is a normal developmental milestone for a 3-month-old infant, which a nurse will provide teaching. Remember that normal development occurs cephalocaudal (head to toe) and proximal to distal (from middle to outside).

2. Analyze what information the question asks, which is an atypical response after measles, mumps, and rubella (MMR) immunization that should be reported to the health care provider. Remember that inconsolable crying is not normal at any time and the cause needs to be investigated.

3. Use the process of elimination to identify the option that best describes a safety issue relative to a 20-month-old child. Consider each option against how it can cause a safety issue in this age of a child.

4. Use the process of elimination to identify an appropriate activity for a client with of attention deficit hyperactivity disorder (ADHD) who needs a quiet activity. Read through each option to identify the best activity to prevent a post-tonsillectomy bleed.

5. Analyze what information the question asks, which is the person to question when obtaining health information from Asian family members. Recall that in an Asian culture, males—in this case, the father—are the figures of authority in the family structure.

6. Analyze what information the question asks, which is evidence that the parents understand an appropriate technique for administering liquid medication to an infant. Option 3 is the best answer because a medicine dropper can be easily placed in the correct location of the infant's mouth without spilling portions of the liquid if the child struggles in the process of its administration.

7. Use the process of elimination to select the option that best describes how to count an infant's respiratory rate. Options 1, 2, and 3 can be eliminated because the lengths of assessment time are too brief to accommodate for an infant's irregular breathing patterns.

8. Analyze what information the question asks, which is signs of readiness for toilet training in a toddler. Read the question carefully, because it involves choosing an option that reflects a parent's incorrect statement.

9. Use the process of elimination to identify the option that identifies the best advice for managing sibling rivalry. Option 3 remains as the best answer because participating in the care of a new infant fosters acceptance and a sense of worth in the older child.

10. Analyze what information the question asks, which is a developmentally appropriate teaching aid for use with a preschool child. Option 1 is the best answer because at a preschooler's cognitive level, dolls or puppets can be easily substituted for applications that involve learning new information.

11. Use the process of elimination to select the option that identifies the best method for minimizing separation anxiety experienced by a hospitalized child. Recall that separation anxiety is normal in this age group regardless of whether the child is hospitalized or not. Option 3 is the best answer because, in this case, remaining with the child in an unfamiliar environment provides emotional support and stability.

12. Analyze what information the question asks, which is the need to include additional teaching for parents who wish to introduce solid foods to their 6-month-old infant. Recall that a slow introduction of solid food helps to evaluate the infant's digestive and immunologic responses.

13. Analyze what information the question asks, which is an abnormal assessment finding when examining an 18-month-old child. Read the options carefully because it requires looking for a skill that deviates from that expected for a child of this age.

14. Identify the standard of care, which is a statement that identifies a safety concern and need for parental health teaching when raising a safe child. Recall that children are very active and curious and can climb to reach objects even if they are on a shelf.

15. Use the process of elimination to select the option that identifies the best response to a parent's concern about a 4-year-old child's belief in an imaginary playmate. Recall that children have a vivid imagination and having an imaginary playmate is not unusual for a child of this age.

16. Analyze what information the question asks, which is prioritizing safety measures from birth through age 12 months. Relate standard progression that at birth the infant is totally helpless, then begins to roll over, develops prehension for grasping objects, learns by mouthing objects, crawls, pulls himself or herself to a standing position, and stands alone.

Nursing Care of an Infant with Myelomeningocele

17. Use the process of elimination and recall preoperatively that the protruding sac must be protected until it is surgically repaired (option 2). Option 1 can be eliminated because this client's myelomeningocele is pictured as being located higher. Eliminate options 3 and 4 because those actions would cause trauma to the sac.

18. The key words are "during the postoperative period." Recall that the surgical incision is located in the midback; therefore, positioning on the stomach is recommended.

19. Analyze what information the question asks, which is home care to reduce musculoskeletal problems for a child with a myelomeningocele repair. Recall that despite the surgical repair, the infant cannot move his or her legs. Therefore, teaching the parents how to do range-of-motion exercises on the infant's legs is essential for maintaining muscle tone and joint mobility.

20. Analyze what information the question asks, which is instruction the parents will need to manage their child's urinary incontinence. Recall that diapers can be used during infancy, but straight catheterization will become necessary after the child gets older.

21. Analyze what information the question asks, which is the priority nursing intervention for preventing contractures in a child who has clubfoot and a hip dysplasia. Recall that contractures are a consequence of shortened muscles and lengthening of those in opposition. Unless exercised, the joint becomes fixed. Range-of-motion exercises that are performed frequently and consistently help to prevent or reduce the potential for developing contractures.

Nursing Care of an Infant with Hydrocephalus

22. Use the process of elimination to identify the option that describes the most characteristic assessment finding when examining an infant with hydrocephalus. Recalling that the prefix "hydro" refers to water, and "cephalus" is derived from the word meaning "head," option 1 becomes the obvious answer.

23. Identify the standard of care for positioning a child with hydrocephalus after feeding. Recall that this child may not be able to change his or her head position because of its enlarged size. A side-lying (lateral) position reduces the potential for regurgitated liquid entering the airway. Stomach contents are more likely to be expelled onto the surface, supporting the infant in a side-lying position.

24. Look at the key words "most appropriate" used in reference to a nursing measure for reducing the risk of a pressure ulcer developing on the infant's head. Recall that sheepskin or some other pressure-relieving device promotes the maintenance of capillary blood flow that will keep tissue perfused and intact.

25. Look at the key words "most appropriate" in reference to postoperative positioning after a shunt insertion on the right side. Recall that a burr hole is made to place the shunt in the ventricle, and internal tubing is tunneled behind the right ear to the peritoneal cavity. Therefore, placing the child on the unaffected left side is an appropriate nursing action.

26. Use the process of elimination to identify the option that best describes a sign of increased intracranial pressure. Remember that if fluid increases due to a malfunction of the shunt, pressure on the brain stem, which includes the pons and medulla, can cause an alteration in vital signs such as pulse and respiratory rates.

27. Look at the key words "most appropriate" in reference to a nursing action after finding that the postoperative infant with a ventriculoperitoneal (V/P) shunt has a sunken anterior fontanel. Keeping the child supine counteracts the effect of gravity and decreases the volume of cerebrospinal fluid leaving the ventricles.

Nursing Care of an Infant with Cleft Lip

28. Analyze what information the question asks, which is the rationale for palpating inside the mouth of a newborn with a cleft lip. A cleft palate occurs in about 50% of those born with a cleft lip, especially bilateral cleft lip. To confirm or rule out that a cleft palate exists, the nurse must palpate the roof of the newborn's mouth.

29. Use the process of elimination to help select the option that identifies the nursing priority when bringing the newborn with a cleft lip to the parents. Recall that the nurse can model behavior for the parents. Showing acceptance (option 2) can influence a similar attitude on the part of the parents. Options 1, 3, and 4 are not the priorities at this time.

30. Analyze what information the question asks, which is evidence that the parents understand how to reduce the risk of aspiration in the newborn with a cleft lip. Recall that because of the oral defect, the newborn swallows a great deal of air, which increases the risk for vomiting. Burping the newborn frequently relieves gastric pressure and reduces the risk for vomiting and aspiration.

31. Use the process of elimination to identify the utensil that is best for feeding a newborn with a cleft lip. Various utensils are available for feeding the newborn, depending on the size of the cleft, but using a nipple with an enlarged hole helps deliver sufficient formula or breast milk for weight gain when the newborn's ability to suck and swallow is compromised.

32. Use the process of elimination to identify the option that describes the best type of restraint to use for a newborn who has had a cleft lip repair. Recall that the goal is to keep the newborn's hands away from the face so that the surgical repair is not altered without totally restricting the newborn's movement.

33. Analyze what information the question asks, which is the frequency with which the newborn's restraint should be removed. Recall that restraints of any type should be removed every 2 hours to avoid circulatory and neurologic injury.

Nursing Care of an Infant with Pyloric Stenosis

34. Look at the key words "most significant" in reference to the assessment findings listed. Use Maslow's hierarchy of needs to identify dehydration as a more significant finding than the other three assessment findings.

35. Analyze what information the question asks, which is an accurate statement about I.V. fluid administration to a newborn with pyloric stenosis. Recall that oral nutrition results in vomiting, which necessitates administering I.V. therapy utilizing a calibrated chamber.

36. The key word is "initial" signs of infiltration. Consider that having the catheter outside of the vessel initially causes the fluid to infuse into the tissues (puffiness) and coolness from the infusing solution at the insertion site.

37. Analyze what information the question asks, which is the position that is used after feeding the newborn with a repaired pyloric sphincter. Recall that the pyloric sphincter is between the stomach and small intestine within a right-sided curve. Placing the newborn on the right side facilitates the movement of chyme into the intestinal tract.

Nursing Care of an Infant with Bilateral Clubfoot

38. Analyze what information the question asks, which is the data that indicate true clubbing of the newborn's feet. Recall that true clubbing of the feet requires surgical intervention because they will not assume a neutral position, whereas false clubbing can be corrected with exercise, splints, casts, continuous passive motion machines, and orthopedic shoes.

39. Analyze what information the question asks, which is the reason for using adhesive petals around the edge of the newborn's casts. Recall that the purpose of the petals is to prevent skin breakdown due to cast irritation.

40. Use the process of elimination to select the option that describes the best indication of a neurovascular complication. Recall that pink, warm toes would indicate adequate circulation; the opposite would be true for impaired circulation (option 3). Options 1, 2, and 4 represent normal findings in a newborn.

41. Use the process of elimination to identify an action that will improve circulation. Recall that elevating the extremities, regardless of the cause, reduces swelling by promoting venous circulation from the extremities.

42. Analyze what information the question asks, which is when assessment of skin integrity can be completed. Link this assessment to cast changes. The casts can be changed as often as weekly in the early stages of correcting the abnormal foot position to gradually stretch tendons to achieve an externally rotated foot position.

43. Analyze what information the question asks, which is an age-appropriate activity that the nurse can suggest to the parents of an 8-week-old infant. Recall that eye coordination is developing at this time, making option 4, stimulating the infant with a colorful mobile, an age-appropriate activity.

44. Use the process of elimination to select the option that describes an accurate response to the parents' question about the infant's posterior fontanel. Options 2 and 3 can be eliminated because it is not abnormal to barely feel the posterior fontanel at age 2 months. Option 4 can be eliminated because the posterior fontanel does not close earlier in children with skeletal defects.

Nursing Care of a Child with Otitis Media

45. Analyze what information the question asks, which is the best indicator that an infant is experiencing pain due to otitis media. Recall that an infant cannot verbalize the location of the discomfort but pulling at the ear is a nonverbal sign of ear pain.

46. Use the process of elimination to select the option that identifies the best method for ensuring that an infant's dose of medication is accurate. Checking a drug reference and personally calculating the dose based on the recommendation for the weight of the child is the standard of care.

47. Analyze what information the question asks, which is information that should be emphasized when teaching parents who will administer medication to the infant. Recall that treating an infection effectively requires complying with the full prescribed drug regimen and is a standard of care.

48. Analyze what information the question asks, which relates to calculating a total daily drug dosage. In this case, the child's weight is not necessary for solving the problem, only select the information needed for the calculation.

Nursing Care of a Child with a Congenital Heart Defect

49. Use the process of elimination to help select the option identifying the best correlation of symptoms to coarctation of the aorta. Eliminate options 1, 2, and 4 related to incongruent clinical manifestations. Use the understanding of pulses to guide your thought process.

50. Analyze what information the question asks, which is the optimum time for surgically correcting coarctation of the aorta. Depending on the severity of the newborn's symptoms, surgical repair may be delayed to determine if other noninvasive treatment options and medications, such as those for managing congestive heart failure, improve the newborn's quality of life.

51. Look at the key words "most important," which imply a priority in this case when administering digoxin. Recall that digoxin is a cardiac glycoside that slows the heart rate and increases the force of the heart's contraction. Therefore, option 1, counting the heart rate for a full minute, determines if the heart rate is sufficient so that the newborn will not be endangered.

52. Use the process of elimination to help select the option that identifies the best method for reducing the heart's workload. Consider each option against the strain that it puts on the newborn's system. Option 2 remains as the best answer because rest slows the heart rate and decreases oxygenation needs.

53. Analyze what information the question asks, which is an incorrect statement related to the home administration of digoxin that requires further clarification by the nurse. Recall that mixing the medication with formula is incorrect because the newborn may not get the full dose.

Nursing Care of a Child with an Infectious Disease

54. Look at the key terms "most appropriate" used in reference to the transmission-based precaution for preventing the spread of chickenpox in its early stage to other vulnerable clients in the hospital. Recall that chickenpox (varicella) is a virus that requires airborne precautions in the early stage of transmission and contact precautions later when weeping vesicles are present.

55. Analyze what information the question asks, which is a correct action to prevent the transmission of infectious agents. Recall that infection control policies include safely securing a laboratory specimen in a zip-lock bag before transporting it to the laboratory.

56. Use the process of elimination to select the option that identifies data that are most important to report. Remember that children are more vulnerable to circulatory overload than adults. Therefore, option 4 is the best answer because it facilitates preventing or reducing life-threatening complications associated with excess fluid volume.

57. Analyze to determine what information the question asks, which requires calculating the safe fluid volume intake based on criteria provided in the stem. Always review math calculations for accuracy.

Nursing Care of a Child with Human Immunodeficiency Virus Infection

58. Analyze to determine what information the question asks, which is data suggesting that an human immunodeficiency virus (HIV) infection has progressed to acquired immunodeficiency syndrome (AIDS). Relate the difficulty to resist infections when discriminating through options. Therefore, having had thrush, an opportunistic infection, suggests that the infant's disease has destroyed sufficient T-cell lymphocytes to cause an increased susceptibility to pathogens.

59. Analyze what information the question asks, which is acquired immunodeficiency syndrome (AIDS)–defining conditions. Alternative-format "select all that apply" questions require considering each option independently to decide its merit in correlating with the signs and symptoms of AIDS in children.

Nursing Care of a Child with Atopic Dermatitis

60. Analyze what information the question asks, which is a factor that contributes to the signs and symptoms associated with atopic dermatitis. Recall that the word dermatitis indicates a skin condition that has an inflammatory component, which is compatible with an allergic response.

61. Analyze what information the question asks, which is a symptom that may respond to preventive care to avoid potential complications. Recall that itching leads to scratching, and scratching leads to skin abrasions, increasing the risk for infection.

62. Use the process of elimination to identify evidence that the application of hydrocortisone cream is having a beneficial effect. Because hydrocortisone is an anti-inflammatory agent, option 3 is the best answer.

63. Analyze what information the question asks, which is the additive that is typically used when administering a colloid bath. Recall that when mixed with water, a colloid produces a gelatinous or mucinous solution. The tiny particles in cornstarch, which do not completely dissolve, float in the water and create a thick liquid that coats the surface of skin and causes a soothing effect.

Nursing Care of a Toddler with Sickle Cell Crisis

64. Analyze what information the question asks, which is the initial priority for a child experiencing a sickle cell crisis. Recall that tissue ischemia from clustered sickled cells creates severe pain. Once the pain is managed, the nurse can address other aspects of client care, such as increasing circulating fluid volume.

65. Analyze what information the question asks, which is a component of nursing care that is specific for a child experiencing a sickle cell crisis. Recall that hydrating the client may help to improve the flow of blood through the area where the sickled cells have collected.

66. Analyze what information the question asks, which is evidence that a parent understands how sickle cell disease is acquired. Recall that sickle cell disease is acquired through autosomal recessive genetic inheritance.

67. Analyze what information the question asks, which is measures to take to avoid sickle cell crises. Use the knowledge of the disease process to choose options that are essential nursing instructions for avoiding sickle cell crises in the future.

Nursing Care of a Toddler with Cystic Fibrosis

68. Analyze what information the question asks, which is incorporating findings associated with cystic fibrosis into the plan of care. Alternative-format "select all that apply" questions require considering each option independently to decide its relevance to the care needed.

69. Analyze what information the question asks, which is an assessment finding common among children with cystic fibrosis. Recall that children with cystic fibrosis have bulky, foul-smelling stools because they excrete undigested fat in their stools.

70. Analyze what information the question asks, which is a nursing goal when managing the care of a child with cystic fibrosis. Recall that the leading cause of death in children diagnosed with this disease is respiratory failure. Therefore, formulating a goal to maintain effective breathing is a priority.

71. Analyze what information the question asks, which is evidence that the treatment measures have achieved a desired outcome. Option 3 is the best answer because these treatment measures, whether used for a child or an adult, are targeted at improving the ability to breathe.

72. Use the process of elimination to help select the option that identifies a therapeutic dietary modification. Option 2 can be eliminated because protein is necessary for cellular growth and repair. Option 1 can be eliminated because increasing dietary fat is counterproductive for a child who lacks pancreatic enzymes with which to digest it. Although it is healthy for everyone to decrease salt consumption, option 3 can be eliminated because it is not as therapeutic as option 4, which will facilitate weight gain.

73. Analyze what information the question asks, which is the consequence of decreasing a medication dosage. Note that pancreatic enzymes must be given when food is eaten because a child with cystic fibrosis requires the enzyme to digest and absorb nutrients.

74. Analyze what information the question asks, which is the reason for recommending a liberal intake of oral fluids in a child with cystic fibrosis. Recall that the child has thick, mucoid pulmonary secretions and that increasing fluid intake will thin those secretions, facilitating easier expectoration.

75. Use the process of elimination to identify the option that indicates the exposure most important to avoid when a child has cystic fibrosis. Recall that this child is extremely susceptible to life-threatening problems if a respiratory infection compounds the respiratory symptoms caused by the disorder.

Nursing Care of a Toddler with Asthma

76. Use the process of elimination to help select the option that identifies the assessment finding that provides the best indication that a child is experiencing an acute attack of asthma. Recall that wheezing breath sounds occur during an asthma attack because the airways swell and narrow. Options 2 and 3 can be eliminated because they are normal findings. Option 4 can be eliminated because this is a symptom of an upper respiratory disorder rather than asthma.

77. Look at the key word "initially," which provide a time frame of the first action. Recall that sitting upright lowers abdominal organs away from the diaphragm, allowing a larger exchange of gases.

78. Use the process of elimination to identify a nursing intervention that is best for facilitating the performance of breathing exercises. Recall that blowing bubbles is an age-appropriate activity that a 3-year-old toddler is likely to enjoy and that imitates the actions used to perform breathing exercises. Although options 1, 2, and 3 are methods for motivating or teaching the toddler, they are not as appealing to the toddler as blowing bubbles.

79. Look at the key words "most appropriate" used in reference to parental discharge instructions. Relate asthma instruction and correlate with the needs at home. Ask "How will this instruction limit asthma frequency?"

Nursing Care of a Toddler Who Has Swallowed a Toxic Substance

80. Look at the key words "most appropriate," which should lead to an option that describes the best recommendation for an incident involving the ingestion of a lye-based cleaner. Recall that lye is a highly alkaline substance that burns tissue as it is swallowed, contraindicating the induction of vomiting. Diluting the cleaner by ingesting water is the most appropriate action from among those listed.

81. Use the process of elimination to identify the best indication that the child should be assessed with a pulse oximeter. Recall that a pulse oximeter is used to measure the oxygen saturation in arterial blood, a level that may be affected by chemical burns in the pharynx and esophagus. Although red, swollen lips and drooling from the lips may be evident, options 2 and 3 can be eliminated because they are not the most serious indication for using a pulse oximeter. A pulse rate of 105 bpm is within a normal range for a toddler, eliminating option 4.

82. Analyze what information the question asks, which is a nursing intervention that the nurse should perform when caring for the child who swallowed a cleaning substance containing lye. Recall that the mouth and lips will be burned, making pain management a necessity.

83. Use the process of elimination to identify the option that provides a statement that describes the best method for the safekeeping of toxic substances. Ask yourself, "What is reasonable and what is most safe?"

Nursing Care of a Toddler with Croup

84. Analyze the picture provided for information related to client status. Note the client position, look on the face and look of the mouth to determine that the toddler is close to respiratory distress. Recall that the toddler is to be kept calm, limiting stress on the body system.

85. Analyze what information the question asks, which is the etiology that causes the symptoms associated with croup. Recall that the suffix *-itis* indicates an inflammation, which is the result, in this case, of a viral infection.

86. Use the process of elimination to identify the characteristic type of a cough and note that the cough is most pronounced in the acute stage. Recall the etiology of the cough to assist in determining characteristics.

87. Analyze what information the question asks, which is a nursing recommendation that helps relieve symptoms caused by croup. Recall that humidified air soothes the respiratory mucosa. It also helps reduce laryngeal edema and the frequency of coughing episodes.

88. Analyze what information the question asks, which is a sign of a worsening of the toddler's croup and respiratory distress. Recall that anxiety occurs in response to feeling a threat to one's safety and well-being.

89. Analyze what information the question asks, which is a parental statement that indicates a need for additional teaching. Read the question carefully because it requires identifying incorrect information. Recall that aspirin use in children is not allowed.

90. Analyze what information the question asks, which is the drug of choice for relieving acute respiratory distress caused by croup. Recall that racemic epinephrine produces a rapid short-acting response, resulting in the relief of respiratory distress. Though other respiratory medications may be helpful and in the plan of care, there is only one choice in an emergency.

91. Analyze what information the question asks, which is a beverage that should be temporarily withheld when providing oral fluids to the child with croup. Look at the options, and note that three are clear liquids, whereas milk is not.

Nursing Care of a Toddler with Pneumonia

92. Analyze what information the question asks, which is the clinical presentation the nurse should expect in a child with pneumonia. Recall that pneumonia is a respiratory infection and logically it affects ventilation. Rapid breathing is a homeostatic mechanism to compensate for decreased oxygenation; respirations also increase from the increased metabolic rate caused by a fever.

93. Look at the key words "most appropriate" used in reference to a method for determining the fluid status of a toddler recovering from pneumonia. Remember that to have fluid balance, intake should approximate equal output. Therefore, monitoring urine output is the most appropriate nursing intervention, making option 1 the best answer.

94. Analyze what information the question asks, which is a diagnostic test finding the nurse should check before beginning antibiotic drug therapy. Recall that there are many categories of antibiotics, each of which is administered to combat specific types of infectious agents identified on a culture.

95. Analyze what information the question asks, which is a medication given to relieve common symptoms of a productive moist cough. Although all of the medications listed may be helpful in various ways, an expectorant is used to facilitate raising sputum from lower airways.

96. Use the process of elimination to help select the option that identifies essential information the parents should know about administering a sponge bath to relieve the toddler's fever. Option 3 remains as the best answer because shivering generates heat, which is contrary to the desired goal of fever reduction.

97. Use standards of practice to convert the dosage to the same units (mg vs. g) before dosage calculation. Once completed, knowledge of teaspoon equivalents (5 mL = 1 tsp) is necessary.

98. Use the process of elimination to help select the option that identifies the best action for ensuring that the parents who speak English as a second language understand the discharge instructions. Recall that using an interpreter provides the best assurance that the parents understand the instructions and can ask questions after the information has been processed. Options 1, 3, and 4 all have some merit, but none is the best answer.

Nursing Care of a Preschooler with a Seizure Disorder

99. The key words are "best indicates" that the child is having a tonic-clonic type of generalized seizure. Recall that when a tonic-clonic seizure occurs, the entire body appears to have repetitive jerking movements, leading to the correct option.

100. Look at the key words "most appropriate" indicating that one answer is better than all the others. This question requires selecting an action that is a component of the standard care for a client who is prone to seizures. Recall that safety is a priority when caring for a preschooler who has seizures, making option 1 the best answer.

101. Read the options carefully to facilitate selecting one that identifies an item that is basically unrelated to the care of a client prone to seizures. Options 2, 3, and 4 are items appropriate to place at the preschooler's bedside, but option 4, a cool-mist humidifier, has no meaningful reason to be there unless the client has a respiratory problem.

102. Analyze what information the question asks, which is a nursing action that should be performed first in a sequence of actions when responding to a preschooler having a seizure. Recall that ensuring a client's safety is always a priority, making option 2 the best answer because it reduces the risk of aspirating oral secretions or vomitus. After doing so, calling for assistance is a good second choice followed by administering oxygen when the seizure ends.

103. Analyze what information the question asks, which is an adverse effect the nurse should inform the parents about in relation to the long-term administration of phenytoin. Recall that phenytoin is known to cause gingival hyperplasia, which increases the risk for periodontal disease and tooth decay.

104. Analyze what information the question asks, which is a correct understanding of the care and prognosis of the preschooler with a seizure disorder. Of all the options, option 2 is the best answer because avoiding physical restraint during a seizure reduces the risk for injury.

105. Analyze what information the question asks, which is a statement that reflects a common preconceived idea among preschoolers as to the reason for a health-related disorder. Recall that preschoolers feel that illness is a consequence of having done something for which they are being punished.

Nursing Care of a Preschooler with Leukemia

106. Use the process of elimination to select the option that identifies the best test for diagnosing leukemia. Recall that a hematologist examines the bone marrow to determine whether the blood cells are normal and present in appropriate numbers. The presence of abnormal cells or an atypical number of cells is characteristic of specific cancers such as leukemia.

107. Analyze what information the question asks, which is steps to take to prevent infection in a preschooler in protective isolation. Choose one or more options that correlate best with methods for reducing the risk for acquiring infectious disorders.

108. Identify a standard of care for assessing body temperature that is contraindicated when caring for a client with leukemia. Recall that the rectal area harbors many bacteria, and an injury in this area from a thermometer probe could cause an infectious process.

109. Analyze what information the question asks, which is a drug that should be available if an allergic reaction occurs. Recall that epinephrine is a drug used in emergencies to raise blood pressure associated with shock and relieve bronchoconstriction caused by an acute allergic reaction.

110. Use your knowledge of monitoring blood administration to identify signs of a transfusion reaction. Choose two or more options that correlate with a systematic response.

111. Look at the key words "most appropriate," which should lead to an option that identifies the initial nursing action when a transfusion reaction occurs. Recall that the infusing blood is the cause of the reaction. Therefore, preventing any more blood from entering the preschooler's circulation is the best answer.

112. Look at the key words "most appropriate," which should lead to an option that identifies a therapeutic response to the preschooler's question about dying. Recall that it is always therapeutic to provide the preschooler with an opportunity to discuss his or her thoughts and feelings.

113. Use the process of elimination to identify the option that best describes a common cultural practice among Christians when a family member has a life-threatening illness. Recall that in cultures in which Christianity is practiced, it is common to seek God's intercession for a specific request through prayer and lighting candles.

114. Analyze what information the question asks, which is an incorrect statement requiring clarification. Read the options carefully to ensure selecting a statement that is wrong. Recall that a preschooler who is immunosuppressed is temporarily susceptible to infection from live virus vaccines, making option 1 the best answer.

Nursing Care of a Preschooler with Strabismus

115. Use the process of elimination to help select the option that identifies the most important preoperative instruction. Option 1 can be eliminated because the parents do not perform this action. Options 2 and 4 can be eliminated because they are unnecessary.

116. Look at the key words "most appropriate" used in reference to a nursing response to a preschooler who is concerned about experiencing discomfort after surgery. Recall that children feel betrayed by less than truthful responses to a valid question or by having their question dismissed. Understanding this concept leads to select option 4 as the best answer.

117. Use the process of elimination to identify the option that provides the best game for preparing the preschooler for the postoperative period after eye surgery. Consider developmentally appropriate gaming and correlate the postoperative care needed.

118. Analyze what information the question asks, which is incorrect information that requires clarification. Recall that playing with toys occupies a great deal of the day's activity for children of this age and restricting it for 4 weeks because one eye is patched is unnecessary.

Nursing Care of a Preschooler Having a Tonsillectomy and Adenoidectomy

119. Analyze what information the question asks, which is an assessment finding that causes concern in a preschooler who will undergo a tonsillectomy. Recall the standard of care that a fever of 101°F suggests a current infectious process, which jeopardizes the preschooler's safety if the planned surgery occurs.

120. Look at the key words "most appropriate," which are used when asking for a food choice in the immediate postoperative period. Recall that clear liquids, such as apple juice, are generally the first food items allowed after surgery.

121. Analyze what information the question asks, which is an action that is of concern for the preschooler in the immediate postoperative period. A sucking action is contraindicated because it increases the potential for bleeding from the surgical site.

122. Analyze what information the question asks, which is a sign associated with a postoperative complication. Recall that bleeding is high on the list of potential complications and that the site of bleeding is in the oropharynx. Although inspecting the tonsillar fossa for oozing blood is a definitive assessment, frequent swallowing is one sign that blood is accumulating rather than being expectorated.

123. Look at the key words "most appropriate" used to refer to teaching that should be included during discharge. Recall that activity increases heart rate and blood pressure, which can contribute to bleeding postoperatively making option 1 the best answer. Options 2, 3, and 4 contain inaccurate and even unsafe instructions.

Correct Answers and Rationales

Normal Growth and Development of Infants, Toddlers, and Preschool Children

1. 2. When in the prone position, a 3-month-old infant should be able to raise the head and shoulders 45 to 90 degrees. Parent instruction will focus on the stability of the neck muscles and neck/head support. The other developmental skills are accomplished later in infancy. Sitting with support and rolling from the abdomen to the back occur at approximately 5 months. Holding a bottle occurs when the infant is about 4.5 months of age.

> *Cognitive Level—Applying*
> *Client Needs Category—Health promotion and maintenance*
> *Client Needs Subcategory—None*

2. 3. Crying for long periods of time, even after comfort measures have been used, is unusual and a priority to be reported to the health care provider. The other signs and symptoms mentioned are usual side effects of the measles, mumps, and rubella (MMR) immunization, and do not require notifying the health care provider. Though discussed for parental understanding, they are emphasized as norms.

> *Cognitive Level—Applying*
> *Client Needs Category—Health promotion and maintenance*
> *Client Needs Subcategory—None*

3. 2. Ambulating while eating is a common cause for choking and should be discussed with the parents. Even common snacks can be lodged in the small airway when the child is moving. Eliminating tablecloths (hazard from pulling table contents), ensuring that furniture corners are rounded (hazard from injuries of sharp edges), and providing large blocks for play (choking hazard from small parts) can be eliminated because these are measures that promote the child's safety by eliminating hazards.

> *Cognitive Level—Analyzing*
> *Client Needs Category—Safe and effective care environment*
> *Client Needs Subcategory—Safety and infection control*

4. 2. It is important for a client with attention deficit hyperactivity disorder (ADHD) to have appropriate quiet activities, which decrease the risk of a post-tonsillectomy bleed. The nurse is most helpful to suggest an interactive activity, which does not require physical activity or individual focus. Playing a game of Uno or Monopoly is age appropriate and can pass the time and allow the surgical site to heal. Encouraging the client to put a puzzle together or color a picture is a quiet activity but this may not hold the client's attention. Encouraging friends to come over may lead to more physical play, which is a potential risk.

> *Cognitive Level—Analyzing*
> *Client Needs Category—Physiological integrity*
> *Client Needs Subcategory— Reduction of risk potential*

5. 1. The cultural heritage structure of Asian families is hierarchical. Therefore, the oldest male is usually the authority figure and makes the decision for the child. In this case, it would be the father providing health information not the mother, entire family unit, or parental unit. Other cultural characteristics include that the family is reluctant to have others provide physical care for the child, family values are important, and the parents may be reluctant to be honest and forthright regarding their feelings.

> *Cognitive Level—Applying*
> *Client Needs Category—Psychosocial integrity*
> *Client Needs Subcategory—None*

6. 3. The correct way to give liquid medication to an infant is to position the infant upright and slowly administer the medication using a rubber-tipped medicine dropper to the side of the infant's mouth. The medication may also be given through the nipple from a bottle. However, oral medications should not be added to any amount of infant formula; there is no guarantee that all of the medication will be administered if the infant does not drink the formula. Pinching the infant's nose is inappropriate; when the infant inhales through the mouth, it may cause the infant to aspirate the medication. Using the supine position may also cause the child to aspirate the medication or may allow the medication to leak from the side of the mouth.

> *Cognitive Level—Analyzing*
> *Client Needs Category—Health promotion and maintenance*
> *Client Needs Subcategory—None*

7. 4. An infant's respiratory rate is generally counted for 1 full minute because of normal irregularities. When assessing an older child, respirations may be counted for 30 seconds and then multiplied by 2.

> *Cognitive Level—Applying*
> *Client Needs Category—Health promotion and maintenance*
> *Client Needs Subcategory—None*

8. 2. Bowel control is usually easier to accomplish than bladder control and is usually achieved first. This is because toddlers usually have one to three stools per day, they occur at somewhat predictable times, and they are accompanied by behaviors that suggest bowel elimination is about to occur. All the other statements indicate the toddler's readiness to toilet train.

> *Cognitive Level—Analyzing*
> *Client Needs Category—Health promotion and maintenance*
> *Client Needs Subcategory—None*

9. 3. Finding age-related tasks that involve nurturing and responsibility tends to promote a feeling that the child's contributions are valued and appreciated. Sending the child to a preschool program or arranging visits with grandparents may further reinforce feelings of abandonment. Although playing with same-age children promotes socialization skills, it does not relieve sibling rivalry.
Cognitive Level—Applying
Client Needs Category—Psychosocial integrity
Client Needs Subcategory—None

10. 1. Using dolls or puppets as a teaching aid is the most appropriate strategy for a preschooler's cognitive ability. Other strategies include motivating the child with some form of reward. Pamphlets and diagrams are too abstract for the cognitive level of children aged 3, 4, or 5 years. The use of a videotape might be confused as a form of entertainment rather than personal instruction.
Cognitive Level—Analyzing
Client Needs Category—Psychosocial integrity
Client Needs Subcategory—None

11. 3. The most effective means for minimizing separation anxiety is having a parent remain with the child during hospitalization. A 16-month-old child has difficulty grasping the fact that parents are coming back after leaving, which leads to crying and other troubling behaviors. A familiar toy may help the child deal with the separation, but it is not as effective as a parent actually being there. Likewise, a sibling visit is not a substitute for the parents' presence; it may or may not assist with minimizing separation anxiety, depending on the child's relationship with the siblings. Explaining the procedure to the child will not decrease separation anxiety.
Cognitive Level—Applying
Client Needs Category—Psychosocial integrity
Client Needs Subcategory—None

12. 2. When solid foods are introduced too early, antibodies are produced, predisposing the infant to food allergies. It may be necessary to breastfeed or bottle-feed a hungry infant before giving solid food to relieve his or her hunger and promote receptiveness to the new experience. Introducing one food at a time makes it easier to identify food intolerances and allergies. If solid foods are offered too early, infants normally push food out of their mouths when spoon-fed because of the extrusion reflex, a protective mechanism seen in infants up to age 6 months. Because the throat muscles and tongue are not developed enough to swallow solids until about age 6 months, solid foods are usually spit out. It is roughly around age 6 months that the baby will be able to use the tongue to transfer food from the front to the back of the mouth and then to swallow. Cereals should be the first solid food introduced because they are least likely to cause food allergies, are easy to digest, and contain added iron. By age 6 months, the child will need additional iron because the iron stores that are present at birth are diminished.
Cognitive Level—Analyzing

Client Needs Category—Health promotion and maintenance
Client Needs Subcategory—None

13. 3. The nurse must know normal growth and development to be able to identify areas that deviate from normal. An 18-month-old child should be able to walk without support. Children on average begin taking steps around age 12 months, and most are walking well by 18 months, although there can be differences. The other findings are normal and should have been accomplished by a child of this age.
Cognitive Level—Applying
Client Needs Category—Health promotion and maintenance
Client Needs Subcategory—None

14. 2. Medicine and other toxic substances should be kept in a locked cabinet. Merely keeping such substances out of reach is inadequate; the child might be able to climb higher than anticipated. The other observations are correct safety measures.
Cognitive Level—Applying
Client Needs Category—Health promotion and maintenance
Client Needs Subcategory—None

15. 1. It is developmentally normal for a 4-year-old child to talk to an imaginary playmate. Imaginary friends often appear between ages 3 and 6 because fantasy and pretending are common at this age-group's cognitive level. Imaginary friends may meet needs for companionship or comfort, filling a void for loneliness. Parents should respect and accept the imaginary friend, who is real to the child, and avoid discouraging or belittling the child's belief. Children usually abandon imaginary playmates when they begin to interact more with children of their own age. Because the behavior is not pathologic, it would be inappropriate to look for unusual stressors, recommend the services of a child psychologist, or invoke a disciplinary time-out period.
Cognitive Level—Analyzing
Client Needs Category—Health promotion and maintenance
Client Needs Subcategory—None

16.

| **6.** Maintain water temperatures under 120°F (48.8°C). |
| **2.** Have straps on the changing table. |
| **4.** Remove stuffed animals with small pieces from the infant's grasp. |
| **1.** Cover the electrical outlets. |
| **3.** Turn pot handles inward when cooking. |
| **5.** Lower crib mattress. |

Water temperatures should be set under 120°F (48.8°C) to ensure that the fragile skin of the newborn is protected. Because of the infant's placement on top of the table, straps should be placed on the changing table. Parents should not leave the infant unattended. Stuffed animals with small pieces should be removed from the infant's environment to avoid the infant's accidental ingestion or inhalation. When the child begins to crawl, electrical outlet plugs should be included in childproofing the home. As the infant begins to pull up from the floor, pot handles should be turned inward so as not to have hot objects spilled. As the infant becomes tall enough to extend over crib rails, the crib mattress should be lowered.

>*Cognitive Level—Analyzing*
>*Client Needs Category—Health promotion and maintenance*
>*Client Needs Subcategory—None*

Nursing Care of an Infant with Myelomeningocele

17. 2. A myelomeningocele is described as a congenital neural tube defect involving the protrusion of an external sac containing part of the spinal cord and its meninges. This is also called *spina bifida*. Hydrocephalus and cognitive disability are also frequent findings. The most important nursing measure would be to avoid pressure on and prevent injury to the sac. This is important because a break in the sac could lead to serious infection. Washing the area would not be appropriate because of the danger of injury to the sac. Preventing skin breakdown is important but not as important as preventing injury to the sac. The normal care of the diaper area is maintained because the sac is high in the spinal column. Parents are encouraged to bond with the infant using touch and eye contact. Cuddling and holding the infant could potentially cause trauma to the sac.

>*Cognitive Level—Analyzing*
>*Client Needs Category—Physiological integrity*
>*Client Needs Subcategory—Reduction of risk potential*

18. 2. The prone position (lying on the abdomen) is used after surgical repair of a myelomeningocele. This position is maintained until the operative site heals. To prevent infection, it is important to keep the operative site clean and free of pressure. Infants undergoing this procedure should not be placed supine (on the back) or on their side, because these positions may put stress on the operative site. The most comfortable position may not be the most appropriate position for care of the surgical site.

>*Cognitive Level—Applying*
>*Client Needs Category—Physiological integrity*
>*Client Needs Subcategory—Physiological adaptation*

19. 1. In planning the infant's home care, an essential orthopedic consideration would include instructing the parents on range-of-motion (ROM) exercises to reduce joint contractures. Completing ROM exercises proactively promotes improved function. Arranging for specialized assistive devices, allowing the infant to move all extremities, and using lotions and ointments to massage large

muscle groups may be appropriate but not as essential as the parents completing ROM exercises.

>*Cognitive Level—Applying*
>*Client Needs Category—Physiological integrity*
>*Client Needs Subcategory—Reduction of risk potential*

20. 2. Urinary and bowel control problems occur in children with spina bifida and myelomeningocele. Because intermittent catheterization is required in most cases, the parents should be instructed on how to insert a straight catheter using a clean technique. During the early school years, the child will also be taught how to perform this procedure. The child with a myelomeningocele usually does not require a retention catheter, an external catheter, or a ureterostomy.

>*Cognitive Level—Applying*
>*Client Needs Category—Physiological integrity*
>*Client Needs Subcategory—Basic care and comfort*

21. 4. Infants with spina bifida and a myelomeningocele commonly have clubfoot and congenital hip dysplasia. Because the defect typically causes a loss of motion in the lower extremities, range-of-motion (ROM) exercises are most effective in preventing contractures. Although massaging the lower extremities, repositioning the infant, and placing sheepskin under the bony prominences are good nursing interventions, they will not prevent contractures.

>*Cognitive Level—Applying*
>*Client Needs Category—Physiological integrity*
>*Client Needs Subcategory—Reduction of risk potential*

Nursing Care of an Infant with Hydrocephalus

22. 1. In a newborn, hydrocephalus (commonly called water on the brain) is a neurologic problem related to an accumulation of cerebrospinal fluid (CSF) around the brain and spinal cord caused by a blockage within the path in which it circulates. The buildup of fluid around the brain puts pressure on the newborn's brain, causing damage to the brain and surrounding structures. An increase in head size is the most prominent characteristic of hydrocephalus. Because of the accumulation of fluid, the newborn's sutures in the skull separate as the head grows. The fontanels usually bulge. Some hydrocephalic infants also have spina bifida with a myelomeningocele and may have lower-extremity paralysis, but this neurologic deficit is not a prominent symptom of hydrocephalus. The presence or absence of the sucking reflex also is not considered a prominent sign.

>*Cognitive Level—Applying*
>*Client Needs Category—Physiological integrity*
>*Client Needs Subcategory—Physiological adaptation*

23. 4. The side-lying position is the preferred way to place an infant with hydrocephalus after feeding. Because such infants are at risk for vomiting as a result of increased intracranial pressure, placing them on their side allows vomitus to easily escape, decreasing the chance of aspiration. The positions identified in the remaining options may result in aspiration.

Cognitive Level—Applying
Client Needs Category—Physiological integrity
Client Needs Subcategory—Reduction of risk potential

24. 1. The head and ears of an infant with hydrocephalus are especially prone to the development of pressure injury. The primary reason for using a sheepskin in this situation is to help relieve pressure on the head and ears. The infant's position should also be changed frequently to prevent complications due to inactivity. The other options are incorrect because they will not relieve pressure on the infant's head.

Cognitive Level—Applying
Client Needs Category—Physiological integrity
Client Needs Subcategory—Basic care and comfort

25. 3. The purpose of a ventriculoperitoneal (V/P) shunt is to drain the excess fluid from the brain and thereby release intracranial pressure. The position of choice after inserting a V/P shunt is on the side opposite the site of the surgical incision. This position prevents damage to the shunt valve. The infant described in this question should be placed on the left side postoperatively because the surgical site of entry was on the right side of the head.

Cognitive Level—Applying
Client Needs Category—Physiological integrity
Client Needs Subcategory—Reduction of risk potential

26. 2. A child with hydrocephalus has increased intracranial pressure due to the accumulation of cerebrospinal fluid, which should be relieved after the placement of a shunt. If the child develops signs and symptoms of increased intracranial pressure postoperatively, the nurse can assume that there is a problem with fluid draining through the shunt. Signs of increased intracranial pressure in an infant include bulging or tense fontanels, decreased pulse and respiratory rates, irritability, and vomiting. Seizures may also be evident. Changes in weight and bowel elimination are not common indicators of increased intracranial pressure.

Cognitive Level—Analyzing
Client Needs Category—Physiological integrity
Client Needs Subcategory—Physiological adaptation

27. 2. Sunken fontanels, especially the anterior fontanel, which is the largest one in the skull, are a sign of dehydration. The finding in an infant with a ventriculoperitoneal (V/P) shunt may indicate that more than the desired amount of cerebrospinal fluid (CSF) has drained through the shunt. On detecting the depressed anterior fontanel, the most appropriate action is to keep the infant flat in a supine position. This position limits a further decrease in intracranial pressure. If the fontanel is bulging, the head would be elevated. It would be appropriate to notify the charge nurse or health care provider after positioning the infant.

Cognitive Level—Applying
Client Needs Category—Physiological integrity
Client Needs Subcategory—Physiological adaptation

Nursing Care of an Infant with Cleft Lip

28. 3. A cleft lip is a congenital birth defect in which the lip or palate does not correctly form during gestation. The nurse assesses the newborn on admission to the nursery, looking for obvious signs of physical anomalies, such as cleft lip and cleft palate. A cleft lip is easily identified during inspection due to the obvious appearance of the lip. However, a cleft palate is a fissure in the midline of the palate and therefore requires palpating the roof of the mouth. The nurse does not palpate the roof of the mouth to elicit the gag reflex, assess the newborn's sucking ability, or determine the position of the uvula.

Cognitive Level—Applying
Client Needs Category—Physiological integrity
Client Needs Subcategory—Physiological adaptation

29. 2. One of the nurse's primary considerations when caring for a newborn with a cleft lip is dealing with the parents' reaction to the child's appearance. The nurse can facilitate parental adjustment by demonstrating acceptance of the child, encouraging the parents to express their feelings, and acknowledging the appropriateness of their feelings. Discussions about the newborn's special needs, including feeding, surgical repair, and use of the bulb syringe, are important; however, the parents must first begin to adjust to their newborn's appearance before they can deal with other issues.

Cognitive Level—Analyzing
Client Needs Category—Psychosocial integrity
Client Needs Subcategory—None

30. 1. Newborns with cleft lip swallow more air than usual; therefore, they should be burped frequently to decrease the chance of vomiting and subsequent aspiration. Lying horizontal with the face down in the prone position should be avoided because this position makes feeding difficult and the risk for aspiration is high. A newborn scheduled for cleft lip repair is fed regular formula or breast milk before surgery. Neither glucose water nor cereal is suggested.

Cognitive Level—Applying
Client Needs Category—Physiological integrity
Client Needs Subcategory—Reduction of risk potential

31. 3. Although breastfeeding is possible, of the four options, a bottle with a nipple that has an enlarged hole is the best method of feeding the newborn with a cleft lip that extends into the gum line. The enlarged hole provides a freer flow of formula or breast milk. A hole can be created in a standard nipple by making a cross-cut in the tip, or commercial nipples such as those for premature newborns may be purchased. Using a bottle with a firm nipple makes the newborn work harder to obtain nourishment. A bulb syringe with a tube that extends from the tip is appropriate for a newborn who has a cleft palate rather than cleft lip. Gavage feeding is not usually necessary because of the options available for oral feeding and support from the nurse.

> *Cognitive Level—Applying*
> *Client Needs Category—Physiological integrity*
> *Client Needs Subcategory—Basic care and comfort*

32. 3. Elbow restraints allow movement of the arms but prevent the newborn from touching the face. A papoose board or a mummy restraint prevents movement of the entire body; these forms of restraint are not usually necessary for this type of surgery. A Posey belt or jacket will not prevent a newborn from touching the face; such devices are used to keep a client in bed or in a wheelchair. Leg restraints are not used because the newborn cannot use the legs to injure the surgical site.

> *Cognitive Level—Applying*
> *Client Needs Category—Safe and effective care environment*
> *Client Needs Subcategory—Safety and infection control*

33. 4. Unless the health care provider prescribes otherwise, most restraints are removed and reapplied at least every 2 hours to check skin integrity and maintain adequate circulation and movement. The newborn is monitored when restraints are removed. Checking the restraints daily or every 4 or 8 hours prevents adequate assessment and movement of the extremity.

> *Cognitive Level—Applying*
> *Client Needs Category—Safe and effective care environment*
> *Client Needs Subcategory—Safety and infection control*

Nursing Care of an Infant with Pyloric Stenosis

34. 4. The pylorus is the sphincter, also called a valve, located between the stomach and the duodenum of the small intestine. In the case of pyloric stenosis, the sphincter is narrow, impairing passage of stomach contents into the small intestine. Projectile vomiting is the first sign of the problem; the vomiting without sufficient nutrition leads to dehydration. Dry mucous membranes are an indication of dehydration. The newborn must be rehydrated, and electrolytes must be within normal limits before undergoing surgery. The anterior fontanel is normally flat. Hunger and visible gastric peristaltic waves are present with pyloric stenosis, but they are less significant because they do not indicate the same health risk as dehydration.

> *Cognitive Level—Applying*
> *Client Needs Category—Physiological integrity*
> *Client Needs Subcategory—Physiological adaptation*

35. 2. A calibrated chamber is added to the infusion tubing to ensure that a large volume of intravenous fluid does not inadvertently infuse into the client. Typically, 1

to 2 hours worth of fluid is held within the chamber to be infused. The I.V. catheter is not sutured to the scalp. Most often, tape secures the site. Restlessness and swelling are unusual findings that need to be reported immediately as they may indicate infiltration.

> *Cognitive Level—Applying*
> *Client Needs Category—Physiological integrity*
> *Client Needs Subcategory—Physiological adaptation*

36. 2. When assessing for infiltration, puffiness close to the insertion site identifies that fluid is infusing into the tissues instead of the vascular space. Coolness at the site also identifies the temperature of the solution being less than body temperature. Both are present initially when an infiltration occurs. Edema up the leg indicates that the infiltration has progressed. Capillary refill of 2 seconds is a normal finding. Warmness and a red streak are indicative of phlebitis.

> *Cognitive Level—Applying*
> *Client Needs Category—Safe and effective care environment*
> *Client Needs Subcategory—Safety and infection control*

37. 2. After feeding, the newborn should be placed on the right side or in an infant seat. These positions aid in emptying the stomach and preventing aspiration. The left side does not facilitate gastric emptying. The prone position is not recommended because of its association with the occurrence of sudden infant death syndrome. Placing the newborn on his or her back creates a greater risk for aspiration of stomach contents. The most comfortable position may not necessarily be the best choice for this newborn, given the nature of the newborn's condition.

> *Cognitive Level—Applying*
> *Client Needs Category—Physiological integrity*
> *Client Needs Subcategory—Physiological adaptation*

Nursing Care of an Infant with Bilateral Clubfoot

38. 3. True clubfoot is fixed and cannot be corrected to a neutral or natural position. A newborn should be evaluated carefully because the feet may appear to be clubbed at birth but are actually the result of fetal positioning in utero. One or both feet may be involved. In both the newborn with true clubfoot and the newborn with false clubfoot, the heels may be drawn in and the feet turned inward. Not all newborns who are born breech develop clubfoot.

> *Cognitive Level—Applying*
> *Client Needs Category—Physiological integrity*
> *Client Needs Subcategory—Physiological adaptation*

39. 3. Adhesive petals are placed around the cast edges to prevent the plaster from irritating the skin. The material is smooth and is placed on the opening at the top of the cast and around the toes. Such petaling is not used to keep materials from getting between the cast and the skin or to keep air circulating between the skin and the cast. It is also not intended or needed to make the cast stronger.

Cognitive Level—*Applying*
Client Needs Category—*Physiological integrity*
Client Needs Subcategory—*Reduction of risk potential*

40. 3. Pale and cold extremities are signs of impaired circulation caused by the pressure of the cast. This problem must be reported immediately. Crying 4 hours after the last feeding is normal because the newborn is likely to be hungry, but unexplained crying may indicate pain or discomfort. Wiggling the toes is a sign that the nervous system has not been compromised by application of a cast. A pulse rate of 110 bpm is normal.

Cognitive Level—*Applying*
Client Needs Category—*Physiological integrity*
Client Needs Subcategory—*Reduction of risk potential*

41. 1. Nursing interventions related to swelling (a priority) are appropriate when a cast is applied to the lower extremity. Elevating the extremities on pillows improves circulation and prevents swelling. Petaling the edges is performed to prevent skin breakdown. Ice packs are not used to decrease swelling associated with casting. Pedal pushes are difficult to achieve and not as effective to improve circulation.

Cognitive Level—*Applying*
Client Needs Category—*Physiological integrity*
Client Needs Subcategory—*Basic care and comfort*

42. 1. Assessment of the skin is completed during cast changes. The purpose of casting is to gradually correct the defect without causing trauma; therefore, the casts are changed every few days initially, then every 1 to 2 weeks. Correction is usually achieved in approximately 6 to 8 weeks.

Cognitive Level—*Applying*
Client Needs Category—*Physiological integrity*
Client Needs Subcategory—*Physiological adaptation*

43. 4. An infant develops the ability to look at surroundings during the first month of life. By age 2 months, the infant can follow an object with both eyes; therefore, a mobile is appropriate amusement for a child of this age. By age 4 months, the infant typically can reach for objects. By age 7 to 9 months, the infant usually can crawl and play peek-a-boo. It would be inappropriate, however, to encourage an infant in a cast to crawl.

Cognitive Level—*Applying*
Client Needs Category—*Health promotion and maintenance*
Client Needs Subcategory—*None*

44. 1. A fontanel is a space covered by tough membranes between the bones of an infant's cranium. The posterior fontanel closes quite soon after birth, between age 2 and 3 months, in comparison to the anterior fontanel, which remains open until about age 2 years. Barely feeling the posterior fontanel is then normal.

Cognitive Level—*Applying*
Client Needs Category—*Health promotion and maintenance*
Client Needs Subcategory—*None*

Nursing Care of a Child with Otitis Media

45. 2. Otitis media is an infection in the middle ear, which is connected to the pharynx by the eustachian tube. It is usually a sequela of an upper respiratory infection during which time the eustachian tube swells, allowing fluid to become trapped. The fluid provides an environment in which bacteria grow. The infected fluid creates pressure in the confined space, leading to intense pain. An infant or young child with otitis media typically pulls at or rubs the affected ear in response to the pain. Although the other options may be present with otitis media, they are not caused by or related to the pain.

Cognitive Level—*Applying*
Client Needs Category—*Physiological integrity*
Client Needs Subcategory—*Physiological adaptation*

46. 2. Although the health care provider prescribes the amount of medication to be given, the nurse is responsible for determining whether the prescribed dose is within the recommended safe dosage range. The most reliable method of determining the recommended safe dosage range requires calculating the infant's dose based on weight. A health care provider may have written an incorrect dosage in the prescription. Checking for an allergy is unrelated to determining an accurate dosage. A pharmaceutical company's label may provide the recommended pediatric dose base on weight, but this may not be true for medications such as those repackaged by a pharmacist.

Cognitive Level—*Applying*
Client Needs Category—*Physiological integrity*
Client Needs Subcategory—*Pharmacological therapies*

47. 4. The nurse should instruct the parents to complete the full course of antibiotics even though the infant's condition may improve after 2 to 3 days of treatment. Failure to complete the full course of antibiotics may lead to recurrent infection and other associated complications. Whether the antibiotic is given with food and how the antibiotic is stored varies depending on the specific antibiotic. Placing the infant on the side after giving an antibiotic is not usually required unless the medication was instilled by eardrop. In this case, the infant is receiving an oral antibiotic.

Cognitive Level—*Applying*
Client Needs Category—*Physiological integrity*
Client Needs Subcategory—*Pharmacological therapies*

48. 720 mg

Erythromycin is supplied as:

$$\frac{200 \text{ mg}}{5 \text{ mL}} = 40 \text{ mg/mL}$$

The amount prescribed is 6 mL:

$$6 \text{ mL} \times 40 \text{ mg/mL} = 240 \text{ mg every 8 hours}$$

Multiply by three 8-hour periods in 24 hours:

$$3/\text{day} \times 240 \text{ mg} = 720 \text{ mg/day}$$

> *Cognitive Level*—*Applying*
> *Client Needs Category*—*Physiological integrity*
> *Client Needs Subcategory*—*Pharmacological therapies*

Nursing Care of a Child with a Congenital Heart Defect

49. 3. A coarctation of the aorta is a congenital defect in which the aorta is narrowed. This makes the heart work harder to pump oxygenated blood through the small pathway to the rest of the body. In the newborn with coarctation of the aorta, the pulses are typically bounding in the upper extremities and weak in the lower extremities. Also, the blood pressure is higher in the upper extremities than in the lower extremities. This happens because of the narrowing of the aorta that occurs with coarctation. The other choices may develop at some point, but they may also be associated with other defects.

> *Cognitive Level*—*Analyzing*
> *Client Needs Category*—*Physiological integrity*
> *Client Needs Subcategory*—*Physiological adaptation*

50. 3. Education and support to prepare the parents for the upcoming events is a nursing priority. Initially, the newborn with coarctation of the aorta may be given prostaglandin E to dilate the narrowed aorta. However, the corrective treatment is surgical repair, which is usually performed before the child is 2 years old. If the correction is not performed, life-threatening complications may develop.

> *Cognitive Level*—*Applying*
> *Client Needs Category*—*Physiological integrity*
> *Client Needs Subcategory*—*Physiological adaptation*

51. 1. The nurse should check the newborn's apical pulse for 1 full minute before administering digoxin. If the pulse is slower than the normal lower limit, the nurse should withhold the medication and notify the health care provider. When giving any medication, not just digoxin, the newborn's head should be slightly elevated. The nurse should always check the expiration date before giving any medication to a client. The newborn's kidney function should be adequate because medications are primarily excreted by the kidneys; however, these factors are not unique to digoxin.

> *Cognitive Level*—*Applying*
> *Client Needs Category*—*Physiological integrity*
> *Client Needs Subcategory*—*Pharmacological therapies*

52. 2. Organizing nursing care to allow for longer rest periods decreases the newborn's energy demands, thereby decreasing the workload of the heart. The nurse should encourage the parents to hold and cuddle their newborn. A nasogastric route is used only if the newborn has a poor suck reflex or the feedings take too long, which increases the energy expenditure. The newborn would not be routinely sedated.

> *Cognitive Level*—*Applying*
> *Client Needs Category*—*Physiological integrity*
> *Client Needs Subcategory*—*Reduction of risk potential*

53. 3. Digoxin should not be mixed in the newborn's formula or food. Administering medication this way does not ensure that the newborn will receive the full dose, especially if all of the food is not ingested. All the other statements are correct and indicate that the parents understood the nurse's instructions.

> *Cognitive Level*—*Analyzing*
> *Client Needs Category*—*Health promotion and maintenance*
> *Client Needs Subcategory*—*None*

Nursing Care of a Child with an Infectious Disease

54. 3.

Although standard precautions are used in the care of all clients, airborne precautions are added for clients who have illnesses that are transmitted by airborne droplet nuclei, such as chickenpox during the early stage of infection. Droplet precautions are initiated when a client is known or suspected to have illnesses transmitted by large-particle droplets. Contact precautions are initiated for clients when direct contact or contact with client items may spread the disease.

> *Cognitive Level*—*Applying*
> *Client Needs Category*—*Safe and effective care environment*
> *Client Needs Subcategory*—*Safety and infection control*

55. 2. Specimens are placed in a zip-closure biohazard bag before being sent to the laboratory. The zip-closure prevents contamination of the environment during transportation. The infant is in airborne precautions; therefore, masks and personal protective equipment are placed *outside the room* because the room environment is considered contaminated. The infant is placed in a private room to prevent the potential spread of chickenpox to other clients. A disposable thermometer is placed in the room and then disposed of or sent for proper cleaning upon discharge.

> *Cognitive Level—Applying*
> *Client Needs Category—Safe and effective care environment*
> *Client Needs Subcategory—Safety and infection control*

56. 4. It is important to monitor the infusion rate carefully to prevent circulatory overload. Therefore, any increase in the rate should be reported immediately to the charge nurse. Normal behaviors for an infant include voiding frequently, sleeping, and crying when disturbed by noise.

> *Cognitive Level—Applying*
> *Client Needs Category—Physiological integrity*
> *Client Needs Subcategory—Reduction of risk potential*

57. 820 mL

The formula to calculate the daily rate of pediatric maintenance I.V. fluids is:

100 mL/kg/day for the first 10 kg of body weight
50 mL/kg/day for the next 10 kg of body weight
20 mL/kg/day for each kilogram above 20 kg of body weight
Use the infant's weight in kilograms.
100 mL/kg/day × 8.2 kg = 820 mL
Because this infant's weight is below 10 kg, no further calculations are required.

> *Cognitive Level—Applying*
> *Client Needs Category—Physiological integrity*
> *Client Needs Subcategory—Basic care and comfort*

Nursing Care of a Child with Human Immunodeficiency Virus Infection

58. 2. Infants who are human immunodeficiency virus (HIV) positive and develop acquired immunodeficiency syndrome (AIDS) often present with thrush, mouth sores, and severe diaper rashes. In some cases, such infants also develop bacterial infections and *Pneumocystis carinii* pneumonia. The other options are examples of normal infant behaviors or characteristics.

> *Cognitive Level—Applying*
> *Client Needs Category—Physiological integrity*
> *Client Needs Subcategory—Physiological adaptation*

59. 1, 2, 3, 4, 5. The Centers for Disease Control and Prevention (CDC) developed a classification system to describe the spectrum of human immunodeficiency virus

(HIV) disease in children (AIDS-defining conditions). The system indicates the severity of clinical signs or symptoms and the degree of immunosuppression. A history of bacterial infections, herpes simplex disease, oral and pulmonary candidiasis (white patches in the mouth area and larynx), *Pneumocystis carinii* or lymphoid interstitial pneumonia (consolidation areas on a chest x-ray), and wasting syndrome (limited muscle tone) all indicate a moderate status for AIDS-defining conditions. An increase in blood pressure may be associated with a disease process but is not closely linked to an AIDS-defining condition.

> *Cognitive Level—Understanding*
> *Client Needs Category—Physiological integrity*
> *Client Needs Subcategory—Physiological adaptation*

Nursing Care of a Child with Atopic Dermatitis

60. 3. It is thought that atopic dermatitis (infantile eczema) is caused, at least in part, by an allergic reaction to an irritant, which is why the health care provider asked about the home environment. The chronic inflammation of the skin causes it to be dry, itchy, and flaky. Hereditary factors may also play a role. Poor nutrition, premature birth, and hormonal imbalances are not associated with the development of atopic dermatitis.

> *Cognitive Level—Applying*
> *Client Needs Category—Health promotion and maintenance*
> *Client Needs Subcategory—None*

61. 3. A child with atopic dermatitis experiences severe itching of the skin lesions. The nurse must provide the parents with itch-relief measures to prevent the child from scratching and introducing microorganisms into the lesions, which will cause a secondary infection to develop. Nausea, ecchymosis, and drowsiness are not usual symptoms of atopic dermatitis.

> *Cognitive Level—Applying*
> *Client Needs Category—Health promotion and maintenance*
> *Client Needs Subcategory—None*

62. 3. Hydrocortisone is an anti-inflammatory drug. It helps reduce inflammation and its symptoms, such as swelling, redness, heat, and discomfort. This medication does not influence the weeping of lesions, spread of the disease, or white blood cell count.

> *Cognitive Level—Analyzing*
> *Client Needs Category—Physiological integrity*
> *Client Needs Subcategory—Pharmacological therapies*

63. 1. Colloid baths have been found effective for their soothing effects on the irritated and itching skin of a child with atopic dermatitis. The most commonly used type of colloid bath preparation is cornstarch added to tepid water. Other colloid bath preparations include cooked oatmeal and commercial bath preparations. Mineral oil, liquid glycerin soap, and salt are not components of a colloid bath.

> *Cognitive Level*—*Understanding*
> *Client Needs Category*—*Health promotion and maintenance*
> *Client Needs Subcategory*—*None*

Nursing Care of a Toddler with Sickle Cell Crisis

64. **1.** The sickle-shaped cells tend to clump together in vessels and obstruct normal blood flow. A thrombus may form and cause death of tissue because of poor blood circulation. Severe pain in the affected body part is the characteristic symptom when tissue is denied normal blood circulation. Bradycardia and hemorrhage are not usually associated with sickle cell crisis. Although dehydration may lead to a potential sickle cell crisis, this is not the initial nursing priority.

> *Cognitive Level*—*Applying*
> *Client Needs Category*—*Physiological integrity*
> *Client Needs Subcategory*—*Physiological adaptation*

65. **4.** The child with sickle cell crisis is prone to dehydration, which contributes to creating a cluster of sickled cells. The child is encouraged to drink fluids. It is helpful to offer the child appealing fluids, such as juices, popsicles, and gelatins. It may be necessary during the acute stage to rehydrate the child with I.V. fluids. Whole-blood transfusions may be given to increase hemoglobin levels. Iron is of no value in the treatment of this blood disorder.

> *Cognitive Level*—*Applying*
> *Client Needs Category*—*Physiological integrity*
> *Client Needs Subcategory*—*Physiological adaptation*

66. **2.** Sickle cell disease occurs when the child inherits the trait from both parents. If one parent has the disease and one parent has the trait, then all offspring will at least have the trait. Furthermore, there is a 50% chance that the offspring will have sickle cell disease. Information about the probability of offspring having sickle cell disease or trait can be given only in terms of each conception. The only instance in which it is possible to predict that all offspring will definitely have the disease is when both parents are known to have sickle cell disease.

> *Cognitive Level*—*Understanding*
> *Client Needs Category*—*Health promotion and maintenance*
> *Client Needs Subcategory*—*None*

67. **1, 2, 4, 5, 6.** Because infection contributes to many sickle cell crises and death, the nurse needs to stress the importance of measures to reduce infection. Obtaining plenty of rest, using proper handwashing techniques, and avoiding crowds, especially during cold and flu season, are all important measures. Some individuals are placed on

antibiotic therapy prophylactically. It is important to finish the full course of antibiotic therapy. Maintaining good hydration is an important step in preventing cell sickling. Using pain medication is not typical in preventing a sickle cell crisis.

> *Cognitive Level*—*Applying*
> *Client Needs Category*—*Health promotion and maintenance*
> *Client Needs Subcategory*—*None*

Nursing Care of a Toddler with Cystic Fibrosis

68. **3, 5, 6.** To be able to plan care effectively, the nurse must be able to incorporate aspects of the disease process into the plan of care. Cystic fibrosis is a genetic disease that causes thick, sticky mucus to accumulate in the lungs and digestive tract. It is a chronic disease, causing numerous complications. In many cases, the parents of a child with cystic fibrosis report that their child tastes salty when kissed. This is because the child's perspiration, tears, and saliva contain abnormally high concentrations of salt. Consequently, sweat analysis is an important diagnostic tool when children are examined for cystic fibrosis. Because of the excessive mucus within the lungs in this disorder, children often have bouts of impaired breathing and coughing. Children with cystic fibrosis may be in lower percentiles for growth and development compared to children of a similar age. These children are typically underweight. Disturbed sleep patterns, weight gain, and poor head control, if they occur, are findings associated with other disorders.

> *Cognitive Level*—*Applying*
> *Client Needs Category*—*Physiological integrity*
> *Client Needs Subcategory*—*Physiological adaptation*

69. **4.** Typically, the stools of a child with cystic fibrosis are large, sticky, and foul smelling. The condition is due to diminished or absent flow of pancreatic enzymes, which leads to faulty absorption of dietary fat and fat-soluble vitamins. Besides the unpleasant odor, the stool tends to float and appear a lighter color than normal stools. Other signs and symptoms of cystic fibrosis include malnutrition despite a hearty appetite, chronic coughing, and a distended abdomen. Children with cystic fibrosis usually eat very well but fail to gain weight. Typically, they do not perspire excessively or have a low urine output.

> *Cognitive Level*—*Applying*
> *Client Needs Category*—*Physiological integrity*
> *Client Needs Subcategory*—*Physiological adaptation*

70. **2.** The cause of death in children with cystic fibrosis is most often related to respiratory or cardiac failure; therefore, the priority goal would be maintenance of an effective breathing pattern. All the other goals are appropriate for the child with cystic fibrosis, but maintaining respiratory function is the priority.

Cognitive Level—Analyzing
Client Needs Category—Safe and effective care environment
Client Needs Subcategory—Coordinated care

71. 3. The air passages of the lungs of persons with cystic fibrosis become clogged with mucus, thereby decreasing the amount of oxygen reaching the lungs. A bronchodilator increases the diameter of the bronchi, thereby allowing more air to enter the lungs so breathing is improved. A flutter mucus-clearing device vibrates the airways to loosen mucus; increases endobronchial pressure, which helps to keep the airway open as mucus is moved upward within the respiratory passages; and increases expiratory airflow, facilitating expectoration of mucous secretions. Characteristics of the stool, serum sodium levels, and fat excretion by the body are not affected by bronchodilators or a flutter mucus-clearing device.

Cognitive Level—Analyzing
Client Needs Category—Physiological integrity
Client Needs Subcategory—Pharmacological therapies

72. 4. A child with cystic fibrosis may need 1½ to 2 times the normal caloric intake to meet caloric needs. The diet should be high in protein and carbohydrates. Dietary fat should not be excessive but rather balanced with pancreatic enzyme replacement. Salt need not be restricted; rather, the child may require an increase in salt intake during summer months, when excessive sweating may occur.

Cognitive Level—Applying
Client Needs Category—Physiological integrity
Client Needs Subcategory—Physiological adaptation

73. 2. Commercially prepared pancreatic enzymes should be given with meals and snacks to facilitate nutrient absorption. When decreasing the frequency, and thus not administering with meals and snack, the effect would be a decrease in nutrient absorption. Pancreatic enzyme preparations have no relationship to the child's appetite, prevention of salt depletion, or prevention of gastric upset.

Cognitive Level—Analyzing
Client Needs Category—Physiological integrity
Client Needs Subcategory—Pharmacological therapies

74. 4. In children with cystic fibrosis, sodium and chloride become trapped in the cells of the lining of the lungs. The salt draws liquids from the airways and causes the mucus in the airways to become thick and sticky. Maintaining adequate fluid intake will help liquefy secretions in the airways, which ultimately helps improve breathing. The goal of increased fluid intake for the child with cystic fibrosis is not to prevent kidney failure, improve cardiac function, or reduce pain and discomfort.

Cognitive Level—Applying
Client Needs Category—Physiological integrity
Client Needs Subcategory—Reduction of risk potential

75. 2. Children with cystic fibrosis are very susceptible to infections, especially infections of the respiratory tract. Protecting a child with cystic fibrosis from exposure to persons who may currently have a respiratory infection can be a life-saving measure. Immunization against childhood diseases is highly recommended, especially against diseases that may place the respiratory tract at risk. Airborne pollen and pet dander are usually avoided when the child has a history of respiratory symptoms secondary to environmental allergies. Avoiding exposure to bright sunlight is not necessarily important unless this poses the risk of excessive sweating, which could result in excessive sodium loss. However, protecting the child against respiratory infections takes priority over preventing exposure to bright sunlight.

Cognitive Level—Applying
Client Needs Category—Physiological integrity
Client Needs Subcategory—Physiological adaptation

Nursing Care of a Toddler with Asthma

76. 1. Wheezing and a dry, hacking cough are major manifestations of an acute asthma attack. The normal respiratory rate for a 3-year-old toddler is 20 to 30 breaths/minute. Toddlers also begin to assume a thoracic breathing pattern around this age. Clear, watery nasal drainage is usually seen in upper respiratory tract disorders, not acute asthma attacks.

Cognitive Level—Applying
Client Needs Category—Physiological integrity
Client Needs Subcategory—Physiological adaptation

77. 4. The most effective initial method of relieving acute respiratory distress is to place the client in semi-Fowler position. An older child may be more comfortable leaning forward on a pillow on an over-bed table. Applying oxygen may also be helpful in reducing oxygen demand. Cool-mist humidifiers, not steam vaporizers, may be used as well. Antibiotics will not relieve the acute respiratory distress. Distracting the toddler with age-appropriate toys is not an effective strategy when the toddler is experiencing acute distress.

Cognitive Level—Analyzing
Client Needs Category—Physiological integrity
Client Needs Subcategory—Physiological adaptation

78. 4. If breathing exercises are incorporated into play activities such as blowing bubbles, the toddler is more likely to enjoy them and may practice the exercises more. This is a creative teaching strategy. Promises of treats, parental assistance with the exercise, demonstrations, and return demonstrations are not likely to be as effective as incorporating exercises into play activities.

Cognitive Level—Applying
Client Needs Category—Health promotion and maintenance
Client Needs Subcategory—None

79. 4. When a client has asthma due to an allergy to one or more environmental factors, general control of the environment is necessary to reduce chances of future asthma attacks. Removing area rugs helps to eliminate a potential allergen and control the environment. The health care provider prescribes breathing treatments every 2 hours in the acute stage of the disease process, not upon discharge. Sedentary activities are not the only option for the toddler. With medication control, the toddler is able to participate in many options. A well-balanced diet is necessary, especially for a growing toddler, but sugar consumption does not need to be totally eliminated. Asthma cannot be cured, but it can often be controlled.

> *Cognitive Level—Applying*
> *Client Needs Category—Health promotion and*
> *maintenance*
> *Client Needs Subcategory—None*

Nursing Care of a Toddler Who Has Swallowed a Toxic Substance

80. 3. Parents should be instructed to notify medical professionals or the poison control center immediately when a poison is ingested. When a caustic substance is ingested, water or milk should be given to dilute the substance. Vomiting should not be induced because the substance may cause additional injury when regurgitated. There is also a danger of respiratory complications secondary to aspiration of vomitus. It is important to address life-threatening concerns immediately before taking the toddler to the emergency department. Cardiopulmonary resuscitation may or may not be necessary, depending on the specific injury incurred.

> *Cognitive Level—Applying*
> *Client Needs Category—Physiological integrity*
> *Client Needs Subcategory—Physiological adaptation*

81. 1. Substernal and intercostal retractions indicate that the toddler is experiencing respiratory distress. This toddler's oxygen saturation level should be monitored to assist in determining the need for additional therapy to relieve or minimize respiratory distress. The child may manifest all the other symptoms, but they do not indicate respiratory distress.

> *Cognitive Level—Applying*
> *Client Needs Category—Physiological integrity*
> *Client Needs Subcategory—Reduction of risk potential*

82. 2. The child may experience pain related to burns on the lips and in the mouth from the lye-based substance. Gastric lavage is not performed when caustic substances have been ingested; however, a gastrostomy may be necessary with severe damage. The child is given liquids by mouth as tolerated. Neurovascular checks are not usually required.

> *Cognitive Level—Applying*
> *Client Needs Category—Physiological integrity*
> *Client Needs Subcategory—Physiological adaptation*

83. 4. All poisonous substances should be placed in locked compartments or cabinets. Toddlers are often capable of climbing and reaching areas higher than anticipated. It would be unrealistic to remove all poisonous substances from the home or to keep a constant eye on the toddler.

> *Cognitive Level—Applying*
> *Client Needs Category—Safe and effective care*
> *environment*
> *Client Needs Subcategory—Safety and infection*
> *control*

Nursing Care of a Toddler with Croup

84. 2. As the licensed practical/vocational nurse enters the room to obtain vital signs, it is noted that the toddler is in a tripod position. The tripod position forces the diaphragm down and stabilizes the chest wall, diminishing the work of breathing. The toddler also has a distressed look on the face and could be drooling with the mouth open. The nurse is correct to identify the signs of impending respiratory distress. It is most appropriate for the nurse to remain with the client and call for assistance. The nurse should limit the toddler's agitation and only interact when essential. The nurse should observe a respiratory rate and notify the registered nurse or charge nurse who will assess the toddler and notify the health care provider. Interaction with the toddler is based upon what the toddler will allow.

> *Cognitive Level—Analyzing*
> *Client Needs Category—Physiological integrity*
> *Client Needs Subcategory—Physiological adaptation*

85. 1. Croup, also known as *laryngotracheobronchitis*, is a respiratory condition that has a rapid onset. It is usually triggered by a viral infection that affects the upper respiratory tract. The most common viruses that cause croup are parainfluenza virus, adenovirus, and respiratory syncytial virus (RSV). The infection leads to pharyngeal and vocal cord edema, which interferes with breathing and produces a "barking" cough, stridor, and hoarseness. Croup is not transmitted perinatally or associated with inadequate lung development, and it can occur in toddlers with or without a history of asthma.

> *Cognitive Level—Understanding*
> *Client Needs Category—Physiological integrity*
> *Client Needs Subcategory—Physiological adaptation*

86. 2. The child in the acute phase of croup has a cough that sounds hoarse, much like a loud, barking, metallic sound. The cough is usually dry rather than moist, loud, and muffled. After treatment, the cough characteristics change due to the decrease in inflammation. Wheezing is a term used to describe breath sounds, not cough characteristics.

> *Cognitive Level—Applying*
> *Client Needs Category—Physiological integrity*
> *Client Needs Subcategory—Physiological adaptation*

87. 3. To help reduce laryngeal edema, the child with croup should breathe air that is high in humidity. A mist tent (not seen as often), a cool-mist vaporizer, or placing the child in the bathroom while hot water fills the area with steam may be used for this purpose. A dust-free environment is required for children who are allergic to dust. Central heating and air conditioning do not provide relief for toddlers with croup.

> *Cognitive Level—Applying*
> *Client Needs Category—Physiological integrity*
> *Client Needs Subcategory—Reduction of risk potential*

88. 2. Intense anxiety is a sign that the toddler senses a worsening of respiratory distress and feels helpless to relieve the symptoms that are being experienced. When noting the change in the toddler's reaction, the health care provider should be contacted immediately because there may be more serious involvement of the trachea and bronchial tree. A fluctuation in the toddler's fever, persistent coughing, and frequent napping are not considered signs the toddler's condition is becoming worse.

> *Cognitive Level—Applying*
> *Client Needs Category—Physiological integrity*
> *Client Needs Subcategory—Physiological adaptation*

89. 2. Aspirin, a salicylate, is contraindicated in young children with a fever, flu-like symptoms, or chickenpox. Its use has been associated with Reye syndrome, a potentially fatal condition that results in multisystem organ failure, especially liver and brain injury. All of the other options reflect a correct understanding of croup and appropriate measures to treat it.

> *Cognitive Level—Applying*
> *Client Needs Category—Health promotion and*
> *maintenance*
> *Client Needs Subcategory—None*

90. 4. The health care provider may prescribe racemic epinephrine through a nebulizer. This drug is used for its topical vasoconstrictive effect, which will reduce laryngeal edema and produce relaxation of bronchial smooth muscle, resulting in bronchodilation. Racemic epinephrine works within 10 minutes but wears off in approximately 2 hours, at which time the nurse should assess the toddler to determine if symptoms of respiratory distress are developing again. The other respiratory medication will not be used at this time.

> *Cognitive Level—Applying*
> *Client Needs Category—Physiological integrity*
> *Client Needs Subcategory—Pharmacological therapies*

91. 3. Whole milk should be temporarily avoided because the butter fat in whole milk relaxes the esophageal sphincter and increases gastric acidity, predisposing to gastric reflux, which may contribute to coughing. Coughing occurs because the *arytenoids*, the ends of the folds in the vocal cords that are attached near the esophageal sphincter, become irritated from the reflux of acidic secretions from the stomach. Many food items besides milk cause coughing from gastric reflux. Clear liquids, such as ginger ale, popsicles, apple juice, and gelatin, are permitted because they help to liquefy secretions and allow easier expectoration.

> *Cognitive Level—Remembering*
> *Client Needs Category—Physiological integrity*
> *Client Needs Subcategory—Reduction of risk potential*

Nursing Care of a Toddler with Pneumonia

92. 4. The respiratory pattern in toddlers with pneumonia is usually rapid and shallow. The rapid respiratory rate is the body's way of compensating for decreased ventilation in the lungs. The pulse is usually elevated in the toddler with pneumonia. Clubbing of the fingers is seen in chronic illnesses associated with a chronic lack of oxygen. Synchronized breathing is characteristic of a normal breathing pattern.

> *Cognitive Level—Applying*
> *Client Needs Category—Physiological integrity*
> *Client Needs Subcategory—Physiological adaptation*

93. 1. Recording the toddler's urine output will assist in determining fluid needs. Fluid loss commonly occurs because of the high fever, vomiting, and increased respiratory rate associated with pneumonia. Such loss results in a decreased amount of urine, which is usually dark in color with a high specific gravity. To ensure that fluid needs are met, the nurse should monitor the toddler's fluid intake as well. The pH of the urine will indicate whether the urine is acidic or alkalotic; it will not indicate hydration status. A toddler may have a normal blood pressure yet still be dehydrated. A drop in blood pressure occurs with circulatory collapse, which is a late sign of dehydration. An increased respiratory rate may result in an increased insensible fluid loss, which indicates a risk of dehydration, but this does not indicate the toddler's hydration status.

> *Cognitive Level—Applying*
> *Client Needs Category—Physiological integrity*
> *Client Needs Subcategory—Physiological adaptation*

94. 4. Before the implementation of antibiotic therapy, typically a sputum culture is needed to identify the causative bacteria. Obtaining a sputum specimen from a toddler as young as the one in the scenario (2½ years old) may be difficult, however. If the sputum specimen is not available, the health care provider may elect to start antibiotics based on clinical presentation and provide close monitoring for improvement or worsening of symptoms. Electrolyte levels, pulse oximeter readings, and a chest x-ray can provide appropriate data; however, these data are not as essential in determining antibiotic therapy.

> *Cognitive Level—Applying*
> *Client Needs Category—Physiological integrity*
> *Client Needs Subcategory—Reduction of risk potential*

95. 3. Expectorants such as guaifenesin help to loosen secretions so that the toddler can expectorate mucus that has accumulated in the airways. A moist, productive cough, common in pneumonia, indicates secretions in the airway need to be removed. A cough suppressant such as dextromethorphan would prevent the toddler from coughing, resulting in retained secretions. Cough suppressants are generally used to relieve a dry cough that causes fatigue and sleeplessness. A decongestant such as phenylephrine relieve upper airway congestion. Bronchodilators such as albuterol are used to relax smooth muscles in the airways to promote ease of breathing.

Cognitive Level—Analyzing
Client Needs Category—Physiological integrity
Client Needs Subcategory—Pharmacological therapies

96. 3. If the toddler is observed shivering, the bath should be stopped immediately because shivering will further increase the core body temperature. The bath should not be given for more than 30 minutes. Tepid water is used for the bath. The toddler's temperature should drop but not below 101°F (38.3°C).

Cognitive Level—Applying
Client Needs Category—Physiological integrity
Client Needs Subcategory—Reduction of risk potential

97. 5 mL

Conversion equivalents are as follows:

$$1 \text{ g} = 1,000 \text{ mg}$$

$$0.5 \text{ g} \times 1,000 \text{ mg} = 500 \text{ mg}$$

$$1 \text{ tsp} = 5 \text{ mL}$$

Because the dose on hand is 500 mg/tsp, 5 mL would fulfill the health care provider's prescription.

Cognitive Level—Applying
Client Needs Category—Physiological integrity
Client Needs Subcategory—Pharmacological therapies

98. 2. Having an interpreter present when instructions are given allows the nurse to give clear instructions with rationales as well as to validate the parents' understanding of those instructions. Full communication between the two parties can occur. Providing a copy of the instructions in Spanish should be used as reinforcement, but it does not guarantee that the parents understand the instructions; therefore, comprehension is not assessed. Having the health care provider give the instructions is unnecessary unless the health care provider speaks Spanish. The parents should be encouraged to call if questions arise after discharge, but the nurse must ensure that they have a basic understanding of the instructions before they leave.

Cognitive Level—Applying
Client Needs Category—Safe and effective care environment
Client Needs Subcategory—Coordinated care

Nursing Care of a Preschooler with a Seizure Disorder

99. 4. Tonic-clonic seizures, formerly known as *grand mal seizures*, are one of several types of seizures. Tonic-clonic seizures are considered an example of a generalized seizure because they involve the entire brain. In the tonic phase of the seizure, consciousness is lost and the body becomes rigid. In the clonic phase, there is generalized involuntary body movement that alternates between muscle contraction and relaxation. A preschooler may have seizures associated with fever but not all children who have a fever have seizures. The preschooler could also drop to the floor with other disorders, such as muscle weakness and unconsciousness. In tonic-clonic seizures, more than hand tremors are reported.

Cognitive Level—Applying
Client Needs Category—Physiological integrity
Client Needs Subcategory—Physiological adaptation

100. 1. The priority nursing action for a preschooler experiencing a generalized seizure is protection from injury. Padding the side rails is one means of protecting the preschooler. Phenobarbital may be given to a preschooler who has tonic-clonic seizures, but the medication is not kept in the preschooler's room. Placing a preschooler in Trendelenburg position is not routinely used in caring for the preschooler with tonic-clonic seizures. Posting a sign on the preschooler's door stating that "seizure precautions" are in place is a violation of Health Insurance Portability and Accountability Act (HIPAA) requirements and is a breach of confidentiality.

Cognitive Level—Applying
Client Needs Category—Safe and effective care environment
Client Needs Subcategory—Safety and infection control

101. 4. It is unnecessary to have a cool-mist humidifier at the bedside of a preschooler subject to seizure activity. Suction equipment may be required to remove mucus from the preschooler's mouth. An oral airway and oxygen may be needed in the case of respiratory arrest, which can occur with generalized seizures.

Cognitive Level—Analyzing
Client Needs Category—Physiological integrity
Client Needs Subcategory—Reduction of risk potential

102. 2. Placing the preschooler in the side-lying position establishes a patent airway and prevents aspiration of saliva. The nurse should be prepared to administer oxygen after the seizure, if required. The nurse should implement necessary measures to minimize injury to the preschooler before calling for assistance or focusing on the parents.

Cognitive Level—Analyzing
Client Needs Category—Physiological integrity
Client Needs Subcategory—Physiological adaptation

103. 4. Prolonged use of phenytoin tends to cause an overgrowth of gum tissues. Poor appetite, urinary incontinence, and painful joints are not associated with the use of this medication.

    Cognitive Level—Applying
    Client Needs Category—Physiological integrity
    Client Needs Subcategory—Pharmacological therapies

104. 2. The preschooler should not be restrained during seizure activity because this may injure rather than protect the preschooler. The parents should be encouraged to maintain as normal a lifestyle as possible for the preschooler, including age-appropriate activities requiring mental alertness when appropriate. Developmental disability does not always occur with a seizure disorder. A competent adult or someone knowledgeable about the preschooler's condition is important to have with the preschooler; however, it is not always practical to have a parent present.

    Cognitive Level—Analyzing
    Client Needs Category—Health promotion and maintenance
    Client Needs Subcategory—None

105. 2. A preschool child often thinks that illness or painful treatments are a punishment for having done something bad, a concept Piaget, a developmental psychologist, labeled as *immanent justice*. It is important to explain to the preschooler that the seizure activity is not a punishment. Piaget's theory has been challenged recently by researchers who believe preschoolers ascribe to the germ theory as the cause of all diseases. Regardless of which theory is believed, the nurse must always be honest with the child, explaining that health problems happen to people who are "good" as well as "bad" and from many causes, not just "germs." It is unusual for a preschooler to attribute his or her health status to luck, eating patterns, or previous health history.

    Cognitive Level—Applying
    Client Needs Category—Health promotion and maintenance
    Client Needs Subcategory—None

Nursing Care of a Preschooler with Leukemia

106. 3. Bone marrow aspiration is commonly used to confirm a diagnosis of leukemia. The bone marrow of the preschooler with leukemia is characterized as being hypercellular, lacking fat globules, and containing blast cells (immature white cells). The complete blood count (CBC) and spinal fluid examinations are part of the battery of tests a client may undergo when leukemia is suspected, but they do not confirm the diagnosis. An x-ray of the long bones also does not confirm the diagnosis.

    Cognitive Level—Applying
    Client Needs Category—Physiological integrity
    Client Needs Subcategory—Physiological adaptation

107. 3, 5, 6. Protective isolation, also known as neutropenic precautions, is used for clients who have low white blood cell counts and who are immunocompromised. Fresh fruits that cannot be peeled should not be taken into the preschooler's room because they may harbor organisms that can cause life-threatening illnesses in someone with leukemia. The risk of contracting a life-threatening illness is increased because of the preschooler's compromised immune system. Therefore, visitors who have a cold or flu symptoms should not be allowed to visit until they become asymptomatic. Visitors should adhere strictly to hand hygiene protocols like using an alcohol-based hand rub when entering the preschooler's room and when leaving it. Allowing only washable toys is appropriate for a preschooler with a contagious disease who is in isolation to prevent the spread of infection to other individuals. However, in this case, the preschooler's disease is not contagious; also, the preschooler is more likely to contract an infection than spread one to someone else. Visitation requirements vary by facility. Generally, family members, including children younger than age 12, are permitted to visit as long as they do not have any type of active infectious disease.

    Cognitive Level—Applying
    Client Needs Category—Safe and effective care environment
    Client Needs Subcategory—Safety and infection control

108. 3. Because of the preschooler's immunosuppressed state, the nurse should avoid taking rectal temperatures. This route increases the preschooler's risk of developing a perirectal abscess, which can lead to a life-threatening complication. Temperature taken by the axillary, oral, or tympanic route is appropriate for the preschooler with leukemia.

    Cognitive Level—Applying
    Client Needs Category—Physiological integrity
    Client Needs Subcategory—Reduction of risk potential

109. 1. Asparaginase is a cell cycle-nonspecific chemotherapeutic medication given in combination with other drugs to clients with leukemia to destroy cancerous white blood cells. Frequent allergic reactions have occurred in clients receiving asparaginase treatment. Epinephrine and oxygen should be on hand when giving asparaginase because of the increased risk of an anaphylactic reaction. The other medications are not required.

    Cognitive Level—Applying
    Client Needs Category—Physiological integrity
    Client Needs Subcategory—Pharmacological therapies

110. 2, 5. The licensed practical/vocational nurse would notify the registered nurse of transfusion reaction symptoms. A transfusion reaction is a serious complication that occurs when the red blood cells are destroyed by the client's immune system. Signs of a transfusion reaction include feeling cold and having chills, fever, and a rapid pulse rate. The preschooler may also report itching and low back pain. If the preschooler experiences chilliness very early in a blood transfusion, it may be the result of the cold transfused blood entering the body. Nevertheless, the nurse should suspect a transfusion reaction until proved otherwise. Reports of hunger, thirst, tiredness, and nausea are not common indicators of a blood transfusion reaction.

> *Cognitive Level—Applying*
> *Client Needs Category—Physiological integrity*
> *Client Needs Subcategory—Reduction of risk potential*

111. 3. If a client is having a reaction to blood, the nurse should first clamp the tubing from the unit of blood to stop the infusion, then administer normal saline solution to maintain I.V. access. The temperature is taken, and acetaminophen may be given if prescribed and necessary. The charge nurse should be notified but not before the infusion is stopped.

> *Cognitive Level—Analyzing*
> *Client Needs Category—Physiological integrity*
> *Client Needs Subcategory—Physiological adaptation*

112. 1. Preschoolers have a limited ability to grasp complex concepts such as death and dying. "Am I going to die?" is a question that can be answered in different ways. However, the nurse's response should encourage the preschooler to express feelings about dying. The nurse should avoid responses that would either make the preschooler feel guilty or discourage the preschooler from talking about anxieties experienced. Also, the nurse's response should not reinforce feelings of denial and unrealistic perceptions of the preschooler's prognosis. When dealing with children, it is important to answer questions honestly based on the preschooler's level of understanding and development.

> *Cognitive Level—Applying*
> *Client Needs Category—Psychosocial integrity*
> *Client Needs Subcategory—None*

113. 2. Saying prayers and lighting candles are common Christian practices to ask for divine intervention in illness. Although some Christians may believe that illness is a punishment for sins, it is not the dominant belief. Japanese culture believes that energy is restored by acupuncture. Chinese culture believes in the balance of yin and yang.

> *Cognitive Level—Applying*
> *Client Needs Category—Psychosocial integrity*
> *Client Needs Subcategory—None*

114. 1. Children with leukemia should postpone live virus vaccines for 6 to 12 months after chemotherapy has been discontinued and after blood count levels are within normal ranges. Five vaccines (measles, mumps, rubella, polio, and varicella) are live virus vaccines. All the other statements by the parents are consistent with the recommended treatment plan.

> *Cognitive Level—Applying*
> *Client Needs Category—Health promotion and maintenance*
> *Client Needs Subcategory—None*

Nursing Care of a Preschooler with Strabismus

115. 3. Foods and fluids are generally withheld for 6 to 12 hours before surgery to reduce the risk of aspirating vomitus when the client is under anesthesia or recovering from anesthesia. Preparation of the eyelids is usually carried out in the clinical setting. Trimming an eyebrow is not necessary for this type of surgery. There is no basis for administering acetaminophen preoperatively before this preschooler's eye surgery.

> *Cognitive Level—Applying*
> *Client Needs Category—Physiological integrity*
> *Client Needs Subcategory—Reduction of risk potential*

116. 4. Some soreness may occur after this type of eye surgery. The preschooler's question should not be ignored or minimized and deserves an honest response. Any responses or explanations should be developmentally appropriate.

> *Cognitive Level—Applying*
> *Client Needs Category—Psychosocial integrity*
> *Client Needs Subcategory—None*

117. 2. Pretending the preschooler is a pirate affords an opportunity to wear an eye patch, thereby restricting the preschooler's vision and giving the preschooler a perception of the postoperative experience. Done in a nonthreatening manner, this game will decrease the preschooler's anxiety during the postoperative period. Playing peek-a-boo with a member of the hospital staff is not compatible with this preschooler's age. Although the preschooler may enjoy playing tic-tac-toe and hide-and-seek, neither of these activities prepares the preschooler as much as pretending to play pirate with an eye patch.

> *Cognitive Level—Applying*
> *Client Needs Category—Psychosocial integrity*
> *Client Needs Subcategory—None*

118. 3. Unless both eyes are bandaged, there is no reason why the preschooler cannot play with toys while under an adult's supervision. In most cases, the preschooler can resume a regular diet and activity as soon as nausea has ceased, and the anesthesia has worn off. Restraints are removed while the preschooler is under adult supervision.

> *Cognitive Level—Analyzing*
> *Client Needs Category—Health promotion and maintenance*
> *Client Needs Subcategory—None*

Nursing Care of a Preschooler Having a Tonsillectomy and Adenoidectomy

119. 2. It is important to promptly report an elevated temperature of a preoperative client along with any other signs of infection, such as a sore throat, cough, or excessive nasal discharge. Surgery will be canceled if the preschooler has an infection. The other vital signs listed are normal for a 5-year-old preschooler.

Cognitive Level—*Applying*
Client Needs Category—*Physiological integrity*
Client Needs Subcategory—*Reduction of risk potential*

120. 2. Clear liquids include clear broth, gelatin, synthetic juices, water, and ice chips. Natural juices, such as orange juice, are irritating to the throat and are not clear. When a full liquid diet can be tolerated, such foods as ice cream, puddings, creamed soups, and custards can be added to the menu.

Cognitive Level—*Applying*
Client Needs Category—*Physiological integrity*
Client Needs Subcategory—*Basic care and comfort*

121. 2. The preschooler should not be allowed to drink from a straw because sucking can dislodge clots and sutures and lead to hemorrhage. An ice collar is typically applied to promote comfort; however, it may be removed if the preschooler is more comfortable without one. It is permissible for the preschooler whose throat is sore, making swallowing difficult, to use a tissue for wiping bloody oral secretions. It is preferable for the parents to stay with the preschooler postoperatively, but it is not mandatory if they choose to leave.

Cognitive Level—*Applying*
Client Needs Category—*Physiological integrity*
Client Needs Subcategory—*Physiological adaptation*

122. 4. Signs of excessive bleeding after a tonsillectomy include frequent swallowing (which may be due to blood trickling down the back of the throat), a rapid pulse rate, restlessness, and vomiting bright red blood. Vomiting dark (old) blood is expected and should not cause concern unless there is a large amount of emesis. Throat pain is a common postoperative finding. A respiratory rate of 30 breaths/minute is within the normal range for a 5-year-old preschooler.

Cognitive Level—*Applying*
Client Needs Category—*Physiological integrity*
Client Needs Subcategory—*Physiological adaptation*

123. 1. It is recommended to keep a preschooler quiet for a few days after a tonsillectomy to discourage bleeding at the operative site. Fluids and soft foods can be taken as desired, but a regular diet is not usually recommended for several days because certain foods may cause irritation and bleeding of the operative site. Aspirin is contraindicated for a 5-year-old preschooler because its use has been associated with Reye syndrome. Aspirin may also affect the blood's ability to clot and therefore increases bleeding tendencies.

Cognitive Level—*Applying*
Client Needs Category—*Health promotion and maintenance*
Client Needs Subcategory—*None*

15

The Nursing Care of School-Age Children and Adolescents

Directions: With a pencil, blacken the space in front of the option you have chosen for your correct answer.

Nursing Care of a Child with Rheumatic Fever

A 7-year-old child is admitted to the hospital with possible rheumatic fever.

1. Upon reviewing the child's history with the parents, what is **most** closely correlated with an increased risk of rheumatic fever?

[ ] **1.** The child was exposed to chickenpox within the past 4 weeks.

[ ] **2.** The child had a severe sore throat within the past 2 weeks.

[ ] **3.** The child is lethargic and no longer interested in schoolwork.

[ ] **4.** The child has an elevated hemoglobin and hematocrit.

2. When communicating the results of the assessment data with the health care provider, what finding is stressed as **most** indicative of a client with rheumatic fever?

[ ] **1.** Slow, irregular heartbeat

[ ] **2.** Blotchy, diffuse erythema

[ ] **3.** Decreased antistreptolysin-O titer (ASO titer)

[ ] **4.** Generalized migrating joint tenderness

The child is placed on bed rest and started on penicillin V and aspirin.

3. What diversional activity suggested by the nurse is **most appropriate** for the child during the acute phase of rheumatic fever?

[ ] **1.** Playing with action figures
[ ] **2.** Playing video games
[ ] **3.** Reading an adventure story
[ ] **4.** Pounding wooden pegs with a mallet

4. The nurse would expect to withhold penicillin V and notify the health care provider if the child had a previous allergic reaction to a medication from what drug group?

[ ] **1.** Aminoglycosides
[ ] **2.** Cephalosporins
[ ] **3.** Macrolides
[ ] **4.** Sulfonamides

The parents ask why the child is receiving aspirin instead of acetaminophen and are worried about their child getting Reye syndrome.

5. What response by the nurse **best** explains why aspirin is preferred to acetaminophen in the treatment of rheumatic fever?

[ ] **1.** "Aspirin controls fever better."
[ ] **2.** "Aspirin prevents infections."
[ ] **3.** "Aspirin relieves joint inflammation."
[ ] **4.** "Aspirin prevents cardiac enlargement."

The parents question how their child got rheumatic fever and ask if the child can get it again. The nurse teaches the parents the disease process and potential consequences in the future.

6. What statement by the parents **best** indicates that the nurse's teaching has been effective?

[ ] **1.** "We will give our child the penicillin for the full 10 days."
[ ] **2.** "We will keep our child at home until fully recovered."
[ ] **3.** "We will make sure that our child stays out of the sun while being treated."
[ ] **4.** "We will notify the health care provider if our child has a sore throat."

7. If the child develops shortness of breath when ambulating to the bathroom in the hospital, what intervention should the nurse add to the care plan?

[ ] **1.** Have the child use a bedside commode for elimination.
[ ] **2.** Administer oxygen after the child uses the bathroom.
[ ] **3.** Instruct the child to call for assistance when ambulating to the bathroom.
[ ] **4.** Provide a walker for the child to use when ambulating to the bathroom.

Nursing Care of a Child with Diabetes Mellitus

A 9-year-old child is admitted to the hospital with a tentative diagnosis of type 1 (insulin-dependent) diabetes mellitus. The parents state that the child has been feeling sick for several days. The health care provider states that the child has signs and symptoms of diabetic ketoacidosis.

8. When communicating client data to the pediatric unit, what findings confirm that the child is experiencing diabetic ketoacidosis? Select all that apply.

[ ] **1.** Blood glucose level of 120 mg/dL (6.7 mmol/L)
[ ] **2.** Fruity-smelling breath
[ ] **3.** Pale-colored face
[ ] **4.** Excessive perspiration
[ ] **5.** Deep, rapid breathing
[ ] **6.** Dry, flushed skin

9. The health care provider prescribes a urine dipstick. What result is **most** relevant to report?

[ ] **1.** Blood in the urine
[ ] **2.** Bilirubin in the urine
[ ] **3.** Ketones in the urine
[ ] **4.** White blood cells in the urine

10. The health care provider prescribes I.V. insulin, and the registered nurse (RN) prepares to give it. The licensed practical/vocational nurse (LPN/LVN) is assisting the RN with the unstable client. What type of insulin should the LPN/LVN anticipate that the health care provider will prescribe?

[ ] **1.** Regular insulin
[ ] **2.** Isophane insulin suspension
[ ] **3.** Insulin glargine
[ ] **4.** Insulin aspart

After further tests, the diagnosis of type 1 diabetes mellitus is confirmed. The child's condition improves and blood glucose readings range between 100 and 128 mg/dL (5.5–7.0 mmol/L). The health care provider writes prescriptions to discontinue the I.V. infusion and to begin subcutaneous Humulin R and NPH (isophane insulin suspension) insulin therapy. The health care provider also prescribes a dietary consultation.

11. If breakfast arrives at 0800, at which time should the nurse administer the child's morning dose of a combination regular and NPH insulin?

[ ] **1.** 0730
[ ] **2.** 0745
[ ] **3.** 0800
[ ] **4.** 0830

12. The nurse assesses the client's reaction to the insulin dosage. What symptoms require the nurse to supplement the client with a snack? Select all that apply.

[ ] **1.** The child reports being thirsty.
[ ] **2.** The child's breathing is labored and prolonged.
[ ] **3.** The child's urine tests positive for glucose.
[ ] **4.** The child reports feeling shaky.
[ ] **5.** The child reports feeling light-headed.
[ ] **6.** The child states his or her heart is racing.

13. What is the **priority** nursing action if the child develops a blood sugar of 50 mg/dL (2.8 mmol/L) after insulin administration?

[ ] **1.** Give the child orange juice or milk to drink.
[ ] **2.** Give the child 10% glucose I.V.
[ ] **3.** Notify the health care provider immediately.
[ ] **4.** Administer a second dose of insulin.

The child's parents ask the nurse why the child cannot receive the insulin in the form of a pill.

14. What response by the nurse **best** explains why insulin must be given subcutaneously?

[ ] **1.** "The oral form of insulin can lead to the worsening of diabetic symptoms."
[ ] **2.** "Insulin is destroyed by digestive enzymes when given by mouth."
[ ] **3.** "Insulin causes vomiting and dehydration when given by mouth."
[ ] **4.** "The oral form of insulin is not effective in treating children with diabetes."

The child has completely recovered from ketoacidosis and is receiving regular insulin and isophane insulin suspension subcutaneously. The blood glucose levels have stabilized, and the health care provider requests starting client education on managing diabetes at home.

15. What statement by the child indicates to the nurse that education on diabetes management has been effective?

[ ] **1.** "If I eat more food, I will not need as much insulin."
[ ] **2.** "If I am more active, I will not need as much insulin."
[ ] **3.** "If I get an infection, I will not need as much insulin."
[ ] **4.** "If I get real upset, I will not need as much insulin."

The parents state that their child is very active in sports and likes to swim and play basketball and soccer. The parents ask the nurse if their child with type 1 diabetes mellitus will be able to continue these activities.

16. What is the **best** response by the nurse?

[ ] **1.** "You should redirect your child to participate in activities that require less energy."
[ ] **2.** "You should encourage swimming because it lowers the metabolism but discourage playing basketball or soccer."
[ ] **3.** "You should allow your child to continue these activities, but athletic staff should be aware of possible diabetes-related issues."
[ ] **4.** "You should permit your child to play basketball and soccer, but swimming will increase insulin needs."

17. In addition to routine blood glucose assessments, if the child is athletic and very competitive, what recommendation should the nurse offer the child about when to check his or her blood glucose level?

[ ] **1.** After participating in athletics
[ ] **2.** Before participating in athletics
[ ] **3.** Every 4 hours throughout the day
[ ] **4.** When a hypoglycemic reaction occurs

18. The nurse is caring for a child with diabetes whose 1100 blood glucose monitoring check is 269 mg/dL (15 mmol/L). The health care provider prescribes the following coverage schedule:

150 to 200 mg/dL (8.3–11.1 mmol/L)—2 units of Humulin R
201 to 250 mg/dL (11.2–13.9 mmol/L)—4 units of Humulin R
251 to 300 mg/dL (14–16.6 mmol/L)—6 units of Humulin R
301 to 350 mg/dL (16.7–19.4 mmol/L)—8 units of Humulin R
351 to 399 mg/dL (19.5–22.1 mmol/L)—10 units of Humulin R
Over 400 mg/dL (22.2 mmol/L)—call the health care provider

Draw a line at the calibrated mark on the syringe identifying the amount of insulin that should be drawn into the syringe.

The child with diabetes begins using an insulin pump with a metal needle. A diabetes nurse educator has been consulted to assist with insulin pump education and regulation.

19. What statement by a child with diabetes indicates a need for additional instructions on how to use an insulin pump?

[ ] **1.** "I like the insulin pump because I can wear it under my clothes without anyone noticing I have it on."

[ ] **2.** "I like the insulin pump because I only have to change the needle site every 24 to 48 hours."

[ ] **3.** "I like the insulin pump because when I need extra insulin, all I have to do is push a button on the pump."

[ ] **4.** "I like the insulin pump because I never have to check my blood glucose level; the pump checks the level for me."

Nursing Care of a Child with Partial-Thickness and Full-Thickness Burns

An 8-year-old child is hospitalized for treatment of extensive partial-thickness and full-thickness burns on the face, neck, anterior chest, and left arm as a result of a house fire.

20. What clinical manifestation of a full-thickness burn requires close monitoring?

[ ] **1.** Moderate level of pain due to exposed nerve endings

[ ] **2.** Edema formation throughout the area of the burn

[ ] **3.** The appearance of blister formation throughout the area of the burn

[ ] **4.** Noted tissue destruction extending to the subcutaneous layer

21. The nurse should plan to keep what equipment or supplies in the burned child's room in case an emergency arises?

[ ] **1.** An extra supply of sterile dressing

[ ] **2.** An endotracheal tube and oxygen supply

[ ] **3.** Equipment to administer pain medication

[ ] **4.** Additional bags of I.V. fluid

22. What nursing interventions are essential to restore the child's fluid and electrolyte balance during the emergent phase of care and treatment for full-thickness burns? Select all that apply.

[ ] **1.** Initiate the administration of I.V. fluids.

[ ] **2.** Track the child's vital signs.

[ ] **3.** Give the child sips of water.

[ ] **4.** Encourage the child to consume protein-rich feedings.

[ ] **5.** Monitor the child's urine output.

[ ] **6.** Assemble equipment for a small-gauge venous catheter.

23. During early postburn care of the child with full-thickness burns, it is essential for the nurse to closely monitor:

[ ] **1.** unburned skin.

[ ] **2.** bowel elimination.

[ ] **3.** I.V. fluid therapy.

[ ] **4.** pupillary response to light.

The health care provider admits the child with extensive partial-thickness and full-thickness burns to the pediatric intensive care unit (PICU) for close assessment and nursing care.

24. What assessment finding would alert the nurse that the child may be exhibiting early signs of sepsis?

[ ] **1.** Increased level of pain

[ ] **2.** Disorientation

[ ] **3.** Decreased urine output

[ ] **4.** Jitteriness

25. The health care provider prescribes an I.V. opioid analgesic. What finding by the nurse would **best** indicate that the I.V. opioid analgesic is effective?

[ ] **1.** The respiratory rate is within normal limits.

[ ] **2.** The child's pain level remains stable.

[ ] **3.** The child is watching television.

[ ] **4.** The urine output is 30 mL/hour.

26. Because the burned child is confined to bed, the nurse assesses for footdrop. What nursing action **best** prevents the development of footdrop?

[ ] **1.** Apply braces to the feet and ankles.

[ ] **2.** Keep the child in the side-lying position.

[ ] **3.** Keep sheets tucked in at the foot of the bed.

[ ] **4.** Rest the child's feet against a footboard.

27. What finding documented by the nurse suggests a common complication seen in clients with full-thickness burns?

[ ] **1.** Absence of bowel sounds

[ ] **2.** A positive Hemoccult test

[ ] **3.** An elevated hematocrit

[ ] **4.** A distended abdomen

The condition stabilizes for the child with extensive partial-thickness and full-thickness burns. The child is now placed on a high-protein diet.

28. If the following foods are available, which snack is **best** to meet the child's need for protein?

[ ] **1.** Strawberry milkshake

[ ] **2.** Apple sprinkled with cinnamon

[ ] **3.** Cubes of flavored gelatin

[ ] **4.** Warmed beef broth

29. What diversional activity is **best** for meeting the 8-year-old burned child's developmental needs?

[ ] **1.** Reading the newspaper

[ ] **2.** Coloring simple designs

[ ] **3.** Playing with an action figure

[ ] **4.** Playing a solitary card game

Nursing Care of a Child with Juvenile Idiopathic Arthritis

A 10-year-old child who has juvenile idiopathic arthritis (JIA), formally called juvenile rheumatoid arthritis (JRA), is seen in the joint disorders specialty clinic 2 weeks after an acute episode of the disorder. The nurse discusses home care with the child and parents.

30. What statement by the child indicates teaching about the use of ibuprofen has been effective?
[ ] **1.** "I should take ibuprofen every day to control my joint inflammation."
[ ] **2.** "I should take ibuprofen when my temperature is 101°F (38.3°C) or higher."
[ ] **3.** "I should take ibuprofen only when I am having muscle spasms."
[ ] **4.** "I should take ibuprofen every day to thin my blood."

31. What activity is **most appropriate** for the child with juvenile idiopathic arthritis (JIA)?
[ ] **1.** Skipping rope
[ ] **2.** Softball
[ ] **3.** Gymnastics
[ ] **4.** Swimming

The nurse provides discharge instructions outlining the care needed at home for the child with juvenile idiopathic arthritis (JIA).

32. What statement by the parents indicates they understand the home care instructions?
[ ] **1.** "We have made arrangements for a homebound teacher."
[ ] **2.** "We will put ice packs on our child's joints during episodes of inflammation."
[ ] **3.** "We will serve meals that prevent excess weight gain."
[ ] **4.** "We will keep our child in bed most of the time."

33. While monitoring the disease progression of the client with juvenile idiopathic arthritis (JIA), what diagnostic test will be obtained periodically?
[ ] **1.** Chest x-rays
[ ] **2.** Dental examinations
[ ] **3.** Hearing examinations
[ ] **4.** Eye examinations

Nursing Care of a Child with an Injury

A nurse provides nursing care and age-appropriate instruction for pediatric clients with minor injuries. Throughout the day, children with a variety of injuries present for medical care.

34. What nursing instruction concerning ice applications is appropriate to give the parents of a 12-year-old child with a sprained ankle?
[ ] **1.** "Ice can be applied and left on until the swelling is gone."
[ ] **2.** "Ice can be applied but must be removed every 15 to 30 minutes to check the ankle."
[ ] **3.** "Ice should not be used for treating sprains; heat should be used instead."
[ ] **4.** "There is no danger associated with the application of ice."

35. What nursing action is **most appropriate** when caring for a school-age child who is experiencing a nosebleed?
[ ] **1.** Tilt the child's head backward, and apply an ice pack to the nose.
[ ] **2.** Position the child's head forward while gently pinching the nostrils.
[ ] **3.** Pack the affected nostril with a small amount of clean cotton.
[ ] **4.** Clean the affected nostril, and instill saline nose drops.

36. When a 10-year-old child falls from a bicycle and loses a permanent incisor tooth, what advice can the nurse provide the parents before they take the child to see a dentist?
[ ] **1.** Submerge the tooth in milk.
[ ] **2.** Place the tooth in a plastic bag.
[ ] **3.** Wrap the tooth in a clean cloth.
[ ] **4.** Clean the tooth with alcohol.

Nursing Care of a Child with a Head Injury

A 9-year-old child is admitted to the hospital for observation after falling off a bicycle. The parents state that the child's head hit the pavement during the fall.

37. If the nurse collects the following data, what assessment finding requires health care provider notification?
[ ] **1.** Rapid bilateral pupillary response to light
[ ] **2.** Tympanic temperature of 97.9°F (36.6°C)
[ ] **3.** Blood pressure of 150/90 mm Hg
[ ] **4.** Deep tendon reflexes +2

38. What assessment finding is of **most concern** when considering client status?
[ ] **1.** Clear, watery nasal drainage
[ ] **2.** Glasgow Coma Scale score of 15
[ ] **3.** Child does not know the time of day
[ ] **4.** Apical pulse of 80 beats/minute

The child is monitored overnight, and no complications are observed. The health care provider discharges the client in the morning. Before they leave the clinic, the child and parents meet with the nurse to review safety needs.

39. What statement by the child indicates a need for further teaching about bicycle safety?

[ ] **1.** "I will wear my helmet whenever I ride my bicycle."

[ ] **2.** "I will ride my bicycle in the opposite direction of traffic flow."

[ ] **3.** "I will stop at all intersections and look both ways before proceeding."

[ ] **4.** "I will not ride my bicycle after dark on the street."

The nurse is caring for a 7-year-old child who fell off of an all-terrain vehicle (ATV) sustaining a flesh wound. The child is awaiting wound debridement.

40. What nursing action **best** demonstrates the concept of atraumatic care?

[ ] **1.** Allowing siblings to visit the client in the hospital

[ ] **2.** Using a doll to demonstrate an invasive procedure

[ ] **3.** Arranging the room to accommodate religious practices

[ ] **4.** Encouraging communication between the parents and nurse

A 15-year-old adolescent is being assessed in the emergency department after a blow to the head at a tackle football game. A diagnosis of a traumatic brain injury is made.

41. On the admission assessment, which initial neurological symptom would be unusual to find?

[ ] **1.** Headache

[ ] **2.** Loss of consciousness

[ ] **3.** Slurred speech

[ ] **4.** Dizziness

The health care provider determines that the adolescent may be discharged home. The nurse provides discharge instructions to the client and parents.

42. What instruction is essential to give the parents before discharge?

[ ] **1.** Return the adolescent for a follow-up visit in 3 to 5 days.

[ ] **2.** Give the adolescent nothing by mouth for the next 12 hours.

[ ] **3.** Check the adolescent's pupillary response every 4 hours.

[ ] **4.** Awaken the adolescent every 4 hours during the first night.

Nursing Care of a Child with a Brain Tumor

An 11-year-old child is admitted to the hospital with reports of headaches, dizziness, and vomiting.

43. What information indicates a high risk for the presence of a brain tumor?

Notes

Documented At:

4/20   1830 ?

Additional Notes

The client is drowsy but interacting with parents. PEARLA. Vital Signs: 98.6°F (37°C), 84 beats/min, 20 breaths/min, 117/60 mm Hg. Vomited once when getting out of bed. Refusing breakfast, slight nausea. Lungs clear.

[ ] **1.** The child vomits when first getting out of bed.

[ ] **2.** The child frequently reports nausea.

[ ] **3.** The child is drowsy in the morning.

[ ] **4.** The child's vital signs are not within normal limits for age.

44. If the health care provider prescribes a magnetic resonance imaging (MRI) study for the child with a brain tumor, what statement by the nurse would **best** prepare the child for the diagnostic test?

[ ] **1.** "MRI machines differ with some being tunnel-like and others open."

[ ] **2.** "A slight headache may occur when the dye is injected into the vein."

[ ] **3.** "You will be given medicine that will make you sleep during the test."

[ ] **4.** "You will have little electrodes placed on your head with a special gel."

The results of the magnetic resonance imaging (MRI) study show that the child has a brain tumor, and the child is taken immediately to surgery. A craniotomy is performed, and the tumor is partially removed. When the child returns from surgery, the nurse observes a moderate amount of clear drainage on the head dressing.

45. What nursing action is **most appropriate** at this time?

[ ] **1.** Recognize that the fluid is cerebrospinal fluid (CSF) and remove the dressing, observing for the source of the leakage.

[ ] **2.** Recognize that the fluid is CSF and notify the parents as the child's condition is deteriorating.

[ ] **3.** Recognize that the fluid is CSF and notify the operating room because additional surgery will be necessary.

[ ] **4.** Recognize that the fluid is CSF and reinforce the dressing until the health care provider can change it.

The child's parents express their feelings of helplessness and anxiety to the nurse after learning about their child's diagnosis of brain tumor.

46. What statement by the nurse would **best** help the parents cope with their feelings?
[ ] **1.** "Perhaps you would feel better if you alternate visits, having only one parent present at a time."
[ ] **2.** "Do not worry. You are doing a great job, and everything will work out for the best."
[ ] **3.** "This is painful for you. Let us identify things you can do to help make your child feel good."
[ ] **4.** "It is sad that you feel helpless. What do you usually do to take your mind off your worries?"

The oncologist visits and writes a prescription for the child to begin chemotherapy after surgery to partially remove the brain tumor.

47. What nursing action would **best** help the child to cope with the effects of the chemotherapy?
[ ] **1.** Serve the child a well-balanced meal before beginning the chemotherapy.
[ ] **2.** Give the child an antiemetic before beginning the chemotherapy.
[ ] **3.** Encourage the child to get plenty of rest before beginning the chemotherapy.
[ ] **4.** Give the child pain medication before beginning the chemotherapy.

The health care provider prescribes an I.V. to maintain fluid replacement for this child.

48. If the child weighs 30 kg, what is the hourly flow rate in milliliters? Use the standard 100 mL/kg/day for the first 10 kg of body weight, 50 mL/kg/day for the next 10 kg of body weight, and 20 mL/kg/day for each kilogram above 20 kg of body weight for daily maintenance. Record your answer using a whole number.

_____ mL

After losing hair from the chemotherapy treatments, the child cries and says, "Everybody is going to laugh at me. I never want to go to school again!"

49. What nursing action **best** facilitates the child's reestablishment of friendships with peers?
[ ] **1.** Encourage the child to make friends with children who have cancer.
[ ] **2.** Tell the child that real friends do not care how you look on the outside.
[ ] **3.** Encourage the child's friends to visit while the child is still in the hospital.
[ ] **4.** Tell the child that the appearance changes are temporary and not that bad.

The health care provider prescribes a lumbar puncture for a 3-year-old child suspected of having a brain tumor.

50. How should the nurse position a child who is about to undergo a lumbar puncture?
[ ] **1.** Prone position
[ ] **2.** Trendelenburg position
[ ] **3.** Supine position
[ ] **4.** Side-lying position

Nursing Care of a Child in Traction

A 9-year-old is admitted to the pediatric unit with a fractured right femur. The child is in skeletal traction.

51. What nursing interventions should be included in the care plan of a child in skeletal traction? Select all that apply.
[ ] **1.** Maintain the child in the prone position.
[ ] **2.** Clean the pin site every 8 hours.
[ ] **3.** Perform range-of-motion exercises on each leg.
[ ] **4.** Release weights on the traction every 2 hours.
[ ] **5.** Monitor client for signs of cloudy urine.
[ ] **6.** Cover protruding tips of pins with protective materials.

52. Because of the length of time the client must remain in skeletal traction, the nurse correctly assesses for evidence of skin breakdown in what area?
[ ] **1.** Over the child's calves
[ ] **2.** Over the child's scapulae
[ ] **3.** On the child's knees
[ ] **4.** On the child's buttocks

53. What assessment finding should the nurse report **immediately** to the health care provider or charge nurse?
[ ] **1.** The pin protrudes through the skin on both sides.
[ ] **2.** The foot of the bed is elevated on blocks.
[ ] **3.** The weights of the traction are hanging freely.
[ ] **4.** A traction rope is out of the pulley groove.

54. What intervention is **most appropriate** to prevent complications associated with traction and immobility?
[ ] **1.** Offer the child fluids on a frequent basis.
[ ] **2.** Assist the child to select low-fiber foods.
[ ] **3.** Assist the child with right leg exercises daily.
[ ] **4.** Reposition the child onto the side every 2 hours.

55. What assessment finding may indicate a serious neurovascular problem for a child whose right leg is in traction that should be reported **immediately** to the charge nurse or health care provider?
[ ] **1.** The pulse is palpable in the right foot.
[ ] **2.** The toes of both feet are cool to the touch.
[ ] **3.** The child is unable to wiggle the toes of the right foot.
[ ] **4.** The capillary refill in the toes of the right foot is 2 seconds.

Nursing Care of a Child with a Kidney Disorder

A 7-year-old child is brought to the pediatrician's office where the parent notes that the child is voiding dark-colored urine. The child is being evaluated for acute glomerular nephritis.

56. What finding provides further evidence that the suspected disease process is correct?
[ ] **1.** Periorbital edema
[ ] **2.** Excessive urination
[ ] **3.** Increased appetite
[ ] **4.** Low blood pressure

A school-age child is examined by the pediatrician and diagnosed with nephrotic syndrome. The parents are concerned due to the generalized edema throughout the child's body.

57. What nursing actions are **most** appropriate to include in the care plan of a child with nephrotic syndrome? Select all that apply.
[ ] **1.** Restricting the intake of protein
[ ] **2.** Weighing the child daily
[ ] **3.** Completing range-of-motion exercises
[ ] **4.** Measuring abdominal circumference
[ ] **5.** Collecting a 24-hour urine specimen
[ ] **6.** Monitoring blood urea nitrogen (BUN) and creatinine levels

A 12-year-old child is diagnosed with renal tubular dysfunction. Blood chemistry results reveal a potassium level of 2.5 mEq/L (2.5 mmol/L).

58. What correlated finding is anticipated?
[ ] **1.** Full, bounding pulses
[ ] **2.** Muscle weakness
[ ] **3.** Elevated blood pressure
[ ] **4.** Hyperactive bowel sounds

A parent notes that the child's clothes do not fit around the waist due to a lump in the abdomen. After evaluation, the child is diagnosed with Wilms' tumor.

59. What action is restricted preoperatively?
[ ] **1.** Palpating the child's abdomen
[ ] **2.** Collecting a catheterized urine sample
[ ] **3.** Auscultating bowel sounds
[ ] **4.** Inserting a rectal tube

Nursing Care of a Child with a Blood Disorder

A child is brought to the public health office for a routine checkup.

60. What finding during a routine wellness checkup **best** indicates that a child has iron-deficiency anemia?
[ ] **1.** Weight gain and hypertension
[ ] **2.** Nervousness and diarrhea
[ ] **3.** Nausea and vomiting
[ ] **4.** Pallor and listlessness

The nurse is providing discharge instructions to the parents of a client recently diagnosed with hemophilia.

61. The nurse correctly advises the parents to avoid administering medications containing which ingredient to their child who has hemophilia?
[ ] **1.** Aspirin
[ ] **2.** Caffeine
[ ] **3.** Barbiturates
[ ] **4.** Antacids

Nursing Care of a Child with a Communicable Disease

A public health nurse is presenting information on communicable diseases at the local health fair. After the presentation, as individuals are picking up brochures with specific information of interest, many ask questions of the nurse.

62. What statement by the parent of a school-age child with tinea capitis indicates that the nurse's teaching was effective?
[ ] **1.** "I will comb my child's hair with a fine-tooth comb dipped in vinegar to remove the nits."
[ ] **2.** "I will give the griseofulvin with whole milk to increase absorption of the medication."
[ ] **3.** "I will give the medication for the full 2 weeks to prevent spreading of the lesions."
[ ] **4.** "I will apply the medication to my child's scalp three times a day until the lesions are gone."

One family asks if there is any literature on pinworms. They state that a relative had them and they are wondering if their son does as well.

63. What is the earliest finding alerting the family to possible pinworm infestation?
[ ] **1.** Increased flatulence
[ ] **2.** Abdominal pain
[ ] **3.** Anal itching
[ ] **4.** Bulky, greasy stools

Two parents express frustration because their child has frequent outbreaks of impetigo. The nurse assesses their knowledge of the disease process.

64. What statement by a parent indicates a need for additional teaching?

[ ] 1. "I can give oral antihistamines to decrease the inflammation and itching."

[ ] 2. "Antibiotic treatment is not necessary because the infection is self-limited."

[ ] 3. "I will be sure to trim my child's nails to prevent scratching of the lesions."

[ ] 4. "I will take the necessary precautions to prevent my child from spreading the infection to others."

65. The nurse is caring for an adolescent who developed this rash immediately after clearing brush. What statement, made by the client, requires clarification?

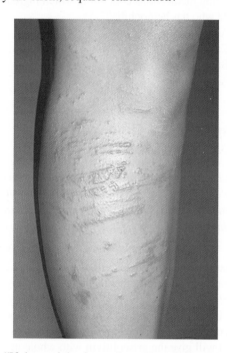

[ ] 1. "If the vesicles burst, I can spread the rash."

[ ] 2. "I will cleanse the area with warm water and soap."

[ ] 3. "Once I have showered and changed my clothes, I am not contagious."

[ ] 4. "I will also bathe the dog that was with me."

Nursing Care of a Child with a Nutritional Deficiency

Orphans from another country are brought to the United States for adoption. After a complete physical examination, the children are found to be in generally good health but thin, and several of the children are diagnosed with rickets.

66. When developing a care plan for a child with rickets, the nurse encourages what food as part of the diet?

[ ] 1. Sweet potatoes

[ ] 2. Eggs

[ ] 3. Oranges

[ ] 4. Salmon

The school nurse identifies a 7-year-old child who does not like to drink milk as possibly being deficient in calcium.

67. What foods provide excellent sources of calcium for this school-age child? Select all that apply.

[ ] 1. Broccoli florets

[ ] 2. Blueberry yogurt

[ ] 3. Chocolate ice cream

[ ] 4. Grilled chicken breast

[ ] 5. Cheese and crackers

[ ] 6. An apple

Before the beginning of the new school year, a school nurse teaches the elementary school faculty about nut allergies.

68. What signs and symptoms should be included in the nurse's presentation? Select all that apply.

[ ] 1. Hives with redness and swelling

[ ] 2. Itching or tingling in or around the mouth and throat

[ ] 3. Digestive problems such as diarrhea and vomiting

[ ] 4. Runny or stuffy nose

[ ] 5. Red, watery eyes

[ ] 6. Swelling of the hands and fingers

69. The school nurse is asked about foods that should be avoided if a student has a peanut allergy. What foods should be avoided? Select all that apply.

[ ] 1. Cookies and pastries

[ ] 2. Ice cream and frozen desserts

[ ] 3. Energy bars

[ ] 4. Cereals and granola

[ ] 5. Yogurt and sour cream

[ ] 6. Cheeseburger and cola

Nursing Care of a Child with a Musculoskeletal Disability

A pediatric nurse is providing guidance to parents whose child was recently diagnosed with cerebral palsy.

70. When discussing cerebral palsy with the parents of a newly diagnosed child, what teaching content is best at this time?
[ ] **1.** Cerebral palsy is a nonprogressive disease caused by damage to the brain.
[ ] **2.** Brain surgery commonly helps or even cures children with cerebral palsy.
[ ] **3.** Physical therapy is of little value to a child with cerebral palsy.
[ ] **4.** Cerebral palsy is the result of injury to the sensory areas of the brain.

A child is brought to the pediatrician's office for a follow-up visit because the child has fallen behind in developmental milestones. The parents state, "My child's muscles do not seem to be as strong as they once were and he needs more rest." After genetic testing, an electromyelogram, and muscle biopsy, the child is diagnosed with Duchenne muscular dystrophy.

71. If the parents of a child with Duchenne muscular dystrophy are having a difficult time accepting the diagnosis, the nurse should recommend that the parents:
[ ] **1.** explore online resources to build their knowledge base.
[ ] **2.** contact the local social welfare agency.
[ ] **3.** talk with other parents who have children with muscular dystrophy.
[ ] **4.** read as much literature as possible about treatment of muscular dystrophy.

Nursing Care of an Adolescent with Appendicitis

A 15-year-old adolescent is seen in the emergency department with an elevated temperature and report of generalized abdominal pain. The health care provider suspects appendicitis, and the teenager is admitted for observation and possible appendectomy.

72. If the nurse documents all the following data, what finding should be reported **immediately**?
[ ] **1.** Refusal to eat
[ ] **2.** Report of nausea
[ ] **3.** Absent bowel sounds
[ ] **4.** Temperature of 101°F (38.3°C) orally

73. During preoperative preparation, what nursing action is **most** appropriate?
[ ] **1.** Give analgesics.
[ ] **2.** Give nothing by mouth (NPO).
[ ] **3.** Give an enema.
[ ] **4.** Apply heat to the abdomen.

Surgery is performed, and the appendix is removed intact. The 15-year-old client is returned to the pediatric unit with an I.V. infusion in progress and an abdominal dressing in place. The health care provider has written a prescription to continue the I.V. infusion at a rate of 1,000 mL over 8 hours.

74. The nurse would be correct to set the infusion pump for what hourly rate?
[ ] **1.** 50 mL
[ ] **2.** 75 mL
[ ] **3.** 100 mL
[ ] **4.** 125 mL

75. For the teenager recovering from an appendectomy, what nursing measure is **most** appropriate to prevent respiratory complications during the postoperative period?
[ ] **1.** Give a bronchodilator by inhalation.
[ ] **2.** Administer oxygen by nasal cannula.
[ ] **3.** Give the child a corticosteroid.
[ ] **4.** Have the child use an incentive spirometer.

The health care provider visits on the second operative day after appendectomy and writes to ambulate the client three times a day. The nurse enters the client's room and begins to assist with ambulation. The teenager begins to cry and states, "I am scared to get out of bed."

76. What statement by the nurse is **most** therapeutic in addressing the adolescent's behavior?
[ ] **1.** "There is nothing to be scared of. This will not hurt."
[ ] **2.** "The stitches are strong. They will not come out."
[ ] **3.** "I know you are scared, but you must be brave."
[ ] **4.** "Let us do this later, when you are better prepared."

The parents ask when their child who is recovering from an appendectomy will be able to return to school.

77. The nurse advises the parents that, in most cases, children who have had an appendectomy usually return to school (without strenuous activity) within what time frame?
[ ] **1.** 5 days
[ ] **2.** 2 weeks
[ ] **3.** 4 weeks
[ ] **4.** 6 weeks

Nursing Care of an Adolescent with Dysmenorrhea

A parent brings a 16-year-old adolescent to the pediatric clinic because of recurrent reports of pain and discomfort during her menstrual cycle. The health care provider diagnoses primary dysmenorrhea and recommends the use of ibuprofen for the pain and discomfort. The health care provider also asks the nurse to discuss other measures that can be taken to reduce the client's pain and discomfort.

78. What suggestion by the nurse would be **most** helpful in relieving the teenager's menstrual pain and discomfort?
[ ] **1.** "Stay in bed until cramping is relieved, increase your fluid intake, and eat a low-fat diet."
[ ] **2.** "Drink plenty of cold liquids, add extra salt to your diet, and take a nap in the afternoon."
[ ] **3.** "Apply ice packs to the abdomen, eat a high-calorie diet, and have your largest meal at noon."
[ ] **4.** "Get at least 8 hours of sleep, eat a well-balanced diet, and apply heat to your abdomen."

79. What is given highest **priority** by the nurse when caring for an adolescent with dysmenorrhea?
[ ] **1.** The effects of dysmenorrhea disrupt the client's ability to participate in gym class.
[ ] **2.** Dysmenorrhea interferes with the client attending social functions.
[ ] **3.** The effects of dysmenorrhea require multiple health care provider appointments.
[ ] **4.** Dysmenorrhea interrupts family relationships.

The adolescent is upset about outbreaks of acne on her face, back, and shoulders before her menstrual cycle. The adolescent is started on systemic and topical medications to treat the acne.

80. What statement by an adolescent with acne indicates that additional teaching about taking tetracycline hydrochloride is needed?
[ ] **1.** "I will take the medication with a full glass of water."
[ ] **2.** "I will not take any antacids with this medication."
[ ] **3.** "I will take this medication with food."
[ ] **4.** "I will avoid sun exposure while taking this medication."

Nursing Care of an Adolescent Who Is Engaging in Risk-Taking Behaviors

The parents of a 14-year-old adolescent call the pediatrician because they have discovered boxes of pseudoephedrine in the teenager's room and suspect involvement in producing methamphetamine as well as substance use disorder.

81. What information about methamphetamine use is **most** accurate and important for the parents to know?
[ ] **1.** Methamphetamines are tried by most adolescents and cause no harm.
[ ] **2.** Methamphetamines are known to lead to addiction.
[ ] **3.** Methamphetamines are a central nervous system depressant.
[ ] **4.** Methamphetamines are harmful only if taken intravenously.

82. What symptom reported by the parents is the **best** indicator of methamphetamine use disorder by the adolescent?
[ ] **1.** Watery eyes
[ ] **2.** Drowsiness
[ ] **3.** Excessive nasal drainage
[ ] **4.** Marked nervousness

The parents of a child with methamphetamine use disorder ask the nurse, "What's wrong with our child? Why has this happened?" The parents tell the nurse that the child associates with a gang that is known for getting into trouble and many members suffer from substance use disorder.

83. The nurse correctly explains that, during adolescence, being with a peer group and mimicking peer behaviors are part of the process of achieving what developmental task?
[ ] **1.** Identity
[ ] **2.** Intimacy
[ ] **3.** Integrity
[ ] **4.** Idealism

The parents of a child with methamphetamine use disorder ask the nurse whether they should force their child to enter a drug treatment program.

84. What response by the nurse would be **most** helpful in this situation?
[ ] **1.** "You should attempt to discuss the dangers of using drugs with your child before deciding that treatment is necessary."
[ ] **2.** "It will be necessary to get a court order before you can force your child to enter a drug treatment program."
[ ] **3.** "The success of the drug treatment program will depend on your child's desire to become drug-free."
[ ] **4.** "It is best that you force your child into the treatment program because otherwise participation probably will not occur."

While the 17-year-old adolescent is talking with the health care provider, the nurse reviews the child's immunization records and discovers that the last immunization received was at 6 years of age.

85. The nurse advises the parents that the child is due to receive what immunization boosters?
[ ] **1.** *Haemophilus influenzae* type b (Hib)
[ ] **2.** Polio (IPV)
[ ] **3.** Smallpox
[ ] **4.** Tetanus

A 16-year-old adolescent approaches the school nurse for information on getting a tattoo.

86. What safety considerations would the nurse relate to the client? Select all that apply.
[ ] **1.** Tattooing can lead to skin cancer.
[ ] **2.** There can be an allergic reaction to the tattoo ink.
[ ] **3.** Tattooing can result in skin infections.
[ ] **4.** There is a risk for contracting hepatitis B and human immunodeficiency virus (HIV).
[ ] **5.** Tattooing may result in scar tissue.
[ ] **6.** Tattooing equipment, including needles, needs to be properly cleaned and/or sterilized.

The school nurse takes the opportunity to provide education on electronic cigarettes (e-cigarettes).

87. Which topic is **most** important when discussing e-cigarettes with adolescents?
[ ] **1.** Nicotine solution is included in the e-cigarette.
[ ] **2.** E-cigarettes' solution can remain on surfaces and in dust.
[ ] **3.** E-cigarette use can lead to using traditional cigarettes.
[ ] **4.** E-cigarettes with fruit and candy flavors are marketed to youth.

An expert nurse is orienting a novice nurse and caring for an adolescent client in an outpatient setting who is newly diagnosed with depression. The novice nurse documents that the client seems to be responding to citalopram, a select serotonin reuptake inhibitor (SSRI).

88. If the novice nurse is asking the client questions, what question would the expert nurse stress as being **most important**?
[ ] **1.** "How many times are you voiding throughout the day?"
[ ] **2.** "Have you thought of harming yourself recently?"
[ ] **3.** "Have you been eating three meals per day?"
[ ] **4.** "Do you enjoy the company of others?"

Nursing Care of an Adolescent with a Sexually Transmitted Infection

A 16-year-old female adolescent has been exposed to gonorrhea and visits the clinic for diagnosis and treatment.

89. When preparing the adolescent for the examination, the nurse correctly explains that a specimen should be collected and sent to the laboratory. What specimen should the nurse collect?
[ ] **1.** Blood sample
[ ] **2.** Urine sample
[ ] **3.** Vaginal smear
[ ] **4.** Biopsy of the cervix

The health care provider confirms the diagnosis of gonorrhea and informs the client that she also has Chlamydia trachomatis infection, another sexually transmitted infection. The health care provider prescribes an I.M. injection of ceftriaxone to treat the gonorrhea and a prescription for oral doxycycline to treat the chlamydia.

90. What instruction is **most** appropriate to give to the client regarding doxycycline?
[ ] **1.** "The medication normally causes a dark orange discoloration of urine."
[ ] **2.** "Take the medication 1 hour before or 2 hours after a meal."
[ ] **3.** "Do not drink water for at least 30 minutes after taking the medication."
[ ] **4.** "Report any symptoms of gastrointestinal upset to the health care provider."

Before leaving the clinic, the client asks the nurse, "When can I be certain that I am no longer infectious?"

91. The nurse correctly advises the client that she is still considered infectious until she:
[ ] **1.** no longer has foul-smelling vaginal discharge.
[ ] **2.** no longer experiences discomfort during her menstrual periods.
[ ] **3.** has a negative culture after being off antibiotics for at least 7 days.
[ ] **4.** has taken the prescribed doses of ceftriaxone for 1 day.

A 17-year-old adolescent is seen in a clinic specializing in sexually transmitted infections. The client is diagnosed with genital herpes (herpes simplex type 2).

92. Which lesion **best** confirms the diagnosis with type of lesions manifested?

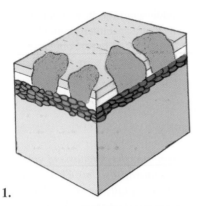

1.

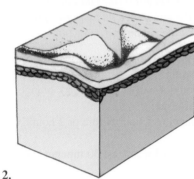

2.

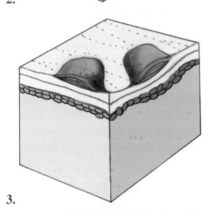

3.

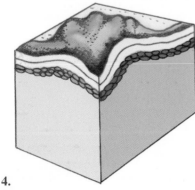

4.

93. What statement by the client indicates a need for additional teaching about genital herpes?
[ ] **1.** "Males who have genital herpes need a yearly prostate-specific antigen (PSA) test."
[ ] **2.** "Females who have genital herpes need a Papanicolaou (Pap) test every 6 months."
[ ] **3.** "Genital herpes is closely associated with the occurrence of sterility."
[ ] **4.** "Genital herpes is closely associated with Hodgkin disease."

Oral and topical forms of acyclovir are prescribed for the client with genital herpes.

94. What medication instruction provided by the nurse **best** ensures a therapeutic response?
[ ] **1.** "Taking your acyclovir as prescribed will prevent the recurrence of lesions."
[ ] **2.** "Your sex partners also need to be treated for 10 days with oral acyclovir."
[ ] **3.** "Use a glove to apply topical acyclovir."
[ ] **4.** "Take the oral acyclovir even when the disease is in remission."

The nurse discusses the sexual transmission of herpes with the infected client.

95. What statement by the client indicates that teaching has been effective?
[ ] **1.** "My partner should use a condom when lesions are present to prevent transmission."
[ ] **2.** "I should douche after intercourse to prevent becoming infected."
[ ] **3.** "I should apply acyclovir to lesions before intercourse to prevent transmission."
[ ] **4.** "I should avoid sexual contact, especially when lesions or symptoms are present."

The adolescent client also asks the nurse if human immunodeficiency virus (HIV) infection can be contracted from a sex partner who has no symptoms of acquired immunodeficiency syndrome (AIDS).

96. What response by the nurse provides the **best** clarification about the disease process?
[ ] **1.** "If you are afraid of getting HIV, you will be safer if you avoid having sex."
[ ] **2.** "An HIV-positive individual may not develop symptoms of AIDS for years."
[ ] **3.** "HIV can only be transmitted when symptoms of AIDS are present."
[ ] **4.** "The medication prescribed for AIDS also protects against HIV infection."

Several months later, the adolescent client returns to the clinic and is diagnosed with acquired immunodeficiency syndrome (AIDS). The client reports having oral lesions that interfere with eating.

97. What diet is **most** appropriate for an adolescent with thrush and a herpes simplex infection of the oral cavity secondary to acquired immunodeficiency syndrome (AIDS)?
[ ] **1.** High-calorie, bland diet
[ ] **2.** Soft, low-protein diet
[ ] **3.** Low-residue, low-fat diet
[ ] **4.** High-residue, low-cholesterol diet

After being diagnosed with a sexually transmitted infection, a 16-year-old male client asks the nurse about safe sex practices.

98. If the client asks the nurse for instructions on safe condom use, what information needs to be stressed?
[ ] **1.** Condoms should be stored in a warm, dry place to prevent damage.
[ ] **2.** Condoms are generally lubricated with mineral oil or petroleum jelly.
[ ] **3.** A condom should be applied before the penis becomes erect.
[ ] **4.** During application, a 0.5-in (1.25-cm) space should be left at the end of the condom.

The client also tells the nurse that he is concerned about developing testicular cancer because his father died of it.

99. When teaching an adolescent about testicular self-examination, what instruction should the nurse include?
[ ] **1.** "Do the examination after a warm bath or shower."
[ ] **2.** "Report any difference in the size of your testicles to the health care provider."
[ ] **3.** "Malignant lumps are usually located on the front side of the testicles."
[ ] **4.** "Both testicles should be examined simultaneously to detect differences."

Nursing Care of an Adolescent with Scoliosis

A 14-year-old female adolescent is referred for further evaluation after the school nurse discovers lateral spinal curvature during routine scoliosis screening.

100. What statement made by the adolescent **best** supports the nurse's suspicion of scoliosis?
[ ] **1.** "My friends are getting taller faster than I am."
[ ] **2.** "One of my sleeves is always shorter than the other."
[ ] **3.** "I have a difficult time sleeping on my side at night."
[ ] **4.** "I always roll crooked when I am doing a somersault."

101. The orthopedic health care provider prescribes a series of x-rays to confirm scoliosis. What question is **most** important for the nurse to ask the adolescent girl in preparation for x-rays?
[ ] **1.** "Is there any possibility that you are pregnant?"
[ ] **2.** "Have you eaten anything in the past 24 hours?"
[ ] **3.** "Have you taken any medications in the past 24 hours?"
[ ] **4.** "Are you allergic to iodine or shellfish?"

A diagnosis of structural scoliosis is confirmed, and the health care provider determines that the adolescent has a 35-degree curvature. The parents ask the nurse if treatment is really necessary.

102. What explanation by the nurse is **most** accurate?
[ ] **1.** "Your child's condition may improve without treatment."
[ ] **2.** "Your child may develop problems with bladder control without treatment."
[ ] **3.** "Your child may develop problems with bowel control without treatment."
[ ] **4.** "Your child may develop breathing problems without treatment."

The child is fitted for a Milwaukee brace. The adolescent asks if the brace has to be worn when at school.

103. The nurse correctly advises the adolescent that the brace has to be worn during what time period?
[ ] **1.** At all times except when bathing
[ ] **2.** At least 8 hours each day
[ ] **3.** At night while sleeping
[ ] **4.** At all times, without exception

104. What nursing action would **best** promote the adolescent's compliance with wearing the brace?
[ ] **1.** Advising the parents to keep a constant watch on their daughter to make sure she wears her brace
[ ] **2.** Suggesting that the parents help their daughter find stylish clothing that will hide the brace
[ ] **3.** Telling the parents that it might be best to arrange for home-schooling during treatment
[ ] **4.** Telling the adolescent that the problem will only get worse if she does not wear her brace

Dosage Calculations for Children and Adolescents

105. The health care provider prescribes cefaclor 125 mg P.O. If the suspension is available in 250 mg/5 mL, how many milliliters should the nurse give the pediatric client? Record your answer using one decimal place.

_____ mL

106. The nurse is caring for a 52-lb (23.6-kg) child with an elevated temperature. If the recommended dosage of acetaminophen for children is 10 to 15 mg/kg P.O. every 4 to 6 hours, what is the highest single dose of acetaminophen that would be safe for this child? Record your answer using a whole number.

_____ mg

Test Taking Strategies

Nursing Care of a Child with Rheumatic Fever

1. Analyze what information the question asks, which is a suspected etiology for rheumatic fever. Recall that the symptoms of rheumatic fever typically follow untreated pharyngitis caused by β-hemolytic streptococci.

2. Look for key words "most indicative finding" in reference to a clinical finding associated with rheumatic fever. Recall that polyarthritis is the most common presenting complaint in the majority of clients with rheumatic fever.

3. Look for key words "most appropriate" in reference to diversional activity for a child with rheumatic fever. Recall that reading is a sedentary diversional activity as long as the book is at the child's level or if someone reads the story to the child.

4. Use your knowledge of antibiotic therapy to identify the drug category with a cross-sensitivity with penicillin. Relate penicillin to cephalosporin as the drugs are in the same family.

5. Analyze what information the question asks, which is a rationale for the use of aspirin to manage the symptoms of rheumatic fever. Recall that aspirin has an anti-inflammatory action in addition to being an analgesic and antipyretic medication.

6. Analyze what information the question asks, which requires evidence of "effective teaching." Recall that a previous case of rheumatic fever does not confer immunity. Therefore, if the child develops pharyngitis, the health care provider should be contacted and the client subsequently treated if it is caused by β-hemolytic streptococci.

7. Use the process of elimination to determine the intervention that limits cardiopulmonary symptoms brought on by ambulation. Recall that use of a bedside commode limits the need for ambulation and reduces demands for cardiopulmonary function.

Nursing Care of a Child with Diabetes Mellitus

8. Use the process of elimination to identify nursing assessment concerns related to diabetic ketoacidosis. Review complications of diabetes mellitus, especially those that are associated with ketoacidosis that are different from hypoglycemia.

9. Analyze what information the question asks, which is the identification of a substance that may be found in the urine of a client with uncontrolled diabetes mellitus. Recall that finding ketones in the urine indicates that the body is breaking down stored fat as a substitute source of energy and excreting a fat metabolite in the urine.

10. Use the process of elimination to identify a type of insulin that can be administered intravenously. Recall that regular insulin can be given subcutaneously as well as intravenously.

11. Analyze what information the question asks, which is an appropriate time for administering a morning dose of insulin. Recall morning insulin being given directly before breakfast arrival.

12. Analyze what information the question asks, which is the rationale for implementing a snack. Choose options that correlate with the signs and symptoms of hypoglycemia.

13. Analyze what information the question asks, which is the priority nursing action related to a low blood sugar reading or hypoglycemia. Consider the status of the child and opportunity to ingest a concentrated source of sugar to guide to the correct action.

14. Use the process of elimination to identify the reason insulin is administered subcutaneously. Consider the effect of gastrointestinal secretions on a protein substance, in this case insulin, causing deterioration.

15. Analyze what information the question asks, which is an accurate understanding of the factors that affect the maintenance of blood sugar within a controlled range. Recall that glucose is the body's primary source for quick energy and, when exercising, the body will use that glucose requiring an adjustment in the amount of insulin needed.

16. Analyze what information the question asks, which is the most accurate information about the relationship between various activities and diabetes. Recall that participating in sports activities is encouraged as it is developmentally appropriate, but safety related to fluctuating blood sugar readings is a priority.

17. Analyze what information the question asks, which is an appropriate time for assessing blood sugar for an active client with diabetes. Although checking the blood sugar after being active has merit, it is best to know a baseline before the activity begins.

18. Look for key words, such as a blood sugar level of 269 mg/dL (15 mmol/L). Correlate the information with the coverage schedule for insulin administration, and identify the appropriate mark on the displayed insulin syringe, which is calibrated in 1-unit increments.

19. Use the process of elimination and knowledge of insulin pumps (with or without continuous glucose monitor use) to identify misunderstood instructions that relate to an insulin pump. Recall that an insulin pump delivers a dose of insulin according to the client's metabolic needs but still needs blood glucose monitoring.

Nursing Care of a Child with Partial-Thickness and Full-Thickness Burns

20. Analyze what information the question asks, which is a manifestation of a full-thickness burn. Relate the descriptive name "full-thickness burn" meaning damage to all layers of the tissue.

21. Analyze what information the question asks, which is an essential item for managing an emergency related to a head/neck burn. Remember the principle of maintaining the airway when managing any emergency, but particularly swelling related to a burn.

22. The key word is "emergent" or "initial" phase beginning with burn injury. Choose options that correlate with interventions for restoring fluid and electrolyte imbalance in the early stages of burn management.

23. Use Maslow hierarchy to identify the essential consideration during "early" postburn care. Recall the importance of maintaining fluid balance to meet basic physiological needs for survival.

24. Use the process of elimination to identify early sign of sepsis. Recall that sepsis is often accompanied by an acute alteration in mental status due to the impaired blood flow to the brain.

25. The key word is "effective." Recall that once acute pain is relieved, performing activities of daily living or enjoyable activities becomes possible.

26. Analyze what information the question asks, which is a nursing technique for preventing footdrop. Recall that footdrop results from shortening of the calf muscles and lengthening of the opposing muscles on the anterior leg. By keeping the feet in a position of dorsiflexion, footdrop can be prevented.

27. Use your knowledge of serious burns and consider how the etiology behind each clinical manifestation relates. Recall Curling ulcer as common and accompanied bleeding. Blood that is incorporated within stool will produce a positive finding on a Hemoccult test.

28. Use the process of elimination to analyze which option is highest in protein. Recall that a serving of milk contained in a milkshake is higher in protein than apples, gelatin, or broth.

29. Use the process of elimination to help select the option that identifies a diversional activity that is appropriate for the developmental needs of an 8-year-old. Options 1 and 4 can be eliminated because they are not likely to hold a school-age child's interest. Option 2 can be eliminated because the child of this age is capable of coloring a design that has detail.

Nursing Care of a Child with Juvenile Idiopathic Arthritis

30. Use the process of elimination to identify evidence of effective teaching about self-administration of an anti-inflammatory drug. Recall that joint inflammation is a primary symptom for clients with juvenile idiopathic arthritis (JIA) and relate use of medication to combat that symptom.

31. Note the key words "most appropriate" used in reference to an activity. Recall that a child with this diagnosis would benefit from an activity that reduces stress on inflamed joints.

32. Use the process of elimination to identify the option that accurately describes parental understanding of home care of the child with juvenile idiopathic arthritis (JIA). Options 1 and 4 can be eliminated because homeschooling and confinement to bed are not indicated. Option 2 can be eliminated because heat rather than ice is more therapeutic for discomfort associated with inflammation.

33. Analyze each diagnostic test to provide screening for potential complications of the disease process. Use your knowledge to relate juvenile idiopathic arthritis (JIA) to the risk for inflammatory eye disease, which can result in functional blindness.

Nursing Care of a Child with an Injury

34. Analyze what information the question asks, which is appropriate (and accurate) home teaching for managing a sprained ankle. Recall the acronym RICE (rest, ice, compression, and elevation), which applies to first aid after a musculoskeletal injury.

35. Use the process of elimination to select the best option for managing and stopping a nosebleed, which is the priority. Eliminate option 1, because tilting the head back may lead to nausea and vomiting. Eliminate options 3 and 4 because these are not the best actions to take while bleeding.

36. Use the process of elimination to identify the best approach for keeping a displaced tooth viable before treatment by a dentist. Option 1 emerges as the best answer because milk resembles the components of salivary liquid.

Nursing Care of a Child with a Head Injury

37. Use the process of elimination to identify the best option that correlates with a manifestation of head injury that requires follow-up care. Options 1, 2, and 4 can be eliminated because they are normal findings. Recall Cushing triad, which includes a rising systolic blood pressure that occurs late in the development of increased intracranial pressure.

38. Look at the key words "most concern," which indicates urgency and a priority for reporting to the charge nurse or health care provider. Use Maslow hierarchy to identify a condition that threatens a physiologic need, in this case leaking cerebrospinal fluid. Although disorientation to time could be pathologic, it is a common abnormality when assessing orientation.

39. Use the process of elimination to identify the option that is inaccurate in relation to bicycle safety. Options 1, 3, and 4 can be eliminated because they are appropriate safety precautions.

40. The key words are "atraumatic care." Recall that school-aged children are inquisitive and interested in what will happen. Look for the option that provides appropriate developmental level instruction and reduces anxiety.

41. The key word is "unusual" indicating that other symptoms are seen more often. Rank the symptoms accordingly considering the pathophysiology and neurological impact that occurs with a concussion. Consider identifying which symptom is most severe and thus would only be seen in a portion of cases.

42. Use the process of elimination to select the discharge instruction that is essential to provide to parents of an adolescent who sustains a closed head injury. When you think closed head injury, think increased intracranial pressure and level of consciousness. Option 4 emerges as the best answer because it indicates neurologic deterioration caused by the injury.

Nursing Care of a Child with a Brain Tumor

43. Use the process of elimination to select the option that correlates most with a sign or symptom of a brain tumor. Recall the unique characteristic of vomiting in the morning as a characteristic symptom.

44. Use the process of elimination to select the option that most accurately describes the preparation for a magnetic resonance imaging (MRI) study. Option 2 can be eliminated because a headache is not caused by dye injection, and option 4 correlates with an electroencephalogram (EEG), not an MRI. Option 3 may be an attractive answer, but it can be eliminated because a hypnotic is not given; a sedative that still preserves a conscious state may be administered.

45. Look at the key words "most appropriate" and "at this time" in reference to the standard of care for a dressing that becomes moist in the immediate postoperative period. Recall that a wet dressing acts as a wick, pulling microorganisms from the surface toward the incisional area and tissues that lie beneath. Look to the health care provider for instructions.

46. Use the process of elimination to help select the response that can best help parents cope with their feelings of helplessness. Options 1, 2, and 4 contain elements that are nontherapeutic. Option 3, on the other hand, demonstrates empathy and changes the parent's focus from helplessness to being helpful.

47. Use the process of elimination to select the option that describes the best method for managing a common side effect of chemotherapy medications. Option 4 can be eliminated because pain is not a common experience associated with chemotherapy. Options 1 and 3 are healthy recommendations, but option 2 is the best answer because it provides a means of preventing nausea and vomiting, which some clients who receive chemotherapy experience.

48. Look for key information needed to calculate the answer, which include the child's weight and fluid volume per kilogram. Review mathematical processes for calculating I.V. fluid volume.

49. Use the process of elimination to select the option that describes the best nursing suggestion for maintaining social relationships between a sick child and school peers. Option 3 emerges as the best answer because it promotes the continuation of former friendships throughout the child's treatment.

50. Analyze what information the question asks, which is the proper positioning for a lumbar puncture. Eliminate options 1, 2, and 3 because they do not allow access to the intervertebral spaces for performance of the puncture.

Nursing Care of a Child in Traction

51. Analyze what information the question asks, which is actions to take when providing nursing care to a client in skeletal traction. Consider how the traction aligns bones, the tenets of maintaining traction on the femur, and principles of infection control.

52. Analyze what information the question asks, which is the most likely location of pressure sore development in a client in skeletal traction applied to the leg. Recall that a client in skeletal leg traction is in a supine position, which causes pressure on the scapulae.

53. Look at the key word "immediately," which indicates a priority assessment finding that requires reporting. Recall the standards of care and that ropes that are not positioned within the pulley interfere with the therapeutic effect of treatment.

54. Use the process of elimination to select the option that describes a nursing measure for preventing a common complication among pediatric clients who are in traction. Option 1 is the best answer because an immobilized client may not be able to drink independently due to being confined. Confinement also interferes with normal bowel function. Eliminate options 2, 3, and 4 as inappropriate nursing measures due to the traction.

55. The key word is "immediately" indicating a threat to the client's safety if unresolved. Although option 2 has merit, because the coolness is present bilaterally, it is not as significant a finding as option 3.

Nursing Care of a Child with a Kidney Disorder

56. Use the process of elimination to select the option that best correlates with the signs and symptoms of acute glomerular nephritis. Options 2 and 4 can be immediately eliminated. Option 4 is not a common manifestation; in fact, anorexia is generally the rule.

57. Analyze what information the question asks, which is the nursing actions to take for a client with nephrotic syndrome. Recall that nephrotic syndrome includes symptoms of edema with alterations in lipids and protein.

58. Analyze what information the question asks, which involves identifying a manifestation of hypokalemia. Options 1, 3, and 4 can be eliminated because they are not signs and symptoms associated with hypokalemia.

59. Use the process of elimination to select the option that describes an inappropriate or unsafe nursing action when caring for a child with Wilms' tumor. Options 2, 3, and 4 are safe and appropriate nursing activities. Option 1 describes an action that is contraindicated because it exerts pressure on the renal capsule.

Nursing Care of a Child with a Blood Disorder

60. Use the process of elimination to select the option that describes an assessment finding common among clients with anemia regardless of its cause. Options 1, 2, and 3 can be eliminated because they are not among the signs and symptoms of anemia.

61. Analyze what information the question asks, which is a drug that may cause further complications for a client who has hemophilia. Recall that a side effect of salicylates is a potential for frank or occult blood loss.

Nursing Care of a Child with a Communicable Disease

62. Analyze what information the question asks, which is a statement that describes effective teaching about tinea capitis. Recall that ringworm is treated systemically rather than topically.

63. Use the process of elimination to select the option that most accurately describes a common finding among those with pinworms. Recall that itchiness is the most common finding and some pinworms can actually be seen around the anus.

64. Use the process of elimination to select an option that indicates incorrect parental recall of information. Options 1, 3, and 4 can be eliminated because they represent accurate statements.

65. The key words are "requires clarification" indicating an incorrect statement. First, identify the rash. Note a clue, which is the client obtaining a rash by clearing brush. Next, determine the manner in which the rash is transmitted and select an incorrect statement.

Nursing Care of a Child with a Nutritional Deficiency

66. Analyze to determine what information the question asks for, which is the vitamin deficiency that contributes to the development of rickets. Correlate the foods listed and the amount of vitamin D per serving.

67. Analyze what information the question asks, which is good sources of dietary calcium, which is important information for a nurse to understand. Consider calcium-rich foods including milk sources, green and leafy vegetables, and sardines.

68. Analyze what information the question asks, which is signs and symptoms of an allergic reaction. Choose options that correlate various types of allergic reactions, including ingestants, contactants, and injectants, as well as manifestations that are common among those who have allergies.

69. Analyze what information the question asks, which is foods that may contain peanuts. Consider all of the uses of peanuts in multiple types of food. Nuts add a source of fats, protein, vitamins, and minerals.

Nursing Care of a Child with a Musculoskeletal Disability

70. Use the process of elimination to select the option that describes correct information about cerebral palsy. Option 4 can be eliminated immediately because cerebral palsy affects motor rather than sensory functions. Options 2 and 3 can be eliminated because they are false statements.

71. Analyze to determine what information the question asks for, which requires selecting a method for promoting acceptance of a diagnosis involving a child with special physical needs. Using a network of support is better than dealing with a problem in isolation.

Nursing Care of an Adolescent with Appendicitis

72. Note the key word "immediately," which indicates identifying a problem that threatens the safety and well-being of the client. Although all of the options are problematic, the absence of bowel sounds requires immediate attention.

73. Use the process of elimination to select an option that identifies the most appropriate preoperative nursing intervention for a client with appendicitis. Options 3 and 4 are inappropriate and potentially unsafe. Option 1 has merit, but it is not as important as withholding food and fluids to prevent vomiting and aspiration in an anesthetized state.

74. Note the key information that is necessary for calculating the rate of I.V. fluid administration. This includes the volume and number of hours. Review the method for calculating I.V. infusion rates if you had difficulty with this calculation.

75. Use the process of elimination to help select the option that is best for preventing postoperative respiratory complications. Although options 1, 2, and 3 are attractive, they are treatment related rather than prophylactic.

76. Use the process of elimination to guide the selection of an option that represents a therapeutic communication technique. Option 1 gives false reassurance. Option 3 belittles the client's emotional state. Option 4 does not provide any method for resolving fears that are real to the client. Option 2 provides the client with factual information.

77. Analyze to determine what information the question asks for, which is the usual recovery time after an appendectomy. Recall that a 1- to 2-week recovery period is a conservative estimate for a person whose daily activities are likely to be more energetic than sedentary.

Nursing Care of an Adolescent with Dysmenorrhea

78. Use the process of elimination to select the option that describes the best measure for relieving dysmenorrhea from among those provided. Options 1, 2, and 3 describe inaccurate and inappropriate nursing measures in relation to relieving menstrual discomfort. Option 4 emerges as the best answer because it includes principles of healthful living and symptomatic treatment.

79. Use the process of elimination to select the option identified as most impacted by the effects of dysmenorrhea. Consider the developmental level of the client when evaluating each option. Note that all options have merit, but peers and social functions are a high priority for the adolescent.

80. Analyze what information the question asks, which is evidence of incorrect understanding of instructions on medication use. Recall that absorption of antibiotics in the tetracycline family is reduced when taken with milk, food, antacids, or mineral supplements containing calcium. Drinking a full glass of water when taking a tetracycline or any other medication promotes pharmacokinetic processes.

Nursing Care of an Adolescent Who Is Engaging in Risk-Taking Behaviors

81. Use the process of elimination to identify accurate information about methamphetamine use disorder. Option 1 can be eliminated because methamphetamines are often a component in harmful polydrug use disorder. Eliminate options 3 and 4 as methamphetamines are central nervous system stimulants, not depressants, and are self-administered by a variety of routes.

82. Use the process of elimination to identify signs of methamphetamine use. Refer to the rationale for a description of effects associated with the use of a central nervous system stimulant like methamphetamine.

83. Use your knowledge of developmental tasks associated with adolescence. Recall that adolescence is a time when teenagers are attempting to discover who they are as individuals.

84. Use the process of elimination to select an option that identifies an accurate and helpful response to a parental query concerning drug treatment. Option 2 is blatantly incorrect. Option 1 is likely to be ineffective because the child probably already knows the dangers of using substances but is most likely in denial. Option 4 is incorrect because using force does not promote success in drug treatment.

85. Analyze what information the question asks, which is the recommended schedule for routine immunizations. Recall that a booster of tetanus toxoid is a standard immunization and recommended every 10 years.

86. Analyze what information the question asks, which is safety considerations with tattoos. "Select all that apply" questions require considering each option independently to decide its merit in answering the question. Choose options that identify potential risks (allergies, blood, skin irritation/infections, etc.) associated with tattooing.

87. Use the process of elimination to identify the "most" important teaching fact. This is the key point that the teacher wants students to remember. Eliminate the common facts that are just interesting and look for the fact that has a health impact.

88. Use the process of elimination to select the option that is "most important" when assessing client using a select serotonin reuptake inhibitor (SSRI). Read each option and ask, "What is each question assessing?" Relate harming oneself to suicidal thoughts.

Nursing Care of an Adolescent with a Sexually Transmitted Infection

89. Analyze what information the question asks, which is the type of specimen used to diagnose gonorrhea in a female client. Recall that the microorganism that causes gonorrhea, *Neisseria gonorrhoeae*, survives only on moist surfaces within the body and is found most commonly in the vagina of infected females.

90. Use the process of elimination to select the correct information relating to the administration of doxycycline. Options 1, 2, and 3 are not adverse effects of doxycycline. Consider drug-related information about the teaching that is appropriate for a client-prescribed doxycycline.

91. Analyze what information the question asks, which is identifying how long gonorrhea remains infectious after treatment. Recall that a negative culture 1 week after completing treatment is an indication that a client who had been diagnosed with gonorrhea is no longer infectious.

92. Use the process of elimination to identify the option that best depicts herpetic lesions. Option 1 can be eliminated because it illustrates a macule, a flat, round, non-palpable lesion. Option 3 can be eliminated because it illustrates a papule, an elevated, palpable, solid lesion. Option 4 can be eliminated because it illustrates a wheal, an elevated fluid-free lesion with an irregular border. Option 2 emerges as the best answer because the illustration corresponds with a vesicle, a round, elevated lesion that is filled with serum. Review herpes simplex and herpes complex and definitions of the lesions depicted in the options if you had difficulty answering this question.

93. Analyze what information the question asks, which is evidence that the client has verbalized incorrect information that requires clarification. Review each statement for accuracy.

94. Use the process of elimination to identify the option that states accurate information. Options 1, 2, and 4 can be eliminated because they are inaccurate. Consider drug treatment of herpes infections, specifically acyclovir, and health teaching about its administration.

95. Analyze what information the question asks, which is evidence that the client has verbalized correct information. Option 4 offers the best understanding of herpes virus transmission.

96. Use the process of elimination to help in identifying an accurate statement about transmission of acquired immunodeficiency syndrome (AIDS) from an asymptomatic person. Consider information on the possible time lapse between the initial infection and manifestation of AIDS symptoms.

97. Use the process of elimination to identify the type of diet that is best suited for a client with oral lesions. There are no scientific or therapeutic reasons for the diets identified in options 2, 3, and 4 in relation to managing the care of a client with oral lesions.

98. Analyze what information the question asks, which is accurate information regarding the use of a condom and maintaining its integrity to prevent pregnancy. Recall that leaving space between the tip of the penis and the end of the condom reduces the potential for altering the integrity of the condom at the time of ejaculation.

99. Analyze what information the question asks, which is the technique for testicular self-examination and significant findings. Recall that the testes descend when exposed to warmth, making it easier to perform self-examination.

Nursing Care of an Adolescent with Scoliosis

100. Analyze what information the question asks, which is a statement that correlates with a sign of scoliosis. Recall that the spinal curvature of scoliosis disturbs symmetry of the body including shoulder symmetry.

101. Use the process of elimination to select the option that is most important to ask before performing an x-ray, especially on a female client of reproductive age. Recall that exposure to radiation can disrupt cellular structures and function.

102. Use the process of elimination to select the option that identifies the most accurate statement about scoliosis. Option 3 can be eliminated because it describes a significant spinal defect. Recall that the lateral curvature of the spine is more likely to affect organs in the thoracic cavity, making options 2 and 3 incorrect and option 4 the best answer.

103. Use the process of elimination to identify the option that provides accurate information. Options 2 and 3 can be eliminated because they describe lengthy periods during which the brace is not worn. Option 4 can be eliminated because the brace can be removed briefly—for example, while bathing—leaving option 1 as the correct option.

104. Use the process of elimination to identify the option that is best for promoting compliance in relation to wearing a brace. Options 1, 3, and 4 are not the most therapeutic methods for helping the client adapt and accept wearing the brace and do not foster adolescent socialization. Option 4 is the best answer because it reduces the potential for being identified as being different from peers.

Dosage Calculations for Children and Adolescents

105. Look for key information that facilitates calculating an accurate dosage, such as the prescribed dose of 125 mg and the supply dose of 250 mg/5 mL. Review the formula for calculating the dosage of oral liquid medication.

106. Look for key information that facilitates calculating an accurate dosage, such as the weight of the child and the recommended dose based on weight, which is 10 to 15 mg/kg.

Correct Answers and Rationales

Nursing Care of a Child with Rheumatic Fever

1. 2. Rheumatic fever is an inflammatory disease that affects school-age children and can cause damage to heart valves. The exact cause of rheumatic fever is not clearly understood. However, evidence suggests that rheumatic fever is associated with a recent bacterial infection caused by group A β-hemolytic streptococci. These microorganisms cause some, but not all, sore throats; therefore, of the symptoms reported, a sore throat is most closely correlated with rheumatic fever and should be brought to the health care provider's attention. Rheumatic fever usually occurs 2½ to 3 weeks after the occurrence of a sore throat. Chickenpox is caused by a viral infection, not streptococci. Abnormal laboratory work and a disinterest in schoolwork probably are not related to rheumatic fever but should be recorded in the health history.
Cognitive Level—Applying
Client Needs Category—Physiological integrity
Client Needs Subcategory—Physiological adaptation

2. 4. Migrating joint pain is a major manifestation of rheumatic fever. The antistreptolysin-O (ASO) titer and the pulse rate are usually elevated with this disease. The child may also have erythema marginatum, which is a distinctive rash found on the trunk and extremities.
Cognitive Level—Applying
Client Needs Category—Physiological integrity
Client Needs Subcategory—Physiological adaptation

3. 3. Because the heart valves can be involved, it is prudent for the nurse to keep the oxygen demands and the metabolic needs of the heart decreased. This involves keeping the child in bed and quiet. Reading an adventure story would be the most appropriate activity for the child during the acute phase of the illness. The child will need both physical and emotional rest; therefore, quiet, age-appropriate activities are recommended to prevent overexertion as well as the boredom and emotional upset that may occur if the child is not permitted any activity. Preschoolers usually enjoy playing with action figures; also, this activity may cause excitement, which will increase energy consumption. Video games may also cause too much excitement. Toy mallets and wooden pegs are more appropriate for a toddler.
Cognitive Level—Applying
Client Needs Category—Health promotion and
maintenance
Client Needs Subcategory—None

4. 2. There is a slight cross-sensitivity between medications in the penicillin group and those in the cephalosporin group. Therefore, the nurse should exercise caution and notify the charge nurse or health care provider before giving the medication. There is no cross-sensitivity between penicillin and the other medication categories listed.
Cognitive Level—Applying
Client Needs Category—Physiological integrity
Client Needs Subcategory—Pharmacological therapies

5. 3. Reye syndrome is a disease that causes multisystem organ failure and can be fatal. It is associated with aspirin use but also is associated with viral infections. Despite the risk of Reye syndrome, aspirin is given instead of acetaminophen because it not only controls fever but also relieves joint inflammation, which is a major manifestation of rheumatic fever. Aspirin is not necessarily more effective in reducing fever than acetaminophen, and it does not prevent infection or cardiac enlargement.
Cognitive Level—Applying
Client Needs Category—Physiological integrity
Client Needs Subcategory—Pharmacological therapies

6. 4. A child who has had rheumatic fever may develop the disease again. Although streptococci do not cause all sore throats, the child would be at risk for a recurrence of the disease if the child develops a sore throat. Therefore, any sign of a sore throat should be reported promptly to facilitate immediate diagnosis and treatment. Antibiotics (in this case, penicillin) should be taken for the prescribed course unless otherwise indicated by the health care provider, but this would not affect future consequences. Keeping the child home is not an incorrect answer because the child should be fully recovered before returning to the school setting; however, it is not the best evidence for a future consequence of the disease.
Cognitive Level—Analyzing
Client Needs Category—Health promotion and
maintenance
Client Needs Subcategory—None

7. 1. The use of a bedside commode is an appropriate alternative to reduce the heart's workload. Shortness of breath indicates that the heart is unable to adapt to the demands required during ambulation. Giving oxygen after elimination or having the child continue to ambulate, even with the assistance of the nurse or a walker, is not likely to prevent or reduce the heart's effort in response to activity.
Cognitive Level—Applying
Client Needs Category—Physiological integrity
Client Needs Subcategory—Physiological adaptation

Nursing Care of a Child with Diabetes Mellitus

8. 2, 5, 6. Diabetic ketoacidosis is a complication of diabetes that occurs when the body's cells use fat for cellular metabolism because it cannot use sugar (glucose) as a fuel source; the body has no insulin or not enough insulin. By-products of fat metabolism, called *ketones*, accumulate in the body. Fruity-smelling breath is a manifestation

of diabetic ketoacidosis, as are deep, rapid breathing and dry, flushed skin. Other signs and symptoms include hyperglycemia, nausea and vomiting, and abdominal pain. Excessive perspiration and pallor are signs of hypoglycemia. A blood glucose reading of 120 mg/dL (6.7 mmol/L) is within the normal range.
> **Cognitive Level**—*Applying*
> **Client Needs Category**—*Physiological integrity*
> **Client Needs Subcategory**—*Physiological adaptation*

9. 3. A client experiencing diabetic ketoacidosis will have glucose and ketones in the urine. Blood, white blood cells, and bilirubin are not usually present in ketoacidosis.
> **Cognitive Level**—*Applying*
> **Client Needs Category**—*Physiological integrity*
> **Client Needs Subcategory**—*Physiological adaptation*

10. 1. Regular insulin is the only type of insulin given intravenously. Regular insulin can also be given subcutaneously as can insulin zinc suspension, insulin zinc suspension, extended, and isophane insulin suspension.
> **Cognitive Level**—*Applying*
> **Client Needs Category**—*Physiological integrity*
> **Client Needs Subcategory**—*Pharmacological therapies*

11. 1. Regular insulin is given 30 minutes before a meal because the onset of action is 30 minutes to 1 hour. Thus, the insulin is given at 0730 before the 0800 breakfast. Isophane insulin suspension (NPH) is an intermediate-acting insulin that has a later peak and duration. Giving the insulin within a shorter period might result in inadequate coverage because the insulin will not have had a chance to take effect. Giving the insulin after eating will not provide coverage for the food already consumed.
> **Cognitive Level**—*Applying*
> **Client Needs Category**—*Physiological integrity*
> **Client Needs Subcategory**—*Pharmacological therapies*

12. 4, 5, 6. During evaluation of the client's diabetic status following insulin administration, the nurse should implement a snack to maintain the client's blood sugar. Shakiness is a common sign of hypoglycemia. Other symptoms of hypoglycemia include dizziness or light-headedness, erratic heart rate or tachycardia, sweating, tremors, weakness, and hunger. The remaining options are signs and symptoms of hyperglycemia.
> **Cognitive Level**—*Applying*
> **Client Needs Category**—*Physiological integrity*
> **Client Needs Subcategory**—*Physiological adaptation*

13. 1. The nurse is correct to identify that the blood sugar reading indicates a low blood sugar. Hypoglycemia must be corrected immediately. If the child is awake and able to swallow, the nurse should offer a concentrated source of sugar such as orange juice. In addition, milk supplies the child with lactose or milk sugar, as well as a good source of protein and fat to aid in decreased absorption. I.V. administration of glucose is reserved for those who

have a change in level of consciousness and are unable to swallow. Insulin would not be given because the child already has too much insulin. The health care provider should be notified after the problem is corrected or if the child's condition worsens.
> **Cognitive Level**—*Applying*
> **Client Needs Category**—*Physiological integrity*
> **Client Needs Subcategory**—*Physiological adaptation*

14. 2. Persons with type 1 diabetes mellitus require insulin to control the disease. The hormone insulin cannot be given by mouth because digestive enzymes would destroy the insulin before it reaches the site of action. Also, the child is not a candidate for oral hypoglycemic agents because the pancreas has to be capable of producing some insulin for the child to benefit from the oral hypoglycemics; this is not the case with a child with type 1 diabetes mellitus.
> **Cognitive Level**—*Applying*
> **Client Needs Category**—*Physiological integrity*
> **Client Needs Subcategory**—*Pharmacological therapies*

15. 2. Activity requires glucose for energy. Therefore, increasing activity uses up glucose and, consequently, the body requires less-than-usual amounts of insulin. Eating too much, having an infection, and experiencing emotional stress are situations in which a client with diabetes tends to require more, not less, insulin.
> **Cognitive Level**—*Analyzing*
> **Client Needs Category**—*Health promotion and maintenance*
> **Client Needs Subcategory**—*None*

16. 3. The child with diabetes can participate in normal activities. However, certain precautions are necessary to promote safety. For example, the parents should ensure that the child goes swimming with an adult or responsible person who knows that the child has diabetes. The child can participate in activities requiring increased energy expenditure, such as basketball and soccer, as long as the activity is taken into consideration when planning the child's meals and insulin requirements. Generally, the child should consume a snack before engaging in the activity or have a simple form of glucose on hand in case a hypoglycemic reaction should occur.
> **Cognitive Level**—*Analyzing*
> **Client Needs Category**—*Health promotion and maintenance*
> **Client Needs Subcategory**—*None*

17. 2. It is important for the athlete newly diagnosed with diabetes to check the blood glucose level before participating in exercises or athletics. If the blood glucose level is high, additional glucagon, growth hormone, and catecholamines may be released. This causes the liver to release more glucose, resulting in a higher blood glucose level. If the child's blood glucose level is within the normal range or lower, exercise may lower it. Some individuals are instructed to eat a carbohydrate snack before engaging in exercise to prevent unexpected hypoglycemia.

Cognitive Level—Applying
Client Needs Category—Physiological integrity
Client Needs Subcategory—Physiological adaptation

18.

The child's blood glucose level is 269 mg/dL (15 mmol/L), thus falling within the 6-unit range (251 to 300 mg/dL [14–16.6 mmol/L]) specified by the health care provider. Therefore, the nurse would administer 6 units of Humulin R insulin.

Cognitive Level—Applying
Client Needs Category—Physiological integrity
Client Needs Subcategory—Pharmacological therapies

19. 4. The child will need to continue to monitor blood glucose levels because not all insulin pumps are used with a continuous glucose monitor (CGM). Those individuals using a CGM still must use their glucometer to calibrate the sensor and test the accuracy of the CGM. In either circumstance, glucose monitoring via a fingerstick remains.

Cognitive Level—Analyzing
Client Needs Category—Physiological integrity
Client Needs Subcategory—Physiological adaptation

Nursing Care of a Child with Partial-Thickness and Full-Thickness Burns

20. 4. A burn is classified according to the depth of tissue destruction. Burns may be superficial partial-thickness injuries, deep partial-thickness injuries, or full-thickness injuries. A full-thickness burn involves total destruction of the epidermis, dermis, and underlying tissues. The wound color ranges widely from white to red, brown, or black. The burned area is painless because nerve fibers are destroyed. Edema may be present.

Cognitive Level—Applying
Client Needs Category—Physiological integrity
Client Needs Subcategory—Physiological adaptation

21. 2. It is important for the nurse to remain alert for the possibility of respiratory distress from a blocked airway after burns to the head, face, neck, and chest. Therefore, it is imperative to keep an endotracheal tube and oxygen supply on hand in the burned client's room. An oral airway should also be readily available. The other devices and equipment mentioned are not appropriate for treating an emergency arising from respiratory distress.

Cognitive Level—Applying
Client Needs Category—Physiological integrity
Client Needs Subcategory—Physiological adaptation

22. 1, 2, 5. The emergent phase marks the first 24 to 48 hours after a burn injury. During this time, the primary emphasis is on the treatment of burn shock, specifically restoring the child's fluid and electrolyte balance. Careful tracking of vital signs, urine output, and I.V. infusion is essential. Large-bore I.V. catheters are used whenever possible because of the potential need for rapid infusions or blood products. The child would receive nothing by mouth during the emergent phase because of the risk of a paralytic ileus.

Cognitive Level—Applying
Client Needs Category—Physiological integrity
Client Needs Subcategory—Physiological adaptation

23. 3. A burn victim is placed on I.V. fluid therapy during the first 24 hours to restore fluid and electrolyte balance and to maintain perfusion of vital organs. During I.V. fluid therapy, the child is at risk for fluid overload; therefore, the nurse must closely monitor the I.V. infusion. Monitoring skin integrity and bowel elimination is a regular, ongoing assessment consideration. Checking pupillary response to light is part of a neurologic assessment; this would typically be done if the child's neurologic status was compromised.

Cognitive Level—Analyzing
Client Needs Category—Physiological integrity
Client Needs Subcategory—Physiological adaptation

24. 2. Because the skin's integrity is compromised and fluids are out of balance in clients with burns, sepsis is a major concern. During a nursing assessment, disorientation is one of the first signs of sepsis. Any time there is a change in mental status, the nurse should document the abnormal finding. A spiking fever and diminished bowel sounds are also noted at this time. Pain is common after burns and is not an early indicator of sepsis. Renal output and jitteriness are closely assessed but are not early indicators of sepsis.

Cognitive Level—Applying
Client Needs Category—Physiological integrity
Client Needs Subcategory—Physiological adaptation

25. 3. Because severe burns produce considerable pain, an opioid analgesic is commonly used as part of treatment. If the child no longer reports pain, rates the pain as 0 to 2 on a pain scale (in which 0 represents no pain and 10 the worst pain imaginable), or is able to concentrate on another activity such as watching television, the pain medication is considered effective. Respiratory depression and urine retention are adverse effects of these drugs.

Cognitive Level—Analyzing
Client Needs Category—Physiological integrity
Client Needs Subcategory—Pharmacological therapies

26. 4. Footdrop describes the inability to dorsiflex the foot due to weakness or paralysis of the muscles that lift the foot. A footboard is an effective device that the nurse can use to help support the feet in a functional position. Braces cannot be used without a health care provider's prescription. Keeping the child in a side-lying position will not prevent footdrop; this problem can only be prevented when the feet are supported in an anatomic position. The top sheet should fit loosely over the feet to assist with preventing footdrop.

Cognitive Level—*Applying*
Client Needs Category—*Physiological integrity*
Client Needs Subcategory—*Basic care and comfort*

27. 2. Stress ulcers, also called *Curling ulcers*, commonly occur in the stomach or duodenum as a complication of burns. Curling ulcers can be fatal for burned children as a result of perforation and hemorrhage of the bowel secondary to sloughing of the gastric mucosa. If the ulcer bleeds, the client will have blood in the stool, which is detected by a positive Hemoccult test and black, tarry stools. The other findings are not usual manifestations of Curling ulcers or full-thickness burns.

Cognitive Level—*Analyzing*
Client Needs Category—*Physiological integrity*
Client Needs Subcategory—*Physiological adaptation*

28. 1. The child requires a diet rich in protein to help rebuild body tissues destroyed by the burns. A milkshake is a good source of protein. Protein is the only nutrient that can build or repair tissues. Apples, broth, and gelatin contain little or no protein.

Cognitive Level—*Applying*
Client Needs Category—*Physiological integrity*
Client Needs Subcategory—*Basic care and comfort*

29. 3. Of the diversional activities described in this item, an 8-year-old is likely to enjoy playing with an action figure. Television may also provide diversion. Playing a solitary game of cards, reading the newspaper, or coloring a simple design probably would not appeal to a child of this age.

Cognitive Level—*Applying*
Client Needs Category—*Health promotion and maintenance*
Client Needs Subcategory—*None*

Nursing Care of a Child with Juvenile Idiopathic Arthritis

30. 1. The cause of juvenile idiopathic arthritis (JIA), formally called juvenile rheumatoid arthritis (JRA) is not known, but it is thought to be an autoimmune disorder that results in joint pain and swelling. The primary reason for using ibuprofen in the treatment of JIA is the drug's ability to reduce inflammation in the joints, which relieves pain, swelling, and joint stiffness. Although ibuprofen also lowers the body temperature, this is not the foremost reason for using this drug. Muscle spasms are not prevented by the administration of ibuprofen. Ibuprofen is not an anticoagulant.

Cognitive Level—*Applying*
Client Needs Category—*Physiological integrity*
Client Needs Subcategory—*Pharmacological therapies*

31. 4. Children with juvenile idiopathic arthritis (JIA) should stay active and keep their muscles strong. Acceptable activities for these children include walking, bicycling, and swimming. Children should learn to warm up before exercising. Of the four activities listed, swimming would most likely be the safest form of exercise for a child with JIA because it causes the least trauma to the affected joints.

Cognitive Level—*Applying*
Client Needs Category—*Health promotion and maintenance*
Client Needs Subcategory—*None*

32. 3. This child needs to avoid gaining excessive weight because extra weight places additional stress on the joints. Serving well-balanced meals is an effective way to ensure that the child receives enough of the right nutrients to promote growth while keeping the weight in check. After the acute phase, the child should be encouraged to lead as normal a life as possible, which includes going to school and participating in age-appropriate activities. Heat, not cold, should be applied to joints to treat inflammation.

Cognitive Level—*Analyzing*
Client Needs Category—*Health promotion and maintenance*
Client Needs Subcategory—*None*

33. 4. Uveitis, an inflammatory disorder of the eye, is a complication of juvenile idiopathic arthritis (JIA) that can occur without any noticeable symptoms. Therefore, children with JIA should have regular eye examinations. Chest x-rays, dental checkups, and routine hearing examinations are not recommended any more frequently than for a child without JIA.

Cognitive Level—*Applying*
Client Needs Category—*Health promotion and maintenance*
Client Needs Subcategory—*None*

Nursing Care of a Child with an Injury

34. 2. When the foot twists, rolls, or turns beyond its normal limits, injury occurs to the tendon, ligaments, and soft tissue and is considered an ankle sprain. An ice bag can be used safely as long as it is removed every 15 to 30 minutes to check the skin and allow the area to return to normal. Continuous application of cold results in vasoconstriction, which, if allowed to continue, could result in impaired blood supply to the affected part and possible gangrene.

Cognitive Level—*Applying*
Client Needs Category—*Physiological integrity*
Client Needs Subcategory—*Reduction of risk potential*

35. 2. A child experiencing a nosebleed should be placed in a sitting position with the head tilted forward while the nostrils are gently compressed between the thumb and forefinger. Tilting the head backward may lead to nausea, vomiting, and aspiration. Applying ice may or may not help stop the bleeding. If bleeding does not stop, the nose should be packed with a small piece of gauze that is preferably impregnated with petroleum jelly or a solution such as aqueous epinephrine (1:1,000).

Cognitive Level—Applying
Client Needs Category—Physiological integrity
Client Needs Subcategory—Reduction of risk potential

36. 1. Temporarily placing the tooth in a liquid such as milk preserves the tooth for reimplantation if the client and tooth are brought to the dentist within 30 minutes of tooth loss. Alcohol and exposure to air can damage the root and reduce the potential success of reimplantation. Placing the tooth in a plastic bag allows the tooth to be exposed to air even though it is in plastic. Allowing the tooth to be placed in a liquid to preserve the tooth for reimplantation is useful. The tooth must be brought to the dentist within 30 minutes of tooth loss. Review managing trauma to dentition if you had difficulty answering this question.

Cognitive Level—Applying
Client Needs Category—Physiological integrity
Client Needs Subcategory—Physiological adaptation

Nursing Care of a Child with a Head Injury

37. 3. A rise in blood pressure is one of the classic signs of increased intracranial pressure, along with a change in the level of consciousness, an increase in body temperature, a decrease in the pulse rate, and widening pulse pressure. Thus, the nurse should report this information to the health care provider. Brisk pupillary response to light, tympanic temperature of 97.9°F (36.6°C), and +2 deep tendon reflexes are indicative of normal central nervous system function.

Cognitive Level—Analyzing
Client Needs Category—Physiological integrity
Client Needs Subcategory—Physiological adaptation

38. 1. Cerebrospinal fluid is commonly seen leaking from the nose of the child who has sustained a basilar skull fracture. The presence of this finding should be reported immediately because this is the most serious type of skull fracture. A child who has had a head injury may have lost consciousness and may not know the time of day. A Glasgow Coma Scale score of 15 and an apical pulse of 80 beats/minute are within the normal ranges.

Cognitive Level—Analyzing
Client Needs Category—Physiological integrity
Client Needs Subcategory—Physiological adaptation

39. 2. When riding a bicycle, the child should travel in the same direction as the flow of traffic. The other options are correct safety measures that should be followed when riding a bicycle.

Cognitive Level—Analyzing
Client Needs Category—Safe and effective care environment
Client Needs Subcategory—Safety and infection control

40. 2. Using a doll to demonstrate an invasive procedure helps a child to understand what is going to happen, which decreases client anxiety. Decreasing client trauma or atraumatic care is composed of preventing or minimizing parent/child separation, promoting a sense of client control, and preventing or minimizing bodily injury or pain. Family-centered care includes encouraging siblings to visit, accommodating religious practices, and encouraging communication between client, family, and the nurse.

Cognitive Level—Applying
Client Needs Category—Safe and effective care environment
Client Needs Subcategory—Coordinated care

41. 2. According to the American Academy of Pediatrics' Clinical Report 2018, a loss of consciousness is not needed to diagnose a concussion. A loss of consciousness occurs in less than 5% of sports-related concussions. Common symptoms indicating a concussion include headache, dizziness, difficulty concentrating, and confusion.

Cognitive Level—Applying
Client Needs Category—Physiological integrity
Client Needs Subcategory—Physiological adaptation

42. 4. The person sustaining a head injury should be observed for signs of intracranial bleeding, which can occur after even a mild or slight head injury. Because signs of bleeding are most likely to occur in the first 24 hours, the parents are instructed to awaken the adolescent every 4 hours during the first night to check for an altered level of consciousness. Examples of changes requiring prompt notification of the health care provider include slurred speech, headache, visual problems, or difficulty arousing the adolescent from sleep.

Cognitive Level—Applying
Client Needs Category—Physiological integrity
Client Needs Subcategory—Reduction of risk potential

Nursing Care of a Child with a Brain Tumor

43. 1. The signs and symptoms of a brain tumor usually occur as a result of increased intracranial pressure. Vomiting, especially early in the morning, is one sign in the child with a brain tumor. Behavioral changes and seizures are other common signs. Nausea is not a common symptom. Morning drowsiness and abnormal vital signs are not correlated with a brain tumor.

Cognitive Level—Applying
Client Needs Category—Physiological integrity
Client Needs Subcategory—Physiological adaptation

44. 1. The child undergoing magnetic resonance imaging (MRI) will generally be placed in a tunnel-like scanner, although there are some open scanners available. Sedation is used only if the client is restless or claustrophobic.

Electrodes are not placed on the child's head, and headaches do not usually occur during this procedure.
Cognitive Level—Analyzing
Client Needs Category—Physiological integrity
Client Needs Subcategory—Reduction of risk potential

45. 4. The head dressing of a child who has undergone a craniotomy may become damp from cerebrospinal fluid (CSF) drainage. The nurse should reinforce the dressing until the health care provider can change it. The child will require further intervention to prevent the possibility of an infection at the operative site; however, complications may occur if the dressing is changed or removed. Notifying the parent that the child is deteriorating is not accurate. Draining of CSF is not an indication of deterioration or imminent death. Notifying the operating room of the possibility of additional surgery is premature and may not be needed. This should certainly not be done until after the health care provider has evaluated the child.
Cognitive Level—Analyzing
Client Needs Category—Physiological integrity
Client Needs Subcategory—Reduction of risk potential

46. 3. The nurse should encourage the parents to express their feelings without being judged by the nurse. The parents need to know that the feelings they are experiencing are normal. Besides listening, the nurse can suggest ways in which the parents can cope with their feelings. Suggesting that the parents identify things they can do to make the child feel good will assist them in coping with their feelings of helplessness.
Cognitive Level—Analyzing
Client Needs Category—Psychosocial integrity
Client Needs Subcategory—None

47. 2. Most chemotherapeutic agents cause some degree of nausea and vomiting. To lessen or prevent this side effect, the nurse should give a prescribed antiemetic before administering the chemotherapeutic agent. The child should always consume well-balanced meals but serving the child a meal before chemotherapy may cause increased nausea and vomiting. The child should get plenty of rest whether receiving chemotherapy or not. Administration of pain medication is not usually indicated before beginning chemotherapy.
Cognitive Level—Applying
Client Needs Category—Physiological integrity
Client Needs Subcategory—Reduction of risk potential

48. 71 mL. To find the answer, use this formula as a guide:
100 mL/kg/day for the first 10 kg of body weight
50 mL/kg/day for the next 10 kg of body weight
20 mL/kg/day for each kilogram above 20 kg of body

Calculate:

$$100 \text{ mL/kg/day} \times 10 \text{ kg} = 1{,}000 \text{ mL/day}$$
(for the first 10 kg)

$$50 \text{ mL/kg/day} \times 10 \text{ kg} = 500 \text{ mL/day}$$
(for the next 10 kg)

$$20 \text{ mL/kg/day} \times 10 \text{ kg} = 200 \text{ mL/day}$$
(for the remaining 10 kg)

Total the amounts:

1,000 mL/day + 500 mL/day + 200 mL/day = 1,700 mL/day

To find the hourly rate, divide by 24.

$$1{,}700 \text{ mL/kg/day} \div 24 \text{ hr} = 70.9 \text{ rounded to } 71 \text{ mL}$$

Cognitive Level—Applying
Client Needs Category—Physiological integrity
Client Needs Subcategory—Pharmacological therapies

49. 3. The nurse should encourage early and consistent visits from the child's friends to promote support and acceptance of the condition and enable the child to deal with the reactions of friends. Option 1 can be eliminated because relationships with children who have cancer will not reestablish former friendships. Although option 2 appears attractive, it can be eliminated because it may be difficult for the child to accept. Option 4 can be eliminated because being bald is significant to the child. Although any changes in appearance resulting from treatment are usually temporary, such changes can be very distressing to a child and the nurse should not minimize the child's feelings.
Cognitive Level—Applying
Client Needs Category—Psychosocial integrity
Client Needs Subcategory—None

50. 4. A lumbar puncture may be prescribed to assess the cerebral spinal fluid for the presence of tumor cells. The side-lying position with knees drawn up is the position of choice when a lumbar puncture is performed. This position widens the space between the vertebrae, thereby aiding with insertion of the needle. The supine and Trendelenburg positions are not suitable for this procedure because they do not allow exposure of the lumbar region. The prone position does not facilitate widening of intervertebral spaces; thus, this also is not used.
Cognitive Level—Applying
Client Needs Category—Physiological integrity
Client Needs Subcategory—Reduction of risk potential

Nursing Care of a Child in Traction

51. 2, 5, 6. Skeletal traction is used most frequently in the treatment of fractures of the femur, tibia, humerus, and cervical spine. The traction is applied directly to the bone by use of a metal pin, rod, or wire inserted into or through the bone. The pin, rod, or wire is then attached to the traction apparatus. Because of risk of injury to the client and to caregivers, it is prudent to cover the protruding pins, rods, or wires with corks or other materials to protect caregivers from becoming injured. Because of the added risk of infection with skeletal traction, the pin site should be monitored for signs of infection and routinely cleaned. In addition, the nurse should monitor the client for signs and symptoms of a urinary tract infection (UTI), which could be the result of urinary stasis from incomplete voiding. Cloudy or foul-smelling urine and feelings of urgency, burning, and pressure are all indications of a UTI. The child should be placed in the supine position (not prone). Range-of-motion exercises cannot be performed on the right leg because of the traction, and the weights should not be released.

> *Cognitive Level—Applying*
> *Client Needs Category—Physiological integrity*
> *Client Needs Subcategory—Basic care and comfort*

52. 2. When a client is properly aligned in traction, the client has the weights freely hanging with straight alignment from the head through the body and femur. In some instances, the traction lifts a body area, such as the coccyx, slightly off of the bed. Depending on the location of skeletal traction, pressure areas and skin breakdown are most likely to develop first over bony prominences, such as the heels, elbows, sacrum, ankles, and scapulae.

> *Cognitive Level—Applying*
> *Client Needs Category—Physiological integrity*
> *Client Needs Subcategory—Basic care and comfort*

53. 4. A traction rope that has slipped out of a pulley should be replaced in the pulley groove. The health care provider or registered nurse skilled in orthopedic care should perform this action. It is correct that the pin protrudes through the skin, the foot of the bed may be elevated, and the weights should hang freely.

> *Cognitive Level—Applying*
> *Client Needs Category—Physiological integrity*
> *Client Needs Subcategory—Basic care and comfort*

54. 1. A high fluid intake and a diet high in fiber are recommended to prevent constipation and other complications of immobilization, such as kidney stones and urinary tract infections. The right leg, which is in traction, is kept immobile. Turning the client is not routinely performed.

> *Cognitive Level—Applying*
> *Client Needs Category—Physiological integrity*
> *Client Needs Subcategory—Basic care and comfort*

55. 3. The child should be able to move the toes freely; an inability to do so may indicate an alteration in neurovascular status. If the toes on both feet are cool, it is probably due to the environmental temperature rather than neurovascular impairment. The other parameters indicate intact neurovascular function.

> *Cognitive Level—Applying*
> *Client Needs Category—Physiological integrity*
> *Client Needs Subcategory—Physiological adaptation*

Nursing Care of a Child with a Kidney Disorder

56. 1. Glomerular nephritis is an inflammation of the glomeruli, which are the kidneys' filtering mechanisms. Glomerular nephritis is more common in boys than girls and occurs in toddlers and school-age children who have had recent streptococcal infections (primarily strep throat). Acute glomerular nephritis (AGN) is a disease characterized by the sudden appearance of generalized edema, periorbital edema that is worse in the morning, hematuria, proteinuria, decreased urination, anorexia, and hypertension.

> *Cognitive Level—Applying*
> *Client Needs Category—Physiological integrity*
> *Client Needs Subcategory—Physiological adaptation*

57. 2, 4, 5, 6. Nephrotic syndrome is caused by damage to the glomeruli and results in a large amount of protein being excreted in the urine, which in turn results in hypoalbuminemia, hyperlipidemia, and generalized edema. The child with nephrotic syndrome should be weighed daily to monitor the amount of edema present. The abdominal circumference is also measured. Abdominal circumference measurements are indicated because of the large amounts of generalized edema, including fluid trapped in the peritoneal cavity (called *ascites*). Collecting a 24-hour urine specimen will provide more accurate accounts of the protein in the urine than can be identified by using a chemical dipstick to assess the urine. Monitoring blood urea nitrogen and creatinine is essential for assessing the proper functioning of the kidneys and the effectiveness of the treatment. The child with nephrotic syndrome is able to maintain range of motion and independently perform activities of daily living. A high-protein, low-sodium diet is commonly required as part of the treatment plan.

> *Cognitive Level—Applying*
> *Client Needs Category—Physiological integrity*
> *Client Needs Subcategory—Physiological adaptation*

58. 2. Weak pulse, hypotension, muscular weakness, diminished reflexes, loss of peristalsis, and cardiac arrest are signs and symptoms of hypokalemia.

> *Cognitive Level—Analyzing*
> *Client Needs Category—Physiological integrity*
> *Client Needs Subcategory—Physiological adaptation*

59. 1. A Wilms' tumor is a congenital, cancerous tumor of the kidney. Feeling, touching, or handling the client's abdomen may result in rupture of the renal capsule and the spread of cancerous tumor cells. Collecting a catheterized urine specimen and auscultating bowel sounds will not result in rupturing the renal capsule. There is no need to insert a rectal tube.

> *Cognitive Level—Applying*
> *Client Needs Category—Physiological integrity*
> *Client Needs Subcategory—Reduction of risk potential*

Nursing Care of a Child with a Blood Disorder

60. 4. Pallor, listlessness, and irritability are observable signs of iron-deficiency anemia. The child's history may also reveal anorexia, weight loss, and a decrease in normal activity.

> *Cognitive Level—Understanding*
> *Client Needs Category—Physiological integrity*
> *Client Needs Subcategory—Physiological adaptation*

61. 1. Salicylates prolong bleeding time by interfering with the blood's ability to clot. Acetylsalicylic acid (aspirin), a salicylate, is contraindicated for anyone with a bleeding disorder because it is usually extremely difficult to stop the bleeding. A child who receives aspirin could bleed to death from even a relatively small lesion. Although caffeine, barbiturates, and antacids are not contraindicated for those with hemophilia, they are not routinely given.

> *Cognitive Level—Applying*
> *Client Needs Category—Physiological integrity*
> *Client Needs Subcategory—Pharmacological therapies*

Nursing Care of a Child with a Communicable Disease

62. 2. Tinea capitis is a superficial fungal infection usually found on the scalp. The preferred treatment for tinea capitis (ringworm) is oral griseofulvin for a minimum of 6 weeks. It is recommended that the medication be taken with milk or ice cream to increase its absorption. Nits are found in pediculosis capitis (lice infestation), not tinea capitis. Topical medications alone are ineffective in the treatment of tinea capitis.

> *Cognitive Level—Analyzing*
> *Client Needs Category—Health promotion and maintenance*
> *Client Needs Subcategory—None*

63. 3. Pinworms are small, white worms that live in the intestines. Pinworm infestations are common in young children, easily transmitted from child to child, and easily treated. The most common manifestation of pinworms is anal itching as the female worms exit from the intestine and lay eggs around the anus. Increased flatulence, abdominal pain, and bulky, greasy stools are not usual findings.

> *Cognitive Level—Analyzing*
> *Client Needs Category—Physiological integrity*
> *Client Needs Subcategory—Physiological adaptation*

64. 2. Impetigo is a contagious disorder caused by a streptococcal or staphylococcal skin infection. Both systemic and topical antibiotics are usually prescribed. The lesions are itchy, therefore necessitating the need for short nails, and oral antihistamines are sometimes prescribed to decrease the inflammation and itching. It is easily spread from child to child.

> *Cognitive Level—Analyzing*
> *Client Needs Category—Safe and effective care environment*
> *Client Needs Subcategory—Safety and infection control*

65. 1. The rash is poison ivy. Poison ivy is spread when the oil found on the plants, called urushiol, is transmitted from plant to person, person to person, an article of clothing to person, or animal to person. It is not transmitted through the fluid in the vesicles. Not all people are affected by the urushiol in the same way. Once the urushiol is eliminated through washing and cleaning, there is no further way to spread the rash.

> *Cognitive Level—Analyzing*
> *Client Needs Category—Safe and effective care environment*
> *Client Needs Subcategory—Safety and infection control*

Nursing Care of a Child with a Nutritional Deficiency

66. 4. Rickets is caused by a lack of vitamin D in the diet. The vitamin is essential for proper calcium and phosphorus used in the normal development of bones and teeth. Signs of rickets include delayed closure of the fontanels, delayed tooth growth, dental caries, and deformities of the long bones. Salmon has the highest amount of vitamin D providing approximately 400 IU of vitamin D. Oranges are high in vitamin C. Eggs are high in protein. Sweet potatoes are high in vitamin A.

> *Cognitive Level—Analyzing*
> *Client Needs Category—Physiological integrity*
> *Client Needs Subcategory—Basic care and comfort*

67. 2, 3, 5. The best dietary sources of calcium are dairy products (including milk, yogurt, and cheese products), soybeans, fortified orange juice, dark green leafy vegetables, sardines, clams, and oysters. Chicken is a good source of protein, and apples have vitamins and antioxidant properties. Broccoli is not a dark green leafy vegetable, and it only has 62 mg of calcium per 1 cup serving.

> *Cognitive Level—Applying*
> *Client Needs Category—Physiological integrity*
> *Client Needs Subcategory—Basic care and comfort*

68. 1, 2, 3, 4. Peanut allergies are the result of direct contact with peanuts, such as ingesting peanuts or products containing peanuts, or indirect contact, such as inhaling peanut dust. The body's immune system mistakenly recognizes peanuts as something harmful. Peanut allergies can be minor or severe and can result in anaphylactic shock and possible death. The signs and symptoms of peanut allergies include hives; itching around the mouth and throat; digestive problems such as nausea, vomiting, diarrhea, and abdominal cramping; and a runny or stuffy nose. Other signs and symptoms include shortness of breath and wheezing, chest tightening, constriction of the airway, and those related to shock, including tachycardia and hypotension.

> *Cognitive Level—Applying*
> *Client Needs Category—Health promotion and maintenance*
> *Client Needs Subcategory—None*

69. **1, 2, 3, 4.** Foods that contain peanuts or peanut products should be avoided. Some foods containing peanuts are obvious, such as mixed nuts or candy that contains peanuts. Other foods that contain peanuts may be harder to detect; these can include cookies and pastries, ice cream and frozen desserts, energy bars, cereals, and granola. Additional foods that may contain peanuts are ethnic foods such as Chinese, Thai, Vietnamese, and Mexican. Yogurt and sour cream and cheeseburgers and cola do not contain peanut oil.

> *Cognitive Level*—*Applying*
> *Client Needs Category*—*Health promotion and maintenance*
> *Client Needs Subcategory*—*None*

Nursing Care of a Child with a Musculoskeletal Disability

70. **1.** Cerebral palsy is a nonprogressive neuromuscular disorder caused by an injury to the motor-coordinating areas of the brain. Brain surgery cannot help or cure those with this disorder. Physical therapy and other disciplines, such as occupational, speech, and recreational therapy, are often of great benefit to those with cerebral palsy.

> *Cognitive Level*—*Applying*
> *Client Needs Category*—*Physiological integrity*
> *Client Needs Subcategory*—*Physiological adaptation*

71. **3.** Parents who have children with the same disability are often able to provide emotional support. When these parents meet, they share a common bond and a common burden, and they learn from one another about how to overcome obstacles. Recommending online resources can provide inaccurate information; referring the parents to a social welfare agency or giving them literature to read probably will not help them cope with their problems as effectively as would talking with someone with a similar experience.

> *Cognitive Level*—*Analyzing*
> *Client Needs Category*—*Psychosocial integrity*
> *Client Needs Subcategory*—*None*

Nursing Care of an Adolescent with Appendicitis

72. **3.** Absent bowel sounds may be a sign of inflammation and possible obstruction and should be reported immediately. The other findings do not pose as great a threat to the adolescent's health at this time.

> *Cognitive Level*—*Analyzing*
> *Client Needs Category*—*Physiological integrity*
> *Client Needs Subcategory*—*Physiological adaptation*

73. **2.** Before surgery, the teenager should be given nothing by mouth (NPO) to reduce the risk of aspiration during surgery. Analgesics can mask clinical signs and symptoms needed for a diagnosis; therefore, they should not be given before surgery. Enemas and laxatives should be avoided because they increase peristalsis, which may rupture the appendix. Applying heat to the abdomen is contraindicated because this also may rupture the appendix.

> *Cognitive Level*—*Applying*
> *Client Needs Category*—*Physiological integrity*
> *Client Needs Subcategory*—*Reduction of risk potential*

74. **4.** If a total of 1,000 mL is to be given over 8 hours, the nurse needs to divide the amount to be given (1,000 mL) by the total number of hours (8).

$$1,000 \text{ mL} \div 8 \text{ hours} = 125 \text{ mL/hour}$$

> *Cognitive Level*—*Applying*
> *Client Needs Category*—*Physiological integrity*
> *Client Needs Subcategory*—*Pharmacological therapies*

75. **4.** Incentive spirometry and deep breathing help prevent respiratory complications that may be experienced by persons having abdominal surgery. Bronchodilators, oxygen, and corticosteroids are used to treat respiratory complications; they are not preventive measures.

> *Cognitive Level*—*Applying*
> *Client Needs Category*—*Physiological integrity*
> *Client Needs Subcategory*—*Reduction of risk potential*

76. **2.** Many clients, children and adults alike, are afraid their sutures will pull out if they walk or move too much. The nurse should reassure such clients that the sutures are designed to endure movement and walking. Telling the teenager that walking will not cause discomfort is not true. Although acknowledging the teenager's fear is appropriate, the nurse should attempt to respond in a way that helps to resolve the fear. Putting off ambulation is not therapeutic and will not help the client face and resolve fear.

> *Cognitive Level*—*Applying*
> *Client Needs Category*—*Psychosocial integrity*
> *Client Needs Subcategory*—*None*

77. **2.** A child with no complications may return to school within 2 weeks of an appendectomy; this generally allows sufficient time for healing and recovery. Limited activities are generally recommended throughout the recovery period.

> *Cognitive Level*—*Applying*
> *Client Needs Category*—*Physiological integrity*
> *Client Needs Subcategory*—*Physiological adaptation*

Nursing Care of an Adolescent with Dysmenorrhea

78. **4.** Proper sleep, a well-balanced diet, warm tub baths, application of heat to the abdomen, drinking warm liquids, and moderate exercise are some recommendations the nurse can make to relieve dysmenorrhea (painful menstruation). The other options are not known to relieve menstrual cramps or pain.

Cognitive Level—Applying
Client Needs Category—Physiological integrity
Client Needs Subcategory—Basic care and comfort

79. 2. During adolescents, peer relationships, more than family, are of a high priority; thus, the interruption of social functions is of highest priority when considering the effects of dysmenorrhea. Though gym class is a requirement in many schools, many students need to refrain from gym class activities due to illness or injury. The adolescent may return to gym class once dysmenorrhea has subsided. Discussing the symptoms and following up on a treatment plan for the effects of dysmenorrhea typically can be addressed with phone consultation.

Cognitive Level—Analyzing
Client Needs Category—Health promotion and maintenance
Client Needs Subcategory—None

80. 3. The client should take tetracycline hydrochloride when the stomach is empty and wait 1 hour before eating after taking the drug. The other options are appropriate when taking this medication.

Cognitive Level—Applying
Client Needs Category—Physiological integrity
Client Needs Subcategory—Pharmacological therapies

Nursing Care of an Adolescent Who Is Engaging in Risk-Taking Behaviors

81. 2. Methamphetamines, which are central nervous system (CNS) stimulants, can lead to addiction. Their use depletes stores of adrenaline and contributes to the repeated use of the drug to restore pleasure, stimulation, and a sense of well-being. Those with amphetamine use disorder may also suffer from other substance use disorders. It is untrue to state that methamphetamines are tried by "most" adolescents and cause no harm. Methamphetamines are most commonly snorted, injected, swallowed, or smoked, all of which are harmful.

Cognitive Level—Applying
Client Needs Category—Health promotion and maintenance
Client Needs Subcategory—None

82. 4. Signs of methamphetamine use disorder include those associated with central nervous system (CNS) stimulants. They include marked nervousness, restlessness, excitability, talkativeness, excessive perspiration, and violent aggressive behavior. The remaining signs are not characteristic of methamphetamine use disorder.

Cognitive Level—Applying
Client Needs Category—Physiological integrity
Client Needs Subcategory—Pharmacological therapies

83. 1. Adolescents normally try to develop self-identity. One way of achieving this is through identifying with peers and mimicking group behaviors. The search for intimate relationships usually occurs between ages 18 and 40. Generally, adults demonstrate integrity, not adolescents. Idealism refers to the pursuit of ideas; it is most likely unrelated to amphetamine use disorder.

Cognitive Level—Applying
Client Needs Category—Health promotion and maintenance
Client Needs Subcategory—None

84. 3. The successful treatment of substance use disorders largely depends on the person's desire to become drug-free. Someone who is forced to enter a drug rehabilitation program probably has less of a chance of remaining drug-free than someone who enters a program willingly. Usually, a court order is not necessary for participation in a drug rehabilitation program. Merely discussing the dangers of using drugs is not likely to change the teenager's pattern of substance use.

Cognitive Level—Analyzing
Client Needs Category—Psychosocial integrity
Client Needs Subcategory—None

85. 4. Booster doses of tetanus toxoid are recommended during adolescence and once every 10 years thereafter. Smallpox vaccination is no longer advised because it is believed that the disease has been essentially eradicated. The last polio vaccine is given between ages 4 and 6. The *Haemophilus influenzae* type b (Hib) vaccine schedule is completed at 15 months.

Cognitive Level—Applying
Client Needs Category—Health promotion and maintenance
Client Needs Subcategory—None

86. 2, 3, 4, 5, 6. Tattooing involves the injection of ink into the skin at a rate of about 3,000 times per minute. The most common dangers and complications of tattooing involve an allergic reaction to the ink, skin infections because of unsterilized needles, and the transmission of diseases such as tetanus, hepatitis B or C, human immunodeficiency virus (HIV), and syphilis. Tattooing also may result in chronic skin diseases such as psoriasis, dermatitis and scarring. According to American Academy of Dermatology, body tattoos can cover up, not cause, tumors of the skin. Cleanliness and sterility of the environment are essential.

Cognitive Level—Applying
Client Needs Category—Health promotion and health maintenance
Client Needs Subcategory—None

87. 3. According to the American Academy of Pediatrics (2019), separate well-designed, longitudinal studies confirm that adolescents and young adults 14 to 30 years of age who have used e-cigarettes are 3.6 times more likely to have transitioned to traditional cigarettes as compared with those who have not used e-cigarettes. This finding raises concerns that e-cigarettes have the potential to addict a new generation to tobacco and nicotine. All of the other options are true but not as important.

> *Cognitive Level*—*Applying*
> *Client Needs Category*—*Health promotion and health maintenance*
> *Client Needs Subcategory*—*None*

88. 2. The client has begun taking citalopram for depression. It is most important for the nurse to assess the efficacy of the medication and any side effects. The Food and Drug Administration issued a "black box warning," the most serious type of warning in prescription drug labeling, for the risk of suicidal thinking in children and adolescents. This information would be assessed at each visit. The other questions are appropriate questions but not the most important.

> *Cognitive Level*—*Analyzing*
> *Client Needs Category*—*Safe and effective care environment*
> *Client Needs Subcategory*—*Coordinated care*

Nursing Care of an Adolescent with a Sexually Transmitted Infection

89. 3. A diagnosis of gonorrhea is confirmed when the microorganism is found in the client's vaginal discharge. This is usually accomplished by viewing a smear sample under a microscope, although cultures of the discharge may also be taken. Cervical biopsy and blood and urine specimen examinations are not used to confirm a diagnosis of gonorrhea.

> *Cognitive Level*—*Applying*
> *Client Needs Category*—*Physiological integrity*
> *Client Needs Subcategory*—*Reduction of risk potential*

90. 4. Gastrointestinal upset is one of the adverse reactions to doxycycline. Potentially serious adverse reactions should be immediately be reported to the health care provider. This medication does not usually discolor the urine. The medication should be taken with a full glass of water; it can also be taken with food or dairy products.

> *Cognitive Level*—*Applying*
> *Client Needs Category*—*Physiological integrity*
> *Client Needs Subcategory*—*Pharmacological therapies*

91. 3. One or preferably two follow-up smears or cultures should be taken after therapy is completed for clients who have gonorrhea. If the cultures and smears are negative, the client is considered noninfectious. It is unsafe to assume that a client is no longer infectious based on cessation of vaginal discharge, pain-free menstrual periods, or taking prescribed medication; follow-up studies are essential.

> *Cognitive Level*—*Applying*
> *Client Needs Category*—*Safe and effective care environment*
> *Client Needs Subcategory*—*Safety and infection control*

92.

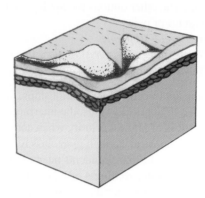

2. The initial lesions of genital herpes can be described as fluid-filled vesicles, shown in illustration 2. The lesions may become pustules, which in time may become crusted. The other options do not accurately depict genital herpes lesions.

> *Cognitive Level*—*Applying*
> *Client Needs Category*—*Physiological integrity*
> *Client Needs Subcategory*—*Physiological adaptation*

93. 3. Genital herpes is not associated with sterility; gonorrhea can cause sterility in females. Current studies have identified a close link between genital herpes and prostate cancer in men and cervical cancer in women. Genital herpes also has been closely associated with the occurrence of Hodgkin disease. Female clients with genital herpes are advised to have Papanicolaou (Pap) tests every 6 months, and male clients are advised to have rectal examinations and prostate-specific antigen (PSA) tests yearly.

> *Cognitive Level*—*Analyzing*
> *Client Needs Category*—*Health promotion and maintenance*
> *Client Needs Subcategory*—*None*

94. 3. Topical acyclovir should be applied with a glove or finger cot to prevent spreading the infection. Acyclovir does not provide protection against or prevent recurrence of the disease; however, it does prolong remission and decrease the pain associated with the presence of lesions. Sex partners do not need to be treated with topical acyclovir because it is used to decrease pain and prevent recurrence.

> *Cognitive Level*—*Applying*
> *Client Needs Category*—*Physiological integrity*
> *Client Needs Subcategory*—*Pharmacological therapies*

95. 4. Sexual contact should be avoided, especially during active disease. The herpes virus can cross the condom membrane; therefore, wearing a condom will not totally ensure protection. Also, douching and taking acyclovir will not protect against virus transmission.

> *Cognitive Level*—*Evaluating*
> *Client Needs Category*—*Safe and effective care environment*
> *Client Needs Subcategory*—*Safety and infection control*

96. 2. Symptoms of acquired immunodeficiency syndrome (AIDS) may appear months or years after the original infection; therefore, the absence of symptoms is no assurance that a sexual partner does not have AIDS. AIDS cannot be cured and the transmission of AIDS cannot be controlled with antiviral drugs. The drugs currently in use may slow disease progression in some people. Telling the adolescent to cease sexual activity is rarely effective.

> *Cognitive Level*—*Applying*
> *Client Needs Category*—*Health promotion and maintenance*
> *Client Needs Subcategory*—*None*

97. 1. A high-calorie, bland diet served in small amounts at frequent intervals is best for the adolescent for two reasons. The bland foods will not irritate the lesions in the adolescent's mouth, and the additional calories are needed to prevent weight loss, which is a common finding in adolescents with acquired immunodeficiency syndrome (AIDS). The other diets mentioned may not provide the nutrients needed or may aggravate other problems found in adolescents with AIDS.

> *Cognitive Level*—*Applying*
> *Client Needs Category*—*Physiological integrity*
> *Client Needs Subcategory*—*Basic care and comfort*

98. 4. A 0.5 in (1.25 cm) space should be left at the tip of the condom to allow for collection of the ejaculate and to prevent tearing of the condom. Condoms can be damaged by heat and, therefore, should be stored in a cool place. A condom should be applied after the penis is erect. Condoms may or may not be prelubricated. Those that contain a water-based lubricant may have the lubricant applied during the manufacturing process or applied at the time of sexual intercourse. A petroleum-based lubricant can degrade the condom material.

> *Cognitive Level*—*Applying*
> *Client Needs Category*—*Health promotion and maintenance*
> *Client Needs Subcategory*—*None*

99. 1. The client should examine his testicles individually, one at a time, after a warm bath or shower. One testicle is usually slightly larger than the other. Lumps, if detected, are usually found on the sides of the testicles.

> *Cognitive Level*—*Applying*
> *Client Needs Category*—*Health promotion and maintenance*
> *Client Needs Subcategory*—*None*

Nursing Care of an Adolescent with Scoliosis

100. 2. Scoliosis, a curvature of the spine that occurs just before puberty, is more common in females and is most often associated with a growth spurt. The cause of most scoliosis is unknown. Children with scoliosis often report having difficulty with their clothes fitting properly. Common reports include an uneven hemline and uneven sleeve length, one shoulder and hip higher than the other, an uneven waist line, and one scapula that is highly pronounced.

> *Cognitive Level*—*Applying*
> *Client Needs Category*—*Health promotion and maintenance*
> *Client Needs Subcategory*—*None*

101. 1. X-rays are used to confirm a diagnosis of scoliosis. Because the radiation emitted by x-rays carries a risk of causing genetic mutation that may lead to birth defects in offspring, the nurse should first determine whether there is a possibility that the client is pregnant. The client's allergy status, medication use, and consumption of food are not pertinent to this type of radiologic test.

> *Cognitive Level*—*Applying*
> *Client Needs Category*—*Physiological integrity*
> *Client Needs Subcategory*—*Reduction of risk potential*

102. 4. The severity of scoliosis is based on the degree of spinal curvature. Any curvature greater than 20 degrees requires treatment; surgery is indicated if the curvature is 50 degrees or greater. If treatment is not implemented, the curvature will continue to increase. A lateral curvature in the spine causes asymmetry of the thoracic cage with a midline displacement of the sternum, which may affect respiratory function if it becomes pronounced.

> *Cognitive Level*—*Analyzing*
> *Client Needs Category*—*Health promotion and maintenance*
> *Client Needs Subcategory*—*None*

103. 1. Curvatures between 20 and 40 degrees usually respond to nonsurgical treatment such as a Milwaukee brace. A Milwaukee brace is a large, cumbersome, full-torso brace that has a bar for the chin and back of the head. The brace is worn an average of 22 to 23 hours/day and should be removed only when the child is taking a bath or swimming. The brace will not cure the curve but will prevent the progression of the curve. Usually, braces are worn for several years until growth is complete. Currently, there is an option for an underarm molded brace that is less detectable under clothing. However, this type of brace is not effective in curves of the upper spine, in which case a Milwaukee brace is preferable.

> *Cognitive Level*—*Applying*
> *Client Needs Category*—*Physiological integrity*
> *Client Needs Subcategory*—*Physiological adaptation*

104. 2. Adolescents are very concerned about appearances and acceptance by their peer group. Because the Milwaukee brace must be worn almost continually, the nurse should discuss ways to help the child find appropriate, stylish attire that hides the brace. This should help the child feel more like peers and ensure better compliance with the treatment plan. The other options are inappropriate.

> *Cognitive Level*—*Applying*
> *Client Needs Category*—*Health promotion and maintenance*
> *Client Needs Subcategory*—*None*

Dosage Calculations for Children and Adolescents

105. 2.5 mL.

$$\frac{\text{Dose Desired}}{\text{Dose on hand}} \times \text{Total quantity} = \text{Dose to administer}$$

$$\frac{125 \text{ mg}}{250 \text{ mg}} \times \frac{5 \text{ mL}}{1} = X$$

$$\frac{625}{250} = X$$

$$X = 2.5 \text{ mL}$$

Cognitive Level—*Applying*
Client Needs Category—*Physiological integrity*
Client Needs Subcategory—*Pharmacological therapies*

106. 354 mg.

Use the client's weight in kilograms and recommended dose range to determine the highest dosage in the dose range to calculate the highest single dose that would be safe.

$$15 \text{ mg/kg} \times 23.6 \text{ kg} = 354 \text{ mg}$$

Cognitive Level—*Applying*
Client Needs Category—*Physiological integrity*
Client Needs Subcategory—*Pharmacological therapies*

The Nursing Care of Clients with Mental Health Needs

TEST 16

The Nursing Care of Infants, Children, and Adolescents with Mental Health Needs

■ Mental Health Needs During Infancy
■ Mental Health Needs During Childhood
■ Mental Health Needs During Adolescence
■ Test Taking Strategies
■ Correct Answers and Rationales

Directions: *With a pencil, blacken the space in front of the option you have chosen for your correct answer.*

Mental Health Needs During Infancy

A couple who has been childless for 10 years become parents of a newborn with Down syndrome.

1. To help the parents cope with their disappointment and loss of their "perfect" newborn, what nursing action is most appropriate **initially**?
[ ] 1. Encourage the parents to verbalize their feelings.
[ ] 2. Recommend treating the child as a normal newborn.
[ ] 3. Refer the couple to community resources for assistance.
[ ] 4. Encourage the parents to accept a consult with the chaplain.

When the nurse brings the newborn with Down syndrome to the mother's room, the spouse says, "These health care providers do not know anything. We are going to consult specialists."

2. What response by the nurse to the parents is **most** appropriate at this time?
[ ] 1. "What makes you feel the health care providers are not well qualified?"
[ ] 2. "This diagnosis is difficult for parents to accept."
[ ] 3. "Why do you feel you need a second opinion?"
[ ] 4. "It is not as bad as it may seem right now."

The nurse recognizes that the parents are working through the stages of grieving as a result of having a newborn with Down syndrome.

3. The nurse is supporting the parents as they move through the grieving process. Place the following parent grief responses in the chronologic order in which they will **most** likely occur. Use all the options.

1. Overheard telling partner, "I cannot go on; I am such a failure at being a mother."
2. Father states, "We are good people. We do not deserve to have this happen to us."
3. Mother's initial response is, "You have confused my baby with someone else's'"
4. Father heard praying, "What can I do to make this better for my wife and child?"
5. Mother observed rocking the newborn and discussing how much he looks like his grandfather.

4. What nursing observation provides the **best evidence** that the mother is bonding with her newborn with Down syndrome?
[ ] 1. Smiling and talking to the newborn
[ ] 2. Asking questions about newborn care
[ ] 3. Wanting to see visitors who come
[ ] 4. Feeding and burping the newborn

The nurse notes that the mother appears nervous when the newborn cries during the bath.

5. What nursing action is **most appropriate** for the mother at this time?
[ ] **1.** Briefly take over bathing the newborn.
[ ] **2.** Advise the mother to discontinue the bath.
[ ] **3.** Give the newborn future baths in the nursery.
[ ] **4.** Point out to mother the good job she is doing.

A nurse is assigned to care for several infants in the newborn nursery.

6. What withdrawal symptom is the nurse **most** likely to note while observing the newborn of a mother who used heroin during pregnancy?
[ ] **1.** Unresponsiveness
[ ] **2.** Dilated pupils
[ ] **3.** Persistent crying
[ ] **4.** Impaired sucking

7. When caring for a newborn experiencing opioid withdrawal, what nursing intervention should be included in the care plan **initially**?
[ ] **1.** Reducing environmental stimuli
[ ] **2.** Touching the newborn frequently
[ ] **3.** Stroking the newborn's skin gently
[ ] **4.** Leaving the newborn unwrapped

The nurse interacts with the parents of a child born with myelomeningocele.

8. To ensure optimum mental health of an infant born with a congenital defect, what psychosocial need is **most important** for the nurse to stress regarding parenting the infant?
[ ] **1.** Autonomy
[ ] **2.** Love
[ ] **3.** Respect
[ ] **4.** Identity

An adolescent parent brings the 6-month-old infant to the clinic. The parent tells the nurse that the infant cries a lot, and the parent is concerned that the infant is not eating well.

9. What information about the infant's well-being is most important for the nurse to collect **initially**?
[ ] **1.** Weight and length
[ ] **2.** Breath and heart sounds
[ ] **3.** Head and chest circumference
[ ] **4.** Strength of sucking and grasp reflexes

On examination of the adolescent parent's infant, no signs of illness are identified.

10. What information is **most** helpful for the nurse to obtain next?
[ ] **1.** The parent's expectations of an infant's behavior
[ ] **2.** How many children the parent wants to have
[ ] **3.** If the parent plans to finish high school
[ ] **4.** The infant's primary caregiver

The adolescent parent tells the nurse about being afraid that holding the infant will result in spoiling the baby, so the parent frequently puts the infant in the crib.

11. What information given by the nurse to the parent is **most appropriate**?
[ ] **1.** "Holding the infant fosters a sense of trust."
[ ] **2.** "Grandparents usually spoil infants."
[ ] **3.** "Infants need to be spoiled a little."
[ ] **4.** "Toddlers are more likely to be spoiled."

12. What instruction is **most important** for the nurse to recommend to the adolescent parent regarding parenting the infant?
[ ] **1.** "Give the infant a pacifier whenever the infant cries."
[ ] **2.** "Turn on a radio in the room with the infant."
[ ] **3.** "Cuddle and talk to the infant frequently."
[ ] **4.** "Place a brightly colored mobile above the crib."

13. If the adolescent parent expresses feeling inexperienced and inadequate in caring for the infant, what referral is **best**?
[ ] **1.** Project Head Start
[ ] **2.** Planned Parenthood
[ ] **3.** Parent-teacher association
[ ] **4.** Parenting classes

14. The nurse is correct in assuming that without adequate nurturing during infancy, the child of the adolescent parent is at risk for developing what psychosocial characteristic?
[ ] **1.** Inferiority
[ ] **2.** Mistrust
[ ] **3.** Anxiety
[ ] **4.** Isolation

The adolescent parent returns to the clinic 4 months later. After the infant is assessed, a diagnosis of failure to thrive is made.

15. What assessment findings are **most** characteristic of a 10-month-old infant with the diagnosis of failure to thrive? Select all that apply.
[ ] **1.** Cries vigorously when handled.
[ ] **2.** Fails to achieve developmental milestones.
[ ] **3.** Appears pale and lethargic.
[ ] **4.** Eats vigorously when fed.
[ ] **5.** Does not respond to speech.

The nurse reviews the parent's history to identify factors that may have led to the diagnosis of the infant's failure to thrive.

16. What maternal risk factors affecting the infant's failure to thrive would the nurse expect to note when gathering data? Select all that apply.
[ ] **1.** The pregnancy was unplanned and unwanted.
[ ] **2.** The infant's father has abandoned the mother.
[ ] **3.** The mother is an adolescent.
[ ] **4.** The mother's socioeconomic status is low.
[ ] **5.** The mother has a history of alcohol and drug use.
[ ] **6.** The mother has dropped out of high school.

Mental Health Needs During Childhood

A public health nurse assesses a 2-year-old child at the immunization clinic.

17. What nursing assessment finding is **most suggestive** that the child is developmentally delayed?
[ ] **1.** The child is being bottle-fed.
[ ] **2.** The child is not toilet trained.
[ ] **3.** The child has no language skills.
[ ] **4.** The child cannot draw a picture.

18. If the parent asks the nurse how to appropriately discipline a 2-year-old child, what response by the nurse is **most appropriate**?
[ ] **1.** "Identify the consequences of unacceptable behavior before it happens."
[ ] **2.** "Show disapproval immediately after an unacceptable act."
[ ] **3.** "Administer some form of moderate physical punishment."
[ ] **4.** "Explain to the child why certain behavior is undesirable."

The unlicensed assistive personnel (UAP) becomes frustrated by the 2-year-old child's persistent response of "No" whenever the child is asked to do something. The UAP asks the nurse for help.

19. The nurse correctly explains that this is normal behavior for toddlers who are developing which psychosocial characteristic?
[ ] **1.** Integrity
[ ] **2.** Identity
[ ] **3.** Autonomy
[ ] **4.** Generativity

20. What is the **best** suggestion the nurse can give the unlicensed assistive personnel caring for the 2-year-old child at this time?
[ ] **1.** "Let the child choose from two acceptable alternatives."
[ ] **2.** "Withhold something the child desires until the child complies."
[ ] **3.** "Identify what is expected of the child, rather than ask."
[ ] **4.** "Inform the parent if the child continues to be uncooperative."

A 3-year-old child is brought to the emergency department for a sudden, acute episode of an illness with vague symptoms. The child has a history of multiple hospital admissions. The health care team is beginning to suspect Munchausen syndrome by proxy.

21. If this diagnosis is accurate, it is **most** important for the nurse to assess for what characteristic finding?
[ ] **1.** The parent is obsessed with the fear that the child will die.
[ ] **2.** The parent is well versed in normal health patterns among children.
[ ] **3.** The parent is responsible for creating the child's symptoms.
[ ] **4.** The parent is overreacting to minor variations in the child's health.

A 3½-year-old child is scheduled for cardiac surgery. The parents are informed that hospitalization will be prolonged.

22. What nursing strategy is **best** to help the child overcome the fear of being in the unfamiliar hospital environment?
[ ] **1.** Bringing a favorite blanket from home
[ ] **2.** Providing age-specific toys while hospitalized
[ ] **3.** Consistently having one or both parents nearby
[ ] **4.** Placing the child in a room with a same-aged child

The parents notice that their hospitalized child resumed thumb sucking. They explain to the nurse that the child has not done so for more than a year.

23. What response by the nurse provides the **best** explanation of the child's behavior?
[ ] **1.** "It is a primitive form of self-stimulation and security."
[ ] **2.** "The behavior has a comforting effect; it is normal in this situation."
[ ] **3.** "It helps substitute for the missing fluids that comes from postoperative restriction of fluids."
[ ] **4.** "Thumb sucking satisfies the child's current increased need for a familiar touch."

The nurse uses simple, age-appropriate language to explain to the 3½-year-old child the purpose and procedure for starting an intravenous (I.V.) infusion.

24. What additional nursing action is **most** beneficial for reducing the child's anxiety?
[ ] **1.** Tell the child that the pain will be minimal.
[ ] **2.** Offer the child a reward for good behavior.
[ ] **3.** Let the child handle some of the equipment.
[ ] **4.** Show the child others who have infusing fluids.

25. What behavior exhibited by the child demonstrates the **most severe** reaction to prolonged hospitalization?
[ ] **1.** Clinging to the parents
[ ] **2.** Shaking the crib frantically
[ ] **3.** Thrashing about
[ ] **4.** Ignoring the parents

A parent brings the 2-year-old toddler to the emergency department for treatment of a fractured femur.

26. What information strongly suggests to the nurse that the toddler's fractured femur is the result of physical abuse?
[ ] **1.** There is evidence of healed fractures.
[ ] **2.** Only the parent witnessed the injury.
[ ] **3.** The toddler is not fully immunized yet.
[ ] **4.** The toddler is underweight for height.

After assessing for physical abuse, the nurse suspects that the toddler has also been sexually abused.

27. What nursing assessment finding(s) requires further investigation to support the possibility of sexual abuse? Select all that apply.
[ ] **1.** The toddler demonstrates sexual activity with a doll.
[ ] **2.** The toddler has a sexually transmitted infection.
[ ] **3.** The toddler is underweight for the corresponding height.
[ ] **4.** The toddler has blood in the underwear.
[ ] **5.** The toddler is afraid to be left alone with the perpetrator.
[ ] **6.** The toddler has trouble sleeping through the night.

28. What nursing strategy is **most appropriate** for developing a positive, therapeutic relationship with the abused child at the time of assessment?
[ ] **1.** Maintaining prolonged eye contact with the child
[ ] **2.** Assuming a body position at the same level as the child
[ ] **3.** Interviewing the child without the parent being present
[ ] **4.** Asking the child direct questions about the parent

29. If the nurse suspects that a child is the victim of abuse, what nursing action is most appropriate to take **initially**?
[ ] **1.** Refer the parents to Parents Anonymous.
[ ] **2.** Recommend a court-appointed legal guardian.
[ ] **3.** Contact a relative to care for the child.
[ ] **4.** Report the facts to child protective services.

The parents of a 3-year-old child are distressed because their child has been publicly masturbating. They ask a nurse for advice.

30. What nursing suggestion is **most helpful** for preventing the child from feeling guilty about masturbating?
[ ] **1.** "Interrupt the child casually when masturbation is observed."
[ ] **2.** "Explain to the child that this is an unacceptable practice."
[ ] **3.** "Tell the child that the genitals can be touched only when urinating."
[ ] **4.** "Relate that touching the genitals is something that is done privately."

31. When a nurse observes a 4-year-old child with a parent and infant sibling, what is the **best evidence** that the 4-year-old child is going through the developmental process called identification?
[ ] **1.** Correctly identifies animals
[ ] **2.** Calling the sibling by name
[ ] **3.** Pretending to feed a doll
[ ] **4.** Accurately picks up a red crayon

A nurse working in a pediatric office prepares a 4-year-old child for a preschool physical examination. The child's parent has also brought the newborn for the first immunization.

32. What assessment data is **most suggestive** to the nurse that the preschooler is experiencing anxiety in relation to the new sibling?
[ ] **1.** Spends most playtime preparing to use parent's tools.
[ ] **2.** Has begun taking shorter naps in the afternoon.
[ ] **3.** Cries and sulks when toys become broken.
[ ] **4.** Has again begun to be incontinent of stool.

33. The nurse correctly explains that the behavior the preschooler is demonstrating is based on what unmet need?
[ ] **1.** Powerfulness
[ ] **2.** Security
[ ] **3.** Self-confidence
[ ] **4.** Independence

34. What nursing suggestion is **most appropriate** to give the preschooler's parent for relieving the 4-year-old child's anxiety?
[ ] **1.** "Give your child some new toys."
[ ] **2.** "Let your child stay up later at night."
[ ] **3.** "Invite the child's grandparents to visit."
[ ] **4.** "Spend more time alone with your child."

The parent of the 4-year-old child asks the nurse what is most helpful in preparing a preschooler for kindergarten.

35. What nursing suggestion is likely to be **most beneficial** to the parent?

[ ] **1.** "Give the child simple responsibilities to perform."
[ ] **2.** "Teach the child to print first and last names."
[ ] **3.** "Buy a set of mathematic flash cards that teach addition."
[ ] **4.** "Have the child watch children's daytime television programs."

A parent states that when the 2-year-old child asks for candy at the grocery store and the parent refuses, the child throws a temper tantrum. The parent resorts to buying the candy, so the child stops kicking and screaming.

36. What is the **most appropriate** nursing recommendation for eliminating the 2-year-old's tantrums?

[ ] **1.** "Give the child candy before entering the store."
[ ] **2.** "Ignore the child's unacceptable behavior."
[ ] **3.** "Explain to the child that this behavior is childish."
[ ] **4.** "Remind the child of how a big person behaves."

The parents of a 3-year-old child with an autism spectrum disorder bring their child to a mental health clinic on a regular basis. Currently, a care conference is planned with the mental health team and the family.

37. When a clergy member, who has not had experience with children on the autism spectrum, asks the nurse to identify signs and symptoms of the disorder, the nurse correctly identifies what finding as **most** characteristic?

[ ] **1.** Repetitive body movements
[ ] **2.** Intense parental attachment
[ ] **3.** Early sexual development
[ ] **4.** Profound mental retardation

38. When providing care for the 3-year-old child with an autism spectrum disorder, what behavior is the nurse **most** likely to observe and trigger concern?

[ ] **1.** Constant use of the words "I" and "me" with disregard for others
[ ] **2.** Self-injury without a noticeable pain response
[ ] **3.** Outbursts in response to almost any change in normal routine
[ ] **4.** The near-total absence of interest in others' actions

39. When planning care for a child with an autism spectrum disorder, what nursing intervention is **most appropriate**?

[ ] **1.** Providing interactive play activities
[ ] **2.** Providing a high stimulus environment
[ ] **3.** Using a consistent caregiver
[ ] **4.** Rocking the child as a calming technique

40. If the 3-year-old child is typical of other children with an autism spectrum disorder, the nurse would expect the child to respond to parents with what social characteristic?

[ ] **1.** Indifference
[ ] **2.** Friendliness
[ ] **3.** Submissiveness
[ ] **4.** Impatience

41. Based on the nurse's knowledge of behavior exhibited by children with an autism spectrum disorder, what intervention is most likely to be a **priority** at the team conference?

[ ] **1.** Teaching the child proper post-toileting hygiene techniques
[ ] **2.** Encouraging the child to identify positive personality traits
[ ] **3.** Providing child with opportunity to nap several times a day
[ ] **4.** Keeping the child's nails short and groomed to minimize risk for scratching

During the care conference, the parent of the child with an autism spectrum disorder says that the child helps to get dressed but will not eat independently and must be fed by others.

42. What suggestion by the nurse would be **most beneficial** for the child's nutrition at this time?

[ ] **1.** "Continue to feed the child until the child tries to pick up food."
[ ] **2.** "Try giving the child finger foods while in the act of dressing."
[ ] **3.** "Leave the food until the child becomes hungry enough to eat it."
[ ] **4.** "Demonstrate how to use a spoon at every meal."

43. When the child with an autism spectrum disorder begins making attempts to self-feed, what suggestion is **most appropriate** for the nurse to make?

[ ] **1.** "Note if the self-feeding effort is repeated."
[ ] **2.** "Stop feeding the child thereafter."
[ ] **3.** "Demonstrate approval in some way."
[ ] **4.** "Offer food more frequently during the day."

44. What type of home environment is **most appropriate** for the nurse to recommend to the parents of a child with an autism spectrum disorder?

[ ] **1.** Stimulating, with a variety of sensory experiences
[ ] **2.** Consistent, with a minimum of physical change
[ ] **3.** Flexible, with the freedom to initiate activity
[ ] **4.** Strict, with narrow limits for acceptable behavior

The parents express a desire to leave their child with an autism spectrum disorder with a responsible person for a few hours occasionally so that they can have relief from the responsibility of constant care and supervision.

45. What is the **most appropriate** community resource for the nurse to recommend for respite services?
[ ] **1.** The Office of Family Assistance/Office of Canada Child Benefit (CCB)
[ ] **2.** The American Association on Mental Retardation/ Canadian Association for the Mentally Retarded
[ ] **3.** A local children's day-care facility
[ ] **4.** A home health care agency

The school nurse is conducting a class for parents whose children are about to enter first grade.

46. When describing the characteristic developmental stage of school-age children, what statement by the nurse is **most accurate**?
[ ] **1.** "They begin developing long-lasting friendships."
[ ] **2.** "Learning to work beside and with others becomes evident."
[ ] **3.** "They are preoccupied with finding a purpose in life."
[ ] **4.** "Striving for independence from others is the primary concern."

The school nurse meets parents and their 7-year-old child to follow up on the child's progress since being diagnosed with attention deficit hyperactivity disorder (ADHD).

47. When the parent asks the nurse to explain the possible cause for the child's attention deficit hyperactivity disorder (ADHD) diagnosis, what is the nurse's **best response**?
[ ] **1.** It is a consequence of some childhood immunizations.
[ ] **2.** A causative relationship with vaccinations is being studied.
[ ] **3.** It is a latent result of an earlier traumatic brain injury.
[ ] **4.** No single cause accounts for the incidence of the disorder.

The child with attention deficit hyperactivity disorder will be treated with methylphenidate hydrochloride.

48. Methylphenidate hydrochloride 20 mg P.O. once daily is prescribed. Calculate the volume of medication the parent should administer if the reconstituted dosage is 25 mg/tsp. Record your answer in a whole number.

_____ mL

49. The nurse is correct in explaining to the parents that methylphenidate hydrochloride is classified as what type of drug?
[ ] **1.** Central nervous system depressant
[ ] **2.** Central nervous system stimulant
[ ] **3.** Antidepressant
[ ] **4.** Tranquilizer

50. Which statement by the parents helps provide the nurse with evidence that methylphenidate hydrochloride is achieving its desired effect on the child's behavior?
[ ] **1.** "My child is so much more alert since going on the medication."
[ ] **2.** "The teacher has assured me my child is now more focused on school work."
[ ] **3.** "Our child is just full of energy now; just like you would expect a 7-year-old to be."
[ ] **4.** "The mood swings are not nearly as dramatic as they were before."

51. When educating the parents about the side effects of taking methylphenidate hydrochloride, which statement by the child suggests the existence of a side effect?
[ ] **1.** "I feel like I have to vomit for no apparent reason."
[ ] **2.** "I am so tired that I fall asleep at my desk."
[ ] **3.** "At times it feels like my heart is beating really fast."
[ ] **4.** "Sometimes it is really hard for me to go to the bathroom."

52. What nursing assessment finding **best** indicates that a child taking methylphenidate hydrochloride is experiencing an adverse effect?
[ ] **1.** Altered elimination patterns
[ ] **2.** Intolerance to certain foods
[ ] **3.** An elevation in blood pressure
[ ] **4.** Evidence of skin breakdown

53. The nurse advises the parents of a child prescribed methylphenidate hydrochloride that it is **best** to be cautious when consuming what item to avoid potentiating the drug's effects?
[ ] **1.** Dairy products
[ ] **2.** Cola beverages
[ ] **3.** Processed meats
[ ] **4.** Saturated fats

54. What nursing suggestion is **most likely to benefit** the child diagnosed with attention deficit hyperactivity disorder (ADHD)?
[ ] **1.** Home school the child.
[ ] **2.** Transfer to a special needs class.
[ ] **3.** Set limits with consistent consequences.
[ ] **4.** Put in an isolated environment for tasks.

The school nurse is working with the teacher to assist in providing the best education setting for the child with attention deficit hyperactivity disorder (ADHD).

55. What nursing intervention is **most appropriate** to include when preparing a care plan regarding the educational setting for this child?
[ ] 1. Working with the teacher to establish clear behavioral expectations for the classroom
[ ] 2. Placing a chair in the corner of the room as a potential consequence for poor behavior
[ ] 3. Allowing the child to move about the room as desired provided the behavior is not disruptive
[ ] 4. Planning separate learning experiences with more creative assignments and activities

A normally developing 8-year-old child is tentatively diagnosed with leukemia. A bone marrow puncture is part of the diagnostic workup.

56. What tends to be is the **most** commonly held belief by children regarding being seriously ill?
[ ] 1. Illness is not life threatening; recovery is assured.
[ ] 2. Significant others acting as caregivers can minimize serious consequences.
[ ] 3. Discomfort is a punishment for some wrongdoing.
[ ] 4. Failure to comply with treatment results in parental rejection.

57. To minimize the 8-year-old child's apprehension about the bone marrow puncture, what nursing strategy is **most appropriate**?
[ ] 1. Explain the procedure shortly before it is to be done.
[ ] 2. Give the information as soon as the test is scheduled.
[ ] 3. Postpone teaching about the procedure until specific questions are asked.
[ ] 4. Wait for the health care provider to explain the procedure to the child and parents.

58. The nurse is aware that whenever preparing a school-age child for a procedure, test, or medical treatment, what is the **most important** information to convey?
[ ] 1. When the procedure will take place
[ ] 2. Who will perform the procedure
[ ] 3. Where the procedure will be performed
[ ] 4. What will happen during the procedure

The 8-year-old child fails to respond to drug therapy for leukemia, and the condition eventually becomes terminal. The parents are unsure of how, or if, they should tell their child about the prognosis.

59. What rationale offered by the nurse is the **best** justification for openly discussing the child's prognosis?
[ ] 1. The child may already have sensed that death is probable.
[ ] 2. Sharing prevents the child from dealing with fears alone.
[ ] 3. Concealing the truth will be very difficult.
[ ] 4. Being less than honest is immoral and unethical.

60. The nurse provides the seriously ill school-age child with an honest explanation, including discussion about an unpleasant experience. What outcome should the nurse expect to result from the discussion?
[ ] 1. Confidence in caregivers
[ ] 2. Perseverance in hardship
[ ] 3. Courage in crises
[ ] 4. Hope in suffering

A single parent consults the school nurse for help in dealing with an 8-year-old child who has been diagnosed with a specific learning disability.

61. What nursing suggestion is **most important** for preserving the child's self-esteem?
[ ] 1. Set realistic, achievable goals.
[ ] 2. Obtain professional tutoring.
[ ] 3. Help the child with homework.
[ ] 4. Offer rewards for good grades.

A 9-year-old student is frequently absent from school. When the student attends school, the student talks out of turn, fights with classmates, moves about in the classroom during a lesson, and does not complete the assignments or homework. The student's current grades are inconsistent with past performance. The school nurse plans to speak with the student to determine if there is a health problem that is causing these changes.

62. What approach is **most appropriate** when the school nurse speaks with the child?
[ ] 1. Sit down at the lunch table to talk with the child.
[ ] 2. Arrange a meeting in the nurses' office before school.
[ ] 3. Call the student aside in the hallway between classes.
[ ] 4. Meet with the student on the playground during recess.

63. If the student reveals all the following information to the nurse, what situation is **most likely** affecting the recent acting-out behavior?
[ ] 1. Parents are divorcing
[ ] 2. Favorite pet turtle just died
[ ] 3. Just acquired a paper route
[ ] 4. Infatuated with a classmate

The school nurse meets with the teacher to discuss the child's disruptive behavior.

64. What approach should the nurse recommend for helping the child maintain acceptable behavior in school?
[ ] 1. Send the child to the principal's office when misbehaving.
[ ] 2. Suspend the child until a family conference has been conducted.
[ ] 3. Have the school counselor see the child daily.
[ ] 4. Consistently enforce reasonable limits for the child's behavior.

A school nurse observes four students who are all approximately 10 years old.

65. What characteristic is **most likely** a demonstration of behavior commonly associated with first-born children?
[ ] **1.** A low tolerance for frustration
[ ] **2.** A willingness to compromise
[ ] **3.** Conforms to adult expectations
[ ] **4.** Shows flexibility when given choices

A 9-year-old is brought to the emergency department with ketoacidosis secondary to undiagnosed type 1 diabetes mellitus.

66. Which action, observed by the nurse as the child improves, **best** indicates the child is having difficulty accepting the diagnosis?
[ ] **1.** Stays up later than usual watching television.
[ ] **2.** Makes angry remarks to the nurse and parents.
[ ] **3.** Avoids completing homework assignments.
[ ] **4.** Talks on the phone for long periods of time.

67. If the nursing care plan includes the following activities, which one provides the child newly diagnosed with type 1 diabetes with the **most** sense of control over the disease?
[ ] **1.** Informing the child of laboratory test results
[ ] **2.** Providing calorie-controlled dietary instructions
[ ] **3.** Supervising self-testing of capillary blood glucose
[ ] **4.** Teaching the child the parts of an insulin syringe

The nurse is caring for a 12-year-old child who is being seen for Tourette syndrome.

68. In addition to helping the client and family cope with repetitive, purposeless movements, what intervention should the nurse suggest to help in managing another Tourette syndrome–related characteristic likely presented by the child?
[ ] **1.** Silently repeating the lyrics to a favorite song when first sensing the urge to swear in public
[ ] **2.** Attending at least one afterschool group event each week with classroom peers
[ ] **3.** Avoiding dairy products to minimize risk of gastrointestinal discomfort
[ ] **4.** Discussing feelings with parents/caregivers and teacher regularly

Haloperidol is prescribed to treat the child with Tourette syndrome. The nurse provides the child and parents with information about significant side effects.

69. Besides involuntary tremors, what other muscle-related side effect should the nurse advise the family to anticipate?
[ ] **1.** Spasms
[ ] **2.** Weakness
[ ] **3.** Atrophy
[ ] **4.** Contractures

The parents tell the nurse that they are concerned their child's self-esteem may be jeopardized because of peer ridicule.

70. What suggestion is **most appropriate** for the nurse to offer the parents in this situation?
[ ] **1.** Consider home-schooling the child.
[ ] **2.** Praise accomplishments as deserved.
[ ] **3.** Avoid discussing peer comments.
[ ] **4.** Show disapproval of negative labels.

Mental Health Needs During Adolescence

A 13-year-old student takes a gun to school and murders a teacher.

71. Considering the principles of crisis intervention, when is the **best** time for the nurse to advocate assistance to those affected by this incident?
[ ] **1.** After the funeral
[ ] **2.** Within 6 months
[ ] **3.** Immediately
[ ] **4.** Six weeks later

72. When crisis intervention is provided, what nursing action takes **priority**?
[ ] **1.** Explaining the benefits of professional counseling
[ ] **2.** Encouraging the survivors to talk about the event
[ ] **3.** Reassuring the survivors that they will adapt
[ ] **4.** Advising survivors to consult a health care provider for tranquilizer therapy

A 15-year-old girl is being treated for bulimia in an eating disorder unit.

73. When reviewing the assessment data, the nurse would recognize what finding to be a characteristic physical finding of this eating disorder?
[ ] **1.** Client is 40 lb (18 kg) below normal weight for measured height
[ ] **2.** Oral assessment suggests moderate erosion of dental enamel
[ ] **3.** Client states, "I have not menstruated for 2 years."
[ ] **4.** Several patches of alopecia noted on scalp

A 17-year-old client is assessed in the emergency department and admitted to the hospital after fainting at school. The client is more than 25% below the normal weight for current height. The adolescent is believed to be suffering from anorexia nervosa.

74. During the initial physical examination, what finding related to anorexia is the nurse **most likely** to detect?
[ ] **1.** Growth of fine body hair
[ ] **2.** Bruises over the upper torso
[ ] **3.** Hyperactive bowel sounds
[ ] **4.** Club-shaped fingertips

75. What data collected from an adolescent during a nursing assessment tends to support the suspicion of a possible diagnosis of anorexia nervosa in an adolescent? Select all that apply.

[ ] **1.** States, "Who would want to be my friend?"

[ ] **2.** Reports, "I usually make myself vomit after I eat."

[ ] **3.** States, "When I look in the mirror I see a really, really fat person."

[ ] **4.** Reports, "I regularly eat a whole pizza and a large order of wings by myself."

[ ] **5.** Reports, "I want to make my parents proud, so I have to get As in all my school classes."

The nurse reviews the adolescent's history obtained during admission.

76. What nursing data about the adolescent **best** correlate with the profile of a person with anorexia nervosa?

[ ] **1.** Is the middle child of three siblings.

[ ] **2.** Is a high achiever in school and activities.

[ ] **3.** Thinks that classmates are not friendly.

[ ] **4.** Has experienced many childhood illnesses.

The nursing team meets to plan the care of the client with anorexia nervosa.

77. What nursing goal is the **initial priority**?

[ ] **1.** Improving the client's distorted body image

[ ] **2.** Helping the client use healthier coping techniques

[ ] **3.** Assisting the client to normal nutrition and health

[ ] **4.** Supporting the client to develop assertiveness

The parent visits the client with anorexia nervosa at dinnertime. The parent is overheard to say, "Look at you; you are so thin. Please eat something."

78. What is **most** therapeutic for the nurse to say privately to the parent in this situation?

[ ] **1.** "All children know how to frustrate parents."

[ ] **2.** "You need to stop pleading with your child to eat."

[ ] **3.** "You are concerned that your child is starving."

[ ] **4.** "I know how you are feeling; I am a parent, too."

The mental health technician is frustrated and angry when seeing the client with anorexia rearranging the food on the tray but not eating any of it.

79. What is the **best** guidance the nurse can provide the mental health technician to deal with the frustration?

[ ] **1.** "Blend the food and administer it by tube feeding."

[ ] **2.** "Remind the client that the intake is being recorded."

[ ] **3.** "Review the treatment goals with the client again."

[ ] **4.** "Remove the food without making any comments."

Just before the client with anorexia is weighed, the mental health technician tells the nurse that the client drank a full pitcher of water.

80. What nursing action is **most appropriate** when dealing with the effects of the client's behavior?

[ ] **1.** Postponing weighing the client until later

[ ] **2.** Discussing the observed behavior with the client

[ ] **3.** Saying nothing and weighing the client as usual

[ ] **4.** Subtracting 2 lb (0.9 kg) from the client's weight

81. The parents of the adolescent have requested the human papillomavirus (HPV) immunization series for their daughter who has never been sexually active. What injection site is **best** when the nurse administers the immunization?

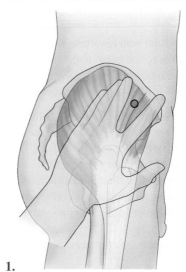

1.

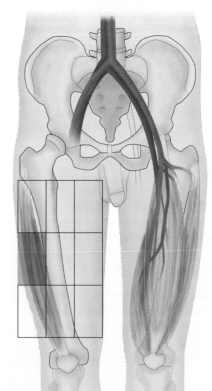

2.

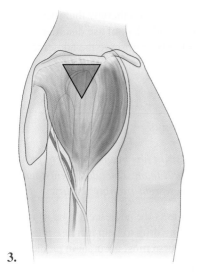

3.

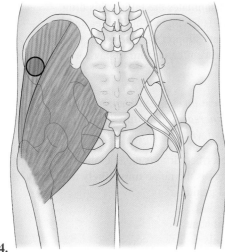

4.

A 16-year-old with a cognitive impairment is admitted for treatment of a ruptured appendix. The parent reports that the adolescent has an intelligence quotient (IQ) in the range of 35 to 50, which approximates that of a 5- to 7-year-old child.

82. What concern should the nurse be **most** prepared to address when caring for this client or anyone at this mental age?
[ ] **1.** Distress when separated from the parent
[ ] **2.** An exaggerated response to pain
[ ] **3.** Difficulty making his or her needs known
[ ] **4.** Concern over the change in body image

83. What parental behavior is **most likely** to suppress this adolescent's ability to reach the maximum potential for development?
[ ] **1.** Dressing and undressing the adolescent
[ ] **2.** Answering all the medical questions
[ ] **3.** Exaggerating the adolescent's abilities
[ ] **4.** Assuming blame for the adolescent's condition

While attempting to help the adolescent with cognitive impairment out of bed, the unlicensed assistive personnel is struck by the adolescent.

84. What nursing statement is the **best** explanation for the adolescent's aggressive behavior?
[ ] **1.** "It is a common behavior manifested by people with cognitive impairment."
[ ] **2.** "That is a response that occurs when a person feels threatened."
[ ] **3.** "This behavior indicates that the client has a poor opinion of the care provided."
[ ] **4.** "This is a typical way for adolescents to communicate they are experiencing pain."

85. When the nurse documents the client acting out, what wording **best** describes the situation?
[ ] **1.** "Became angry for no reason and an assault occurred."
[ ] **2.** "Hit caregiver unexpectedly even though not provoked."
[ ] **3.** "Struck unlicensed assistive personnel when being helped from bed."
[ ] **4.** "Attacked unlicensed assistive personnel without prior warning."

The behavioral outburst of the client with cognitive impairment is discussed at a team conference.

86. What intervention would **best** prevent nursing personnel from becoming injured when providing the adolescent with care?
[ ] **1.** Appling soft wrist restraints before ambulating the client
[ ] **2.** Asking a parent to care for the client
[ ] **3.** Explaining steps involved in care before touching the client
[ ] **4.** Medicating the client immediately before ambulation

A 15-year-old adolescent who has a history of truancy and shoplifting has been referred for care in an adolescent treatment center with a diagnosis of conduct disorder.

87. What nursing action should the nurse take **initially** when the adolescent displays cues of becoming violent?
[ ] **1.** Medicate the client with a sedative.
[ ] **2.** Initiate a plan for physical restraint.
[ ] **3.** Summon the facility's security staff.
[ ] **4.** Escort the client to the client's personal room.

88. What transmission precautions should be used by the nursing staff when caring for the adolescent who reports having experimented with intravenous opioid drugs?
[ ] **1.** Standard
[ ] **2.** Contact
[ ] **3.** Droplet
[ ] **4.** Airborne

A 16-year-old adolescent is brought to the emergency department for treatment of a stab wound after a gang-related fight. The adolescent is eventually ordered by the court to receive counseling at the community mental health clinic.

89. What area of the adolescent's social history is **most appropriate** for the clinic nurse to assess?
[ ] **1.** Peer relationships
[ ] **2.** School performance
[ ] **3.** Church attendance
[ ] **4.** Employment records

90. What factor identified during a nursing assessment has the **strongest influence** on the adolescent's possible development of antisocial behavior?
[ ] **1.** Parental discipline is inconsistent.
[ ] **2.** There are more than three siblings.
[ ] **3.** The family relies on public welfare.
[ ] **4.** Role models do not value education.

91. What information is **most important** for the mental health nurse to communicate before each group meeting?
[ ] **1.** The date and time of the next meeting
[ ] **2.** The qualifications of the participating therapists
[ ] **3.** That everyone should use first names only
[ ] **4.** That client information is kept confidential

92. Demonstrating what behavior during group meetings would be **most indicative** to the nurse that the client is resisting therapy?
[ ] **1.** Borrowing cigarettes from others
[ ] **2.** Laughing inappropriately
[ ] **3.** Repeatedly checking the clock
[ ] **4.** Fidgeting in the chair

Family therapy is included in the counseling plan for the adolescent gang member. The client's parent arrives late and is intoxicated.

93. If the adolescent is typical of others who have grown up in a family with alcohol use disorder, the nurse would expect to assess for problems in what area?
[ ] **1.** Low self-esteem
[ ] **2.** Managing stress
[ ] **3.** Long-term learning
[ ] **4.** Fear of authority

94. Of the following community resources, what referral is **best** for the nurse to suggest for this client to help address personal issues?
[ ] **1.** Alcoholics Anonymous
[ ] **2.** Al-Anon
[ ] **3.** Alateen
[ ] **4.** The Substance Abuse Council

95. If the adolescent benefits from therapy that focuses on growing up in a household with alcohol use disorder, what ability is the nurse **most likely** to observe the adolescent develop?
[ ] **1.** Keeping promises
[ ] **2.** Trusting others
[ ] **3.** Solving problems
[ ] **4.** Honoring commitments

A 16-year-old male adolescent has been selected to play on the junior varsity football team. The adolescent spends several hours per day in a weight-training facility.

96. When the gym owner asks the adolescent if he would like a performance-enhancing drug to help increase muscle mass, on what basis is the nurse **most** accurate in predicting the adolescent will accept?
[ ] **1.** Several teammates are taking this drug.
[ ] **2.** The team is having a winning season.
[ ] **3.** The parents support his interest in football.
[ ] **4.** The adolescent can afford to pay for a substantial supply.

After the adolescent takes the unidentified drug for some time, his weight increases dramatically, and his muscles become larger and well defined.

97. If the unprescribed drug is an anabolic steroid, what assessment finding is the nurse **most likely** to identify?
[ ] **1.** Enlarged genitalia
[ ] **2.** Bronzed skin
[ ] **3.** Worsened acne
[ ] **4.** Brittle nails

98. What behavioral effect demonstrated by the adolescent is likely associated with anabolic steroid misuse?
[ ] **1.** Aggressively picking fights with siblings
[ ] **2.** Expressing confusion about understanding the coach's instructions
[ ] **3.** Being anxious and overmemorizing the material added to the team's playbook
[ ] **4.** Asserting that everyone on the other team is "out to really hurt me really bad."

After being suspended from the team for taking anabolic steroids, the adolescent tells his parents, "I might as well be dead. My football career is over."

99. When the nurse reviews the current laboratory findings of the client with anabolic steroid use disorder, what laboratory test finding is **most likely** to be abnormal?
[ ] **1.** Thyroid-stimulating hormone: 2.8 mU/L
[ ] **2.** Alanine aminotransferase: 103 U/L (1.72 µkat/L)
[ ] **3.** Potassium: 4.5 mEq/L (4.5 mmol/L)
[ ] **4.** Red blood cells: 5.1 ×10^6/µL (5.1 ×10^{12}/L)

The nurse warns the football player's parents that their son's statements suggest a potential for suicide.

100. What additional warning sign(s) of suicide should the nurse identify for the parents? Select all that apply.
[ ] **1.** Withdrawal
[ ] **2.** Apathy
[ ] **3.** Angry outbursts
[ ] **4.** Alcohol use disorder
[ ] **5.** Delusions
[ ] **6.** Incoherent speech

A 17-year-old adolescent has been dating a classmate secretly because the relationship is a constant source of parental conflict. Talking with the clinic nurse, the adolescent reveals that the client's parents disapprove of, "all of my friends, ideas, and actions."

101. Based on the nurse's knowledge of child development, which statement made by the parents of the adolescent demonstrates an understanding of the developmental needs of the adolescents?
[ ] **1.** "We take every opportunity to support our child's love for drawing."
[ ] **2.** "Our child usually disagrees with us, so we try to pick our battles carefully."
[ ] **3.** "Our child is learning to trust instincts when it comes to picking friends."
[ ] **4.** "Our child's work with animals has helped our child gain an understanding of unconditional love."

The client reveals being sexually active and has not had a menstrual period in 2 months. A pregnancy test result is positive.

102. What social data collected by the nurse will be **most beneficial** to the pregnant adolescent at this time?
[ ] **1.** The client appears to have a mothering instinct.
[ ] **2.** The client is making immediate plans for marriage.
[ ] **3.** The client expects financial support from her partner.
[ ] **4.** The client has an emotionally supportive family.

The parents bring their 18-year-old adolescent to a mental health clinic after the adolescent reports hearing voices that say, "You are a bad person."

103. Which cluster of symptoms identified during the initial assessment is suggestive of the onset of schizophrenia in the adolescent? Select all that apply.
[ ] **1.** Withdrawal from others
[ ] **2.** Sleep disturbance
[ ] **3.** Disorganized speech
[ ] **4.** Decreased motivation
[ ] **5.** Aggressive behavior
[ ] **6.** Appearing unemotional

The 18-year-old client refuses to be admitted to the psychiatric unit of the local hospital.

104. What legal principal regarding an involuntary admission should the nurse explain to the adolescent's parents?
[ ] **1.** The client's uncooperativeness is reason for such an admission.
[ ] **2.** The client poses harm to self or others.
[ ] **3.** The client is unwilling to attempt outpatient counseling.
[ ] **4.** The client consistently refuses to take medications.

Haloperidol, an antipsychotic drug, is prescribed.

105. What nursing instruction is **most appropriate** when teaching a client who self-administers haloperidol?
[ ] **1.** "Take the pills on an empty stomach."
[ ] **2.** "Do not skip meals while taking the drug."
[ ] **3.** "Stop taking the drug if sedation occurs."
[ ] **4.** "Rise slowly from a sitting position."

106. What client statement is the **best** indication to the nurse that haloperidol is achieving a therapeutic effect?
[ ] **1.** "I do not hear voices anymore."
[ ] **2.** "I am sleeping better than I have in a long time."
[ ] **3.** "I am a good person."
[ ] **4.** "I am feeling more energetic than I ever have."

A client is prescribed clozapine. The client is not feeling well and calls for advice.

107. Which client report is considered a serious side effect of clozapine that needs to be reported **immediately** to the prescribing health care provider?
[ ] **1.** Watery diarrhea
[ ] **2.** A sore throat
[ ] **3.** A gradual weight loss
[ ] **4.** Ringing of the ears

Test Taking Strategies

Mental Health Needs During Infancy

1. Note the key words "most appropriate" and "initially," in reference to helping parents cope with disappointment and loss. Recall that verbalization of feelings helps with the coping process. Listening to the parents verbalize provides acceptance in an atmosphere of warmth and trust. The nurse accepts parental fears, frustrations, and reactions in an understanding way rather than giving advice.

2. Use the principles of therapeutic communication to select the option that correlates with the most appropriate response to the parent's statement. Recall that reflecting is a therapeutic communication technique, but defending, demanding an explanation, and disagreeing are forms of nontherapeutic communication.

3. Read the list of terms carefully. Arrange the terms in the sequence that represent the stages of grieving in their usual order of occurrence.

4. Use the process of elimination to select the option that describes the best evidence of maternal-newborn bonding. Recall that smiling and talking to the newborn promotes an emotional bond.

5. Note the key words "most appropriate" as they refer to a nursing action when a nervous mother bathes a crying newborn. Recall that positive reinforcement generally builds self-confidence and the likelihood that the mother will persevere and continue to feel empowered to bathe the newborn comfortably in the future.

6. Use the process of elimination to select the option that corresponds with a sign of a newborn's withdrawal from an opioid. Persistent crying is the best choice because it describes behavior associated with physiologic stimulation.

7. Note the key word "initially" in reference to an appropriate nursing intervention when caring for a newborn during opioid withdrawal. Recall that opioid withdrawal causes central nervous system stimulation. Reducing stimulation helps avoid arousal.

8. Note the key words "most important," which indicate a priority. In this case, the question is asking for the most important need to foster when caring for an infant. Recall that Maslow hierarchy of needs lists the need for love and belonging as having a higher priority than the need for self-esteem or the need for self-actualization.

9. Note the key words "most important" and "initially" in relation to a nursing assessment that is pertinent for confirming or ruling out an inexperienced parent's concern that the infant's crying indicates illness. Validating that the infant is thriving or not would be reflected in a normal or lower than expected weight. The other options identify appropriate nursing assessments, but they are not the best nursing assessments initially.

10. Use the process of elimination to select the option that corresponds with a nursing assessment that is indicated after confirming that the infant is not ill. Analyzing the parent's expectations of infant behavior helps the nurse clarify normal infant behavior and how to cope with situations that are stressful for the inexperienced parent.

11. Note the key words "most appropriate" in reference to nursing information that is accurate and promotes the well-being of the infant. Holding an infant promotes a feeling of safety and security and does not generally spoil an infant.

12. Use the process of elimination to select the option describing the most important recommendation for parenting from among the options. Recall Erikson's developmental stage of infancy and the task of trust associated with it. Cuddling and talking to the infant is a means of promoting trust.

13. Use the process of elimination to select the option that identifies an organization that will help an inexperienced parent gain confidence. Recall that parenting classes are available in communities to provide helpful knowledge and practical skills for raising children.

14. Use the process of elimination to select the option that correlates with a negative characteristic acquired during infancy. Recall Erikson's developmental stage of infancy and that mistrust may be acquired if an infant's need for security is not met.

15. Read all the choices carefully. Use the process of elimination to exclude incorrect options and select options that correlate with signs and symptoms of failure to thrive. Recall that at 4 months, children follow moving objects with their eyes, watch faces closely, and smile at the sound of parents' voices. They often cry when social interactions end. In addition, infants are at normal weight and eating more, but less often than during the previous 3 months.

16. Read all the choices carefully. Use the process of elimination to select options that correspond with maternal risk factors for an infant's failure to thrive. Recall that an unplanned pregnancy may result in resentment of the infant especially when there is little support from parents or the infant's father. It places the burden for financial support in jeopardy. If the mother has a current or history of substance use, it may interfere with an ability to properly care and nurture the infant.

Mental Health Needs During Childhood

17. Note the key words "most suggestive" as they relate to identifying an option that describes a delay in expected development of a 2-year-old child. Recall that no evidence of communicating verbally in some way is significant unless the child has a hearing deficit.

18. Note the key words "most appropriate" as they refer to a method for disciplining a 2-year-old child. Recall that a child of this age does not have the capacity to understand logic. Because the child's actions tend to be impulsive, the child is more likely to change behavior if a parent follows the principle of "cause and effect." In other words, if an unacceptable behavior is immediately followed by a negative consequence, it is more likely to create a learned response.

19. Use the process of elimination to select the option that correlates with an accurate explanation for negativity in a toddler. Recall that according to Erikson, toddlers are acquiring autonomy at this age, which is evidenced by asserting himself or herself.

20. Use the process of elimination to select the option that identifies the best suggestion for managing the care of a child who is developing autonomy. Giving the toddler the opportunity to select between two choices supports the toddler's attempts at independence.

21. Use the process of elimination to select the option that provides the most accurate description of the role of a caregiver with Munchausen syndrome by proxy. Recall that the psychopathology involved in Munchausen syndrome by proxy is one in which a caretaker, usually the mother, fabricates an illness in a child for the purpose of receiving compliments and support from health care providers.

22. Use the process of elimination to select the option that identifies the best approach for reducing fear in a 3½-year-old child who must be hospitalized. Recall that the presence of a parent who the child looks to for protection from harm is best for relieving real or imagined fears experienced by a child at this age.

23. Use the process of elimination to select the option that identifies the best explanation for the resumption of thumb sucking by a toddler. Recall that resuming a once-abandoned comforting behavior with regression to an earlier age is the best explanation.

24. Use the process of elimination to select the option that is a beneficial action for reducing a toddler's anxiety in addition to using simple, age-appropriate language. Handling the equipment can reduce a child's anxiety because children of this age are tactile learners and may provide some degree of familiarity and reality, which may dispel imagined fears concerning their use.

25. Note the key words "most severe reaction" and "to prolonged hospitalization." Recall that children tend to withdraw as an emotional protective mechanism when exposed to a prolonged stressful situation.

26. Use the process of elimination to select the option that suggests that the cause of a toddler's injury is abuse. Recall that evidence of old and new injuries, unexplained injuries, and injuries that do not match parental explanations tend to indicate physical abuse.

27. Read all the choices carefully. Use the process of elimination to select options that correspond with assessment findings suggestive of sexual abuse. Recall that sexual behavior or knowledge that is inappropriate for the age of the child should raise suspicions. Having unexplained genital discomfort or evidence of bleeding from a vaginal or anal orifice, acquiring a sexually transmitted disease, experiencing nightmares or trouble sleeping, and objecting to being alone with a particular person are warning signs of sexual abuse.

28. Note the key words "most appropriate" in reference to an approach for developing a positive therapeutic relationship with a child. Recall that positioning oneself at the same level of the client promotes trust and reduces power, authority, and judgment conveyed by a nurse who positions himself or herself higher than the client.

29. Note the key words "most appropriate" and "initially," which indicate the need to select an option describing the first nursing action when child abuse is suspected. Recall that nurses, teachers, and others involved in a relationship with a child are legally obligated to report their suspicions of abuse to authorities. Proof of abuse is not a requirement for reporting.

30. Note the key words "most helpful" in relation to a method for reducing potential guilt associated with childhood masturbation. Knowing that the behavior is likely to be repeated because it is pleasurable, it is best to provide parameters by which masturbation, a fairly normal activity, can be devoid of judgment as to its morality.

31. Note the key words "best evidence" as they refer to the process of identification demonstrated in a child's behavior. Recall that imitating the behavior of a parent is an example of identification.

32. Use the process of elimination to select the option that corresponds with a manifestation of childhood anxiety brought on by the birth of a new sibling. Recall that regression, in this case, can be an attention-getting mechanism as the preschooler perceives a rivalry with the new sibling.

33. Use the process of elimination to select the option that correlates with an explanation for using the ego defense mechanism known as regression. Regression may be used to protect the self in a situation that provokes anxiety and thus insecurity.

34. Note the key words "most appropriate" as they refer to advice on a method for relieving a preschooler's anxiety relative to sibling rivalry. Recall that the child is seeking more parental attention in which spending more time with the child alone may resolve.

35. Note the key words "most beneficial" as they refer to a suggestion for preparing a preschooler for kindergarten. Recall that the initial school experience requires sharing with others and following directions from someone other than a parent. Giving the child simple responsibilities is a good preparation for a beginning school experience.

36. Note the key words "most appropriate" in reference to a technique for eliminating a 2-year-old child's temper tantrums. Recall that ignoring undesirable behavior is a form of negative reinforcement that leads to its extinction.

37. Use the process of elimination to select the option that correlates with the most accurate characteristic manifested by a child with an autism spectrum disorder. Recall that those affected by an autism spectrum display repetitive, purposeless, and often self-injurious physical mannerisms.

38. Use the process of elimination to select the option that corresponds with a behavior commonly manifested by those with a childhood autism spectrum disorder. Recall that children with an autism spectrum disorder can be severely self-abusive. Most individuals who do not have an autism spectrum disorder would cease an action that causes pain, but that is not the case in people with an autism spectrum disorder.

39. Note the key words "most appropriate" as they relate to a planned nursing intervention when caring for a child with an autism spectrum disorder. Recall that children with an autism spectrum disorder do not tolerate change very well. Providing consistency, whether with caregivers, the environment, or lifestyle activities, helps promote the child's ability to cope with circumstances others may tolerate better.

40. Use the process of elimination to select the option that correlates with the response that is typical of a child with an autism spectrum disorder to his or her parents. Recall that the term autism implies "unto oneself." Those affected with this disorder tend to lack empathy and the ability to interact with others.

41. Note the key words "most likely" and "priority," indicating a problem of highest importance when planning the care of a client with an autism spectrum disorder. Recall that protecting the client from self-injury reflects the second level of Maslow hierarchy of needs, which is safety.

42. Note the key words "most beneficial" in reference to a suggestion for managing the child's seeming lack of interest in feeding himself or herself. Recall that the child's intake of food is important for health. If and when

the child makes an effort to participate, it is important to seize the opportunity to facilitate more involvement in self-feeding.

43. Note the key words "most appropriate" as they relate to a nursing response to the client's initial efforts at self-feeding. Recall that positive reinforcement potentiates the likelihood that a behavior will be repeated. Praise is a form of positive reinforcement.

44. Note the key terms "most appropriate" in reference to the environment best suited for a child with an autism spectrum disorder. Recall that inconsistency and change are met with acting-out physically and emotionally; thus, consistency is best.

45. Use the process of elimination to select the option that identifies the most appropriate community resource for providing respite care of an autistic child. Recall that a home health care provider offers personnel who provide care; certified unlicensed assistive personnel, a licensed practical nurse, or a registered nurse may provide whatever type of home care is needed.

46. Note the key words "most accurate" in reference to a characteristic of a school-age child's stage of development. Recall that school-age children are involved in learning, creating, and accomplishing numerous new skills and gaining knowledge, thus developing a sense of industry.

47. Note the key words "best response" indicating that one option is better than any other. Recall that the etiology for attention deficit hyperactivity disorder (ADHD) continues to be unknown.

48. Use a standard dosage calculation formula to determine the volume of medication to administer.

49. Use the process of elimination to select the option that correlates with the class of drugs to which methylphenidate belongs. Recall that methylphenidate is a central nervous system stimulant that helps those affected by attention deficit hyperactivity disorder (ADHD) to focus on completing a task.

50. Use the process of elimination to select the option that correlates with evidence of a therapeutic effect manifested by a child who is receiving methylphenidate to manage symptoms of attention deficit hyperactivity disorder (ADHD). Recall that one of the purposes in prescribing this drug is to reduce distractibility, which will facilitate learning and improve behavior in social and school environments.

51. Use the process of elimination to select the option that identifies a cluster of side effects associated with the drug methylphenidate. Recall that methylphenidate is a central nervous system stimulant that could result in the signs and symptoms of insomnia, tachycardia, and anorexia.

52. Use the process of elimination to select the option that identifies the best description of an undesirable side effect associated with methylphenidate. Recall that elevated blood pressure is a sign of central nervous system stimulation that has the potential for cardiovascular and cerebrovascular complications.

53. Use the process of elimination to select the option that identifies a dietary product that should be avoided by someone who takes methylphenidate. Recall that methylphenidate is a central nervous system stimulant. Therefore, foods and beverages that also cause physiologic stimulation, such as caffeine, should be avoided.

54. Note the key words "most likely to benefit." Use the process of elimination to select the option that promotes positive outcomes for a child with attention deficit hyperactivity disorder (ADHD). Recall that setting limits provides a child a chance to comply voluntarily and obtain approval from others.

55. Note the key words "most appropriate" when applied to a collaborated plan for managing the classroom experiences of a child with attention deficit hyperactivity disorder (ADHD). Whenever there are behavioral problems, regardless of the cause, it is important that everyone involved understands what is and isn't allowed and the consequences if expectations are not met.

56. Use the process of elimination to select the option that correlates with a common belief about illness from the perspective of a school-age child. Recall that school-age children often equate serious illness with punishment for something unidentifiable they have done.

57. Note the key words "most appropriate" as it relates to a nursing approach for minimizing a child's apprehension before a bone marrow puncture. Recall that the longer a child thinks about the procedure, the greater the chances that the degree of apprehension will increase. Imagined fears tend to overwhelm reality; thus, providing an explanation shortly before the procedure is performed is the best approach for reducing apprehension.

58. Note the key words "most important" in reference to identifying the priority component of information from a child's perspective. Reviewing what will happen during the procedure is more important to a child than by whom, when, and where the procedure will be performed.

59. Use the process of elimination to select an option that accurately describes the best reason for sharing information about a terminal condition with an affected child. Although all the options are credible, dealing with grief and loss is better managed when there is a network of support when everyone speaks truthfully.

60. Use the process of elimination to select the option that correlates with the expected outcome from providing honest explanations about potentially unpleasant experiences. Recall that honesty facilitates trust and confidence.

61. Note the key words "most important" in reference to a method for preserving a child's self-esteem. Recall that self-esteem is a result of one's opinion about self-worth. Mastering tasks and achieving goals provide a foundation for building and maintaining positive self-esteem.

62. Use the process of elimination to select the option that correlates with the environment that is best for discussing the cause of problematic behavior with a school-age child. Recall that a meeting in the nurse's office is more likely to provide a private and therapeutic environment for discussing serious matters. The lunchroom, hallway, and playground are environments that may trivialize the topic of discussion and make the child an object of ridicule by his or her peers.

63. Note the key words "most likely" in reference to the contributing cause of the school-age child's behavior. Of all the options, divorce is the greatest stressor.

64. Use the process of elimination to select the option that corresponds with a method for maintaining acceptable behavior. Enforcing reasonable limits indicates that there is an established structure that is fairly mediated if a deviation occurs. Knowing the consequences for one's actions tends to limit unacceptable behavior.

65. Note the key words "most likely" as they are used in reference to a characteristic behavior commonly manifested by first-born children. Recall that birth order tends to affect behavior. There is sociologic support for identifying a first-born child as being more responsible and conforming to adult expectations. Understand that there are exceptions to any generalization.

66. Use the process of elimination to select the option that corresponds with the best indication that the child is having difficulty accepting a diagnosis synonymous with lifelong changes. Although all of the options are normal or somewhat negative behaviors, anger toward others demonstrates a common ego defense mechanism known as displacement.

67. Use the process of elimination to select the option that correlates with an activity that facilitates a child's sense of control over a chronic disease, such as type 1 diabetes mellitus. Although all of the options describe activities that are important for living with diabetes mellitus, performing blood testing is the best answer because the child with diabetes is actually performing a self-care activity rather than being the passive recipient of information.

68. Use the process of elimination to select the option that describes a problem unique to clients with Tourette syndrome that must be addressed to facilitate coping by the family and client. Outbursts of verbal obscenities are common among those with this disorder. Addressing this issue helps prepare the client and family for situations in which it occurs. A client with Tourette syndrome may also have the behaviors identified in the remaining options, but they are not commonly associated with the disorder.

69. Analyze to determine the option that corresponds with a side effect of the drug haloperidol. Recall that extrapyramidal symptoms, especially dystonia, are side effects of antipsychotic medications.

70. Note the key words "most appropriate" in reference to a suggested approach for maintaining the self-esteem of a child with Tourette syndrome, who is subject to potential ridicule by peers. Recall that praise when it is deserved fosters self-esteem.

Mental Health Needs During Adolescence

71. Use the process of elimination to select the option that identifies the best time for providing crisis intervention. Crises tend to resolve over time with or without any therapeutic interventions, but not as effectively as if they are dealt with immediately after a significant event.

72. Note the key word "priority," which requires identifying the most important action to take at this time. Verbalizing the impact the crisis has had helps put the event in a more realistic perspective.

73. Use the process of elimination to select the option that corresponds with a physical assessment finding common among those who have bulimia. Because bulimia involves binging and purging, dental enamel is prone to deterioration from repeated forced vomiting.

74. Note the key words "most likely" in reference to a physical finding common to those with anorexia nervosa. Recall that clients with anorexia lose a great deal of subcutaneous fat and even muscle tissue, which interferes with an ability to maintain body temperature. Consequently, there is a fine growth of hair that develops as a physiologic mechanism for maintaining near-normal body temperature.

75. Use the process of elimination to select the option that distinguishes between the two eating disorders. The key to the answer is the difference in eating patterns. Clients with anorexia are more prone to self-starvation rather than binge eating.

76. Use the process of elimination to select the option that correlates best with a client who has anorexia nervosa. Recall that individuals with anorexia nervosa are often perfectionists. They use controlling their food intake as a symbolic way of controlling aspects of their life that may be out of control. Some believe that the family in which the client with anorexia lives is dysfunctional.

77. Note the key words "initial priority," which in this case applies to the most important goal when managing the care of a client with anorexia. Recall that meeting physiological needs like preventing life-threatening self-starvation comes before all others according to Maslow hierarchy of needs.

78. Apply principles of therapeutic communication to identify the best nursing response to the parent's statement. Sharing perceptions is a therapeutic communication technique because it shows empathy for how a person is feeling.

79. Use the process of elimination to select the option that describes the best action to take when a client with anorexia arranges rather than eats food. Recall that giving attention to an undesirable behavior is a form of positive reinforcement. Ignoring behavior is nonjudgmental.

80. Note the key words "most appropriate" as they relate to a nursing response when a client drinks water to falsify the measurement of body weight. Remember that confrontation is a therapeutic communication technique that calls attention to an undesirable behavior and demonstrates to the client that he or she will be held accountable for the consequences of an observed action. To obtain an accurate weight when a client is suspected of water loading, the specific gravity of the urine may be checked or a random weight may be obtained later.

81. Look closely at the figures in the examples. Consider that the human papillomavirus (HPV) vaccine will be given to an adolescent. Recall that an adolescent may feel less embarrassed to receive an injection in the deltoid site than the dorsogluteal site or vastus lateralis.

82. Use the process of elimination to select the option that is a typical assessment finding in a client with cognitive impairment admitted to a hospital. Separation anxiety is the best answer from among the options provided. Although it is more common among young children, this client has a mental age that is similar. Separation anxiety is often triggered by changes in a person's environment and when a person is away from parents for long term.

83. Note the key words "most likely" in reference to a parental behavior that interferes with the adolescent with cognitive impairment reaching his or her highest potential. Recall that providing too much care stifles a person's independence.

84. Use the process of elimination to select the option that provides the best explanation for the aggressive act by a client with cognitive impairment. Recall that aggressiveness is a defensive reaction.

85. Note the key word "best" in reference to documenting an incident involving a client's aggressive action. Recall that documentation should be objective and factual.

86. Use the process of elimination to select the option that provides the best suggestion to avoid being struck again by the client with cognitive impairment. Preparing and explaining nursing care actions prior to performing them reduces the potential for the client feeling fearful and threatened. Recall that using physical or chemical restraints for the benefit of personnel violates the standards generally accepted for nursing care.

87. Note the key word "initially" in reference to an action when a client demonstrates cues that suggest the potential for violence. Taking the client to his or her room is a method for deescalating the potential for violence. Placing the person in a quiet secure place allows the client to ventilate and clarify the current problem.

88. Use the process of elimination to select the transmission precautions that are appropriate when caring for someone who reports having experimented with intravenous opioid drugs. Recall that standard precautions are recommended for reducing the risk for acquiring blood-borne infections.

89. Note the key words "most appropriate" in reference to the type of social history a nurse should collect when caring for an adolescent. Recall that during adolescence, clients are influenced more by peers than by any other social factors.

90. Note the key words "strongest influence," in reference to the development of antisocial behavior. Recall that individuals who demonstrate antisocial behavior have acquired a very weak or absent superego. The superego can be compared to one's conscience, which is a result of being raised with guidelines about what is right and wrong. Because the primary source for learning right from wrong begins with parental guidance and modeling, inconsistency on the part of parents affects the adolescent's inability to behave in a socially acceptable manner.

91. Note the key words "most important" in reference to information to communicate to individuals who attend group meetings. Recall that personal information must be kept confidential. Any breach of confidentiality may result in a cessation of communication among group members. Lack of free interaction sabotages the therapeutic benefits of group therapy.

92. Note the key words "most indicative" in reference to evidence of resistance to therapy. Checking the clock demonstrates resistance to therapy because it suggests that the client would rather somewhere other than the group meeting. Other behaviors that demonstrate resistance to therapy include missing meetings, coming late to meetings, leaving meetings early, and lack of participation at meetings.

93. Use the process of elimination to select the option that correlates with an outcome from having grown up in a family with alcohol use disorder. Alcohol use disorder is a family disease. Recall that life in a family with someone with alcohol use disorder is generally filled with disappointments when promises have not been kept, embarrassment by the parent's public intoxication, and lack of physical and emotional attention to needs, which all lead to low self-esteem.

94. Use the process of elimination to select the option that corresponds with an agency that is most appropriate for assisting a client with a parent with alcohol use disorder. Alateen, if it is available in the community, helps adolescents deal with issues that relate to a family member's alcohol use disorder or their own alcohol use disorder.

95. Use the process of elimination to select the option that correlates with the most likely benefit to an adolescent receiving therapy focused on issues surrounding life with a parent with alcohol use disorder. Recall that an adolescent with a parent with alcohol use disorder has been disappointed many times by unkept promises and dysfunctional parenting. Developing the ability to trust others would be a positive outcome.

96. Use the process of elimination to select the option that correlates with a factor that most likely affects an adolescent's willingness to use a nonprescription and perhaps illegal drug. Recall that adolescents are highly influenced by peer behavior and attitudes.

97. Use the process of elimination to select the option that corresponds with an effect of taking an anabolic steroid. Recall that severe acne, a side effect of anabolic steroids, is not one of the more dangerous or life-threatening effects, but it is an indication of steroid misuse when accompanied by other physical assessments.

98. Use the process of elimination to select the option that correlates with behavioral effects associated with anabolic steroids. Recall that males tend to be more aggressive than females, which some attribute to a predominance of testosterone rather than estrogen.

99. Use the process of elimination to select the option identifying the laboratory test(s) that are most affected by the use of anabolic steroids. Recall that pharmacokinetics following drug administration includes absorption, distribution, metabolism, and excretion. The liver is the organ for metabolizing and detoxifying drugs.

100. Read all the choices carefully. Use the process of elimination to exclude options or select options that are warning signs of suicidal ideation. Recall that warning signs of suicide can vary by age and gender and are not always obvious. Contemplating suicide is usually associated with a painful event, loss, or change. Some behaviors suggesting a potential for suicide include talking about wanting to die, feeling hopeless, increasing the use of alcohol or drugs, acting agitated, and many others.

101. Use the process of elimination to select the option that correlates with the outcome that results from achieving the developmental tasks during adolescence. Recall that according to Erikson, acquiring identity is an outcome that occurs during adolescence.

102. Note the key words "most beneficial" in reference to data that will be most helpful to an adolescent upon learning about an unplanned pregnancy. Recall that support from significant others is most important when dealing with a stressor.

103. Read all the choices carefully. Use the process of elimination to select options that suggest schizophrenia in an adolescent. Recall that early symptoms of schizophrenia in adolescents may resemble those that are typical for development at that time. The initially vague symptoms may eventually become more noticeable with a cluster that includes withdrawal, lack of motivation, odd speech, and having a vacant facial expression.

104. Use the process of elimination to select the option that corresponds with the legal criterion to justify an involuntary admission to a mental health facility. Recall that a client has the right to self-determination unless and until the client's actions are dangerous to self or others.

105. Note the key words "most appropriate," in reference to teaching a client who will self-administer the drug haloperidol. Recall that taking an antipsychotic medication can cause postural hypotension. To ensure that the client's safety is maintained, it is essential that the nurse include information that helps the client avoid fainting and an accompanying injury.

106. Use the process of elimination to select the option that identifies the best evidence of haloperidol's therapeutic effect. Recall that psychoses may be accompanied by hallucinations, especially of the auditory type. Consequently, the elimination of hearing voices that say, "You are a bad person" is a desired response for a client taking this drug.

107. Note the key word "immediately" in reference to a symptom suggestive of a serious side effect of clozapine. Recall that susceptibility to infection, evidenced by a sore throat, may be related to agranulocytosis, which could have life-threatening consequences. The sore throat should be reported to the prescriber immediately.

Correct Answers and Rationales

Mental Health Needs During Infancy

1. 1. Verbalizing feelings is an appropriate step toward processing emotional trauma. After the parents have had time to react emotionally themselves, emphasizing the newborn's normalcy regardless of cognitive ability and referring the parents to agencies that provide early intervention would be appropriate eventually. It would be inappropriate for the nurse to encourage the parents to seek a referral for counseling with the hospital chaplain. Such a referral is offered and occurs only when the parents are receptive.

> *Cognitive Level—Applying*
> *Client Needs Category—Psychosocial integrity*
> *Client Needs Subcategory—None*

2. 2. Reflecting is an effective communication technique that involves responding to both the feelings and the verbalized content. Reflecting involves empathic responses that facilitate further therapeutic interaction. Defending is a nontherapeutic communication technique that implies that the parents' feelings and actions are unwarranted. Asking a "why" question demands an explanation from the client. This form of communication is nontherapeutic because most clients are not able to verbalize their rationales. Disagreeing implies that the parents have no right to feel as they do.

> *Cognitive Level—Applying*
> *Client Needs Category—Psychosocial integrity*
> *Client Needs Subcategory—None*

3.

3. Mother's initial response is, "You have confused my baby with someone else's."
2. Father states, "We are good people. We do not deserve to have this happen to us."
4. Father heard praying, "What can I do to make this better for my wife and child?"
1. Overheard telling partner, "I cannot go on; I am such a failure at being a mother."
5. Mother observed rocking the newborn and discussing how much he looks like his grandfather.

Grieving is a highly individual experience based on one's coping mechanisms, life experiences, resources, and support system. Although the grieving process encompasses five stages and, in many cases, follows a progressive course, clients work through the various stages of grief in their own particular order and on their own timeline. Generally, the first stage of grief involves shock and

disbelief, which results in denial. Anger, the second stage, is commonly directed at others (such as the spouse, health care provider, or hospital services). During the bargaining stage (typically, the third stage), clients attempt to negotiate with God or a higher power to achieve a particular outcome. Depression, the fourth stage of grieving, is commonly manifested by crying, sadness, and feeling alone. Acceptance, the last stage of the grieving process, is characterized by an ability to endure what is inevitable.

> *Cognitive Level—Analyzing*
> *Client Needs Category—Psychosocial integrity*
> *Client Needs Subcategory—None*

4. 1. Evidence of bonding includes eye contact, skin contact, touching and stroking, smiling and talking to the newborn, and cuddling. Other evidence involves providing basic care, such as changing the newborn's diaper and feeding the newborn. The other behaviors are normal and appropriate, but they are not the best evidence of bonding.

> *Cognitive Level—Applying*
> *Client Needs Category—Psychosocial integrity*
> *Client Needs Subcategory—None*

5. 4. Allowing the mother to provide basic care promotes bonding. A mother's self-concept and self-confidence are increased when the nurse offers supportive encouragement. Interfering with parenting skills contributes to parental feelings of insecurity and decreases the mother's confidence.

> *Cognitive Level—Applying*
> *Client Needs Category—Psychosocial integrity*
> *Client Needs Subcategory—None*

6. 3. Withdrawal from heroin and other recreational drugs, whether in a newborn or an adult, is characterized by symptoms somewhat opposite of the drug's action. For example, in heroin withdrawal, which is a central nervous system depressant, newborns are typically hyperactive and irritable, cry constantly, and are unable to be consoled. These particular symptoms place the newborn at high risk for child abuse. They are also poor feeders, putting them at risk for failure to thrive. Unresponsiveness, dilated pupils, and impaired sucking are significant abnormal findings, but they are not characteristic of opioid withdrawal.

> *Cognitive Level—Applying*
> *Client Needs Category—Psychosocial integrity*
> *Client Needs Subcategory—None*

7. 1. Because opioid withdrawal is characterized by central nervous system stimulation, reducing environmental stimuli is a priority when caring for a newborn experiencing its effects. Touching and stroking increase tactile stimuli and are more appropriate when caring for normal newborns. Most newborns, including those experiencing withdrawal, are comforted by being wrapped snugly in a blanket.

> *Cognitive Level—Analyzing*
> *Client Needs Category—Psychosocial integrity*
> *Client Needs Subcategory—None*

8. 2. Meeting an infant's need for love is one of the best foundations for future mental health, regardless of the child's physical or mental status. Love helps the child feel secure and helps build self-esteem and trust in others. The needs for autonomy, respect, and identity are also important, but they represent higher-level needs.

> **Cognitive Level**—*Applying*
> **Client Needs Category**—*Health promotion and maintenance*
> **Client Needs Subcategory**—*None*

9. 1. Severe anxiety leads to weight loss and stunted, slowed growth, commonly referred to as *failure to thrive*. Failure to thrive can occur from an unsatisfactory relationship with a caregiver. Listening to heart and breath sounds and measuring the head and chest are appropriate, but they are not as indicative as weight and length are in comparison with norms for infants of the same age. Assessing the sucking and grasp reflexes is more appropriate for a newborn.

> **Cognitive Level**—*Applying*
> **Client Needs Category**—*Physiological integrity*
> **Client Needs Subcategory**—*Physiological adaptation*

10. 1. A certain amount of crying is normal for an infant because it is the infant's only means of communicating distress. How a parent reacts to the infant's crying is important. Finding out the parent's expectations helps the nurse determine whether the parent has a realistic perception of the infant's behavior. The other selections do not provide significant additional data needed to analyze the young parent's concern.

> **Cognitive Level**—*Applying*
> **Client Needs Category**—*Health promotion and maintenance*
> **Client Needs Subcategory**—*None*

11. 1. "Spoiling a baby" is a commonly used phrase that refers to the notion that frequent holding, cuddling, or immediately responding to an infant's cries ultimately promotes the infant's dependence on the caregiver. However, holding the infant promotes the acquisition of trust, a developmental characteristic acquired in infancy. Neglecting and isolating an infant promotes stress and affects normal development. Infants cannot develop negative effects from being held and touched in an affectionate manner, and they are extremely sensitive to the attitudes and actions of those caring for them. All humans, not just infants or toddlers, need physical and social contact with other humans for adequate nurturing.

> **Cognitive Level**—*Applying*
> **Client Needs Category**—*Health promotion and maintenance*
> **Client Needs Subcategory**—*None*

12. 3. Touching and hearing a parent's voice are essential for optimal emotional growth during infancy. Receiving affectionate sensory stimulation helps the infant develop a feeling of trust, the major developmental task during infancy. Inanimate sensory stimulation is appropriate, but physical human interaction is a priority.

> **Cognitive Level**—*Applying*
> **Client Needs Category**—*Health promotion and maintenance*
> **Client Needs Subcategory**—*None*

13. 4. People with expertise in successful child-rearing techniques teach parenting classes. Participants learn by imitating and modeling the behaviors of others in the group. Group members support one another by sharing common experiences. Project Head Start is for preschool children. Planned Parenthood is concerned with family planning. Parent-teacher associations are for parents of school-age children.

> **Cognitive Level**—*Applying*
> **Client Needs Category**—*Safe and effective care environment*
> **Client Needs Subcategory**—*Coordinated care*

14. 2. Mistrust is the characteristic most likely to develop if infants are not nurtured adequately. Infants who develop mistrust begin to view the world as unsafe and unreliable. The other characteristics—inferiority, anxiety, and isolation—are negative attributes acquired at later stages of unfulfilled development.

> **Cognitive Level**—*Applying*
> **Client Needs Category**—*Health promotion and maintenance*
> **Client Needs Subcategory**—*None*

15. 2, 3, 5. Failure to thrive is a condition in which the infant falls below the third percentile for weight and length. There are two main reasons why this occurs: organic causes that result from congenital or other physiologic problems and nonorganic causes that result from poor maternal bonding and lack of parenting skills. Nonorganic causes are regarded as a form of child neglect. In some cases, failure to thrive results from a combination of both causes. Typical characteristics of an infant who is diagnosed with failure to thrive include a delay in developmental milestones after about the third month and lack of attention during a verbal interaction. These infants are typically pale and lethargic. They lack subcutaneous fat, making them thin and wrinkled, often with skin breakdown. They do not cry when handled, but instead stare intensely at people who approach. They are often poor feeders because they lack the strength to eat.

> **Cognitive Level**—*Applying*
> **Client Needs Category**—*Health promotion and maintenance*
> **Client Needs Subcategory**—*None*

16. 1, 2, 3, 4, 5. Several maternal risk factors—all nonorganic causes—can potentially lead to failure to thrive. Most are associated with an insufficient maternal attachment process or inadequacy of parenting skills.

These risks include an unplanned or unwanted pregnancy, maternal history of teenage pregnancy, alcohol or drug use, low socioeconomic status, and a father who is no longer available to provide support. The fact that the mother has dropped out of high school is not necessarily a risk factor for failure to thrive.

Cognitive Level—*Applying*
Client Needs Category—*Psychosocial integrity*
Client Needs Subcategory—*None*

Mental Health Needs During Childhood

17. 3. A 2-year-old child typically uses at least single words like "no" and "me" to make ideas understood. Therefore, the absence of language skills would suggest a developmental delay. The other behaviors do not necessarily indicate delayed development. Most children begin drinking from a glass and toilet training at this stage of development. The ability to draw a picture depends on the development of fine motor skills, which typically begins during the toddler stage with scribbling and is refined as the child grows older and is able to draw simple figures and pictures.

Cognitive Level—*Applying*
Client Needs Category—*Health promotion and maintenance*
Client Needs Subcategory—*None*

18. 2. Demonstrating disapproval immediately after unacceptable behavior helps the child associate the undesirable behavior with negative consequences. This approach takes time and consistent reinforcement, but it is the most appropriate form of discipline for a 2-year-old child. A 2-year-old child is too young to control impulses just by identifying potential consequences or receiving explanations for behavioral expectations. Physical punishment tends to teach impressionable youngsters that it is appropriate to be physically violent.

Cognitive Level—*Applying*
Client Needs Category—*Health promotion and maintenance*
Client Needs Subcategory—*None*

19. 3. To exercise autonomy, toddlers often become defiant and refuse to cooperate with requests, routines, and regulations. At this time, the toddler does not understand the need to abide by rules and requests outside of what he or she desires. This often frustrates parents who are trying to raise the toddler. The psychosocial characteristics of integrity, identity, and generativity are acquired at later stages of development.

Cognitive Level—*Applying*
Client Needs Category—*Health promotion and maintenance*
Client Needs Subcategory—*None*

20. 1. To avoid a power struggle, it is best to give the child an opportunity to choose between two acceptable alternatives. Withholding something desirable is not likely to meet with success because a child of this age tends to be quite oppositional when challenged. The child is too young to comprehend abstract explanations. Informing the parent is not likely to change the child's behavior.

Cognitive Level—*Applying*
Client Needs Category—*Safe and effective care environment*
Client Needs Subcategory—*Coordinated care*

21. 3. A parent causing physical symptoms in a dependent child is characteristic of Munchausen syndrome by proxy. Consequently, the victim (typically a young child) is subjected to a variety of unnecessary medical procedures. The parent's sole purpose in intentionally producing an illness in a dependent child is to draw attention to the pain or work associated with caring for an ill child. This condition is considered a form of child abuse and must be reported to the authorities even if there is no definite proof. A parent's fear of the child dying does not automatically infer a Munchausen syndrome by proxy diagnosis. Being knowledgeable about developmental norms is important for parents as the child grows. Overreacting to minor health variations is not a characteristic sign of Munchausen syndrome by proxy.

Cognitive Level—*Applying*
Client Needs Category—*Psychosocial integrity*
Client Needs Subcategory—*None*

22. 3. Having one or both parents within sight and touch helps to prevent separation anxiety and provides one of the best coping strategies for dealing with the pain and suffering that the child may experience. The other options listed have secondary therapeutic value.

Cognitive Level—*Applying*
Client Needs Category—*Health promotion and maintenance*
Client Needs Subcategory—*None*

23. 2. Regressive behavior such as thumb sucking is considered a coping mechanism that relieves anxiety. Given the child's circumstances and behavioral observations among others who have experienced stressful situations, this is the most credible explanation among the options listed for the phenomenon.

Cognitive Level—*Applying*
Client Needs Category—*Psychosocial integrity*
Client Needs Subcategory—*None*

24. 3. Handling equipment whenever possible helps children overcome some of their initial fears. It is important to be honest with children when procedures involve pain. However, the term "minimal" is relative; from the child's perspective, the pain may be more than minimal. Bribing a child by offering a reward is not a therapeutic means of gaining cooperation. Seeing others who have I.V. lines will

not necessarily diminish the child's unique feelings and expectations concerning the upcoming procedure.
Cognitive Level—*Applying*
Client Needs Category—*Psychosocial integrity*
Client Needs Subcategory—*None*

25. 4. The 3½-year-old child who is ignoring the parents is practicing a form of detachment, the third stage in typical hospital adjustment. This stage represents the most severe reaction that can occur in a young child who is hospitalized for a prolonged time. All the remaining options characterize the initial (protest) stage of hospital adjustment. The second (despair) stage is characterized by apathy and withdrawal.
Cognitive Level—*Applying*
Client Needs Category—*Psychosocial integrity*
Client Needs Subcategory—*None*

26. 1. One classic sign of physical abuse is evidence of scars, bruises, and fractures in varying stages of healing. Being underweight and not fully immunized may raise suspicions of neglect or that the family is financially needy; however, these findings alone do not strongly suggest abuse. Injuries can occur without an adult witness.
Cognitive Level—*Applying*
Client Needs Category—*Psychosocial integrity*
Client Needs Subcategory—*None*

27. 1, 2, 4, 5, 6. Any sexual activity between a child younger than age 18 years and an adult is classified as sexual abuse. Signs of sexual abuse include demonstrating sexual acts on a doll or other toy, having a sexually transmitted infection (such as gonorrhea), being afraid to be left alone with the perpetrator, and difficulty sleeping (or napping). Other signs of sexual abuse include discussing sexual acts with heightened awareness and vocabulary for the child's age; vaginal or anal tearing resulting in blood in the underwear; perineal, anal, or vaginal inflammation; symptoms of increased anxiety, such as tics, stuttering, or nail biting; and poor school performance. Burning on urination, especially in young girls, may be a sign of a urinary tract infection; this is not uncommon in toddlers and preschoolers due to poor hygiene and wiping techniques during toileting. However, it does require further investigation if it is accompanied by a cluster of other signs because it may be related to a sexually transmitted infection or sexual abuse. Being underweight may be a sign of neglect or poor nutrition, not sexual abuse.
Cognitive Level—*Applying*
Client Needs Category—*Psychosocial integrity*
Client Needs Subcategory—*None*

28. 2. The nurse should be positioned at a young child's level, regardless of the reason for interaction, to reduce the child's risk of feeling threatened. Prolonged eye contact tends to heighten anxiety. Victims of child abuse often protect their abusers. However, a child may feel more confident to confide in the nurse when questioned alone. Separation

helps to obtain information, but it is not necessarily a technique for developing a therapeutic nurse-client relationship.
Cognitive Level—*Applying*
Client Needs Category—*Psychosocial integrity*
Client Needs Subcategory—*None*

29. 4. Nurses are among those required by law to report suspected child abuse. Not reporting suspected child abuse is considered a crime. The child protective services agency is responsible for finding a temporary and safe environment such as foster care for the child in future danger. Parents Anonymous is an organization that provides support to those who wish to break the cycle of child abuse. However, the priority at this time is the child's safety. A court-appointed legal guardian may be an outcome following the investigation by child protective services. It is inappropriate for a nurse to contact a relative to care for the child.
Cognitive Level—*Applying*
Client Needs Category—*Safe and effective care environment*
Client Needs Subcategory—*Coordinated care*

30. 4. Giving the child permission to masturbate privately sets limits as to where this is done but does not imply that masturbation is a deviant behavior. Interrupting the practice or providing the child with another alternative may temporarily stop the activity; however, the child would not understand the reason for the diversion. The other choices imply that experiencing pleasure from touching one's body is objectionable.
Cognitive Level—*Applying*
Client Needs Category—*Health promotion and maintenance*
Client Needs Subcategory—*None*

31. 3. Feeding a doll (or changing the doll's diaper or clothes) is most suggestive of the identification process. Identification is behavior that imitates the same-sex parent or other adult. The other behaviors are examples of the child's cognitive development.
Cognitive Level—*Applying*
Client Needs Category—*Health promotion and maintenance*
Client Needs Subcategory—*None*

32. 4. A preschooler who is not accustomed to sharing attention may feel that the new child is taking his or her place. The preschooler may behave like an infant to regain attention or may resort to behavior manifested during an earlier period of development (such as wetting and soiling oneself) to feel more secure. It is normal for a 4-year-old child to begin identifying with and imitating the same-sex parent (such as a male child trying to use his father's tools). Preschoolers begin to need less daytime sleep. At this age, crying is a natural emotional response to disappointing events.
Cognitive Level—*Applying*
Client Needs Category—*Health promotion and maintenance*
Client Needs Subcategory—*None*

33. 2. Anxiety occurs when a person perceives a threatening situation. The perceived threat creates a feeling of insecurity. Mental mechanisms (also known as ego defense mechanisms) such as regression are unconsciously or subconsciously used to eliminate or reduce conflict, protect one's self-image, and resolve an emotional dilemma. Failure to control elimination does not reflect unmet needs for powerfulness, self-confidence, or independence.

> *Cognitive Level*—*Applying*
> *Client Needs Category*—*Psychosocial integrity*
> *Client Needs Subcategory*—*None*

34. 4. Anxiety that results from competing for attention is diminished if the parent spends time alone with the child. The other options are appropriate interventions, but they will not necessarily relieve the child's anxiety.

> *Cognitive Level*—*Applying*
> *Client Needs Category*—*Health promotion and maintenance*
> *Client Needs Subcategory*—*None*

35. 1. A school-age child must learn to follow directions and carry out a task. Therefore, providing the preschooler with tasks within the level of accomplishment promotes success and a positive feeling about self-competence. Printing the first name may be beneficial, but printing both first and last names is a skill not usually accomplished by a 4-year-old child. A preschooler usually has no immediate use for flash cards that teach addition. This skill is typically reserved for 7- to 8-year-old children in first and second grades. Daytime television programs are not necessarily educational.

> *Cognitive Level*—*Applying*
> *Client Needs Category*—*Health promotion and maintenance*
> *Client Needs Subcategory*—*None*

36. 2. Children learn how to manipulate others through certain types of behavior. When a child realizes that a tantrum will not obtain the desired result, the child will most likely discontinue that behavior. Therefore, ignoring the behavior is the best choice. Giving candy beforehand contradicts the principle that candy is not allowed at this time. A young child is more likely to behave based on emotions rather than intellectual logic. Therefore, the 2-year-old child is not likely to accept an explanation about the inappropriateness of the behavior or pleas to act differently.

> *Cognitive Level*—*Applying*
> *Client Needs Category*—*Psychosocial integrity*
> *Client Needs Subcategory*—*None*

37. 1. Autism spectrum disorders are conditions with no known cause. More common among boys, these disorders are characterized by unawareness of external reality, limited or no social interaction, abnormal speech patterns and conversational ability, preoccupation with repetitive behaviors, and a low range of interest in self or others. Children with an autism spectrum disorder tend to display bizarre body movements. For example, they rock their bodies, bang their heads, or touch their hands to their faces in peculiar mannerisms. If these movements are interrupted, violent temper tantrums may result. None of the other items describes characteristics of an autism spectrum disorder.

> *Cognitive Level*—*Understanding*
> *Client Needs Category*—*Psychosocial integrity*
> *Client Needs Subcategory*—*None*

38. 2. Children with an autism spectrum disorder are prone to repetitive body movements such as continuous hand clapping. If the behavior is interrupted, they often act impulsively, becoming aggressive and causing self-injury. Therefore, they commonly demonstrate insensitivity to pain. This behavior is concerning because of its increased risk for injury. Mental impairment is common; diagnosis depends on the clinical presentation and the child's inability to reach developmental milestones. Because of their abnormal speech patterns and inability to communicate effectively, children with an autism spectrum disorder rarely use the words "I" and "me." Children with an autism spectrum disorder are also prone to rigid routines, and they show little to no interest in the actions of others; neither of these behaviors would trigger concern.

> *Cognitive Level*—*Applying*
> *Client Needs Category*—*Psychosocial integrity*
> *Client Needs Subcategory*—*None*

39. 3. A consistent caregiver or primary nurse facilitates development of a trusting relationship. Children with an autism spectrum disorder have a limited ability to interact with others. The child would be triggered for outbursts by a high stimulus environment. Rocking is inappropriate because children with an autism spectrum disorder do not easily tolerate physical contact.

> *Cognitive Level*—*Applying*
> *Client Needs Category*—*Safe and effective care environment*
> *Client Needs Subcategory*—*Coordinated care*

40. 1. The characteristics of autism spectrum disorder are divided into three categories: inability to relate to others, inability to communicate with others, and limited activities and interests. Children with an autism spectrum disorder tend to show little or no ability to relate to other humans, including their parents. All the remaining examples require interaction with and response to one or more people. This is unrealistic for a child with an autism spectrum disorder.

> *Cognitive Level*—*Applying*
> *Client Needs Category*—*Health promotion and maintenance*
> *Client Needs Subcategory*—*None*

41. 4. One common behavior among children with an autism spectrum disorder is a tendency to cause self-harm by head banging, biting, and pulling out hair and fingernails. A child with an autism spectrum disorder is incapable of, or not responsible for, maintaining his or her own health. Self-esteem is established on the basis of receiving approval or disapproval from others. Because a child with an autism spectrum disorder is indifferent to the physical presence and opinion of others, low self-esteem is not likely to be a problem. The child's general physical health is unaffected by the autism spectrum disorder. Therefore, if the child cannot tolerate activity, it is due to another unrelated condition.

> *Cognitive Level*—*Applying*
> *Client Needs Category*—*Safe and effective care environment*
> *Client Needs Subcategory*—*Coordinated care*

42. **1.** Children with an autism spectrum disorder have varying levels of impairment and require full assistance with some or all activities of daily living. When the child demonstrates an attempt at self-feeding, it is appropriate to encourage the child to participate in this aspect of self-care. Learning takes place when a person is ready. Until a child with an autism spectrum disorder demonstrates some interest, attempts to gain cooperation are likely to be frustrating for the child and the parent. Giving finger foods, waiting for the child to become hungry, and demonstrating how to use a spoon are not likely to improve the child's nutrition.

> *Cognitive Level*—*Applying*
> *Client Needs Category*—*Physiological integrity*
> *Client Needs Subcategory*—*Basic care and comfort*

43. **3.** Rewards, even in the form of praise, tend to promote repetition of a desired behavior. Noting whether the behavior is repeated is appropriate, but it is not the best technique to use first. It would be unrealistic to expect the child to continue self-feeding after only one attempt. Giving the child more food does not necessarily encourage self-feeding behavior; if it does, obesity is a possible consequence.

> *Cognitive Level*—*Applying*
> *Client Needs Category*—*Psychosocial integrity*
> *Client Needs Subcategory*—*None*

44. **2.** If the child's possessions, routines, or environment are altered, the child with an autism spectrum disorder is likely to become upset and combative toward others or self. A stimulating environment creates chaos and distress for a child with an autism spectrum disorder. A flexible environment with no routines causes anxiety; the child cannot appreciate choices within the flexibility. Limit setting is important, but a rigid, inflexible atmosphere can be distressing.

> *Cognitive Level*—*Applying*
> *Client Needs Category*—*Psychosocial integrity*
> *Client Needs Subcategory*—*None*

45. **4.** Private home health care agencies employ various levels of health practitioners. An agency of this type selects the surrogate caregiver most appropriate for the type of client and level of care needed. The Office of Family Assistance is a federal agency that administers the Temporary Assistance for Needy Families (TANF) program. TANF is a social welfare program that provides economic assistance to a parent who is unable to financially support the care of one or more children. The American Association on Mental Retardation is concerned with people who are mentally impaired, not mentally ill. Mental impairment usually begins in childhood and is characterized by deficits in intellect and motor and adaptive skills. Autism spectrum disorders, however, are disorders with no known cause. Most day care facilities do not provide evening care and might not accept a child with special needs.

> *Cognitive Level*—*Applying*
> *Client Needs Category*—*Safe and effective care environment*
> *Client Needs Subcategory*—*Coordinated care*

46. **2.** Children between the ages of 6 and 11 are acquiring industry, which is characterized by learning to work beside and cooperatively with others. They learn to accept success and defeat and how to give support to others. The other characteristics are associated with later stages of development.

> *Cognitive Level*—*Applying*
> *Client Needs Category*—*Health promotion and maintenance*
> *Client Needs Subcategory*—*None*

47. **4.** Currently, there is no known etiology for the cause of hyperactivity disorder (ADHD) disorders. There has been much speculation that ADHD is a consequence of childhood immunizations, but there has been no scientific evidence of this hypothesis. Although autism and similar disorders may coexist among children who have negative effects from food additives or may have experienced brain trauma, the relationship at this time is strictly coincidental.

> *Cognitive Level*—*Remembering*
> *Client Needs Category*—*Health promotion and maintenance*
> *Client Needs Subcategory*—*None*

48. **4 mL**

Step 1: Convert 1 tsp to its metric equivalent, which is 5 mL.
Step 2: Use a dosage calculation formula such as:

$$\frac{\text{Desired dose} \times \text{Quantity}}{\text{Dose on hand}}$$

Calculate:

$$\frac{20 \text{ mg} \times 5 \text{ mL}}{25 \text{ mg}} = \frac{100 \text{ mg/mL}}{25 \text{ mg}} = 4 \text{ mL}$$

> *Cognitive Level*—*Applying*
> *Client Needs Category*—*Physiological integrity*
> *Client Needs Subcategory*—*Pharmacological therapies*

49. 2. Methylphenidate hydrochloride is a central nervous system stimulant that acts primarily on the cerebral cortex. The drug decreases hyperactivity and impulsiveness and appears to act in a manner similar to amphetamines. Methylphenidate is effective in 70% to 80% of children with attention deficit hyperactivity disorder. Methylphenidate is not a central nervous system depressant, antidepressant, or tranquilizer.
Cognitive Level—Remembering
Client Needs Category—Physiological integrity
Client Needs Subcategory—Pharmacological therapies

50. 2. Some of the chief characteristics of attention deficit hyperactivity disorder (ADHD) include distractibility, difficulty following directions, inability to remain focused on a task, and difficulty sustaining attention. Relief of these symptoms indicates a therapeutic response. Although methylphenidate hydrochloride is a central nervous system stimulant, it should not cause a child to be more alert, active, or less fatigued than the child was before treatment with the drug. In fact, overstimulation indicates a nontherapeutic or adverse response to the drug. Methylphenidate may cause a child to be less irritable and aggressive, but altering mood is not the primary reason for administering this drug.
Cognitive Level—Analyzing
Client Needs Category—Physiological integrity
Client Needs Subcategory—Pharmacological therapies

51. 3. Because methylphenidate hydrochloride is a central nervous system stimulant, side effects reflect overstimulation, as evidenced by insomnia, tachycardia, and anorexia. Some people experience an intense reaction, even with low dosages. The remaining adverse effects are not associated with this particular drug.
Cognitive Level—Applying
Client Needs Category—Physiological integrity
Client Needs Subcategory—Pharmacological therapies

52. 3. Hypertension is an adverse effect of methylphenidate hydrochloride, which may necessitate switching to a nonstimulating drug such as atomoxetine. Food intolerances, altered elimination patterns, and altered skin integrity are not associated with this drug.
Cognitive Level—Applying
Client Needs Category—Physiological integrity
Client Needs Subcategory—Pharmacological therapies

53. 2. Caffeine is present in 75% of all soft drinks. It is an ingredient in all cola products, except those labeled "caffeine-free." Caffeine is a stimulating drug that may contribute to overstimulation in a child who is taking methylphenidate hydrochloride. Avoiding dairy products, processed meats, or saturated fats will not affect the action of methylphenidate.
Cognitive Level—Applying
Client Needs Category—Physiological integrity
Client Needs Subcategory—Pharmacological therapies

54. 3. Setting limits helps children, whether they have attention deficit hyperactivity disorder (ADHD) or not, learn what is acceptable. It promotes security in knowing what is and what is not appropriate. Eventually, a child will achieve self-discipline. Consequences, both positive and negative, should be fair and consistently administered; the consequences should fit the behavior. Home schooling is an individual choice, and though there are arguments pro and con, it may or may not be beneficial. Transferring a child diagnosed with ADHD to a special needs class may be done in some school districts, but there is evidence that being placed in a special needs class is accompanied by less rigorous learning and stifles social development. Isolating a child temporarily allows the child to be labeled by peers as less than adequate and stigmatized as a consequence.
Cognitive Level—Applying
Client Needs Category—Psychosocial integrity
Client Needs Subcategory—None

55. 1. When planning an educational setting care plan, it is most important that the teacher and student have a clear understanding of behavioral expectations. It is essential that the teacher set and maintain consistent limits. Understanding and abiding by the behavioral expectations is a goal for the student. Reminders of consequences such as a chair in the corner of the room are educationally inappropriate and may lower the child's self-esteem. Allowing the child to move about the room is disruptive to others and does not allow the student to focus on the tasks at hand. There is no need to have a separate learning assignment or activity. By understanding the student's needs, the teacher can ensure that the student has the potential to function at the same level as the other students.
Cognitive Level—Applying
Client Needs Category—Safe and effective care environment
Client Needs Subcategory—Coordinated care

56. 3. School-age children tend to view disease and its treatment as a form of punishment, even though they cannot identify the transgression. They have anxiety related to the hospitalization and often perceive parental anxiety. Although school-age children consider adults to be quite powerful, they are aware that serious illnesses have unpredictable outcomes. School-age children do not correlate failure to comply with treatment with an automatic rejection from parents.
Cognitive Level—Applying
Client Needs Category—Health promotion and maintenance
Client Needs Subcategory—None

57. 1. School-age children tend to fantasize and exaggerate a potentially unpleasant experience. Therefore, it is best to avoid providing information far in advance. However, the child may be totally unprepared if the teaching is postponed until questions are asked or if the nurse assumes that the health care provider will provide all the information the child needs to know.

 Cognitive Level—*Applying*
 Client Needs Category—*Psychosocial integrity*
 Client Needs Subcategory—*None*

58. 4. Most children are primarily concerned with how they will be affected by a diagnostic test, procedure, or medical treatment. The nurse must provide honest information and support the child throughout the procedure. The other information is secondary to this.

 Cognitive Level—*Applying*
 Client Needs Category—*Health promotion and*
  maintenance
 Client Needs Subcategory—*None*

59. 2. Although all the reasons for discussing the prognosis with the dying child are essentially true, the best rationale for encouraging open communication is that it facilitates coping and emotional support for both the child and the family while they prepare for the child's inevitable death. Families who have left something unsaid often feel guilt and remorse. The remaining options have some validity, but they do not provide the best justification for discussing the prognosis with a child.

 Cognitive Level—*Applying*
 Client Needs Category—*Psychosocial integrity*
 Client Needs Subcategory—*None*

60. 1. Providing an ill child with honest explanations about the nature of the condition and upcoming procedures or treatments promotes confidence and trust in caregivers, especially when the reality of the experience is congruent with the teaching. The other characteristics may be acquired, but not as a consequence of an honest nurse-client relationship.

 Cognitive Level—*Applying*
 Client Needs Category—*Psychosocial integrity*
 Client Needs Subcategory—*None*

61. 1. Setting achievable goals allows the child the potential for success. Success instills a sense of pride in accomplishment and motivation for improvement. The other suggestions are appropriate; however, they are not the best techniques for supporting the child's self-esteem.

 Cognitive Level—*Applying*
 Client Needs Category—*Health promotion and*
  maintenance
 Client Needs Subcategory—*None*

62. 2. Privacy is an essential component of a therapeutic environment. Selecting a location where the person cannot be observed or overheard by others facilitates open communication and a therapeutic relationship. Sitting at the lunch table or meeting the student in the hallway or playground do not ensure privacy or prevent speculation by classmates.

 Cognitive Level—*Applying*
 Client Needs Category—*Safe and effective care*
  environment
 Client Needs Subcategory—*Coordinated care*

63. 1. In addition to the death of a parent, divorce is one of the most disruptive events a child can experience. Changes in family structure jeopardize a child's sense of security. Acting out is a behavioral manifestation of conflict. The death of a pet turtle, acquiring a paper route, and an infatuation with a classmate are situations that do not match the manifested behavior. Although these incidences may be stressful to the child, they would not have as intense an emotional impact as parental divorce.

 Cognitive Level—*Applying*
 Client Needs Category—*Psychosocial integrity*
 Client Needs Subcategory—*None*

64. 4. Discipline delivered immediately, fairly, and consistently helps a child understand the limits of acceptable and unacceptable behavior. Anxious people need reassurance that someone will enforce limits if they are unable to remain in control. Sending the child to the principal indicates that the teacher is evading personal responsibility for controlling classroom behavior. Suspension isolates the child from any helpful resource and is likely to contribute to continued low academic performance. Sending the child to the counselor on a daily basis is premature and too severe for the behavior manifested at this time. However, the counselor should be informed of the student's behavior and the home situation.

 Cognitive Level—*Applying*
 Client Needs Category—*Psychosocial integrity*
 Client Needs Subcategory—*None*

65. 3. The oldest child in a family tends to be one who conforms to the expectations of adults and who is more affected by criticism, more responsible, and more behaviorally rigid. The youngest child is likely to be less tolerant of frustration and more dependent on others. Middle children are more flexible and independent.

 Cognitive Level—*Applying*
 Client Needs Category—*Health promotion and*
  maintenance
 Client Needs Subcategory—*None*

66. 2. Making angry remarks suggests that this child is demonstrating displacement. Displacement is a psychological defense mechanism in which a person releases feelings onto someone or something else other than the true object of the anger, which in this case is the illness. The other behaviors are more indicative of normal behavior for a child this age, especially one whose usual routine is unstructured due to unusual circumstances.

 Cognitive Level—*Applying*
 Client Needs Category—*Health promotion and*
  maintenance
 Client Needs Subcategory—*None*

67. 3. Taking an active role in one's care is the most effective way to acquire a sense of control over a disease. Therefore, actually performing self-testing of blood glucose levels is therapeutic. The other activities are important, but less effective in promoting a sense of control.

> *Cognitive Level—Applying*
> *Client Needs Category—Health promotion and maintenance*
> *Client Needs Subcategory—None*

68. 1. Tourette syndrome is a disorder that begins manifesting at about age 7. More common among boys, the disorder causes the child to suffer from various tics (rapid, repetitive movements), including vocal tics (repeated use of words or phrases, coughing, barking, snorting, or throat clearing) and motor tics (such as eye movements, neck jerking, facial grimacing, jumping, and touching). Those with Tourette syndrome tend to utter verbal obscenities or other socially unacceptable words (coprolalia) and make other vocal sounds embarrassing to all concerned. When feeling the impulse to swear coming on, it may be helpful for the child to begin to say a rhyme or limerick to him- or herself. Some people have said that going through a rhyme enables the impulse for coprolalia to pass. The bizarre activities, which are difficult to control, tend to make the client an object of ridicule or to be avoided by those unfamiliar with the condition. If the symptoms in the remaining options occur, they are secondary to the diagnosis or unique to the client.

> *Cognitive Level—Applying*
> *Client Needs Category—Psychosocial integrity*
> *Client Needs Subcategory—None*

69. 1. Antipsychotic drugs such as haloperidol cause a cluster of side effects known as extrapyramidal symptoms. Parkinsonian tremors and sudden strong muscle spasms, especially of the neck, are two types of these symptoms. Muscle weakness, muscle atrophy, and muscle contractures are not common side effects.

> *Cognitive Level—Remembering*
> *Client Needs Category—Physiological integrity*
> *Client Needs Subcategory—Pharmacological therapies*

70. 2. Self-esteem develops as a consequence of experiencing deserved praise from people the child respects. Positive reinforcement is preferable to focusing on negative behavior. Praise is considered a far healthier approach than sheltering and protecting the child physically or emotionally from peers.

> *Cognitive Level—Applying*
> *Client Needs Category—Health promotion and maintenance*
> *Client Needs Subcategory—None*

Mental Health Needs During Adolescence

71. 3. The best outcomes are obtained when crisis intervention is initiated immediately after the precipitating

event. Although crises tend to become resolved even without professional support, the outcomes are less than optimal as time passes.

> *Cognitive Level—Applying*
> *Client Needs Category—Psychosocial integrity*
> *Client Needs Subcategory—None*

72. 2. The first step toward resolving a crisis is to have survivors process the event from their perspective. Some individuals require professional counseling, but most do not if crisis intervention is initiated soon after the event. Reassuring survivors that they will adapt may be appropriate, but it is not the most important action to take initially. Drug therapy in the form of minor tranquilizers is usually unnecessary; also, tranquilizing may be detrimental because it tends to interfere with processing the reality of the crisis.

> *Cognitive Level—Applying*
> *Client Needs Category—Psychosocial integrity*
> *Client Needs Subcategory—None*

73. 2. Bulimia is an eating disorder that is characterized by a preoccupation with food and body weight. Clients with bulimia control their weight by a cycle of purging after eating binges. The disorder is more common among female adolescents and young adults (in their 20s). Most clients with bulimia experience a period of depression or guilt after binging on large quantities of high-calorie foods. Because consuming such large amounts causes abdominal distention and pain, the client with bulimia typically vomits to lessen the discomfort. Deterioration of dental structures and erosion of tooth enamel results from repeated contact between gastric acid and teeth from self-induced vomiting. Clients with bulimia usually maintain a normal weight. Clients with anorexia are more likely to cease menstruating when their body fat is depleted. Loss of hair is also correlated more with the malnutrition of anorexia nervosa.

> *Cognitive Level—Applying*
> *Client Needs Category—Physiological integrity*
> *Client Needs Subcategory—Physiological adaptation*

74. 1. Anorexia nervosa is an eating disorder characterized by preoccupation with food, body weight, and extreme weight loss caused by fasting or excessive exercise. Anorexia nervosa usually occurs in young women between ages 13 and 20 and is more common in families who have already had an occurrence of the disorder. Low self-esteem and a distorted body image are major characteristics of the illness. Clients with anorexia nervosa commonly manifest lanugo, a growth of fine downy hair similar to that of newborn infants. It is thought that this occurs to promote or maintain normal body temperature in people who have little or no body fat. Bruises may indicate a vitamin deficiency, but they would not be limited to the upper torso. Generally, bowel sounds are normal in clients with anorexia clients. Clubbing of the fingers is characteristic of conditions causing chronic hypoxia.

    Cognitive Level—Remembering
    Client Needs Category—Physiological integrity
    Client Needs Subcategory—Physiological adaptation

75. **1, 2, 3, 5.** The distinguishing clinical difference between anorexia nervosa and bulimia is binge eating. Adolescents with bulimia often binge and then purge what they have eaten. Both anorexia nervosa and bulimia have similar symptoms of body image distortion, purging after meals, and decreased self-esteem. A characteristic adolescents experiencing anorexia nervosa express is a need to present as "perfect."

    Cognitive Level—Remembering
    Client Needs Category—Physiological integrity
    Client Needs Subcategory—Physiological adaptation

76. **2.** Generally, clients with anorexia nervosa are characterized as being "perfect" children with above-average scholastic achievement, perhaps due to a fear of failure. They often adhere to a strict program of exercise and are ritualistic in their behaviors. None of the other characteristics listed is unique to clients with anorexia nervosa.

    Cognitive Level—Applying
    Client Needs Category—Health promotion and maintenance
    Client Needs Subcategory—None

77. **3.** Initial treatment of a client with anorexia nervosa focuses on meeting physiological needs. After nutrients, fluids, vitamins, and electrolytes have been administered, attention shifts to the client's psychosocial problems.

    Cognitive Level—Applying
    Client Needs Category—Safe and effective care environment
    Client Needs Subcategory—Coordinated care

78. **3.** Validation is a therapeutic communication technique in which the nurse interprets what is perceived to be the underlying meaning of the words. If the interpretation is correct, it increases rapport and forms a basis for future collaboration. The techniques of generalizing, giving advice, and responding with a stereotypical statement are examples of nontherapeutic ways of communicating.

    Cognitive Level—Applying
    Client Needs Category—Psychosocial integrity
    Client Needs Subcategory—None

79. **4.** Controlling the desire to eat is a nonverbal technique that the client with anorexia uses to demonstrate power and control. Getting attention as a result of this behavior reinforces its effectiveness. Consequently, the most appropriate way to handle this situation is to simply remove the food without making any comments. Until a client's malnutrition becomes life threatening, forced feeding is unethical and inappropriate. Recording intake is not

an incentive for eating. In a client with anorexia, the fear of becoming fat is often greater than a prior commitment to collaborated goals.

    Cognitive Level—Applying
    Client Needs Category—Safe and effective care environment
    Client Needs Subcategory—Coordinated care

80. **2.** Confrontation is an effective therapeutic communication technique that allows the nurse to point out differences between an expected behavior and the actual action. Postponing weighing is likely to result in more accurate assessment data. However, this choice of action—as well as saying nothing or subtracting 2 lb (0.9 kg) from the client's weight—avoids the greater issue of dealing with the behavior.

    Cognitive Level—Applying
    Client Needs Category—Psychosocial integrity
    Client Needs Subcategory—None

81.

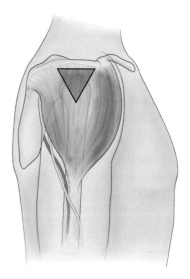

3. The human papillomavirus (HPV) vaccine is given in a series of three single intramuscular injections over a 6-month period. The vaccine is generally administered into the deltoid injection site in an adolescent. The ventrogluteal site is another possible injection site high in the anterolateral area of the thigh, which is not shown here.

    Cognitive Level—Applying
    Client Needs Category—Physiological integrity
    Client Needs Subcategory—Pharmacological therapies

82. **1.** Separation anxiety is a common response when a client with cognitive impairment experiences a change in caretakers in an unfamiliar environment. Pain is a subjective experience; it is erroneous to assume that a client who is cognitively impaired will respond any differently to pain than others with normal intelligence. An adolescent with this client's cognitive capacity should be able to communicate about basic needs despite the impairment.

An adolescent with normal cognitive ability is typically concerned about changes in body image; however, such concerns are unlikely for someone at this mental age.

Cognitive Level—Applying
Client Needs Category—Health promotion and maintenance
Client Needs Subcategory—None

83. 1. Assuming responsibility for skills that can be performed independently, such as dressing and undressing, tends to interfere with the ability to achieve maximum levels of self-care. It is normal for a parent to be the medical historian for nonadult children. Self-blame and exaggerating the adolescent's abilities are indications that the parent is not coping well with the adolescent's condition.

Cognitive Level—Applying
Client Needs Category—Health promotion and maintenance
Client Needs Subcategory—None

84. 2. The adolescent's aggressive response is a defensive reaction not unlike that displayed by younger children who perceive themselves to be in threatening situations. Stating that all people with cognitive impairment are physically aggressive is an overgeneralization. One incidence of physically lashing out is not enough to conclude that the client has a poor opinion of the care provided. Children commonly demonstrate that they are in pain by crying or moaning, not by being aggressive.

Cognitive Level—Applying
Client Needs Category—Psychosocial integrity
Client Needs Subcategory—None

85. 3. The nurse should take care to document facts, not opinions. Although stating that the unlicensed assistive personnel was struck while helping the client out of bed requires more elaboration, it is more appropriate than the other choices. Stating that the aggression was a consequence of feeling angry or that the act was spontaneous is inaccurate. The word "attacked" is an emotionally charged term that suggests more violence than occurred.

Cognitive Level—Applying
Client Needs Category—Safe and effective care environment
Client Needs Subcategory—Coordinated care

86. 3. To avoid any misperceptions, it is best to offer explanations before physically touching the client. Entering the client's personal space without warning may be interpreted as a threatening act. Restraints are unjustified in this situation. The parent should not be asked to assume total responsibility for caring for the adolescent. Medicating the client with an analgesic is justified if the client experiences pain, but it is best to administer it at least 20 to 30 minutes before an activity.

Cognitive Level—Applying
Client Needs Category—Safe and effective care environment
Client Needs Subcategory—Coordinated care

87. 4. Safety is the prime concern for the client, the staff, and others in the immediate area. The first step is to facilitate the de-escalation of the anger that has precipitated the potential for violence. Initially, de-escalation can be attempted by separating the client from others and engaging in one-to-one interaction. If the aggression escalates, nursing staff combined with security staff may produce a "show of force" needed to establish control. Eventually, some form of physical or chemical restraint may be necessary.

Cognitive Level—Applying
Client Needs Category—Safe and effective care environment
Client Needs Subcategory—Safety and infection control

88. 1. Standard precautions are used to reduce the risk of transmission of bloodborne and other pathogens from both recognized and unrecognized sources; therefore, standard precautions are appropriate. Contact, droplet, and airborne precautions are used when caring for clients who have been diagnosed with pathogens that are spread through other routes of transmission.

Cognitive Level—Applying
Client Needs Category—Safe and effective care environment
Client Needs Subcategory—Safety and infection control

89. 1. The adolescent's attitudes and behavior are influenced much more by peers than by school, religion, or employment, though all of these affect the dynamics of each individual.

Cognitive Level—Applying
Client Needs Category—Health promotion and maintenance
Client Needs Subcategory—None

90. 1. Inconsistency in setting limits or imposing consequences when limits are violated weakens an adolescent's ability to recognize boundaries for behavior. Discipline provides security even if restrictions are not appreciated at the time. Siblings, social status, and role models influence the adolescent but are not the strongest influence.

Cognitive Level—Applying
Client Needs Category—Psychosocial integrity
Client Needs Subcategory—None

91. 4. Reassuring clients that the information they divulge will remain confidential is perhaps the most important concept to emphasize. Most therapy meetings are scheduled on a day and time that repeats on a regular basis. It is understood that someone who leads a group is qualified to do so. Using first names is common, but indicating that this is a practice to follow is less important than stressing confidentiality.

Cognitive Level—Applying
Client Needs Category—Safe and effective care environment
Client Needs Subcategory—Coordinated care

92. 3. Persistently checking a clock is a nonverbal way of saying that one would rather be someplace else or that the therapy session should be over soon. Such nonverbal behaviors suggest that no value is being obtained from the session. Borrowing cigarettes demonstrates irresponsibility. Laughing inappropriately suggests insensitivity. Fidgeting is a sign of anxiety.

Cognitive Level—Applying
Client Needs Category—Psychosocial integrity
Client Needs Subcategory—None

93. 1. Children who have grown up with a parent with alcohol use disorder commonly have a problem with low self-esteem. Other dysfunctional attributes include an inability to trust, an extreme need to control, an excessive sense of responsibility, and a denial of feelings, which can be carried into adulthood. The other problems may be present in any person exposed to a family member with alcohol use disorder, but they are not commonly shared characteristics.

Cognitive Level—Applying
Client Needs Category—Psychosocial integrity
Client Needs Subcategory—None

94. 3. All the resources listed are helpful in some way to a person growing up in a family with alcohol use disorder. However, the one best suited for an adolescent is Alateen. Alateen focuses on providing support for adolescents in families with alcohol use disorder and helping adolescents to see how the alcohol use disorder affects their lives. One of the primary goals is to help break the pattern of alcohol use disorder within the family. The purpose of Alcoholics Anonymous is to help those with alcohol use disorder get and stay sober 1 day at a time. The purpose of Al-Anon is to help those who live in a household with alcohol use disorder understand how the disease affects them personally. A community's Substance Abuse Council implements strategies to reduce alcohol and substance use disorders within the local area.

Cognitive Level—Applying
Client Needs Category—Safe and effective care environment
Client Needs Subcategory—Coordinated care

95. 2. Learning to trust others is a major sign of accomplishment for adolescents of parents with alcohol use disorder. It is often difficult for such adolescents to understand the concept of "normal" trusting relationships because these adolescents have not yet experienced them. Developing the other psychosocial skills listed would be considered positive accomplishments, but they are not commonly identified benefits from therapy aimed at resolving issues from growing up in a household with alcohol use disorder.

Cognitive Level—Applying
Client Needs Category—Psychosocial integrity
Client Needs Subcategory—None

96. 1. The peer group becomes more influential than parents in determining how adolescents behave. Peer behavior is used as a model for establishing what activities are acceptable or unacceptable. The fact that the team is winning is no more a motivation for taking controlled substances than if the team was losing. Affordability is not necessarily a factor in compromising values.

Cognitive Level—Applying
Client Needs Category—Health promotion and maintenance
Client Needs Subcategory—None

97. 3. Anabolic steroids commonly cause acne in both male and female users, regardless of the age group. Prolonged use of anabolic steroids can lead to hypogonadism in males evidenced by atrophy of the testes. Other physical changes include hypertension, elevated low-density lipoprotein (LDL), liver disorders, baldness, and enlarged breasts. Bronzed skin and brittle nails are unrelated to the use of anabolic steroids.

Cognitive Level—Applying
Client Needs Category—Physiological integrity
Client Needs Subcategory—Pharmacological therapies

98. 1. Anabolic steroids are synthetic drugs chemically related to androgens such as testosterone. Androgens and anabolic steroids are associated with aggressive behavior like fighting. Severe mental changes, such as uncontrolled rage and personality changes, are common. The other emotional changes are unrelated to steroid use.

Cognitive Level—Applying
Client Needs Category—Physiological integrity
Client Needs Subcategory—Pharmacological therapies

99. 2. Anabolic steroids have a profound effect on the liver characterized by liver degeneration and dysfunction. Cancer of the liver may also develop. Liver enzymes are abnormally elevated: Typical Alanine aminotransferase (ALT) ranges from about 7 to 56 U/L (0.12 to 0.94 µkat/L). Anabolic steroids do not affect thyroid function or electrolyte levels or cause atypical blood counts.

Cognitive Level—Analyzing
Client Needs Category—Physiological integrity
Client Needs Subcategory—Pharmacological therapies

100. 1, 2, 3, 4. Signs of depression accompany a potential for suicide. Other warning signs include withdrawal from family, friends, and school activities; apathy evidenced by a loss of interest in things previously important; angry outbursts or behavior that is out of character; and alcohol or other depressant drug use disorder. Delusions and incoherent speech are signs commonly associated with schizophrenia.

Cognitive Level—Applying
Client Needs Category—Psychosocial integrity
Client Needs Subcategory—None

101. 2. Adolescents normally go through a period when they reject the standards and ideals of their parents and other adults. By experimenting with new behaviors that are often opposite those of the parents, the adolescent emerges with a unique identity and a lasting set of values. Adolescent rebellion is not likely to facilitate ingenuity, intuition, or insight.

Cognitive Level—Applying
Client Needs Category—Health promotion and maintenance
Client Needs Subcategory—None

102. 4. One important element in resolving a crisis is the emotional support of significant others. The client's mothering instinct, marriage plans, and financial support are not as beneficial as a family's unconditional love and encouragement.

Cognitive Level—Applying
Client Needs Category—Psychosocial integrity
Client Needs Subcategory—None

103. 1, 3, 4, 6. Schizophrenia among adolescents is manifested by changes in thinking, emotions, and behavior. Clients with schizophrenia have difficulty distinguishing between what is real and unreal, thinking clearly, relating to others, and functioning normally. Clients with schizophrenia appear unmotivated, emotionless, and reclusive. They tend to withdraw from the outside world. Changes in sleep patterns and aggressive behavior, although not necessarily classic among clients with schizophrenia because they may accompany ordinary adolescent moodiness, may be manifested in some individuals.

Cognitive Level—Applying
Client Needs Category—Psychosocial integrity
Client Needs Subcategory—None

104. 2. The most essential criterion for an involuntary commitment is that the client is a clear and present danger to him- or herself or to others. Commitment criteria have been established to protect the client's right to appropriate treatment in the least restrictive setting. There are methods for assessing a client other than involuntary commitment. Neither failure to keep counseling appointments nor uncooperative behavior is a criterion for involuntary commitment. All competent adults have the right to refuse treatment, which includes not taking medications.

Cognitive Level—Applying
Client Needs Category—Safe and effective care environment
Client Needs Subcategory—Coordinated care

105. 4. Orthostatic hypotension is a side effect commonly associated with traditional antipsychotic drugs such as haloperidol. Cautioning a client to rise slowly helps moderate the drop in blood pressure, thereby minimizing the potential for dizziness, fainting, or falling. Taking the medication on an empty stomach or skipping meals does not affect the drug's therapeutic action. This category of drugs is likely to make the client feel drowsy when treatment is initiated. The client should never omit or discontinue taking an antipsychotic drug without first consulting the health care provider.

Cognitive Level—Applying
Client Needs Category—Physiological integrity
Client Needs Subcategory—Pharmacological therapies

106. 1. Traditional antipsychotics are most likely to reduce or eliminate psychotic symptoms, such as delusions and hallucinations. They do so by blocking receptors of the neurotransmitter dopamine. Increased drowsiness and sleepiness are undesirable side effects of antipsychotics. It is doubtful that the client will feel more energetic and rested because one of the drug's common side effects is sedation. The drug does not alter the client's self-concept.

Cognitive Level—Analyzing
Client Needs Category—Physiological integrity
Client Needs Subcategory—Pharmacological therapies

107. 2. Antipsychotic drugs can depress the bone marrow's production of blood cells. A sore throat suggests that the client does not have enough white blood cells (WBCs) to fight off microorganisms. A complete blood count is needed to assess the possibility of this adverse effect. Clozapine has caused lethal agranulocytosis in 1% to 2% of clients; therefore, a WBC count is performed every week or two for as long as the client receives the drug and for 4 weeks after the drug is stopped. This drug is likely to cause constipation and weight gain. Ringing of the ears (tinnitus) is not associated with clozapine use.

Cognitive Level—Analyzing
Client Needs Category—Physiological integrity
Client Needs Subcategory—Pharmacological therapies

The Nursing Care of Adult Clients with Mental Health Needs

■ Mental Health Needs During Young Adulthood
■ Mental Health Needs During Middle Age (35 to 65)
■ Mental Health Needs During Late Adulthood (Older than 65)
■ Test Taking Strategies
■ Correct Answers and Rationales

Directions: *With a pencil, blacken the space in front of the option you have chosen for your correct answer.*

Mental Health Needs During Young Adulthood

A nurse works in a substance use disorder clinic where most of the clients are aged between 18 and 25 years.

1. When a 24-year-old client with a record of multiple convictions for driving under the influence (DUI) claims not to suffer from alcohol use disorder, what is the **most pertinent** assessment question the nurse can ask?
[ ] **1.** "When you drink, do you drink beer or hard liquor?"
[ ] **2.** "Did you begin drinking before or after you were of legal age?"
[ ] **3.** "Do you prefer to drink alcohol rather than soft drinks?"
[ ] **4.** "Are you unable to recall events that occurred while drinking?"

2. What is the most accurate nursing explanation of the **first step** in recovering from alcohol use disorder?
[ ] **1.** Admitting an inability to control drinking
[ ] **2.** Forming a close support network
[ ] **3.** Relying on some form of religious belief
[ ] **4.** Checking into an inpatient rehabilitation unit

3. What resource is **most appropriate** for the nurse to recommend when a client's family asks where they can go for support in coping with a family member who suffers from alcohol use disorder?
[ ] **1.** Alcoholics Anonymous
[ ] **2.** Recovery Anonymous
[ ] **3.** Al-Anon
[ ] **4.** Synanon

An anonymous caller phones the emergency department and asks the nurse how to tell if someone has been smoking marijuana within the past few hours.

4. What physical sign(s) of recent marijuana use should the nurse identify for the caller? Select all that apply.
[ ] **1.** Shivering
[ ] **2.** Inflamed eyes
[ ] **3.** Rapid pulse
[ ] **4.** Restlessness
[ ] **5.** Pinpoint pupils
[ ] **6.** Chronic cough

5. What client statement(s) regarding the effects of chronic marijuana use requires clarification and additional education? Select all that apply.
[ ] **1.** "I know for a fact smoking it suppresses personal motivation."
[ ] **2.** "Its affects are not worth getting physically addicted."
[ ] **3.** "I am convinced it was what caused my brother's lung cancer."
[ ] **4.** "It dangerously slows down your respirations."
[ ] **5.** "My roommate's memory was really affected."
[ ] **6.** "I have heard it can affect your fertility."

A young couple brings their infant to the emergency department, whereupon the infant is pronounced dead on arrival. Sudden infant death syndrome (SIDS) is the tentative cause of death.

6. When resuscitation efforts of a young couple's infant are unsuccessful, what nursing action is most important **next**?

[ ] **1.** Request the parents' permission to perform an autopsy.

[ ] **2.** Ask about the possibility of harvesting the infant's organs for transplantation.

[ ] **3.** Check on the parents' choice for the funeral arrangements.

[ ] **4.** Take the parents to a room where they can be with the infant.

7. What emotional parental response should the nurse anticipate **immediately** after the sudden death of their infant?

[ ] **1.** Anger

[ ] **2.** Guilt

[ ] **3.** Fear

[ ] **4.** Depression

8. What statement is **most important** for the nurse to convey to the parents after they have been informed of their infant's death from sudden infant death syndrome (SIDS)?

[ ] **1.** "We did all we could to resuscitate your infant."

[ ] **2.** "The infant would have had brain damage had the infant lived."

[ ] **3.** "You did not cause, nor could you have prevented, your infant's death."

[ ] **4.** "Grief support groups are available for situations such as yours."

During a routine clinic visit, the nurse suspects that a 20-year-old client is the victim of intimate partner violence (IPV).

9. What nursing action is **most appropriate** for determining whether intimate partner violence (IPV) is occurring?

[ ] **1.** Ask directly if IPV is occurring.

[ ] **2.** Arrange a second visit to validate suspicions.

[ ] **3.** Assess the young children for signs of injury.

[ ] **4.** Make inquiries among relatives or neighbors.

10. If the client admits that incidences of intimate partner violence (IPV) are occurring, what nursing intervention is **most beneficial**?

[ ] **1.** Offering the victim money to leave home

[ ] **2.** Identifying resources for shelter and safety

[ ] **3.** Recommending termination of the abusive relationship

[ ] **4.** Suggesting joint counseling with a therapist or clergyman

11. If a client is typical of other victims who remain in abusive relationships, what component of the victim's belief system is the nurse accurate in identifying?

[ ] **1.** The potential for danger is not serious.

[ ] **2.** The extended family will provide protection.

[ ] **3.** The victim can prevent the battering.

[ ] **4.** Leaving the abuser is a potential option.

A nurse is a volunteer answering telephone calls on a hotline at a crisis center.

12. When the nurse responds to a call from a 22-year-old victim of sexual assault, what instruction is **most important** before referring the client to the emergency department of the local hospital?

[ ] **1.** "Do not bathe or shower."

[ ] **2.** "Make a sketch of the rapist."

[ ] **3.** "Write down what happened."

[ ] **4.** "Call a 911 operator."

13. When the victim of sexual assault arrives at the emergency department, what nursing action is **best** for relieving the client's anxiety?

[ ] **1.** Determining the victim's last date of menstruation

[ ] **2.** Collecting evidence for criminal prosecution

[ ] **3.** Assessing the extent of the client's injuries

[ ] **4.** Staying with the client continuously

14. What nursing action is the **priority** during the immediate care of a victim of sexual assault?

[ ] **1.** Documenting the circumstances of the rape

[ ] **2.** Keeping contact with strangers to a minimum

[ ] **3.** Offering the victim a choice of sedatives

[ ] **4.** Notifying the client's family about the incident

15. The nurse is caring for a victim of sexual assault who has presented to the emergency room. What is the **best rationale** for describing prescribed department procedures before they are implemented?

[ ] **1.** It diminishes feelings of powerlessness.

[ ] **2.** It tends to reduce the client's anxiety.

[ ] **3.** It is a policy of the emergency department.

[ ] **4.** It meets the client's need for education.

16. If a victim of sexual assault desires medical treatment but objects to having evidence collected for criminal prosecution, what nursing action is **most appropriate**?

[ ] **1.** Persuading the victim to reconsider

[ ] **2.** Proceeding because it is required

[ ] **3.** Accepting the victim's decision

[ ] **4.** Advising the victim to use better judgment

17. What is the **most valid** nursing rationale for recommending that the victim of sexual assault attend group meetings with others who have experienced being assaulted?

[ ] **1.** People with similar problems can provide emotional support.

[ ] **2.** Other victims can provide authoritative information about trauma.

[ ] **3.** New friendships can be established with other victims.

[ ] **4.** Self-protective skills can be acquired from others.

A public health nurse must inform a 26-year-old client that the client has tested positive for human immunodeficiency virus (HIV).

18. What initial reaction would the nurse expect if the client is typical of others who just received news of this diagnosis?

[ ] **1.** Anger

[ ] **2.** Shock

[ ] **3.** Resentment

[ ] **4.** Depression

19. During a follow-up interview between the nurse and the client, what action is **most suggestive** the client is denying the illness?

[ ] **1.** Concealing the information from parents

[ ] **2.** Avoiding contact with most friends

[ ] **3.** Confronting former sex partners

[ ] **4.** Having unsafe sexual intercourse

20. Which client strength will have the **most** positive impact on effectively coping with this diagnosis?

[ ] **1.** Relationship with a religious leader

[ ] **2.** A sustained network of emotional support

[ ] **3.** Acquisition of many social acquaintances

[ ] **4.** Sexual tolerance within the community

21. What statement made by the client diagnosed with human immunodeficiency virus (HIV) would the nurse interpret as the **most serious** indication of an increased risk for suicide?

[ ] **1.** "I have recurring dreams about dying."

[ ] **2.** "I do not want to be one of the people who dies from HIV."

[ ] **3.** "I want to know what it will be like when I am near death."

[ ] **4.** "Everyone would be better off without me."

Weeks later, the client with human immunodeficiency virus (HIV) is brought to the hospital by emergency personnel where a diagnosis of attempted suicide is made. The client is admitted and placed on suicide precautions.

22. What nursing action(s) is appropriate for preventing self-destructive behavior? Select all that apply.

[ ] **1.** Station a security guard outside the client's room continuously.

[ ] **2.** Remove all cords, wires, and strings from the room.

[ ] **3.** Provide paper dishes and plastic utensils for the client's meals.

[ ] **4.** Assess whether the client has swallowed all medications after each dosing.

[ ] **5.** Ask a family member to stay with the client during the night.

[ ] **6.** Physically monitor the client's behavior at least once every hour.

The nurse has been working with a college student who suffers from bulimia, helping the client control the eating disorder.

23. What nursing recommendation is **most likely** to be effective in helping the client control bulimia?

[ ] **1.** Restrict using the bathroom after meals.

[ ] **2.** Take a daily inventory of food offered at the dormitory.

[ ] **3.** Avoid eating in fast food establishments.

[ ] **4.** Keep a daily calorie count of all foods consumed.

24. The client recently diagnosed with bulimia has been taking an antidepressant for several weeks. Which client statement is evidence to the nurse that the priority therapeutic goal of medication use has occurred?

[ ] **1.** "I am not as depressed as I was."

[ ] **2.** "Eating more nutritiously is important."

[ ] **3.** "I am binging less frequently than I was."

[ ] **4.** "I do not think about suicide anymore."

At a nurse-led group meeting for clients with eating disorders, the client with bulimia tells a very emaciated client, "You are a real loser if you think you have got a weight problem."

25. What nursing action is **most appropriate** in responding to this comment?

[ ] **1.** Criticize the nature of the client's rude behavior.

[ ] **2.** Support the emaciated client who was targeted by the remark.

[ ] **3.** Invite others in the group to respond to the situation.

[ ] **4.** Shame the client with bulimia with a similar comment.

An obese 25-year-old with a history of dextroamphetamine misuse attends the eating disorder group meeting.

26. What behavior is **most suggestive** that the client is continuing to take dextroamphetamine?
[ ] **1.** Staring blankly into space
[ ] **2.** Monopolizing the discussions
[ ] **3.** Wearing sunglasses indoors
[ ] **4.** Slurring words when speaking

27. What finding in the client's nursing history strongly suggests the client has not achieved the characteristic developmental level expected at this age in the life cycle?
[ ] **1.** Admits to drifting in and out of relationships.
[ ] **2.** Worries frequently about financial security.
[ ] **3.** Often questions personal sexual identity.
[ ] **4.** Is reluctant to be assertive.

28. When discussing obesity, what comment is the **best indication** to the nurse that the client is using the coping mechanism of rationalization to deal with being overweight?
[ ] **1.** "I have many health risks from being obese."
[ ] **2.** "I have real difficulty resisting ice cream."
[ ] **3.** "I know you do not like me because I am fat."
[ ] **4.** "I cannot help being overweight; it is in my genes."

A 27-year-old foreign-born client is admitted to the mental health unit with abdominal pain thought to be psychophysiological in origin. The client is apprehensive and speaks very little of the dominant language.

29. What translation method is **best** when the nurse is attempting to obtain the client's history?
[ ] **1.** Using translation cards that include key words, phrases, and pictures
[ ] **2.** Requesting a certified translator who speaks the client's language
[ ] **3.** Utilizing a hospital housekeeper who speaks the client's language
[ ] **4.** Requesting that the client's family member translate the process

A 30-year-old with a history of substance use disorder is admitted to the chemical dependency unit at a local hospital.

30. If the client snorts cocaine on a regular basis, what physical assessment finding(s) will the nurse likely detect? Select all that apply.
[ ] **1.** Dry, stuffy nose
[ ] **2.** Perforated nasal septum
[ ] **3.** Congested breath sounds
[ ] **4.** Sinus pain under the eyes
[ ] **5.** Elevated blood pressure
[ ] **6.** Inability to sleep

31. The client's drug screen is positive for cocaine. What assessment is **most appropriate** for the nurse to add to the client's plan of care?
[ ] **1.** Chest pain
[ ] **2.** Depressed respirations
[ ] **3.** Bradycardia
[ ] **4.** Elevated blood glucose level

While caring for a client with a substance use disorder, the client is diagnosed with having hepatitis B.

32. What type of precautions should the nurse implement to prevent the transmission of hepatitis B to others?
[ ] **1.** Standard precautions
[ ] **2.** Contact precautions
[ ] **3.** Airborne precautions
[ ] **4.** Droplet precautions

A young adult who has been diagnosed with schizophrenia is able to function for extended periods of time in the community.

33. During a home visit, what behavior is **most suggestive** that the client is experiencing auditory hallucinations?
[ ] **1.** Singing a song loudly while walking around the room
[ ] **2.** Quickly changing the topic of conversation
[ ] **3.** Repeating a sentence numerous times
[ ] **4.** Turning an ear as if listening to someone

34. When a client diagnosed with schizophrenia says, "Wing ding, the world is a ring," what response by the nurse is **most therapeutic**?
[ ] **1.** "How clever. You have made up a poem."
[ ] **2.** "I do not understand what you mean."
[ ] **3.** "Earth does orbit in a circle."
[ ] **4.** "Tell me more about the world."

35. What event is **most indicative** that the community-based client diagnosed with schizophrenia needs to be hospitalized?
[ ] **1.** Neglecting eating, hygiene, and sleep needs
[ ] **2.** Repeatedly missing counseling appointments
[ ] **3.** Expressing hesitation about going to work
[ ] **4.** Refusing to live with relatives

Mental Health Needs During Middle Age (35 to 65)

A nurse is assigned to care for a 35-year-old client who sustained a severe head injury and brain damage in a motor vehicle accident.

36. During feeding, the client deliberately spits at the nurse. What action is **most appropriate** to take?

[ ] **1.** Leave the client's room immediately to defuse the situation.

[ ] **2.** Matter-of-factly state that such behavior is unacceptable.

[ ] **3.** Assume that the behavior was accidental and do not react.

[ ] **4.** Stand as far from the bed as possible until the client calms down.

37. If the client's spitting becomes habitual, what nursing intervention is **best** to include in a care plan to reduce the behavior?

[ ] **1.** Establishing a significant consequence, such as no television for 30 minutes

[ ] **2.** Wearing a form of barrier protection when feeding the client to avoid contamination

[ ] **3.** Explaining it is rude it is to spit at people and how they may spit back in response

[ ] **4.** Identifying to the client the serious health risks associated with spitting

38. What nursing action is **most appropriate** when performing a mental status assessment on the client who sustained a head injury?

[ ] **1.** Asking open-ended questions, such as "How have you been feeling lately?"

[ ] **2.** Allowing extra time for the client to respond to assessment questions.

[ ] **3.** Deferring mental status questions to the client's spouse or family members.

[ ] **4.** Omitting the mental status assessment since the results will certainly be abnormal.

A 42-year-old client is assessed in the emergency department to determine the etiology of chest pain.

39. It's determined that the client's pain is the result of a panic attack. What assessment finding(s) will tend to support the diagnosis? Select all that apply.

[ ] **1.** Tachycardia

[ ] **2.** Hypotension

[ ] **3.** Increased salivation

[ ] **4.** Constricted pupils

[ ] **5.** Sweating

[ ] **6.** Unsteady gait

40. When asked by the client's partner what caused the panic attack with resulting chest pain, which nursing statement best identifies the possible cause of the symptoms?

[ ] **1.** "The cause of the physical symptoms is often unknown."

[ ] **2.** "It is usually a result of a prolonged depression."

[ ] **3.** "The symptoms are commonly associated with attention-seeking behavior."

[ ] **4.** "Intense fear can precipitate chest pain."

41. When interacting with a client experiencing a panic attack, what nursing technique is most likely to help reduce the client's anxiety level?

[ ] **1.** Staying less than an arm's length away from the client at all times

[ ] **2.** Repeatedly assuring the client that everything will be okay

[ ] **3.** Calmly instructing the client to take shallow breaths

[ ] **4.** Explaining in advance all necessary actions and procedures

42. What statement addresses the **most important** concept that the nurse needs to convey to a client experiencing a panic attack?

[ ] **1.** "I am here to keep you safe."

[ ] **2.** "I believe that you are experiencing chest pain."

[ ] **3.** "We trust that you are telling us the truth about your pain."

[ ] **4.** "You are accepted regardless of what is causing your symptoms."

43. When the client begins crying and says, "Nurse, I feel like I am going to die," what response is **most therapeutic**?

[ ] **1.** "Do not cry. It will not help matters and may make your symptoms worse."

[ ] **2.** "You need not worry since a panic attack will not kill you."

[ ] **3.** "Everyone feels frightened when they have chest pain as it is an emergency."

[ ] **4.** "I will stay with you until your pain has subsided and you feel in control."

Alprazolam is prescribed to treat the client's panic disorder.

44. What information is **most appropriate** for the nurse to share with the client who has been prescribed alprazolam?

[ ] **1.** Avoid consuming any alcohol while taking this drug.

[ ] **2.** Long-term use will not cause drug dependency.

[ ] **3.** This drug can cause insomnia in some people.

[ ] **4.** A blood test will be required periodically.

45. The nurse is aware that if the client's panic attacks occur more frequently, the client is likely to develop what common reaction?
[ ] **1.** Seeking out multiple referrals for psychiatric treatment
[ ] **2.** Becoming reclusive and seldom leaving the home
[ ] **3.** Increasing the amount of prescribed medication taken
[ ] **4.** Developing psychotic behavior that will require psychiatric admission

The nurse on a mental health unit conducts a group meeting for clients diagnosed with obsessive-compulsive disorder (OCD).

46. Which client(s) can the nurse most likely expect as members of an obsessive-compulsive disorder (OCD) support group? Select all that apply.
[ ] **1.** A 30-year-old client who performs thorough handwashing five times per hour
[ ] **2.** A 35-year-old client who wears gloves when touching a public faucet
[ ] **3.** A 40-year-old client who is sexually promiscuous
[ ] **4.** A 45-year-old client who drinks a fifth of whiskey daily
[ ] **5.** A 50-year-old client who cannot throw anything away
[ ] **6.** A 60-year-old client who is always late for work due to a checking ritual

After having an argument with a spouse on the phone, a client becomes angry and belligerent toward the unlicensed assistive personnel (UAP).

47. The nurse correctly explains to the UAP that the client's behavior is an example of what coping mechanism?
[ ] **1.** Introjection
[ ] **2.** Projection
[ ] **3.** Compensation
[ ] **4.** Displacement

48. What action is **best** for the nurse to initially recommend to the UAP to help the angry client maintain self-control?
[ ] **1.** Provide the client with privacy.
[ ] **2.** Get the client involved in an activity.
[ ] **3.** Remain calm and appear nonthreatening.
[ ] **4.** Offer to talk to the client's spouse.

49. If the client's anger continues to escalate to potentially violent behavior, what nursing action is **most appropriate**?
[ ] **1.** Assemble several staff members.
[ ] **2.** Ask the primary health care provider to calm the client.
[ ] **3.** Accompany the client to a private room.
[ ] **4.** Place behavioral restraints within the client's view.

50. If the angry client is out of control and refuses a p.r.n. sedative medication, what is the nurse's legal option?
[ ] **1.** To respect the client's right to refuse the prescribed medication.
[ ] **2.** To administer the medication to protect the safety of self and others.
[ ] **3.** To get permission from a probate court judge to administer the medication.
[ ] **4.** To consult the hospital's attorney about the client's right to refuse treatment.

The health care provider prescribes four-point behavioral restraints.

51. Once the restraints have been applied, what objective evidence indicates to the nurse that the restraints are too tight? Select all that apply.
[ ] **1.** The client reports being unable to move the right hand.
[ ] **2.** The client's fingers and toes are pale.
[ ] **3.** The client reports having pain.
[ ] **4.** Capillary refill is greater than 6 seconds.
[ ] **5.** There is excoriation around the wrist.
[ ] **6.** The client reports numbness and tingling.

A nurse prepares to teach a 60-year-old client who is highly anxious about a heart catheterization scheduled for tomorrow.

52. What form of instruction is **best** when the nurse prepares the anxious client for the procedure?
[ ] **1.** Provide detailed explanations.
[ ] **2.** Use short, simple sentences.
[ ] **3.** Draw elaborate diagrams.
[ ] **4.** Show a teaching video.

53. What assessment finding is probably the **most significant** source of conflict and anxiety for this client?
[ ] **1.** Facing forced retirement
[ ] **2.** Having 12 grandchildren
[ ] **3.** Needing to learn to use a computer
[ ] **4.** Wanting to sell the family home

A 38-year-old client presents to the clinic to receive information and treatment for a fear of flying.

54. If this client is typical of others with phobias, what coping mechanism is the nurse **most** correct in suspecting the client has been using to deal with the fear of flying?
[ ] **1.** Suppression
[ ] **2.** Compensation
[ ] **3.** Avoidance
[ ] **4.** Undoing

55. The nurse performs a physical assessment and collects the client's health history. What assessment finding(s) would the nurse expect the client to manifest at the prospect of flying? Select all that apply.
[ ] **1.** Sweating
[ ] **2.** Tachycardia
[ ] **3.** Tremors
[ ] **4.** Shortness of breath
[ ] **5.** Uncontrollable crying
[ ] **6.** Facial tics

The client with a phobia asks the nurse to explain cognitive therapy, the type of treatment that was recommended by the health care provider.

56. The nurse accurately explains that cognitive therapy involves which process?
[ ] **1.** Altering people's irrational beliefs
[ ] **2.** Exposing people to things they fear
[ ] **3.** Helping people verbalize their feelings
[ ] **4.** Rewarding people for altering maladaptive behaviors

A nurse volunteers to participate in a support group for military personnel with posttraumatic stress disorder (PTSD).

57. When asked to identify the characteristics of posttraumatic stress disorder (PTSD), the nurse correctly responds that most people with this disorder report what finding(s)? Select all that apply.
[ ] **1.** Recurring nightmares
[ ] **2.** Auditory hallucinations
[ ] **3.** Rapidly changing emotions
[ ] **4.** Anger that erupts easily
[ ] **5.** Ease in being startled
[ ] **6.** Trouble concentrating

58. What therapeutic nursing intervention is **most beneficial** for a client diagnosed with posttraumatic stress disorder (PTSD)?
[ ] **1.** Administering antianxiety medications
[ ] **2.** Monitoring the client's physical symptoms
[ ] **3.** Encouraging the client to express feelings
[ ] **4.** Investigating the client's family interactions

59. When the nurse asks the members of the posttraumatic stress disorder (PTSD) support group to draw pictures of their traumatic experiences, what is the **most therapeutic** outcome for the activity?
[ ] **1.** Each participant will deal consciously with painful memories.
[ ] **2.** The participants will bond emotionally with each other.
[ ] **3.** Each participant will receive approval from group members.
[ ] **4.** The activity will justify participation in the group.

A Vietnam War veteran tells the nurse about feeling startled and fearful whenever attending Fourth of July fireworks displays and asks for a possible explanation.

60. What nursing explanation of the client's experiences is **most accurate**?
[ ] **1.** Having been frightened of them as a child
[ ] **2.** Being fearful of sustaining an injury
[ ] **3.** Associating the event with combat
[ ] **4.** Being afraid it will trigger memories

A 55-year-old client has multiple symptoms that do not resemble any specific disorder. The client is anxious and worried because no definite diagnosis has been made.

61. When this client summons the nurse and reports feeling weak and dizzy, what nursing action should the nurse perform **first**?
[ ] **1.** Helping the client to relax
[ ] **2.** Giving the client something to eat
[ ] **3.** Administering oxygen by cannula
[ ] **4.** Taking the client's vital signs

The client shares with the nurse regret about never attending college or having had children.

62. What is the **best** nursing explanation for the middle-aged adult client's tendency toward reminiscing?
[ ] **1.** Assessing accomplishments at midlife
[ ] **2.** Setting unreasonable goals at midlife
[ ] **3.** Envying others' achievements at midlife
[ ] **4.** Questioning personal values at midlife

One day the undiagnosed client says to the nurse, "Do you think they will ever be able to find out what is wrong with me?"

63. What nursing response is **best** in this situation?
[ ] **1.** "That is something to discuss with your health care provider."
[ ] **2.** "It sounds like you are feeling discouraged."
[ ] **3.** "Let your treatment team worry about your progress."
[ ] **4.** "You need to practice a little more patience."

A client's pastor visits the hospital. On approaching the nurses' station, the pastor tells the nurse that the client has given permission to see the medical record.

64. What nursing action is **most appropriate** initially?
[ ] **1.** Telling the pastor that written permission from the client is required.
[ ] **2.** Asking the pastor to produce evidence of being a certified hospital chaplain.
[ ] **3.** Informing the pastor that the medical record is confidential to all but the staff.
[ ] **4.** Referring the pastor to the medical records supervisor to access the medical record.

The nursing team holds a conference concerning a 38-year-old client who has just been admitted with ulcerative colitis, a psychophysiological disease.

65. When the unlicensed assistive personnel asks if *psychophysiological* means that the client is not truly sick, what nursing response is **most accurate**?
[ ] **1.** The client pretends to be sick when needing a rest.
[ ] **2.** The client believes an illness exists, but the tests are all negative.
[ ] **3.** The client would rather be hospitalized than go to work.
[ ] **4.** The client has an illness that is influenced by emotions.

During a team conference, the nurses discuss the care of the client with ulcerative colitis.

66. What assessment is the nursing **priority** when caring for the client?
[ ] **1.** The number and characteristics of the client's bowel movements
[ ] **2.** How much knowledge the client has about colostomy care
[ ] **3.** Which coping mechanisms the client uses for handling stress
[ ] **4.** The types of relationships the client has with peers and family

The discussion turns to exploring ways to maintain the client's self-esteem while providing rectal hygiene.

67. What nursing approach is **best** for managing the client's care?
[ ] **1.** Use a nonjudgmental manner when cleaning the client of stool.
[ ] **2.** Ask the client's spouse to perform hygiene measures.
[ ] **3.** Hold the client responsible for all personal hygiene.
[ ] **4.** Assign same-gender nurses to care for the client.

The client's spouse confides to the nurse that the client who is recovering from surgery has alcohol use disorder but has not told the health care provider.

68. What data acquired during a postoperative assessment of the client is **most indicative** of the client's alcohol use disorder?
[ ] **1.** Blood pressure is lower than normal.
[ ] **2.** Pain is unrelieved with usual dosages of analgesics.
[ ] **3.** Nausea is reported after eating.
[ ] **4.** Pulse is slow, weak, and irregular.

Approximately 36 hours after admission, the client with alcohol use disorder becomes restless and shouts that, "The bugs in this room are disgusting!"

69. In this situation, what nursing action is **most appropriate**?
[ ] **1.** Assuring the client that the bugs will be taken care of
[ ] **2.** Reassuring the client that the bugs are imaginary
[ ] **3.** Remaining at the client's bedside to reinforce reality
[ ] **4.** Closing the client's door so that others are not alarmed

70. Based on the change in the client's condition, what nursing action is most appropriate to perform **next**?
[ ] **1.** Notify the client's spouse.
[ ] **2.** Call the nursing supervisor.
[ ] **3.** Inform the health care provider.
[ ] **4.** Document the assessed data.

71. While caring for a client who is withdrawing from alcohol, for what additional complication should the nurse monitor?
[ ] **1.** Hypothermia
[ ] **2.** Seizures
[ ] **3.** Ascites
[ ] **4.** Jaundice

At the beginning of the next shift, a team member states, "Do not expect me to take care of that good-for-nothing drunk."

72. The nurse counsels the team member privately about the inappropriate remark. What nursing recommendation is **most helpful** in understanding and accepting the behavior of clients?
[ ] **1.** Striving to understand one's own behavior
[ ] **2.** Analyzing what motivates clients' behavior
[ ] **3.** Becoming more familiar with abnormal behavior
[ ] **4.** Taking courses in behavioral psychology counseling

A home health nurse is scheduled for daily visits to change the abdominal dressing of a 45-year-old client with a history of bipolar disorder.

73. While reviewing the client's psychiatric history, what characteristic displayed by the client will the nurse recognize as being associated with bipolar disorder?
[ ] **1.** Ritualistic handwashing
[ ] **2.** Verbal aggressiveness
[ ] **3.** Cyclic periods of depression and mania
[ ] **4.** Occasionally forgets names of family members

The nurse reads that the client is taking lithium carbonate to treat bipolar disorder and suspects that the client has not been taking the medication as prescribed.

74. When the nurse reviews information about lithium carbonate with the client, what instruction(s) is important to stress? Select all that apply.

[ ] 1. Taking a high-potency vitamin each morning
[ ] 2. Refraining from sexual activity while taking this medication
[ ] 3. Notifying the health care provider if urine output increases
[ ] 4. Drinking 10 to 12 glasses of water per day
[ ] 5. Maintaining sufficient salt intake daily
[ ] 6. Avoiding the ingestion of aged cheeses

75. What assessment measure is **most important** for the nurse to monitor when determining whether the client's current dose of lithium carbonate is appropriate?

[ ] 1. Vital signs
[ ] 2. Urine volume
[ ] 3. Drug blood levels
[ ] 4. Brain wave scans

76. What finding(s) strongly suggests to the nurse that the client is experiencing an exacerbation of the bipolar disorder? Select all that apply.

[ ] 1. Spending money extravagantly
[ ] 2. Wanting to become a 5-year-old child again
[ ] 3. Methodically cleaning the entire house
[ ] 4. Staying up really late to read
[ ] 5. Demonstrating increased sexual promiscuity
[ ] 6. Showing increased anxiety when going outside the house

Mental Health Needs During Late Adulthood (Older than 65)

A nurse performs a home assessment on a reasonably healthy older adult who chooses to live in a supervised retirement community.

77. If the older adult's children are visiting on the day of the scheduled visit, what nursing action is **most appropriate** before beginning the assessment?

[ ] 1. Encouraging the client's children to offer their comments at any time
[ ] 2. Providing a private setting for conducting the assessment
[ ] 3. Identifying the names and relationships of those present
[ ] 4. Offering to share the assessment results with the client's children

78. What communication is likely to generate the **most** information for the nurse during the client interview?

[ ] 1. "Tell me about your family."
[ ] 2. "Are you currently married?"
[ ] 3. "Who is your nearest relative?"
[ ] 4. "Give me a list of your family members."

79. What question asked by the nurse will **best** assess the client's long-term memory?

[ ] 1. "What is your current age?"
[ ] 2. "What is today's date?"
[ ] 3. "What is your date of birth?"
[ ] 4. "What occurred last January?"

80. What nursing action is **best** for determining if an older adult client's inappropriate responses to several questions are due to miscommunication or to impaired cognition?

[ ] 1. Ask the client to repeat the question before answering it.
[ ] 2. Ask questions that require only a "yes" or "no" response.
[ ] 3. Ask the client's next of kin for answers to the questions.
[ ] 4. Ask questions to which the client is sure to know the answers.

81. What nursing assessment finding is **most atypical** of a 65-year-old client?

[ ] 1. Making errors in copying a line drawing
[ ] 2. Forgetting the names of long-standing neighbors
[ ] 3. Recalling information slowly
[ ] 4. Naming only two of the last three presidents

82. If the client is typical of others 65-year-old clients, the nurse can anticipate the client as having what age-related problem(s)? Select all that apply.

[ ] 1. Dealing with losses
[ ] 2. Becoming cynical
[ ] 3. Losing patience
[ ] 4. Developing hostility
[ ] 5. Having periods of regret
[ ] 6. Experiencing episodes of depression

A 68-year-old client who is currently being treated for major depression is transferred to a medical unit after an episode of acute abdominal pain.

83. What nursing assessment data places the client at **highest** risk for suicide?

[ ] 1. Feeling hopeless about the future
[ ] 2. Acknowledging plans for a possible suicide
[ ] 3. Stating that death would end the misery
[ ] 4. Expressing that the distress is intolerable

84. If the health care provider prescribes imipramine hydrochloride for the client, for what **initial** drug effect should the nurse assess?
[ ] **1.** Absence of suicidal ideation
[ ] **2.** Improved concentration
[ ] **3.** Decreased agitation
[ ] **4.** Regulated mood

85. What nursing instruction(s) is appropriate to include in the teaching plan of a client who is just beginning treatment with imipramine hydrochloride? Select all that apply.
[ ] **1.** Avoid eating cheese, chocolate, and pickled foods.
[ ] **2.** Take short naps during the day.
[ ] **3.** Rise from the chair or bed slowly.
[ ] **4.** Expect to wait about 3 weeks before feeling better.
[ ] **5.** Refrain from all sexual activity for 1 month after starting the medication.
[ ] **6.** Use a good sunscreen when outdoors.

86. What nursing action is **especially important** when administering medications to a client with depression?
[ ] **1.** Encouraging the client to drink a full glass of water
[ ] **2.** Checking that the client has swallowed all oral medications
[ ] **3.** Giving the medications on an empty stomach before meals
[ ] **4.** Having the client take each medication separately

87. The client with depression undergoes electroconvulsive therapy (ECT). What outcome can the nurse expect during the client's **immediate** recovery period?
[ ] **1.** Brief episodes of absence seizures
[ ] **2.** Sensitivity to light and double vision
[ ] **3.** Short-term memory loss and headaches
[ ] **4.** Periods of unexplained fear and anxiety

Doxepin is prescribed at bedtime for a client diagnosed with depression.

88. What nursing suggestion is **best** if the client reports dizziness on rising after taking doxepin as prescribed?
[ ] **1.** "Place a cool compress on your forehead."
[ ] **2.** "Get up slowly from a seated position."
[ ] **3.** "Remain in bed with your feet elevated above your heart."
[ ] **4.** "Take some deep breaths before getting out of bed."

A nurse refers a 66-year-old home care client to the mental health clinic for evaluation of a coexisting depressive disorder.

89. If the home health nurse documented all findings, what data are **most suggestive** that the client is depressed?
[ ] **1.** Displays irritability after grandchildren visit.
[ ] **2.** Has multiple, unrelated physical reports.
[ ] **3.** Takes lengthy naps in the late afternoon.
[ ] **4.** Cries when talking about a dead spouse.

90. If the nurse notes the following symptoms after the client begins taking duloxetine, which one is **most** likely drug related?
[ ] **1.** Polyuria
[ ] **2.** Diplopia
[ ] **3.** Drooling
[ ] **4.** Insomnia

A nurse who is employed in a long-term care facility observes that a romantic relationship is developing between two residents.

91. What action is **most appropriate** if the nurse discovers the oriented older adult couple is engaging in consensual sexual intercourse?
[ ] **1.** Reporting it to their adult children
[ ] **2.** Restoring a measure of privacy
[ ] **3.** Suggesting they become roommates
[ ] **4.** Censuring their sexual activity

An older adult client diagnosed with chronic mental illness is transferred from a long-term state psychiatric hospital to a nursing home for custodial care.

92. If a client with chronic mental illness develops the following symptoms after the health care provider prescribes haloperidol, which symptom is the nurse **most likely** to attribute to a consequence of the drug therapy?
[ ] **1.** Facial tics
[ ] **2.** Depression
[ ] **3.** Patchy hair loss
[ ] **4.** Daytime lethargy

A client who has had a stroke currently lives in a long-term care facility and demonstrates difficulty managing activities of daily living (ADLs).

93. If the client frequently comes to meals with the residue of soap on the face or an unbuttoned shirt, what nursing action is **most beneficial** to the client's self-esteem?
[ ] **1.** Sending the client back to address unfinished tasks
[ ] **2.** Assigning staff to bathe and dress the client daily
[ ] **3.** Scheduling the client's hygiene activities after meals
[ ] **4.** Commenting to the client on how self-reliant he or she is

A nurse joins a group of older adult clients during reminiscence therapy.

94. What nursing activity is **most helpful** in facilitating reminiscence therapy among older adult clients?
[ ] **1.** Discussing a current event topic
[ ] **2.** Looking at their high school yearbooks
[ ] **3.** Reading an article from the newspaper
[ ] **4.** Making decorations for a future holiday

95. An older adult at reminiscence therapy says, "If I had it to do all over again, I would not change a thing." The nurse's **most accurate** interpretation of the statement suggests the developmental of what personal characteristic?

[ ] **1.** Trust
[ ] **2.** Integrity
[ ] **3.** Intimacy
[ ] **4.** Autonomy

A group of nurses attends in-service training about documentation issues.

96. The nurses critique a chart entry that says, "States, 'I feel unwanted.' Appears to be confused." What statement **best** describes why this entry is unsatisfactory?

[ ] **1.** Fails to interpret the significance of feeling unwanted.
[ ] **2.** Fails to indicate the importance of the client's statement.
[ ] **3.** Fails to substantiate that the client made the quote.
[ ] **4.** Fails to describe the evidence of the confused behavior.

The educator conducts in-service training for the nursing staff on cultural considerations related to mental illness and discusses the barriers to obtaining treatment.

97. When providing care for a newly immigrated adult client diagnosed with mental illness, what is a primary factor(s) that affects the development of a nursing plan of care? Select all that apply.

[ ] **1.** Compatible language
[ ] **2.** Health beliefs and values
[ ] **3.** Communication of problems
[ ] **4.** Marital status
[ ] **5.** Support of extended family
[ ] **6.** Current financial status

The spouse of a client with dementia is concerned about safety in the home and asks the nurse for some actions that are appropriate to implement.

98. The nurse is informed that the client awakens at night and wanders about the house. What suggestion is **most** appropriate for this behavior?

[ ] **1.** Fastening bed rails on the bed where the client sleeps
[ ] **2.** Ensuring there is enough lighting throughout the house
[ ] **3.** Installing dead bolts at the top of doors leading outside
[ ] **4.** Administering a nighttime sedative in the evening

A nurse is employed on a special unit for clients with dementia.

99. What is the **best** nursing action to help reorient a confused client who wanders into other clients' rooms?

[ ] **1.** Placing a large sign with the client's name on the door
[ ] **2.** Keeping the room doors on the unit always locked
[ ] **3.** Restraining the client in a wheelchair when unattended
[ ] **4.** Speaking to the client about invading another people's privacy

A 70-year-old client with dementia removes clothing and walks naked through the halls of a long-term care facility.

100. What action is most appropriate for the nurse to take **first**?

[ ] **1.** Reminding the client that clothes are required in public
[ ] **2.** Instructing the client to put clothes on again
[ ] **3.** Explaining to the residents that the client is not of sound mind
[ ] **4.** Taking the client to a vacant room nearby

101. When a nurse orients the newly hired unlicensed assistive personnel, which instruction is **most therapeutic** for helping clients with dementia remain oriented?

[ ] **1.** Addressing all clients using their first name
[ ] **2.** Asking clients to identify their goals for the day
[ ] **3.** Encouraging clients to greet visitors each day
[ ] **4.** Posting large calendars with the current date

102. During a nursing conference with personnel, what nursing technique is **best** to stress to the staff for reducing confusion among clients with dementia?

[ ] **1.** Wearing an employee name tag during care
[ ] **2.** Adhering to a consistent routine of unit activities
[ ] **3.** Providing diversional activities such as field trips
[ ] **4.** Distributing a list of the day's scheduled events

103. What is the **best** suggestion that the nurse leading the team conference can offer for communicating with a client with late-stage dementia?

[ ] **1.** Speaking loudly to get the client's attention
[ ] **2.** Using short sentences when speaking to the client
[ ] **3.** Using written forms of communication
[ ] **4.** Allowing the client to listen to news programs

104. What nursing action is **best** when caring for clients in a nursing facility when there is a community outbreak of influenza?

[ ] **1.** Temporarily restricting outside visitors
[ ] **2.** Requiring visitors to wear face masks
[ ] **3.** Increasing dietary sources of vitamin C
[ ] **4.** Administering prophylactic antivirals

The spouse of a client on the dementia unit visits daily. A nurse who regularly cares for the client notices that the spouse is beginning to show signs of exhaustion and self-neglect.

105. What nursing intervention is **most beneficial** for the client's spouse?

[ ] **1.** Suggesting that the spouse make an appointment for a physical examination

[ ] **2.** Discussing modifying the amount of time the spouse devotes to caregiving

[ ] **3.** Reminding the spouse of the scheduled times for visiting clients on the unit

[ ] **4.** Explaining that many staff members are available to care for the client

A client who is diagnosed with Alzheimer disease lives in a long-term care center. The client's adult child visits regularly.

106. One day, the client's child states to the nurse, "I am not sure my parent recognizes me." What nursing response is **most therapeutic**?

[ ] **1.** "This is probably the beginning of the end for your parent."

[ ] **2.** "You are distressed that there is not an appropriate response to you."

[ ] **3.** "Do not worry. The standard of care is being delivered."

[ ] **4.** "There will be good days and bad days. Today is a bad day."

107. When the older client with Alzheimer disease, in the moderately severe stage of decline, is confused about how to use a fork, what nursing action is **best** for prolonging the client's ability to maintain self-care?

[ ] **1.** Asking the health care provider to prescribe a liquid diet

[ ] **2.** Positioning the client to promote mimicking other clients

[ ] **3.** Serving the client first so there is enough time to eat

[ ] **4.** Seating the client alone so no one will see any mess that occurs

The adult child of the client with Alzheimer disease wants to take the client home for a day.

108. What nursing assessment is **critical** for ensuring the client's well-being during the home visit?

[ ] **1.** The caregiver's understanding of the symptoms the client manifests

[ ] **2.** The caregiver's understanding of when the client must return

[ ] **3.** The caregiver's understanding of when to administer medications

[ ] **4.** The caregiver's understanding of how to provide hygiene measures

An older adult who is admitted to the hospital is dying of a terminal illness. The client has an advance directive indicating that no heroic measures be used to prolong life.

109. What is the **most appropriate** nursing action when the terminally ill client's death is imminent?

[ ] **1.** Sitting quietly and hold the dying client's hand

[ ] **2.** Notifying the hospital chaplain of the potential for death

[ ] **3.** Calling the funeral home, alerting them of an imminent death

[ ] **4.** Transferring the client to the intensive care unit

After the death of the terminally ill client, the unlicensed assistive personnel is extremely distraught.

110. What nursing approach is **most beneficial** for helping the unlicensed assistive personnel (UAP) at this time?

[ ] **1.** Sending the UAP home for the rest of the shift

[ ] **2.** Terminating the UAP from this type of work

[ ] **3.** Allowing the UAP to express feelings

[ ] **4.** Asking the UAP to help with postmortem care

Family members of the deceased client are referred to a grief support group.

111. When a new member to the group tells the nursing leader about sensing the presence of the dead spouse in the home, what nursing response is **most** appropriate?

[ ] **1.** Recommending more professional counseling

[ ] **2.** Assuring the client that it is wishful thinking

[ ] **3.** Letting the client be comforted by the experience

[ ] **4.** Encouraging the client to stay with relatives

Test Taking Strategies

Mental Health Needs During Young Adulthood

1. Note the key words "most pertinent" as they refer to an assessment for identifying alcohol use disorder. Recall that clients with alcohol use disorder experience blackouts regardless of when they started consuming alcohol.

2. Note the key words "first step" in reference to a sign of recovery for alcohol use disorder. Recall that accepting responsibility for alcohol dependence must occur before the client can overcome his or her past history.

3. Use the process of elimination to select the organization that offers support for persons who are in a relationship with someone who is alcohol dependent. Recall that Al-Anon is a fellowship of relatives and friends of people with alcohol use disorder who share their experience, strength, and hope to solve their common problems. Al-Anon has but one purpose: to help families of people with alcohol use disorder recover from the effects of living with someone with the disorder.

4. Read the choices carefully. Use the process of elimination to exclude incorrect options or select options that correlate with signs and symptoms of marijuana use. Recall that typically individuals who smoke marijuana manifest bloodshot eyes and a fast heart rate. They also appear sleepy and lethargic, lack coordination, and have an increased craving for snacks.

5. Read all the choices. Use the process of elimination to select options that correspond with the effects of long-term marijuana use. Recall that chronic marijuana use often results in lowered motivation and an impaired ability to function in daily life; it may disrupt the storage of short-term memories, and it may have negative effects on long-term memory for heavy users; smoking marijuana more than once a week lowers males' sperm count by nearly a third and in women alters the menstrual cycle, which may result in fewer ova being produced.

6. Note the key word "next" in reference to a nursing action after unsuccessfully resuscitating an infant. Although all the options are realistic, taking the parents where they can be with the infant promotes healthy grieving.

7. Use the process of elimination to select the option that correlates with the emotion most likely to be experienced immediately after the death of a child from sudden infant death syndrome (SIDS). Because parents feel responsible for protecting children from harm, they feel guilty when they erroneously believe they were negligent in some way.

8. Note the key words "most important" meaning one option is better than any other. Use the process of elimination to select the option that describes the most important statement a nurse can make to parents who have been informed about the death of their child from sudden infant death syndrome (SIDS). Indicating that the parents did not cause the infant's death reinforces that self-blame is not deserved.

9. Note the key words "most appropriate" in reference to the best action for confirming suspicions of intimate partner violence (IPV). Asking directly is the best approach; however, many victims of IPV are hesitant to reveal how their injuries occurred.

10. Note the key words "most beneficial" in reference to helping a client who may be the victim of intimate partner violence (IPV). Recall that identifying resources about shelters for victims of IPV offers a means of safety, protection, and support when terminating an abusive relationship.

11. Use the process of elimination to select a rationale many victims of intimate partner violence (IPV) use when remaining in a relationship with their abuser. Recall that victims of IPV often erroneously believe they are responsible for the abuse and rationalize that if they avoid contributing behaviors, the abuse will cease or be avoided.

12. Note the key words "most important" in reference to an initial nursing instruction to provide a victim of sexual assault. Recall that advising the victim to avoid bathing or showering facilitates identifying and prosecuting the perpetrator of the crime.

13. Note the key word "best" indicating one option is better than any other. Use the process of elimination to select the best nursing action for relieving a victim's anxiety after suffering a sexual assault. Recall that remaining with the victim provides emotional support, which tends to reduce anxiety during stressful situations.

14. Note the key word "priority," which implies selecting the most important action from among the options. Recall that keeping contact with strangers to a minimum is important because a rape victim is likely to feel threatened when interacting with anyone with whom she or he has not developed trust.

15. Note the key words "best rationale" for describing emergency department procedures. Recall that explaining policies and procedures before they are implemented empowers the victim with knowledge to cope with the unfamiliarity of an examination and collection of evidence from the sexual assault.

16. Note the key words "most appropriate" in reference to a client's refusal to allow collection of evidence involved in a sexual assault. Recall that although the nurse may feel another decision is better, the client has the right to self-determination.

17. Note the key words "most valid" in reference to the rationale for participating in a support group for victims of sexual assault. Recall that when there is an opportunity to interact with others who have had a similar experience, the victim can identify with others and may value their comments more so than those of others.

18. Use the process of elimination to select the initial response when given potentially life-threatening information. Reacting with shock, even momentarily, describes an initial emotional response. The alternative options are intellectual and behavioral responses once the information has been processed.

19. Note the key words "most suggestive" in relation to evidence of denial. Ignoring safer sex practices is the best example of denial because the client's action is contrary to believing that he or she may transmit human immunodeficiency virus (HIV) infection to others.

20. Note the key words "most" in reference to identifying a positive impact to promote effective coping. Recall that having support from friends and relatives is better than having to cope with a crisis independently.

21. Note the key words "most serious" in relation to a sign of increased risk for suicide. Verbalizing that "Everyone would be better off without me" is characteristic of hopelessness and feeling there is no reason that can justify living.

22. Read all the choices carefully. Determine what options are standard suicide precautions. Recall that closely observing the client, removing items that can be used for self-harm, and checking that medications have been swallowed are common suicide precautions.

23. Note the key words "most likely" as they relate to a nursing recommendation to help control purging behavior by a client with bulimia. Recall that restricting bathroom use prevents purging while food is still in the stomach.

24. Use the process of elimination to select the option that correlates with the most desired effect of antidepressant therapy when used to treat a client with bulimia. Having fewer food binges is the best answer because the goal of therapy is to reduce or eliminate binging.

25. Note the key words "most appropriate" in reference to interjecting a response to a negative comment by a peer in a group therapy session. Facilitating peer responses from others in the group is more effective than the nurse being the source of censure.

26. Note the key words "most suggestive" in relation to behavior that reflects current amphetamine use disorder. Recall that talking more than others in the group correlates with physiologic stimulation.

27. Use the process of elimination to select the option that correlates with evidence of a failure to achieve a developmental characteristic during young adulthood. Recall Erikson's developmental stages and that intimacy is a positive characteristic commonly acquired during young adulthood. Intimacy refers to developing close, committed relationships with other people.

28. Use the process of elimination to select the option that best correlates with the ego defense mechanism of rationalization. Attributing obesity to genetics is a comment in which the client eliminates personal responsibility for obesity by blaming someone or something other than himself or herself.

29. Use the process of elimination to select the option that correlates with the best method for communicating with a client who speaks a minimal level of the dominant language. Obtaining a certified translator is the best answer from among the options because it involves using an objective resource as a translator.

30. Read all the choices carefully. Use the process of elimination to exclude incorrect options or select options that correlate with signs of cocaine use. Recall that cocaine is a central nervous system stimulant that commonly is sniffed through the nose. An elevated blood pressure, inability to sleep, and evidence of nasal irritation or nasal tissue injury correlate with effects of cocaine.

31. Note the key words "most appropriate" in reference to an assessment that is most likely to occur when a client tests positive for cocaine use. Recall that because cocaine is a central nervous system stimulant, cardiac arrhythmias may develop.

32. Use the process of elimination to select the option that correlates with the type of transmission precautions used to prevent the acquisition of a bloodborne pathogen like hepatitis B. Recall that standard precautions are used when caring for all clients who are diagnosed or yet to be diagnosed with a potential bloodborne pathogen.

33. Note the key words "most suggestive" in reference to a manifestation that correlates with experiencing auditory hallucinations. Turning a listening ear is the best answer because it describes behavior that suggests the person is hearing and attending to a voice other than that of the nurse.

34. Note the key words "most therapeutic" in reference to a client who speaks in rhymes, a phenomenon known as clanging. Verbalizing that the client's statement is not understood is a therapeutic communication technique known as clarification. Recall that it is never therapeutic to imply that a client's gibberish is understood.

35. Use the process of elimination to select the option that corresponds with the assessment finding that is most indicative of a need for hospitalization of a client with schizophrenia. Self-neglect is an example of a potential for self-harm. Society has an obligation to protect a client from self-harm and from harming others.

Mental Health Needs During Middle Age (35 to 65)

36. Note the key words "most appropriate" in reference to the action a nurse should take when spat upon by a client with brain damage. Recall that setting limits and enforcing appropriate consequences are forms of negative reinforcement that may prevent or limit future behavior of a similar nature.

37. Use the process of elimination to select the option that describes the best approach for reducing a client's inappropriate behavior. Recall that imposing consequences for undesirable behavior is a form of negative reinforcement that may reduce or eliminate repeated episodes.

38. Note the key words "most appropriate" in reference to an option that describes an assessment technique for evaluating the mental status of a client who is cognitively impaired. Recall that a client with cognitive impairment may require additional time to process a response to questions.

39. Read all the choices carefully. Use the process of elimination to select options that are signs and symptoms of a panic attack. Recall that a panic attack is manifested with signs and symptoms that reflect sympathetic nervous system stimulation.

40. Use the process of elimination to select the option that corresponds with the etiology for chest pain experienced by a person during a panic attack. Recall that the person experiencing a panic attack interprets their physical symptoms as life threatening. The fear of dying is the underlying basis for sympathetic nervous system stimulation that constricts arterial blood flow, resulting in chest pain.

41. Use the process of elimination to select the option that corresponds with a technique for helping to reduce a client's anxiety during a panic attack. Explaining all actions and procedures is the best answer because providing information promotes a sense of security in knowing what to expect.

42. Note the key words "most important" in reference to the concept that is most therapeutic to convey when interacting with a client during a panic attack. Recall that the client is experiencing intense fear; therefore, conveying that the client is safe is most important.

43. Use the process of elimination to select the option that correlates with the most therapeutic response to the fearful client. Recall that the physical presence of the nurse provides emotional support and reduces fear and anxiety.

44. Use the process of elimination to select the options that correlates with accurate information about the drug alprazolam. Recall that alprazolam produces sedative effects that could be compounded when taken in combination with other sedative drugs such as alcohol.

45. Use the process of elimination to select the option that correlates with a possible outcome of experiencing repeated panic attacks. Recall that clients tend to associate the place or circumstance under which a panic attack occurs and avoid these in the future. This leads to isolation and a fear of leaving an environment that represents safety and security.

46. Read all the choices carefully. Use the process of elimination to select options that correspond with behaviors common in those with an obsessive-compulsive disorder (OCD). Recall that typical compulsions include excessive washing (particularly of the hands or body), cleaning, checking rituals, counting, arranging, and hoarding.

47. Use the process of elimination to select the option that correlates with the coping mechanism characterized by displays of anger toward an undeserved person or object. Recall that displacement involves taking out frustrations, feelings, and impulses on people or objects that are less threatening.

48. Use the process of elimination to select the option that describes the best initial action the nurse should recommend for helping a client maintain self-control. Recall that anxiety is communicated, and so is calmness. Therefore, remaining calm and nonthreatening is the best answer.

49. Note the key words "most appropriate" in reference to managing potentially violent behavior. Recall that the nurse is responsible for ensuring the safety of the client and others. Being confronted by the presence of a team of nursing staff often persuades an individual to avoid any further escalation of potentially dangerous behavior.

50. Use the process of elimination to select the option that corresponds with the nursing action that is legally sound when an out-of-control client refuses sedative medication. Recall that the nurse is obligated to ensure the safety of the client and others, which justifies overriding the client's objection to medication.

51. Read all the choices carefully. Use the process of elimination to exclude incorrect options and select correct options that correlate with signs of restraints that are too tight. Recall that evidence of impaired circulation and tissue includes pale fingers and toes, prolonged capillary refill, and skin excoriation.

52. Use the process of elimination to select the option that corresponds with the form of communication to use when providing information to an anxious client. Recall that anxiety interferes with processing information, especially if it is lengthy and detailed. An anxious client is more apt to understand explanations that are provided in short, simple sentences.

53. Note at the key words "most significant" in reference to the source of a client's conflict and anxiety. Recall that forced retirement is a significant stressor for a client who is 60 years old.

54. Use the process of elimination to select the option that correlates with a coping mechanism that is commonly used to manage fear. Recall that avoiding the source of fear is a method of reducing anxiety, although it may not be the most therapeutic approach.

55. Read all the choices carefully. Use the process of elimination to select options that correlate with the anxiety experienced by a person with a phobia. Recall that anxiety is manifested by sympathetic nervous system stimulation. The client would manifest sweating, tachycardia, tremors, and shortness of breath.

56. Use the process of elimination to select the option that describes an accurate explanation of cognitive therapy. Recall that cognitive therapy is a form of psychotherapy in which negative thinking is explored in an effort to alter undesirable behavior.

57. Read all the choices carefully. Use the process of elimination to exclude incorrect options and select correct options. Recall that posttraumatic stress disorder (PTSD) includes flashbacks, nightmares, severe anxiety that interferes with concentrating, and an exaggerated startle response.

58. Note the key words "most beneficial" in reference to a therapeutic nursing intervention when providing care for a client with posttraumatic stress disorder (PTSD). Recall that the underlying cause of PTSD is a traumatic experience, after which the client represses feelings. As in all crises, whether in the immediate or distant past, talking about the event is therapeutic.

59. Note the key words "most therapeutic" indicating one outcome is more correct than others. Use the process of elimination to select the option that best describes the goal for drawing a picture depicting the traumatic triggering experience. Recall that clients with posttraumatic stress disorder (PTSD) have difficulty verbalizing their thoughts and feelings surrounding the traumatic event. Art can serve as a stimulus for dealing with psychological issues within a safe and supportive environment. Although the outcomes in the remaining options may occur, none is the most therapeutic outcome underlying the intervention.

60. Use the process of elimination to select the option that correlates with the most accurate explanation for a startle response to a stimulus that seems unrelated to emotional issues. Recall that clients with posttraumatic stress disorder (PTSD) tend to repress their thoughts and feelings. Consequently, when exposed to a stimulus that is similar to the traumatic event, clients may experience emotional distress.

61. Note the key word "first" indicating the answer is a priority before any other actions. Recall that vital signs are a basic assessment when the condition of a client changes and should be the initial action taken by the nurse.

62. Use the process of elimination to select the option that provides the best nursing explanation for the client's statement about unfulfilled accomplishments. Recall that according to Erikson's stages of development, middle age is the time during which adults take stock of their accomplishments or lack thereof.

63. Use the principles of therapeutic communication to select the best nursing action. Recall that sharing perceptions is a therapeutic communication technique that shows empathy for the client's feelings.

64. Note the key words "most appropriate" in reference to a request to see the client's medical record. Recall that the Health Insurance Portability and Accountability Act (HIPAA)/Personal Information Protection and Electronic Documents Act (PIPEDA) legislation requires that a client's health information be kept private and confidential and released only when the client gives written permission for access to a personal representative.

65. Note the key words "most accurate" in reference to the explanation of the term "psychophysiological." Recall that the mind and body are interrelated. Consequently, physical disorders can be influenced by a client's emotional status at the time.

66. Note the key word "priority" indicating one option ranks higher than any other option. Recall that Maslow hierarchy lists physiological needs, such as assessing the number and characteristics of the client's bowel movements, as having a higher priority than other types of client needs.

67. Use the process of elimination to help select the option that describes the best approach for maintaining a client's self-esteem while providing rectal hygiene. Recall that remaining nonjudgmental avoids projecting negative feelings.

68. Note the key words "most indicative" in reference to an assessment finding that correlates with alcohol use disorder. Recall that chronic use of a sedative drug such as alcohol results in cross-tolerance with other drugs in this category. A client who does not use alcohol would most likely experience pain relief after administration of a usual dose of an analgesic.

69. Note the key words "most appropriate" in reference to the nursing action indicated when a client erroneously believes there are bugs in the room. Recall that it is never therapeutic to desert a client who is frightened and distressed.

70. Note the key word "next" used in reference to a nursing action that should be performed after noting the change in the client's condition. Recall that a significant change in a client's condition requires collaboration between the nurse and the health care provider.

71. Use the process of elimination to select the complication that is secondary to alcohol use disorder. Recall that withdrawal from a sedative drug results in stimulating manifestations such as seizures. If a client with alcohol use disorder experienced a seizure in a previous withdrawal, there is a greater potential for the same response in this and future withdrawals from alcohol.

72. Note the key words "most helpful" in reference to helping a nursing team member understand and accept negative client characteristics. Recall that prejudice is learned. Therefore, understanding the origin of one's own biases helps guard against behaving negatively in relationships with clients.

73. Use the process of elimination to select the option that correlates with a major characteristic of bipolar disorder. Recall that this disorder is characterized by extreme changes in mood that can range from euphoria to normal mood to severe depression.

74. Read all the choices carefully. Use the process of elimination to exclude incorrect options and select options that correlate with nursing instructions for a client when lithium carbonate is prescribed. Recall that clients taking lithium commonly experience polyuria; increasing oral fluid intake compensates for the increased output. If a client's sodium level decreases, lithium will be reabsorbed by the kidneys to balance the number of serum electrolytes. Reabsorbed lithium can reach toxic levels.

75. Note the key words "most important" in reference to determining if the dosage of lithium carbonate is appropriate. Recall that the dosage of lithium is monitored using drug levels in blood specimens and that the level of drug is a guide to its dosage.

76. Read all the choices carefully. Use the process of elimination to select options that correspond with behaviors associated with mania. Recall that during manic episodes, clients act impulsively. Their emotions are intense, and their behaviors tend to lack judgment and self-control.

Mental Health Needs During Late Adulthood (Older than 65)

77. Note the key words "most appropriate" in reference to the action that is best before proceeding with the home assessment of an older adult when relatives are present. Recall that clients have a right to privacy during a nurse-client interaction.

78. Use the principles of therapeutic communication to select the option that represents the best communication technique for obtaining information from a client. Recall that open-ended questions allow the client to respond in limitless ways.

79. Use the process of elimination to select the option that corresponds with the best method for assessing long-term memory. Recall that long-term memory involves information about events in the distant past.

80. Use the process of elimination to select the option that correlates with a method for discriminating between miscommunication and a client's impaired cognition when assessing an older adult client's verbal response. Recall that having a client repeat or paraphrase the question validates that the question has been perceived accurately.

81. Note the key words "most atypical" in reference to geriatric assessment data. Recall that significant information from the past tends to be maintained and recalled fairly easily. Therefore, the inability to recall the names of long-standing neighbors is suggestive of altered mental status, which may or may not correlate with the onset of dementia, depending on other findings.

82. Read all the choices carefully. Use the process of elimination to select options that correspond with normal phenomena of older adulthood. Recall Erikson's psychosocial stages during which older adults are confronted with the loss of friends and relatives. Failing to adjust to losses or unfulfilled goals or actions can lead to depression at the end of life.

83. Use the process of elimination to select the option that describes the highest risk for suicide. Although all the options have merit, having a plan for how suicide would be accomplished represents the highest risk.

84. Note the key word "initial" indicating an option that represents an early manifestation of drug effectiveness. Recall that there is a 7- to 21-day lag time in achieving effectiveness when tricyclic antidepressants are administered. Consequently, a decrease in agitation is more likely to occur before there is relief of a depressed mood.

85. Read all the choices carefully. Use the process of elimination to exclude or select adverse effects of tricyclic antidepressants. Recall that blocking alpha-adrenergic receptors results in the potential for hypotension especially among older adult clients. Rising slowly allows baroreceptors in the carotid arteries and aortic arch to temporarily adjust to arterial pressure changes and stabilize blood pressure. There is an expected lag time of up to 21 days before the client perceives a therapeutic benefit from this class of antidepressants.

86. Note the key words "especially important" in reference to a nursing action that applies to the administration of medication to a depressed client. Recall that clients with depression are potentially suicidal and may hoard medications for a later suicide attempt. The client's act of disguising the fact that medication has been swallowed could facilitate suicide. By checking the client's mouth, including under the tongue and in the buccal cavities, the nurse can determine if the medication has been swallowed.

87. Note the key word "immediate" in reference to the recovery period after electroconvulsive therapy (ECT). Recall that clients who receive ECT may experience temporary loss of short-term memory and headaches.

88. Use the process of elimination to select the option that represents the best nursing suggestion for a client who is most likely experiencing postural hypotension. Ensuring client safety is a priority. Recall that advising the client to get up slowly from a seated position provides time for baroreceptors to stabilize a client's blood pressure.

89. Note the key words "most suggestive" in reference to a finding that correlates with depressive symptoms in an older adult. Recall that depression can be manifested by both physical and emotional symptoms. Having multiple physical reports often suggests that older adults are depressed but are unwilling or unaware that it exists.

90. Use the process of elimination to select the option that describes the drug-related symptom that is most likely associated with duloxetine, a serotonin norepinephrine reuptake inhibitor. Recall that drugs in this category interfere with the reuptake of norepinephrine and serotonin. Elevated levels of norepinephrine, a sympathetic nervous system neurotransmitter, are likely to cause insomnia.

91. Note the key words "most appropriate" in reference to finding older adult clients in a nursing home having intercourse. The stem indicates that the clients are oriented and thus have the cognitive ability to make decisions. Because sexual intimacy is normal in a romantic relationship and the location of the lovemaking is appropriate, the clients deserve to have their privacy protected.

92. Note the key words "most likely" in reference to a consequence of taking an antipsychotic drug for a prolonged period of time. Recall that tardive dyskinesia, involuntary muscle movements characterized by facial tics, occurs more often when clients are treated with typical rather than atypical antipsychotic medications.

93. Note the key words "most beneficial" referring to a nursing action that promotes a client's self-esteem. Even though the client's self-care was imperfect, the client did perform bathing and grooming independently and deserves positive reinforcement for that effort. Positive reinforcement is a motivation for repeating a desired behavior.

94. Note the key words "most helpful" in reference to an activity that facilitates reminiscence therapy. Recall that reminiscence involves recalling events and experiences from the past, such as by singing songs from that era.

95. Use the process of elimination to select the option that corresponds with the psychosocial stage of development characteristically demonstrated by the client's statement. Recall that Erikson's psychosocial stage of older adulthood correlates with (ego) integrity as a positive characteristic for older adults. Integrity is indicated by the client's affirmation that he or she is satisfied with prior life events and relationships. Integrity demonstrates a sense of closure and completeness at the end of life.

96. Use the process of elimination to select the option that correlates with the best reason the sample documentation is unsatisfactory. Recall that a principle of documentation is that it must be objective rather than subjective. Because the original documentation lacks objective evidence of confusion, it is unsatisfactory.

97. Read all the choices carefully. Use the process of elimination to select options that are primary factors the nurse should consider when planning the nursing care for an Asian client. Recall that transcultural nursing care involves developing a plan of care based on the ability to gather data. Obtaining information from a client from another culture is affected by compatible language skills between the client (or a translator) and the nurse, the client being forthcoming in revealing physical and psychosocial health problems, and the client's traditional health beliefs and values within their cultural context.

98. Note the key words "most appropriate" in reference to a method for avoiding the consequences of wandering at night. Wandering and the potential for leaving the home may lead to a client becoming lost and injured. Installing dead bolts at the tops of doors leading outside keeps the client within the home.

99. Use the process of elimination to select the option that describes the best method for managing a client who wanders. Recall that loss of memory is one of the chief losses experienced by a client with dementia. Providing a cue within the environment, such as placing a large sign displaying the client's name may help reorient a client suffering from dementia.

100. Note the key word "first" in reference to the action that takes precedence when a client is naked in a public area. Recall that a client with dementia is not likely to comply with a directive to dress. The client is unable to cognitively appreciate the significance of his or her nakedness. Providing an explanation to other clients is also inappropriate and unlikely to solve the situation. Relocating the client to a place out of the view of others is the first action the nurse should take. Once in a private place, the nurse can help the client dress appropriately.

101. Note the key words "most therapeutic" in reference to a method for helping clients with dementia remain oriented. Recall that orientation involves correctly identifying person, place, and time. A calendar helps orient a client, as well as others, to the current day, month, and year (components of time).

102. Use the process of elimination to select the option that describes the best technique for reducing confusion experienced by clients with dementia. Recall that inconsistent patterns of activities interfere with the client's ability to process information, but consistent repetitive routines provide some degree of stability and familiarity for the client.

103. Use the process of elimination to select the option that describes the best method to use when communicating with a client with dementia. Recall that a client with dementia has a short attention span and cannot process detailed information.

104. Use the process of elimination to select the option that correlates with the best nursing action to protect clients in a long-term care facility from acquiring influenza. Recall that unvaccinated older adults, especially those in long-term care facilities, are at high risk for acquiring influenza because they are medically fragile and in close contact with other at-risk clients. Preventing contact between ill visitors and staff is one method for controlling the transmission of influenza.

105. Note the key words "most beneficial" in reference to helping a client's spouse who shows signs of exhaustion and self-neglect. Recall that visiting less frequently or for shorter periods of time facilitates spending more time for physical and emotional self-care.

106. Note the key words "most therapeutic" about a nursing response to a statement made by the client's adult child. Apply principles of therapeutic communication. Recall that verbalizing what has been implied is a technique in which the nurse interprets the underlying content of what a person has said. This allows the client to affirm the nurse's statement or refute it. The outcome is that it promotes further dialogue.

107. Use the process of elimination to select the option that describes the best nursing action for prolonging the ability to self-feed in a client with progressive dementia. Recall that imitation provides visual cues for how to use utensils when eating.

108. Note the key word "critical" about a criterion that ensures the client's safety during a home visit. Understanding medication administration is the best answer because errors can have dangerous consequences, whereas failing to return the client at the time expected, lack of hygiene measures, and misunderstanding about the client's symptoms are not potentially life threatening.

109. Note the key words "most appropriate" in reference to providing care to a client whose death is imminent. Recall that it is emotionally and psychologically cruel to leave the client alone when dying. If the nurse cannot remain at the client's bedside, a surrogate should be designated.

110. Note the key words "most beneficial" in reference to nursing support for a distraught unlicensed assistive personnel (UAP). Recall that verbalizing thoughts and feelings at the time of a crisis is therapeutic for preventing or minimizing ineffective coping, whereas the actions described in the other options are less therapeutic or even detrimental to the client.

111. Note the key words "most appropriate" in reference to a client's paranormal experience. Recall that paranormal experiences are rare, but not uncommon, after the death of a significant other. Implying that the experience is normal and in no way threatening may help the person accept and perhaps value the experience.

Correct Answers and Rationales

Mental Health Needs During Young Adulthood

1. 4. Alcohol use disorder is a chronic, progressive, often fatal disease that has genetic, psychosocial, and environmental elements. It is characterized by alcohol craving, impaired control over drinking, a preoccupation with alcohol, and the use of alcohol despite the consequences (loss of a job, problems with a spouse or significant other, or trouble with the law). Alcohol use disorder is a physical dependency, and abrupt deprivation leads to severe withdrawal symptoms. Clients with alcohol use disorder experience distorted thinking and denial. Although an affirmative answer to all the questions is significant, the most suggestive sign of alcohol use disorder is the occurrence of blackouts. Blackouts are a form of amnesia for actions and events that take place when a person is drinking. It can occur regardless of the type of alcohol consumed and when the person began drinking. Preferring alcohol over soft drinks is a personal choice; however, choosing to drink alcohol can lead to serious consequences, including the increased risk of developing alcohol use disorder.

Cognitive Level—Applying
Client Needs Category—Psychosocial integrity
Client Needs Subcategory—None

2. 1. Denial is the major barrier to recovery from alcohol use disorder. The first step of Alcoholics Anonymous (AA) and other treatment programs is to admit powerlessness over alcohol. AA does emphasize belief in a higher power, but relying on and participating in an organized religion is not a prerequisite for participation in the treatment program. Forming a close support network is important because the client undergoes many physical, emotional, and lifestyle changes, but this is not the first step to the recovery process. Admission to an inpatient rehabilitation unit is also not a prerequisite to treatment because clients often attend treatment programs after work and on the weekends as outpatients.

Cognitive Level—Applying
Client Needs Category—Psychosocial integrity
Client Needs Subcategory—None

3. 3. Al-Anon is an organization specifically for family members of people with alcohol use disorder who may or may not be involved in recovery. Alcoholics Anonymous is for people recovering from alcohol use disorder. Recovery Anonymous is a support group for persons with other mental health disorders. Synanon is a private organization involved in drug rehabilitation.

Cognitive Level—Remembering
Client Needs Category—Safe and effective care environment
Client Needs Subcategory—Coordinated care

4. 2, 3. Inflammation of the eyes is almost always present after smoking marijuana. Depending on the dose obtained from the drug, the pulse rate can be rapid, causing the user to feel anxious. Other signs include euphoria, drowsiness, light-headedness, and hunger. Shivering accompanies opiate withdrawal, not marijuana use. Restlessness is observed in abrupt alcohol withdrawal or with use of a central nervous system stimulant. Pinpoint pupils are a sign of heroin use, not marijuana use. There is no evidence that marijuana use causes a chronic cough; however, users may seek to disguise the smell of pot on the breath with mints or gum.

Cognitive Level—Understanding
Client Needs Category—Physiological integrity
Client Needs Subcategory—Physiological adaptation

5. 1, 5, 6. Marijuana is known to produce apathy among those who use it. Consequently, many chronic users become disinterested in school, work, or other social responsibilities. As a result, they fail to reach their potential for success. Chronic use of marijuana affects memory and the ability to learn, like the effects associated with chronic alcohol consumption. Chronic marijuana use is linked to a decrease in sperm production and disruption of the menstrual cycle, which may result in fewer ova being produced. Marijuana is more likely to be psychologically addicting than physically addicting. The evidence linking marijuana use with lung cancer is inconclusive, but studies do show an increase in the number of colds, bronchitis, and asthma cases among chronic users of marijuana. Breathing may be impaired, but the respiratory center in the brain is not usually suppressed as it is in opioid use disorder.

Cognitive Level—Remembering
Client Needs Category—Psychosocial integrity
Client Needs Subcategory—None

6. 4. Sudden infant death syndrome (SIDS) is the unexpected, unexplained death of an infant who is typically aged between 2 weeks and 1 year. In most cases, the infant is laid down for a nap or to sleep at night and then, after several hours, is found dead in the crib. Common risk factors include prematurity, low birth weight, and an adolescent or opioid-dependent mother. Because of the abruptness and finality of the situation, the parents of an infant who died from SIDS have a very difficult time accepting their infant's death. Their most immediate need is to experience the reality of their loss. Facilitating an opportunity to have personal contact with the infant promotes the grieving process. The other nursing actions may be completed at a later time.

Cognitive Level—Applying
Client Needs Category—Psychosocial integrity
Client Needs Subcategory—None

7. 2. Most parents feel guilty immediately after the death of a previously healthy infant, as in sudden infant death syndrome (SIDS). They need reassurance that they are in no way to blame for the child's death. Later, the parents may benefit from a professional or support group to help in resolving their anger, fear, and depression.

Cognitive Level—Applying
Client Needs Category—Psychosocial integrity
Client Needs Subcategory—None

8. 3. It is important to relieve parents of any self-blame after the unexpected death of an infant. Unfortunately, many parents are suspected of child abuse in cases like this. Informing them of the staff's efforts and where grief support may be obtained are appropriate nursing actions, but they are secondary to relieving undeserved guilt. Indicating that the infant would have had brain damage is little consolation immediately after the infant's death.

Cognitive Level—Applying
Client Needs Category—Psychosocial integrity
Client Needs Subcategory—None

9. 1. Intimate partner violence (IPV) is maltreatment by a family member toward someone else living in the household. If the abused individual presents to the emergency department and is treated for trauma (bruising, burns, broken bones, lacerations, or head injuries), the investigation of potential IPV is a priority. Candidly asking if the person is being abused is the most straightforward way to obtain information. Although many victims of IPV protect their abuser, they are not apt to reveal their abuse unless they sense that someone is concerned enough to ask. It is appropriate to assess the children for signs of abuse, but this would be done secondarily. Checking with relatives or friends may damage the nurse-client relationship or jeopardize the victim's safety if the abusive partner becomes aware of the inquiry. Asking the client to return for a second visit may arouse suspicions in the abuser, which could cause further abuse for the client. The nurse should obtain as much information as possible during the initial visit.

Cognitive Level—Applying
Client Needs Category—Psychosocial integrity
Client Needs Subcategory—None

10. 2. More than anything else, knowing where there is a safe place to go for help empowers the victim to seek protection when exposed to future violence. Giving out money or personal information such as address or telephone number to clients is not professional behavior and is never appropriate. Many victims stay in abusive relationships because they think the abuser will change or they feel there is no other alternative. Trying to terminate an abusive relationship may also escalate the frequency or severity of violence. Most abusers are resistant to change and are unlikely to participate in joint counseling.

Cognitive Level—Applying
Client Needs Category—Psychosocial integrity
Client Needs Subcategory—None

11. 3. Many victims of intimate partner violence (IPV) believe that if they behave in an ideal way that is pleasing to the abuser, they can prevent the cycle of abuse. Some

persons even blame themselves or believe that they deserve the abuse. Victims of IPV feel hopeless and powerless and have a great deal of guilt. Often, victims of IPV, especially female victims, have no money and lack the skills and self-esteem to earn it. These victims need a great deal of support to leave their partners, and extended family members may not be willing to take in the victim because of fear for their own safety. Most victims of IPV know that the abuse is serious or even life threatening, that they may be murdered if they attempt to terminate the relationship, and that their family most likely will be unsupportive.

Cognitive Level—Applying
Client Needs Category—Psychosocial integrity
Client Needs Subcategory—None

12. 1. Sexual assault refers to forced sex acts. It is a deviant behavior and a crime of violence. To preserve possible evidence, a physical examination should be performed before the victim showers or bathes, brushes teeth, douches, changes clothes, or has anything to drink. If there is no report of oral sex, rinsing the mouth and drinking fluids may be permitted. Evidence of pubic hair, semen, skin, and nail samples are collected from the victim. Although a sketch of the rapist or a written description of the crime may be helpful, victims of sexual assault are usually not capable of completing these activities independently. It is inappropriate to recommend calling 911 if the victim is in no immediate danger. However, advising the victim to call a support person is appropriate but not the most important information to convey.

Cognitive Level—Applying
Client Needs Category—Psychosocial integrity
Client Needs Subcategory—None

13. 4. Assuming that the nurse is the same gender as the victim, the most supportive nursing activity is to remain with the victim of sexual assault at all times. Such victims of crime suffer a great deal of stress, especially when they must interact with health care providers or police officers who are strangers and often the opposite gender. The other nursing actions are important to the care for victims of sexual assault, but they are not as likely to reduce anxiety as the continuous presence of an empathic same-gendered nurse.

Cognitive Level—Applying
Client Needs Category—Psychosocial integrity
Client Needs Subcategory—None

14. 2. Victims of violent crimes are likely to perceive strangers as a threat to their safety. Therefore, a priority for nursing care is to limit the number of client contacts with unfamiliar people, even though the strangers are well-meaning staff. The nurse is responsible for assessing the victim for physical and emotional trauma, whereas the police document the circumstances of the sexual assault. Sedation is generally avoided if at all possible because it interferes with crisis resolution. The nurse must protect the

confidentiality of the client. Therefore, notifying the family, unless the client requests it, is not appropriate.
Cognitive Level—Applying
Client Needs Category—Psychosocial integrity
Client Needs Subcategory—None

15. 2. Providing explanations helps to reduce anxiety. It is especially important for clients who are trying to manage the stress of a traumatic experience. Giving clients opportunities to make choices is a therapeutic method of diminishing feelings of powerlessness. Although giving information does support standards of care established in the emergency department and meets the client's need for education, these are not the primary reasons for explaining care measures to a victim of sexual assault.
Cognitive Level—Applying
Client Needs Category—Psychosocial integrity
Client Needs Subcategory—None

16. 3. Competent adult clients always have the right to make decisions regarding their treatment. Although a nurse may not feel that the decision is in the client's best interests, the client's right to refuse must be respected. Coercion in any form is inappropriate. Collecting evidence is not a requirement. Indicating that the victim is not using good judgment by refusing the collection of evidence is inappropriate.
Cognitive Level—Analyzing
Client Needs Category—Safe and effective care environment
Client Needs Subcategory—Coordinated care

17. 1. Although all the options are possible outcomes of the group process, the most desired outcome for a self-help group is that the group members obtain mutual support from one another. Self-help groups allow members to express their feelings openly and honestly. Individual members have been through similar experiences and serve to validate the feelings and experiences of others in the group.
Cognitive Level—Applying
Client Needs Category—Psychosocial integrity
Client Needs Subcategory—None

18. 2. Most people are momentarily shocked after receiving bad news. Disbelief or denial typically follows, and the client may believe there have been mistakes in the test results or in the diagnosis. Later, common emotional responses include anger, bargaining, depression, and acceptance—generally in that order.
Cognitive Level—Applying
Client Needs Category—Psychosocial integrity
Client Needs Subcategory—None

19. 4. Denial is the failure to acknowledge an unbearable condition or the failure to admit the reality of a situation. It is a protective mechanism. The need to deny may be so overwhelming that it interferes with a person's

good judgment to implement safer sex practices and use condoms. Concealing the information and avoiding contact with or confronting others are behaviors more indicative of depression and anger.
Cognitive Level—Applying
Client Needs Category—Psychosocial integrity
Client Needs Subcategory—None

20. 2. Having a social network of supportive friends and relatives diminishes a crisis. This promotes subsequent coping. Acceptance by religious leaders, new social acquaintances, and sexual tolerance do not provide the same quality of emotional support as friends.
Cognitive Level—Applying
Client Needs Category—Psychosocial integrity
Client Needs Subcategory—None

21. 4. Some people entertain thoughts of suicide as their only means of relieving others and themselves of the hopelessness of living with a terminal disease. Signs of despair indicate that a client should be closely observed to ensure safety. Dreams may be an indication that the client is fearful of dying. The other remarks are more suggestive of someone seeking information.
Cognitive Level—Applying
Client Needs Category—Psychosocial integrity
Client Needs Subcategory—None

22. 2, 3, 4. The main priority when caring for a suicidal client is safety. The reason for suicidal precautions is to prevent the suicidal client from self-inflicting injuries or achieving death. The most appropriate nursing interventions include removing all cords, wires, and strings located in the room so that the client is unable to use these for hanging or other injuries. Paper plates and plastic utensils are less likely to cause self-inflicted harm than glass plates, glassware, and metal silverware. It is important for the nurse to assess whether the client has swallowed all pills. Some clients, intent on committing suicide, may "cheek" the pills, spit them out after the nurse has left the room, and hoard them for a future suicide attempt. Clients who are suicidal need 1:1 supervision, but this can be achieved by having another nurse or unlicensed assistive personnel watch the client. A security guard is not required. Because 1:1 supervision is needed, checking on the client every hour and asking a family member to stay during the night will not provide the safety that the client requires. Direct supervision must be performed by hospital personnel, not family or friends.
Cognitive Level—Applying
Client Needs Category—Psychosocial integrity
Client Needs Subcategory—None

23. 1. Bulimia, also known as *bulimia nervosa*, is an eating disorder in which an individual believes he or she is fat or overweight and attempts to lose weight by self-induced vomiting, excessive exercise, abuse of diuretics or laxatives, and sessions of binging and purging (consuming massive amounts of food and then vomiting). Binging and purging take place privately. Staying out of the bathroom after a meal interferes with the client's opportunities to induce vomiting and use laxatives or enemas to stimulate bowel elimination. Having the client take an inventory of foods offered in the dormitory may precipitate an uncontrollable urge to go on an eating binge. A client with bulimia does not limit food binges to fast food establishments. Recording calories only increases the anxiety that a client with bulimia experiences when eating is out of control.

> *Cognitive Level*—*Applying*
> *Client Needs Category*—*Safe and effective care environment*
> *Client Needs Subcategory*—*Coordinated care*

24. 3. A reduction in binging is the best therapeutic effect for this client because it breaks the binge-purge cycle. The problem with a client with bulimia is not that he or she does not eat nutritious food, but that the client eats too much food. Usually, the food the client eats is high in carbohydrates and calories. After eating large amounts of food, a client with bulimia feels guilty and has abdominal discomfort. Purging reduces the guilt and decreases the abdominal pain. Antidepressants work well in controlling the symptoms of a client with bulimia who is not clinically depressed. Usually, a client with bulimia does not display signs of suicide; therefore, the health care provider would not prescribe antidepressants for reducing suicidal ideation.

> *Cognitive Level*—*Applying*
> *Client Needs Category*—*Physiological integrity*
> *Client Needs Subcategory*—*Pharmacological therapies*

25. 3. Peer censure is much more therapeutic than disapproval from the group leader. If the therapist or members of the treatment team react positively or negatively to the individuals involved in the conflict, it is likely to divide the group members and jeopardize group work.

> *Cognitive Level*—*Applying*
> *Client Needs Category*—*Psychosocial integrity*
> *Client Needs Subcategory*—*None*

26. 2. Being overly talkative is a common sign of use of amphetamines such as dextroamphetamine. This drug is a stimulant; staring into space and slurring words are side effects typical of depressant types of drugs. Some marijuana users wear sunglasses indoors to disguise their inflamed eyes.

> *Cognitive Level*—*Applying*
> *Client Needs Category*—*Psychosocial integrity*
> *Client Needs Subcategory*—*None*

27. 1. Young adults who have not acquired the developmental characteristic of intimacy tend to have superficial relationships that are temporary in nature. Worrying about financial security is more common during the middle years of adulthood. A person's sexual identity is established

much earlier in life. Assertiveness is more of a unique personality characteristic than one commonly acquired at a particular stage in life.

> *Cognitive Level*—*Analyzing*
> *Client Needs Category*—*Health promotion and maintenance*
> *Client Needs Subcategory*—*None*

28. 4. Rationalization is a coping mechanism in which a person fails to take responsibility for something by offering some acceptable explanation for it. Indicating health risks from being overweight is an example of intellectualization. The failure to resist ice cream demonstrates that the client has insight into the behavior. Projection is the mechanism of accusing others of one's own feelings that are too painful to acknowledge.

> *Cognitive Level*—*Applying*
> *Client Needs Category*—*Psychosocial integrity*
> *Client Needs Subcategory*—*None*

29. 2. Clients who do not speak or who speak very little of the dominant language feel more comfortable communicating with and through a certified translator of their own gender. This reduces embarrassment about questions pertaining to genitourinary functions, bowel elimination, reproductive history, and other sensitive issues related to mental health history. Translation cards have key words and phrases in various languages and may be helpful in conveying important words in those languages; however, it would be difficult for the nurse to ask all questions included in the admission database using such cards. Having a member of the housekeeping staff translate sensitive history to the nurse is inappropriate. Having a family member translate the information may or may not be a good choice, depending on the nature of the relationship and the level of understanding of medical terminology. Also, the nurse would not be sure that the information is being accurately conveyed.

> *Cognitive Level*—*Applying*
> *Client Needs Category*—*Safe and effective care environment*
> *Client Needs Subcategory*—*Coordinated care*

30. 2, 5, 6. Cocaine is a potent stimulant that can be injected, smoked, or snorted. Snorting occurs when cocaine powder is inhaled through the nose and absorbed into the bloodstream through the nasal tissues. Snorting cocaine on a routine basis may ulcerate, erode, and perforate the nasal mucosa and septum. Because cocaine is a stimulant, the nurse most likely will find an irregular rapid heartbeat that can lead to chest pain. Elevated blood pressure and pulse rate are also common as well as the inability to sleep. Anorexia is also common in frequent users because of the lack of desire to eat. Even with routine use of cocaine, the breath sounds should be clear, not congested. Cocaine users have a runny nose due to the irritation of the drug in the nasal passages; they usually do not have frontal sinus pain.

Cognitive Level—Remembering
Client Needs Category—Psychosocial integrity
Client Needs Subcategory—Pharmacological therapies

31. 1. Cocaine use can result in cardiac arrhythmias, chest pain, and death because toxicity may occur anytime and with any dose. Cocaine is a central nervous system stimulant; it increases respirations, heart rate, and blood pressure. The client's blood glucose level may decrease, not elevate, due to calorie use during periods of hyperactivity.

Cognitive Level—Applying
Client Needs Category—Physiological integrity
Client Needs Subcategory—Pharmacological therapies

32. 1. Standard precautions that include preventing needlestick and sharps injuries are required to prevent transmission of the hepatitis B virus. Contact precautions are used to prevent infectious disease transmission by skin-to-skin contact or contact with contaminated objects. Airborne precautions are used to block infectious organisms suspended in the air over long distances. Droplet precautions block transmission of pathogens in respiratory secretions within 3 ft (1 m) of the infected person.

Cognitive Level—Applying
Client Needs Category—Safe and effective care environment
Client Needs Subcategory—Safety and infection control

33. 4. Hallucinations are sensory experiences of which only the client is aware. They may be auditory, visual, olfactory, or tactile. An auditory hallucination involves hearing a voice or sound that no one else perceives. The person rarely volunteers information about experiencing altered perceptions. The observant nurse draws inferences based on the client's nonverbal cues. Singing a song, changing topics, and repeating sentences are not characteristics of having auditory hallucinations.

Cognitive Level—Applying
Client Needs Category—Psychosocial integrity
Client Needs Subcategory—None

34. 2. Schizophrenia is a group of disorders characterized by a gradual deterioration of mental functioning. As a result of the client's disordered thoughts, the client may have difficulty putting thoughts into words. The nurse should never pretend to understand the meaning of a client's illogical statement or twist the words to interpret the statement as something logical.

Cognitive Level—Applying
Client Needs Category—Psychosocial integrity
Client Needs Subcategory—None

35. 1. Hospitalization is indicated when a client poses a danger to self or others. In this case, the client is neglecting

bodily needs; therefore, hospitalization is warranted. The other options suggest that the client is having problems with socialization skills, but they are not conditions that improve with hospitalization.

Cognitive Level—Applying
Client Needs Category—Psychosocial integrity
Client Needs Subcategory—None

Mental Health Needs During Middle Age (35 to 65)

36. 2. Regardless of the cause or the client's level of mental functioning, it is important to establish that there are limits for the client's behavior. Leaving the room first is insufficient to correlate the nurse's response and the unacceptable behavior. Ignoring the behavior is more likely to communicate permission to repeat it. The same is true for trying to avoid being a repeat target.

Cognitive Level—Applying
Client Needs Category—Psychosocial integrity
Client Needs Subcategory—None

37. 1. One of the best ways to modify behavior is to impose a fair but significant consequence that has been previously identified to the client. Wearing protective garments will not stop the behavior, although it is appropriate hygienically. It is unrealistic to think that a client with impaired cognition will be persuaded to change behavior as a result of intellectual reasoning.

Cognitive Level—Applying
Client Needs Category—Safe and effective care environment
Client Needs Subcategory—Coordinated care

38. 2. To obtain the most valid results from the mental status assessment of a client who is cognitively impaired, it is best to allow extra time for the client to respond to questions. A certain number of open-ended questions are necessary during a mental status examination, regardless of the client's cognitive ability. Omitting the assessment or deferring the entire assessment to someone else violates standards of care.

Cognitive Level—Applying
Client Needs Category—Health promotion and maintenance
Client Needs Subcategory—None

39. 1, 5, 6. Panic attacks are one type of anxiety disorder. The physical symptoms are generally a consequence of sympathetic nervous system stimulation, as in the release of adrenaline, which causes an increased heart rate. Other signs and symptoms include palpitations, a bounding heart rate, sweating, unsteady gait, dizziness, shakiness, and feelings of choking. Clients may think that they are having a heart attack or even dying. Sympathetic nervous system stimulation is also associated with hypertension, a dry mouth, and dilated pupils.

Cognitive Level—*Applying*
Client Needs Category—*Psychosocial integrity*
Client Needs Subcategory—*None*

40. 4. Panic attacks are due to the interplay of biological and physiological factors. A person who begins to experience the symptoms typically fears that the symptoms are life threatening. The cycle of symptoms followed by fear followed by intensified symptoms creates a vicious cycle. To the client experiencing panic attacks, these symptoms are real. The client does not feign the attacks or seek attention through them; such attacks are a source of true distress.

Cognitive Level—*Applying*
Client Needs Category—*Psychosocial integrity*
Client Needs Subcategory—*None*

41. 4. Most people experience increased anxiety during situations in which they have no prior experience. To a client who is already anxious, this unfamiliarity adds to the anxiety. Providing explanations and instructions helps to diminish the client's insecurity, thereby decreasing the anxiety. Standing within an arm's length invades a client's personal space and heightens anxiety. Instructing the client to take shallow breaths will not decrease the anxiety and may result in hyperventilation. A more appropriate instruction would be to tell the client to take slow, deep breaths with air going in through the nose and out of the mouth. Telling the client that everything is going to be okay is meaningless reassurance, and this action should be avoided.

Cognitive Level—*Applying*
Client Needs Category—*Psychosocial integrity*
Client Needs Subcategory—*None*

42. 1. Being reassured about being safe helps more than the other actions to reduce the client's feelings of fear and loss of control; feeling safe interrupts the vicious cycle of fear and panic. Being believed, trusted, and accepted are integral to establishing a therapeutic relationship.

Cognitive Level—*Applying*
Client Needs Category—*Psychosocial integrity*
Client Needs Subcategory—*None*

43. 4. Staying with a frightened client communicates genuine concern, and the presence of a caring person tends to reduce anxiety. The first choice is an example of giving advice, which is a nontherapeutic communication technique. It is inappropriate to try to minimize the client's feelings. The third nontherapeutic example is one of generalizing, which disregards this client's right to be considered unique.

Cognitive Level—*Applying*
Client Needs Category—*Psychosocial integrity*
Client Needs Subcategory—*None*

44. 1. Antianxiety drugs such as alprazolam produce a calming effect. Alcohol consumption with this medication is likely to potentiate the drug's action and endanger the client's safety from profound sedation. Drug dependency is related to this drug's dosage and length of administration. Insomnia is unlikely because the drug causes sedation. Blood levels are not commonly monitored when benzodiazepines such as alprazolam are prescribed.

Cognitive Level—*Applying*
Client Needs Category—*Physiological integrity*
Client Needs Subcategory—*Pharmacological therapies*

45. 2. Many clients who experience panic attacks develop agoraphobia, a fear of being in a place or situation where help may be unavailable. Some clients who experience panic attacks seek psychiatric treatment; some take more than the prescribed amount of medication, but these are not characteristic of the majority of individuals with this anxiety disorder. Persons with panic disorder rarely develop psychotic symptoms.

Cognitive Level—*Applying*
Client Needs Category—*Psychosocial integrity*
Client Needs Subcategory—*None*

46. 1, 2, 5, 6. Obsessive-compulsive disorder (OCD) is a type of anxiety disorder. Obsessions are irrational thoughts, unwanted ideas, or impulses that occur repeatedly in a person's mind. Obsessions are often intense, frightening, or bizarre and commonly focus on fear of dirt and germs. Compulsions are the repetitive rituals that individuals perform to lessen anxiety and make them feel temporarily better. Unfortunately, the good feelings do not last, and the cycle begins again. Clients with OCD are preoccupied with order, safety, and cleanliness. Of the clients listed, those demonstrating OCD tendencies include the client who repeatedly performs handwashing, the client who wears gloves when touching a public faucet, the client who cannot throw anything away, and the client who performs a checking ritual, such as repeatedly checking and rechecking locked doors. Sexual promiscuity is common among those in a manic phase of bipolar disorder. Drinking a fifth of whiskey every day is indicative of alcohol use disorder.

Cognitive Level—*Analyzing*
Client Needs Category—*Psychosocial integrity*
Client Needs Subcategory—*None*

47. 4. Displacement is a coping mechanism in which a person transfers angry feelings for one person onto someone else who is less likely to retaliate with significant consequences. Introjection involves taking on the characteristics of another. Projection is characterized by accusing someone of one's own weaknesses. Compensation is demonstrated by overcoming some inadequacy by excelling at another activity.

Cognitive Level—*Remembering*
Client Needs Category—*Psychosocial integrity*
Client Needs Subcategory—*None*

48. 3. The least restrictive approach should be implemented initially to manage undesirable behaviors. By remaining calm, the nurse models the type of behavior that is expected and reduces stimuli that the client may interpret as threatening. Both privacy and physical activity are ways of dissipating anger, but neither should supersede discussing the client's feelings. Although encouraging the client to discuss what triggered the anger would be beneficial, it would be inappropriate to suggest talking to the client's spouse.

Cognitive Level—Applying
Client Needs Category—Safe and effective care environment
Client Needs Subcategory—Coordinated care

49. 1. Gathering staff is a show of force, which is sometimes all that a client needs to realize that it is best to regain self-control. Asking a health care provider to intervene implies that nurses are unable to effectively manage a disruptive client's behavior. It is unsafe to go anywhere alone with a client who is beyond anger and in danger of losing self-control. Displaying restraints as a means of controlling the client's behavior is an implied threat, which is unethical.

Cognitive Level—Applying
Client Needs Category—Psychosocial integrity
Client Needs Subcategory—None

50. 2. Administering medications against a client's will when the circumstances indicate a danger to the client or others is legally permissible. To avoid liability, documentation must objectively describe the evidence of danger and the lack of success when alternative measures were attempted. In most cases, the nurse should be respectful of the client's right to refuse the medication. However, if the client is demonstrating signs that harm to self or others is possible, the client's rights are waived. The nurse does not need to get permission from a judge to administer the drug, and the hospital attorney does not need to be consulted.

Cognitive Level—Applying
Client Needs Category—Safe and effective care environment
Client Needs Subcategory—Coordinated care

51. 2, 4, 5. Objective data are most important in this case. The nurse must observe for signs of impaired circulation, which include paleness of the fingers and toes and prolonged capillary refill. (Normal capillary refill is about 3 seconds.) In addition, excoriation around the wrist indicates that the restraint is too tight. The excoriation occurs as the client tries to remove the restraints. Usually, if two fingers can be inserted under the restraint, this ensures that circulation and nerve function are not impaired. The nurse must be careful of manipulation by the client regarding subjective data, such as inability to move the

hand, numbness, and tingling of the extremities and pain. Judgment regarding these choices is prudent.

Cognitive Level—Applying
Client Needs Category—Physiological integrity
Client Needs Subcategory—Reduction of risk potential

52. 2. Using short, simple sentences is best when teaching anxious clients who have short attention spans and difficulty concentrating. Detailed explanations or elaborate diagrams would overwhelm an anxious client. Videos are not as effective as one-on-one instruction in this situation. The nurse needs to periodically assess the client's comprehension and repeat information that is unclear.

Cognitive Level—Applying
Client Needs Category—Psychosocial integrity
Client Needs Subcategory—None

53. 1. Middle-aged adults forced into early retirement are likely to experience a great deal of stress because adults at this stage in life are very concerned with their future financial security. The other events are challenging but probably not major sources of conflict as adults achieve generativity.

Cognitive Level—Applying
Client Needs Category—Psychosocial integrity
Client Needs Subcategory—None

54. 3. People with phobias avoid what they perceive as the cause of their discomfort. Suppression is a coping mechanism in which a person chooses to refrain from thinking about something that is a source of conflict. Compensation is characterized by pursuing an activity that ensures success to make up for feeling inadequate. Undoing is a coping mechanism in which one makes amends for having offended someone.

Cognitive Level—Applying
Client Needs Category—Psychosocial integrity
Client Needs Subcategory—None

55. 1, 2, 3, 4. Phobias are a type of anxiety involving persistent, irrational fears. They can be classified as social (fear of public speaking), agoraphobia (fear of crowds or public places), and simple (fear of certain objects or stimuli, such as animals, insects, heights, enclosed spaces, and flying). Common signs and symptoms include sweating, tachycardia and palpitations, tremors, shortness of breath, nausea, and nightmares. The client may manifest such signs and symptoms when coming in contact with the fear or by thinking about or discussing the fear. Uncontrollable crying is more indicative of depression, and facial tics are commonly associated with Tourette syndrome.

Cognitive Level—Applying
Client Needs Category—Psychosocial integrity
Client Needs Subcategory—None

56. 1. Cognitive therapy involves confronting irrational thoughts and behaviors. The expected outcome is that the client will recognize the flaws in thinking and ultimately change the behavior. The remaining options describe desensitization therapy, assertiveness training, and behavioral modification, in that order.

Cognitive Level—*Applying*
Client Needs Category—*Health promotion and maintenance*
Client Needs Subcategory—*None*

57. 1, 5, 6. Posttraumatic stress disorder (PTSD) is an anxiety disorder that occurs after exposure to a terrifying situation in which grave life-threatening harm occurred or life was threatened. Traumatic events, including violent personal assaults, natural or human-caused disasters, accidents, or military combat may trigger PTSD. Clients with PTSD generally reexperience their traumatic events in some way, such as through upsetting dreams, nightmares, or flashbacks. They also are easily startled and have difficulty concentrating. In addition, they avoid people, places, and things that remind them of the event. Some clients have visual hallucinations, but generally not auditory hallucinations. Most have a numbed or blunted emotional response to others with whom they interact.

Cognitive Level—*Applying*
Client Needs Category—*Psychosocial integrity*
Client Needs Subcategory—*None*

58. 3. Clients with posttraumatic stress disorder (PTSD) who are able to recall the precipitating traumatic event use a tremendous amount of energy to control their feelings or suppress the memory of it. Giving clients permission to talk about the traumatic event can be very therapeutic. Many clients with this disorder misuse drugs and alcohol to help numb their consciousness; antianxiety drugs are likely to do the same. Improving damaged relationships is a goal of therapy, but it is not the primary focus of treatment. Monitoring the client's physical symptoms is advisable, but it is not as therapeutic as the use of appropriate communication skills.

Cognitive Level—*Applying*
Client Needs Category—*Psychosocial integrity*
Client Needs Subcategory—*None*

59. 1. Art is used as a therapeutic tool to promote the expression of thoughts or feelings that are too difficult to verbalize. Art is not used for group bonding, obtaining approval, or justifying participation.

Cognitive Level—*Applying*
Client Needs Category—*Psychosocial integrity*
Client Needs Subcategory—*None*

60. 3. A stimulus that evokes a physiologic response similar to that of the original traumatic event can trigger intense anxiety. The stimulus of the fireworks is similar to that of gunfire during combat and can reproduce comparable anxiety. If the client had been frightened of fireworks as a child, the client probably would have manifested a continued fear response before the military experience. In

this case, the startle response is not associated with a fear of getting injured from the fireworks or a fear of painful memories.

Cognitive Level—*Applying*
Client Needs Category—*Psychosocial integrity*
Client Needs Subcategory—*None*

61. 4. Assessment is the first step in the nursing process. Therefore, the nurse should take the client's vital signs before implementing any further action. After completing the assessment and finding the client in no immediate danger, the nurse can gather additional data and implement other nursing interventions.

Cognitive Level—*Applying*
Client Needs Category—*Physiological integrity*
Client Needs Subcategory—*Reduction of risk potential*

62. 1. Middle adulthood is characterized as a period of either generativity or stagnation. During this stage in the life cycle, it is common for adults to assess their accomplishments at midlife. In some cases, those who view themselves as not having accomplished much experience what is known as a midlife crisis. People usually establish goals at an earlier age. Middle-aged people generally do not question their values, which were firmly established earlier in adulthood. They may envy others' achievements, but being envious of others is something that happens at all stages of life, not just during middle age.

Cognitive Level—*Applying*
Client Needs Category—*Health promotion and maintenance*
Client Needs Subcategory—*None*

63. 2. Therapeutic communication requires that the nurse assess hidden meanings within a client's statements or questions and then verbalize the feeling or tone for validation. Deferring discussion to the health care provider is a form of scapegoating, which conveys to the client that the nurse chooses to remain uninvolved. Telling the client to let the staff worry or to practice more patience is giving advice, which is a nontherapeutic form of communication.

Cognitive Level—*Applying*
Client Needs Category—*Psychosocial integrity*
Client Needs Subcategory—*None*

64. 1. Written permission from the client is required; otherwise, only hospital employees who are immediately involved in the care of a client may have access to the client's health record. This is a Health Insurance Portability and Accountability Act (HIPAA)/Personal Information Protection and Electronic Documents Act (PIPEDA) regulation designed to protect the client's health information and treatment. A signed, written release from the client must be obtained before a personal representative can access medical health records. Once written permission is obtained, the medical record can be provided either electronically or in paper form. Being a certified hospital chaplain does not automatically qualify access to a client's medical record. The medical records department stores records, but neither the supervisor nor staff can grant permission to access personal health records.

Cognitive Level—*Applying*
Client Needs Category—*Safe and effective care environment*
Client Needs Subcategory—*Coordinated care*

65. 4. A client with ulcerative colitis has an inflamed bowel and experiences severe diarrhea with up to 30 stools per day. The exact cause of the disease is unknown, but emotional stress is one of many cofactors. Endoscopic examinations and x-rays would confirm the presence of pathology. In addition, the client does experience physical symptoms. Most clients with psychophysiological diseases would rather work than experience their symptoms.

Cognitive Level—*Applying*
Client Needs Category—*Safe and effective care environment*
Client Needs Subcategory—*Coordinated care*

66. 1. Meeting physiological needs always takes precedence over other needs, including security, love, and belonging. The most important information needed at this time concerns the client's bowel elimination and its impact on fluid status, nutrition, and electrolyte balance.

Cognitive Level—*Applying*
Client Needs Category—*Safe and effective care environment*
Client Needs Subcategory—*Coordinated care*

67. 1. Cleaning stool is never pleasant; however, the nurse can avoid making the client feel responsible for the condition or offensive to others by conveying a nonjudgmental attitude when providing care. Treating the client with dignity will help sustain self-esteem. Having a family member or same-gender nurse clean the stool or making the client responsible for all personal hygiene would not promote self-esteem; in fact, these measures might have the opposite effect.

Cognitive Level—*Applying*
Client Needs Category—*Psychosocial integrity*
Client Needs Subcategory—*None*

68. 2. A consequence of alcohol use disorder is a tolerance to all sedative drugs. A need for a higher dosage or more frequent administration can indicate that the client routinely uses alcohol or some other central nervous system depressant drug. The blood pressure and pulse of a client with alcohol use disorder become abnormally high during withdrawal from alcohol. It is common for postoperative clients to become nauseated after eating.

Cognitive Level—*Applying*
Client Needs Category—*Psychosocial integrity*
Client Needs Subcategory—*None*

69. 3. Visual hallucinations occur in advanced withdrawal from alcohol. These are real and terrifying experiences for the client experiencing alcohol withdrawal. To maintain safety and reduce the client's fear and anxiety, it is essential that a nurse remain with the client. Re-enforcing the reality of the hallucination is not appropriate. In the client's mind, the hallucination is real; telling the client that seeing bugs is imaginary is illogical and untrue. Closing the client's door is unsafe and likely to heighten the fear.

Cognitive Level—*Applying*
Client Needs Category—*Safe and effective care environment*
Client Needs Subcategory—*Safety and infection control*

70. 3. It is always best to notify the health care provider first whenever there is a sudden change in a client's condition. Usually, the nursing supervisor is not called unless the client becomes combative or the condition continues to worsen. Alcohol withdrawal is generally treated with one of the minor tranquilizers, such as lorazepam, or a central nervous system depressant such as phenobarbital; however, a health care provider must prescribe these. Notifying the client's spouse may be indicated, but only after the health care provider has been notified and the client's safety is secured. Documenting the incident is important after the situation is under control.

Cognitive Level—*Applying*
Client Needs Category—*Physiological integrity*
Client Needs Subcategory—*Reduction of risk potential*

71. 2. Seizures occur from rebound central nervous system stimulation as the alcohol is metabolized from the client's system. Seizures occur in some clients as early as within the first 24 hours of withdrawal. Of the choices listed, seizures are the most severe. Hyperthermia may occur during alcohol withdrawal. Ascites and jaundice result from liver damage caused by chronic alcohol consumption.

Cognitive Level—*Applying*
Client Needs Category—*Psychosocial integrity*
Client Needs Subcategory—*None*

72. 1. Staff members are better able to understand client behavior by increasing their own self-awareness. Nurses who are generalists are not academically prepared to analyze a client's motivation or provide psychotherapy. Knowledge of abnormal behavior is important, but it is not the first step in understanding the behavior of others.

Cognitive Level—*Applying*
Client Needs Category—*Safe and effective care environment*
Client Needs Subcategory—*Coordinated care*

73. 3. Bipolar disorder is a serious mental illness characterized by dramatic mood swings. Clients with bipolar disorder, formerly called manic-depressive disorder, have cycles in which they display a marked change in mood between mania (abnormal highs) and depression (lows). The disorder is called *bipolar* because of the swings between the opposing poles in mood. Mania often affects thinking, judgment, and social behavior, causing serious problems. Bipolar disorder is a recurring illness that can be treated with long-term medication. The exaggerated mood is followed or preceded by an interval of normal mood. Bipolar disorder is not associated with ritualistic behavior or periodic amnesia. Aggressiveness may occur if the client feels threatened, but it is not a classic characteristic of the disorder.

> *Cognitive Level—Applying*
> *Client Needs Category—Psychosocial integrity*
> *Client Needs Subcategory—None*

74. 4, 5. Lithium carbonate is a mood-stabilizing drug approved for the treatment of mania and for preventing the recurrence of manic-depressive cycles. Clients who take this medication should drink 10 to 12 glasses of water each day and maintain a sufficient salt intake. Sexual activity need not be restricted. Lithium carbonate usually causes polyuria; therefore, notifying the health care provider about increased urine output is unnecessary. Avoiding aged cheeses or wine is an instruction given to clients who take monoamine oxidase inhibitors (MAOIs), not lithium. Taking a high-potency vitamin is a personal health choice; it will not affect a therapeutic response to lithium carbonate.

> *Cognitive Level—Applying*
> *Client Needs Category—Physiological integrity*
> *Client Needs Subcategory—Pharmacological therapies*

75. 3. Lithium carbonate has a narrow therapeutic range. Toxic reactions occur when blood levels are higher than 1.5 mEq/L (1.5 mmol/L). Common side effects include gastrointestinal discomfort, nausea, muscle weakness, vertigo, and a dazed feeling. Blood levels are usually drawn throughout therapy, and the lithium dosage is adjusted according to the results. The client who takes lithium carbonate may develop polyuria, but the volume of urine eliminated is not used to monitor the lithium level. Close monitoring of kidney, cardiovascular, and thyroid functions is important. Neither vital signs nor brain scans are used to evaluate the client's ability to metabolize the lithium dose.

> *Cognitive Level—Applying*
> *Client Needs Category—Physiological integrity*
> *Client Needs Subcategory—Pharmacological therapies*

76. 1, 5. Spending money extravagantly and sexual promiscuity are signs that a client with bipolar disorder is having difficulty using good judgment. Wanting to become a 5-year-old child again could be interpreted as an example of an altered thought process related to schizophrenia. Methodically cleaning the house could indicate obsessive-compulsive behavior. Staying up late may be a sign of

hyperactivity, which often accompanies a manic phase of bipolar disorder, but reading is a sedentary activity that is not characteristic of mania. However, such behavior is not as suggestive of loss of control as the client's spending money extravagantly or sexual promiscuity. Agoraphobia is an anxiety disorder often precipitated by the fear of having no easy means of escape. As a result, sufferers of agoraphobia may avoid public or unfamiliar places.

> *Cognitive Level—Applying*
> *Client Needs Category—Psychosocial integrity*
> *Client Needs Subcategory—None*

Mental Health Needs During Late Adulthood (Older than 65)

77. 2. Privacy is important whenever the nurse gathers information of a personal nature. Regardless of the environment, clients have the right to expect that what they reveal will be kept private and confidential—even from well-meaning family members. Therefore, asking the family members to give the client privacy is prudent and advisable. It is inappropriate to share assessment results or to encourage comments from the children because they should not be present. The names and relationships of those present are not as important as maintaining privacy and confidentiality.

> *Cognitive Level—Applying*
> *Client Needs Category—Safe and effective care environment*
> *Client Needs Subcategory—Coordinated care*

78. 1. An indirect leading statement or open-ended question is purposely general and nonspecific. It allows the client to give as much information as desired. Close-ended questions or statements, exemplified in the other three options, elicit facts or sometimes one-word replies.

> *Cognitive Level—Applying*
> *Client Needs Category—Psychosocial integrity*
> *Client Needs Subcategory—None*

79. 3. Asking the client to identify their date of birth is a standard technique for assessing long-term memory. To evaluate the client's response, the nurse should know the answer to the question. Asking the client's current age and today's date helps in the assessment of short-term memory and orientation. Asking what occurred last January is too vague for a valid assessment.

> *Cognitive Level—Applying*
> *Client Needs Category—Physiological integrity*
> *Client Needs Subcategory—Reduction of risk potential*

80. 1. Asking a client to repeat the question helps to rule out a hearing deficit or possible dementia. A client has a 50% chance of being right when responding only with a "yes" or "no." Asking the next of kin is appropriate if the client is not a reliable historian. Asking questions only the client can answer does not provide comprehensive objective data.

Cognitive Level—Applying
Client Needs Category—Health promotion and maintenance
Client Needs Subcategory—None

81. **2.** Being unable to provide the names of long-standing neighbors is the most significant sign of mental deterioration from among the options provided. In the normal progression of dementia, short-term memory loss is affected followed by long-term memory impairment. The other assessment findings are normal or typical for an adult who is 65 years old.

Cognitive Level—Applying
Client Needs Category—Physiological integrity
Client Needs Subcategory—Reduction of risk potential

82. **1, 6.** Late adulthood is a time when most people deal with multiple losses, including family and friends. These losses may result in depression, which is common in older adults. Becoming cynical, losing patience, and developing hostility reflect myths about aging that many younger people believe are true. Having periods of regret is not a typical problem for older adults unless their earlier lives were not what they hoped for.

Cognitive Level—Applying
Client Needs Category—Health promotion and maintenance
Client Needs Subcategory—None

83. **2.** A plan for suicide indicates that the client has given serious thought to ending life. A client who has developed a suicide plan is much more likely to act on those feelings. The remaining examples are characteristic of passive suicide ideation, which is not associated with as much lethal risk as an active suicide plan.

Cognitive Level—Applying
Client Needs Category—Psychosocial integrity
Client Needs Subcategory—None

84. **3.** Imipramine hydrochloride is administered for depression. Client manifestations that occur relatively quickly after initiation of the medication include improvement in sleep and appetite, and fewer psychomotor disturbances (agitation and anxiety). Cognitive symptoms of depression, such as low self-esteem, guilt, suicidal ideation, and lack of concentration, tend to improve more slowly. Mood may be the last symptom to improve.

Cognitive Level—Applying
Client Needs Category—Physiological integrity
Client Needs Subcategory—Pharmacological therapies

85. **3, 4.** Imipramine hydrochloride is a tricyclic antidepressant (TCA) that is used to reduce depression. Nursing instructions should include rising from a bed or chair slowly because this drug causes alpha adrenergic blocking effects

leading to dilated arteries and hypotension with postural changes. Also, as with many older classes of antidepressants, it may take up to 3 weeks before the client begins to feel better. Avoiding cheese, chocolate, and pickled foods is related to monoamine oxidase inhibitors (MAOIs), not TCAs. Taking naps, temporarily refraining from sexual activity, and using sun screen are unrelated to the administration of TCAs.

Cognitive Level—Applying
Client Needs Category—Physiological integrity
Client Needs Subcategory—Pharmacological therapies

86. **2.** The nurse must check that the client with depression has swallowed all medication. Some clients "cheek" medications and then use them as a method of suicide after accumulating a sufficient quantity. Taking medications with a full glass of water is appropriate for clients who do not have fluid restrictions. Some medications are better absorbed on an empty stomach; some that cause stomach upset are better taken with food. Taking one or all the prescribed drugs at one time is safe as long as the client does not have difficulty swallowing them.

Cognitive Level—Applying
Client Needs Category—Safe and effective care environment
Client Needs Subcategory—Safety and infection control

87. **3.** Electroconvulsive therapy (ECT) involves electrically induced seizures in anesthetized clients for a therapeutic effect. ECT is most often used as a treatment for severe major depression that has not responded to other types of treatment and is not a controversial issue in psychiatric circles. After ECT, it is common for clients to experience headaches and temporary retrograde and antegrade memory loss for events nearest in time to the treatment. Proponents of ECT claim that the capacity to remember information eventually returns to the pretreatment level. The effects identified in the other options may occur, but they are not effects associated with ECT.

Cognitive Level—Applying
Client Needs Category—Physiological integrity
Client Needs Subcategory—Reduction of risk potential

88. **2.** Doxepin and other tricyclic antidepressants may cause orthostatic hypotension, especially in the morning. The nurse should advise rising slowly and dangling the feet over the side of the bed before standing. This helps the client gain balance before walking. Placing a cool compress on the forehead may help the client initially, but orthostatic hypotension is still a concern when the client rises. Advising the client to breathe deeply is used for shortness of breath and hypoventilation, not orthostatic hypotension. Having the client elevate both feet will not decrease dizziness on rising.

Cognitive Level—Applying
Client Needs Category—Physiological integrity
Client Needs Subcategory—Pharmacological therapies

89. 2. Depression in older adults is often masked under the guise of multiple physical concerns. It is often easier to seek help for physical problems than to verbalize the need for emotional help. Being irritable after a visit from active grandchildren is normal for some older adults. Sleeping a great deal of the time is suggestive of depression, but taking a lengthy nap regularly in the afternoon is not necessarily pathologic. Crying when talking about a dead spouse is normal if the death happened recently. If the crying is brief, it is not interpreted as unresolved grief.

Cognitive Level—Applying
Client Needs Category—Psychosocial integrity
Client Needs Subcategory—None

90. 4. Duloxetine is classified as a serotonin norepinephrine reuptake inhibitor (SNRI) or dual-action antidepressant. Drugs in this category tend to cause insomnia, nervousness, blurred vision, sweating, problems with ejaculation, and dry mucous membranes. Polyuria, diplopia, and drooling are not associated with duloxetine.

Cognitive Level—Applying
Client Needs Category—Physiological integrity
Client Needs Subcategory—Pharmacological therapies

91. 2. Providing privacy is appropriate for preserving the sexually active couple's self-esteem. Reporting the clients' sexual behavior to their adult children is inappropriate, as long as the clients are competent and consenting adults. The request to become roommates is better initiated by the residents. Censuring sexuality is inappropriate; even older adults have a need for love and affection.

Cognitive Level—Applying
Client Needs Category—Psychosocial integrity
Client Needs Subcategory—None

92. 1. Involuntary facial movements and tongue and eye movements indicate the development of tardive dyskinesia, a negative consequence of traditional, typical antipsychotic (neuroleptic) drug therapy. The condition is usually irreversible, even after the drug is discontinued. About 20% of those treated with antipsychotic medications in the long term develop tardive dyskinesia. None of the other assessment findings is linked to antipsychotic drug therapy.

Cognitive Level—Applying
Client Needs Category—Physiological integrity
Client Needs Subcategory—Pharmacological therapies

93. 4. Self-esteem is promoted by experiencing recognition for accomplishments. Giving genuine praise promotes a positive self-concept. The longer a person can maintain independence, the less likely that physical deterioration will occur. All the other options communicate an inability to manage self-care satisfactorily.

Cognitive Level—Applying
Client Needs Category—Psychosocial integrity
Client Needs Subcategory—None

94. 2. Techniques that may facilitate reminiscing include singing songs from an earlier period and looking at picture albums, old catalogs, movies, and magazines. Discussing current events and reading a recent newspaper article help clients remain oriented to the present. Making holiday decorations is more likely to provide diversional therapy and help clients remain oriented.

Cognitive Level—Applying
Client Needs Category—Psychosocial integrity
Client Needs Subcategory—None

95. 2. During senescence, it is common for people to review their life experiences. If clients believe that their lives have been satisfying and worthwhile, they acquire integrity or what some call ego integrity. If clients have regrets, they end their lives with a feeling of despair. Trust is acquired during infancy. Intimacy is established during young adulthood. The toddler stage in the life cycle is associated with autonomy.

Cognitive Level—Applying
Client Needs Category—Health promotion and maintenance
Client Needs Subcategory—None

96. 4. Words may not mean the same thing to all people. Objectively reporting what was observed is a much more accurate method for documenting behavior, especially in view of the fact that the nurse's notes are part of the permanent record that can be used as admissible evidence in a court of law. None of the other critiques identifies the vague and subjective quality of the nurse's charting.

Cognitive Level—Applying
Client Needs Category—Safe and effective care environment
Client Needs Subcategory—Coordinated care

97. 1, 2, 3. For many clients, regardless of their cultural background, mental illness is an embarrassment and a social stigma. For these reasons, many ethnic and cultural groups are less likely to seek treatment for mental illness. Primary factors that affect developing a nursing plan of care for an Asian client include having a compatible language, the client's willingness to discuss physical and mental symptoms with strangers, and a plan that is congruent with client's cultural belief system. Marital status, the client's extended family, and financial means are not considered as pertinent as the other options.

Cognitive Level—Applying
Client Needs Category—Safe and effective care environment
Client Needs Subcategory—Coordinated care

98. 3. Wandering poses many dangers for those who may leave home unnoticed. Locks or a dead bolt that is installed high above exit doors are unlikely to be observed or accessed by a client with dementia. Clients with dementia tend to ignore looking upward; they tend to look only in front of them. Other strategies include applying multiple locks, which makes unlocking doors more challenging, or using a combination of different types of locks. Installing alarms on outside doors or a security system is another safety measure for selecting a method for managing the care of a client who wanders. Bed rails potentiate the risk for falls. Providing sufficient lighting is advantageous for moving about in the dark, but it is not likely to prevent wandering or its consequences. Sedatives often have a paradoxical effect causing excitement and agitation in the older adult.

Cognitive Level—Applying
Client Needs Category—Safe and effective care environment
Client Needs Subcategory—Coordinated care

99. 1. Labeling rooms with easily identifiable words or pictures promotes environmental awareness. Sensory cues restore the confused client's ability to reorient. Locking the unit deprives all the clients of a certain amount of freedom and privacy. Physical restraint used unnecessarily is considered battery. A confused client is unable to process information about the consequences of behavior.

Cognitive Level—Applying
Client Needs Category—Health promotion and maintenance
Client Needs Subcategory—None

100. 4. It is essential that the nurse treat a client with cognitive impairment with dignity. Shielding from public view by taking the client to a vacant room is the most appropriate action for the nurse to take in this situation. It would be inappropriate and a violation of confidentiality to tell others about the client's cognitive impairment. The other options are better suited for a client with a higher level of cognitive function.

Cognitive Level—Applying
Client Needs Category—Psychosocial integrity
Client Needs Subcategory—None

101. 4. Displaying a large calendar with easy-to-read words and numbers in a prominent place is one way to help older adult clients remain oriented. All of the other options have therapeutic benefits but are not useful in orienting clients to present reality.

Cognitive Level—Applying
Client Needs Category—Psychosocial integrity
Client Needs Subcategory—None

102. 2. Consistent repetition in the unit routine helps clients with cognitive impairments stay oriented to activities in which they are expected to participate. Wearing a name tag is a helpful technique, but routinely assigning the same employee to care for the same clients is even better. Altering a set routine of activities with field trips tends to disorient clients, at least temporarily. Clients with

dementia may be incapable of reading and following a written schedule.

Cognitive Level—Applying
Client Needs Category—Safe and effective care environment
Client Needs Subcategory—Coordinated care

103. 2. To facilitate attention, concentration, and retention, all verbal communication with a client with late-stage dementia should be brief and simple. Directions are given in understandable language with a minimum of distracting stimuli in the environment. Speaking loudly does not improve memory. Writing down some information may help a client to remember oral instructions, but overall, it is not the best recommendation of the choices provided. Listening to a news program helps maintain reality orientation, but it does not promote memory.

Cognitive Level—Applying
Client Needs Category—Psychosocial integrity
Client Needs Subcategory—None

104. 1. When there is a confirmed outbreak of influenza, visitors should be temporarily excluded from contact with clients in a long-term care facility. Residents in long-term care generally have age-related immune suppression, and they are highly susceptible to the transmission of influenza from staff and visitors. The Centers for Disease Control and Prevention recommends administering yearly influenza immunizations to residents. Antiviral medications should be administered within 2 days to clients who develop symptoms of influenza; however, administering antivirals prophylactically is not necessary. Face masks are a method for avoiding droplet transmission to clients, but preventing contact with members from the community who may be ill is more advantageous. Increasing vitamin C may prevent or limit the onset of infectious respiratory disorders, but restricting contact between those who may be sick and those who are at risk is more appropriate.

Cognitive Level—Applying
Client Needs Category—Safe and effective care environment
Client Needs Subcategory—Safety and infection control

105. 2. Nurses need to be alert to signs of burnout and exhaustion among family members. A caring staff member encouraging longer periods of separation can relieve the family's potential for feeling guilty. The client's spouse may benefit from a physical examination, but that is not the most therapeutic action in the list of choices. Clients in a long-term health care facility have a right to see visitors at any time within reason. Indicating that the staff is capable of caring for the client's spouse may imply that the spouse is unappreciated or is an inconvenience.

Cognitive Level—Applying
Client Needs Category—Health promotion and maintenance
Client Needs Subcategory—None

106. 2. Verbalizing what has been implied is a therapeutic communication technique in which the listener reflects the speaker's expressed thoughts and related feelings. One of the greatest stressors for family members of clients with Alzheimer disease is that those afflicted are physically present but emotionally absent. The remaining responses are clichés. They probably will not encourage the client's adult child to talk more about feelings.

Cognitive Level—*Applying*
Client Needs Category—*Psychosocial integrity*
Client Needs Subcategory—*None*

107. 2. Providing a client with environmental cues relieves confusion. Repetitious reminders help the confused person maintain or relearn how to function. A liquid diet is unappetizing and unnecessary as long as the client can chew, swallow, and digest food naturally. Serving this client early will not eliminate confusion. Seating a client alone deprives the client of any role models to imitate and shows disregard for the client's dignity.

Cognitive Level—*Analyzing*
Client Needs Category—*Health promotion and maintenance*
Client Needs Subcategory—*None*

108. 3. Drugs are potentially unsafe if not administered correctly. The nurse usually takes the time to explain drug administration verbally in such situations; however, it is also helpful to reinforce verbal instructions with written information. Before the client leaves, the nurse needs to determine that the client's adult child has an accurate understanding of the instructions. The family is most likely already familiar with the other types of information.

Cognitive Level—*Applying*
Client Needs Category—*Safe and effective care environment*
Client Needs Subcategory—*Safety and infection control*

109. 1. A dying client with an advance directive should not be abandoned even though the client does not want heroic measures taken to extend life. Staying with the client provides comfort and demonstrates caring behaviors while the client dies with dignity. It is premature to call the funeral home. Transferring to the intensive care unit (ICU) is not appropriate because the client indicated that heroic measures not be used. In addition, this would cost the client unneeded expense. Depending on the client's religious preferences, it may or may not be appropriate to notify the hospital chaplain.

Cognitive Level—*Applying*
Client Needs Category—*Safe and effective care environment*
Client Needs Subcategory—*Coordinated care*

110. 3. Expressing feelings to an understanding listener helps facilitate the grieving process. Communication helps people deal openly with their emotions and feelings, which is healthier than suppressing the event's emotional impact. Being sent home or terminated does not help promote grieving. Asking the unlicensed assistive personnel (UAP) to perform postmortem care in this emotional state shows a disregard for the traumatic experience.

Cognitive Level—*Applying*
Client Needs Category—*Psychosocial integrity*
Client Needs Subcategory—*None*

111. 3. Having a paranormal experience, such as sensing a deceased person's presence or seeing or talking to the deceased person, can be comforting. As long as there is no potential for being financially, emotionally, or physically disadvantaged, the nurse should not dispute the bereaved person's experience.

Cognitive Level—*Applying*
Client Needs Category—*Psychosocial integrity*
Client Needs Subcategory—*None*

Postreview Tests

Comprehensive Test 1

■ Test Taking Strategies
■ Correct Answers and Rationales

Directions: *With a pencil, blacken the space in front of the option you have chosen for your correct answer.*

1. What assessment finding(s) provides the nurse with the **best** indication that a client's tracheostomy needs suctioning? Select all that apply.
[ ] **1.** The client's pulse rate is slowed.
[ ] **2.** The client's skin is cool and moist.
[ ] **3.** The client's respirations are noisy.
[ ] **4.** The client is coughing up sputum.
[ ] **5.** The client's pulse oximeter reads 87%.
[ ] **6.** The client's respiratory rate is 32.

2. Before suctioning a client with a tracheostomy, what nursing action should the nurse perform **first**?
[ ] **1.** Clean the tracheostomy stoma with a sterile, cotton-tipped applicator.
[ ] **2.** Instill 5 mL of saline within the tracheostomy.
[ ] **3.** Administer 100% oxygen for 1 to 2 minutes.
[ ] **4.** Occlude the vent on the catheter for 15 seconds.

3. When changing a sterile abdominal dressing, what nursing action(s) supports the principles of asepsis? Select all that apply.
[ ] **1.** The nurse dons clean gloves to remove the soiled dressing.
[ ] **2.** The nurse places the soiled dressing in a biohazard bag.
[ ] **3.** The nurse performs hand hygiene before donning sterile gloves.
[ ] **4.** The nurse cleans the wound from the outer edge toward the center.
[ ] **5.** The nurse reaches across the sterile field to adjust the wrapper.
[ ] **6.** The nurse touches the client's soiled dressing with sterile gloves.

4. A nurse is assessing a client's response to a new hearing aid obtained for the client's conductive hearing loss. Which response supports that the hearing aid is meeting the therapeutic goal?
[ ] **1.** "The hearing aid amplifies sounds that are present."
[ ] **2.** "The hearing aid makes sounds sharper and clearer."
[ ] **3.** "The hearing aid transmits more distinct, crisp sounds."
[ ] **4.** "The hearing aid eliminates garbled background sounds."

5. The nurse observes the unlicensed assistive personnel assigned to a client who just returned from having a bronchoscopy. What action by the nursing assistant would prompt the nurse to intervene?
[ ] **1.** The nursing assistant takes the client's pulse oximeter reading.
[ ] **2.** The nursing assistant offers the client some water.
[ ] **3.** The nursing assistant raises the head of the bed.
[ ] **4.** The nursing assistant takes the client's tympanic temperature.

6. When a client becomes angry and shouts at the nurse because of a dislike for food that was served, what response by the nurse is **most appropriate**?
[ ] **1.** Say something humorous and promise to call the dietitian.
[ ] **2.** Listen attentively, allowing the client to express opinions.
[ ] **3.** Leave the room, and allow the client a period of privacy.
[ ] **4.** Explain that the diet was prescribed by the health care provider.

7. Upon obtaining a client history, what client symptom(s) indicates an evolving retinal emergency of a retinal detachment? Select all that apply.

[ ] **1.** Seeing flashes of light
[ ] **2.** Being unable to see light
[ ] **3.** Feeling discomfort in light
[ ] **4.** Seeing poorly in daylight
[ ] **5.** Having severe eye pain
[ ] **6.** Experiencing wavy vision

8. The nurse is caring for an infant diagnosed with a viral process and dehydration. Admission data from the parent includes: No oral intake for 48 hours, poor skin turgor, listlessness, and infrequent voiding in the diaper. A peripheral intravenous catheter is inserted to deliver intravenous fluids. Which intravenous fluid would be questioned if prescribed before urine elimination is confirmed?

1.

2.

3.

4.

9. When the nurse cares for a 3-month-old infant, what medication administration technique is **best**?

[ ] **1.** Putting the medication in the infant's bottle and giving it during the next feeding
[ ] **2.** Placing the medication in a needleless syringe and administering it orally
[ ] **3.** Giving the medication in a medicine cup while pinching the infant's nose shut
[ ] **4.** Mixing the medication with a small amount of cereal and giving it with a spoon

10. When the nurse cares for a small child in Bryant traction, what assessment finding is the **best indication** that the traction is applied properly?

[ ] **1.** The child can sit up without experiencing discomfort.
[ ] **2.** The child can reach the trapeze hanging above the bed.
[ ] **3.** The child's buttocks are raised slightly off the mattress.
[ ] **4.** The child's legs are pulled toward the bottom of the bed.

11. When planning the nursing care for a client in sickle cell crisis, what is the nursing **priority**?

[ ] **1.** Administering antibiotics
[ ] **2.** Preventing immobility
[ ] **3.** Relieving discomfort
[ ] **4.** Limiting food and fluids

12. A client newly diagnosed with cancer receives external radiation therapy. What nursing instruction regarding bathing is **most appropriate**?

[ ] **1.** Avoid getting the irradiated skin wet.
[ ] **2.** Use body wash instead of bar soap on the irradiated skin.
[ ] **3.** Cover the reddened irradiated area with clear plastic.
[ ] **4.** Use a soft cloth to wash the irradiated skin.

13. If the health care provider prescribes "diet as tolerated" for a client the evening after surgery, what diet is most appropriate for the nurse to request **initially**?

[ ] **1.** Bland diet
[ ] **2.** Soft diet
[ ] **3.** Clear liquid diet
[ ] **4.** Regular diet

14. A pregnant client in the third trimester calls the health care provider's office and reports to the nurse that she has had a severe headache for the past 2 days. What nursing action is **most appropriate**?

[ ] **1.** Ask if the client is having flu or cold symptoms.
[ ] **2.** Advise the client to eliminate coffee and other sources of caffeine.
[ ] **3.** Instruct the client to take two aspirin and lie down for an hour.
[ ] **4.** Request that the client come to the health care provider's office immediately.

15. Laboratory data for an adult client diagnosed with *Pneumocystis carinii* pneumonia indicate immunosuppression. When the nurse gathers the client's history on admission, what information is **most helpful** in determining the client's susceptibility to this infection?

[ ] **1.** The client's immunization history
[ ] **2.** The client's family history
[ ] **3.** The client's smoking practices
[ ] **4.** The client's sexual practices

16. What statement made by the parents of a toddler **best** suggests to the nurse that the child has cystic fibrosis?

[ ] **1.** "Our toddler's perspiration is very salty."
[ ] **2.** "Our toddler vomits immediately after eating."
[ ] **3.** "Our toddler's stools are soft and bright yellow."
[ ] **4.** "Our toddler's urine is tea colored."

17. If a client has been taking corticosteroid medication for a prolonged period, what statement to the nurse provides the **best indication** that the danger related to this medication is understood?

[ ] **1.** "I should never suddenly stop taking my medication."
[ ] **2.** "My reaction time will be slowed while taking this drug."
[ ] **3.** "If I forget to take one dose, I should call the health care provider."
[ ] **4.** "I should not take this drug for more than 6 months."

18. When monitoring the treatment response of a client with diabetes insipidus, what component of the urinalysis is **most important** for the nurse to assess?

[ ] **1.** Urine pH
[ ] **2.** Urinary casts
[ ] **3.** Specific gravity
[ ] **4.** Urine bilirubin

19. While visiting a client who was prescribed a change in dosage of hydrochlorothiazide, how can a home health care nurse **best** evaluate the drug's response?

[ ] **1.** Assess the client's weight.
[ ] **2.** Palpate the client's peripheral pulses.
[ ] **3.** Track the client's appetite.
[ ] **4.** Elicit the client's reflexes.

20. The nurse is caring for a client who has experienced a cerebral aneurysm and is in grave condition. In determining the client's health care wishes, what documentation is **most helpful**?

[ ] **1.** A durable power of attorney
[ ] **2.** A do not resuscitate order
[ ] **3.** A health care proxy
[ ] **4.** A living will

21. The nurse is updating the plan of care of a client with diabetes who has maintained hemoglobin A1C levels between 5% (5.6 mmol/L) and 5.5% (6.6 mmol/L) for the past 12 months. What documentation on the plan of care is **most appropriate**?

[ ] **1.** Reported the hemoglobin A1C level to the health care provider. Awaiting further prescriptions.
[ ] **2.** Plan of care reviewed. No changes at this time.
[ ] **3.** Eliminate evening snack. Follow calorie-restricted diet.
[ ] **4.** Increase fluids by 1 L daily. Instruct on the importance of remaining hydrated.

22. What is the priority(ies) when planning the nursing care of a 75-year-old client who develops pneumonia while hospitalized? Select all that apply.

[ ] **1.** Relieving the cough
[ ] **2.** Maintaining oxygenation
[ ] **3.** Providing nourishment
[ ] **4.** Encouraging independence
[ ] **5.** Administering prescribed antibiotics within 4 hours of admission
[ ] **6.** Obtaining prescribed blood cultures within 24 hours of admission

23. When providing nursing care for a client after a subtotal thyroidectomy, what position is **best**?

[ ] **1.** Supine
[ ] **2.** Semi-Fowler
[ ] **3.** Lateral
[ ] **4.** Sims

24. When assessing a client who has attempted suicide by taking an overdose of medication, what question is most important for the nurse to ask **initially**?

[ ] **1.** "How many pills did you take?"
[ ] **2.** "Why did you take the pills?"
[ ] **3.** "What is the name of the drug?"
[ ] **4.** "Have you attempted suicide in the past?"

25. A 6-year-old child has just had placement of bilateral myringotomy tubes. As the parents prepare for discharge, the nurse correctly includes what instruction in the child's discharge plan?

[ ] **1.** "Instill eardrops in the ears every 4 hours for the first 24 hours."
[ ] **2.** "Speak in a louder voice when talking to the child."
[ ] **3.** "Insert earplugs whenever the child swims or showers."
[ ] **4.** "Irrigate the ears daily with tap water while the tubes are in place."

26. The nurse is planning discharge instructions for a client who is returning home alone following a cerebral vascular accident. The client is frustrated with continued limitations and states that the home has small rooms and is cluttered. With this new information, what nursing intervention is a **priority**?

[ ] **1.** Discussing the client's ideas on the status of home and self-care
[ ] **2.** Obtaining the health care provider's guidance on home nursing
[ ] **3.** Obtaining a prescription for a physical therapist to improve limitations
[ ] **4.** Completing a home assessment prior to discharge

27. What action by the nurse is **most appropriate** to assess the neurologic status of a client who has a freshly applied plaster cast to the lower extremity?
[ ] **1.** Asking the client to wiggle the toes
[ ] **2.** Depressing the nail bed to observe the color
[ ] **3.** Feeling the temperature of the toes
[ ] **4.** Palpating the pedal pulses bilaterally

28. The noon blood glucose level of a client with type 1 diabetes mellitus is 250 mg/dL (13.9 mmol/L). The health care provider prescribes a sliding-scale insulin regimen based on the client's blood glucose level. The prescription Flowsheet reads:

Flow Sheet: Glucose Level

Add New Flow Sheet

Glucose Level	Regular Insulin
0 to 140 mg/dL (0 to 7.8 mmol/L)	None
141 to 200 mg/dL (7.83 to 11.1 mmol/L)	2 units
201 to 250 mg/dL (11.16 to 13.9 mmol/L)	4 units
251 to 300 mg/dL (13.94 to 16.6 mmol/L)	6 units
301 to 350 mg/dL (16.7 to 19.4 mmol/L)	8 units
351 to 400 mg/dL (19.5 to 22.2 mmol/L)	10 units
Over 400 mg/dL (22.22 mmol/L)	Notify health care provider

How many units of insulin should the nurse plan to give?
[ ] **1.** 2 units
[ ] **2.** 4 units
[ ] **3.** 6 units
[ ] **4.** 8 units

29. A homeless person has an enlarged, tender liver, and a hepatitis B infection is suspected. When the nurse obtains the following client history, what is the **most likely** etiologic factor for the disease?
[ ] **1.** The client eats food found in garbage cans.
[ ] **2.** The client drinks a fifth of whiskey per day.
[ ] **3.** The client smokes cigarettes found extinguished on the street.
[ ] **4.** The client occasionally shares needles to inject heroin.

30. When the nurse reviews the history of several antepartum clients, what pregnant client(s) is at high risk for developing maternal and fetal complications during pregnancy? Select all that apply.
[ ] **1.** The client who regularly restricts food intake to avoid gaining weight
[ ] **2.** The client who remains sexually active throughout the pregnancy
[ ] **3.** The client who participates regularly in an aerobic exercise program
[ ] **4.** The client who is 36 years old and pregnant for the first time
[ ] **5.** The client who refuses to take her prenatal vitamins due to constipation
[ ] **6.** The client who has a history of a chlamydia infection 3 years ago

31. A health care provider orders 2 mg/kg of a drug. If the pediatric client weighs 88 lb (40 kg), how many milligrams of the medication should the nurse administer? Record your answer using a whole number.

_____ mg

32. A nurse massages the uterus of a postpartum client. What assessment finding is the **best indication** that the intended effect of this nursing action has been achieved?
[ ] **1.** Postpartal pain is relieved.
[ ] **2.** The uterus becomes firm.
[ ] **3.** The client passes clots from the vagina.
[ ] **4.** Uterine contractions cease.

33. The health care provider prescribes subcutaneous injections of glulisine insulin. When is the optimum time for the nurse to administer the injection?
[ ] **1.** Between meals
[ ] **2.** At bedtime
[ ] **3.** 15 minutes before a meal
[ ] **4.** 30 minutes after a meal

34. A depressed client tells the nurse, "No one really cares whether I live or die." What is the nurse's **most appropriate** response?
[ ] **1.** "You are exaggerating! Lots of people care about you."
[ ] **2.** "Talking like that will only make you feel worse."
[ ] **3.** "Tell me why you think no one cares about you."
[ ] **4.** "It sounds like you are feeling ignored or abandoned."

35. What nursing action is **best** for determining if a client has a fecal impaction?
[ ] **1.** Auscultating the bowel sounds
[ ] **2.** Measuring the abdominal girth
[ ] **3.** Inserting a finger within the rectum
[ ] **4.** Assessing for diarrhea

36. The nurse is caring for a client admitted with anemia possibly caused by gastrointestinal bleeding. What activity is **most** appropriate to delegate to the experienced unlicensed assistive personnel?
[ ] **1.** Offering the prescribed bowel preparation
[ ] **2.** Obtaining and testing a stool sample for fecal occult blood
[ ] **3.** Obtaining the informed consent for the diagnostic procedure
[ ] **4.** Checking for allergies to contrast dye or shellfish

37. What is the **best evidence** the nurse can use to evaluate if a postpartum client's Kegel exercises have been effective?
[ ] **1.** The client can perform deep-knee bends without back discomfort.
[ ] **2.** The client can touch the toes without abdominal discomfort.
[ ] **3.** The client can do several sit-ups without stopping.
[ ] **4.** The client can stop and restart the flow of urine while voiding.

38. A pregnant client with known human immunodeficiency virus (HIV) infection is admitted to the hospital in active labor. What method for assessing the fetus is **most appropriate** for the nurse to perform at this time?
[ ] **1.** Fetal scalp sampling
[ ] **2.** Chorionic villi sampling
[ ] **3.** External fetal monitoring
[ ] **4.** Internal fetal monitoring

39. When a nurse performs a mental status assessment on an adult client with severe hypothyroidism, what is an expected finding?
[ ] **1.** Quick recall of events
[ ] **2.** Rapid response to questions
[ ] **3.** Bizarre thought processes
[ ] **4.** Impaired cognitive function

40. A nurse is caring for a client on the telemetry unit diagnosed with sick sinus syndrome. The client verbalizes a history of a myocardial infarction within the past 6 months and significant fatigue. A heart rate of 52 beats/min and blood pressure of 122/72 mm Hg is obtained. Indicate with an *X* the area on the illustration where the etiology of the dysfunction begins.

41. When a schizophrenic client claims to see demons in the room, what is the **best** documentation for the nurse to record?
[ ] **1.** "Experiencing hallucinations"
[ ] **2.** "Frightened by hallucinations"
[ ] **3.** "States, 'Seeing demons in my room.'"
[ ] **4.** "Having distorted sensory perceptions"

42. The nurse assists with the delivery of a stillborn infant who is gestationally small with a malformed cranium. To promote the parents' grieving process, what nursing action is **most appropriate**?
[ ] **1.** Allowing the parents to see and touch the dead infant
[ ] **2.** Covering and shielding the dead infant from parental view
[ ] **3.** Describing the positive characteristics of the dead infant
[ ] **4.** Discharging the mother within 24 hours of birth

43. The nurse is beginning a shift and receives the shift handoff. Place the clients in the order in which the nurse would see them. Use all options.

1. A client experiencing pain at a 5 out of 10 on the pain scale
2. A client awaiting discharge whose ride is waiting downstairs
3. A client who is being placed into bed following an open reduction of a left arm
4. A client who is leaving the floor for the cardiac catheterization lab
5. A client whose family has questions regarding care

44. When the nurse cares for a client with a colostomy, what assessment finding is the **best evidence** that the client is adjusting to the change in body image?
[ ] **1.** The client wears loose-fitting garments.
[ ] **2.** The client takes a shower each day.
[ ] **3.** The client empties the appliance.
[ ] **4.** The client avoids foods that form gas.

45. After an upper gastrointestinal x-ray, what is **most important** for the nurse to monitor?
[ ] **1.** The client's ability to eat
[ ] **2.** The passage of stool
[ ] **3.** The color of the client's urine
[ ] **4.** The client's swallowing ability

46. A 17-year-old unmarried postpartum client is being discharged from the hospital. What client factor is **most indicative** to the nurse that the client needs a community-based referral after discharge?
[ ] **1.** The client is a primipara.
[ ] **2.** The client lives alone.
[ ] **3.** The client had a previous spontaneous abortion.
[ ] **4.** The client continues to see the newborn's father.

47. A hospitalized client diagnosed with cancer has a sealed source of radiation inserted into the vagina. What information is **most important** to obtain to ensure the safety of the nurse assigned to care for the client?
[ ] 1. Whether the assigned nurse is sensitive to radiation
[ ] 2. Whether the assigned nurse is pregnant
[ ] 3. Whether the assigned nurse has attended the radiation safety in-service
[ ] 4. Whether the assigned nurse will be reassigned to another unit later in the shift

48. A team conference is scheduled to discuss interventions necessary to resolve the inadequate dietary intake of a client diagnosed with Alzheimer disease. What nursing intervention will **most likely** facilitate an improvement in the client's nutrition?
[ ] 1. Providing high-calorie finger foods every waking hour
[ ] 2. Serving foods that are easy to digest
[ ] 3. Giving the client additional time to eat each meal
[ ] 4. Asking the client's family for a list of the client's favorite foods

49. What nursing assessment technique is **best** for detecting thrombophlebitis in a client's lower extremity?
[ ] 1. Have the client dorsiflex each foot.
[ ] 2. Palpate the dorsalis pedis pulses.
[ ] 3. Observe the client's gait while walking.
[ ] 4. Compare the color in the client's nail beds.

50. When the nurse reviews the pattern on an electrocardiogram (ECG) monitor strip, what characteristic(s) is indicative of normal sinus rhythm? Select all that apply.
[ ] 1. T wave precedes a QRS complex.
[ ] 2. Heart rate is between 60 and 100 beats/minute.
[ ] 3. The atrioventricular (AV) node initiates the impulse.
[ ] 4. Each impulse occurs regularly.
[ ] 5. Ventricles depolarize and contract.
[ ] 6. Ventricular rate is slower than the atrial rate.

51. When a hospitalized client diagnosed with Graves disease is scheduled to undergo a subtotal thyroidectomy, what is the **best** reason that the nurse omits palpating the thyroid gland?
[ ] 1. The nurse's action can compress the trachea.
[ ] 2. The nurse's action can damage the laryngeal nerve.
[ ] 3. The nurse's action can cause extreme discomfort.
[ ] 4. The nurse's action can cause thyroid storm.

52. What statement made by a client who suffers from alcohol use disorder and takes disulfiram is the **best indication** that the nurse should provide further health teaching?
[ ] 1. "If I miss one dose of the drug, I will experience nausea, vomiting, and fainting."
[ ] 2. "I can get very sick if I consume alcohol in any form while taking this drug."
[ ] 3. "I can have a reaction even 2 weeks after I stop taking this drug."
[ ] 4. "I should not apply aftershave lotion or cologne to my skin while taking this drug."

53. In preparation for a client's discharge, the nurse discontinues an I.V. line. What nursing action is **essential** at this time?
[ ] 1. Applying pressure to the insertion site for 5 minutes
[ ] 2. Putting on clean gloves before removing the I.V. line
[ ] 3. Checking the client's blood glucose level after removal
[ ] 4. Reporting the amount of blood loss to the health care provider

54. A few days before having a malignant growth removed from the colon, the client says to the nurse, "I am scared that I will have to have a colostomy. What if the surgeon cannot get all of the cancer?" What nursing response is **most** therapeutic?
[ ] 1. "There is no need to worry or be afraid. Trust me."
[ ] 2. "Tell me more specifically about your concerns."
[ ] 3. "You know as well as I that you have an excellent surgeon."
[ ] 4. "Try to relax. Worrying will only make matters worse."

55. While assisting a health care provider, during what component of a physical examination should the nurse provide the health care provider with a topical anesthetic agent?
[ ] 1. When testing deep tendon reflexes
[ ] 2. When removing vaginal secretions
[ ] 3. When measuring intraocular pressure
[ ] 4. When examining the maxillary sinuses

56. If a client with type 1 diabetes mellitus receives 5 units of NPH insulin every morning at 0700, the nurse should closely monitor the client for signs of hypoglycemia at what time?
[ ] 1. 0730
[ ] 2. 1200
[ ] 3. 1500
[ ] 4. 2200

57. When a nurse cares for a client with a nasogastric tube immediately after gastric surgery, what is **essential** to report to the charge nurse or health care provider?
[ ] **1.** The client reports having a sore throat.
[ ] **2.** The client rates pain at a 5 on the 0 to 10 pain scale.
[ ] **3.** The client reports feeling nauseated.
[ ] **4.** The client has bright red drainage in the tube.

58. What subjective data confirm that the client is meeting the developmental task of generativity?
[ ] **1.** The client expresses the fear of having another serious illness.
[ ] **2.** The client wishes to know the purpose of the medications.
[ ] **3.** The client wants to write a personal memoir of childhood.
[ ] **4.** The client desires to learn more about using a computer.

59. When reviewing the admission data, the nurse notes Judaism documented under religion. What culturally sensitive nursing technique is **best** for determining whether a male client follows orthodox customs of Judaism?
[ ] **1.** Ask if the client speaks the Hebrew language.
[ ] **2.** Inquire about the client's dietary preferences.
[ ] **3.** Question whether the client wears a yarmulke.
[ ] **4.** Assess whether the client has been circumcised.

60. What nursing action is **most appropriate** when a chest tube is inadvertently pulled from its insertion site?
[ ] **1.** Quickly covering the opening to keep out air
[ ] **2.** Reinserting the displaced chest tube
[ ] **3.** Checking the client's breath sounds
[ ] **4.** Telling the client to hold his or her breath

61. When developing the care plan for a client who has a nasogastric (NG) tube for gastric decompression, what nursing prescription should be revised?
[ ] **1.** Encourage liberal oral fluid intake every hour.
[ ] **2.** Use normal saline when irrigating the NG tube.
[ ] **3.** Offer throat lozenges every 4 hours, as needed, for discomfort.
[ ] **4.** Provide oral hygiene every 4 hours during the day and as needed.

62. If the nurse is giving an enema to an adult client, how far should the enema tip be inserted into the anal canal?
[ ] **1.** 1 to 2 in (2.5 to 5 cm)
[ ] **2.** 3 to 4 in (7.5 to 10 cm)
[ ] **3.** 5 to 6 in (1.25 to 15 cm)
[ ] **4.** 7 to 8 in (17.5 to 20 cm)

63. What technique should the nurse plan to use when giving perineal care to an uncircumcised male client?
[ ] **1.** Use a separate wash cloth to clean the anal area.
[ ] **2.** Retract the foreskin; then wash the glans penis.
[ ] **3.** Wash the scrotum prior to washing the penis.
[ ] **4.** Clean the penis with normal saline solution.

64. An adult comes to the clinic with recurring back pain. What information is **most important** for the nurse to obtain before developing a teaching plan?
[ ] **1.** The client's age
[ ] **2.** The client's occupation
[ ] **3.** The client's gait
[ ] **4.** The client's medications

65. The nurse is instructing a rape victim's friend in the waiting room regarding how best to support the client. What guidance is **most appropriate**?
[ ] **1.** Have a positive attitude around the victim.
[ ] **2.** Prevent the victim from avoiding people.
[ ] **3.** Encourage the victim to talk about the traumatic experience.
[ ] **4.** Suggest frequent vacations or pleasurable activities.

66. What nursing assessment finding provides the **best indication** that a client with nephrotic syndrome (acute glomerulonephritis) has experienced a therapeutic effect from corticosteroid therapy?
[ ] **1.** Increase in body weight
[ ] **2.** Increase in muscle mass
[ ] **3.** Increase in urine output
[ ] **4.** Increase in blood pressure

67. During the night, a client is startled and continues to worry about an alarm that sounded from the electronic I.V. infusion pump. What nursing intervention is **most appropriate** to relieve the client's anxiety at this time?
[ ] **1.** Infuse the solution by gravity.
[ ] **2.** Explain why the alarm sounded.
[ ] **3.** Give a prescribed tranquilizer.
[ ] **4.** Stay until the client's sleep is restored.

68. An adolescent single parent tells the nurse about being frustrated because of sleeplessness since the infant was born 3 months ago. What nursing response is **most appropriate**?
[ ] **1.** Explain that this is normal, and suggest asking a family member or friend for occasional relief.
[ ] **2.** Explain that parenting is a big responsibility and suggest that the client reconsider adoption.
[ ] **3.** Explain that frustration usually precedes abusive behavior and must be reported.
[ ] **4.** Explain that sleeplessness is temporary, and encourage the client to be patient until the situation improves.

69. A home health nurse visits a postpartum client with a breast abscess. The client has purulent drainage from one breast and is receiving antibiotic therapy. What information is **most appropriate** for the nurse to give the client to help prevent the spread of the infectious microorganisms elsewhere?
[ ] **1.** "Take your antibiotics until the drainage is gone."
[ ] **2.** "Keep your breasts supported in a tight bra."
[ ] **3.** "Shower daily and wash your hands frequently."
[ ] **4.** "Apply warm compresses at least four times a day."

70. A postoperative client asks the nurse why sequential compression devices need to be attached to the legs. The nurse is **most correct** to instruct the client on the correlation between the postoperative period and what?
[ ] **1.** Loss of muscle strength
[ ] **2.** Formation of blood clots
[ ] **3.** Swelling of the extremities
[ ] **4.** Development of varicose veins

71. If a child with asthma receives aminophylline by I.V. infusion, what side effect is the nurse **most likely** to observe?
[ ] **1.** The client not wanting to get out of bed
[ ] **2.** The client falling asleep while watching television
[ ] **3.** The client demonstrating impulsivity and restlessness
[ ] **4.** The client feeling dizzy and grabbing furniture on ambulation

72. A resident of a long-term care facility verbalizes feelings of depression. When probing for causative factors, what factor(s) would the nurse explore? Select all that apply.
[ ] **1.** A history of previous depression
[ ] **2.** Overstimulation of a busy environment
[ ] **3.** Loss of independence
[ ] **4.** Chronic illnesses
[ ] **5.** Reminders of death and dying
[ ] **6.** Food and drug interactions

73. What prescribed antibiotic should the nurse question before administering it to a child younger than age 8?
[ ] **1.** Cefazolin
[ ] **2.** Amoxicillin
[ ] **3.** Tetracycline hydrochloride
[ ] **4.** Gentamicin

74. What response is **most appropriate** when an older client with Alzheimer disease in a long-term care facility says, "I must leave so I can be home when my children return from school?"
[ ] **1.** "Nonsense! Your children are adults with their own children."
[ ] **2.** "I am sure a neighbor will take care of them for a while."
[ ] **3.** "I will call the school and tell them to expect you later."
[ ] **4.** "You are in a nursing home. I am your nurse."

75. The nurse is evaluating the health care provider's prescriptions for the plan of care for a client with emphysema. The nurse reviews the prescription below. What prescription would the nurse question?

Orders

Documented At:

| 6/22 | 0800 | ? |

Additional Orders

Activity as tolerated
Low sodium diet
Chest physiotherapy daily
Tiotropium 18 mcg 2 puffs daily
Oxygen 6 L/minute per nasal cannula
Begin pulmonary rehabilitation with an exercise regimen
Albuterol inhaler 2 puffs every 4 hours as needed
Administer an influenza vaccine

[ ] **1.** Low sodium diet
[ ] **2.** Oxygen at 6 L/minute
[ ] **3.** Exercise regimen
[ ] **4.** Albuterol inhaler as needed

76. The licensed practical/vocational nurse (LPN/LVN) hears a client calling from the room stating, "I have fallen! Please help me. The nurse left me standing alone while getting a towel!" When documenting the incident, what documentation is **best**?
[ ] **1.** The nurse left the client alone and the client fell to the floor.
[ ] **2.** The client was heard calling from the room. Upon entering room, the client is found on the floor.
[ ] **3.** The client said she fell to the floor when the nurse left the room.
[ ] **4.** The nurse was not in the room when the client fell to the floor.

77. If the nurse finds a client who has fallen out of the hospital bed, what nursing action is best to perform **initially**?
[ ] **1.** Reporting the accident to the client's family
[ ] **2.** Helping the person back to bed or a chair
[ ] **3.** Placing an alarm device on the bed
[ ] **4.** Checking the client's physical condition

78. Following the birth of a newborn, what is the **best** indication to the nurse that a healthy parental–newborn attachment is developing?
[ ] **1.** The parents observe the care of the newborn.
[ ] **2.** The parents are happy with the newborn's gender.
[ ] **3.** The parents watch and listen to the newborn.
[ ] **4.** The parents touch and talk to the newborn.

79. In what client would a nurse expect bleeding between menstrual periods to be an indication of a serious problem that requires further evaluation?
[ ] **1.** A client taking oral contraceptives
[ ] **2.** A client on hormone replacement therapy
[ ] **3.** A client who is perimenopausal
[ ] **4.** An adolescent who recently began menstruating

80. The nursing team in a long-term care facility evaluates the effectiveness of interventions used to improve a confused client's orientation. What client action provides the **best evidence** of progress in accomplishing the goal?
[ ] **1.** The client walks with others to the dining room.
[ ] **2.** The client dresses without difficulty.
[ ] **3.** The client locates the bathroom without assistance.
[ ] **4.** The client talks to family on the telephone.

81. The nurse is instructing a client who is newly prescribed a human insulin inhalation powder for diabetes. What nursing instruction is correct?
[ ] **1.** "Warm the cartridge in your hand before inhalation."
[ ] **2.** "Hold your breath for 10 seconds before exhaling."
[ ] **3.** "Swallow any oral drug residue quickly."
[ ] **4.** "Use the medication at the end of the meal."

82. In what client scenario would the licensed practical/vocation nurse seek the assistance of a registered nurse?
[ ] **1.** The client undergoing dialysis is bleeding at the I.V. site.
[ ] **2.** The postoperative client is verbalizing pain 3 hours after pain medication administration.
[ ] **3.** The client who suffered a cerebral vascular accident reports a pounding headache in the occipital region.
[ ] **4.** The client with colon cancer verbalizes nausea after chemotherapy administration.

83. If all drugs are prescribed on an "as needed" (p.r.n.) basis, what one is **most appropriate** for the nurse to administer to a client with Ménière disease during an acute attack?
[ ] **1.** Acetaminophen
[ ] **2.** Meclizine
[ ] **3.** Meperidine
[ ] **4.** Triazolam

84. After a thyroidectomy, early identification of what electrolyte imbalance is **most important** to detect in the early stages?
[ ] **1.** Hypokalemia
[ ] **2.** Hyponatremia
[ ] **3.** Hypomagnesemia
[ ] **4.** Hypocalcemia

85. What nursing action is **best** for preventing skin breakdown when a client with jaundice reports severe itching?
[ ] **1.** Bathing the client with very warm water
[ ] **2.** Dusting the client's body with cornstarch
[ ] **3.** Trimming the client's fingernails
[ ] **4.** Using hypoallergenic bed linens

86. A new client has arrived at the gynecologist's office for an annual examination and Papanicolaou (Pap) test. Before the physical examination, the nurse is conducting a reproductive and sexual assessment. Place the nursing actions in the order they would be completed by the nurse, beginning with the first action and ending with the last. Use all options.

1. Ask the client to use the bathroom to urinate.
2. Introduce yourself and explain the sequence of events.
3. Help the client into the stirrups for the physical examination.
4. Focus on general questions related to sexual health and reproduction.
5. Have the client change into a hospital gown and offer a sheet to cover her lap.
6. Take vital signs and obtain information about the client's last menstrual period.

87. When caring for a client whose hyperparathyroidism has progressed to include hypercalcemia, what nursing intervention(s) is **most appropriate** to include in this client's care plan? Select all that apply.
[ ] **1.** Monitor the client's cardiac rhythm.
[ ] **2.** Provide a high fluid intake.
[ ] **3.** Observe for signs of muscle spasms.
[ ] **4.** Take hourly vital signs.
[ ] **5.** Assess the client for low blood sugar.
[ ] **6.** Evaluate the client's joints for dysfunction.

88. What nursing assessment finding(s) **best** suggests that a client has an abdominal aortic aneurysm? Select all that apply.
[ ] **1.** A pulsating mass felt when palpating the client's abdomen
[ ] **2.** An extra heart sound heard during chest auscultation
[ ] **3.** Uneven chest movements noted when observing respirations
[ ] **4.** A hollow sound heard when percussing the abdomen
[ ] **5.** A report of lower back pain by the client
[ ] **6.** A finding of cool and cyanotic extremities

89. If a client known to suffer from substance use disorder presents to the emergency department with tachycardia and chest pain, what is the **most appropriate** question for the nurse to ask?
[ ] **1.** "When did you last use heroin?"
[ ] **2.** "When did you last use cocaine?"
[ ] **3.** "When did you last use barbiturates?"
[ ] **4.** "When did you last use marijuana?"

90. From among the following options, what nursing assessment finding provides the **best evidence** that a client remains adequately oxygenated while a tracheostomy is suctioned?
[ ] **1.** The heart rate stays within 88 to 92 beats/minute.
[ ] **2.** The client's pulse is bounding.
[ ] **3.** The client remains alert during suctioning.
[ ] **4.** The client's capillary refill remains stable at 5 seconds.

91. A friend shares with a nurse about being engaged to be married. The nurse knows that the friend's fiancé has tested positive for human immunodeficiency virus (HIV). What is the nurse legally obligated to do?
[ ] **1.** Inform the friend of the fiancé's HIV infectious status.
[ ] **2.** Recommend that the friend be tested for HIV antibodies.
[ ] **3.** Advise the friend to postpone the marriage indefinitely.
[ ] **4.** Safeguard information in the fiancé's health history.

92. During the first stage of a client's labor, the nurse finds that the fetal heart rate decreases during a contraction and returns to normal at the end of the contraction. What nursing action is **most appropriate** in response to the assessment finding?
[ ] **1.** No action is indicated at this time.
[ ] **2.** Notify the health care provider immediately.
[ ] **3.** Place the client in a supine position.
[ ] **4.** Elevate the head of the client's bed.

93. What comment made by a client who is taking aspirin is **most likely** related to an adverse effect of drug therapy?
[ ] **1.** "My thoughts are racing."
[ ] **2.** "I am urinating a lot."
[ ] **3.** "I have developed diarrhea."
[ ] **4.** "I hear buzzing in my ears."

94. What statement provides the **best indication** that a client understands the nurse's teaching about alprazolam, a newly prescribed medication?
[ ] **1.** "I should not drink alcohol while taking this drug."
[ ] **2.** "I will need to continue taking this drug for life."
[ ] **3.** "I might have some insomnia."
[ ] **4.** "I will need a blood test periodically."

95. A 78-year-old client arrives at the hospital and is suspected of having pneumonia. What laboratory tests should the nurse monitor that will confirm the initial diagnosis?
[ ] **1.** Complete blood count (CBC) and chest x-ray
[ ] **2.** Hemoglobin and hematocrit
[ ] **3.** Pulmonary function tests and lung biopsy
[ ] **4.** Electrolytes and lung computed tomography scan

96. The nurse instructs the parents of a toddler about caring for their child's plaster leg cast. What instruction is **most accurate** regarding the drying of the child's cast?
[ ] **1.** Increase the temperature of the room.
[ ] **2.** Turn the child every 1 to 2 hours.
[ ] **3.** Fan the wet cast with folded newspaper.
[ ] **4.** Take the child outside in the sun during the day.

97. What statement made by a primigravid client at 38 weeks' gestation is the **best indication** to the nurse that lightening has occurred?
[ ] **1.** "I do not have to urinate as frequently now."
[ ] **2.** "My backaches are relieved."
[ ] **3.** "I can breathe so much easier now."
[ ] **4.** "I have noticed slight contractions lately."

98. The nurse assesses for a pulse on an unresponsive older adult client and finds it weak and thready. In the absence of breathing, what provides the **best evidence** that rescue breathing by the nurse is being performed appropriately?
[ ] **1.** The chest rises when air is forced in.
[ ] **2.** The pupils of both eyes are dilated.
[ ] **3.** A carotid pulse is palpated at the neck.
[ ] **4.** The nurse forms a seal over the victim's nose.

99. After having a rectal tube in place for 20 minutes, a client's abdominal distention remains unrelieved. What is the **most appropriate** nursing action at this time?
[ ] **1.** Rotate the tube several times within the rectum.
[ ] **2.** Insert the rectal tube farther into the rectum.
[ ] **3.** Remove the tube, and reinsert it in 2 to 3 hours.
[ ] **4.** Replace the tube with one of larger diameter.

100. A client begins taking phenytoin for seizures, and the nurse provides instructions regarding the medication and its side effects. What nursing instruction is **most accurate**?
[ ] **1.** "Drink generous amounts of fluid."
[ ] **2.** "Weigh yourself daily."
[ ] **3.** "Gradually taper the dosage."
[ ] **4.** "Perform regular oral hygiene."

101. The nurse is caring for a client with cancer who is immunocompromised. A diagnostic procedure is prescribed. What action by the nurse **best** protects the client from health care–acquired infections (HAI)?
[ ] **1.** Using protective clothing such as a gown and gloves
[ ] **2.** Disinfecting the hospital equipment prior to transportation
[ ] **3.** Placing a mask on the client's face during transportation
[ ] **4.** Placing the client on the staff elevators for transportation

102. What nursing action does the nurse identify as having the most benefit to the bedbound client with a stage 1 pressure injury?

[ ] **1.** Every 2 hour repositioning
[ ] **2.** A daily complete bed bath
[ ] **3.** Every shift massage injury
[ ] **4.** Dressing change to injury at bedtime

103. A hospitalized client in heart failure receives furosemide twice per day. As the nurse monitors the client's laboratory test values, what result should be reported to the health care provider **immediately**?

[ ] **1.** Potassium: 3.0 mEq/L (3 mmol/L)
[ ] **2.** Sodium: 137 mEq/L (137 mmol/L)
[ ] **3.** Calcium: 9.1 mg/dL (2.3 mmol/L)
[ ] **4.** Chloride: 102 mEq/L (102 mmol/L)

104. The nurse is reviewing a client's obstetrical paperwork following the vaginal birth of a female neonate. The paperwork notes occasional ingestion of alcohol. What assessment finding indicates that the alcohol ingestion was more frequent?

[ ] **1.** The neonate is lethargic with poor eye contact.
[ ] **2.** The neonate is irritable and difficult to console.
[ ] **3.** The neonate's extremities are flaccid.
[ ] **4.** The neonate's skin has a jaundiced appearance.

105. The nurse administers buspirone to an anxious client and evaluates its effectiveness 30 minutes later. What nursing assessment technique provides the **best indication** of the drug's effectiveness?

[ ] **1.** Assessing the client's facial expressions
[ ] **2.** Asking the client to rate the anxiety from 0 to 10
[ ] **3.** Observing the length of time a client sleeps
[ ] **4.** Monitoring the client's interactions with others

106. A client is 1 day postoperative after a below-the-knee amputation. As the nurse changes the dressing for the first time, the client says, "I just cannot look at it!" What comment by the nurse is **most appropriate** at this time?

[ ] **1.** "Just look away until you feel ready."
[ ] **2.** "Maybe you should consider getting counseling."
[ ] **3.** "If it were me, I would be curious to see how it looks."
[ ] **4.** "Come on! It does not look that bad."

107. For an adolescent with cystic fibrosis, at what time is it best to place "perform postural drainage" in the plan of care?

[ ] **1.** Before breakfast or on an empty stomach
[ ] **2.** When the client is short of breath
[ ] **3.** When the client experiences coughing
[ ] **4.** On a morning and evening schedule

108. What nursing assessment finding provides the earliest indication that a client is hypoxic?

[ ] **1.** The client is cyanotic.
[ ] **2.** The client is disoriented.
[ ] **3.** The client is restless.
[ ] **4.** The client is hypotensive.

109. A 75-year-old client has a perineal prostatectomy for cancer of the prostate. After surgery, what nursing action is **essential** to include in the client's care plan?

[ ] **1.** Instruct the client to perform the Valsalva maneuver during defecation.
[ ] **2.** Place the client in high Fowler position immediately after surgery.
[ ] **3.** Administer laxatives to promote bowel elimination.
[ ] **4.** Provide perineal care after each bowel movement.

110. A nurse notices that a coworker has left the computer screen on while still logged into the system. The nurse leaves the screen as it is and tries to locate the coworker. A visitor is observed reading the computer screen. Who is responsible for this Health Insurance Portability and Accountability Act (HIPAA)/Personal Information Protection and Electronic Documents Act (PIPEDA) violation? Select all that apply.

[ ] **1.** The nurse who found the screen
[ ] **2.** The nurse's coworker who left the screen
[ ] **3.** The visitor who was reading the screen
[ ] **4.** The institution where the coworker works
[ ] **5.** The client's primary health care provider
[ ] **6.** The manager of the department

111. A client diagnosed with a gastrointestinal bleed has received a prescription for a blood transfusion. Place the nursing actions in the order in which they are performed, beginning with the first and ending with the last action. Use all options.

1. Monitor vital signs at 15-minute to hourly intervals during the infusion.
2. Assist the registered nurse (RN) in gathering supplies to start an I.V. line using an 18-gauge needle.
3. Identify the client with a licensed coworker at the bedside.
4. Assist the registered nurse (RN) in obtaining informed consent for the blood transfusion.
5. Assist the registered nurse (RN) in infusing the blood within 4 hours.
6. Dispose of the blood bag and tubing in a biohazard container.

112. When the nurse obtains the health history of a client diagnosed with an inguinal hernia, what information is **most likely** a contributing factor for the problem?

[ ] **1.** The client had an umbilical hernia as a child.
[ ] **2.** The client does not get much physical activity.
[ ] **3.** The client lifts heavy mailbags as a postal worker.
[ ] **4.** The client has been underweight most of his or her adult life.

113. The health care provider prescribes an immune assay enzyme test to confirm a diagnosis of acute bronchiolitis secondary to respiratory syncytial virus (RSV) infection for a 12-month-old child. What supplies will the nurse obtain?

[ ] **1.** A throat swab
[ ] **2.** A nasal aspirator
[ ] **3.** Sputum specimen container
[ ] **4.** A blood specimen tube

114. An obstetric nurse is discharging a mother and newborn. While escorting the family to the car, what nursing observation(s) confirms correct car seat placement? Select all that apply.

[ ] **1.** The car seat is facing the rear in the passenger's front seat.
[ ] **2.** The base of the seat is tethered to a hook on the floor.
[ ] **3.** A parent is seated beside the car seat.
[ ] **4.** The car seat is facing forward in the back seat.
[ ] **5.** The car seat is placed between the parents in the front seat.
[ ] **6.** The car seat is facing the rear in the back seat.

115. The nurse finds a client with diabetes weak, perspiring, and shaking. If the following assessment findings are present after the nurse gives the client three 15-g glucose tablets, which one provides the **best indication** that the nurse has managed the client's symptoms successfully?

[ ] **1.** The client feels much better.
[ ] **2.** The client's skin is warm.
[ ] **3.** The client's blood glucose level is 80 mg/dL (4.4 mmol/L).
[ ] **4.** The client's blood pressure is 122/78 mm Hg.

116. When obtaining the health history of a female with thrombophlebitis, the nurse should screen for which factor?

[ ] **1.** Iron supplement
[ ] **2.** Oral contraceptive
[ ] **3.** Nasal decongestant
[ ] **4.** Stomach antacid

117. After the health care provider's explanation of the risks and benefits of a transurethral resection of the prostate (TURP), what statement offers the **best indication** to the nurse that the client understands the effect this surgery may have on sexual function?

[ ] **1.** "I will not ejaculate normally anymore."
[ ] **2.** "I will not have orgasms anymore."
[ ] **3.** "I will not have erections anymore."
[ ] **4.** "I will not desire to have sex anymore."

118. The nurse is caring for a client who was found unresponsive following an opioid overdose. When providing discharge instructions, a prescription for which medication is anticipated?

[ ] **1.** Protamine sulfate
[ ] **2.** Naloxone hydrochloride
[ ] **3.** Vitamin K
[ ] **4.** Calcium gluconate

119. A client who does not speak the dominant language is admitted to the hospital to rule out myocardial infarction. What information should the nurse obtain when performing a cultural assessment? Select all that apply.

[ ] **1.** The client's food preferences
[ ] **2.** When the client's last bowel movement occurred
[ ] **3.** The client's primary language
[ ] **4.** Whether the client can tell time
[ ] **5.** The client's religion
[ ] **6.** Whether the client is in pain

120. The nurse is unable to log onto the computer to document care for a client. What action by the nurse is **most appropriate**?

[ ] **1.** Forego documentation because access has been denied.
[ ] **2.** Ask for a coworker's ID and password to complete documentation.
[ ] **3.** Call technical support, notifying them of the situation.
[ ] **4.** Find an unattended computer that is on to complete documentation.

121. What nursing intervention is **most appropriate** for meeting the needs of an infant with congenital heart disease?

[ ] **1.** Respond quickly to the infant's crying.
[ ] **2.** Place the infant in the prone position.
[ ] **3.** Avoid holding and cuddling the infant.
[ ] **4.** Use a firm, small-hole nipple for feedings.

122. The nurse is providing care to a family whose 6-week-old infant with Down syndrome is being discharged following repair of a cardiac anomaly. What is the nurse's **priority** at this time?

[ ] **1.** Teach the family strategies to prevent respiratory infections or complications.
[ ] **2.** Teach the family to limit excitement until the postoperative health care provider visit.
[ ] **3.** Teach the parents to place the infant on the stomach to sleep.
[ ] **4.** Stress the importance of maintaining normal routines.

123. The health care provider prescribes enoxaparin 40 mg subcutaneously every 12 hours. To prevent bruising, what action(s) by the nurse is **most appropriate** when administering the drug that is supplied in a prefilled syringe? Select all that apply.

[ ] **1.** Instruct the client to avoid rubbing the injection site for 1 hour.
[ ] **2.** Waste extra medication by holding the syringe and needle pointed toward the floor.
[ ] **3.** Expel the air bubble before giving the medication.
[ ] **4.** Flick the drop of medication off the tip of the needle before injecting.
[ ] **5.** Inject the medication using a 10-degree angle into the client's thigh.
[ ] **6.** Apply firm, direct pressure to the site afterward for 5 minutes.

124. The nurse is a charge nurse at a long-term care facility on the rehabilitation unit. There has been an outbreak of influenza virus within the facility. What infection control activity(ies) is **best** to delegate to the unlicensed assistive personnel? Select all that apply.

[ ] 1. Screen clients for initial signs of an upper respiratory tract infection.

[ ] 2. Instruct clients and families on correct handwashing procedures.

[ ] 3. Disinfect blood pressure cuffs between client interaction.

[ ] 4. Stock each room with a sufficient supply of gloves.

[ ] 5. Erect signs explaining signs and symptoms of the virus.

125. After attending an in-service program on the Emergency Medical Treatment and Active Labor Act (EMTALA), a nurse relates the content to care of what client(s)? Select all that apply.

[ ] 1. A client who is brought to the hospital after a suicide attempt

[ ] 2. A client who is a victim of intimate partner violence

[ ] 3. A client who is shot by police while holding a hostage

[ ] 4. A client who is in preterm labor about to give birth

[ ] 5. A client who is transferred from the hospital back to the nursing home

[ ] 6. A client who has no insurance and is unable to pay for treatment

126. What action by the nurse will **best** prevent a newborn from experiencing heat loss secondary to evaporation?

[ ] 1. Wrapping the newborn in warmed blankets

[ ] 2. Thoroughly drying the child after bathing

[ ] 3. Positioning the crib away from outside windows

[ ] 4. Positioning the crib away from air conditioning vents in the nursery

127. When caring for a 30-year-old pregnant client who has been diagnosed with gestational diabetes, what statement is the **best indication** to the nurse that the client understands the disorder?

[ ] 1. "The disorder was present during my childhood."

[ ] 2. "The disorder is controlled with oral hypoglycemics."

[ ] 3. "The disorder will probably go away after I give birth."

[ ] 4. "The disorder may cause me to have a small newborn."

128. The client requests all records to be transferred to a neighboring health care provider. What question by the nurse is **most appropriate**?

[ ] 1. "Why do you want the records transferred?"

[ ] 2. "Which health care provider and address do you want them to go to?"

[ ] 3. "Have you spoke with this health care provider about your request?"

[ ] 4. "Have you told the other health care provider that the records are being transferred?"

129. During a conference on seizure disorders at a parent–teacher association (PTA) meeting, the school nurse is correct in identifying what condition as the **most** common etiological risk factor?

[ ] 1. Head trauma that results in long-term brain changes

[ ] 2. Illicit drug use that results in unconsciousness

[ ] 3. A sequela of a neurological disorder like meningitis

[ ] 4. Recent spinal cord damage from a sports accident

130. While assisting with a health screening clinic at a local elementary school, the nurse would expect to observe what developmental characteristic among the 6-year-old participants?

[ ] 1. The children are usually very reserved.

[ ] 2. The children tend to enjoy pretend play.

[ ] 3. The children tend to show little or no reaction to criticism.

[ ] 4. The children almost always finish tasks they have started.

131. The licensed practical/vocational nurse (LPN/LVN) is instructing the unlicensed assistive personnel (UAP) on violations in client privacy. What change in action by the UAP confirms an understanding?

[ ] 1. The UAP writes the client's name and diagnosis on the diet sheet on the door.

[ ] 2. The UAP documents vital signs on a computer in the hall and then logs off.

[ ] 3. The UAP reports to a visitor that the client's blood pressure remains elevated.

[ ] 4. The UAP asks relevant, personal questions in front of the client's children.

132. The nurse is working with the respiratory therapist with the goal to minimize periods of fatigue from activity. What plan of care best represents multidisciplinary teamwork?

[ ] 1. The nurse administers the client's respiratory treatment when doing morning medications.

[ ] 2. The nurse gives a client a bath while the respiratory therapist listens to the lung fields.

[ ] 3. The respiratory therapist documents the client's lung sounds on the nursing assessment log.

[ ] 4. The nurse performs his or her duties and then hands off care to the respiratory therapist.

Test Taking Strategies

1. Analyze what information the question asks, which is assessment findings that indicate a need to suction a tracheostomy tube. Review the indications for suctioning, which include signs of hypoxia and adventitious lung sounds.

2. Look for the key word "first" indicating a priority. Recall that airway and breathing as well as Maslow hierarchy of needs call for meeting physiological needs before all others. Preserving adequate oxygenation is the most important nursing action.

3. Choose those actions that support the principles of medical and surgical asepsis, thereby controlling the transfer of pathogens to the nurse, other agency personnel, and the client.

4. Use the process of elimination to select an option that describes an accurate response to the client as it relates to the use of a hearing aid. Recall that most hearing aids worn by clients with a conductive hearing loss do not filter sounds; they only increase the volume of sounds to the wearer.

5. Analyze what information the question asks, which is an action that could be unsafe in a client who has just undergone a bronchoscopy. Providing oral fluids to a client who may be unable to clear his or her airway is an unsafe action.

6. Use the process of elimination to select an option that identifies a therapeutic response involving an angry client. Option 1 can be immediately eliminated because it is nontherapeutic. Option 3 can be eliminated because deserting a client who is angry is not therapeutic. Option 4 may have merit, but it is not likely to decrease the client's anger.

7. Analyze what information the question asks, which is symptoms of retinal detachment. Recall the action of the retina and relate the absence of the function.

8. Note the key word "questioned" meaning that an intravenous solution is not appropriate before urine elimination is confirmed. Recall that the kidneys and urine production are essential in elimination and that potassium accumulation in the system may lead to cardiac dysrhythmias.

9. Use the process of elimination to select the option that accurately describes how to administer medication to an infant. Option 1 can be eliminated because it does not ensure that the infant will receive the full amount of the drug unless the entire contents of the formula are consumed. Eliminate options 3 and 4 because they are potentially unsafe.

10. Use the process of elimination to select an option that describes the best indication that Bryant traction is functioning appropriately. Options 1, 2, and 4 can be eliminated because the client is lying supine with the legs elevated and, therefore, should not sit up or need to use a trapeze.

11. Look for the key word "priority" in relation to the care of a client in sickle cell crisis. Recall that a client in sickle cell crisis experiences severe joint pain. Relieving pain therefore has the highest priority.

12. Use the process of elimination to select an option that accurately describes instructions for bathing when a client is receiving external radiation therapy. Options 1, 2, and 3 can be eliminated because they are inaccurate instructions.

13. Analyze what information the question asks, which is a diet that is safe initially for a client in the early stage of recovering from anesthesia. Because nausea and vomiting can be precipitated in the presence of solid food in the diet, option 3 is the best answer.

14. Use the process of elimination to identify the best action to take in response to a client who may be developing gestational hypertension. Options 1, 2, and 3 can be eliminated because they overlook the seriousness of the situation.

15. Use the process of elimination to identify an option that describes a risk factor associated with the acquisition of AIDS. Options 1, 2, and 3 can be eliminated because they are inconsequential to acquiring AIDS.

16. Use the process of elimination to select an option that best describes a finding that suggests a toddler has cystic fibrosis. Option 2 can be eliminated because it suggests a gastrointestinal obstruction. Option 3 can be eliminated because it describes a potentially normal finding. Option 4 can be eliminated because it is more likely associated with a disorder involving some other organs, such as the liver, gallbladder, or kidneys.

17. Use the process of elimination to identify an accurate understanding about corticosteroid therapy. Consider the action of the medication and serious side effects.

18. Look at the key words "most important," which suggest a priority. Although there are many reasons for monitoring urinary pH, urinary casts, and bilirubin, because diabetes insipidus results in excretion of large volumes of fluid, monitoring the specific gravity of urine provides an indication of the magnitude of the pathophysiology of diabetes insipidus or its response to treatment.

19. Use the process of elimination to identify the best method for evaluating a therapeutic response to diuretic therapy. Options 3 and 4 may be eliminated because diuretics do not suppress the appetite or have an effect on reflexes. Although option 2 has some merit because it suggests palpation, the focus of the palpation would be to detect the presence and severity of peripheral edema.

20. The key words are "most helpful" identifying that one document provides more guidance than others. Look for the document that provides the client's wishes in a variety of scenarios thus being most helpful in the unfolding situation.

21. Use your knowledge of laboratory tests to identify that the reported yearly hemoglobin A1C levels (a very common laboratory test) are excellent. Due to this fact, it is most appropriate for the plan of care to continue as prescribed.

22. Analyze what information the question asks, which is the priority action(s) to take in the case of a client with pneumonia. Broaden your scope to consider not just oxygenation but ways to remove and evaluate the pneumonia status.

23. Use the process of elimination to select the option that describes the position that is best for a client who has had a subtotal thyroidectomy. Recall that a horizontal neck incision is used to remove the thyroid gland. The location of the incision has the potential for compromising ventilation.

24. Use the process of elimination to select an option that describes the most important data when assessing a client who has overdosed. Options 2 and 4 are not facts that relate to the immediate status of the client. Option 1 has merit, but the client may not be able to provide an accurate answer.

25. Use the process of elimination to select the option that provides correct information for parental management of a child with bilateral myringotomy tubes. Options 1 and 4 can be eliminated because they are unsafe. Option 2 is incorrect because hearing is improved.

26. Use your knowledge of client rights and involvement in discharge care to identify the priority. Discriminate through the options arranging them in terms of priorities.

27. Use the process of elimination to select the option that accurately describes a technique for performing a neurologic assessment. Options 2, 3, and 4 are incorrect because the purpose of the described assessment techniques is to determine if circulation is adequate or impaired.

28. Analyze what information the question asks, which is the administration of the proper dose of insulin, according to a client's blood sugar level. Insert the blood sugar level into the chart and read the additional dosage.

29. Use the process of elimination to select the option that best correlates with a risk factor for the acquisition of hepatitis B. Option 3 can be immediately eliminated because it does not describe a transmission factor for hepatitis B. Option 1 may appear attractive because it could be a source for transmitting hepatitis, but not hepatitis B. Option 2 can cause alcoholic hepatitis, a precursor of cirrhosis, but this is not an infectious type of hepatitis.

30. Analyze what information the question asks, which is risk factors for pregnancy complications. Analyze factors in the scenario that may cause harm to the fetus or a medical concern for mother and fetus.

31. Analyze what information the question asks, which involves pediatric dosage calculation. Review the steps involved in calculating dosages and proofread your math calculations.

32. Use the process of elimination to identify the option that identifies the expected outcome from uterine massage. Relate the role of uterine massage (contraction) to obtaining a healthy, immediate postpartum period.

33. Analyze what information the question asks, which is the optimum time to administer glulisine insulin. Recall that rapid-acting insulins, like glulisine, aspart, and lispro, begin lowering blood sugar within 15 minutes of administration. To avoid hypoglycemia, the client should have food available soon after the injection is given.

34. Use the process of elimination to identify the most therapeutic communication technique for responding to the client's statement. Options 1, 2, and 3 can be eliminated because they all contain nontherapeutic elements.

35. Use the process of elimination to help select the assessment that is best for identifying the presence of a fecal impaction. Options 1, 2, and 4 have merit because they relate to assessments of gastrointestinal function, but they are not as conclusive as a digital examination.

36. Use the process of elimination to identify an appropriate activity for the unlicensed assistive personnel. Consider the scope of practice that relates to an "instructed and evaluated task." Identify at which point a task ends and nursing judgment begins.

37. Use the process of elimination to identify the option that best describes the expected effect when Kegel exercises are performed. Options 1, 2, and 3 can be eliminated because the pubococcygeal muscles do not innervate actions such as deep-knee bends, touching the toes, or performing sit-ups.

38. Note the key words "most appropriate" and "HIV infection." Although all of the options are methods for fetal assessment, the best answer is option 3 because it is most conducive for preventing blood-borne viral transmission to the unborn fetus.

39. Analyze to determine what information the question asks for, which is the expected outcome when performing a mental status assessment of a client with hypothyroidism. Recall that hypothyroidism contributes to diminished cognitive function, making option 4 the best answer.

40. Analyze what information the question asks, which is the cause of the client's heart disease. Note the diagnosis of sick "sinus" related to sinoatrial node and the symptoms of bradycardia. Recall the physiology of cardiac electrical conduction in the sinoatrial node and locations of the structures in the conduction pathway.

41. Recall the standards of practice to select the best documentation of the nurse's interaction with the client who is most likely experiencing a hallucination. Recall that documentation should be objective rather than a subjective nursing interpretation.

42. Recall the steps in the grieving process to select the correct nursing action. Consider that shock and denial are primary responses and relate the nursing action that assists the client in advancing to the next stage.

43. The key words are "which order" requiring a decision of who comes first. Use Maslow hierarchy to rank the clients according to need and potential for complication.

44. Note the key words "best evidence." Select the most accurate description among the options demonstrating that a client with a colostomy is coping with a change in body image.

45. Note the key words "most important," which indicate a priority. Because the retention of barium administered as contrast medium during an upper gastrointestinal x-ray may be life threatening, it represents the highest priority for assessment.

46. Use the process of elimination to identify an option that accurately describes the need for a referral for an adolescent after birth of an infant. Consider known facts about the client's situation when identifying needs.

47. Look at the key words "most important," which suggest a priority; in this case, ensuring safety. Because exposure to radiation can affect rapidly growing cells, which includes the fetus of a pregnant nurse, it is the most important priority to consider when assigning this client's care.

48. Use the process of elimination to help select the option that the nutritional status of a client with Alzheimer disease. Focus on the specific, underlying problem (ability to focus on eating) to determine appropriate interventions.

49. Use the process of elimination to select the option that accurately describes the assessment technique for identifying thrombophlebitis in a lower limb. Options 2 and 4 have merit because they reflect techniques for identifying compromised circulation, but they are not the best technique for identifying a sign that suggests that the client has thrombophlebitis. An impaired gait, as suggested in option 3, may be related to pain associated with thrombophlebitis, but it is vague and nonspecific.

50. Analyze what information the question asks, which is options that correlate with signs of normal sinus rhythm. Recall the p wave, QRS complex, and wave formation and note a normal pattern to the wave forms.

51. Analyze what information the question asks, which is the rationale for omitting the palpation of the thyroid gland in a client with Graves disease. Relate gland overproduction from stimulation to potential complications.

52. Use the process of elimination to help select the option that describes an indication of ineffective learning in relation to the self-administration of disulfiram. Options 2, 3, and 4 can be eliminated because they are accurate statements.

53. Note the key term "essential," which indicates a priority nursing action. Options 3 and 4 can be immediately eliminated because they are unrelated to discontinuing an I.V. line. Option 1 has some merit because applying pressure is a method for controlling bleeding; however, applying pressure for 5 minutes is generally needed when discontinuing an arterial (not venous) line.

54. Use the process of elimination to help select the option that demonstrates a therapeutic communication technique. Options 1, 3, and 4 are examples of nontherapeutic communication techniques, leaving option 2 as the best answer.

55. Use the standards of care to determine for what procedure a topical anesthetic is to be administered. Consider the procedure and if discomfort occurs.

56. Consider the standards of insulin's peak action time and link to the time of administration. Recall when is the most likely time for hypoglycemia to develop after early-morning administration of intermediate-acting insulin.

57. Look for the key term "essential," which indicates a priority assessment finding to report. The appearance of bright red drainage is more indicative of a threat to the client's physical well-being than the findings described in options 1, 2, and 3.

58. Analyze what information the question asks, which is an example of generativity, the developmental task of adulthood. Identify a desire to express "past" accomplishments.

59. Analyze what information the question asks, which is the practices associated with orthodox Judaism. Consider characteristics of the faith including dietary practices, end of life, and medical practices.

60. Look at the key words "most appropriate," which suggest a priority nursing action. Select the option that maintains the lung function following tube removal.

61. Analyze what information the question asks, which is an unsafe action when managing the care of a client with a nasogastric (NG) tube. Consider the purpose/action of an NG tube when reviewing each option.

62. Analyze what information the question asks, which is the appropriate distance to insert an enema tubing tip. If unsure, recall anatomy including the distance between the rectum, anal sphincter, and colon, which is approximately 3 to 4 in (7.5 to 10 cm).

63. Analyze what information the question asks, which is appropriate actions to take when performing perineal care of an uncircumcised male. Consider the differences in penis structure and areas that may collect bacteria.

64. Look at the key words "most important," which suggest a priority. Because low back pain is generally associated with the use of poor body mechanics and lifting objects incorrectly, determining the client's occupation is the most important data to obtain from among the options provided.

65. Use the process of elimination to help in selecting an option that describes a therapeutic action when interacting with a client who has been raped. Option 1 can be immediately eliminated because it is not compatible or empathetic with the trauma the client has experienced. Options 2 and 4 can be eliminated because they are not readily accomplished or realistic.

66. Use the process of elimination to help select an option that describes a positive outcome associated with corticosteroid therapy. Consider the therapeutic action and the side effects of medication therapy when analyzing each option.

67. Use the process of elimination to help select an option that describes the best nursing intervention for relieving anxiety. Option 1 has some merit because it eliminates the potential for an alarm from an electronic infusion device. Option 3 appears to be a good answer because administering a tranquilizer relieves the symptoms of anxiety, but it does not help relieve the real or imagined fear that precipitated the anxiety. Although staying with a client is supportive (option 4), it is not realistic.

68. Use the process of elimination to help identify the option that is most supportive for helping a frustrated young parent with a newborn. Be specific and look to the end goal when relating nursing measures.

69. Use the process of elimination to help identify the option that supports a principle of asepsis. Options 2 and 4 can be immediately eliminated because they do not interfere with disease transmission. Option 1 has merit because it treats the client's infection, but if the client stops taking the antibiotic before completing the full course, it will encourage resistant organisms. Washing with soap and water is a proven method of preventing disease transmission.

70. Use the process of elimination to help select an option that describes an evidence-based reason for sequential compression devices postoperatively. Focus on the standards of care postoperatively and complications that may arise from anesthesia, the disease process, and lack of movement in the recovery period.

71. Analyze what information the question asks, which is a side effect of I.V. aminophylline. I.V. aminophylline produces sympathetic nervous system stimulation, which is evidenced by restlessness.

72. Analyze what information the question asks, which is causative factors for depression in residents of long-term care facilities. Relate the need to probe topics with possible causes of depression.

73. Use knowledge of risk factors of tetracycline use. Recall that tetracycline is not frequently used due to tooth discoloration in young children.

74. Use the process of elimination to help select the option that describes a therapeutic communication technique. Options 1, 2, and 3 can be eliminated because they are not therapeutic. Option 4 emerges as the best answer because it helps orient the client to the "here and now."

75. Use the process of elimination to identify a health care provider prescription, which potentially would be a risk for the client. Identify airway as the priority and correlate each prescription for the benefit of action.

76. Use your knowledge of documentation to identify the statement that is most similar to the nurse's experience with the situation. Recall that the nurse should not document anything other than what the nurse can validate as accurate.

77. Look at the key word "initially" in reference to a nursing action after finding a client who has fallen from the bed. Recall that assessment is the first step in the nursing process.

78. Use the process of elimination to help select the option that identifies the best description of healthy parent-newborn attachment. All of the options describe positive behaviors, but option 4 indicates physical and verbal interaction, which has a higher level of promoting attachment than the others.

79. Analyze what information the question asks, which is identifying the client for whom gynecologic bleeding is most pathologic. Options 1, 3, and 4 describe blood loss that can be explained physiologically.

80. Use the process of elimination to help select the option that describes the best evidence that a client's orientation has been restored. The tasks in options 2 and 4 do not require orientation to perform. Option 1 may seem attractive, but walking with others does not require orientation on the part of the client.

81. Analyze what information the question asks, which is to identify a correct instruction when teaching about human insulin inhalation powder. Identify that is the first inhalable dry powder inhaler, which eliminates option 1. Options 3 and 4 describe incorrect instructions in relation to timing and the use of a dry powder inhaler.

82. Use the process of elimination to identify the client who needs the care and assessment skills of a registered nurse. Look for a client symptom or condition of concern.

83. Use the process of elimination to help select the option that identifies a medication used to relieve a symptom experienced during an acute attack of Ménière disease, which likely includes nausea and dizziness. Options 1, 3, and 4 are drugs used to manage symptoms other than those associated with an acute attack of Ménière disease.

84. Use the process of elimination to help select the option that accurately identifies the electrolyte imbalance that may occur as a complication after a thyroidectomy. Options 1, 2, and 3, which identify low potassium, sodium, and magnesium, in that order, are not electrolyte imbalances that commonly occur after removing the thyroid. Option 4 identifies an electrolyte imbalance that is a potential complication of thyroidectomy and for which the nurse should monitor the client.

85. Use the process of elimination to help select the option that identifies the best intervention to prevent or limit impairment of skin integrity secondary to itching. Option 1 can be eliminated immediately because bathing with very hot water may intensify itching. Options 2 and 4 may appear as attractive options, but their implementation is useful for reasons other than limiting trauma to the skin.

86. Analyze what information the question asks, which is relating nursing actions and placing them in a sequence beginning with the first action and ending with the last. Organize the appropriate sequence during a reproductive and sexual nursing assessment.

87. Analyze what information the question asks, which is nursing interventions for a client with hypercalcemia. Consider the effects of calcium (bones, muscle, urinary systems) in the body to identify correct nursing interventions.

88. Analyze what information the question asks, which is signs of an abdominal aortic aneurysm. Consider the pathophysiology and location of the aneurysm and relate assessment findings accordingly.

89. Use the process of elimination to help select the option that identifies the substance most associated with the client's presenting symptoms. Options 1, 3, and 4 can be eliminated because they are central nervous system depressants.

90. Use the process of elimination to help select the option that identifies the best evidence of adequate oxygenation. Option 4 can be immediately eliminated because it describes abnormal assessment data. Option 2 can be eliminated because a full pulse rather than a bounding pulse is considered normal. Although option 3 appears to have some merit, it does not indicate adequate oxygenation as well as option 1.

91. Look at the key words "legally obligated." Select an option that describes compliance with the Health Insurance Portability and Accountability Act (HIPAA) of 1996, which protects a client's health information.

92. Use the process of elimination to help select the most appropriate nursing action based on the assessment finding. Because the described assessment finding is normal, option 1 is the best answer. Options 2, 3, and 4 would be appropriate depending on the significance of an abnormal finding.

93. Analyze what information the question asks, which is a statement that reflects an effect associated with aspirin. Use your knowledge of this standard medication. Option 1 can be immediately eliminated because aspirin does not affect cognitive ability. Although aspirin can cause gastric irritation, its use is not likely to cause diarrhea or increased urination.

94. Use the process of elimination to help select an option that reflects accurate client learning in relation to prescribed alprazolam. Options 2, 3, and 4 are all incorrect statements that have no relationship to alprazolam. Option 1 emerges as the best answer because use of alcohol can potentiate the drug's sedative effect.

95. Use the process of elimination to select the option that confirms or rules out pneumonia. Because pneumonia is a respiratory infection, it is most likely that the client will have an elevated white blood cell count and density in areas of the lungs where inflammation has occurred; these findings could be identified by the tests in option 1.

96. Use the process of elimination to help select the most accurate instruction as it relates to drying a plaster cast. Option 1 can be eliminated because a plaster cast produces heat as a chemical reaction, which in combination with heating the environment may elevate the toddler's temperature to an unsafe level. Option 3 is too inefficient. Option 4 is not a recommended method for drying a cast, and exposure to the sun may dry the cast surface before it dries the area next to the skin.

97. Use the process of elimination to help select an option that describes evidence of lightening during pregnancy. Options 1, 2, and 4 can be eliminated because they are unrelated or contradictory to the physical signs associated with lightening.

98. The key words are "best evidence" of successfully oxygenating an unconscious client using rescue breathing. Option 1 provides evidence that ventilation is occurring.

99. Use the process of elimination to select an option that describes the best action after having left a rectal tube in place for 20 minutes. Option 1 can be eliminated because if intestinal gas is in the area of the rectal tube, it would travel through the opening and external lumen. Although option 2 looks attractive, it can be potentially unsafe. Option 4 can be eliminated because replacing the current tube with a larger size does not ensure effectiveness.

100. Use the process of elimination and standard knowledge of this common medication to help select an option that accurately describes appropriate teaching. Options 1 and 2 can be eliminated because this drug does not affect fluid retention or fluid loss. Option 3 can be eliminated because the client should remain compliant with the dosing instruction. Knowledge that phenytoin can cause gingival hyperplasia leads to the best answer.

101. Use your knowledge of infection control to identify the best option to prevent a health care–acquired infection during transportation to a diagnostic test. Recall methods of infection transmission between the room and procedure area. Identify the option that reduces the likelihood of transmission.

102. The key words are "most benefit" and "stage 1" pressure injury. Recall that a stage 1 injury has no open area and thus removing the pressure decreases the tissue compromise.

103. Look at the key word "immediately," which indicates a priority nursing action. There is a narrow physiologic range of potassium in the blood; it is the only laboratory value that is abnormal in this list, which indicates that option 1 is the correct answer.

104. Use the process of elimination to help select the option that best describes a finding associated with a neonate experiencing alcohol withdrawal. Because alcohol, a central nervous system depressant, blocks stimulating neurotransmitters while it is present in the blood, alcohol withdrawal is accompanied by physiologic stimulation.

105. Use the process of elimination to help select an option that best describes the effectiveness of a minor tranquilizer. Option 1 can be eliminated because the data elicited are subjective. Option 3 appears attractive because it describes a calming effect. Option 4 may appear attractive, but it does not specifically describe the client's behavior during social interactions. Option 2 emerges as the best answer because it requires a more quantitative assessment, similar to the method used when performing a pain assessment.

106. Look at the key words "most appropriate." Select an option that reflects empathy when interacting with a client experiencing a change in body image. Options 2, 3, and 4 are judgmental and lack empathy.

107. Use the process of elimination to select an option that accurately describes the optimum time for performing postural drainage. Although options 2 and 3 may appear attractive, shortness of breath and coughing should not limit the performance of postural drainage.

108. Look at the key words "earliest indication." Select the option that is manifested in the beginning stage of hypoxia when impairment is just beginning. Options 1, 2, and 4 are late signs following a significant drop.

109. Look at the key word "essential," which indicates a priority. The location of the surgical incision increases the potential for an infection that may have life-threatening consequences. Options 1, 2, and 3 describe unsafe or inappropriate nursing actions.

110. Analyze to determine what information the question asks for, which is responsible parties in the case of a violation of Health Insurance Portability and Accountability Act (HIPAA)/Personal Information Protection and Electronic Documents Act (PIPEDA) guidelines. Analyze each option against the standard of privacy and ask, "Did this person/facility have a responsibility in protecting client privacy?"

111. Analyze to determine what information the question asks for, which is the proper sequence for nursing actions when assisting with a blood transfusion. Logically, analyze the options beginning with the consent and ending with materials disposal. Order the actions in between.

112. Use the process of elimination to help select the option that best identifies an etiology for developing an inguinal hernia. Option 1 can be eliminated because having had an umbilical hernia does not increase the risk for acquiring an inguinal hernia, neither does option 4, which suggests a relationship between low body weight and the development of a hernia. Option 2 may be an attractive choice, but it is not as significant as option 3.

113. Knowing the type of secretions that most likely harbor respiratory syncytial virus (RSV) leads to selecting option 2 as the best answer. If unsure, only consider options with respiratory tract secretions.

114. Analyze what information the question asks, which is appropriate use of an infant car seat. Apply common standards of safety practice to select the correct answer. If unsure, consider the characteristics of the newborn and how an impact could affect his or her body.

115. Use the process of elimination to help select the option that describes the best evidence of having successfully relieved an episode of hypoglycemia. Although options 1, 2, and 4 indicate that the client is stable, option 3 is the best objective evidence that the blood sugar is within a normal range.

116. Use your pharmacology knowledge to link a medication classification with risk of an embolism. Knowing that there is a correlation between contraceptives containing estrogen and thrombus formation leads to selecting option 2 as the best answer.

117. Look at the key terms "best indication" and "understanding sexual function," and assess the options as they relate to a client's understanding of the effects of transurethral resection of the prostate (TURP). Option 1 is the best answer because it represents the likelihood of experiencing retrograde ejaculation. Options 2, 3, and 4 do not describe consequences of having a TURP.

118. Use your knowledge of common medications to identify the antidote for an overdose of opioids. All antidotes are important to understand for client care. Analyze each option and ask which would counteract the depressive effects.

119. Analyze what information the question asks, which is the components of the cultural assessment. Use clinical reasoning skills to identify the information important for client care.

120. Look at the key word "most appropriate," and select an option that reflects compliance with the principles of documentation requiring that each entry be made by the person who records the information. Therefore, obtaining assistance from technical support is the best answer for this question.

121. Look at the key words "most appropriate" in relation to the needs of an infant with a congenital heart condition. Recognizing that crying can affect oxygenation, which is impaired due to cardiovascular pathology, leads to selecting option 1 as the best answer.

122. Analyze what the question asks, which is priority following a cardiac repair. Consider the biggest threat to the client, being infection. Instruction is necessary to decrease potential complications.

123. Analyze what information the question asks, which is nursing actions when administering enoxaparin. Alternative-format "select all that apply" questions require considering each option independently. Relate knowledge of medication action and packaging is helpful in discriminating through the options.

124. Use your knowledge of nursing's career ladder and scope of practice to critically think through each infection control activity. Consider the difference between tasks and nursing judgment.

125. Analyze the information about which the question asks, which is the clients covered by EMTALA.

Alternative-format "select all that apply" questions require considering each option independently and decide if emergency care is needed.

126. Use the process of elimination to help select the option that describes the best method for preventing evaporative heat loss in a newborn. Options 1, 3, and 4 can be eliminated because they describe ways of preventing heat loss by means other than evaporation.

127. Analyze what information the question asks, which is a statement that reflects an accurate understanding of gestational diabetes. Review each option for a correct statement that does not require follow-up by the nurse.

128. Use the process of elimination to identify an option that upholds the standards of care and patient's bill of rights. Recall that the client is in charge of his or her records and is able to access at any time when following proper guidelines.

129. Look at the key words "most common risk factor" and "seizure disorder." Select the option that shows an accurate relationship between these key words, which is option 1. Options 2, 3, and 4 do not accurately identify risk factors for a seizure disorder.

130. Use your knowledge of standard growth and development to identify a developmental characteristic of a school-age child. If unsure, consider differences between a preschooler versus school-ager and school-ager versus adolescent to highlight appropriate school-aged development.

131. The key words are "confirms an understanding" meaning makes a correct change in behavior. Look for the option that is correct to maintain a client's privacy.

132. The key words are "minimize periods of fatigue." Choose the option that conserves client energy while enabling the nurse and respiratory therapist to work together addressing their own specialty.

Correct Answers and Rationales

1. **3, 5, 6.** Typical signs that a tracheostomy needs suctioning include noisy respirations, dyspnea, and increased respiratory and pulse rates. The pulse oximeter measures the oxygenation in the tissues. Because the airway (and therefore oxygenation) is affected, the client's pulse oximeter readings will be decreased. The skin being cool and moist is not indicative of the tracheostomy needing suctioning. Cyanosis is more likely to be seen. Noisy respirations and secretions in the tracheostomy tube are more likely than coughing up sputum. Auscultation of the chest helps most to determine when to suction a tracheostomy.

Cognitive Level—*Analyzing*
Client Needs Category—*Physiological integrity*
Client Needs Subcategory—*Physiological adaptation*

2. **3.** Before suctioning, the nurse gives the client oxygen to prevent hypoxemia and hypoxia while removing air and debris from the upper airway. After inserting the catheter, the nurse positions the tip at the desired level, usually 6 to 10 in (15 to 25 cm), occludes the vent, and twists the catheter to remove it. Afterward, the client is reoxygenated a second time. Usually, cleaning the tracheostomy stoma is done last after the sterile procedure is completed, following the general principal of "clean to dirty." Instilling saline into a tracheostomy tube is no longer recommended.

Cognitive Level—*Analyzing*
Client Needs Category—*Physiological integrity*
Client Needs Subcategory—*Reduction of risk potential*

3. **1, 2, 3.** It is appropriate to use clean gloves to remove a soiled dressing, to place the soiled dressing in a container that acts as a barrier against transmitting microorganisms that may be present, and to perform handwashing before donning sterile gloves. The most appropriate aseptic technique for cleaning wounds is to work in such a way that debris and microorganisms are carried away from the impaired skin. Therefore, wounds should always be cleaned starting at the wound itself and working outward. Reaching across the sterile field and touching the soiled dressing with sterile gloves will compromise sterility.

Cognitive Level—*Analyzing*
Client Needs Category—*Safe and effective care environment*
Client Needs Subcategory—*Safety and infection control*

4. **1.** A hearing aid amplifies sound waves transmitted by air and bone conduction. Hearing aids do not improve the quality of the sounds by making them crisper, sharper, or less garbled.

Cognitive Level—*Analyzing*
Client Needs Category—*Physiological integrity*
Client Needs Subcategory—*Basic care and comfort*

5. **2.** Food and fluids are withheld temporarily after a bronchoscopy until the gag reflex returns. If the gag reflex is absent, aspiration may occur. Taking vital signs, the pulse oximeter reading, and tympanic temperature are appropriate measures that provide a baseline for further care. Raising the head of the bed is a safe action.

Cognitive Level—*Analyzing*
Client Needs Category—*Safe and effective care environment*
Client Needs Subcategory—*Coordinated care*

6. **2.** It is therapeutic to allow an angry person to express feelings within social limits. By remaining neutral, the nurse demonstrates acceptance of the client as an individual and acts as a role model in helping the client regain control. Using humor, leaving the client, or providing an explanation may add to the angry feelings; the client may interpret these actions to mean that the circumstances leading to anger are unimportant.

Cognitive Level—*Analyzing*
Client Needs Category—*Psychosocial integrity*
Client Needs Subcategory—*None*

7. **1, 6.** Retinal detachment occurs when the retina's rods and cones separate from the choroid layer. A detached retina is a serious problem, often seen in middle-aged and older adult clients, that requires immediate attention. Most clients with a retinal detachment describe seeing flashes of light or wavy or watery vision. Only the most profoundly blind cannot see light. Photophobia, or feeling discomfort in light, is associated with many primary and secondary disorders; however, those with retinal detachment do not generally experience it. The client with a retinal detachment generally retains vision in a large portion of the retina. The visual defect is evident only in the area of the tear or separation of the sensory layer from the pigmented layer. Therefore, in the intact retina, vision during daylight is unchanged. Clients experiencing retinal tears and detachment usually have no eye pain.

Cognitive Level—*Analyzing*
Client Needs Category—*Physiological integrity*
Client Needs Subcategory—*Physiological adaptation*

8.

4. It is a standard of practice to confirm urine elimination and kidney functioning before administering supplemental potassium via intravenous fluids. Potassium is an essential electrolyte but if given in excess it may cause cardiac arrhythmias. All other intravenous fluids may be administered to the client with dehydration as they do not pose a health risk.

> *Cognitive Level—Analyzing*
> *Client Needs Category—Physiological integrity*
> *Client Needs Subcategory—Pharmacological and parenteral therapies*

9. 2. Giving an infant medication using a needleless syringe or dropper helps reduce the incidence of choking, coughing, and vomiting. The medication should be placed between the cheek and gum and administered slowly as the infant swallows. Calibrated nipples may also be used to administer medication to infants. Medications are not routinely given in an infant's bottle because the infant may not finish the bottle and may not get the prescribed amount of medication. Pinching a child's nose is not recommended because this action increases the chance of aspiration. Solid (not liquid) forms of medication may be crushed and mixed with jelly, cereal, pudding, or applesauce. However, solid foods should not be given to infants younger than age 4 or 5 months old because they still possess the extrusion reflex; the food will be spat out and not swallowed.

> *Cognitive Level—Applying*
> *Client Needs Category—Physiological integrity*
> *Client Needs Subcategory—Pharmacological therapies*

10. 3. When a child is in Bryant traction, the buttocks just clear the mattress. The ropes that lead to pulleys above the bed keep the child's legs at a 90-degree angle to the trunk. The child should not sit up or use a trapeze. The legs are pulled toward the ceiling.

> *Cognitive Level—Applying*
> *Client Needs Category—Physiological integrity*
> *Client Needs Subcategory—Basic care and comfort*

11. 3. Red blood cells are formed in the bone marrow found in long bones and in the sternum. In sickle cell anemia, a genetic disorder affecting the hemoglobin on red blood cells causes them to appear like a sickle or crescent instead of being round. Consequently, the malformed red blood cells cannot move easily through blood vessels. During sickle cell crisis, the red blood cells clump together and obstruct the arteries, causing the client severe pain, especially in the chest, joints, and abdomen. Consequently, the priority nursing goal is to relieve the client's discomfort and pain. Analgesics are routinely administered and adjusted according to the client's response. Activity is usually limited during sickle cell crisis to prevent hypoxia. Antibiotics are not administered for clients with this disorder. Fluids are necessary to prevent dehydration, which can exacerbate the problem.

> *Cognitive Level—Applying*
> *Client Needs Category—Physiological integrity*
> *Client Needs Subcategory—Physiological adaptation*

12. 4. To avoid additional injury to radiated skin, the client is instructed to use gentle washing with warm water and a soft cloth. Water will not harm the skin, but harsh soaps, lotions, alcohol-based cosmetics, and rubbing the skin should be avoided. It is the client's choice which type of cleanser to use. Regardless of whether the client chooses body wash or bar soap, it should be mild and nonabrasive to avoid injury to the skin. Covering the reddened area with clear plastic will not serve any therapeutic purpose, and the tape used to hold the plastic may cause further skin breakdown.

> *Cognitive Level—Applying*
> *Client Needs Category—Physiological integrity*
> *Client Needs Subcategory—Basic care and comfort*

13. 3. A clear liquid diet is generally offered initially after surgery. This diet moistens the mouth, provides fluid and some energy-supplying calories, and stimulates peristalsis. It is also the least likely diet to contribute to nausea or vomiting. If tolerated well, the client can progress to a full liquid, soft, or regular diet.

> *Cognitive Level—Analyzing*
> *Client Needs Category—Physiological integrity*
> *Client Needs Subcategory—Basic care and comfort*

14. 4. Any pregnant client in the third trimester with a persistent, severe headache needs to be promptly examined by a health care provider. A persistent headache may be insignificant, but it is also a sign of gestational hypertension, formerly known as *toxemia* or *eclampsia*. The other suggestions may be appropriate after the client has been medically assessed.

> *Cognitive Level—Analyzing*
> *Client Needs Category—Physiological integrity*
> *Client Needs Subcategory—Reduction of risk potential*

15. 4. Acquired immunodeficiency syndrome (AIDS) is suspected when individuals succumb to opportunistic infections such as *Pneumocystis carinii* pneumonia. Because sexual transmission is the most common mode of acquiring human immunodeficiency virus (HIV), assessing a client's sexual practices is important. If the client does not report any high-risk sexual practices, the nurse may assess the possibility of I.V. drug use or a history of having received blood or blood products. A client's immunization history, family history, and smoking practices are not likely to provide etiologic information about this opportunistic infection.

> *Cognitive Level—Applying*
> *Client Needs Category—Health promotion and maintenance*
> *Client Needs Subcategory—None*

16. 1. Cystic fibrosis is a hereditary disease that affects the mucus glands of the lungs, liver, pancreas, and intestines. It is usually diagnosed in early childhood. Thick mucus production, as well as an immunocompromised condition, results in frequent lung infections. Diminished secretion of pancreatic enzymes causes poor growth, fatty diarrhea, and deficiency of fat-soluble vitamins. Parents of toddlers with cystic fibrosis commonly report that the toddlers' perspiration tastes very salty. This is attributed to the fact that toddlers with cystic fibrosis lose large amounts of salt in their perspiration. Vomiting immediately after eating is not a usual sign of cystic fibrosis, but it is associated with pyloric stenosis. Soft, bright yellow stools are characteristic of a breastfed infant. In cystic fibrosis, the stools are large, foamy, and foul smelling. Tea-colored urine is a symptom of acute glomerulonephritis, a kidney disease, not cystic fibrosis.

> *Cognitive Level*—*Applying*
> *Client Needs Category*—*Physiological integrity*
> *Client Needs Subcategory*—*Physiological adaptation*

17. 1. For the person who takes corticosteroids for a prolonged time, abruptly discontinuing the medication can cause life-threatening consequences. Acute adrenal insufficiency (also known as *addisonian crisis* or *adrenal crisis*) can occur, leading to possible death due to fluid volume depletion, hypotension, and shock. Taking a steroid medication does not interfere with a person's reaction time. A missed dose does not warrant consulting the health care provider. Although prolonged corticosteroid therapy causes many side effects, individuals may take the medication for long periods of time.

> *Cognitive Level*—*Applying*
> *Client Needs Category*—*Physiological integrity*
> *Client Needs Subcategory*—*Pharmacological therapies*

18. 3. Diabetes insipidus is characterized by excessive urine production and elimination as a result of alterations in antidiuretic hormone. The specific gravity, which measures the concentration of the urine, is an indication of the ratio of water to dissolved substances. In diabetes insipidus, the specific gravity is 1.002, little more than water. As the client improves, the specific gravity is expected to increase as less water is excreted in the urine. Urinary casts are formed of cells found in the urinary sediment. The urinary pH helps to maintain the body's acid-base balance.

> *Cognitive Level*—*Applying*
> *Client Needs Category*—*Physiological integrity*
> *Client Needs Subcategory*—*Reduction of risk potential*

19. 1. Weighing the client daily to weekly is an appropriate way of monitoring the effectiveness and compliance of a client who takes a diuretic at home. Other valuable assessments include measuring the client's blood pressure, listening to breath sounds, and inspecting the skin and lower extremities for signs of edema. Pulse rate, appetite, and reflexes are not affected by diuretics.

> *Cognitive Level*—*Applying*
> *Client Needs Category*—*Physiological integrity*
> *Client Needs Subcategory*—*Pharmacological therapies*

20. 4. The most helpful documentation when a client is experiencing an acute illness and is in grave condition is the living will. The living will tells which treatments the client wants if dying or permanently unconscious. It provides the opportunity to accept or refuse medical care including the use of dialysis, ventilators, CPR, tube feedings, or organ and tissue donation. A durable power of attorney for health care is a document that names your health care proxy. A health care proxy is someone that makes health decisions for you if you are unable to do so. A do not resuscitate order provides guidance in the event that the heart stops.

> *Cognitive Level*—*Analyzing*
> *Client Needs Category*—*Safe and effective care environment*
> *Client Needs Subcategory*—*Coordinated care*

21. 2. The normal hemoglobin A1C level is less than 6.5% (8.6 mmol/L) for a client with diabetes and less than 5.7% (7 mmol/L) for a client without diabetes. A level of 6% (7.6 mmol/L) equates to a level of 126 mg/dL (7 mmol/L) average over the past 3 months. In this case, the nurse would document that the plan of care has been reviewed, and due to the laboratory results, no changes need to be made at this time. The nurse would not need to report the results to the health care provider as a report will be sent. There is no need to change the plan of care particularly by adjusting the diet.

> *Cognitive Level*—*Applying*
> *Client Needs Category*—*Safe and effective care environment*
> *Client Needs Subcategory*—*Coordinated care*

22. 2, 5, 6. Maintaining and improving oxygenation is a priority goal when planning the nursing care of a client with an acute respiratory tract infection. Airway and breathing are always a priority for every client. The Joint Commission has established quality indicators regarding care of clients who are diagnosed with pneumonia. These quality indicators require that pneumonia clients be given antibiotics within 4 hours of admission and that blood cultures be obtained within 24 hours of admission, preferably before administration of the antibiotics. If blood cultures are not easily obtained before giving antibiotics, the antibiotics are still given. In some circumstances, such as when the client's airways contain moist secretions, it is important to promote rather than relieve coughing. Nourishment is important in the care of any client with an infection, but impaired breathing is more life threatening than a brief reduction in caloric intake. Eventually, the client can begin assuming self-care; however, during the acute phase of illness, the nurse should promote rest and offer assistance to reduce the client's oxygen requirements.

> *Cognitive Level*—*Analyzing*
> *Client Needs Category*—*Safe and effective care environment*
> *Client Needs Subcategory*—*Coordinated care*

23. 2. A client with a subtotal thyroidectomy has a neck incision. Therefore, elevating the head, as in semi-Fowler position, tends to relieve edema and decrease the potential for airway obstruction. Controlling edema will help the client talk and feel more comfortable; however, these are secondary benefits. The other positions do not benefit this client.

Cognitive Level—*Applying*
Client Needs Category—*Physiological integrity*
Client Needs Subcategory—*Reduction of risk potential*

24. 3. Determining what drug has been taken is essential in determining the potential effects and the treatment needed. Although determining the approximate number of pills and when they were taken will help to assess the potential lethality of the overdose, this information is not as critical initially. While the client's life is threatened, discussing the reason for the overdose is not a priority. Asking about previous suicide attempts is not important initially but will be a necessary question once the client is stabilized.

Cognitive Level—*Analyzing*
Client Needs Category—*Physiological integrity*
Client Needs Subcategory—*Reduction of risk potential*

25. 3. Myringotomy tubes are small tubes that are surgically placed into the child's eardrum to help drain the fluid out of the middle ear to reduce the risk of ear infections. The tubes may be made of plastic, metal, or Teflon. Earplugs are used as a barrier against water entering the tubes used to equalize pressure within the middle ear. The introduction of water from such activities as swimming or showering can cause suppurative (pus-producing) otitis media. The child's hearing should improve as pressure within the middle ear is relieved. Instilling eardrops or water for irrigation is contraindicated for the same reasons that water from swimming and showering is prohibited from entering the ears.

Cognitive Level—*Applying*
Client Needs Category—*Health promotion and maintenance*
Client Needs Subcategory—*None*

26. 1. The priority is to understand the client's thoughts and ideas on going home and self-care. The client best knows his or her abilities and how to organize the home. Discharge planning begins on admission and includes the client. A home assessment is also a good idea to confirm the client's plan for returning home. Guidance from the health care provider and physical therapist is important but not the priority.

Cognitive Level—*Applying*
Client Needs Category—*Safe and effective care environment*
Client Needs Subcategory—*Coordinated care*

27. 1. Observing whether a client can move the fingers or toes of a casted extremity is the best method for assessing neurologic function because muscles cannot move unless the nervous system is intact. Monitoring capillary refill,

feeling the skin temperature, and palpating the pedal pulses are appropriate techniques for assessing a client's vascular status.

Cognitive Level—*Application*
Client Needs Category—*Physiological integrity*
Client Needs Subcategory—*Reduction of risk potential*

28. 2. A sliding scale is a type of insulin regimen used to regulate blood glucose levels throughout the day. The amount of insulin to administer is based on the client's capillary blood glucose measurement. In this case, because the blood glucose level is 250 mg/dL (13.9 mmol/L), the nurse should plan to give 4 units of insulin. The other options do not follow the health care provider's prescription, thus undermedicating or overmedicating the client.

Cognitive Level—*Applying*
Client Needs Category—*Physiological integrity*
Client Needs Subcategory—*Pharmacological therapies*

29. 4. Hepatitis B is a serious form of liver inflammation/disease caused by infection with the hepatitis B virus (HBV). Hepatitis B can be acute or chronic. Some people may be asymptomatic but carry HBV in their blood and pass the infection on to others. HBV enters the bloodstream through breaks in the skin or mucous membranes and is transmitted by infected blood, serum, semen, vaginal fluid, and sharing of contaminated needles. Viruses depend on living cells to grow and reproduce. Therefore, it is extremely unlikely that the virus could be transmitted by smoking cigarettes long since extinguished. Hepatitis A is associated with eating unsanitary, contaminated food. Hepatitis B is not caused by drinking alcohol.

Cognitive Level—*Applying*
Client Needs Category—*Physiological integrity*
Client Needs Subcategory—*Physiological adaptation*

30. 1, 4. Reasonable weight gain is expected during pregnancy. Poor nutrition due to poverty or lack of knowledge is a leading contributor to high-risk pregnancies. To ensure the health of both the mother and her fetus, it is important for the mother to eat a variety of foods. Many health care providers do not restrict sexual activity during pregnancy unless complications, such as uterine bleeding or placenta previa, are evident or the membranes rupture. A certain amount of regular exercise is preferable to sporadic activity. The type and amount of exercise depend on the health, habits, and obstetric history of each client. Pregnancy beyond age 35 is considered a risk factor due to potential chromosomal abnormalities. Refusal to take prenatal vitamins does not necessarily pose a risk for the client or her fetus, but the client needs to be instructed about the benefits of vitamins. Having a history of a chlamydia infection (a sexually transmitted infection) several years ago does not put the client or fetus at risk during this pregnancy.

Cognitive Level—*Applying*
Client Needs Category—*Physiological integrity*
Client Needs Subcategory—*Reduction of risk potential*

31. 80 mg. Because the client should receive 2 mg for every kilogram, the nurse multiplies $2 \times 40 = 80$ mg. Using the ratio-and-proportion method, the dosage is calculated as follows:

Step 1 (known ratio to unknown ratio):

$$\frac{2 \text{ mg}}{1 \text{ kg}} = \frac{X}{40 \text{ kg}}$$

Step 2 (cross multiply and solve for X):

$$1X = 80$$
$$X = 80 \text{ mg}$$

Cognitive Level—Applying
Client Needs Category—Physiological integrity
Client Needs Subcategory—Pharmacological therapies

32. 2. Massaging the uterus causes the myometrium to contract and become firm, occluding the blood vessels and thereby controlling postpartum bleeding. This is more accurate than expressing clots from the vagina. The client may experience pain when the uterus is massaged. The discomfort is due to uterine contraction, which intensifies (not ceases) as the uterus is massaged.

Cognitive Level—Analyzing
Client Needs Category—Physiological integrity
Client Needs Subcategory—Reduction of risk potential

33. 3. Glulisine is a rapid-acting insulin used to reduce a client's blood sugar prior to consuming a meal. Because it is rapid acting, it should be administered within 15 minutes before or within 20 minutes after starting a meal. It is not appropriate to administer glulisine after the completion of a meal or between meals. Glargine insulin is administered at bedtime.

Cognitive Level—Understanding
Client Needs Category—Physiological integrity
Client Needs Subcategory—Pharmacological therapies

34. 4. Paraphrasing the content of the client's statement is a therapeutic communication technique that helps the client know that the message was heard and how it was interpreted. This technique will likely encourage the client to continue verbalizing. Classifying the statement as an exaggeration is belittling. Telling the client that talking will contribute to sadness is an indirect way of saying that this line of communication should cease. Demanding an explanation by asking "why" is also a block to therapeutic communication because it requires that the client justify a rationale for the statement and puts the client on the defensive.

Cognitive Level—Analyzing
Client Needs Category—Psychosocial integrity
Client Needs Subcategory—None

35. 3. The only reliable method for confirming the presence of hard, dry stool within the rectum is digital examination. Auscultating bowel sounds and measuring abdominal girth are appropriate physical assessment techniques, but they do not aid in determining whether the client has a fecal impaction. Assessing for diarrhea is always important in relation to fluid and electrolyte imbalances, but it may not be an indication of fecal impaction. Leaking stool, but not diarrhea, may be associated with a fecal impaction because the stool above the impaction may be seeking a path for elimination. It is important to differentiate which is the case.

Cognitive Level—Analyzing
Client Needs Category—Physiological integrity
Client Needs Subcategory—Basic care and comfort

36. 2. Obtaining a stool specimen and testing the slide is an appropriate task for the experienced unlicensed assistive personnel. This is a task that does not require nursing judgment. It is in the scope of practice of the nurse (data collection) to assess the stool sample because the client is anemic, possibly due to gastrointestinal bleeding. Delegation of offering and encouraging the bowel preparation, a prescribed preoperative treatment is in the scope of practice of the nurse. Typically, this includes a client drinking a liquid preparation such as one containing polyethylene glycol 3350 and electrolytes. Assessing for allergies and obtaining an informed consent are also in the scope of practice of the nurse.

Cognitive Level—Analyzing
Client Needs Category—Safe and effective care environment
Client Needs Subcategory—Coordinated care

37. 4. If the pubococcygeal muscles are being contracted and relaxed properly during the performance of Kegel exercises, the client should be able to stop and restart the flow of urine during voiding. Kegel exercises are performed to prevent or relieve stress incontinence; they are ineffective in relieving back pain, improving abdominal tone, or performing sit-ups.

Cognitive Level—Analyzing
Client Needs Category—Health promotion and maintenance
Client Needs Subcategory—None

38. 3. External fetal monitoring minimizes the risk of exposing the fetus to the mother's human immunodeficiency virus (HIV)-infected blood. Fetal scalp blood sampling and internal fetal monitoring are invasive techniques that would increase the fetus's risk of exposure to HIV. Chorionic villi sampling is a prenatal test that can detect genetic abnormalities such as Down syndrome.

Cognitive Level—Analyzing
Client Needs Category—Safe and effective care environment
Client Needs Subcategory—Safety and infection control

39. 4. Persons with hypothyroidism (myxedema) are most likely to demonstrate a general slowing of thought processes. Although persons with hypothyroidism are slow in responding, their thought processes are usually based in reality. Quick recall of events, rapid verbal responses, and bizarre thinking are uncharacteristic of clients with this disorder.

Cognitive Level—Applying
Client Needs Category—Physiological integrity
Client Needs Subcategory—Physiological adaptation

40.

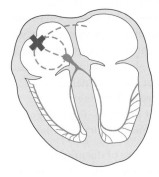

In client's diagnosed with sick sinus syndrome (also known as sinus node dysfunction), the client experiences fatigue related to bradycardia and potential arrhythmias. The source of the dysfunction is in the electrical impulse initiation in the sinoatrial node. The SA node is located in the upper part of the right atrium.

> **Cognitive Level**—*Applying*
> **Client Needs Category**—*Physiological integrity*
> **Client Needs Subcategory**—*Physiological adaptation*

41. 3. Charting must be as clear and objective as possible. Quoting the client is always appropriate. Interpreting or labeling what the nurse suspects is occurring is not the best form of documentation.

> **Cognitive Level**—*Applying*
> **Client Needs Category**—*Safe and effective care environment*
> **Client Needs Subcategory**—*Coordinated care*

42. 1. Having direct contact with a stillborn infant tends to initiate healthy grieving. Although providing a verbal description that focuses on the infant's attributes is therapeutic, it is not as personal as seeing and touching the infant. Preventing any interaction between the parents and infant interferes with the grief process. Many postpartum clients are discharged within 24 to 48 hours of birth; this would have no bearing on resolving the grief of a perinatal loss.

> **Cognitive Level**—*Applying*
> **Client Needs Category**—*Psychosocial integrity*
> **Client Needs Subcategory**—*None*

43.

3. A client who is being placed into bed following an open reduction of a left arm
1. A client experiencing pain at a 5 out of 10 on the pain scale
4. A client who is leaving the floor for the cardiac catheterization lab
2. A client awaiting discharge whose ride is waiting downstairs
5. A client whose family has questions regarding care

A client who is returning from surgery is assessed first. The practical/vocational nurse would assist with the assessment of the client, position the client with the arm elevated, and assess the client's pain level. The postoperative client has the most important need. Next, the nurse would assess the client having pain and possibly obtain pain medication. Once the clients with immediate needs are taken care of, the nurse would see the client leaving the floor for a cardiac procedure, complete the discharge instructions, and answer any family questions when completing client assessment rounds.

> **Cognitive Level**—*Analyzing*
> **Client Needs Category**—*Safe and effective care environment*
> **Client Needs Subcategory**—*Coordinated care*

44. 3. Performing self-care indicates that a client has progressed from denial and anger to a stage of acceptance. Wearing loose-fitting garments can be viewed as an attempt to hide the change in body image. Although showering daily and avoiding gas-forming foods are appropriate, they may only be an indication that the client is self-conscious about possible fecal odor.

> **Cognitive Level**—*Analyzing*
> **Client Needs Category**—*Psychosocial integrity*
> **Client Needs Subcategory**—*None*

45. 2. After any gastrointestinal procedure that uses barium as a contrast medium, the nurse should monitor the client's bowel elimination. Retained barium can cause constipation and even bowel obstruction. A laxative or some other method of promoting the passage of the stool is needed if elimination is delayed. The stool color appears white or chalky as barium is eliminated. Assessing the color of the client's urine and the ability to swallow and eat is unrelated to the consequences of the radiographic procedure.

> **Cognitive Level**—*Applying*
> **Client Needs Category**—*Physiological integrity*
> **Client Needs Subcategory**—*Reduction of risk potential*

46. 2. An adolescent mother who lives alone is most likely in need of financial assistance and the emotional support that various organizations, including an adolescent parenting group, can provide. The client's primipara status and previous spontaneous abortion are unrelated to her ability to care for herself and her newborn. The fact that the client continues to see the newborn's father is no guarantee that he will provide the level and type of support this young mother needs.

> **Cognitive Level**—*Analyzing*
> **Client Needs Category**—*Safe and effective care environment*
> **Client Needs Subcategory**—*Coordinated care*

47. 2. The care of clients with radioactive implants is best assigned to nonpregnant nurses because acute or chronic exposure to ionizing radiation can cause gene mutation and birth defects. All nurses—male and female, pregnant and nonpregnant—are at risk for radiation if precautions of time, distance, and shielding are not followed. Whether the nurse has attended the radiation safety in-service or is being reassigned to another unit later in the shift are topics that the charge nurse may need to know; however, they are not as important as the staff nurse's pregnancy status.

Cognitive Level—*Analyzing*
Client Needs Category—*Safe and effective care environment*
Client Needs Subcategory—*Safety and infection control*

48. 1. High-calorie finger foods are best for clients with Alzheimer disease, who find it almost impossible to sit or stand in one location for more than a few minutes. The problem is not the quantity or variety of food, the time available for eating, the client's personal preferences, or digestibility of food; rather, the underlying problem for these clients is their limited attention span and ability to concentrate on any physical task.

Cognitive Level—*Analyzing*
Client Needs Category—*Health promotion and maintenance*
Client Needs Subcategory—*None*

49. 1. To detect the presence of thrombophlebitis, the nurse has the client dorsiflex each foot separately and notes if the client experiences calf pain. The presence of calf pain is considered a positive Homans sign and needs to be reported immediately. Although palpating the pedal pulse to assess the client's distal arterial blood flow, comparing the color in the client's nail beds, and observing for evidence of guarding while walking can provide supportive evidence of thrombophlebitis, these are not the primary assessment techniques for detecting the disorder. Comparing the color in the client's nail beds helps assess if circulation is bilaterally comparable, but monitoring the temperature of the unaffected leg offers no useful comparative value in this situation.

Cognitive Level—*Applying*
Client Needs Category—*Physiological integrity*
Client Needs Subcategory—*Reduction of risk potential*

50. 2, 4, 5. A normal heart rate is between 60 and 100 beats/minute. Each impulse occurs regularly, producing a regular heart rate. The ventricles depolarize and contract to pump blood through the system. The atrioventricular (AV) node is the gatekeeper, sending impulses to the ventricles. The sinoatrial (SA) node initiates the impulse. P waves, which are the impulses from the SA node, precede the ventricular repolarization of the QRS complex. Ventricular rates, which are slower than atrial rates, are indicative of heart blocks.

Cognitive Level—*Applying*
Client Needs Category—*Physiological integrity*
Client Needs Subcategory—*Physiological adaptation*

51. 4. If the thyroid gland is manipulated preoperatively or during its surgical removal, any preoperative palpation increases the client's risk of developing thyroid crisis or storm, a life-threatening condition. An enlarged thyroid gland can compress the trachea, but that is not the basis for omitting palpation of the gland. The laryngeal nerve may be damaged during surgical removal of the thyroid gland, but palpating the thyroid preoperatively would not contribute to nerve damage. The client may experience minor discomfort if the gland is palpated, but discomfort is not a basis for omitting glandular palpation.

Cognitive Level—*Applying*
Client Needs Category—*Physiological integrity*
Client Needs Subcategory—*Reduction of risk potential*

52. 1. Missing a dose of disulfiram will not cause a drug reaction. The reaction occurs when the client ingests alcohol or applies it to the skin. To ensure that a reaction does not occur, the client must abstain from alcohol for at least 2 weeks or more after discontinuing the drug.

Cognitive Level—*Analyzing*
Client Needs Category—*Physiological integrity*
Client Needs Subcategory—*Pharmacological therapies*

53. 2. Standard precautions are followed for every client, regardless of the potential for direct contact with blood, such as when removing an I.V. device from its site. Normally, blood glucose levels are not checked after the I.V. solution is discontinued, unless the solution contained large amounts of dextrose, such as in total parenteral nutrition. Blood loss should be minimal or nonexistent when the I.V. line is discontinued. Usually, direct pressure is not needed for a prolonged period of time unless the client is receiving anticoagulant therapy.

Cognitive Level—*Analyzing*
Client Needs Category—*Safe and effective care environment*
Client Needs Subcategory—*Safety and infection control*

54. 2. When a client verbalizes or manifests symptoms of anxiety, it is best for the nurse to help the client express any concerns. Belittling fears by saying "There is no need for fear," using a reassuring cliché such as "trust me" or "you have an excellent surgeon," and giving advice such as "try to relax" are all nontherapeutic ways of communicating.

Cognitive Level—*Analyzing*
Client Needs Category—*Psychosocial integrity*
Client Needs Subcategory—*None*

55. 3. Topical anesthesia is needed when a tonometer is used to measure the pressure within a client's eyes. The anesthetic, prepared in liquid eyedrop form, makes it possible to apply the tonometer to the cornea without the client feeling as if something is touching the eye. The other assessment procedures include using a reflex hammer, a vaginal speculum, and external palpation—none of which require the application of a topical anesthetic.

Cognitive Level—*Analyzing*
Client Needs Category—*Physiological integrity*
Client Needs Subcategory—*Reduction of risk potential*

56. 3. NPH is an intermediate-acting type of insulin. The onset of action is 1 to 3 hours, and the peak effect occurs in 6 to 12 hours. Hypoglycemia can occur at the expected onset and again when the insulin level peaks. In this case, the NPH insulin should peak sometime between 1300 and 1900, during which time the nurse should assess for hypoglycemia. Therefore, checking the client's glucose level at 1500 would be most appropriate. Because the client has breakfast at 0700 and eating raises blood glucose levels, the nurse will not detect hypoglycemia at 0730. Checking for hypoglycemia at 1200 is just before the peak effect occurs. 2200 is well beyond the time for peak action to occur.

Cognitive Level—Applying
Client Needs Category—Physiological integrity
Client Needs Subcategory—Pharmacological therapies

57. 4. Bright red drainage indicates that the client is bleeding internally. Bright red drainage suggests arterial bleeding that is more serious than dark red blood, which suggests venous bleeding. Preventing life-threatening consequences depends on prompt collaboration with the health care provider. The nurse can use comfort measures to relieve a sore throat, which is not a life-threatening condition. Nausea is common after surgery or if the gastric tube is obstructed. Depending on further assessment, the nurse may administer a prescribed antiemetic or solve the reason the gastric tube may not be draining properly. On the pain scale of 0 to 10, a rating of 5 indicates moderate pain that the nurse could reduce by administering a prescribed analgesic without consulting the health care provider.

Cognitive Level—Analyzing
Client Needs Category—Physiological integrity
Client Needs Subcategory—Reduction of risk potential

58. 3. Eric Erikson describes generativity as a concern for leaving something of worth to society. Adults older than age 40 typically seek to identify a positive contribution for which they will be most remembered. For some, their legacy is having been a good parent, an upstanding citizen, or a community volunteer; for others, more tangible activities, such as writing or painting, are their legacy. A concern for future illnesses or wanting to understand medications or computer usage does not provide the sense of satisfaction and sharing of one's life.

Cognitive Level—Analyzing
Client Needs Category—Health promotion and maintenance
Client Needs Subcategory—None

59. 2. Asking about dietary practices is the most direct method among the options provided for determining if the client follows an orthodox Jewish lifestyle. Hebrew is commonly spoken by individuals who have emigrated from Israel. Reform, conservative, and orthodox Jewish men may wear a yarmulke, or skullcap, especially on the Sabbath or when attending synagogue. Many Christian men, as well as Jews, are circumcised.

Cognitive Level—Analyzing
Client Needs Category—Psychosocial integrity
Client Needs Subcategory—None

60. 1. To reduce the potential for recollapsing the lung, air is prevented from entering the opening from which a chest tube has been pulled. When the tube comes out, its sterility is compromised. If the tube is to be replaced, a new, sterile tube must be used. Holding the breath may help temporarily, but the client cannot sustain this effort. Breath sounds should be assessed, but only after the chest tube has been reinserted.

Cognitive Level—Applying
Client Needs Category—Physiological integrity
Client Needs Subcategory—Reduction of risk potential

61. 1. Fluids are restricted to a few ice chips or small sips of water. Because the nasogastric (NG) tube is connected to suction, providing oral fluids liberally would deplete electrolytes as the gastric contents are suctioned into the suction canister. The nurse must follow the health care provider's written prescription or the facility's standards for care when irrigating an NG tube. Normal saline is the solution of choice because if plain water or distilled water is used, it would deplete electrolytes as they diffuse into the watery solution. Relieving throat discomfort and providing oral hygiene are appropriate nursing care measures.

Cognitive Level—Analyzing
Client Needs Category—Safe and effective care environment
Client Needs Subcategory—Coordinated care

62. 2. The tip of the enema tubing is inserted approximately 3 to 4 in (7.5 to 10 cm) when giving an enema to an adult client. This allows the tube to enter the anal canal and pass the internal sphincter, where the solution is instilled. Introducing the tube farther may injure mucous membranes. Introducing it a shorter distance places the solution in the rectum and causes the client to expel the enema before it can be effective.

Cognitive Level—Remembering
Client Needs Category—Safe and effective care environment
Client Needs Subcategory—Safety and infection control

63. 2. Retracting the foreskin is necessary to remove secretions and prevent infection. The foreskin is replaced after the area is cleaned. The anal area is washed after the penis and scrotum are cleaned; a separate wash cloth is unnecessary. Usually, the penis is cleaned before the scrotum. The penis is washed with plain or soapy water; normal saline solution is unnecessary for this procedure.

Cognitive Level—Applying
Client Needs Category—Physiological integrity
Client Needs Subcategory—Reduction of risk potential

64. 2. Knowing a client's occupation and the type of work performed provides valuable information about whether or not to include principles of body mechanics in a teaching plan for a client with recurrent back pain. The client's age and energy level affect the strategies selected for providing the health teaching. Observing the client's gait is more medically diagnostic because if one limb is shorter than the other, it may suggest an alteration in the alignment of spinal vertebrae. Assessing the client's medications may prove helpful when developing a care plan, especially if the medications are used to treat musculoskeletal problems. However, knowledge of medications the client is taking is not as helpful as exploring the occupation of the client and the type of work performed.

> *Cognitive Level*—*Analyzing*
> *Client Needs Category*—*Physiological integrity*
> *Client Needs Subcategory*—*Reduction of risk potential*

65. 3. Talking and dealing with an anxiety-provoking experience is healthier than avoiding or suppressing it. Failing to deal with the terror of an event can also lead to posttraumatic stress disorder. Presenting a positive attitude may be helpful, but most victims can detect insincerity when others pretend to be happy in their presence. Although interacting with others who have experienced a similar traumatic event is therapeutic, socializing for the sake of socializing is not. Taking vacations and participating in pleasurable activities are forms of stress management, but they serve as distractions and delay processing the impact of a traumatic event.

> *Cognitive Level*—*Analyzing*
> *Client Needs Category*—*Psychosocial integrity*
> *Client Needs Subcategory*—*None*

66. 3. Corticosteroid therapy reduces the immunologic injury to the nephrons. As the nephrons recover, the client's urine output increases. Weight gain is a nontherapeutic effect of steroids due to altered glucose metabolism and sodium retention. Long-term and short-term high-dose therapies with corticosteroids are likely to create muscle weakness and atrophy. Blood pressure decreases from previously hypertensive levels as renal function improves.

> *Cognitive Level*—*Analyzing*
> *Client Needs Category*—*Physiological integrity*
> *Client Needs Subcategory*—*Pharmacological therapies*

67. 2. One of the best techniques for reducing a hospitalized client's anxiety is to explain procedures before performing them and offer instructions about any equipment involved in the client's care. Many hospitalized clients exaggerate the significance of common procedures and equipment and sometimes overreact to unaccustomed sights and sounds. In this case, the nurse should explain why the alarm sounded to help calm the client. Switching the infusion to gravity flow without explaining why is unlikely to relieve the client's anxiety. A tranquilizer or hypnotic medication should not be given until the results of other nursing interventions have been evaluated. Staying until the client falls asleep may be time-consuming and will keep the nurse from other nursing duties.

> *Cognitive Level*—*Applying*
> *Client Needs Category*—*Psychosocial integrity*
> *Client Needs Subcategory*—*None*

68. 1. It is not unusual for any new parent to feel frustrated and overwhelmed by parenting demands. Explaining to the adolescent that this is normal and suggesting coping methods and occasional respite from family or friends are appropriate nursing measures in this case. Suggesting that the client place the newborn for adoption is extreme given the circumstances. The information as presented does not warrant reporting the situation to child protective services. Telling the parent to be patient does not help deal with the situation at hand.

> *Cognitive Level*—*Analyzing*
> *Client Needs Category*—*Psychosocial integrity*
> *Client Needs Subcategory*—*None*

69. 3. Cleaning with soap and water is one of the best methods for reducing transmission of microorganisms. Supporting the breasts and applying warm compresses provide comfort but have no effect on preventing the transmission of microorganisms elsewhere. The entire course of antibiotics should be taken, not just until symptoms subside.

> *Cognitive Level*—*Applying*
> *Client Needs Category*—*Safe and effective care environment*
> *Client Needs Subcategory*—*Safety and infection control*

70. 2. The main reason for utilizing a sequential compression device to perform leg exercises is to promote venous circulation, thereby preventing the formation of blood clots. Leg exercises are generally used as an alternative when ambulation and activity are less than adequate. Exercise helps to maintain muscle strength, reduces dependent edema, and relieves blood congestion in varicose veins. However, these are secondary benefits of leg exercises.

> *Cognitive Level*—*Applying*
> *Client Needs Category*—*Physiological integrity*
> *Client Needs Subcategory*—*Reduction of risk potential*

71. 3. Aminophylline, a bronchodilator, is most likely to produce stimulating effects, such as restlessness, insomnia, irritability, impulsivity tachycardia, and hypertension. It is sometimes difficult to differentiate between the effects of the drug therapy and the manifestations of hypoxia. Breath sounds and respiratory effort are monitored frequently along with vital signs. Drug blood levels are monitored to evaluate a person's ability to metabolize the drug; dosages are adjusted based on the response. Client symptoms related to bradycardia, drowsiness, and hypotension are all opposite to the stimulating effects associated with aminophylline.

> *Cognitive Level*—*Applying*
> *Client Needs Category*—*Physiological integrity*
> *Client Needs Subcategory*—*Pharmacological therapies*

72. 1, 3, 4, 5. Depression is fairly common among residents in long-term care facilities. A decline in the ability to care for personal activities of daily living, loss of personal independence, and continual reminders of death and dying are typically associated with nursing home placement and subsequent depression. In addition, some residents of long-term care facilities have had earlier episodes of depression or mental illness; many suffer from chronic illnesses or pain that limits their mental and physical functioning. Inactivity rather than overstimulation is associated with depression among residents. Food and drug interactions are usually not associated with depression.

> *Cognitive Level*—*Applying*
> *Client Needs Category*—*Psychosocial integrity*
> *Client Needs Subcategory*—*None*

73. 3. Tetracycline hydrochloride is not recommended for children younger than age 8 unless its use is absolutely necessary. This family of antibiotics causes permanent yellow, gray, or brown tooth discoloration. Penicillins, cephalosporins, and aminoglycosides will not discolor a child's teeth.

> *Cognitive Level*—*Remembering*
> *Client Needs Category*—*Physiological integrity*
> *Client Needs Subcategory*—*Pharmacological therapies*

74. 4. It is best to first promote reality orientation when any client with dementia becomes confused. Disagreeing may agitate the client, interfering with the effectiveness of any provided therapy. Collaborating in the delusion by offering to call the school or indicating that a neighbor will care for the children contributes to the altered thought processes.

> *Cognitive Level*—*Applying*
> *Client Needs Category*—*Psychosocial integrity*
> *Client Needs Subcategory*—*None*

75. 2. Oxygen therapy may be prescribed for a client with emphysema, but it is used cautiously. The flow is usually 1 to 3 L/minute to maintain the oxygen saturation at 90%. High levels of oxygen are not administered because clients may rely on hypoxic drive to breathe. A low sodium diet, an exercise regimen to the client's ability, and an albuterol inhaler are all appropriate for this client.

> *Cognitive Level*—*Analyzing*
> *Client Needs Category*—*Safe and effective care environment*
> *Client Needs Subcategory*—*Coordinated care*

76. 2. When documenting an incident involving the safety and potential injury of the client, the nurse is to document only the facts of the incident in which the nurse sees. No judgment or statements from others are placed in the record. An investigation by administration may need to be completed in which further specifics of the event are obtained. Commonly, this is for institutional policy review. All of the other options include data that the nurse did not witness.

> *Cognitive Level*—*Analyzing*
> *Client Needs Category*—*Safe and effective care environment*
> *Client Needs Subcategory*—*Safety and infection control*

77. 4. The nurse's initial action is to assess the client's physical condition before attempting any change in the client's position. After examining the client, the nurse should solicit adequate help to move the client to a safer, more comfortable place, usually the bed or chair. It is appropriate to place a bed alarm device after the client is assessed. It is always important to keep the family informed as to the client's condition (within Health Insurance Portability and Accountability Act [HIPAA] or Personal Information Protection and Electronic Documents Act [PIPEDA] regulations), but this should not take priority over assessing the client for injury. After all the data are collected and the nurse provides comfort and reassurance to the client, the accident should be reported to the unit manager, risk manager, and health care provider. A written description of the accident and its outcome is recorded and kept on file in the risk management office.

> *Cognitive Level*—*Analyzing*
> *Client Needs Category*—*Safe and effective care environment*
> *Client Needs Subcategory*—*Safety and infection control*

78. 4. The best evidence of healthy parent–newborn attachment is that the parents hold, touch, and talk to their newborn. Physical contact tends to stimulate the beginning of parental love and protectiveness. It communicates comfort and security to the newborn. Being pleased with the newborn's gender is a positive sign, but it is not as indicative of the future relationship between parents and a newborn. Observing others caring for the newborn or watching from a distance is not as effective as eye-to-eye and direct skin contact in promoting bonding.

> *Cognitive Level*—*Analyzing*
> *Client Needs Category*—*Health promotion and maintenance*
> *Client Needs Subcategory*—*None*

79. 2. Metrorrhagia, vaginal bleeding between regular menstrual periods, is significant in a woman who is receiving hormonal replacement therapy because it may signal cancer, tumors of the uterus, or other gynecologic problems that require further evaluation. Bleeding between menstrual periods by a woman taking oral contraceptives is not usually serious. Dysfunctional irregular bleeding may also occur in individuals at the opposite ends of the reproductive lifespan, such as adolescents and perimenopausal women, and usually is not as much of a concern.

> *Cognitive Level*—*Applying*
> *Client Needs Category*—*Physiological integrity*
> *Client Needs Subcategory*—*Physiological adaptation*

80. 3. A sign that a client is oriented is the ability to find the appropriate room without assistance. Walking with others is not evidence that the client can independently find the dining room. The ability to dress is evidence that the client is able to perform activities of daily living but does not reflect improvement in orientation. Talking on the telephone indicates that the client has retained the ability to communicate verbally.

> **Cognitive Level**—*Analyzing*
> **Client Needs Category**—*Psychosocial integrity*
> **Client Needs Subcategory**—*None*

81. 2. A human insulin inhalation powder is approved for clients with type 1 diabetes. It is best to hold inhaled medication in the lungs for 10 seconds or longer to maximally disperse the inhaled drug throughout the lungs. Because distribution of the powder depends on the efficacy of the inhalation, clients are taught to take a rapid, deep breath when inhaling to deliver the dry powder to the lungs. Swallowing the medication fails to distribute the drug to the appropriate location for absorption. There is no ability to warm a powder. The medication is administered prior to a meal.

> **Cognitive Level**—*Applying*
> **Client Needs Category**—*Physiological integrity*
> **Client Needs Subcategory**—*Pharmacological therapies*

82. 3. The licensed practical/vocational nurse (LPN/LVN) would seek assistance from the registered nurse (RN) when there is an unexpected change in the client's condition or when a nursing action is outside of the LPN/LVN's scope of practice. In this case, a pounding headache would be of concern and warrant notification and assessment assistance of the RN. The LPN/LVN can take care of the I.V. site and determine if the site is patent or needs discontinued. Postoperative pain and nausea following chemotherapy are common and will be reported to the registered nurse.

> **Cognitive Level**—*Analyzing*
> **Client Needs Category**—*Safe and effective care environment*
> **Client Needs Subcategory**—*Coordinated care*

83. 2. Ménière disease is a disease of the inner ear that results in episodes of dizziness (vertigo), ringing in the ears (tinnitus), and hearing loss. It has no known cause, and the frequency and severity of the attacks vary. Several types of medications may be used during an acute attack. Some include central nervous system depressants, such as diazepam or lorazepam. Meclizine is an antivertigo-antiemetic drug that is commonly prescribed for motion sickness and vertigo due to vestibular disease. Acetaminophen has antipyretic and analgesic actions and is not usually used for Ménière disease. Meperidine, an opioid analgesic, is also not used for this disease. Triazolam, a benzodiazepine, is commonly prescribed for sleep, not vertigo and tinnitus.

> **Cognitive Level**—*Analyzing*
> **Client Needs Category**—*Physiological integrity*
> **Client Needs Subcategory**—*Pharmacological therapies*

84. 4. Calcium is chiefly regulated in the blood by parathyroid hormone and calcitonin (a hormone released by the thyroid). After a thyroidectomy, clients are monitored for hypocalcemia because it is possible that the parathyroid glands may have been accidentally removed. Hypocalcemia is manifested by tingling and numbness of the extremities and mouth and muscle contractions of the fingers and hands. The other choices are not related to a thyroidectomy.

> **Cognitive Level**—*Analyzing*
> **Client Needs Category**—*Physiological integrity*
> **Client Needs Subcategory**—*Physiological adaptation*

85. 3. The fingernails are trimmed to maintain skin integrity. Some health care professionals also recommend that the client wear cotton gloves to prevent opening the skin in case scratching cannot be controlled. Warm water accentuates the itching sensation. Dry cornstarch absorbs perspiration but does not relieve itching. Because jaundice is not related to an allergic reaction, using special hypoallergenic linens is inappropriate.

> **Cognitive Level**—*Applying*
> **Client Needs Category**—*Physiological integrity*
> **Client Needs Subcategory**—*Basic care and comfort*

86.

2.	Introduce yourself and explain the sequence of events.
1.	Ask the client to use the bathroom to urinate.
4.	Focus on general questions related to sexual health and reproduction.
6.	Take vital signs and obtain information about the client's last menstrual period.
5.	Have the client change into a hospital gown and offer a sheet to cover her lap.
3.	Help the client into the stirrups for the physical examination.

Completing a reproductive history and physical examination can be stressful for the client. To ease the client's anxiety and build a trusting relationship, the nurse should begin with an introduction (2) and explain the sequence of events. Next, the nurse should allow the client to use the bathroom (1), especially if the bathroom is in the hall. Next, the nurse begins collecting the client history, focusing first on general questions about sexual health and reproduction before addressing more detailed concerns (4). Then the nurse should take a set of vital signs for baseline and ask the client about her last menstrual period (6). Next, the nurse should step out of the examination room and allow the client to change into a hospital gown (5). Lastly, just before the health care provider arrives for the physical examination, the nurse helps the client into the stirrups (3).

> **Cognitive Level**—*Applying*
> **Client Needs Category**—*Health promotion and maintenance*
> **Client Needs Subcategory**—*None*

87. 1, 2, 6. A client with hyperparathyroidism is prone to forming kidney stones. Therefore, keeping the urine dilute and promoting frequent urinary elimination by providing a high fluid intake help reduce the potential for stone formation. Hypercalcemia also increases the risk of cardiac arrhythmias and calcification around the surfaces of articular joints. Taking vital signs hourly is extreme unless the client begins to become symptomatic for arrhythmias. Muscle spasms are common in clients with hypocalcemia, not hypercalcemia. Low blood sugar is not associated with hyperparathyroidism.

Cognitive Level—*Applying*
Client Needs Category—*Physiological integrity*
Client Needs Subcategory—*Physiological adaptation*

88. **1, 5, 6.** An aneurysm is the ballooning or dilation of a blood vessel as a result of a weakness in the vessel wall. The aorta is commonly affected by high blood pressure. Smoking and age are other factors related to an abdominal aortic aneurysm. When the descending aorta develops an aneurysm, an examiner may feel a pulsating abdominal mass. Other signs and symptoms include mild midabdominal or back pain, peripheral emboli, and cool, cyanotic extremities. Extra heart sounds are associated with disorders of the conduction system or heart failure, not abdominal aortic aneurysms. Uneven chest movements are more often a sign of a pneumothorax or flail chest. Hollow sounds are normal assessment findings when percussing most areas of the abdomen.

Cognitive Level—*Applying*
Client Needs Category—*Physiological integrity*
Client Needs Subcategory—*Physiological adaptation*

89. **2.** Cocaine is a central nervous system stimulant that increases blood pressure and heart rate and causes cardiac arrhythmias. Any or all of these cardiovascular effects can result in chest pain, tachycardia, or palpitations in an otherwise young, healthy person. Opioids, including heroin, barbiturates, and marijuana, are central nervous system depressants that are more likely to cause bradycardia and hypotension.

Cognitive Level—*Applying*
Client Needs Category—*Physiological integrity*
Client Needs Subcategory—*Pharmacological therapies*

90. **1.** If a pulse oximeter is not used, a heart rate that remains within 60 to 100 beats/minute is within normal limits, indicating that the client is adequately oxygenated and not suffering from hypoxia. Tachycardia, bounding pulses, and arrhythmias are warning signs of oxygen deprivation. Noting the client's alertness is not the best method for evaluating the client's oxygenation status during suctioning. Normal capillary refill is about 3 seconds, not 5.

Cognitive Level—*Analyzing*
Client Needs Category—*Physiological integrity*
Client Needs Subcategory—*Physiological adaptation*

91. **4.** The nurse has an ethical and legal responsibility to protect the confidentiality of the person who is human immunodeficiency virus (HIV) positive. When persons test positive for HIV, they are provided counseling and education concerning measures for preventing its transmission. Legally, HIV-infected persons are required to divulge their infectious status to any and all potential sex partners. When safe sex practices and blood and body fluid precautions are followed, it is possible to prevent transmission of HIV from an infected person to a noninfected person. All of the remaining options are inappropriate.

Cognitive Level—*Analyzing*
Client Needs Category—*Safe and effective care environment*
Client Needs Subcategory—*Coordinated care*

92. **1.** Early decelerations are usually benign and require no intervention. However, the nurse should continue to monitor the client to detect the presence of late decelerations, a more serious condition that requires intervention. If late decelerations occur, the nurse should turn the client to a side-lying position, elevate the legs, and notify the health care provider.

Cognitive Level—*Analyzing*
Client Needs Category—*Health promotion and maintenance*
Client Needs Subcategory—*None*

93. **4.** Buzzing, or tinnitus (ringing in the ears), is a common adverse effect experienced by individuals who take large, frequent doses of aspirin. Gastrointestinal upset and prolonged bleeding are other adverse effects associated with aspirin. Racing thoughts, polyuria, and diarrhea are not associated with aspirin use.

Cognitive Level—*Applying*
Client Needs Category—*Physiological integrity*
Client Needs Subcategory—*Pharmacological therapies*

94. **1.** The combination of alcohol and a minor tranquilizer can cause central nervous system and respiratory depression. Many people have died accidentally or purposely when these two drugs are mixed. Generally, minor tranquilizers are given in low doses for short periods of time while an individual develops other effective coping techniques. Benzodiazepines such as alprazolam cause drowsiness rather than insomnia. Blood tests are generally unnecessary to monitor the effectiveness of benzodiazepine drug therapy.

Cognitive Level—*Analyzing*
Client Needs Category—*Physiological integrity*
Client Needs Subcategory—*Pharmacological therapies*

95. **1.** The most common diagnostic tests for pneumonia are a complete blood count (CBC) (with white blood cell count) and a chest x-ray. Other diagnostic and laboratory tests used to establish a diagnosis include a sputum culture and Gram stain, arterial blood gas studies, pulse oximetry, blood cultures, and a bronchoscopy. Pulmonary function tests, hemoglobin and hematocrit, electrolyte levels, and lung computed tomography scan are not used to diagnose pneumonia but may be used to diagnose other pulmonary disorders.

Cognitive Level—*Applying*
Client Needs Category—*Physiological integrity*
Client Needs Subcategory—*Reduction of risk potential*

96. 2. Frequently turning a client with a wet plaster cast helps to dry the complete circumference of the cast. The room would need to be heated to an uncomfortably high temperature to have a significant effect on drying the cast. Manually fanning the cast is tedious and time-consuming. It would be impractical to take a client outside in the sun to dry a plaster cast.

>*Cognitive Level*—*Applying*
>*Client Needs Category*—*Physiological integrity*
>*Client Needs Subcategory*—*Basic care and comfort*

97. 3. When a pregnant client says that breathing is eased, it is an indication that lightening has occurred. This means that the fetus has settled into the pelvic inlet. Laypersons often remark that the "baby has dropped." Multipara clients may not experience this phenomenon until just before or during true labor. Urination generally increases with lightening because of the pressure exerted by the fetus on the bladder. Lightening may increase the incidence of backaches due to the descent of the fetus and relaxation of the pelvic joints before delivery. Braxton Hicks contractions are irregular, weak uterine contractions. When these contractions become more noticeable, they indicate impending labor.

>*Cognitive Level*—*Applying*
>*Client Needs Category*—*Health promotion and maintenance*
>*Client Needs Subcategory*—*None*

98. 1. Seeing the chest rise is the best evidence that rescue breathing is being performed appropriately. A rising chest indicates that the airway is open and no air is leaking from the victim's nose or mouth. It also indicates that the rescuer is administering a sufficient volume of air. Dilated pupils are a sign that the brain is not receiving adequate oxygenation. A pulse indicates that cardiac compressions are unnecessary. The rescuer needs to seal or cover both the nose and the mouth.

>*Cognitive Level*—*Analyzing*
>*Client Needs Category*—*Physiological integrity*
>*Client Needs Subcategory*—*Physiological adaptation*

99. 3. If a rectal tube has not brought relief after about 20 minutes, it is best to remove the tube temporarily and reinsert it a few hours later to allow the gas to travel farther down the large intestine. Rotating a rectal tube or replacing the tube with a larger one does not increase its effectiveness. If a rectal tube is already inserted correctly beyond the internal rectal sphincter, inserting it farther will not improve the potential for relieving abdominal distention.

>*Cognitive Level*—*Analyzing*
>*Client Needs Category*—*Physiological integrity*
>*Client Needs Subcategory*—*Basic care and comfort*

100. 4. One of the side effects of phenytoin is gingival hyperplasia. Therefore, attention to good oral hygiene is required. Phenytoin does not require additional fluid intake. Weight gain rarely occurs when taking this medication; therefore, daily weights are not necessary.

To adequately control seizures, the client must take the prescribed dosage daily. It must never be tapered without a health care provider's prescription.

>*Cognitive Level*—*Applying*
>*Client Needs Category*—*Physiological integrity*
>*Client Needs Subcategory*—*Pharmacological therapies*

101. 3. When the client is immunocompromised and mixed with the general population of the hospital, it is best to place a mask on the client's face to prevent air-borne transmission of infectious agents. Having the client or nurse wear a gown and gloves protects if an infectious agent comes in contact with the hands or clothes. Hand hygiene is a standard of care to be performed prior to interacting with all clients. Cleaning equipment is important but is not a main way of obtaining an infection. The elevator type is not a main concern in infection transmission.

>*Cognitive Level*—*Analyzing*
>*Client Needs Category*—*Safe and effective care environment*
>*Client Needs Subcategory*—*Safety and infection control*

102. 1. A stage 1 pressure injury indicates a redness to the intact skin indicating a pressure injury. To relieve pressure to the injury, it is most beneficial for the client to be repositioned every 2 hours. Good skin care includes a regular bath with lotion to the skin. Massage is not typically encouraged over the site. There would not be a dressing as there is no break to the skin integrity.

>*Cognitive Level*—*Applying*
>*Client Needs Category*—*Physiological integrity*
>*Client Needs Subcategory*—*Basic care and comfort*

103. 1. Potassium levels are normally between 3.5 mEq/L and 5.0 mEq/L (3.5 mmol/L and 5.0 mmol/L). Because the potassium level is less than 3.5 mEq/L (3.5 mmol/L), it is considered hypokalemia. Furosemide is a diuretic that depletes potassium. Therefore, the nurse should monitor the client's potassium daily. All of the other laboratory test values listed are within normal limits.

>*Cognitive Level*—*Analyzing*
>*Client Needs Category*—*Physiological integrity*
>*Client Needs Subcategory*—*Reduction of risk potential*

104. 2. Neonates who are born with fetal alcohol spectrum disorder tend to be extremely irritable at birth. It is correct to use all assessment data to identify a source of the irritability. As they mature, they may develop disorders characterized by hyperactivity. Lethargy, flaccidity, and jaundice are not exhibited by neonates with fetal alcohol spectrum disorder.

>*Cognitive Level*—*Applying*
>*Client Needs Category*—*Psychosocial integrity*
>*Client Needs Subcategory*—*None*

105. 2. One of the best ways to quantify the client's subjective response to a medication is to use some form of rating scale. The heart rate and blood pressure may be lowered with antianxiety medication, but that does not help evaluate the client's perception. The other assessment techniques are too vague to be significant.

> **Cognitive Level**—*Analyzing*
> **Client Needs Category**—*Physiological integrity*
> **Client Needs Subcategory**—*Pharmacological therapies*

106. 1. Although it is therapeutic to involve a client with a change in body image during care, acceptance of the change in body image cannot be rushed. Therefore, it is best for the nurse to accept the client's behavior and choice without judgment. This shows respect for the individual's unique effort to cope. In the early postoperative period, it is premature to suggest that the client needs professional counseling to adjust. How the nurse would deal with the same circumstance is immaterial. Saying that the stump does not look that bad is an evaluative statement based on the nurse's experience.

> **Cognitive Level**—*Analyzing*
> **Client Needs Category**—*Psychosocial integrity*
> **Client Needs Subcategory**—*None*

107. 1. Postural drainage is performed before eating or after consumed food has left the stomach. Done on a full stomach, the positioning, coughing, or expectorating may cause the person to feel nauseated and vomit. Vomiting may result in aspiration. Postural drainage is performed according to a scheduled routine to mobilize secretions, not just when an individual feels short of breath or is actively coughing. Although the respiratory therapist is consulted when planning postural drainage, this is not the deciding factor as to when it takes place.

> **Cognitive Level**—*Analyzing*
> **Client Needs Category**—*Physiological integrity*
> **Client Needs Subcategory**—*Reduction of risk potential*

108. 3. The earliest signs of hypoxia are manifested by behavioral changes, such as restlessness, apprehension, anxiety, decreased judgment, and drowsiness. As hypoxia progresses, the nurse typically observes dyspnea, tachypnea, and tachycardia. The client's blood pressure may become elevated due to anxiety. Cyanosis is one of the last signs the nurse is likely to observe in a client who is hypoxic.

> **Cognitive Level**—*Applying*
> **Client Needs Category**—*Physiological integrity*
> **Client Needs Subcategory**—*Physiological adaptation*

109. 4. Maintaining cleanliness is of highest priority after a perineal prostatectomy because the client is at high risk for wound infection from organisms present in stool. Straining during defecation is contraindicated; therefore, performing the Valsalva maneuver (bearing down against a closed glottis) is inappropriate. A high Fowler position can contribute to discomfort in the perineal incisional area. Laxatives are generally too harsh for prophylactically maintaining comfortable stool elimination.

> **Cognitive Level**—*Applying*
> **Client Needs Category**—*Safe and effective care environment*
> **Client Needs Subcategory**—*Safety and infection control*

110. 1, 2, 4, 6. The Health Insurance Portability and Accountability Act (HIPAA)/Personal Information Protection and Electronic Documents Act (PIPEDA) provides guidelines to protect a client's health information. In this case, there were four responsible parties: the nurse that found the violation but did not correct it, the nurse's coworker who left the terminal unattended while still logged on, the manager of the unit who has 24-hour accountability for the employees of the department, and, ultimately, the facility where both nurses work. In this case, the visitor is not responsible for the violation because HIPAA/PIPEDA regulations only pertain to health care providers. Fortunately, the health care provider is not involved in this situation.

> **Cognitive Level**—*Applying*
> **Client Needs Category**—*Safe and effective care environment*
> **Client Needs Subcategory**—*Coordinated care*

111.

4. Assist the registered nurse (RN) in obtaining informed consent for the blood transfusion.
2. Assist the registered nurse (RN) in gathering supplies to start an I.V. line using an 18-gauge needle.
3. Identify the client with a licensed coworker at the bedside.
1. Monitor vital signs at 15-minute to hourly intervals during the infusion.
5. Assist the registered nurse (RN) in infusing the blood within 4 hours.
6. Dispose of the blood bag and tubing in a biohazard container.

Before the transfusion, the client must sign an informed consent that provides the risks and benefits of the transfusion (4). After the informed consent is obtained, blood for type and crossmatch should be drawn, and the blood requisition should be completed and sent to the blood bank. Before the transfusion, an 18-gauge or 20-gauge I.V. line must be started with normal saline solution infusing (2). Once the blood is ready for transfusion and is present on the unit, the client must be identified at the bedside by two licensed nurses. These two nurses will also compare the information on the blood bag with that of the printed blood bank requisition and compare it to the client's arm bracelet (3). Vital signs must be taken at the beginning of the transfusion for baseline, after 15 minutes, and then according to facility policy (1). To prevent bacterial growth, blood must be infused within 4 hours of being started (5). After the blood has been infused, the blood bag and tubing should be disposed into a biohazard container (6).

> **Cognitive Level**—*Applying*
> **Client Needs Category**—*Safe and effective care environment*
> **Client Needs Subcategory**—*Safety and infection control*

112. 3. The most common cause of a hernia is performing an activity that increases intra-abdominal pressure, such as lifting heavy objects. Increasing intra-abdominal pressure causes the intestine to protrude through areas in the abdominal musculature that are structurally weak. There is no correlation between having an umbilical hernia as a child and having an inguinal hernia as an adult. Inactivity plays a role in weakening abdominal muscles; however, in this situation, the client's hernia is most likely due to heavy lifting. Being underweight is not a factor related to inguinal hernias.
Cognitive Level—*Applying*
Client Needs Category—*Physiological integrity*
Client Needs Subcategory—*Physiological adaptation*

113. 2. Respiratory syncytial virus (RSV) is highly contagious and is spread by droplet contamination. It is associated with lower respiratory tract infections (bronchiolitis and pneumonia) in children younger than age 2. Hospitalization is usually required with RSV, and the main goal is to assist the child to breathe. An immune assay enzyme test to confirm RSV infection requires a specimen of nasal secretions. Throat swabs, sputum specimens, and blood specimens are not used to perform this particular diagnostic test.
Cognitive Level—*Analyzing*
Client Needs Category—*Physiological integrity*
Client Needs Subcategory—*Reduction of risk potential*

114. 2, 6. The car seat for a newborn should be tethered to a stationary area of the car, such as a hook on the floor. Correct car seat placement includes placing the seat in the rear seat and in a rear-facing position. In the event of an accident, a newborn's head, being large in size, can be thrown forward causing brain and neck damage if not in the correct, rear-facing position. Research has shown that this is the safest position. Even though it is helpful to have the mother seated beside the car seat, this is not required.
Cognitive Level—*Understanding*
Client Needs Category—*Safe and effective care environment*
Client Needs Subcategory—*Safety and infection control*

115. 3. The described symptoms are typical of a hypoglycemic reaction. Therefore, a normal nonfasting blood glucose level between 70 and 110 mg/dL (3.9 and 6.1 mmol/L) is the best evidence that hypoglycemia has been corrected. The blood pressure is generally within normal limits or increased during hypoglycemia because of anxiety and adrenaline secretion. Assessing the blood pressure or skin temperature is not as valuable in determining the client's response to the nursing intervention. (Clients who perspire during a hypoglycemic reaction usually have skin that is cool and moist; the return to a warm temperature may be an indicator of other things, not just response to treatment.) Objective data such as blood glucose levels

are more accurate than having the client verbalize feeling better.
Cognitive Level—*Analyzing*
Client Needs Category—*Physiological integrity*
Client Needs Subcategory—*Physiological adaptation*

116. 2. Oral contraceptives containing estrogen place individuals taking them at risk for thromboembolic disease. The risk of blood clot formation is from 3 to 11 times higher with this form of birth control than with other birth control measures. A history of blood clots is generally a contraindication to taking oral contraceptives. Iron supplements, nasal decongestants, and antacids do not promote the formation of blood clots.
Cognitive Level—*Analyzing*
Client Needs Category—*Physiological integrity*
Client Needs Subcategory—*Pharmacological therapies*

117. 1. After a transurethral resection of the prostate (TURP), men experience retrograde ejaculation. That is, ejaculation is dry during orgasm. Semen is deposited within the bladder. The first voiding after intercourse is likely to appear cloudy because it contains the seminal fluid and sperm. Because of this change in physiology, men can expect to be unable to impregnate a sexual partner. Despite retrograde ejaculation, after a TURP, men experience orgasms, achieve erections during sexual excitement, and maintain normal libidos.
Cognitive Level—*Analyzing*
Client Needs Category—*Health promotion and maintenance*
Client Needs Subcategory—*None*

118. 2. Naloxone sodium is used to antagonize the effects of opioids. It works by reversing the depressive effects of the central nervous system and respiratory system. Naloxone hydrochloride is now a common home medication for use with opioid dependent individuals by their family and friends. The antidote for an overdose of heparin is protamine sulfate. Vitamin K is the antidote for warfarin overdose. Calcium gluconate is given to treat tetany or as the antidote for magnesium overdose when magnesium levels are toxic in pregnancy-induced hypertension (PIH).
Cognitive Level—*Applying*
Client Needs Category—*Physiological integrity*
Client Needs Subcategory—*Pharmacological therapies*

119. 1, 3, 5. Cultural information can be invaluable when providing care for clients who are of a different culture, ethnicity, or religion. Therefore, performing a comprehensive cultural assessment will improve the client's care. Assessment of the client's food preferences is important because eating is important to recovery. Food preferences and diet may also be the cause of the disorder. The client's primary language and ability to speak and understand treatment goals and discharge instructions are important for the nurse to assess. Assessing language also provides information about whether an interpreter might be needed during the hospitalization. The client's religion is important to assess because of its possible prevalence in the client's daily life and current health practices and beliefs. Bodily functions, such as bowel movements, urination, and menstruation, are sensitive topics that most clients from a different culture are reluctant to discuss with the nurse during the initial admission assessment. Breast and penis or scrotal diseases as well as reproductive disorders are also topics that may be embarrassing for the client to discuss (especially if the client's language skills are inadequate or the client's understanding of the language is limited).

Cognitive Level—*Analyzing*
Client Needs Category—*Psychosocial integrity*
Client Needs Subcategory—*None*

120. 3. Although computer documentation is by data entry rather than on paper, computerized charting is still considered a legal medical record and can be subpoenaed in court. A nurse's ID and password are secure and private and should never be shared under any circumstance. The nurse should call technical support, explain that access has been denied, and have technical support assist with regranting access to the password and ID. Forgoing documentation is not appropriate because if an action was not documented, it was not done. Computers should never be left on and unattended, and the nurse should never attempt to use one that is. In addition, the nurse should never use or ask to use anyone else's password or ID to gain access to the computer. These actions are grounds for disciplinary action in most institutions.

Cognitive Level—*Applying*
Client Needs Category—*Safe and effective care environment*
Client Needs Subcategory—*Coordinated care*

121. 1. Measures should be taken to minimize crying because excessive crying increases oxygen demand, which increases cardiac workload. The infant should be placed in semi-Fowler position. Holding is encouraged to decrease the infant's anxiety and cardiac workload. The infant is fed using a soft nipple with a large hole to decrease the effort required to suck.

Cognitive Level—*Analyzing*
Client Needs Category—*Physiological integrity*
Client Needs Subcategory—*Reduction of risk potential*

122. 1. Infection control is the priority at this time. Instruction is given to prevent respiratory infection and complications in the incision site. Common instruction includes limiting visitors, keeping the infant indoors and away from crowds, and maintaining a clean and dry incision. While it may be good to limit excitement and keep normal routines, this is not the priority. Infants are not placed on their stomach to sleep.

Cognitive Level—*Analyzing*
Client Needs Category—*Safe and effective care environment*
Client Needs Subcategory—*Safety and infection control*

123. 1, 2, 4. Enoxaparin is an anticoagulant that, when prepackaged, contains a nitrogen bubble that must be left intact in the syringe (not expelled before giving). Its purpose is to propel the medication deeper into the tissue, thereby minimizing bruising. Bruising is also minimized if the medication is not allowed to run down the sides of the needle, as would happen if the needle was pointed up toward the ceiling. Bruising will also be minimized if the nurse flicks the drop of enoxaparin from the tip of the needle before injecting it. In addition, the client should be instructed to avoid rubbing the site for at least an hour after administration. Firm direct pressure to the injection site will cause bruising. Direct pressure should only be done when prolonged bleeding occurs, but should not be evident with subcutaneous injections. Enoxaparin is given at a 90-degree angle, usually into the abdomen, where faster absorption of the medication is possible.

Cognitive Level—*Analyzing*
Client Needs Category—*Physiological integrity*
Client Needs Subcategory—*Pharmacological therapies*

124. 3, 4, 5. The unlicensed assistive personnel is able to disinfect the blood pressure cuffs, stock rooms with gloves, and erect educational signs for the public. Nurses must screen clients and do client and family instruction.

Cognitive Level—*Applying*
Client Needs Category—*Safe and effective care environment*
Client Needs Subcategory—*Coordinated care*

125. 1, 2, 3, 4, 6. The Emergency Medical Treatment and Active Labor Act (EMTALA) requires hospitals and ambulance services to provide care to anyone who requires emergency medical treatment regardless of that person's ability to pay. EMTALA applies when an individual with a medical emergency comes to the emergency department. It does not pertain to clients who are classified as inpatients. An emergency medical condition is when a client has acute symptoms of sufficient severity that absence of immediate medical attention could jeopardize the client's health, impair body function, result in dysfunction to an organ, or cause pain. The types of clients that warrant emergent medical treatment include clients with psychiatric disturbances; clients who have a history of substance use disorders or have been victims of sexual, physical, or mental abuse; clients who are a threat to themselves or others; and clients who demonstrate aggressive or violent behavior, attempted suicide, depression, or the inability to perceive danger. Other circumstances that constitute emergent medical conditions involve pregnant women who are in labor. EMTALA pertains when there is not adequate time to transfer to another hospital or the transfer poses a threat to the woman or her unborn child. If a client has an emergent medical condition, the hospital must stabilize the client within the capability of the hospital before transferring to another institution or discharging.

Cognitive Level—*Applying*
Client Needs Category—*Safe and effective care environment*
Client Needs Subcategory—*Coordinated care*

126. 2. Removing moisture from the newborn's body will prevent heat loss by evaporation, which occurs when a liquid is converted to a vapor. Wrapping an infant in a warmed blanket prevents heat loss by conduction, which occurs if the newborn's skin comes into direct contact with a cold surface or object. Positioning the crib away from outside windows on cold days prevents heat loss by radiation, which occurs if the newborn is placed near cold objects. Positioning the crib away from air conditioning vents prevents heat loss by convection, which occurs if the newborn comes into contact with cold moving air.

> *Cognitive Level—Applying*
> *Client Needs Category—Health promotion and maintenance*
> *Client Needs Subcategory—None*

127. 3. Gestational diabetes usually does not persist after birth of the newborn. Some women who have had gestational diabetes develop type 2 (non–insulin-dependent) diabetes mellitus, but this is not usually the case. Gestational diabetes is present only during pregnancy; therefore, it could not be present in the client's childhood. Oral hypoglycemics are not given during pregnancy because they may harm the fetus. Women who have diabetes during pregnancy are more prone to having large-for-gestational age babies.

> *Cognitive Level—Analyzing*
> *Client Needs Category—Physiological integrity*
> *Client Needs Subcategory—Physiological adaptation*

128. 2. It is the client's right to have a copy of his or her records and the records transferred to another health care provider. The nurse is most correct to comply with the client's request and obtain who and where the records are to go. The other options are not necessary to comply with the client's request.

> *Cognitive Level—Analyzing*
> *Client Needs Category—Safe and effective care environment*
> *Client Needs Subcategory—Coordinated care*

129. 1. Head trauma resulting in long-term brain changes increases the risk of seizure disorder by approximately 50%. No correlation is noted between drug use and a seizure disorder. Seizures may accompany meningitis especially when there is a high fever, but there is only a 4% to 10% possibility that a seizure disorder would follow recovery from meningitis. A seizure is not related to spinal cord trauma.

> *Cognitive Level—Applying*
> *Client Needs Category—Health promotion and maintenance*
> *Client Needs Subcategory—None*

130. 2. Children at this age are magical thinkers and enjoy pretend play. As they grow older and begin interacting more with other children, their interest in pretend play decreases. Six-year-old children commonly are very busy, boisterous, and bossy; are sensitive to criticism; and usually have short attention spans, demonstrated by beginning one or more tasks but rarely completing them.

> *Cognitive Level—Applying*
> *Client Needs Category—Health promotion and maintenance*
> *Client Needs Subcategory—None*

131. 2. The unlicensed assistive personnel (UAP) is able to document health care data in the hall as long as the data are documented and then removed from public view. Client diagnosis should not be in public view even on a common diet sheet. The UAP must be careful not to divulge any abnormalities or ask personal questions in front of others. It is not known the relationship between the client and others in the room.

> *Cognitive Level—Analyzing*
> *Client Needs Category—Safe and effective care environment*
> *Client Needs Subcategory—Coordinated care*

132. 2. Multidisciplinary care is best represented by all health care areas working together for the good of the client. The best option includes when the nurse and respiratory therapist are working together to not duplicate activities such as rolling or undressing. Completing each other's tasks or independently completing tasks does not minimize the care needed.

> *Cognitive Level—Applying*
> *Client Needs Category—Safe and effective care environment*
> *Client Needs Subcategory—Coordinated care*

Comprehensive Test 2

■ Test Taking Strategies
■ Correct Answers and Rationales

Directions: With a pencil, blacken the space in front of the option you have chosen for your correct answer.

1. A nurse is caring for a client with epigastric pain. When reviewing the medications prescribed and rationale, which symptom-producing, over-the-counter medication is listed?

[ ] **1.** Magnesium hydroxide suspension, which the client takes for constipation

[ ] **2.** Aspirin, which the client takes for arthritis

[ ] **3.** Nighttime cold and flu medication (combination containing acetaminophen, dextromethorphan, doxylamine, and pseudoephedrine), which the client takes to fall asleep

[ ] **4.** Diphenhydramine, which the client takes for allergy symptoms

2. A client is newly diagnosed with mild cognitive impairment. Which intervention is best at this time?

[ ] **1.** Place the client on a strict routine.

[ ] **2.** Encourage socially engaging activities.

[ ] **3.** Develop behavior modification strategies.

[ ] **4.** Instill safety equipment within the home.

3. When planning a diet high in iron for a pregnant client, what lunch is **best**?

[ ] **1.** Pizza with an iceberg lettuce salad

[ ] **2.** Ham salad sandwich and an apple

[ ] **3.** Turkey and Swiss cheese with lettuce

[ ] **4.** Strawberry spinach salad with breadstick

4. The pediatric licensed practical nurse is called to the emergency department to care for a 3-year-old critically ill preschooler in which the staff is having difficulty obtaining an intravenous line. When leading the team, what nursing suggestion provides the **best** chance of initiating medication quickly into the preschooler?

[ ] **1.** Use a ventrogluteal intramuscular site.

[ ] **2.** Obtain a liquid dose for oral administration.

[ ] **3.** Place the preschooler under anesthesia to insert an intravenous line.

[ ] **4.** Use the femur for an intraosseous site.

5. The postpartum nurse is reviewing the health care provider's prescriptions for a bisacodyl suppository. If the nurse is caring for these postpartum clients, for what client would the nurse need the health care provider's prescription clarified?

[ ] **1.** A client who has hemorrhoids

[ ] **2.** A client who is breastfeeding

[ ] **3.** A client who has a third-degree perineal tear

[ ] **4.** A client who had a vacuum extraction birth

6. A client with abdominal pain has been diagnosed with gallstones. When the client has concerns of treatment with extracorporeal lithotripsy, what nursing instruction is **most accurate**?

[ ] **1.** "The gallstones will be dissolved with strong chemicals."

[ ] **2.** "The gallstones will be pulverized with shock waves."

[ ] **3.** "The gallstones will be removed using a special endoscope."

[ ] **4.** "The gallstones are bound to a sticky resin."

7. A client who is 4 months' pregnant states that she lives on a limited income and has a problem purchasing enough meat to supply sufficient protein for the diet. What food can the nurse recommend to supplement the client's meat source?

[ ] **1.** Broccoli
[ ] **2.** Cauliflower
[ ] **3.** Fortified cereal
[ ] **4.** Dried beans

8. When teaching a postmenopausal client about the clinical guidelines for breast self-awareness, what instruction by the nurse is **most accurate**?

[ ] **1.** "Examine the look of your breasts weekly."
[ ] **2.** "Have a yearly mammogram."
[ ] **3.** "Schedule an annual ultrasound."
[ ] **4.** "Perform a monthly self-breast examination."

9. The urine of a client who is 6 months' pregnant tests positive for albumin. What other assessment data would be essential to report to the health care provider?

[ ] **1.** Temperature
[ ] **2.** Blood pressure
[ ] **3.** Heart rate
[ ] **4.** Respiratory pattern

10. The nurse is reviewing the chart of a client before making a home visit. After analyzing this data from the previous visit, what assessment question is a **priority**?

Notes

Documented At:

| 9/17 | 0900 | ❓ |

Additional Notes

> Client unusually confused and agitated. Appetite poor. Previous 24 hours intake: 780 mL; output: 950 mL. Yellowish tone to skin. Lungs clear. Heart rate: 84 beats/min and regular. Blood pressure: 128/74 mm Hg. Temperature: 98.8°F (37.1°C). Denies chest pain, 1+ pitting edema in lower extremities.

[ ] **1.** "Is the client tolerating a balanced diet?"
[ ] **2.** "Did the client sleep throughout the night?"
[ ] **3.** "When was the client's last bowel movement?"
[ ] **4.** "How many times did the client void yesterday?"

11. The nurse receives a report on neonates in the newborn nursery. The licensed practical nurse (LPN) documents these neonatal assessment data. After reporting the vital signs to the registered nurse (RN), what action would the nurse complete **first**?

Vital Signs

| Add New Vital Signs Order | Acknowledge Pending Orders |

Vital Sign Name	Time Taken	Vital Sign Result
Temperature	1300	96.4°F (35.8°C)
Heart rate	1300	152 beats/min while crying
Respiratory rate	1300	42 breaths/min
Blood pressure	1300	70/42 mm Hg

[ ] **1.** Administer prescribed oxygen.
[ ] **2.** Initiate cardiac monitoring.
[ ] **3.** Place under the infant warmer.
[ ] **4.** Call the health care provider.

12. A client had a hysterectomy 10 hours ago. The nurse assesses the client and finds that her blood pressure has dropped from 136/84 to 104/64 mm Hg abruptly. What action by the nurse is **most appropriate** at this time?

[ ] **1.** Continue to monitor the blood pressure every 15 minutes.
[ ] **2.** Document the information on the client's chart.
[ ] **3.** Inform the health care provider about the client's condition.
[ ] **4.** Change the client to Fowler position.

13. A postoperative client following a transurethral prostatectomy (TURP) is instructed to drink eight ounces of water every hour while awake. What assessment data confirm that the goal of increasing fluids is met?

[ ] **1.** The urinary catheter is unobstructed.
[ ] **2.** The urine specific gravity is 1.1.
[ ] **3.** The client is able to void a steady stream.
[ ] **4.** The client reports no dysuria.

14. The health care provider performs a vaginal examination on a client who is at 40 weeks' gestation and states that the client is entering the second stage of labor. At this time, the nurse should gather what equipment?

[ ] **1.** A fetal monitor
[ ] **2.** A warm Isolette
[ ] **3.** A syringe for dexamethasone
[ ] **4.** Enema tubing

15. When a female client requires urinary catheterization, where should the nurse insert the catheter? Indicate the correct location on the diagram with an *X*.

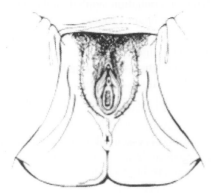

16. A resident of a long-term care facility has a history of repeated falls after attempting to get up from the wheelchair. What instruction to the nursing team is **most appropriate** to prevent further client falls?
[ ] **1.** "Use a sheet to tie the client to the wheelchair."
[ ] **2.** "Keep the client within view at all times."
[ ] **3.** "Assess client needs on a frequent basis."
[ ] **4.** "Let me know if the client needs to be sedated."

17. The nurse is assessing for side effects from the administration of a dose of penicillin. What assessment finding best justifies withholding the next I.M. administration of penicillin until consulting the prescribing health care provider?
[ ] **1.** The client states that the injection sites are painful.
[ ] **2.** The client shows the nurse a red, itchy rash.
[ ] **3.** The client's body temperature is 100°F (37.8°C).
[ ] **4.** The client reports a sore mouth.

18. The admitting nurse documents a gastrointestinal assessment of dietary intake and the elimination of dry, hard stools every 3 days. What information is **most likely** to contribute to the client's bowel movement pattern?
[ ] **1.** The client eats five daily servings of fresh vegetables.
[ ] **2.** The client eats breakfast cereal with skim milk daily.
[ ] **3.** The client drinks four glasses of liquids per day.
[ ] **4.** The client substitutes grains and beans for meat.

19. The nurse is assigned six clients during the afternoon shift on a medical-surgical unit. After receiving handoff on these clients, arrange the clients in the **most appropriate** order for nursing assessment. Use all options.

1. A young adult who has been given discharge instructions but is awaiting a ride
2. A new postoperative client being transferred by the unlicensed assistive personnel into a bed
3. An older adult client admitted with unstable angina who reports sternal chest pain
4. An adult who is awaiting transport to the operating room for surgery in 1 hour
5. A client with an afternoon blood sugar reading of 285 mg/dL (15.8 mmol/L)
6. A client with history of gallstones reporting abdominal pain of 7 out of 10

20. The licensed practical/vocational nurse (LPN/LVN) is working with a registered nurse (RN) and an unlicensed assistive personnel (UAP) utilizing the team nursing concept. When discussing client assignment, which client(s) should be assigned to the LPN/LVN? Select all that apply.
[ ] **1.** An older adult client with history of diabetes who requires q.i.d. blood glucose readings and insulin administration with sliding scale coverage.
[ ] **2.** A 6-year-old client returning from the operating room following an appendectomy who is crying, stating pain, and asking for a parent.
[ ] **3.** A young adult client with a sprained ankle who is requesting pain medication and is learning to use crutches.
[ ] **4.** A 60-year-old client with sternal pain radiating to the right shoulder and jaw.
[ ] **5.** A client with pneumonia who is receiving breathing treatments and I.V. antibiotics.

21. During a home health visit, the nurse asks the parents of a 7-year-old child to describe how they give the child's medication through a gastrostomy tube. What response by the parents indicates the need for additional teaching?
[ ] **1.** "We crush the medication into a fine powder and mix it with 30 mL of warm water."
[ ] **2.** "Before giving the medication, we flush the tube with 50 mL of water."
[ ] **3.** "We mix the medication into the bag of tube-feeding formula before instilling it."
[ ] **4.** "We flush the tube with 50 mL of water after administering the medication."

22. The nurse recognizes that a safe pediatric dose of oral cephalexin is 25 mg/kg/day in four equally divided doses. What is the safe single dose in milligrams for a child weighing 44 lb (20 kg)? Record your answer using a whole number.

_____ mg

23. A nurse is working with a respiratory therapist providing care and postural drainage for a client with a lung abscess. During care, the respiratory therapist administers a bronchodilator while the nurse begins the procedure for postural drainage. In collaborating, what action **best** facilitates a therapeutic outcome for the client?
[ ] 1. Placing the client in a supine position
[ ] 2. Encouraging the client to cough deeply
[ ] 3. Having the client breathe through the mouth
[ ] 4. Instructing the client to breathe slowly

24. A 75-year-old client comes to the diabetes clinic for a scheduled visit. What assessment finding indicates that the client with diabetes requires additional teaching regarding foot care?
[ ] 1. The client has placed lamb's wool between the toes.
[ ] 2. The client trims calluses with a nail clipper.
[ ] 3. The client's toenails are short and cut straight across.
[ ] 4. The client wears white nonelastic foot socks.

25. When preparing a client for insertion of a nasogastric (NG) tube, how should the nurse position the client's neck to facilitate introducing the tube into the nostril?
[ ] 1. Flexed
[ ] 2. Extended
[ ] 3. Rotated to the left
[ ] 4. Hyperextended

26. The nurse is preparing the client for emergency surgery and notes warfarin sodium on the medication list. What laboratory test would the nurse review and report to the health care provider?
[ ] 1. Platelet levels in the blood
[ ] 2. Partial thromboplastin time (PTT)
[ ] 3. Circulating blood volume
[ ] 4. International normalized ratio (INR)

27. A previously healthy client comes to the emergency department reporting severe nausea and vomiting hours after eating in a restaurant. What assessment question **best** determines if a foodborne pathogen is the cause of the client's symptoms?
[ ] 1. "What foods did you eat?"
[ ] 2. "Did you take something for your nausea?"
[ ] 3. "Did your food look spoiled?"
[ ] 4. "Have you ever had food poisoning?"

28. If the care plan of a client receiving internal radiation therapy includes these nursing interventions, what intervention requires revision because it is unsafe?
[ ] 1. Maintain a radiation symbol on the outside wall or door to the client's room.
[ ] 2. Inform all non-nursing personnel that the client is receiving radiation therapy.
[ ] 3. Wear a radiation-monitoring badge when providing care to the client.
[ ] 4. Assign the same personnel to consistently care for the client.

29. What question is **essential** for the nurse to ask before a client undergoes an intravenous pyelogram (IVP)?
[ ] 1. "Are you afraid of needles?"
[ ] 2. "Have you ever had X-rays taken?"
[ ] 3. "Do you have any allergies to seafood?"
[ ] 4. "Have you experienced fear of confined places?"

30. What diversional activity is **best** to include in the care plan of a client with recent loss of vision?
[ ] 1. Listening to a radio or audio podcasts
[ ] 2. Talking with other clients on the unit
[ ] 3. Listening to television
[ ] 4. Reading books set in Braille

31. A terminally ill client arrives at the outpatient chemotherapy clinic for an infusion of vincristine to decrease the size of a lung tumor. The client states, "I am so weak. I do not feel that the treatment is worth extending my life for a few weeks. I do not want any more treatment." What action by the nurse is **most important**?
[ ] 1. Document the interaction in the client record.
[ ] 2. Notify the health care provider for further prescriptions.
[ ] 3. Provide support and understanding of the client's decision.
[ ] 4. Have the client document his or her wishes in writing.

32. If a client is to receive 1,000 mL of dextrose 5% in normal saline solution over an 8-hour period, the nurse correctly sets the infusion pump to administer what hourly volume?
[ ] 1. 50 mL
[ ] 2. 100 mL
[ ] 3. 125 mL
[ ] 4. 150 mL

33. The nurse is caring for a client who tested positive for streptococcal bacteria in the throat. What laboratory test would the nurse review that indicates a more serious complication?
[ ] 1. Antinuclear antibody test
[ ] 2. Antistreptolysin O titer
[ ] 3. Heterophile antibody titer
[ ] 4. Fluorescent antibody test

34. A 350-lb (159-kg) client with diabetes is hospitalized. The nurse plans to give the client's morning insulin in the abdomen. What needle angle is **most appropriate**?
[ ] **1.** 15 degrees
[ ] **2.** 30 degrees
[ ] **3.** 45 degrees
[ ] **4.** 90 degrees

35. When planning discharge instructions for a client who has had a prostatectomy, what information is **most appropriate** for the nurse to include?
[ ] **1.** Avoid eating foods containing roughage.
[ ] **2.** Avoid heavy lifting and strenuous exercise.
[ ] **3.** Use an enema if constipation occurs.
[ ] **4.** Limit fluid intake to eight glasses per day.

36. When caring for a client with expressive (motor) aphasia, what nursing intervention specifically addressing the expressive (motor) aphasia is **best** to include in the care plan of this client?
[ ] **1.** Use a louder than normal voice when communicating with the client.
[ ] **2.** Write questions and directions for the client to read.
[ ] **3.** Speak in short sentences to promote understanding.
[ ] **4.** Give the client time to respond to questions.

37. A chest tube was placed in a client with a hemothorax 4 hours ago, and the tube was connected to a closed water-seal drainage system. When the oncoming shift nurse assesses the system, what assessment finding should be reported **immediately**?
[ ] **1.** Approximately 2 cm of water is in the water-seal chamber.
[ ] **2.** The water-seal chamber is bubbling continuously.
[ ] **3.** Dark, bloody drainage is in the collection chamber.
[ ] **4.** Diminished breath sounds are heard in the lung with the hemothorax.

38. A client has returned to the nursing unit after a cardiac catheterization. The nurse assesses the catheter insertion site in the groin and the various pulse points on the lower extremities. Beginning with the pulse point **most proximal** to the catheter insertion site, where should the nurse's fingers be placed?
[ ] **1.** Behind the knee
[ ] **2.** On the dorsum of the foot
[ ] **3.** Into the inguinal area
[ ] **4.** Over the lower tibia

39. What nursing assessment finding is the **best indication** that a pregnant client is in the transition phase of labor?
[ ] **1.** The client states that she feels a gush of water coming from the vagina.
[ ] **2.** The client states that she feels as if she needs to have a bowel movement.
[ ] **3.** The client tells her coach not to touch her but also asks not to be left alone.
[ ] **4.** The client asks for blankets and tells the nurse that she cannot stop shivering.

40. The nurse asks a postpartum client to explain how she performs Kegel exercises. What description provides the **best evidence** that the client is performing Kegel exercises correctly?
[ ] **1.** "I tighten, and then alternately relax, my perineal muscles."
[ ] **2.** "I lie supine and alternately raise and lower my legs."
[ ] **3.** "I tighten my abdominal muscles for 45 seconds for a total of 10 repetitions."
[ ] **4.** "I roll from side to back to side four to six times an hour."

41. The nurse is administering specific allergens for a client's allergy testing from a multiple-dose vial. What nursing action demonstrates the correct technique for withdrawing a parenteral drug from a multiple-dose vial?
[ ] **1.** Withdrawing the entire volume in a syringe and then discarding the unneeded portion
[ ] **2.** Injecting 1 mL more of air than the amount of the drug to be withdrawn
[ ] **3.** Refrigerating the medication vial for 10 minutes before withdrawing the drug
[ ] **4.** Injecting the same volume of air into the vial as liquid that will be removed

42. A home care nurse is instructing a family member on administering an injection. When the family member demonstrates the injection technique for the nurse, what action is potentially unsafe?
[ ] **1.** The family member wears clean gloves when administering the injection.
[ ] **2.** The family member discards the empty syringe in a biohazard container.
[ ] **3.** The family member recaps the needle securely before discarding the syringe.
[ ] **4.** The family member uses an alcohol swab to disinfect the injection site.

43. When caring for a child with hemophilia, what assessment finding should the nurse report **immediately**?
[ ] **1.** The child is experiencing anorexia.
[ ] **2.** The child has discomfort from joint pain.
[ ] **3.** The child's mood is somewhat depressed.
[ ] **4.** The child has developed nasal congestion.

44. A client arrives in the emergency department with symptoms of a fever, muscle rigidity, elevated or labile blood pressure, and confusion. A diagnosis of neuroleptic malignant syndrome (NMS) is made. What evidence supports this diagnosis?
[ ] **1.** The client was prescribed an antipsychotic medication 2 weeks ago.
[ ] **2.** A magnetic resonance imaging (MRI) scan revealed a past bleed in the occipital lobe of the brain.
[ ] **3.** The white blood cell (WBC) count was documented on the laboratory report as 6,100/μL (6.10 ×10⁹/L).
[ ] **4.** The family reports the client has had an increase in stress at work.

45. When the unlicensed assistive personnel (UAP) provides care for a 10-month-old infant, what observation indicates to the nurse that the UAP requires additional teaching?

[ ] 1. The room temperature is set at 75°F (23.8°C) during the infant's bath.
[ ] 2. For oral hygiene, the infant's teeth are swabbed with wet gauze.
[ ] 3. Before bathing, the water temperature is checked with an elbow.
[ ] 4. The infant's chest is sprinkled with baby powder after the bath.

46. In the emergency department, the nurse notes multiple needle punctures on a client's arms. The nurse correctly suspects that the client is using what category of drugs?

[ ] 1. Opiates
[ ] 2. Barbiturates
[ ] 3. Amphetamines
[ ] 4. Hallucinogens

47. An older adult client is comatose and on life support. The family asks that life support measures be discontinued. What method is **best** for determining whether it is appropriate to carry out the family's request?

[ ] 1. Considering the cost of continued life support measures
[ ] 2. Checking if the client's insurance covers life support measures
[ ] 3. Validating that all immediate relatives are in total agreement
[ ] 4. Examining the specifications in the client's advance directive

48. The nurse is conducting a home assessment for an older adult client with history of frequent falls and who lives alone. What instruction should be included in client teaching? Select all that apply.

[ ] 1. Arrange lights on a light switch that is accessible to the client when walking into the room.
[ ] 2. Increase the amount of regular exercise.
[ ] 3. Provide area rugs on frequently traveled areas.
[ ] 4. Install handrails on steps and grab bars for the bathtub.
[ ] 5. Eat all three meals and a nutritious diet.
[ ] 6. Take benzodiazepines first thing in the morning with breakfast.

49. The unlicensed assistive personnel (UAP) voices concern for personal safety when assigned to care for a client with acquired immunodeficiency syndrome (AIDS). What information from the nurse is **best** for reducing the UAP's fears?

[ ] 1. The life expectancy for clients with AIDS is longer than in previous years.
[ ] 2. AIDS is commonly transmitted by contact with blood and body fluids.
[ ] 3. Standard precautions can prevent human immunodeficiency virus (HIV) transmission.
[ ] 4. If infected, workers' compensation will cover the cost of care.

50. Immediately after a pregnant client's membranes rupture, what nursing action is a **priority**?

[ ] 1. Monitoring the fetal heart rate
[ ] 2. Beginning antibiotic administration
[ ] 3. Putting a waterproof pad beneath the client
[ ] 4. Placing the client in Trendelenburg position

51. An older adult client presents to the health care provider's office with symptoms of a respiratory infection. When obtaining a history of present illness, what risk factor(s) increases the client's susceptibility to pneumonia? Select all that apply.

[ ] 1. Sudden weight gain
[ ] 2. Smoking and alcohol intake
[ ] 3. Anemia and hyperactive gag reflex
[ ] 4. Dehydration
[ ] 5. Decreased force of cough
[ ] 6. Deteriorating cilia in the respiratory tract

52. In what position is it **best** for the nurse to place the client with suspected heart failure?

[ ] 1. Semi-sitting (low Fowler's)
[ ] 2. Left side-lying (Sims)
[ ] 3. Sitting upright (high Fowler's)
[ ] 4. Lying supine with the head lowered (Trendelenburg)

53. When the client with a slow-bleeding cerebral aneurysm asks for assistance to the toilet for a bowel movement, what nursing action is **most appropriate**?

[ ] 1. Comply with the client's request.
[ ] 2. Obtain a bedside commode.
[ ] 3. Place the client on a bedpan.
[ ] 4. Remove the stool digitally.

54. If the nurse collects the noted data when performing a newborn's initial assessment, what assessment finding is reported **first**?

[ ] 1. Blue hands and feet
[ ] 2. Flaccid muscle tone
[ ] 3. Heart rate of 110 beats/minute
[ ] 4. Loud, vigorous cry

55. A maintenance worker in a health agency comes to a nurse after receiving a minor finger burn. What first aid measure is initiated?

[ ] 1. Apply petroleum jelly to the burn.
[ ] 2. Cover the burn with nonallergenic tape.
[ ] 3. Immerse the burned area in cool water.
[ ] 4. Place the burned area in warm water.

56. What nursing assessment finding provides the **best evidence** that a client with acute closed-angle glaucoma is responding to drug therapy?

[ ] 1. Swelling of the eyelids is decreased.
[ ] 2. Redness of the sclera is reduced.
[ ] 3. Eye pain is reduced or eliminated.
[ ] 4. Peripheral vision is diminished.

57. The nurse is instructing a parent on instilling ofloxacin 2 gtts in the left ear. What instruction reduces potential side effects related to medication instillation?

[ ] **1.** Warm the medication to room temperature.
[ ] **2.** Dilute with 5 mL of tap water.
[ ] **3.** Clean the outer surface of the dropper.
[ ] **4.** Fill the dropper with no more than 1 mL of medication.

58. The nurse is reviewing the prenatal record of a mother who reports ingesting alcohol throughout pregnancy. What potential teratogenic effect will be followed throughout childhood?

[ ] **1.** Learning ability
[ ] **2.** Eyesight
[ ] **3.** Seizure disorders
[ ] **4.** Liver dysfunction

59. What **initial** nursing action is best if a child confides information that indicates sexual abuse?

[ ] **1.** Persuade the child to provide details.
[ ] **2.** Examine the child for genital injuries.
[ ] **3.** Let the child know he or she is believed.
[ ] **4.** Look for signs of sexually transmitted infections.

60. The nurse assesses a client with alcohol use disorder who has been drinking up to the time of admission at 1700. How long after admission is the nurse **most likely** to observe initial signs of alcohol withdrawal in this client?

[ ] **1.** 1800
[ ] **2.** 2100
[ ] **3.** 0500
[ ] **4.** 1600

61. When caring for a client who has been burned around the face and neck, what assessment finding should be reported **immediately** to the health care provider?

[ ] **1.** Fluid overload
[ ] **2.** Signs of hemorrhage
[ ] **3.** Signs of infection
[ ] **4.** Respiratory distress

62. The nurse is completing a care plan for an immobile client. What nursing intervention is placed under the outcome: The client will not experience contractions?

[ ] **1.** Encourage the client to perform isometric exercises.
[ ] **2.** Help the client to perform range-of-motion (ROM) exercises.
[ ] **3.** Elevate the client's extremities on pillows.
[ ] **4.** Use a pressure-relieving mattress.

63. When assessing a client with severe burns, what assessment finding provides the **best evidence** that the wound is infected?

[ ] **1.** The wound has a foul odor.
[ ] **2.** The eschar is black.
[ ] **3.** The leukocyte count is 10,000/mm³ (10 ×10⁹/L).
[ ] **4.** The heart rate is increased.

64. The nurse is caring for a client with a new ostomy. The client states, "I cannot stand this ostomy. It smells awful." What beverage is encouraged to reduce odors with a colostomy?

[ ] **1.** Cucumber water
[ ] **2.** Buttermilk
[ ] **3.** Ginger ale
[ ] **4.** Coffee

65. The nurse is working for a mental health group home facility. In planning therapeutic activities, what activity is **most appropriate** for clients with generalized anxiety disorder?

[ ] **1.** Playing cards
[ ] **2.** Assembling models
[ ] **3.** Using a treadmill
[ ] **4.** Painting pictures

66. A client who takes furosemide for heart failure comes to the clinic for a routine visit. The client's laboratory report reveals a potassium level of 3.1 mEq/L (3.1 mmol/L). What question elicits **priority** information?

[ ] **1.** "Have you been having leg cramps or muscle weakness?"
[ ] **2.** "Have you noticed a slowing of your heart rate?"
[ ] **3.** "Have you had a rapid weight gain lately?"
[ ] **4.** "Have you noticed if your speech has become slurred?"

67. When a client with type 1 diabetes comes to the clinic for a routine visit, what question addresses a complication of diabetes?

[ ] **1.** "When did you have your vision checked?"
[ ] **2.** "What is the color of your urine?"
[ ] **3.** "What is your usual blood pressure?"
[ ] **4.** "Have you had any heart palpitations?"

68. The nurse is providing care in a rehabilitation unit. Unit goals include that the client progress to assisting in personal care. Upon morning assessment, the client states sleeping poorly, dyspnea on exertion due to wheezing, joint stiffness in the lower extremities, and anorexia. What multidisciplinary team member would the nurse alert **first**?

[ ] **1.** Dietitian
[ ] **2.** Respiratory therapist
[ ] **3.** Occupational therapist
[ ] **4.** Health care provider

69. The nurse manager is documenting client care examples on the licensed practical/vocational nurse's (LPN/LVN's) 6-month evaluation. What independent nursing activity would the nurse document as an example of needing additional training?

[ ] **1.** The LPN/LVN accepts a verbal phone prescription for a change in oral furosemide dosage.
[ ] **2.** The LPN/LVN changes the client's diet during the postoperative period.
[ ] **3.** The LPN/LVN updates the nursing plan of care as treatment progresses.
[ ] **4.** The LPN/LVN updates the health care provider of a client's change in status.

70. A primigravid client at 42 weeks' gestation is having a nonstress test. What finding provides the **best evidence** of an abnormal test?

[ ] **1.** Fetal heart rate accelerations are at least 15 beats/minute above baseline.

[ ] **2.** Fetal movement is detected within 20 minutes of beginning the nonstress test.

[ ] **3.** More than two fetal heartbeat accelerations occur during a 20- to 30-minute period.

[ ] **4.** Each fetal heart rate acceleration lasts less than 15 seconds.

71. The radiologist uses a red marker to identify a cancerous area on the client's skin in preparation for radiation treatments. What action is **essential** to this client's nursing care?

[ ] **1.** Removing the red marks using acetone after each treatment

[ ] **2.** Washing the skin with mild soap and tepid water when bathing

[ ] **3.** Keeping the irradiated skin exposed to air at all times

[ ] **4.** Rubbing lotion into the irradiated area after each treatment

72. The nurse is in a multidisciplinary meeting at a long-term care facility addressing medical concerns of an 84-year-old client following a cerebral vascular accident. Which comment, made by the nurse, best demonstrates that the nurse is advocating for the client.

[ ] **1.** "How can we obtain a specialty mattress to diminish redness in the coccyx?"

[ ] **2.** "Following intravenous administration of potassium, the potassium level is 5 mEq/L (5 mmol/L)."

[ ] **3.** "Physical therapy has instructed the client on a wheeled walker for ambulation."

[ ] **4.** "Nursing is repositioning the client every 2 hours when in bed."

73. The unlicensed assistive personnel (UAP) is assigned to care for a 5-year-old child with acute lymphoblastic leukemia. Which of the UAP's actions indicates that additional teaching is needed?

[ ] **1.** The UAP performs oral care using a sponge-type brush.

[ ] **2.** The UAP assesses the child's temperature rectally.

[ ] **3.** The UAP maintains protective isolation precautions.

[ ] **4.** The UAP places a sheepskin under the bony prominences.

74. The licensed practical/vocational nurse (LPN/LVN) is evaluating wound irrigation and packing completed by a new graduate LPN/LVN. What action requires additional teaching?

[ ] **1.** Obtaining a culture from the center of the wound

[ ] **2.** Donning clean gloves for the wound-packing procedure

[ ] **3.** Arranging supplies on a sterile field next to the wound area

[ ] **4.** Maintaining a sterile field between the wound area and supply field

75. The nurse anticipates preparations needed for airborne precautions when a client arrives on the clinical unit with what diagnosis(es)? Select all that apply.

[ ] **1.** *Staphylococcus aureus* in a right thigh wound

[ ] **2.** Carcinoma of the right middle lobe of the lung

[ ] **3.** Measles

[ ] **4.** Pertussis

[ ] **5.** Chickenpox

[ ] **6.** Viral pneumonia

76. The nurse is caring for a toddler brought into the emergency department following ingesting a poisonous agent. If the parents report accidental swallowing of one of these agents, with what agent(s) would the nurse refrain from inducing vomiting during treatment? Select all that apply.

[ ] **1.** Gasoline

[ ] **2.** Vinegar window cleaner

[ ] **3.** Household cleaners

[ ] **4.** Furniture polish

[ ] **5.** Battery acids

77. A client has hemiparalysis from a recent stroke. What technique should the nurse avoid when changing the client's position in bed?

[ ] **1.** Log rolling the client from side to side

[ ] **2.** Sliding the client to move up in bed

[ ] **3.** Lifting the client using a mechanical lift

[ ] **4.** Having the client use an overhead trapeze

78. The nurse is instructing the client on the following prescription: pilocarpine 2% solution one gtt o.u. daily. When administering, what action is **essential**?

[ ] **1.** Massage the tragus after administration.

[ ] **2.** Pinch both nostrils and tilt the head back.

[ ] **3.** Apply pressure to the inside corner of the eyelid.

[ ] **4.** Remove any solution with a cotton ball.

79. What laboratory test would the nurse relate during shift handoff to validate the infectious status of a 6-month-old infant whose mother tests positive for human immunodeficiency virus (HIV) infection?

[ ] **1.** Enzyme-linked immunosorbent assay (ELISA)

[ ] **2.** Polymerase chain reaction (PCR) test

[ ] **3.** Western blot blood test

[ ] **4.** Rapid plasma reagin (RPR)

80. When determining the status of a client who is unresponsive, what nursing action provides important data indicating a heroin overdose?

[ ] **1.** Checking the size of the client's pupils

[ ] **2.** Measuring the client's blood pressure

[ ] **3.** Observing the client's response to pain

[ ] **4.** Smelling the odor of the client's breath

81. A client is being admitted to the pediatric unit with diagnosis of meningococcal pneumonia. Before client arrival on the unit, what nursing action is a **priority**?

[ ] **1.** Obtain suction equipment.

[ ] **2.** Notify respiratory therapy.

[ ] **3.** Place tissues at the bedside.

[ ] **4.** Call for a droplet isolation precautions cart.

82. The nursing team develops a teaching plan for a 10-year-old client with newly diagnosed asthma who also has attention deficit hyperactivity disorder (ADHD). When teaching the use of a peak flow meter, what teaching strategy is **most appropriate**?
[ ] **1.** Providing individualized teaching in a quiet environment
[ ] **2.** Planning group teaching with other children with ADHD
[ ] **3.** Administering consequences for inappropriate behavior
[ ] **4.** Varying the method of instruction for each session

83. A client whose spouse died 1 month earlier tells a nurse about a plan to sell their home and move in with a daughter and son-in-law. What nursing response is **most appropriate**?
[ ] **1.** Encourage the client to move on with one's life.
[ ] **2.** Congratulate the client on making a hard decision.
[ ] **3.** Caution the client to postpone making major changes.
[ ] **4.** Suggest the client look into renting an apartment.

84. What nursing action is **most therapeutic** for helping an older adult resolve grief associated with the death of a spouse?
[ ] **1.** Recommend taking a cruise with other older adults.
[ ] **2.** Inform the client that grieving takes about 6 months.
[ ] **3.** Allow the client to verbalize feelings about the loss.
[ ] **4.** Refer the client to an accountant for financial advice.

85. At a routine home health visit, the nurse observes that an older adult client has several arm and leg bruises. The nurse reviews the client's history, which reveals that the client moved in with an adult child 1 month ago. Which assessment finding **best indicates** that the older adult is a victim of elder abuse?
[ ] **1.** The client sleeps on a couch in the living room.
[ ] **2.** There are conflicting explanations for the injury.
[ ] **3.** The home requires extensive cleaning.
[ ] **4.** The client has lost weight in the past month.

86. What nursing prescription is appropriate for the licensed practical/vocational nurse (LPN/LVN) to add to the care plan of a client who has just undergone a modified mastectomy?
[ ] **1.** Keep the arm on the operative side at the level of the heart.
[ ] **2.** Avoid taking blood pressures using the arm on the operative side.
[ ] **3.** Encourage abduction exercises of the arm on the operative side.
[ ] **4.** Empty the wound drainage container every 24 hours.

87. What information regarding estrogen deficiency is **most appropriate** for the nurse to include in the discharge teaching of a client who has had her ovaries removed?
[ ] **1.** Hot flashes and a feeling of warmth are common.
[ ] **2.** Menstrual periods are accompanied by heavy flow.
[ ] **3.** Leg cramps may occur during sleep and inactivity.
[ ] **4.** Orgasms may be absent or reduced in the future.

88. The adult children of an older parent consult the nurse about relocating their older adult parent from their home to a long-term care facility. What nursing suggestion is **most therapeutic** for facilitating the parent's transition to the long-term care facility?
[ ] **1.** Identify the costs and services of several facilities.
[ ] **2.** Involve the parent in planning the relocation.
[ ] **3.** Consult the parent's health care provider about the planned move.
[ ] **4.** Label all the client's belongings with the client's name.

89. When planning the nursing care of a client who has undergone an abdominal hysterectomy, what nursing measure is **most helpful** for preventing postoperative complications and facilitating an early discharge?
[ ] **1.** Reestablishing oral fluids and nutrition
[ ] **2.** Promoting ambulation and movement
[ ] **3.** Maintaining accurate intake and output
[ ] **4.** Exploring feelings about altered image

90. When a nurse discusses the difference between palliative care and hospice care with the family of a terminally ill client, what statement regarding the benefits of hospice care is **most accurate**?
[ ] **1.** "Hospice nurses give better care than do palliative care nurses."
[ ] **2.** "Hospice nurses give around-the-clock care in the home setting."
[ ] **3.** "Hospice nurses empower personal end-of-life decisions."
[ ] **4.** "Hospice nurses help extend predicted life expectancy."

91. The nurse is assigned a client who is legally blind. Upon assessment, the nurse learns that the client can see shadows but cannot discriminate fine details. During meals, how **best** should the nurse assist the client? Select all that apply.
[ ] **1.** Describe the food on the client's plate.
[ ] **2.** State food placement relating the position to a clock.
[ ] **3.** Prepare the client's tray and feed the client.
[ ] **4.** Place a clothing protector on the client.
[ ] **5.** Ensure the client has a soft diet.

92. The newborn of a mother with diabetes is admitted to the nursery. What nursing intervention is most important to perform **initially** when providing care for this newborn?
[ ] **1.** Check the newborn's blood glucose level.
[ ] **2.** Perform a gestational age assessment.
[ ] **3.** Assess for signs of neurologic deficits.
[ ] **4.** Begin phototherapy immediately.

93. The goal for the initial treatment of a client with newly diagnosed myasthenia gravis is to determine an effective maintenance dose of pyridostigmine. What nursing assessment finding is the **best evidence** that the medication is achieving a therapeutic effect?
[ ] **1.** Dilated pupils
[ ] **2.** Increased muscle strength
[ ] **3.** Regular heart rhythm
[ ] **4.** Improve bowel elimination

94. A 17-year-old client is seen in the dermatology clinic for treatment of acne. What nursing instruction is **essential** when teaching about how to avoid secondary infections and scarring?
[ ] **1.** Avoid wearing cosmetics.
[ ] **2.** Apply a drying agent nightly.
[ ] **3.** Avoid squeezing blackheads.
[ ] **4.** Scrub with a mild face soap.

95. The health care team is caring for an infectious client. What action would the nurse identify as a break in infection control measures?
[ ] **1.** Taking a tuberculosis client out of the room to X-ray wearing a mask
[ ] **2.** Using clean gloves to remove an infectious dressing
[ ] **3.** Feeding a client diagnosed with Alzheimer disease using basic hand hygiene
[ ] **4.** Wearing a surgical mask, gown, and gloves when irrigating a methicillin-resistant *Staphylococcus aureus* wound

96. A client requires gastric decompression. After a Salem sump tube is inserted, what nursing action should be completed **immediately**?
[ ] **1.** The nurse checks the tube for proper placement.
[ ] **2.** The nurse connects the tube to mechanical suction.
[ ] **3.** The nurse irrigates the tube to keep it patent.
[ ] **4.** The nurse offers the client sips of ice water.

97. A client takes ibuprofen for discomfort associated with osteoarthritis. The nurse is alert to a common side effect when the client states:
[ ] **1.** "I experience double vision when reading the newspaper."
[ ] **2.** "I become dizzy when going from a sitting to standing position."
[ ] **3.** "I feel heart palpitations occasionally throughout the day."
[ ] **4.** "I have lost weight as I either feel nauseated or have heartburn."

98. An employee of a chemical plant comes to the emergency department for treatment of severe chemical burns. What treatment is initiated in the emergency department?
[ ] **1.** Irrigate the area with large amounts of water.
[ ] **2.** Cover the burn with a sterile dressing.
[ ] **3.** Apply a thick layer of petroleum jelly to the area.
[ ] **4.** Rub the burned skin with crushed ice.

99. The nurse is planning care for the client with acute myelogenous leukemia (AML) who is being discharged. Laboratory values indicate a neutrophil count of 1,800 cells/µL (1.8×10^9/L). What discharge instruction(s) is essential? Select all that apply.
[ ] **1.** Have family members wear gloves for providing care.
[ ] **2.** Instruct the client to wear a mask when leaving hospital.
[ ] **3.** Instruct the client to brush the teeth gently with a soft tooth brush.
[ ] **4.** Instruct the client to use gloves for gardening.
[ ] **5.** Instruct the client to bathe weekly to avoid drying the skin.
[ ] **6.** Instruct the client to avoid animal care that includes urine and feces elimination.

100. The family of a 78-year-old client brings the client to the hospital after falling, striking the head, and briefly losing consciousness. What instruction is **most important** for the nurse to convey to the family before discharging the client from the emergency department?
[ ] **1.** Give the client extra fluids for the next 72 hours.
[ ] **2.** Keep the client flat in bed for the next several days.
[ ] **3.** Notify the health care provider if the client is difficult to arouse.
[ ] **4.** Check the client's eyes, ears, and nose for signs of bleeding.

101. The nurse is documenting a 3-month-old infant's weight/height on the growth chart. The nurse notes that the infant is in the 90th percentile for weight and the 50th percentile for height. When assessing the infant's nutritional status as stated by the parent, what nutritional intake should account for the main source of calories?
[ ] **1.** Formula or breast milk
[ ] **2.** Rice cereal
[ ] **3.** Glucose water (10%)
[ ] **4.** Whole milk

102. The seasoned nurse is confirming the graduate licensed practical/vocational nurse's pediatric dose medication calculation. The child weighs 62 lb (28 kg). The dosage prescribed is phenytoin 100 mg. P.O. q 12 hours. The recommended daily oral dosage is 7 to 8 mg/kg/24 hours in divided doses every 12 hours. Following the drug calculations by the graduate nurse, the graduate nurse states that the dosage is incorrect and the health care provider needs to be notified. What action by the seasoned nurse is **best**?

[ ] **1.** The seasoned nurse agrees, and the call is placed to the health care provider.
[ ] **2.** The seasoned nurse agrees, and the call is placed to the pharmacist.
[ ] **3.** The seasoned nurse disagrees and has the graduate nurse recalculate.
[ ] **4.** The seasoned nurse disagrees and administers the medication to the child.

103. When preparing to withdraw a medication from an ampule, what technique should the nurse use?

[ ] **1.** Allow the ampule to stand undisturbed for a minute after shaking it.
[ ] **2.** Tap the ampule stem with a fingernail a few times.
[ ] **3.** Hold the ampule upside down, and then quickly invert it.
[ ] **4.** Roll the ampule gently between the palms of the hands.

104. What nursing observation is the **best evidence** that a client's traction is maintained correctly?

[ ] **1.** The client's legs are parallel to the bed.
[ ] **2.** The client states that comfort is not compromised.
[ ] **3.** The counterweights are hanging free of the floor.
[ ] **4.** The client's feet are resting against the footboard.

105. What cluster of nursing assessment findings is the **best indication** that a client is developing pulmonary edema?

[ ] **1.** Bradycardia, transient confusion, mild anxiety
[ ] **2.** Orthopnea, sudden dyspnea, elevated blood pressure
[ ] **3.** Tachycardia, decreased respiratory rate, weak pulse
[ ] **4.** Flushed face, hypotension, thick tenacious sputum

106. A 5-year-old child is scheduled to have a cardiac catheterization at 0800. What provides the **best evidence** to the nurse that the child has been appropriately prepared for the procedure?

[ ] **1.** The child's chest has been cleansed with an antiseptic solution.
[ ] **2.** The parents state that the child has had nothing by mouth since 6 A.M.
[ ] **3.** The child has been shown pictures of the cardiac catheterization laboratory.
[ ] **4.** The parents state that the child will be unconscious during the procedure.

107. What is the **first** step the nurse should take when planning a bladder retraining program for an incontinent client?

[ ] **1.** Determine the client's voiding patterns.
[ ] **2.** Limit the client's oral fluid intake.
[ ] **3.** Develop a regular schedule for urination.
[ ] **4.** Requisition a portable bedside commode.

108. What observation by the nurse offers the **best evidence** that a paraplegic client understands the correct way to empty the bladder using Crede maneuver?

[ ] **1.** The client inserts a straight catheter into the urethra using clean technique.
[ ] **2.** The client takes several deep breaths from the diaphragm before trying to void.
[ ] **3.** The client exhales slowly and steadily while tensing the abdominal muscles.
[ ] **4.** The client applies light pressure over the bladder area with the dominant hand.

109. A licensed practical/vocational nurse (LPN/LVN) and registered nurse (RN) are caring for a client who is reporting syncope and an irregular heartbeat. The LPN/LVN has completed a routine electrocardiogram (EKG) while the RN is assessing a client's initiation of the cardiac electrical cycle beginning with right and left atrial depolarization. What location on the EKG is the RN and LPN/LVN assessing?

1.

2.

3.

4.

110. The nurse assesses a newborn who has just been admitted to the nursery from the birth room. What nursing assessment finding is the **best** indication that the newborn is experiencing respiratory distress?

[ ] **1.** An abdominal breathing pattern
[ ] **2.** A respiratory rate of 40 breaths/minute
[ ] **3.** An irregular breathing pattern
[ ] **4.** Grunting sounds on expiration

111. A nurse is reviewing the complete blood count (CBC) for a client with cancer who is prescribed doxorubicin every 21 days. It is **most important** to base the plan of care on what condition?

Diagnostics

Add New Diagnostics Order   Acknowledge Pending Orders

Diagnostic Name	Diagnostic Time	Diagnostic Result
Red blood cells	0915	2.8 M/µL (2.8 × 10^{12}/L)
White blood cells	0915	2.6 K/µL (2.6 × 10^9/L)
Platelet count	0915	21,000 cells/mm³ (21 × 10^9/L)
Hematocrit	0915	32% (0.32 volume fraction)
Hemoglobin	0915	10 g/dL (100 g/L)

[ ] **1.** Hair loss
[ ] **2.** Myelosuppression
[ ] **3.** Anemia
[ ] **4.** Sickling of blood cells

112. A surgical client experiences abdominal incisional discomfort when coughing postoperatively. What nursing intervention is **most appropriate** for reducing the client's discomfort?

[ ] **1.** Provide client instruction to flex both knees while coughing.
[ ] **2.** Have the client lie supine with back support before trying to cough.
[ ] **3.** Teach to apply light pressure to the incision with a pillow while coughing.
[ ] **4.** Administer an analgesic soon after coughing.

113. A liquid nutritional supplement is prescribed for an older adult who is not eating adequately. When is the **best** time for the nurse to provide the supplement?

[ ] **1.** Just before the noon meal
[ ] **2.** At the noon meal with other food
[ ] **3.** Immediately after eating lunch
[ ] **4.** Between breakfast and lunch

114. What nursing intervention is **most appropriate** for preventing urine and stool from soiling the hip spica cast of an 18-month-old child?

[ ] **1.** Insert cotton wadding between the cast and the skin in the perineal area.
[ ] **2.** Cover the edges of the cast around the perineum with a waterproof material.
[ ] **3.** Offer the bedpan at more frequent intervals.
[ ] **4.** Place plastic pants over the perineal area.

115. A nurse assists the health care provider for a lumbar puncture. What is the **most appropriate** client position for this procedure?

[ ] **1.** The client is in the prone position with the head turned to the side.
[ ] **2.** The client is in the recumbent position with the feet slightly elevated.
[ ] **3.** The client is in the supine position with the head of the bed elevated 45 degrees.
[ ] **4.** The client is in the side-lying position with the knees drawn up and back flexed.

116. A nurse and the unlicensed assistive personnel are transferring an adult client from the bed to a wheelchair. What nursing intervention is **best** for ensuring the client's safety during the transfer?

[ ] **1.** Putting slippers on the client's feet
[ ] **2.** Locking the wheels on the wheelchair
[ ] **3.** Raising the upper side rails on the bed
[ ] **4.** Showing the client how to use the trapeze

117. The nursing team is caring for clients on a medical-surgical unit when the fire alarm sounds. What nurse on the team acts appropriately to contain a fire?

[ ] **1.** The nurse who closes all the inside doors
[ ] **2.** The nurse who returns to the nurses' station
[ ] **3.** The nurse who searches for signs of smoke
[ ] **4.** The nurse who stays with an immobile client

118. What nursing action is the nurse correct to complete with a gloved hand?

[ ] **1.** Pouring breast milk into a container to freeze
[ ] **2.** Washing a client's face after a meal
[ ] **3.** Changing a client's used, unsoiled linens
[ ] **4.** Moving a client's catheter bag from bed to chair

119. When planning postoperative care for an active 10-year-old child with Down syndrome, the nurse is correct to:

[ ] **1.** place a gentle hand on the child but address the parents.
[ ] **2.** estimate the developmental level of the child and speak at a level 2 years lower.
[ ] **3.** ask general assessment questions first to determine the quality of responses from the child.
[ ] **4.** provide pictures and dolls to illustrate medical condition and treatments.

120. After observing a brown discoloration on the washcloth while bathing a black child, the unlicensed assistive personnel reports a suspicion that the child's hygiene has been neglected. What statement by the nurse provides the **best explanation** for the discoloration?

[ ] **1.** "Black clients bathe less to avoid dry skin."
[ ] **2.** "This is a normal finding from shedding skin cells."
[ ] **3.** "Soap removes melanin from epidermal tissue."
[ ] **4.** "The skin of black clients tends to retain oil."

121. When a nurse performs a mental status examination on an older adult, the previously cooperative client becomes silent when asked to spell "world" backwards. What response by the nurse is **most appropriate** at this time?

[ ] **1.** Discontinue assessing the client.
[ ] **2.** Go on to another area of the mental assessment.
[ ] **3.** Assume the client has early signs of dementia.
[ ] **4.** Presume the client is functionally illiterate.

122. What goal is **most appropriate** when the nurse manages the care of an older adult client who has osteoporosis?

[ ] **1.** The client will consume more dairy products.
[ ] **2.** The client will acquire increased bone density.
[ ] **3.** The client will ambulate without falling.
[ ] **4.** The client will be restrained in a wheelchair.

123. The nurse is assigned a client diagnosed with a recent cerebral vascular attack. What instruction by the nurse to the unlicensed assistive personnel is a **priority** to reduce the risk of a future infection?

[ ] **1.** Encourage the client to wear a mask in the hall.
[ ] **2.** Place the wheelchair close to the bed and offer assistance.
[ ] **3.** Use a bedside commode instead of bedpan to void.
[ ] **4.** Use a trapeze for movement in the bed from side to side.

124. A 5-year-old child is being discharged after undergoing a tonsillectomy and adenoidectomy. When preparing discharge instructions for the parents, what information is **most appropriate** for the nurse to include?

[ ] **1.** "Children commonly will have a great deal of pain for the first 7 days."
[ ] **2.** "Your child will have difficulty swallowing for about 3 weeks."
[ ] **3.** "Your child may expectorate bright red blood for about 1 week."
[ ] **4.** "A transient earache for about 1 to 3 days is a commonly reported."

125. The nurse in the outpatient clinic is assigned a 6-month-old infant who has been in foster care (a permanent ward) since birth. When reviewing client paperwork to authorize permission for medical care, whose signature is required?

[ ] **1.** The foster parent
[ ] **2.** The judge who approved foster care
[ ] **3.** The social worker assigned to the case
[ ] **4.** The person who brings the infant for care

126. What nursing assessment finding is documented as abnormal when performing a gestational age assessment on a full-term newborn?

[ ] **1.** Moderate lanugo covers the shoulders, back, and forehead.
[ ] **2.** The newborn exhibits a strong Moro reflex.
[ ] **3.** There are anterior transverse creases on the soles of the feet.
[ ] **4.** The newborn assumes a fully flexed posture.

127. The nurse initiates a stroke alert as a client arrives at the emergency department via ambulance. An ischemic stroke is diagnosed and alteplase 75 mg STAT is prescribed. What therapeutic outcome of the medication is anticipated?

[ ] **1.** A reduction in anxiety level from severe to moderate level
[ ] **2.** A reduction in the systolic blood pressure by 20 mm Hg
[ ] **3.** A regular heart rate reducing the risk of arrhythmias
[ ] **4.** The elimination of clots by dissolving them in the circulation

128. The nurse is developing a care plan for the residents of an assisted living facility. What physiological change(s) is characteristic of aging? Select all that apply.

[ ] **1.** Cardiac output declines.
[ ] **2.** The gag reflex is weaker.
[ ] **3.** Renal blood flow decreases.
[ ] **4.** Gastric motility increases.
[ ] **5.** Serum albumin level decreases.
[ ] **6.** The amount of body water increases.

129. The nurse is caring for a client who requires a venipuncture for I.V. therapy. The nurse checks the health care provider's prescription, explains the procedure to the client, and assembles all of the equipment. Next, the nurse performs the noted actions in order of **priority**. Indicate the correct order in which the procedure is performed. Use all options.

1. Clean the venipuncture site thoroughly.
2. Withdraw the needle and connect the tubing.
3. Apply a tourniquet and palpate veins.
4. Hold the skin taut and pierce the skin, entering the vein.
5. Note the blood in the chamber, and release the tourniquet.
6. Wash the hands and then put on gloves.

130. What nursing intervention is **most helpful** in preventing loneliness in a new resident of a long-term care facility?

[ ] **1.** Initiate reminiscence therapy weekly.
[ ] **2.** Provide group activities.
[ ] **3.** Provide individual visits.
[ ] **4.** Allow the resident to watch television.

131. A nurse in an acute care setting is a member of the ethical care practices committee. What case is **most appropriate** to be discussed by the ethics committee due to ethical concerns?

[ ] **1.** A 15-year-old mother who decides to place her newborn for adoption
[ ] **2.** A client who refuses to take the prescribed medications
[ ] **3.** An older adult who reports being physically abused
[ ] **4.** A nurse who witnesses another nurse taking a client's medication

Test Taking Strategies

1. Look at the key words "epigastric pain." Review the drugs listed to identify a drug that could cause this side effect.

2. Use the process of elimination to select the option that describes the best intervention for a client with newly diagnosed mild cognitive impairment. Consider the current level of impairment and interventions for slowing further cognitive decline.

3. Use the process of elimination to select a lunch highest in iron content. Recall that green leafy vegetables are an excellent nutritional selection overall, but particularly for iron content.

4. Look at the key words "critically ill" and "initiating medication quickly" in reference to the fastest route for medication action. Analyze each option considering route of administration. Recall that the intraosseous route is similar to the intravenous route and the route of choice if an intravenous line is unable to be obtained in an emergency.

5. Analyze what information the question asks, which is the client for which a bisacodyl suppository is unsafe. Because bisacodyl is a harsh laxative, it has the potential to further injure a postpartum client with a third-degree tear during the expulsion of stool.

6. Analyze what information the question asks, which is how lithotripsy eliminates stones in the gallbladder. Knowing the mechanism by which lithotripsy is administered leads to the selection of option 2.

7. Analyze what information the question asks, which is an alternative source of dietary protein. Dried beans (option 4) are the best source of protein from among the options provided.

8. The key word is "breast awareness" meaning understanding the characteristics of the breast. Consider the uniqueness and current clinical guidelines for breast screening. Recall that recent changes move away from annual screenings to noninvasive assessment of the breast.

9. Analyze what information the question asks, which is significant assessment data to be reported with finding albumin in a pregnant client's urine. Recall that albumin is a protein that should not be present in urine; thus, identify the complication and further data needed to report to the health care provider.

10. The key word is "priority" as all questions may be appropriate but one is most important. Look to the data in the nurse's note for clues relating to a client problem (confused, yellowish tone to skin, agitated) for a priority question.

11. Analyze what the question asks, which is nursing action following vital signs assessment. Use your knowledge of norms to identify abnormal data. Relate what nursing action would correct the abnormal results.

12. Look at the key data in the stem, which relates that the blood pressure has fallen abruptly in a client in an early postoperative period and asks for the "most appropriate" nursing action. The blood pressure should have stabilized by this time postoperatively. An abrupt fall in blood pressure is an indication of bleeding or hemorrhage.

13. Look at the key words "confirms goal of fluid increase related to the reason for increasing oral fluid intake." Recall that there is a great deal of tissue and blood loss associated with a procedure that is performed through the urethra.

14. Analyze what information the question asks, which is the stage of labor that correlates with complete effacement and full dilation. Think "ready for birth" and "second stage."

15. Analyze what information the question asks, which is the location of the urinary meatus. Knowledge of anatomy and physiology is essential to identifying the correct answer.

16. Look at the key terms "most appropriate" and "prevent." Recall that assessment is the first step in the nursing process, which makes option 3 the best answer. Options 1, 2, and 4 can be eliminated because they are impractical and violate the client's rights.

17. Look for the key words "best justifies withholding" in relation to identifying an undesirable effect of penicillin. Options 1, 3, and 4 are not reasons for withholding the medication. Consequently, option 2, which may be a sign of an allergic response, is the best answer.

18. Use the process of elimination to identify the food source that contributes most to constipation. Consider factors such as water, fiber, fruits/vegetables, etc. and the effect on the digestive system.

19. Analyze what information the question asks for, which is the highest priority to lowest priority of clients for a nursing assessment. Determine which clients are less stable than others. Review Maslow hierarchy.

20. Use the standards of care and nursing scope of practice to identify appropriate client assignments for the nursing team.

21. Analyze the information that the question asks, which reflects an inaccurate technique for administering medication through a gastrostomy tube. Consider what provides accuracy of medication dosage. Options 1, 2, and 4 are accurate statements; option 3 is incorrect.

22. Analyze what information the question asks, which involves calculating a single dose of medication based on the weight of the client. Use a mathematical formula as the basis for calculation, be specific and proofread your calculation.

23. Use the process of elimination to help select the "best" option for promoting a therapeutic outcome when performing postural drainage. Remember that coughing eliminates secretions.

24. Analyze to determine what information the question asks for, which is an assessment finding regarding diabetic foot care that requires additional teaching. Options 1, 3, and 4 are accurate, but option 2 represents a risk for vascular and wound-healing complications for a client with diabetes.

25. Analyze what information the question asks, which is the correct position of the neck before inserting a nasogastric (NG) tube into a client's nostril. Consider that hyperextension provides ease of nostril access and an entry point for the tube.

26. Analyze what information the question asks, which is the laboratory test used to monitor clients receiving warfarin. Consider the action of the medication and what the diagnostic test is actually testing. Knowledge of laboratory results is essential.

27. Use the process of elimination to select the option that represents the best assessment for determining if a food source is related to the client's symptoms. Consider "picnic foods" and undercooked or raw meats as common causes.

28. Analyze to determine what information the question asks, which is an unsafe intervention involving the care of a client receiving internal radiation therapy. Options 1, 2, and 3 all describe methods for ensuring the safety of persons who may have reason to be in contact with the client. Option 4 describes a potentially unsafe practice.

29. Look at the key word "essential," which indicates a priority. The question that is most important to ask is option 3, because the client may have a cross-sensitivity to the contrast medium used during an intravenous pyelogram (IVP) if the client is allergic to seafood.

30. Use the process of elimination to select the best diversional activity for a client who recently became blind. Option 4 can be immediately eliminated because it takes a long time to learn Braille. Option 3 can be eliminated because the medium of television is designed primarily for sighted individuals. Option 2 may appear to have merit because it does provide diversion, but it is not the best answer.

31. Note the key words "most important." Compare each option and rank each one in order of importance to identify the "most important." Consider the impact of each action.

32. Analyze what information the question asks, which involves a calculation that yields the appropriate hourly volume of I.V. fluid based on the health care provider's prescription. Nursing standards provide a template formula for calculating mL/hour.

33. Analyze what the question asks, which is laboratory result indicating a complication from a streptococcal infection. Note the "strep" in antistreptolysin for a clue.

34. Look at the key words "most appropriate" and the information about the client's weight as they relate to the angle in which insulin is injected within the abdomen. Option 4 identifies the appropriate angle for reaching the subcutaneous depth in a client with excessive abdominal adipose tissue.

35. Look at the key words "most appropriate" in relation to discharge instructions after a prostatectomy. Identify the option that would be most detrimental following the procedure. Option 2 is the best answer for ensuring that the client does not experience a postoperative complication during the recovery period.

36. Use the process of elimination to select the option that is best when interacting with a client who has motor aphasia. Options 1 and 3 can be immediately eliminated because hearing and processing information are not problematic for a client with motor aphasia. Option 2 may appear attractive, but it is the client who may respond by writing because he or she is speech impaired.

37. Look at the key word "immediately," which identifies a priority. Options 1, 3, and 4 describe normal or expected assessment findings. Option 2 is an indication that there is an air leak, which must be managed as soon as possible.

38. The key word is "proximal" to the groin insertion site, which is the femoral pulse. Knowing the femoral pulse leads to the inguinal region.

39. Use the process of elimination to help select the option that correctly describes the transition phase of active labor. Options 1, 2, and 4 are observed in other stages of labor.

40. Use the process of elimination to help select the option that accurately describes the technique for performing Kegel exercises. Relate Kegel exercises to increasing the tone of perineal muscles to prevent or relieve stress incontinence.

41. Use the process of elimination to help select the option that identifies the correct technique for withdrawing a parenteral medication from a multiple-dose vial. Visualize the steps in the process, which begin with instilling an equal amount of air in the vial.

42. Analyze what information the question asks, which is an unsafe practice when administering an injection. Look for potential injury. Option 3 is unsafe because it increases the risk for acquiring a blood-borne pathogen if a puncture occurs.

43. Look at the key word "immediately," which indicates a priority. Joint pain is the assessment finding most suggestive of a serious complication in a client with hemophilia.

44. Analyze what information the question asks, which is a factor associated with the development of neuroleptic malignant syndrome. Knowing that antipsychotic drugs are also referred to as neuroleptics leads to the correct answer.

45. Analyze what information the question asks for, which involves identifying a practice performed by the unlicensed assistive personnel that needs changing. Consider what can cause harm to an infant and begin with Maslow hierarchy.

46. Analyze what information the question asks, which is a category of drugs among the options that are commonly injected intravenously. Heroin and some other opiate derivatives can be parenterally self-administered; drugs in the other categories are not.

47. Analyze what information the question asks, which is a legal basis that guides the nurse when faced with a request to cease life support. Ensuring that there is an advance directive indicating the client's choice as to whether life support is desired or not is the first step. In addition, the health care provider should document that the client's condition is hopeless for recovery before the nurse follows a medical prescription for discontinuing life support.

48. Consider the effects of aging on ambulation and falls. Identify which instruction increases client safety as an effect.

49. Use the process of elimination to help select the option that is better than the others for allying a fear of contracting acquired immunodeficiency syndrome (AIDS). Recall that standard precautions are designed to protect all health care workers. Reinforcement of that fact is important to allay fears.

50. Look at the key word "priority," which indicates that an immediate action is required. Knowing that the umbilical cord can be compressed once the fetus is no longer buoyed by the amniotic fluid should lead to selecting option 1.

51. Analyze what information the question asks, which is risk factors for pneumonia. Alternative-format "select all that apply" questions require considering each option independently to decide its merit in answering the question. Consider all options that would weaken the client or place the client in a position to be susceptible to toxins.

52. Look at the key word "best" in relation to a therapeutic position for a client in heart failure. Recall that a high Fowler position lowers the diaphragm and reduces compression of the heart and lungs.

53. Look at the key words "most appropriate" in relation to a nursing response to a request for ambulatory assistance from a client with a slow-bleeding cerebral aneurysm. Ensuring the client's safety and reducing the potential for a complication should guide to selecting option 3 as the best answer.

54. Look at the key word "first," which suggest a priority. Option 2 describes a pathophysiological assessment finding that should be reported immediately. The remaining options are considered normal for a newborn infant.

55. Analyze what information the question asks, which is the appropriate action to take when caring for a minor burn involving a finger. Recall that the depth and extent of a burn, as well as its discomfort, can be reduced by stopping the burning process. This leads to selecting option 3 as the best answer from among the options.

56. Look at the key words "best evidence" in relation to a positive response to drug therapy for a client with acute closed-angle glaucoma. Recalling that a client with this disorder experiences pain during an acute episode leads to the conclusion that its reduction or absence is a sign of a therapeutic response.

57. Use the process of elimination to select the option that reduces a potential side effect stemming from administration. Analyze each action and consider possible side effects directly from administration.

58. Analyze what information the question asks, which is a side effect from alcohol use disorder during pregnancy, which will be followed "throughout childhood." The clue is during childhood, which means assessing particularly during that time.

59. The key word is "initial" response. Note that all actions are feasible and completed at some point. Analyze each option for what is completed first. Recall that acceptance of the client is fundamental in the client-nurse interaction.

60. Look at the key words "most likely" in relation to the timeframe for initial signs of alcohol withdrawal. Signs of withdrawal occur soon after the last drink, which was at time of admission, in someone who chronically consumes alcohol. Clients with alcohol use disorder often resume drinking on awakening to reduce or eliminate withdrawal symptoms after having consumed alcohol at bedtime.

61. Look at the key word "immediately," which suggests a priority. Recall that any compromise in the airway and breathing can be life threatening. This leads to selecting option 4 as the best answer.

62. Use the process of elimination to help select the option that is best for preventing contractures. Options 3 and 4 can be eliminated because they are better suited for maintaining skin integrity. Option 1 may seem correct, but isometric exercises tend to improve or maintain muscle size and tone. Option 2 emerges as the best answer because it involves keeping joints flexible.

63. Use the process of elimination to select the option that describes a finding that correlates with the presence of infection in a burn wound. While all options are associated with burns, the "best evidence" of infection lies in the characteristic foul odor exhibited in an infection.

64. Analyze what information the question asks, which is identifying a beverage that is helpful in reducing odors from a colostomy. Consider that buttermilk thickens stool, relieves gas, and has cultures.

65. Look at the key words "most appropriate" in relation to selecting an activity that is therapeutic for a client with generalized anxiety. Recall that symptoms of anxiety are a result of sympathetic nervous system stimulation. An activity that depletes accumulated energy, as in option 3, is the best answer.

66. Analyze what information the question asks, which is a means for validating hypokalemia, which is option 1. Options 3 and 4 are associated with electrolyte imbalances other than hypokalemia.

67. Analyze what information the question asks, which is a query that could elicit information relating to a complication of diabetes mellitus. Recall that one complication of diabetes is retinopathy, which leads to selecting option 1.

68. The key word is "first." Look for the health care team member that can impact the given situation most effectively or quickly. Use Maslow hierarchy for a guide.

69. Analyze what the question asks, which is incorrect independent nursing activity. Relate independent activity to the activity that is in the practical nursing scope of practice. Ask which activity needs a registered nurse or health care provider to complete.

70. Use the process of elimination to select the option that best correlates with evidence of an abnormal response during a nonstress test. Options 1, 2, and 3 all report findings that are considered normal fetal responses to a nonstress test. Option 4 is the correct choice because accelerations lasting less than 15 seconds are an abnormal response.

71. Look at the key word "essential," which indicates a priority. Recall that radiation affects normal skin as well as the cancerous tumor. To avoid further trauma to healthy tissue, option 2 is the correct answer.

72. The key word is "advocacy," which is defined as a recommendation for a particular cause. Recall that is nursing, advocacy includes the client thus advocating for the client's cause.

73. Analyze what information the question asks, which is an evaluation of the unlicensed assistive personnel's (UAP) actions. Examine the options to identify an action that is being performed incorrectly or unsafely. Recall that a client with leukemia is prone to bleeding because platelet levels are generally decreased. This leads to selecting option 2, which could cause injury.

74. The key words are "requires additional teaching" indicating a portion of the wound care procedure is incorrect. Discriminate through the options and consider the standards of care for wound irrigation and packing. Consider the invasive nature of the packing procedure.

75. The key word is "airborne." Consider method of transmission of each of the diseases. If unsure, select those that include coughing and sneezing.

76. Analyze what the question asks, which is the ingested agent that the nurse would not induce vomiting to remove. Consider the composition of the agents and potential damage that could occur.

77. Analyze what information the question asks, which is an incorrect or unsafe positioning technique when caring for a client who is paralyzed on one side of his or her body. Recall that friction, which can be produced by sliding a client in bed, can impair the integrity of the skin. This knowledge leads to selecting option 2 as the answer.

78. Analyze the health care provider prescription and correlate essential information for proper medication administration. If unsure of the medication, note the abbreviation "o.u." meaning both eyes. Recall that the goal is to instill the medication into a pocket of tissue and avoid the distribution of eye medication into the lacrimal duct located in the inner canthus.

79. Analyze what information the question asks, which is the diagnostic test that confirms or rules out HIV infection in an infant. Option 4 can be eliminated because it does not test for HIV. Recall that the preferred test is different in an exposed infant than in an adult. This leads to selecting option 2 as the correct answer. Review the different types of diagnostic tests used for HIV, focusing on the test that is best used for infants and children, if you had difficulty answering this question.

80. Look at the key words "important data" in relation to an assessment technique that relates to a heroin overdose. Recall that the pupils of those who ingest heroin are generally pinpoint in size. Although the other options are general assessments that are indicated when initially caring for an unconscious client, the outcome of option 1 contributes to confirming or ruling out an opiate overdose as the cause of the client's unresponsiveness.

81. Analyze what the question asks, which is priority action before client arrival. Since it is "before arrival," anticipate needs for care. Rank priority of needs and consider what may happen if the needs are not met.

82. Look at the key words "most appropriate" in relation to a teaching method that is best for a child with a short attention span and who is easily distracted. These factors support choosing option 1 as the answer.

83. Look at the key words "most appropriate" as they relate to a nursing response to a client who is making major lifestyle changes while still recovering from a significant loss. Consider the emotional state of the survivor. Option 3 is the best answer because the client may not be able to fully evaluate the consequences of decisions made at this time.

84. Look at the key words "most therapeutic" as they relate to helping a person cope during the process of grieving. Recall that it is always therapeutic to engage a person with emotional issues to dialogue about the personal effects of the loss. Supporting this principle leads to selecting option 3 as the best answer.

85. Analyze what information the question asks, which is an assessment finding that supports the hypothesis that the client's trauma is due to elder abuse. Recall when assessing a victim of abuse, regardless of age, that there are often variations in the explanations for how the injuries occurred. The inconsistency tends to confirm the suspicion that the real reason is being concealed.

86. Use the process of elimination to determine which nursing prescription is appropriate to add to a care plan of a client in the early postoperative period following a mastectomy. Recall that clients who have had a breast removed are at risk for compromised circulation of blood and lymph in the arm on the operative side.

87. Look at the key words "most appropriate" as they relate to discharge teaching for a client who is predisposed to estrogen deficiency secondary to having the ovaries removed. Recall that when estrogen levels fall during the perimenopausal period, which is no different hormonally than when the ovaries are removed, clients experience physiologic phenomena such as hot flashes and sweating.

88. Look at the key words "most therapeutic" in relation to transitioning an older adult to a care facility. Recall that older adults have been accustomed to making their own decisions. To promote acceptance and ownership of a change, it is important to include the person most affected in the decision-making process, which leads to selecting option 2.

89. Look at the key words "most helpful" as they relate to preventing a postoperative complication. Although all of the options are components of appropriate postoperative nursing care, option 2, if not addressed, may lead to interference in the client's recovery and extension of the client's hospitalization.

90. Use the process of elimination to select a statement that identifies the role hospice care when a client is terminally ill. Consider the goal is to have the client's end-of-life wishes be fulfilled.

91. Analyze what the question asks, which is meal assistance of a legally blind client. Consider safety precautions and supportive measures when assisting.

92. Look at the key words "most important" and "initially," which suggest the need to select the priority from among the options. Recall that the newborn's blood glucose level, which was elevated in utero, will quickly decrease when it is separated from the source of maternal glucose. Hypoglycemia has the potential for being life threatening.

93. Use the process of elimination to help select the therapeutic effect associated with the administration of pyridostigmine. Options 1, 3, and 4 can be eliminated because they describe functions that are controlled by other than skeletal muscles.

94. Look at the key word "essential" as it applies to a priority for teaching a client with acne how to avoid secondary infections and scarring. Although cleanliness and reducing oily secretions from the face help reduce the lesions, the hands are sources of organisms that may enter lesions as they are traumatically manipulated.

95. Use your knowledge of infection control procedures to identify an error in infection control measures. Analyze each situation asking if the nursing measure is appropriate.

96. Look at the key word "immediately" as it relates to a nursing action after inserting a Salem sump tube. Recall that a nasogastric tube has the potential for entering the airway. Thus, checking its placement is the priority action.

97. Analyze what information the question asks, which is correct information the client identifies as common side effects of nonsteroidal anti-inflammatory drug (NSAID) therapy. Recall that NSAIDs should be taken with food because when taken on an empty stomach, they cause gastric irritation, which can possibly lead to ulcer formation and gastric bleeding.

98. The key words are "emergency" meaning initial and "chemical" burns. Recall that reducing and eliminating contact between the corrosive substance and the skin will minimize the injury and is the first action the nurse should take.

99. Use the standards of care when caring for a client with neutropenia and providing discharge instructions. Consider sources of infection, especially in the home, that may affect the client.

100. Look at the key words "most important" as they relate to discharge instructions provided to the family of an older adult who experienced trauma secondary to a fall. Recall that head trauma, identified in the stem, can cause slow bleeding within the cranium, a life-threatening consequence. The increased intracranial pressure can lead to altered consciousness.

101. Analyze to determine what the question asks, which is main source of calories for a 3-month-old infant. Consider which would supply the infant with the nutrients needed for growth.

102. Use the standard protocol of medication calculation as the basis for determination of action. Double check work and compare to prescribed dosage.

103. Analyze what information the question asks, which is an appropriate nursing action when withdrawing medication from an ampule. Recall that medication sometimes collects above the narrow neck of the glass ampule. Tapping the stem tends to facilitate moving the trapped medication into the lower portion of the ampule.

104. Use the process of elimination to help select the option that describes the best evidence that traction is able to function correctly. Analyze each option for positive evaluation data linking the traction to proper alignment.

105. Analyze the information that the question asks, which is the best indication that a client is developing pulmonary edema. Recall that pulmonary edema is accompanied by respiratory distress as the client has more and more difficulty maintaining adequate exchange of gases at the alveolar-capillary membranes.

106. Analyze what information the question asks for, which is evidence that a child has been prepared appropriately for a cardiac catheterization. Recall that a 5-year-old child will be best prepared by using pictures. Options 1, 2, and 4 are not accurate statements.

107. Analyze what information the question asks, which is the first step to take when planning bladder retraining. Recall that assessment is the first step in the nursing process, which leads to selection of option 1.

108. Analyze what information the question asks for, which is the correct method for performing Crede maneuver. Recall that this is a hands-on maneuver initiating the need to void.

109. Use the knowledge of the flow of electrical activity in the heart (depolarization before repolarization) and relate the sequential "P" then "QRS" and "T" to determine the waveform placement and names.

110. Use the process of elimination to help select the option that identifies a characteristic of respiratory distress manifested by a newborn. Options 1, 2, and 3 may appear attractive, but they all describe normal breathing characteristics in a newborn.

111. Look at the key words "most important" to base the plan of care. If unsure of complete blood count (CBC) interpretation, note that myelosuppression is most severe and comprises anemia and fatigue.

112. Look at the key words "most appropriate" in relation to a nursing intervention to minimize incisional discomfort caused by coughing after surgery. Recall that placing pressure over the incision limits movement that triggers pain receptors in the traumatized tissue.

113. Use the process of elimination to help select the option that corresponds with the best time for offering a nutritional supplement. Recall that the term "supplement" implies "in addition to," in this case, in addition to a meal. This leads to the selection of option 4 as the best answer.

114. Look at the key words "most appropriate" in reference to a recommended intervention for preventing a hip spica cast from being soiled by urine or feces. The desired technique is one that acts as a barrier to these substances.

115. Analyze what information the question asks, which is the correct position that facilitates performing a lumbar puncture. Because the health care provider must have access to the spine and the space between the vertebrae to insert the needle, option 4 is the best answer.

116. Use the process of elimination to help select the option that describes the safest method for transferring a client from a bed to a wheelchair. Analyze and rank each option according to the safety the option provides.

117. Analyze what information the question asks for, which is an action that contains a fire. Recall that one of the methods used to prevent or limit the spread of a fire is closing open doors. Doing so first ensures the safety of clients and personnel on the nursing unit.

118. Use the standards of care to identify which action requires gloving. Consider why gloving is needed such as body fluids, soiling, or disease transmission when determining the need to glove.

119. Recall the nursing process. Assessment comes prior to planning and intervention.

120. Use the process of elimination to help select the option that best explains the brown discoloration on a washcloth when bathing a client of color. Recall that melanin is the skin pigment found in higher amounts in black clients.

121. Look at the key words "most appropriate" in reference to an appropriate response to a cooperative client's silence when assessing a component of a mental status examination. Showing respect for a client is a principle that is important in all nurse-client interactions. Therefore, by moving on, the nurse avoids embarrassing the client or contributing to the client's frustration.

122. Look at the key words "most appropriate" as they refer to a goal when caring for a client with osteoporosis. Recall that osteoporosis weakens the density of bones. Preventing a fall is the best answer because it identifies a realistic short-term goal that relates to safety.

123. The key words are "priority" and "reduce risk." Analyze each option for the merit of infection prevention by thinking how the action impacts the client.

124. Look at the key words "most appropriate" in reference to discharge instructions for parents of a child who has undergone a tonsillectomy and adenoidectomy. Recall that a mutual nerve innervates the throat and ears, and so trauma to the throat secondary to removing the tonsils may be experienced as an earache, making option 4 the best answer.

125. Analyze what the question asks, which is person authorized to provide consent for care. Recall the legal standards and relate authorization to the persons providing care.

126. Analyze what information the question asks, which is an abnormal finding during the assessment of a full-term newborn. Analyze each option thinking about developmental characteristics and gestation. Look for the assessment finding that does not fit with a full-term newborn.

127. Analyze what information the question asks, which is an explanation of the therapeutic action of alteplase. Recall that alteplase is a thrombolytic agent.

128. Analyze what information the question asks, which are characteristic changes associated with aging.

Alternative-format "select all that apply" questions require considering each option independently to decide its merit in answering the question.

129. Look at the key words "order in which the actions are performed," which require identifying a sequence from start to finish. Visualize the nurse's action in completing the task. If unsure, begin with the first action and select the ending action. Arrange the remaining actions in order.

130. Look at the key words "most helpful" in reference to preventing loneliness experienced by a client who has just been transitioned to a long-term care facility. Recall that preserving and continuing relationships with others that are significant to the client reduce feelings of loneliness, as suggested in option 3.

131. Analyze the information about which the question asks, which is the type of concerns referred to an ethical practices committee. Read the rationale to help recall the realm into which the options fall. Option 4 describes an ethical concern that may result in the loss of the nurse's license depending on the seriousness of the incident, its validation, and the decision of the committee.

Correct Answers and Rationales

1. 2. Aspirin is used as an anti-inflammatory, analgesic, antipyretic, and antiplatelet agent. It is a known gastric irritant. It should be taken with a full glass of water, food, or milk. Enteric-coated or buffered forms of aspirin help prevent gastric irritation and reduce the risk of bleeding. None of the other medications is associated with gastric irritation.

Cognitive Level—Applying
Client Needs Category—Physiological integrity
Client Needs Subcategory—Pharmacological therapies

2. 2. Mild cognitive impairment (MCI) causes a slight but noticeable and measurable decline in cognitive abilities, including memory and thinking skills. While there are no medications approved for treatment, there are strategies that may slow the decline in thinking skills. Participating in mentally stimulating and socially engaging activities may help sustain brain function. The client with mild cognitive impairment would not need a strict routine, behavior modification, or safety equipment at this level of decline.

Cognitive Level—Applying
Client Needs Category—Psychosocial integrity
Client Needs Subcategory—None

3. 4. Good sources of iron include liver, lean meats, tofu, spinach, legumes, dried fruits, leafy green vegetables, whole grain, and fortified cereals. Each lunch option has nutritious benefits, but the spinach salad is best for incorporating iron into the diet. Adding whole grain bread to the ham salad and turkey and Swiss sandwich would increase the iron in the diet. Fruits in the diet help with iron absorption.

Cognitive Level—Analyzing
Client Needs Category—Physiological integrity
Client Needs Subcategory—Basic care and comfort

4. 4. When leading a team, the pediatric licensed practical nurse is most correct to suggest that the critically ill 3-year-old preschooler have emergency medication administered by the intraosseous route in the femur. The intraosseous route is the best choice during emergency situations when the intravenous route is unable to be obtained. Intraosseous administration is equally rapid in delivering systemic medications and more rapid than the oral and intramuscular route. In an emergency situation, waiting for the preschooler to be anesthetized delays treatment.

Cognitive Level—Analyzing
Client Needs Category—Safe and effective care environment
Client Needs Subcategory—Coordinated care

5. 3. When processing the health care provider's prescription, the nurse appropriately identifies a nursing concern related to a prescribed medication (bisacodyl suppository). Bisacodyl suppository is a laxative, for which use is contraindicated for postpartum clients with a third- or fourth-degree laceration because this type of laceration extends into the rectal sphincter. Instead of a laxative, a stool softener is usually prescribed. To avoid constipation, clients are encouraged to increase fluid intake and ambulate. Hemorrhoids and a vacuum extraction are not reasons for omitting laxatives or enemas. Consideration is given to ordering bisacodyl suppositories to breastfeeding women because small amounts of metabolites are excreted in breast milk. However, bisacodyl suppositories are still used during pregnancy and lactation.

Cognitive Level—Analyzing
Client Needs Category—Safe and effective care environment
Client Needs Subcategory—Coordinated care

6. 2. Persons with only a few gallstones and mild symptoms experience relief by the application of shock waves (lithotripsy) that pulverize the stones. The smaller stones then move into the intestinal tract and are excreted in the stool. The stones are not dissolved or removed in its entirety with an endoscope or covered in a resin.

Cognitive Level—Understanding
Client Needs Category—Physiological integrity
Client Needs Subcategory—Reduction of risk potential

7. 4. Dried beans, rice, peanut butter, peanuts, and whole grains are examples of plant proteins that are cheaper than animal proteins, such as meat, chicken, fish, and dairy products. Plant proteins taken in a sufficient amount or combined with a small amount of meat can satisfy the protein needs of a pregnant woman. Broccoli and cauliflower are vegetables that add significant sources of fiber and vitamins to the diet. Fortified cereal includes vitamins and minerals such as folic acid, B vitamins, and iron, depending on the cereal.

Cognitive Level—Applying
Client Needs Category—Physiological integrity
Client Needs Subcategory—Basic care and comfort

8. 1. Nursing instruction for self-awareness of the breast focuses on the client's understanding of and identification of any changes of the breast. To accomplish this goal, it is most appropriate to know the look and be aware of the characteristic of the breast. Weekly exams are appropriate for early identification of changes. Breast self-examination (BSE) is not considered as important of a screening tool as it once was for women at any age; however, many health care providers still instruct to assess the breast in this way. Mammogram and ultrasound frequency are determined between the client and health care provider. Changes in guidelines have shifted the focus of annual examinations being the gold standard.

Cognitive Level—Analyzing
Client Needs Category—Health promotion and maintenance
Client Needs Subcategory—None

9. 2. The presence of albumin in the urine is one of the primary signs of preeclampsia, which is also referred to as *toxemia of pregnancy, pregnancy-induced hypertension,* or *gestational hypertension.* It is essential to also report the client's blood pressure as hypertension is a common warning sign. Other warning signs include a severe headache, excessive swelling of the hands and feet, double vision, and nausea and vomiting. The temperature, pulse, and respirations are obtained as part of a complete assessment but not as important to report as the blood pressure.

Cognitive Level—Applying
Client Needs Category—Physiological integrity
Client Needs Subcategory—Reduction of risk potential

10. 3. The priority question relates to bowel movements. In the nurse's note, it states that the client is confused and has a yellowish tone to the skin suggesting a liver complication. Unusual confusion can be related to an increase in ammonia level stemming from liver complications. The other questions are appropriate but not the priority based on the client data in the nurse's note.

Cognitive Level—Analyzing
Client Needs Category—Safe and effective care environment
Client Needs Subcategory—Coordinated care

11. 3. All of the neonatal assessment data are within normal limits with the exception of temperature. The temperature reading is under 97.5°F (36.4°C); thus, the nurse would place the neonate under the infant warmer. The other options are not either necessary or a priority.

Cognitive Level—Applying
Client Needs Category—Safe and effective care environment
Client Needs Subcategory—Coordinated care

12. 3. The nurse's ultimate responsibility is for the client's safety. A change in vital signs, including a fall in blood pressure readings, is a sign of systemic complications, such as hemorrhage and shock, and should be reported immediately. After notifying the charge nurse and health care provider, the nurse should then take frequent vital signs to provide a baseline for further treatment. Documenting the information, which is necessary, does not help the client improve. Fowler position may lower, not raise, the blood pressure.

Cognitive Level—Analyzing
Client Needs Category—Physiological integrity
Client Needs Subcategory—Reduction of risk potential

13. 1. A large oral intake (eight ounces every hour) keeps the urine dilute and less likely to obstruct a urinary catheter with blood clots and tissue debris following a transurethral prostatectomy (TURP). A urine specific gravity of 1.1 is elevated. The client has an indwelling Foley catheter postoperatively. While increasing fluids can decrease the incidence of infection and dysuria, it is not the main rationale for a postoperative fluid increase.

Cognitive Level—Analyzing
Client Needs Category—Physiological integrity
Client Needs Subcategory—Reduction of risk potential

14. 2. The second stage of labor begins when the cervix is completely effaced and fully dilated; this stage of labor ends with birth of the neonate. The nurse assists in preparing a warm Isolette to place the neonate. During the first stage of labor, the client has regular contractions that serve to dilate and thin the cervix. The client is placed on a fetal monitor to monitor the fetus' status during the labor process. Some health care providers prescribe an enema in the first stage. During the third stage of labor, the placenta is delivered. During the fourth stage of labor, the mother is monitored closely for complications such as hemorrhage. Dexamethasone is given when preterm labor occurs.

Cognitive Level—Applying
Client Needs Category—Physiological integrity
Client Needs Subcategory—Reduction of risk potential

15.

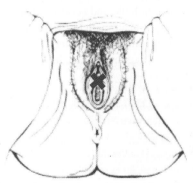

The nurse inserts the urinary catheter in the urinary meatus, which lies just above the vaginal opening and below the clitoris.

Cognitive Level—Understanding
Client Needs Category—Physiological integrity
Client Needs Subcategory—Reduction of risk potential

16. 3. The first instruction to the nursing team in preventing falls is to assess why the client is trying to get out of the chair. Regular assessment of the client's needs and then follow-up action is the best course of action. A medical prescription is required before a restrictive restraint is applied. Tying a person in a chair with a sheet is ineffective for preventing falls because the client can slip under the sheet and onto the floor. Keeping a client within sight at all times is impractical. Sedation, a form of chemical restraint, should be the last means of keeping the client safe.

Cognitive Level—Analyzing
Client Needs Category—Safe and effective care environment
Client Needs Subcategory—Coordinated care

17. 2. The presence of a rash is highly suggestive of an allergic reaction, which is common among individuals who are sensitive to penicillins. Before administering subsequent doses, the nurse needs to withhold the dose and notify the health care provider. The nurse uses alternative I.M. injection sites and rotates each injection site when a site becomes painful. A body temperature of 100°F (37.8°C) indicates that the client is responding to the infecting pathogen and would not be an indication to withhold the antibiotic. A sore mouth can be the result of a superinfection caused by yeast or fungus as a result of frequent or multiple antibiotic use. A sore mouth does not warrant withholding the medication; however, it does require further investigation.

Cognitive Level—*Analyzing*
Client Needs Category—*Physiological integrity*
Client Needs Subcategory—*Pharmacological therapies*

18. 3. Four glasses of fluid per day is an inadequate volume of liquid to ensure moist stool. A healthy daily fluid intake includes 1,200 to 1,500 mL of water and beverages, along with an additional 700 to 1,000 mL of water from food sources. Eating five servings of vegetables, eating cereal with skim milk, and substituting plant protein sources for meat are healthy dietary choices and would not contribute to constipation. Increasing dietary fiber promotes regular elimination of moist, bulky stools.

Cognitive Level—*Applying*
Client Needs Category—*Physiological integrity*
Client Needs Subcategory—*Basic care and comfort*

19.

3. An older adult client admitted with unstable angina who reports sternal chest pain
2. A new postoperative client being transferred by the unlicensed assistive personnel into a bed
6. A client with history of gallstones reporting abdominal pain of 7 out of 10
5. A client with an afternoon blood sugar reading of 285 mg/dL (15.8 mmol/L)
4. An adult who is awaiting transport to the operating room for surgery in 1 hour
1. A young adult who has been given discharge instructions but is awaiting a ride

The nurse must prioritize the nursing assessments after the report to include those clients needing immediate attention due to unstable status first, followed by those clients with needs that are not as pressing. In this situation, the nurse's first priority is the client with unstable angina who is experiencing sternal chest pain. The nurse should recognize this condition as a potential emergency requiring immediate medication and health care provider notification depending on the assessment findings. The nurse would then complete a nursing assessment of the client returning from surgery. The period immediately after surgery is a crucial time to have postoperative complications. The nurse is responsible for documenting the client's condition on return to the medical-surgical unit. Although abdominal pain is not unusual for the client with gallstones, a pain level of 7 out of 10 requires the administration of pain medication. A nursing assessment is completed before pain medication administration to assess the characteristics of the pain. The client with an elevated blood sugar reading would be assessed next. A thorough assessment of any signs and symptoms of hyperglycemia would be completed, and typically insulin would be given. Although a blood sugar of 285 mg/dL (15.8 mmol/L) is elevated and requires nursing action, it is not at an emergency level. The nurse would then assess the client scheduled for surgery in 1 hour. Assessing the preoperative status and making certain that the preoperative protocols are followed is the nurse's responsibility. The last priority is the client who is discharged and awaiting a ride home. The client remains the responsibility of the nurse until the client has been documented to have left the building.

Cognitive Level—*Analyzing*
Client Needs Category—*Safe and effective care environment*
Client Needs Subcategory—*Coordinated care*

20. 1, 3, 5. The best client for the licensed practical/vocational nurse (LPN/LVN) is one who has a minor illness or is in chronic but stable condition. It is in the scope of practice for the LPN/LVN to check blood glucose levels and administer insulin the health care provider prescribes. The LPN can also administer pain medications (typically oral for a sprained ankle) and provide instructions on crutch walking. The LPN/LVN is able to administer prescribed breathing treatments and I.V. antibiotics through a peripheral line. A client with changing hemodynamics requires a skilled nursing assessment as for a client returning from the operating room or the client with sternal pain.

Cognitive Level—*Analyzing*
Client Needs Category—*Safe and effective care environment*
Client Needs Subcategory—*Coordinated care*

21. 3. Medications should never be mixed with the total volume of tube-feeding formula because if the total volume is not ingested, the child will not receive the full amount of medication. Medications should be given separately from the formula. The procedures described in the remaining options are safe and appropriate.

Cognitive Level—*Analyzing*
Client Needs Category—*Physiological integrity*
Client Needs Subcategory—*Pharmacological therapies*

22. **125 mg.**
To solve the calculation, use the child's weight in kilograms. Calculate the total daily dose for this child by multiplying the dose by the child's weight.

$$25 \text{ mg} \times 20 \text{ kg/day} = 500 \text{ mg/day}$$

To find the safe amount given in a single dose, divide by 4 (the total number of doses given in 1 day).

$$\frac{500 \text{ mg/day}}{4 \text{ doses/day}} = 125 \text{ mg/dose}$$

Cognitive Level—Applying
Client Needs Category—Physiological integrity
Client Needs Subcategory—Pharmacological therapies

23. **2.** The nurse and respiratory therapist collaborate in providing care to the client. The respiratory therapist administers a bronchodilator, which opens the airways to maximize the drainage obtained during postural drainage. To obtain the best therapeutic outcome, the client is encouraged to cough. Coughing increases intrathoracic pressure, which facilitates raising and expelling secretions from the airways. The client's body position during postural drainage depends on which lobe(s) of the lung needs draining. Lying supine does not encourage drainage from the lungs because it does not capitalize on using gravity. Breathing through the mouth is not related to postural drainage and elimination of secretions. Breathing slowly may increase tidal volume, but it does not promote elimination of pulmonary secretions.
Cognitive Level—Analyzing
Client Needs Category—Safe and effective care environment
Client Needs Subcategory—Coordinated care

24. **2.** Because of the changes in circulation in the lower extremities related to the disease process, it is important for the client with diabetes to observe good foot care. Further teaching is needed in this case because the client is at risk for cuts, injury, and infection by trimming calluses with a tool like a nail clipper that has a sharp cutting surface. Using lamb's wool to prevent pressure among adjacent toes and having toenails that are short and straight are appropriate when practicing good foot care. Nonelastic white foot socks are appropriate to avoid interfering with blood circulating to the lower extremities. Wearing white socks can help clients with diabetes detect draining lesions better than socks that are dark in color. Other instructions regarding diabetic foot care include avoiding going barefoot; wearing well-fitting shoes; washing, drying, and covering injuries with sterile gauze; applying lotion to the feet daily; and keeping the feet clean and dry and nails short. In addition, the client should carefully examine the feet daily for blisters, cuts, and redness.
Cognitive Level—Applying
Client Needs Category—Physiological integrity
Client Needs Subcategory—Reduction in risk potential

25. **4.** When introducing a nasogastric (NG) tube into a nostril, it is best to have the client sit upright with the neck hyperextended. This position helps the nurse to guide and direct the tip of the tube toward the pharynx. After the tube is in the oropharynx, the nurse instructs the client to flex the neck and lower the chin to the chest. Then, the nurse advances the tube into the stomach. Neck flexion, extension, and rotation of the neck do not facilitate insertion or advancement of an NG tube.
Cognitive Level—Understanding
Client Needs Category—Physiological integrity
Client Needs Subcategory—Reduction of risk potential

26. **4.** The international normalized ratio (INR) is the laboratory test used to assess the effectiveness of warfarin sodium therapy. Blood levels are obtained on a regular basis to assess the blood's coagulation status. Warfarin sodium works by interfering with the formation of vitamin K–dependent clotting factors in the liver. Platelet levels are unaffected by warfarin sodium. Partial prothrombin time (PTT) is used to assess the effectiveness of heparin, not warfarin, therapy. The circulating blood volume remains unchanged with warfarin sodium.
Cognitive Level—Analyzing
Client Needs Category—Physiological integrity
Client Needs Subcategory—Pharmacological therapies

27. **1.** Identifying the foods ingested is important in assessing the potential source of the gastroenteritis. Foods of an animal source are primarily involved in outbreaks of foodborne gastroenteritis. Common foods include milk, eggs, and meat such as poultry. The pathogens tend to grow and reproduce when the food is not refrigerated properly or is undercooked. Recently, tomatoes, spinach, and lettuce have been documented as sources of *Escherichia coli* outbreaks due to possible improper handling of the food. The appearance, flavor, and odor of contaminated food may be unaffected. Whether a client has previously had a foodborne infection does not necessarily reflect a diagnostic relationship to the present symptoms. Taking something for nausea does not help determine the cause of the problem.
Cognitive Level—Applying
Client Needs Category—Safe and effective care environment
Client Needs Subcategory—Safety and infection control

28. **4.** Care of a client receiving internal radiation therapy is best rotated among all nonpregnant members of the nursing team because rotating care minimizes the time any one individual is exposed to radiation. It is safe and appropriate to warn personnel and visitors of a potential hazard, both verbally and using universal symbols. Radiation badges measure the amount of radiation exposure to the caregiver; therefore, each person involved in the client's care wears a different badge.

    Cognitive Level—Applying
    Client Needs Category—Safe and effective care
        environment
    Client Needs Subcategory—Coordinated care

29. 3. An intravenous pyelogram (IVP) is used to evaluate the structures of the urinary system and to assess renal function. An iodine-based dye injected intravenously is commonly used. After injection, the dye passes into the kidneys. X-rays are taken about 30 minutes later. A history of allergies is most important, especially if the client has a history of an allergy to iodine or seafood (which contains iodine). Allergic reactions vary from mild flushing and itching to anaphylactic shock. Delayed response to the dye can occur 2 to 6 hours after the test. If the client is allergic to iodine, the health care provider is notified before the client has the IVP. Urine output is monitored after the test. The other choices are not essential for the nurse to ask before the IVP.

    Cognitive Level—Analyzing
    Client Needs Category—Safe and effective care
        environment
    Client Needs Subcategory—Safety and infection
        control

30. 1. Of the four options, listening to a radio or audio podcasts is the most appropriate diversional activity for a client with a recent loss of vision. The newly blind client may not be ready to interact with others as a means of diversion. Listening to television may create anxiety because the client can only hear, not see, what is happening. Reading books set in Braille requires special education and time to practice the technique.

    Cognitive Level—Analyzing
    Client Needs Category—Physiological integrity
    Client Needs Subcategory—Basic care and comfort

31. 4. It is most important to have the client document his or her feelings. By doing so, the nurse is providing support for the client's decision and assisting the client in seeing that the wishes are fulfilled. All of the other interactions are also appropriate and important in nursing care.

    Cognitive Level—Analyzing
    Client Needs Category—Safe and effective care
        environment
    Client Needs Subcategory—Coordinated care

32. 3. To determine the number of milliliters of an I.V. solution to infuse in 1 hour, the total quantity (in this example, 1,000 mL) is divided by the total hours of infusion (in this example, 8 hours). Therefore, the hourly volume is 125 mL.

    Cognitive Level—Applying
    Client Needs Category—Physiological integrity
    Client Needs Subcategory—Pharmacological therapies

33. 2. An antistreptolysin O test is useful in the diagnosis of rheumatic fever, which is a complication of a streptococcal infection. This test detects antibodies to the enzymes of the *Streptococcus* group A, which is thought to cause rheumatic fever, glomerulonephritis, bacterial endocarditis, scarlet fever, and other related conditions. The antinuclear antibody test is used to diagnose lupus erythematosus. The heterophile antibody titer is performed to determine if a person has infectious mononucleosis. The fluorescent antibody test is used to diagnose syphilis.

    Cognitive Level—Applying
    Client Needs Category—Physiological integrity
    Client Needs Subcategory—Physiological adaptation

34. 4. Because the client is overweight, inserting the needle at a 90-degree angle is the most appropriate technique. Using a ⅝″ needle rather than a ½″ needle will allow the insulin to reach the subcutaneous tissue. A 15-degree angle is used for intradermal injections, such as in tuberculosis tests. A 30-degree angle is not used with subcutaneous injections. If the client were of normal weight, a 45-degree angle for the injection would be appropriate.

    Cognitive Level—Analyzing
    Client Needs Category—Physiological integrity
    Client Needs Subcategory—Pharmacological therapies

35. 2. Discharge teaching for a client who has undergone a prostatectomy includes the warning to avoid heavy lifting and strenuous exercise until the health care provider permits these activities. Constipation is avoided by eating foods high in roughage; enemas are also avoided. A liberal fluid intake is encouraged.

    Cognitive Level—Analyzing
    Client Needs Category—Physiological integrity
    Client Needs Subcategory—Reduction of risk potential

36. 4. A client with expressive aphasia hears normally and understands verbal communication but has an impaired ability to provide a clear verbal response. Communication is improved in many instances if the nurse gives the client time to use motions or signs, write an answer (if able), or try to speak. Even though the speech of a client with expressive aphasia is greatly impaired, some affected people can be understood if the listener is patient. It is incorrect to assume that a client with aphasia is also intellectually impaired.

    Cognitive Level—Analyzing
    Client Needs Category—Physiological integrity
    Client Needs Subcategory—Basic care and comfort

37. 2. Continuous bubbling is abnormal in the water-seal chamber but is normal in the suction control chamber. Continuous bubbling in the water-seal chamber generally indicates an air leak in the tubing between the client and the water-seal chamber. The source of the air leak needs to be determined, or the therapeutic benefit of the water-seal drainage system will be compromised. The water seal is being maintained by the 2 cm of water. Bloody drainage is normal and a sign that the blood is being evacuated from

the thorax. Breath sounds are usually diminished in clients with a hemothorax.
Cognitive Level—Analyzing
Client Needs Category—Physiological integrity
Client Needs Subcategory—Physiological adaptation

38. 3. Proximal means "closest to" the site. The nurse begins by assessing the client's femoral pulse, which is closest to the groin catheter insertion site. To assess, the nurse places the fingers in the inguinal area. The popliteal pulse is felt behind the knee. The pedal pulse is felt on the dorsum of the foot. The posterior tibial pulse is felt in the lower leg.
Cognitive Level—Applying
Client Needs Category—Physiological integrity
Client Needs Subcategory—Reduction of risk potential

39. 3. During the transition phase of active labor, the client may not tolerate touch but fears being left alone. Other signs of transition include nausea and vomiting, trembling of the lower extremities, irritability, and fear of losing control. Rupture of the membranes may occur spontaneously or artificially at any point during labor. The urge to push (the same feeling as the urge to have a bowel movement) occurs during the second stage of labor. Shivering is a normal response that may occur after birth, during the fourth stage of labor.
Cognitive Level—Applying
Client Needs Category—Health promotion and maintenance
Client Needs Subcategory—None

40. 1. Kegel exercises involve tightening and relaxing the pelvic floor muscles. The exercises are performed 4 or more times per day and from 5 to 20 times each session. Performed consistently, Kegel exercises prevent or relieve stress incontinence, shorten the second stage of labor, promote healing of perineal and rectal incisions, and increase the potential for sexual orgasm. Strengthening the abdominal muscles by raising the legs or tightening the abdomen is not helped by Kegel exercises. Rolling from side to side is not effective in strengthening muscles.
Cognitive Level—Applying
Client Needs Category—Health promotion and maintenance
Client Needs Subcategory—None

41. 4. The correct procedure is to instill a volume of air equal to the volume that will be removed. Instilling air increases the pressure within the vial and facilitates removal of the drug. Omitting air instillation creates a vacuum in the vial when the drug is withdrawn. Injecting more air than the amount of the drug withdrawn creates excessive pressure in the vial, which may force the plunger out of the syringe. It is generally unnecessary to refrigerate a drug before withdrawing it from a vial unless the manufacturer recommends refrigeration.
Cognitive Level—Analyzing
Client Needs Category—Physiological integrity
Client Needs Subcategory—Pharmacological therapies

42. 3. Recapping needles is a potentially hazardous action that can lead to needlestick injuries and possible transmission of blood-borne pathogens. If capping a needle is desired, it can be done by "scooping" the needle cover before administering the medication to protect the fingers and hand of the person administering the injection, but recapping is never done after the injection is given. Wearing gloves, depositing sharp items in a biohazard container, and swabbing the site are safe and appropriate actions.
Cognitive Level—Analyzing
Client Needs Category—Physiological integrity
Client Needs Subcategory—Pharmacological therapies

43. 2. Mild to severe joint pain indicates bleeding into the joint, which can lead to joint deformities or destruction. Clients with hemophilia experiencing symptoms suggestive of bleeding need immediate medical attention. There is no direct connection between hemophilia and anorexia or nasal congestion. Depression may develop as a consequence of coping with a chronic illness. Depression indicates a need for additional nursing assessment for suicidal ideation and continued close observation.
Cognitive Level—Analyzing
Client Needs Category—Physiological integrity
Client Needs Subcategory—Reduction of risk potential

44. 1. Neuroleptic malignant syndrome (NMS) is a life-threatening condition characterized by fever, muscle rigidity, autonomic instability, and cognitive changes such as delirium. The most common cause of the condition is antipsychotic medication use. Generally, the higher the client dosage, the more common the occurrence of the condition. Rapid and large changes in dosage can also trigger the condition. Having a past bleed on a magnetic resonance imaging (MRI) scan, having a low white blood cell (WBC) count, or experiencing stress at work are not contributing factors in the development of NMS.
Cognitive Level—Applying
Client Needs Category—Physiological integrity
Client Needs Subcategory—Physiological adaptation

45. 4. The use of body powder on an infant is not recommended because of the risk for pneumonitis secondary to aspiration of the talc. A room temperature between 72°F and 75°F (22.2°C and 23.9°C) is appropriate. Wiping the teeth with gauze is appropriate oral care for an infant; as an alternative, having the infant drink water cleans the mouth. It is also appropriate to use the elbow to assess the bath water temperature because the elbow is sensitive to temperature variations.
Cognitive Level—Analyzing
Client Needs Category—Safe and effective care environment
Client Needs Subcategory—Coordinated care

46. 1. Two drugs commonly self-administered by injecting into a vein are cocaine and heroin. Heroin is an opiate.

Opiates are any drug containing or derived from opium. Cocaine is a stimulant; it is purified from the leaves of the cocoa plant. Cocaine is also commonly snorted through the nose or inhaled by smoking. Heroin is injected directly into a vein or under the skin, a technique known as "skin-popping." Barbiturates, amphetamines, and hallucinogens are more commonly self-administered by the oral route.

> *Cognitive Level—Applying*
> *Client Needs Category—Physiological integrity*
> *Client Needs Subcategory—Pharmacological therapies*

47. 4. An advance directive is a legal document that describes how a client wishes to be treated or not treated should the client at some future time be unable to make this decision independently. The client may also select a spokesperson, such as the health care provider or a spouse, to act as a proxy regarding using or withholding medical treatment. Financial cost or insurance is not considered a priority in arriving at an ethical decision. It is unnecessary for all the client's relatives to agree or disagree on discontinuing life support.

> *Cognitive Level—Analyzing*
> *Client Needs Category—Safe and effective care environment*
> *Client Needs Subcategory—Coordinated care*

48. 1, 2, 4, 5. Falls are common among older adults, due to the aging process. The nurse is correct to instruct on making sure there is a light source so the client can see the area and does not trip. Regular exercise is important for muscle strength and maintaining agility. Safety measures including installing handrails and grab rails in frequently used areas. A nutritious diet is important in maintaining health, including stamina to safely complete activities of daily living. Area or loose rungs are a fall danger. Benzodiazepines or depressants increase the risk of falls due to their side effects.

> *Cognitive Level—Applying*
> *Client Needs Category—Safe and effective care environment*
> *Client Needs Subcategory—Safety and infection control*

49. 3. Reinforcing the fact that standard precautions can block the transmission of the virus from the client to the health care worker is the best information among the choices. Being told the sources of transmission is not as reassuring as reiterating how the transmission is blocked. Although many infected people are living longer, that information is not likely to give peace of mind. Health care workers who are occupationally infected with HIV may not qualify for workers' compensation benefits because it is difficult to prove that a specific incident resulted in infection.

> *Cognitive Level—Analyzing*
> *Client Needs Category—Safe and effective care environment*
> *Client Needs Subcategory—Safety and infection control*

50. 1. Immediately after the membranes have ruptured, the nurse monitors the fetal heart rate to detect fetal distress. Natural or artificial rupture of the membranes may result in prolapse of the umbilical cord, which is followed by compression of the cord and interference with fetal oxygenation. Antibiotics are not routinely given when the amniotic membranes rupture. The health care provider may decide to place the client on antibiotics if the membranes have been ruptured for an extended time. Applying pads does not take priority over assessing for fetal distress. In the event of a prolapsed cord, the client is placed in Trendelenburg position to assist with relieving umbilical cord compression.

> *Cognitive Level—Analyzing*
> *Client Needs Category—Physiological integrity*
> *Client Needs Subcategory—Reduction of risk potential*

51. 2, 5, 6. Pneumonia occurs most commonly in clients who are in a weak, immunosuppressed state; have chronic disorders, such as acquired immunodeficiency syndrome (AIDS), diabetes, cardiac or pulmonary disorders, cirrhosis, cancer, or renal failure; are malnourished; who smoke; suffer from alcohol use disorder; or have been exposed to toxic airborne substances. Other risk factors for pneumonia include immobility and recent general endotracheal intubation or surgery. Risk factors for pneumonia also occur from the aging process, such as having a decreased force of cough, reduced number of alveoli, weakened respiratory muscles, deteriorating cilia, and air trapping in the respiratory system. Sudden weight gain, anemia, and dehydration are not considered risk factors for pneumonia. Aspiration pneumonia can occur if the client has a hypoactive, not a hyperactive, gag reflex.

> *Cognitive Level—Applying*
> *Client Needs Category—Physiological integrity*
> *Client Needs Subcategory—Physiological adaptation*

52. 3. Sitting upright with the feet and legs elevated reduces the myocardial workload. This position also allows for maximum expansion of the thoracic cavity. Low Fowler position is used if the client cannot tolerate the upright position. Neither lying on the side nor lying with the head lowered would be advisable.

> *Cognitive Level—Applying*
> *Client Needs Category—Physiological integrity*
> *Client Needs Subcategory—Physiological adaptation*

53. 3. Clients with slow-bleeding cerebral aneurysms are kept quiet to prevent additional or heavy bleeding. Until the health care provider indicates that it is safe for the client to increase activity and ambulation, it is best for the nurse to position the client on a bedpan rather than on a bedside commode. Digital removal of stool is appropriate if the client has an impaction. Clients such as this one, who must avoid straining when defecating, are generally given a daily stool softener to facilitate ease of elimination.

> *Cognitive Level—Applying*
> *Client Needs Category—Physiological integrity*
> *Client Needs Subcategory—Reduction of risk potential*

54. 2. Flaccid muscle tone in a newborn must be reported immediately. A healthy newborn is generally active and displays kicking of the feet and flexion of the arms. The hands and feet may appear blue (acrocyanosis) for a short time after birth while the rest of the body is pink. As the newborn's respirations improve and the baby is warmed, skin color tends to become pink overall. It is normal for a healthy newborn to have a pulse rate higher than 100 beats/minute and a loud, vigorous cry.

Cognitive Level—*Analyzing*
Client Needs Category—*Physiological integrity*
Client Needs Subcategory—*Physiological adaptation*

55. 3. Minor burns over a small area are treated first by immersing the affected part in cool water. Cool compresses may also be applied. Ointments or salves are not applied to minor burns. Normally, a dressing is unnecessary for minor burns. However, when a dressing is necessary, sterile gauze is applied over the area and anchored with nonallergenic tape above and below the burn site.

Cognitive Level—*Analyzing*
Client Needs Category—*Physiological integrity*
Client Needs Subcategory—*Physiological adaptation*

56. 3. Glaucoma is an eye disorder characterized by increased pressure in the eye. There are three types of glaucoma: closed angle (acute), open angle (chronic), and congenital. Closed-angle glaucoma is characterized by acute pain. Therefore, a therapeutic response after the treatment of closed-angle glaucoma is a reduction or elimination of pain within the eye. Swollen eyelids are not a manifestation of closed-angle glaucoma. The conjunctiva, not the sclera, is red during an acute attack of closed-angle glaucoma. Loss of peripheral vision is a pathologic consequence of untreated or ineffectively treated glaucoma.

Cognitive Level—*Applying*
Client Needs Category—*Physiological integrity*
Client Needs Subcategory—*Pharmacological therapies*

57. 1. Liquid and ointment otic (ear) preparations such as ofloxacin are warmed to room temperature if they have been stored in a cool or cold area. Instilling cold medication into the ear is uncomfortable for the client causing ear pain or dizziness. Unless the dropper is grossly covered with debris or wax, it is unnecessary to clean it routinely. There are no general limitations on the maximum volume instilled within the ear nor does the medication need to be diluted. The anatomic size of the client's ear canal and the prescribed dose of medication are guidelines for the amount of drug administered.

Cognitive Level—*Analyzing*
Client Needs Category—*Physiological integrity*
Client Needs Subcategory—*Pharmacological therapies*

58. 1. Fetal alcohol spectrum disorders may result as a consequence of a mother who chronically consumes alcohol during pregnancy. The syndrome leads to cognitive and physical impairment or structural anomalies involving the head, eyes (widely set), ears, and heart. As children

with a disorder in this spectrum get older, some develop attention deficit hyperactivity disorder. The ability for a child to learn can be impacted. Eyesight, seizures, and liver dysfunction are not closely associated with fetal alcohol spectrum disorders.

Cognitive Level—*Applying*
Client Needs Category—*Physiological integrity*
Client Needs Subcategory—*Pharmacological therapies*

59. 3. Sexual abuse is a difficult subject to express. When the subject involves sexual abuse, the best initial response is to assume a child is telling the truth. After that, nursing actions such as those in the alternative options are appropriate.

Cognitive Level—*Analyzing*
Client Needs Category—*Psychosocial integrity*
Client Needs Subcategory—*None*

60. 2. The nurse may begin to observe withdrawal symptoms from alcohol as early as 4 to 6 hours after the last drink, especially in clients who have a pattern of consuming large amounts of alcohol on a regular basis. Further signs of alcohol withdrawal may continue for 12 to 72 hours. Initially, clients have a progressive elevation in their vital signs, tremors, and diaphoresis. If withdrawal is uncontrolled, seizures and hallucinations may also occur.

Cognitive Level—*Applying*
Client Needs Category—*Psychosocial integrity*
Client Needs Subcategory—*None*

61. 4. Burns around the face and neck may compromise breathing as a consequence of inhaling heated air and debris or the swelling of burned tissue. Initially, the burned client will have a fluid volume deficit related to fluid shifts. Hemorrhage does not commonly occur with burns unless there has been an additional injury, such as a wound or fracture. Signs of infection are not evident initially but may occur several days after the injury.

Cognitive Level—*Analyzing*
Client Needs Category—*Physiological integrity*
Client Needs Subcategory—*Physiological adaptation*

62. 2. Frequent range-of-motion (ROM) exercises, along with regularly changing a client's position, help to prevent contractures. Isometric exercises maintain muscle tone but do not prevent contractures. Elevating extremities on pillows promotes venous circulation and decreases edema but does not necessarily prevent contractures. Pressure-relieving devices maintain capillary blood flow, which is necessary for maintaining tissue integrity, not preventing contractures.

Cognitive Level—*Analyzing*
Client Needs Category—*Physiological integrity*
Client Needs Subcategory—*Basic care and comfort*

63. 1. A foul wound odor indicates an infection. The odor of infection is different from the odor associated with burn exudate. Eschar normally turns black after a time. A leukocyte count of 10,000/mm^3 is an upper limit of the normal range and, therefore, not the best indicator of infection. Tachycardia might occur if an infection is present, but there are other physiological explanations for a rapid heart rate.

> *Cognitive Level—Applying*
> *Client Needs Category—Physiological integrity*
> *Client Needs Subcategory—Physiological adaptation*

64. 2. Buttermilk is encouraged to decrease gas and odors in colostomy bags. Water is important for hydration but not for decreasing odors. The ginger in ginger ale is helpful in clients with dyspepsia. Coffee has no impact on decreasing odor.

> *Cognitive Level—Applying*
> *Client Needs Category—Physiological integrity*
> *Client Needs Subcategory—Physiological adaptation*

65. 3. Large muscle activities that release nervous energy such as using a treadmill are best for clients with generalized anxiety disorder. Playing cards, assembling models, and painting are too sedentary.

> *Cognitive Level—Analyzing*
> *Client Needs Category—Psychosocial integrity*
> *Client Needs Subcategory—None*

66. 1. Normal potassium levels are between 3.5 and 5.0 mEq/L (3.5 and 5.0 mmol/L). A value lower than 3.5 mEq/L (3.5 mmol/L) indicates hypokalemia. Signs of hypokalemia include muscle weakness, leg cramping, shallow respirations, shortness of breath, irregular rapid heart rate, electrocardiographic (ECG) changes, confusion, depression, lethargy, and gastrointestinal symptoms. Rapid weight gain is a sign of hypernatremia (elevated sodium level). Slurred speech is a sign of hypophosphatemia (low phosphate level).

> *Cognitive Level—Analyzing*
> *Client Needs Category—Physiological integrity*
> *Client Needs Subcategory—Physiological adaptation*

67. 1. Diabetes commonly causes altered blood flow to the retina, resulting in a condition known as diabetic retinopathy. Such changes can lead to poor vision and possible blindness. Consequently, clients with diabetes should have their vision checked at least once per year and should be instructed to notify their health care provider if sudden vision changes occur. Cataracts related to the increased levels of blood glucose may also occur in clients with diabetes. Diabetes is associated with polyuria, but the color of the urine is not typically noted when evaluating for signs and symptoms of diabetes. Neither elevated blood pressure nor heart palpitations are complications of diabetes. Other complications of diabetes include periodontal disease and changes in the circulation of the lower extremities that can result in ulcerations, increased infections, gangrene, and amputations. In addition, changes in the peripheral nerves can cause weakness and pain as well as impaired gastrointestinal, genitourinary, and vasomotor functioning.

> *Cognitive Level—Analyzing*
> *Client Needs Category—Health promotion and maintenance*
> *Client Needs Subcategory—None*

68. 2. The team member to best assist the client prior to personal care is the respiratory therapist. Decreasing the client's dyspnea from wheezing by use of respiratory medications (possibly bronchodilators) will positively impact the client's ability to assist in his or her personal care. The impact of care can be quickly seen. All other team members provide valuable services that positively impact the client over time.

> *Cognitive Level—Analyzing*
> *Client Needs Category—Safe and effective care environment*
> *Client Needs Subcategory—Coordinated care*

69. 2. It is not within the licensed practical/vocational nurse's (LPN/LVN's) scope of practice to independently change a client's diet. The health care provider specifies the type of diet and when to progress the diet. The LPN/LVN is able to accept a verbal prescription from a health care provider if it is in the practical/vocational nursing scope of practice. The LPN/LVN is able to update the plan of care and notify the health care provider of a client's change of status.

> *Cognitive Level—Analyzing*
> *Client Needs Category—Safe and effective care environment*
> *Client Needs Subcategory—Coordinated care*

70. 4. When performing a nonstress test, each incident of heart rate acceleration must last for at least 15 seconds. For a nonstress test to be considered normal, there must also be at least two fetal heart rate accelerations of at least 15 beats/minute within a 20- to 30-minute time frame. Fetal movement must be present.

> *Cognitive Level—Analyzing*
> *Client Needs Category—Health promotion and maintenance*
> *Client Needs Subcategory—None*

71. 2. Because mechanical friction further traumatizes skin affected by radiation, the client's skin should be cleaned with mild soap and tepid water and then patted dry. Vigorous rubbing over the area could cause skin damage. The marks are never removed because they are meant to remain on the skin throughout radiation therapy. The irradiated skin is protected from direct sunlight. Clothing that covers the area of treatment must fit loosely.

> *Cognitive Level—Applying*
> *Client Needs Category—Physiological integrity*
> *Client Needs Subcategory—Physiological adaptation*

72. 1. The best comment which demonstrates client advocacy is working to obtain a specialty mattress, which will decrease coccyx redness and improve circulation to heal the skin. The nurse is reporting on a health care provider intervention of administering potassium. Physical therapy has transitioned the client to a wheeled walker. Repositioning the client is a nursing intervention currently on the plan of care.

> *Cognitive Level—Analyzing*
> *Client Needs Category—Safe and effective care environment*
> *Client Needs Subcategory—Coordinated care*

73. 2. Temperature assessment by the rectal route is avoided when a child has leukemia because of the danger of causing injury and bleeding. A sponge or gauze is appropriate to use for mouth care to prevent gums from bleeding. Children with leukemia are maintained in protective isolation because of their compromised immune status. A sheepskin is placed under bony prominences for comfort.

Cognitive Level—Analyzing
Client Needs Category—Safe and effective care environment
Client Needs Subcategory—Coordinated care

74. 2. Sterile gloves are used for wound packing due to the invasive nature of the packing procedure. Aseptic technique is needed. Obtaining a wound culture at the center of the wound, particularly if drainage is present is acceptable. Arranging supplies on the sterile field next to the wound and continuing a sterile field between the wound and the field with supplies are appropriate.

Cognitive Level—Analyzing
Client Needs Category—Safe and effective care environment
Client Needs Subcategory—Safety and infection control

75. 3, 5. Airborne precautions apply to clients known or suspected to be infected with a pathogen that can be transmitted by airborne route; these include, but are not limited to: tuberculosis, measles, chickenpox (until lesions are crusted over), and localized (in immunocompromised client), or disseminated herpes zoster (until lesions are crusted over). Contact precautions are used for all wound care. Carcinoma of the lung is not a communicable disease. Droplet precautions are utilized in viral pneumonia.

Cognitive Level—Applying
Client Needs Category—Safe and effective care environment
Client Needs Subcategory—Safety and infection control

76. 1, 3, 4, 5. Vomiting should not be induced if the substance ingested contains alkaline or an acid agent. If burning of the tissues or irritation in the gastrointestinal tract occurs during ingestion, similar damage may occur with vomiting. All cleaners and petroleum-based products are considered harmful. Vinegar window cleaner (vinegar and water) is nontoxic when inhaled or ingested.

Cognitive Level—Applying
Client Needs Category—Safe and effective care environment
Client Needs Subcategory—Safety and infection control

77. 2. Sliding a client up in bed causes friction, which can injure the skin, predisposing it to breakdown and pressure injuries. It is better to logroll the client or use a mechanical lift or a trapeze to change positions. When rolling a client, the nurse must maintain the correct anatomic position, keeping the limbs supported. A mechanical lift is particularly useful if the client is large or difficult to move. The lift moves and holds the client when moving in or out of bed. By holding onto the trapeze, the client can assist the nurse in turning and repositioning.

Cognitive Level—Analyzing
Client Needs Category—Physiological integrity
Client Needs Subcategory—Basic care and comfort

78. 3. Pilocarpine drops are used to treat glaucoma. Eye drops are instilled into the lower conjunctival sac. Before instilling eye drops, the nurse should first ask the client to look up and then pull the lower lid margin downward by exerting pressure over the bony prominence of the cheek. It is also essential to apply pressure to the inside corner of the eyelid for 1 to 2 minutes. This prevents the medication from being eliminated by the eye duct. Massaging the tragus may distribute medication through the ear canal. Pinching the nostrils or tilting the head back may or may not be indicated with some nasal medications. Blotting drops with a cotton ball may be indicated but is not essential.

Cognitive Level—Applying
Client Needs Category—Physiological integrity
Client Needs Subcategory—Pharmacological therapies

79. 2. A polymerase chain reaction (PCR) test is a more reliable test than the enzyme-linked immunosorbent assay (ELISA) or Western blot test for determining the human immunodeficiency virus (HIV) status of infants and young children. The Western blot test and the ELISA both evaluate the presence of IgG antibodies that can cross the placenta and give a false-positive result if the mother is HIV positive. The PCR test detects HIV, not antibodies, and is therefore more reliable. The rapid plasma reagin (RPR) test is a serologic test used to detect syphilis.

Cognitive Level—Applying
Client Needs Category—Physiological integrity
Client Needs Subcategory—Physiological adaptation

80. 1. Heroin, like morphine, causes the pupils to constrict. Although a person with a heroin overdose might be hypotensive, this finding is not as significant as finding pinpoint pupils. There may be multiple reasons why the client does not respond to pain. Heroin does not produce a characteristic breath odor as occurs with alcohol consumption or medical conditions such as diabetic ketoacidosis.

Cognitive Level—Applying
Client Needs Category—Psychosocial integrity
Client Needs Subcategory—None

81. 4. Meningococcal pneumonia is a communicable disease. A priority is to obtain and set up a droplet isolation chart. Droplet precautions are required until 24 hours after the initiation of antibiotics. The other options are also correct, but protection of self and others is the priority.

Cognitive Level—Applying
Client Needs Category—Safe and effective care environment
Client Needs Subcategory—Safety and infection control

82. 1. The child who has attention deficit hyperactivity disorder (ADHD) requires an environment free of distractions to facilitate processing information. Group teaching creates a greater potential for distraction. Rewarding desirable behavior is considered more therapeutic for effecting change than administering punishment. Having a consistent routine also proves to be more effective than varying the routine.

> *Cognitive Level—Analyzing*
> *Client Needs Category—Psychosocial integrity*
> *Client Needs Subcategory—None*

83. 3. After the death of a spouse, it is important to eventually develop a new identity, learn new life skills, engage in new activities, and establish new relationships. Until the acute grief is resolved, however, it is important to delay making major changes. Rushing into decisions too soon often leads to regrets later. Suggesting that the client look into renting an apartment or congratulating the client's decision is inappropriate and nontherapeutic.

> *Cognitive Level—Analyzing*
> *Client Needs Category—Psychosocial integrity*
> *Client Needs Subcategory—None*

84. 3. Verbalization allows the bereaved to express emotions connected with grief. Many people need to continue processing their grief over and over again, and they may not receive that opportunity from others who feel inadequate to deal with the emotional pain. Grieving is unique to each person, but it may take several years to resolve the loss of a significant person. Giving advice is nontherapeutic; clients may fear losing the nurse's support if they do not take the advice. Recommending a cruise with other senior citizens or referring the client to an accountant for financial advice is unlikely to resolve the client's grief.

> *Cognitive Level—Analyzing*
> *Client Needs Category—Psychosocial integrity*
> *Client Needs Subcategory—None*

85. 2. Home health care nurses must guard against making assumptions when their clients' environments do not reflect their own values and standards. In this case, although there are obvious health hazards in the home environment, such as its lack of cleanliness, the most suspicious finding suggesting elder abuse is the conflicting explanations about the cause of the client's injuries. Although a private bedroom is more desirable than sleeping on a couch, this may be the only option at this time. The cause of the client's weight loss should be investigated, but it is not necessarily the most suspicious finding indicating elder abuse because it may have a medical cause.

> *Cognitive Level—Analyzing*
> *Client Needs Category—Psychosocial integrity*
> *Client Needs Subcategory—None*

86. 2. Procedures that can affect the circulation in the affected arm, such as taking a blood pressure, giving injections, instilling I.V. solutions, and having laboratory blood draws, must be avoided to decrease the potential for ineffective tissue perfusion. The affected arm should be elevated above the heart. Abduction exercises of the arm on the operative side are temporarily restricted. The wound drainage container should be emptied at least once a shift or more often as the volume accumulates.

> *Cognitive Level—Applying*
> *Client Needs Category—Physiological integrity*
> *Client Needs Subcategory—Reduction of risk potential*

87. 1. Symptoms similar to menopause such as hot flashes tend to occur when the ovaries are surgically removed. If there are no contraindications, estrogen replacement therapy can relieve many of the uncomfortable symptoms. Menstrual periods cease when the ovaries are removed. Leg cramps are unrelated to the oophorectomy but are important to report to the health care provider if they occur. Orgasms are unaffected by removal of the ovaries.

> *Cognitive Level—Analyzing*
> *Client Needs Category—Physiological integrity*
> *Client Needs Subcategory—Physiological adaptation*

88. 2. Involving the older adult in planning the transition to the long-term care facility reduces feelings of powerlessness. Feeling that one is part of the solution is better than feeling that one is part of the problem. Obtaining factual information, consulting the health care provider, and reinforcing positive expected outcomes are helpful but futile if the client feels a loss of control. Labeling the client's clothes is a task that is helpful but does not aid in the client's psychosocial transition.

> *Cognitive Level—Analyzing*
> *Client Needs Category—Psychosocial integrity*
> *Client Needs Subcategory—None*

89. 2. Ambulation and movement help in preventing thrombi and hypostatic pneumonia. Early ambulation also promotes resumption of peristalsis, which facilitates oral nutrition. Although nutrition and fluids are important, the client's needs can be met temporarily with parenteral therapy. Intake and output are measures for assessing and evaluating whether fluid replacement and output are adequate. The client's emotional adjustment demands the nurse's attention, but physical recovery is primary to the discharge goals.

> *Cognitive Level—Analyzing*
> *Client Needs Category—Physiological integrity*
> *Client Needs Subcategory—Reduction of risk potential*

90. 3. Hospice nurses are dedicated to facilitating the personal preferences of dying clients and managing how they wish to live and die. Secondarily, they are committed to supporting family members who tend to be the primary caregivers. Calling hospice nurses "better" nurses is too subjective a statement. Hospice nurses have the same basic education and technical skills as hospital nurses. Hospice nurses make frequent or daily visits to the home, depending on the client needs, but do not provide around-the-clock care. Although some dying clients live longer than expected, that is not an expected outcome of hospice care.

Cognitive Level—*Analyzing*
Client Needs Category—*Psychosocial integrity*
Client Needs Subcategory—*None*

91. 1, 2, 4. When caring for a client who is legally blind, the nurse must first assess the status of the eyesight. A client who is legally blind may have some ability to see shapes or shadows. Next, the nurse would describe the food on the plate in positive descriptive terms to spark an interest and an appetite for the food. The nurse would also describe placement of the food on the plate, allowing the client to decide what to eat and when to eat it. It is appropriate to place a clothing protector on the client. Clothing protectors are used in a variety of settings. The nurse would not feed the client unless asked. The client is able to eat a regular diet if food is cut into pieces.

Cognitive Level—*Applying*
Client Needs Category—*Safe and effective care environment*
Client Needs Subcategory—*Safety and infection control*

92. 1. Newborns of mothers with diabetes are commonly hypoglycemic at birth or shortly thereafter; therefore, the first nursing action is to assess the blood glucose level. If hypoglycemia is not detected and treated with either oral or I.V. glucose, the newborn may develop severe, irreversible central nervous system damage and may die. Newborns of mothers with diabetes are often large for their gestational age, but this assessment does not take priority over determining whether the newborn is hypoglycemic. The newborn of the mother with diabetes is also at risk for respiratory distress and hyperbilirubinemia. However, before receiving oxygen or phototherapy, the newborn should be evaluated to determine if there is a need for treatment.

Cognitive Level—*Analyzing*
Client Needs Category—*Physiological integrity*
Client Needs Subcategory—*Reduction of risk potential*

93. 2. Pyridostigmine is a drug commonly used to treat myasthenia gravis. It belongs to a group of cholinergic drugs that promote skeletal muscle contraction. Therefore, the goal of drug therapy is to obtain optimal muscle strength. Signs that the drug levels are nontherapeutic (too low) include signs of the disease itself, such as rapid fatigability, drooping eyelids, and difficulty breathing. The other options are unrelated to myasthenia gravis.

Cognitive Level—*Understanding*
Client Needs Category—*Physiological integrity*
Client Needs Subcategory—*Pharmacological therapies*

94. 3. Squeezing blackheads and pimples can cause spread of infection and scarring of the skin. A client with acne can wear cosmetics but should avoid those that are oil based. Makeup should be removed nightly with mild soap.

Drying agents reduce skin oil that tends to accumulate on the skin surface and occlude hair follicles.

Cognitive Level—*Applying*
Client Needs Category—*Physiological integrity*
Client Needs Subcategory—*Basic care and comfort*

95. 4. When irrigating a wound, especially one with methicillin-resistant *Staphylococcus aureus* (MRSA), sprays, splashes, and droplets in the air can occur. Eye protection such as a face shield or goggles is worn to prevent contamination. It is correct to wear a mask on a tuberculosis client when transporting; clean gloves are used to remove old dressings; feeding a client is done following hand hygiene.

Cognitive Level—*Applying*
Client Needs Category—*Safe and effective care environment*
Client Needs Subcategory—*Safety and infection control*

96. 1. After inserting the tube, the nurse should check for placement of the tube in the stomach by aspirating stomach contents. (An X-ray may be prescribed to verify placement.) If the client turns blue, has difficulty speaking, or begins to cough or wheeze, the tube is removed immediately because it is either in the client's trachea or is occluding the airway. Suction is applied after tube placement has been verified. Irrigation is usually performed when there are large clots or tissue debris occluding the tubing. Irrigation is not done unless tube placement has been verified. Although the client is not allowed to drink or eat, the nurse may offer small sips of water or ice chips sparingly after the tube is connected to suction.

Cognitive Level—*Analyzing*
Client Needs Category—*Physiological integrity*
Client Needs Subcategory—*Reduction of risk potential*

97. 4. The most common adverse reactions to nonsteroidal anti-inflammatory drugs (NSAIDs) include nausea, vomiting, abdominal discomfort, diarrhea, constipation, and gastric or duodenal ulcers. Double vision, transient dizziness, and irregular pulse are not common side effects of NSAIDs.

Cognitive Level—*Analyzing*
Client Needs Category—*Physiological integrity*
Client Needs Subcategory—*Pharmacological therapies*

98. 1. Emergency treatment of a chemical burn is directed at diluting and removing the substance as rapidly as possible by flushing the skin with large quantities of water. Applying a sterile dressing may cause dressing to adhere to the skin and pull tissue from the burn area. Specific dressings for burns will be applied after dilution and removal of the chemical from the skin. Applying a thick layer of petroleum jelly is not appropriate in the emergency department; specific burn ointments are commonly used. Rubbing the skin intensifies the burn injury.

Cognitive Level—*Analyzing*
Client Needs Category—*Physiological integrity*
Client Needs Subcategory—*Physiological adaptation*

99. 2, 3, 4, 6. Laboratory values with a neutrophil count less than 2,000 to 2,500/µL (2.0 to 2.5 ×10⁹/L) indicate that the client with acute myelogenous leukemia has mild neutropenia. Discharge instructions are essential to prevent infection. Due to the concentration of clients who are ill in the hospital, when the client leaves the hospital, he or she should wear a mask. Brushing the teeth gently with a soft toothbrush is important for oral hygiene, limiting bacteria in the mouth and limiting damage to the oral mucosa that may cause infection. Gloving is needed when gardening in soil and touch plants that may contain bacteria. The client should avoid contact with animal urine and feces. Families must use good handwashing techniques when providing care to the client. The client should bathe daily to reduce the amount of bacteria on the skin and apply unscented lotion, if needed, to avoid skin dryness.
Cognitive Level—Applying
Client Needs Category—Safe and effective care environment
Client Needs Subcategory—Safety and infection control

100. 3. A change in the client's level of consciousness is a clinical indication of intracranial bleeding. If drowsiness or sleepiness occurs and the client cannot be easily aroused, the health care provider should be notified. Drinking extra fluids or keeping the client in bed is usually unnecessary. Although it is important to observe for signs of bleeding, the most dangerous bleeding occurs within the skull.
Cognitive Level—Analyzing
Client Needs Category—Physiological integrity
Client Needs Subcategory—Reduction of risk potential

101. 1. At 3 months of age, the nurse should anticipate that the infant is solely obtaining calories from formula or breast milk. Rice cereal is typically the first food added to the diet. The infant will not have large amounts of glucose water in the diet. Whole milk is added at approximately 1 year of age.
Cognitive Level—Applying
Client Needs Category—Health promotion and maintenance
Client Needs Subcategory—None

102. 3. Since the graduate nurse states that the dosage is incorrect, the seasoned nurse would prompt the graduate nurse to recalculate. The dosage is correct when the single dose ranges between 98.7 and 112.8 mg. To make the determination, multiply 28 kg by the 7 to 8 mg/24 hours in divided doses and then divide by 2 for every 12 hours. The seasoned nurse would not administer the medication to the child until both agree on dosage.
Cognitive Level—Analyzing
Client Needs Category—Safe and effective care environment
Client Needs Subcategory—Coordinated care

103. 2. The best technique for bringing medication to the base of an ampule is to tap the stem several times with a fingernail. Allowing the ampule to stand, flipping the ampule back and forth, or rolling the ampule does not bring the medication trapped in the ampule stem into the base of the container.
Cognitive Level—Analyzing
Client Needs Category—Physiological integrity
Client Needs Subcategory—Pharmacological therapies

104. 3. One of the necessary criteria for maintaining the effectiveness of traction is that the weights must hang free of the floor. The legs may or may not be parallel to the bed, depending on the type of traction applied. Although comfort is a desirable outcome of traction, it is not an indication of the traction's effectiveness. If the feet resist the pull of traction by resting on the footboard, the traction's efficiency is reduced.
Cognitive Level—Analyzing
Client Needs Category—Physiological integrity
Client Needs Subcategory—Basic care and comfort

105. 2. The symptoms of pulmonary edema include orthopnea (sitting up to improve breathing), sudden dyspnea, pink frothy sputum, cyanosis, bounding pulse, elevated blood pressure, severe apprehension, and moist or gurgling respirations. The other options include symptoms that are not aligned with characteristics of pulmonary edema.
Cognitive Level—Applying
Client Needs Category—Physiological integrity
Client Needs Subcategory—Physiological adaptation

106. 3. If an actual visit to the cardiac catheterization laboratory cannot be arranged, showing the child pictures of the laboratory and equipment will facilitate the teaching process. The site of catheter insertion is the femoral artery or an antecubital vessel; therefore, the chest would not be cleaned with an antiseptic. The child should have nothing by mouth for at least 4 hours before the procedure. For this procedure, the child will be lightly sedated but not unconscious.
Cognitive Level—Analyzing
Client Needs Category—Health promotion and maintenance
Client Needs Subcategory—None

107. 1. The initial step in planning a bladder retraining program is determining the client's voiding pattern. Knowing the voiding pattern helps the nurse develop an individualized voiding schedule. Limiting fluid intake is not recommended; the client needs an adequate fluid intake to keep the urine dilute and prevent a fluid deficit. Requisitioning a commode, if appropriate for the client, is done after collecting data about the voiding pattern.
Cognitive Level—Analyzing
Client Needs Category—Physiological integrity
Client Needs Subcategory—Basic care and comfort

108. 4. The client performs Crede maneuver by positioning the hands on the abdomen and applying light pressure over the bladder to initiate voiding. Voiding is achieved without the use of a catheter. The maneuver does not require any special breathing techniques.

Cognitive Level—Analyzing
Client Needs Category—Physiological integrity
Client Needs Subcategory—Basic care and comfort

109.

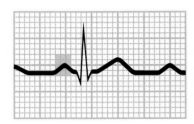

2. The P wave is located at the beginning of each wave form showing atrial depolarization. Next is the QRS complex, which continues the ventricular depolarization process. Lastly, the T wave represents ventricular repolarization.

Cognitive Level—Applying
Client Needs Category—Safe and effective care environment
Client Needs Subcategory—Coordinated care

110. 4. Grunting on expiration is a signal of respiratory distress, indicating that effort is needed to move air out of the lungs. Newborns normally have a respiratory rate between 30 and 60 breaths/minute. In addition, they normally breathe abdominally and have an irregular breathing pattern.

Cognitive Level—Applying
Client Needs Category—Physiological integrity
Client Needs Subcategory—Physiological adaptation

111. 2. Chemotherapeutic drugs, such as doxorubicin, are given to cure cancers, decrease tumor size, or prevent or treat metastases. A complete blood count (CBC) is commonly monitored to assess for side effects of treatment. The CBC reveals a low red blood count, a low white blood count, and a very low platelet count. This indicates myelosuppression, which is an important consideration when planning care. Anemia and fatigue are symptoms of myelosuppression. Sickling of blood cells is not common when administering chemotherapeutic drugs such as doxorubicin.

Cognitive Level—Applying
Client Needs Category—Physiological integrity
Client Needs Subcategory—Pharmacological therapies

112. 3. Placing a pillow on the abdomen and applying firm, light pressure reduces strain on the incision, which reduces discomfort. Flexing the knees or lying supine is not as likely to promote comfort as applying pressure. It is more advantageous to administer an analgesic shortly before, rather than after, a client coughs or performs other activities that cause discomfort.

Cognitive Level—Analyzing
Client Needs Category—Physiological integrity
Client Needs Subcategory—Basic care and comfort

113. 4. Liquid nutritional supplements are best offered between meals so that the supplement is not substituted for the meal. If the supplement is given before a meal, the client may not eat an adequate amount of food. If it is given with or soon after a meal, the client may be too full to consume the entire volume.

Cognitive Level—Analyzing
Client Needs Category—Physiological integrity
Client Needs Subcategory—Basic care and comfort

114. 2. Covering the edges of the cast with waterproof material such as plastic helps prevent soiling the cast. Cotton wadding should not be inserted unless prescribed by the health care provider. Offering the bedpan at more frequent intervals does not necessarily prevent soiling of the cast, especially if the child is not toilet trained (which is usual for an 18-month-old child). Plastic pants are contraindicated because they hold moisture and contribute to the disintegration of the cast.

Cognitive Level—Analyzing
Client Needs Category—Physiological integrity
Client Needs Subcategory—Basic care and comfort

115. 4. When a lumbar puncture is performed, the client is placed either in a side-lying position, with the knees drawn up and the back flexed, or in a sitting position, with the back flexed. Both of these positions increase the space between the vertebrae to facilitate insertion of the needle within the lumbar interspaces with minimal trauma. Neither the prone position nor the recumbent position is appropriate for increasing the vertebral space. Sitting in the supine position with the head of the bed at a 45-degree angle will not allow access to the vertebral space needed for the procedure.

Cognitive Level—Applying
Client Needs Category—Physiological integrity
Client Needs Subcategory—Reduction of risk potential

116. 2. Locking the wheels ensures that the wheelchair remains in place during the transfer. Although wearing slippers provides warmth and some protection for the client's feet, doing so is not as important as locking the wheels. Raised side rails and a trapeze can help the client change positions, but they are not the best safety measures during a transfer.

Cognitive Level—Analyzing
Client Needs Category—Physiological integrity
Client Needs Subcategory—Basic care and comfort

117. 1. Closing doors helps keep the fire confined to its location of origin and slows or prevents its spread into other areas. It is important to assemble with others at the nurses' station to await instructions, but this activity is appropriate only after the environment is secured. Searching for smoke takes valuable time better spent closing doors. Staying with an immobile client is admirable, but nurses have a responsibility to ensure the protection of all clients, not just one who may be difficult to evacuate.

Cognitive Level—*Analyzing*
Client Needs Category—*Safe and effective care environment*
Client Needs Subcategory—*Safety and infection control*

118. 1. Breast milk falls under the blood and body fluids classification. Gloves (standard precautions) must be worn when in contact with breast milk. All of the other options are able to be completed without gloving. The nurse should always wear gloves when concerned about microorganism transmission and wash the hands when exiting the room or between client contact.

Cognitive Level—*Applying*
Client Needs Category—*Safe and effective care environment*
Client Needs Subcategory—*Safety and infection control*

119. 3. Assessment is the first step when determining the developmental level of a child but is particularly important for the child with Down syndrome. From that point, the nurse is able to determine the appropriate communication level and teaching strategies. It is important to address the child and have the child understand care needed.

Cognitive Level—*Analyzing*
Client Needs Category—*Safe and effective care environment*
Client Needs Subcategory—*Coordinated care*

120. 2. Everyone sheds dead skin cells during bathing. In black clients, the dead skin cells are more obvious because the cells retain their dark pigmentation. This finding is commonly misinterpreted as a disregard for hygiene. Soap cannot physically or chemically remove pigmentation.

Cognitive Level—*Applying*
Client Needs Category—*Safe effective care environment*
Client Needs Subcategory—*Coordinated care*

121. 2. After allowing sufficient time for a response, moving on to another area of assessment shows respect for the client; however, the nurse must document the lack of response in the client's assessment. Failure to respond to one area of assessment does not justify discontinuing further efforts to assess mental status. With only limited data, it is inaccurate to assume that a client who does not respond is demented or illiterate.

Cognitive Level—*Analyzing*
Client Needs Category—*Psychosocial integrity*
Client Needs Subcategory—*None*

122. 3. Preventing falls is a major goal when caring for clients with osteoporosis. Even a minor fall can result in a fracture. Consuming dairy products is a healthy behavior, but it is not likely to reverse long-standing osteoporosis. Increasing bone density is a goal of medical therapy. Having osteoporosis does not justify restraining a client in a wheelchair.

Cognitive Level—*Analyzing*
Client Needs Category—*Safe and effective care environment*
Client Needs Subcategory—*Coordinated care*

123. 3. By using a bedside commode instead of the bedpan, the client is able to sit upright to urinate allowing the bladder to be better emptied. Emptying the bladder helps to prevent bladder infections. The client does not need to wear a mask in the hall unless susceptible to infections. Placing a wheelchair close to the bed helps to prevent musculoskeletal injury. Using a trapeze is important to prevent skin breakdown.

Cognitive Level—*Applying*
Client Needs Category—*Safe and effective care environment*
Client Needs Subcategory—*Safety and infection control*

124. 4. A transient earache for 1 to 3 days is common after a tonsillectomy and adenoidectomy. The discomfort is due to pain referred from the throat to the ear. When giving discharge instructions, the nurse should advise parents of the possibility of earache. Severe pain for the first 7 days after surgery, difficulty swallowing for 3 weeks, and expectorating bright red blood are not normal and should be brought to the health care provider's attention.

Cognitive Level—*Analyzing*
Client Needs Category—*Physiological integrity*
Client Needs Subcategory—*Reduction of risk potential*

125. 1. It is important for the nurse to determine that the appropriate signatures are obtained prior to medical treatment, unless there is an emergency situation. Though this situation includes an infant who is unable to make a medical decision, in general, when children are minors and are not emancipated, their parent or legal guardian is responsible for providing consent. The foster parent or guardian can be given the ability to consent for treatment. The judge, social worker, or a person other than the foster parent has no legal right to consent for care.

Cognitive Level—*Applying*
Client Needs Category—*Safe and effective care environment*
Client Needs Subcategory—*Coordinated care*

126. 3. The full-term newborn usually has plantar creases over the entire surface of the soles of the feet. The presence of anterior transverse creases is associated with prematurity. Lanugo over the shoulders, back, and forehead is a normal finding in the full-term newborn. A strong Moro reflex and a fully flexed posture are also characteristic of the full-term newborn.

> **Cognitive Level**—*Applying*
> **Client Needs Category**—*Health promotion and maintenance*
> **Client Needs Subcategory**—*None*

127. 4. Alteplase converts plasminogen to plasmin, which is then able to degrade the fibrin present in clots. The therapeutic action is to dissolve clots, restoring blood flow in clients experiencing an ischemic stroke. The medication does not lower anxiety or systolic blood pressure, nor does it prevent arrhythmias.

> **Cognitive Level**—*Applying*
> **Client Needs Category**—*Physiological integrity*
> **Client Needs Subcategory**—*Pharmacological therapies*

128. 1, 2, 3, 5. When developing a care plan for older adults, it is important for nurses to recognize the wide variety of physiologic changes that occur with aging and how such changes impact daily life. For example, the efficiency and contractile strength of the heart diminish with aging, resulting in decreased cardiac output. The risk for aspiration increases due to a weaker gag reflex and a delay (not increase) in gastric emptying. Renal blood flow and glomerular filtration rate decrease by 50% between ages 20 and 90. Serum albumin levels also decrease, resulting in less availability of albumin for binding with drugs. Older adults have less body water, causing drier mucous membranes.

> **Cognitive Level**—*Applying*
> **Client Needs Category**—*Physiological integrity*
> **Client Needs Subcategory**—*Physiological adaptation*

129.

6. Wash your hands and then put on gloves.
3. Apply a tourniquet and palpate veins.
1. Clean the venipuncture site thoroughly.
4. Hold the skin taut and pierce the skin, entering the vein.
5. Note the blood in the chamber and release the tourniquet.
2. Withdraw the needle and connect the tubing.

Before any procedure, the nurse needs to review the health care provider's prescription for accuracy and then assemble the needed equipment on a convenient space close to the client. Next, the nurse must wash the hands and put on gloves before touching the client. Assessing the vein status thoroughly is essential to ensuring a successful puncture on the initial attempt. After selecting an appropriate vein, the nurse cleans the venipuncture site by wiping thoroughly and allows the site to dry. Holding the skin taut, the nurse pierces the skin with the needle, watching for a blood return in the catheter chamber. After noting the blood return, the nurse releases the tourniquet, withdraws the needle, and attaches the I.V. tubing. Lastly, the nurse documents the site of the I.V. line, the size of the catheter, the date and time, and that the I.V. line is infusing without difficulty.

> **Cognitive Level**—*Analyzing*
> **Client Needs Category**—*Physiological integrity*
> **Client Needs Subcategory**—*Reduction of risk potential*

130. 3. An individual visit with a new resident of a long-term care facility is most beneficial in helping the resident adjust to the new environment and decrease loneliness. Reminiscence therapy is beneficial to promote memory but must be done more frequently than weekly to aid with loneliness. Group activities are important ways to promote socialization; however, individuals can be lonely in a group. Watching television does not aid in decreasing loneliness.

> **Cognitive Level**—*Analyzing*
> **Client Needs Category**—*Psychosocial integrity*
> **Client Needs Subcategory**—*None*

131. 4. An ethical dilemma occurs when there is a conflict in values and a distinction between right and wrong. Nurses are accountable for reporting the unethical practices of other nurses. Taking a client's medications is unethical. It is not an ethical dilemma to place a newborn for adoption. A client has the right to refuse medications. Elder abuse is a criminal matter that involves law enforcement agencies. Nurses are accountable for documentation and referral.

> **Cognitive Level**—*Analyzing*
> **Client Needs Category**—*Safe and effective care environment*
> **Client Needs Subcategory**—*Coordinated care*

Photo and Illustration Credits

Preface

Test Plan Distribution   Reprinted with permission from: National Council of State Boards of Nursing, Inc. [NCSBN]. *NCLEX-PN® Examination: Test Plan for the National Council Licensure Examination for Licensed Practical/Vocational Nurses*. Chicago, IL: National Council of State Boards of Nursing, Inc. [NCSBN]. Copyright by the National Council of State Boards of Nursing, Inc. All rights reserved.

Test 1

Question 21   *Hip and Knee Inflammations*. Ambler, PA: Anatomical Chart Company; 2001.

Question 100   *Human Spine Disorders Anatomical Chart*. Ambler, PA: Anatomical Chart Company; 2004.

Test 2

Question 2A   Adapted from: Snell, R. S. *Clinical Neuroanatomy for Medical Students*, 5th edition. Philadelphia: Wolters Kluwer; 2001.

Question 2B   Pillitteri, A. *Maternal and Child Nursing*, 4th edition, Philadelphia: Lippincott, Williams & Wilkins; 2003.

Question 3   *Human Spine Disorders Anatomical Chart*. Ambler, PA: Anatomical Chart Company; 2004.

Question 9   Reprinted with permission from: Teasdale, G., Jennett, B. Assessment of Coma and Impaired Consciousness: A Practical Scale. *Lancet*. 1974 July 13, 2 (7872): 81–4. 4136544.

Question 32   *Vertebral Column Anatomical Chart*. Ambler, PA: Anatomical Chart Company; 2000.

Test 3

Question 11   Adapted from: *Blueprint for Health Your Muscles Chart*. Ambler, PA: Anatomical Chart Company; 2003.

Question 18A–D   Courtesy of the National Eye Institute, National Institutes of Health.

Question 23   Hinkle, J. L., Cheever, K. H. *Brunner & Suddarth's Textbook of Medical–Surgical Nursing*, 13th edition. Philadelphia: Wolters Kluwer; 2013.

Question 41A–C   Weber, J. R., Kelley, J. H. *Health Assessment in Nursing*, 5th edition. Philadelphia: Wolters Kluwer; 2014.

Question 50   *Ear: Organs of Hearing and Balance Anatomical Chart*. Ambler, PA: Anatomical Chart Company; 2000.

Question 82   *ACC Atlas of Pathophysiology*. Ambler, PA: Anatomical Chart Company; 2001.

Test 4

Question 11   *Endocrine System Anatomical Chart*. Ambler, PA: Anatomical Chart Company; 2002.

Question 27   Adapted from: Weber, J. R., Kelley, J. H. *Health Assessment in Nursing*, 5th edition. Philadelphia: Wolters Kluwer; 2014.

Question 34   Braun, C. A., Anderson, C. M. *Applied Pathophysiology*, 3rd edition. Philadelphia: Wolters Kluwer; 2016.

Question 81   Adapted from: *ACC Atlas of Human Anatomy*. Ambler, PA: Anatomical Chart Company; 2001.

Test 5

Question 60A–D   Huff, J. *ECG Workout*, 6th edition. Philadelphia: Wolters Kluwer; 2001.

Question 93   Bickley, L. S., Szilagyi, P. *Bates' Guide to Physical Examination and History Taking*, 8th edition. Philadelphia: Wolters Kluwer; 2003.

Test 6

Question 48A   Timby, B. K. *Fundamental Nursing Skills and Concepts*, 11th edition. Philadelphia: Wolters Kluwer; 2017.

Question 48B   Springhouse. *Lippincott's Visual Encyclopedia of Clinical Skills*. Philadelphia: Wolters Kluwer Health; 2009.

Question 48C   LifeART image copyright © 2021 Lippincott, Williams & Wilkins. All rights reserved.

Question 56A–D   Porth, C. M., Matfin, G. *Pathophysiology: Concepts of Altered Health States*, 8th edition. Philadelphia: Wolters Kluwer; 2009.

Question 71   *Women's Health and Wellness*. Ambler, PA: Anatomical Chart Company; 2002.

Test 7

Question 37A–D   Ford, S. M., Roach, S. S. *Roach's Introductory Clinical Pharmacology*, 10th edition. Philadelphia: Wolters Kluwer; 2013.

Question 44   Cohen, B. J. *Medical Terminology*, 4th edition. Philadelphia: Wolters Kluwer; 2003.

Question 64A–D   Timby, B. K. *Fundamental Nursing Skills and Concepts*, 10th edition. Philadelphia: Wolters Kluwer; 2011.

Question 86   LifeART image copyright © 2021 Lippincott Williams & Wilkins. All rights reserved.

Test 8

Question 77   Adapted from: Cohen, B. J., Wood, D. L. *Memmler's Structure and Function of the Human Body*, 7th edition. Philadelphia: Wolters Kluwer; 2000.

Question 89   Moore, K. L., Dalley, A. F. II, Agur, A. M. R. *Clinically Oriented Anatomy*, 8th edition. Philadelphia: Wolters Kluwer; 2018.

Question 104   LifeART image copyright © 2021 Lippincott Williams & Wilkins. All rights reserved.

Test 9

Question 10   *Liver Anatomical Chart*. Ambler, PA: Anatomical Chart Company; 2000.

Question 22A–D   Adapted from: *Understanding HIV and AIDS Anatomical Chart*. Ambler, PA: Anatomical Chart Company; 2004.

Question 34   Agur, A. M. R., Dalley, A. F. II. *Grant's Atlas of Anatomy*, 14th edition. Philadelphia: Wolters Kluwer; 2017.

Test 10

Question 79A–D   Smeltzer, S. C., Bare, B. G., Hinkle, J. L., Cheever, K. H. *Brunner and Suddarth's Textbook of Medical–Surgical Nursing*, 12th edition. Philadelphia: Lippincott Williams & Wilkins; 2010.

Test 11

Question 11   Modified from: Jensen, S. *Nursing Health Assessment: A Best Practice Approach*, 2nd edition. Philadelphia: Wolters Kluwer Health; 2014.

Question 20   Moore, K. L., Dalley, A. F. II, Agur, A. M. R. *Clinically Oriented Anatomy*, 8th edition. Philadelphia: Wolters Kluwer; 2018.

Question 75   *Maternal–Neonatal Nursing Made Incredibly Easy!* 2nd edition. Ambler, PA: Springhouse; 2007.

Question 76A–D   Timby, B. K., Smith, N. E. *Introductory Medical–Surgical Nursing*, 10th edition. Philadelphia: Wolters Kluwer; 2009.

Test 12

Question 1   *Prenatal Development Anatomical Chart*. Ambler, PA: Wolters Kluwer; 2008.

Test 13

Question 3   Rupert, D. L. *Lippincott's NCLEX-PN® Alternate Format Questions*, 3rd edition. Philadelphia: Wolters Kluwer; 2015.

Question 6   LifeART image copyright © 2021 Lippincott Williams & Wilkins. All rights reserved.

Question 70   Pillitteri, A. *Maternal and Child Health Nursing: Care of the Childbearing and Childrearing Family*, 3rd edition. Philadelphia: Lippincott-Raven Publishers; 1999.

Question 114   Fletcher, M. *Physical Diagnosis in Neonatology*. Philadelphia: Lippincott-Raven Publishers; 1998.

Test 14

Question 17   © Shutterstock, Inc.

Question 36   Nettina, S. M. *The Lippincott Manual of Nursing Practice*, 7th edition. Philadelphia: Wolters Kluwer; 2001.

Question 54A–C   Copyrighted by Brevis Corp., Salt Lake City, Utah.

Question 84   Nettina, S. M. *The Lippincott Manual of Nursing Practice*, 7th edition. Philadelphia: Wolters Kluwer; 2001.

Test 15

Question 18   Buchholz, S. *Henke's Med-Math: Dosage Calculation, Preparation & Administration*, 7th edition. Philadelphia: Wolters Kluwer; 2012.

Question 65   Werner, R. *Massage Therapist's Guide to Pathology*, 5th edition. Philadelphia: Wolters Kluwer Health and Pharma; 2012.

Question 92A–D *Skin and Common Disorders Anatomical Chart*. Ambler, PA: Anatomical Chart Company; 2004.

Test 16

Question 81A–D   Lynn, P. *Lippincott's Photo Atlas of Medication Administration*, 5th edition. Philadelphia: Wolters Kluwer; 2015.

Comprehensive Test 1

Question 8A–D   Rupert, D. *Lippincott NCLEX-RN® Alternate-Format Questions*, 7th edition. Philadelphia: Wolters Kluwer; 2019.

Question 40   Timby, B. K., Smith, N. E. *Introductory Medical–Surgical Nursing*, 10th edition. Philadelphia: Wolters Kluwer; 2009.

Comprehensive Test 2

Question 109A–D   *ECG Interpretation Made Incredibly Easy!* 5th edition. Ambler, PA: Wolters Kluwer; 2011.